The Oxford Book Of Greek Verse

Chosen by

Gilbert Murray

Cyril Bailey, E. A. Barber

T. F. Higham and C. M. Bowra

With an Introduction by

C. M. Bowra

Oxford

At the Clarendon Press

Oxford University Press, Ely House, London W. 1

GLASGOW NEW YORK TORONTO MELBOURNE WELLINGTON
CAPE TOWN SALISBURY IBADAN NAIROBI LUSAKA ADDIS ABABA
BOMBAY CALCUTTA MADRAS KARACHI LAHORE DACCA
KUALA LUMPUR HONG KONG

FIRST PUBLISHED 1930
REPRINTED 1931, 1938
1942, 1946 (WITH CORRECTIONS), 1951, 1954, 1962, 1966

PRINTED IN GREAT BRITAIN

PREFACE

THIS book aims at giving a selection of the best pieces of Greek poetry. Owing to the fragmentary state of Greek lyric poetry an Oxford Book of Greek Verse cannot, like the Oxford Book of English Verse, confine itself to complete short poems. So the editors have selected freely what seemed the best passages from the epics, tragedies and other long poems. The pieces are arranged so far as possible chronologically, but in the absence of certain evidence much of such dating can only be regarded as tentative. The texts followed have in the main been those published by the Oxford University Press and Messrs. Teubner, and to their editors the selectors are deeply indebted. In the case of corrupt passages the selectors have not scrupled to emend freely, feeling that a readable text is the first requisite of a book like this. References are given in the text for extracts from longer poems. For fragments and smaller pieces a list of references will be found at the end of the book.

NOTE

In the first impression a mistake was made in the numbering of the pieces, the numbers from 495 to 502 being used twice over. This has been corrected in the second impression, so that *Late Summer in the Country*, which was wrongly numbered 495, now becomes 502 (a) and so on to *Amycus*, which becomes 502 (h) instead of 502. The numbering of the pieces from 503 to the end is unchanged.

INTRODUCTION

I

OF the first origins of Greek poetry we know nothing. Latin poetry makes its laborious progress from incantations and magical formulae, but Greek poetry starts with the works of a transcendent art. For, whatever views we may hold of the authorship of the Homeric poems, it is with the name of Homer that Greek literature opens, and the art of the *Iliad* and the *Odyssey* is the fine flower of a tradition which knew its work to perfection. There is no fumbling with words, no clumsy effort to adapt a metre meant for other uses, no obsession with time-honoured devices of alliteration and assonance. The Homeric rhapsodes were trained in a strict school, and relied as much on severe rules of composition as on their own amazing sense of style. They were, first and foremost, story-tellers, but their narrative has none of the verbosity and the irrelevance of much early story-telling. In a few words the scene is brought before the eyes, the climax reached and finished. Such an economy is the result of centuries of art, and means not only that the poet knew that he must leave out everything alien to his purpose, but that his audience would have no patience with him if he failed to keep the purity of his outlines. The ruthless paring that went to make this art is unknown to us. Even the Greeks knew nothing of it, and spoke vaguely of the divine forerunners of Homer—Orpheus, Linus, Musaeus. If they ever existed, their works perished centuries before the Hellenic world reached its full self-consciousness. But the predecessors of Homer, unnamed and unremembered, did their work well, and but for them the epic would be a work not of art but of untutored genius, like *Beowulf* or Naevius's *Bellum Punicum*. The Homeric epic bears the marks of this long, inspired ancestry not only in its perfect preoccupation with its subject and its sense of shape and construction, but in its devices for making the story easier and more palatable to an audience. The repetitions which ease the listener's attention, the rapid transition from scene to scene, the relief provided by similes drawn from all sides of life, these are as much the heritage of a long tradition as the enormous vocabulary, the elastic syntax, and the hexameter itself fitted to every mood and capable of the widest variety. All these are too integral to the style to be the creation of any single mind. The poet may use his material as he will and change it to suit his temper, but every poet is limited by the conditions under which he inherits his art. Whatever his gifts, he is always, to some extent, the creature of his age, and the Homeric poet is no exception to this rule. Just as Chaucer used the tropes and devices of the medieval epic and gave them a new character in a new setting, so too Homer—to use a convenient title—used the language and machinery which his forerunners had fashioned through centuries of selective and sensitive labour.

And more than this. In the *Iliad* and the *Odyssey* we get glimpses of a world far more ancient than the poet's own. The tradition preserved a subject for high poetry in the stories of things done in the early days of the Greeks. It is not indeed surprising that poets living centuries later should know of the siege of Troy or of Agamemnon's kingdom. Such events had shaken the world and were preserved in a sanctified tradition.

They belonged to the education of the epic poet and their fame survived the chances of racial mixture or political adjustment. So, too, an Anglo-Norman scribe could write of battles of Charlemagne against the heathen three centuries older than himself. But while the medieval poet remembers only the bare outline of events, the Greek poet knows everyday details of a life which had long passed from the earth. It is true that even on these the imaginative fancy has shed its own creative lustre and made the past more real than it ever can have been. But still the world of Homer is in many respects a world of fact. The windy citadel of Troy, the palace of Odysseus, the shield of Achilles have been magnified by imagination, but they recall some actual features of the Heroic Age. The poet knew of them by hearsay, and he put them into his verse with all the circumstances of magic and marvel, but the strict Greek intellectual honesty did not allow him to elaborate them too far beyond the limits of possibility, and his account of this vanished world can still be tested by the stern methods of archaeology. In this he differs from the German poets who made Theodoric live in the amphitheatre at Verona and confounded far separated generations in the same war. Homer indeed romances, but he romances within strict rules. There was doubtless never such a shield as that which Hephaestus made for Achilles, but its workmanship is strangely like that of the dagger-blades which Schliemann found at Mycenae. We do not know when there was a siege of Troy, but there was a walled and windy city which held the land-bridge of the Hellespont and perished irrecoverably before unknown invaders. Somehow the epic remembered this remote past, and for this reason it is the beginning of Greek poetry not only for us but for the Athenians of the age of Pericles.

Certain poems are, it is true, extant, which may be even older than the *Iliad* or the *Odyssey*, songs of war or love or country life, whose simple direct utterance may belong to a dateless antiquity. But in the history of Greek literature, for all their beauty, they play little part, and it was to the epic that the Greeks looked when they sought for first origins. It set the tone for most subsequent Greek poets and modelled, perhaps beyond their comprehension or acknowledgement, their taste and style and outlook. And it is pre-eminently of Homer that we now think when we try to analyse the Greek spirit. From him his successors got, above all, his art of making wonders credible by reducing them to some of the proportions of ordinary life. Other writers of fairy tales have too often been contented with the merely marvellous and relied on strangeness alone. The Greek epic poets were more concerned with fact, and their accounts of marvels are persuasive and circumstantial. Their methods may be seen if we compare the account of Odysseus in Phaeacia with an Egyptian story of about 2000 B.C. which tells in outline much the same events. In the Egyptian tale the hero is wrecked and, after floating for some days on a log of wood, he is washed up on an island, where he sleeps long from exhaustion. He wakes to find himself confronted by a beautiful serpent, who gives him royal entertainment and at last sends him away in a ship loaded with gifts. Here are the same elements as in the *Odyssey*, but the details are less human and less intimate. The serpent, for all her limbs inlaid with gold and her colour of lapis-lazuli, makes no enduring claim on us, and her esoteric attraction fades before the vision of Nausicaa. The epic takes the old folk-story and turns the characters into flesh and blood, creating life where before was only miracle. So the story stirs the heart and stays in the memory.

This actuality of the epic survives in the elegiac and lyric poetry, which followed it, and owed to it so much of its style. In Ionia the Homeric manner and outlook prevailed. The combination of an unrhetorical habit of mind with the greatest wealth of words can be seen in the earliest writers of elegiac verse. This was natural enough when they wrote, as did Callinus, of war, and Homeric echoes naturally found a way into his verse. But we find them also in the love poetry of Mimnermus and the political poetry of Archilochus. The style was there for use, and custom had not dulled its edge or dimmed its outlines. The absence of what we call 'rhetoric' had kept the language intact and unspoiled. Where there is no straining after emphasis and no wild search for synonym, speech keeps its freshness, and the elegists lacked the passion for strangeness which ruined Roman poetry after Vergil. The words had been used before, but they were still vivid and precise, and they could be used again. With the words there was a spirit. They did not allow rant or sentimentality, and these were unknown to the elegists trained in this strict school. And indeed these later masters were descendants of Homer in more than language. From him they got the art of saying much in little by using language to its full limits, and from him too they got a directness of mind. But they brought to literature a new and untraditional element—themselves. The epic is essentially anonymous. Just as Homer seems about to reveal his personality, he suddenly withdraws it. We have always the poem, but the poet himself is unknown. Perhaps it was bad manners for a bard to obtrude his personality, perhaps the epic is impersonal because it was written by more than one poet. Whatever the cause, we search the *Iliad* and the *Odyssey* in vain for personal idiosyncrasies of the author. It is quite different with the poets who followed Homer. They were men of birth who wrote for their equals, and they had the aristocratic sense of the importance of their own personalities. They were at pains to explain them, because they felt the overpowering need of unburdening themselves and they did not care if they were misunderstood. Archilochus is the first personality in Greek poetry, but he is the first of a long succession. In a matchless style he proclaims his own particular dislikes, his own personal grievances. To posterity he was the pattern of the man who could not hold his tongue and starved because of his lack of reticence and his pleasure in hatred. But there is no trace of pose in his bitterness. His imperious temper, when thwarted, turned naturally to abuse, and he filled his verse with his passions. They were the best gift he could make to it, and he gave them in full measure. In a different way Mimnermus too can write of his own feelings with a candour which might be ironical were it not patently sincere. He knows how much and how little they are worth, and he neither understates from irony nor overstates from rhetoric.

But the culmination of personal poetry is to be found in Aeolic Lesbos where the love of poetry devoured the leisured nobles with a consuming passion. For a brief season of splendour those who had the leisure and the desire for writing had also that perfect understanding of themselves which is the basis of all personal poetry. Without fear they wrote of their hatreds and loves, and in the few mutilated fragments which have survived to us their words have still the freshness of the youth of the world. So direct is their utterance that even the conventions of Homeric verse meant little to them, and, when Sappho wrote of her innermost experience, she wrote not in a literary language but in the spoken vernacular of her own island. At times indeed Sappho and Alcaeus used a more artificial style and employed the resources of tradition, but it was not when their passions were most personal. Their style is indeed miraculous, and its power and beauty still glow even in the pathetically short phrases quoted by grammarians and metricians. Every word is the right word in the right place, and yet the effect is never of artifice but always of spontaneity itself. So, we feel, must they have spoken in their moments of passion, and yet here are all the variations of which metre is capable. The rhythm is the perfect expression of the mood, and its varieties are not a decoration but the mood itself, dictating every cadence and yet perfectly one with it. This perfection of writing was no more perfect than the imaginative and emotional equipment of Sappho and Alcaeus. Through their selective sensibility all experience becomes vivid and passionate. There is no irrelevance and no vagueness. The smallest details are related to a central passion and are significant because of it. Sappho strews her verse with what might be familiar common-places, with flowers and the nightingale and the new moon, but they are always entirely fresh and convincing, being put there because of some ecstatic moment with which they are inseparably united. And the passion itself is indeed that fire to which Sappho compares it. It obliterates the unessential and lights up the central theme, so that everything else is unimportant and forgotten. Her sincerity sheds a luminous splendour on the circumstances of love and isolates them with the clarity of a vision. Beside her verse even the best love songs look unnecessarily verbose and almost disingenuous. How petty the exquisite playfulness of Ronsard or the Elizabethans seems beside these simple, direct words, this masterful and compelling imagery. Her images indeed are of the loveliest, but at her most passionate she has passed beyond imagery and essays with triumph the last difficulties of poetry, where sublimity is reached in the nakedness of common words. Her friend and contemporary, Alcaeus, is less absolutely absorbed by his emotions, and they have a wider range than hers. Sappho looks no farther than her personal relations and her whole life lies in these, but Alcaeus is interested in politics and in the public events of his own day. He is ready to write a drinking song on the death of a tyrant and to celebrate the return of his brother from Babylon. So his poetry is wider than Sappho's, and, being a man, he throws himself less into it. And, like a man, he is less ready to give himself away, to count his interests as universal. But at heart he has much in common with her. He writes in nearly the same tongue, and his verse has a poignant, personal note. He lacks self-pity, but he is none the less intimate. His creative range is wider, and he can make verse out of the figures of mythology and the gods of Greece. Her woman's sensibility makes poetry out of the smallest things: so acutely does she feel them. Alcaeus looks round for heroic subjects, and falling, sooner or later, under the Homeric spell, he employs its language and its themes. But both are as passionate as they are honest, and make their own rich experience the subject of their song.

The Lesbian lyrists lie outside the strict descent from Homer and are far detached from the traditionalism of the elegists. It is in these that the power of the epic is seen at its strongest. It gave them an immortal style and a detached view of existence. So men like Theognis were able to treat the political vicissitudes of their time with a passion in which there is no trace of self-mockery. The life of the Ionian elegists was too violent to be serene, but its troubles came more from outside than from their own hearts. The complaint of the Egyptians, which Plato quotes, that the Greeks were always children, is perfectly true of them. Their childishness made them simple and straightforward. Their reactions were instinctive and immediate, they were free of any trace of affectation. Posterity misunderstood their naturalness and dimmed their glory by coarse imitations. Anacreon especially suffers because of his Alexandrian followers. His own poetry gives little hint of the coarse senility with which he was credited by later ages.

In spite of the dangerous proximity of foreign empires Ionian poetry grew and matured. The elegy gave place to the greater elaboration of the Choric Ode, but the style remained largely unaltered. The exquisite language of Simonides and Bacchylides is still the language of Homer. From him they took the entrancing adjectives, the dactylic rhythms, the wide range of vocabulary. They differed from the elegists in having to write for a wider range of audiences. The choric poets were frankly international, and had to compose poetry suited to many sorts of men. They had even to write on demand for special occasions. But their poetry was never machine-made. When Scopas asked Simonides for a poem he was presented with a warning against self-righteousness, and when Bacchylides was asked by Hiero to celebrate the victory of his horse at Olympia, he wrote a lovely, lyrical story of Meleager. These poets said little of themselves. They had to please their patrons, and the occasions of their odes were public feasts at which too much emphasis on their own views would have been out of place. So their finest effects are achieved in an almost impersonal way. The triumph is due more to style than to personality, and the style of Simonides is miraculous. Of all the Ionian poets he is the one of whom it can most truly be said that the style is the man. There is never an otiose word or a repeated thought. Every detail is subordinated to the whole, and the result is perfection.

2

In Ionia and Aeolis the descendants of the first Greek colonists brought their own literature to fruition without thought or care for what was happening on the mainland. The epic, which they developed, had no doubt some origins in the Achaean civilization of pre-Dorian days, but the Dorian invasion shut off the Peloponnese and the epic reached its final splendours in Ionia. On the Greek mainland poetry was less fortunately situated and developed along different paths. As in Ionia the first name is Homer, so on the mainland the first name is Hesiod.

INTRODUCTION

The Homeric poets wrote to give pleasure, but the Hesiodic school wrote for use. They codified mythology and genealogies, they gave instruction in farming. They lack the graces and the style of Homer, and their art is far more primitive than anything in his. Yet even *The Works and Days* is probably no older than our present version of the *Iliad*, and its more primitive character is due to other causes. The Ionian colonists arrived in Asia bringing with them a culture ripe with memories of the Mycenaean age, but on the mainland the intrusion of invaders confounded the old sedentary life and disturbed the habits of literature. In *The Works and Days* poetry is making a fresh start with all the awkwardness and artlessness of didactic poetry. The poem has dignity and colour, because it is so closely in touch with life and understands the hardness of the struggle for existence. It is written with candour and sincerity, and can hardly fail to please. But though its language is the traditional language of the epic, it knows hardly anything of that art which the Ionian epic knew. In Hesiod the episodes succeed one another at random, and there is no sense of composition. The hexameter is slow and clumsy, and has none of the range or vivacity of the Homeric metre. The Muse was grudging in her gifts to the Boeotian school, and they were never masters of their material. But if they lagged behind Ionia in art, they had one great compensating virtue. The Hesiodic school is the poetry of poor men, of small farmers and unpretentious fishermen. Life was harder on the mainland, and the fear of penury and starvation was closer and more persistent with Hesiod's audience than it ever was with the festal gatherings for whom Homer sang. So the mainland avoided frivolity, and maintained its dignity and seriousness unimpaired. The Ionians could laugh at the gods in the certainty of their own security and splendour, but on the mainland the gods had to be placated: they certainly could not be despised.

This importance of the gods in the mainland literature was certainly dictated in the first place by the hard conditions of life, but it was maintained and intensified by the power and prestige of the Delphic Oracle. The Delphic Oracle was far more than a political centre: for some two centuries it was the moral centre of Greece. It gave decisions on difficult questions of conscience, and for this it both published its own conclusions in verse and encouraged those poets who shared its views. So the Oracle became a literary centre for poets whose concern was gods and heroes. It gave them the correct version of the story in which they were interested and vindicated the solemnity of the subject. While in Ionia the old stories were being told with an increasing sophistication, on the mainland Delphi purified and emended, issuing for general consumption new versions of old tales in which something of the horror was abated, something of the crudity softened. Here was a great source of poetry, and there is no doubt that in much of the work attributed to Hesiod we have the work of these poets who derived their inspiration from Delphi. The catalogues of fair women, the gnomic poems like *The Precepts of Chiron*, even the *Theogony* itself, bear the marks of an organizing and centralizing authority which was trying to make order out of a mass of conflicting beliefs and to harmonize old stories with the changed morality of a newer age. This poetry, being religious, abounded in maxims and in riddles. It concentrated in a memorable phrase some homely precept and passed it into common circulation.

Delphi provided the material and the point of view, but apart from those poets who served the Oracle this mainland poetry is often confined to its own districts. The most typical representative is the poetess Corinna. She was a Boeotian by birth and her work is severely local in its language and subjects. She wrote the spoken Boeotian of her time with little trace of words borrowed even from Homer, and her subjects, so far as we know them, were local myths such as the account of the daughters of Aesopus or the contest between the two eponymous heroes, Helicon and Cithaeron. Doubtless there was much other local poetry, and we have names of writers whose works have perished. But even in the seventh and sixth centuries poetry was becoming international, and local verse began to lose its character as bards toured Greece and sang or recited in towns where their own dialect was not known. Corinna, in the old story, reproved Pindar for being tainted with Athenian art, but the change had begun before her time. For the itinerant poet there was not only wealth to be gained but honour. The presence of such a man brought credit to the court of any tyrant, and his services were well rewarded. The effect of these conditions on poetry was great and lasting. They meant that the epic returned to the mainland and profoundly influenced it. What had before been artless and unsophisticated came under the spell of Homer's skill, and local vernaculars were vastly enriched by words drawn from the epic vocabulary. Tyrtaeus, whose life was spent in Sparta, writes not Laconian but Homeric

Greek. Alcman plays on Homeric themes and phrases, and the language of Ibycus is no spoken tongue. The impulse from the reintroduction of Homer spread to more than language, it gave a zest and excitement to poetry and enlarged its sphere. Stesichorus employed the lyric form for the writing of narrative, and in Boeotia Corinna gave place to Pindar.

The change was not well received in the old schools, and Corinna complained of Pindar's foreign training. And indeed Pindar himself, for all his cosmopolitan outlook, protested firmly against the overpowering influence of Homer. Yet in his art at least he owes much to the epic. He takes its stories for granted, he uses its epithets, he makes variations on well-known phrases. Where he differs from Homer is in his outlook and in the forms of poetry which he wrote. Neither his conservative temperament nor his elaborate odes could have been at home in Ionia, and to these he clung. And because of this conservatism he represents in its last full flower the mainland school of poetry. But in him traditional forms have become consummate art. There is no artlessness in his treatment of recurrent themes or in his striking transitions from one subject to another. When he tells a story, he hardly tells it. He gives some exquisite new details to a story familiar to men trained in poetry. But his careful and considered work really owes little to Ionia. Clarity was not one of his aims. He knew too much about poetry to believe that the easiest verse is necessarily the best. He was deeply skilled in his own craft, and he could see little good in that of his contemporaries, Simonides and Bacchylides. He was separated from Ionia not only by his art, but by his temperament and upbringing. He is completely serious, and, if at times he relaxes himself, it is because he is too sincere to be solemn. He is too deeply reserved and restrained to laugh often, and too conscious of all that his art means to him to laugh at himself. Laughter seldom accompanies a profound feeling of the divine, and Pindar's laughter, like Dante's, is rare and sardonic. He thunders at his enemies, but he knows nothing of sharp, scornful words such as those in which Simonides dismissed Timocreon of Rhodes. They are too near to irony, and irony is alien to him. His forceful, passionate personality is always present in his verse, but it is under strict restraint. If to the undiscerning he sometimes seems monotonous, it is not because he has not enough to say, it is because he has too much, but his traditions and training make him keep it under the strictest control. He is first and foremost the servant of the Muses, and his dignity is of paramount importance not for his own sake, but for the sake of his craft. Like the Ionians, he makes no attempt to hide his own personality, but he has not their frankness and he makes no parade of his emotions. The personality which he reveals is indeed his own, but he leaves a vast part of it unexpressed. He is the interpreter of Apollo, and his deep religious nature allowed no trifling with his profession of poetry. When he visited the courts of princes, he came not as a servant but as a prophet, and, if his claims were not fully appreciated, he left and went home. He sang less to please than to instruct, less for his own than for other men's honour. It is always he, and not his patron, who confers the favour. Simonides had as clear a view of life and as deep a moral sense, but his personality is more elusive and, though he could deliver a stiff sermon when he felt it was required, it came from him with less air of ancient authority, less immediate contact with the wisdom of the Pythian Apollo.

Pindar does not use his intellect to adapt himself to others, but to give power and depth to his own expression. His long brooding over what concerned him most gave him great power and intensity: he never wasted his energies in accommodating his beliefs to others that were alien or hostile. Thus one of his most notable characteristics is his intellectual integrity. The impersonal charm of Bacchylides was based on a denial of self-expression. Pindar made no such self-denial, and, whatever we may think of his views, they were absolutely considered and sincere. Poetry was his chief activity, and to it he devoted his complete nature. With some poets we have an uncomfortable feeling that their poetry is only a part of themselves, that they exclude from it many of their everyday feelings. But for Pindar it is his whole life. He gives his very best to it, and especially he gives a complete intellectual seriousness which governs not only his amazing technical triumphs but also every view on god or man which he expresses. And it is this high seriousness, this conviction that nothing is good enough but the very best that the intellect can give, that Pindar has in common with the great poets of Athens. In Ionia and in Aeolis the intelligence had indeed been vivid and clear as the day. But in Pindar and the great Athenians the intelligence of youth was replaced by the intellect of maturity, and the gain is inestimable. Their decisions have the force and authority which comes from long and labouring thought. Much of Pindar's thought seems strange enough to-day, but it was his pondered conclusion on life. He weighed it against the competing creeds of his time, and preferred it to them. The Ionians had found things easier; their work lacks the stress and strain of the intellect, and, if they gain in clarity, they lose in power. Ideas came readily to them, but they did not struggle to select from them or to suffer the agonies and doubts of an age which was beginning to lose the simplicity of a life ordered by tradition. Simonides could withdraw from the issues of his time into the timeless beauty of elementary things, but Pindar applied his mind to the world and made his poetry express his philosophy of existence. And it is this intellectual effort which, for all their differences, brings him near to the tragedians of Athens.

3

The Greeks who fled overseas in the Heroic Age had to pay a price for their escape. They left behind the sacred places, the tombs, the dancing floors and the choruses of youths and maidens. The epic arose from the sort of poetry that an uprooted man could make by his own effort in the camp or on the march. But on the mainland, in its greater poverty and its lower state of culture, the old *Molpae*, or songs-and-dances had continued at grave and temple and threshing-floor, at vintage and harvest. For centuries they must have consisted, as Aristotle tells us, of 'short myths and ridiculous language', but in the sixth century something happened which transformed them, and gave rise to Attic tragedy. That something seems to have been the return of the Homeric poetry. The knowledge of the epic created a new ideal in Attica as it did elsewhere on the mainland. The commemoration of the death of Agamemnon at Argos, the casting out of Oedipus on Cithaeron, the funeral of Ajax at Salamis, developed into a great form of art called tragedy, concerned always with death or one of the other ultimate mysteries, and taking its material from the saga or rituals of the Heroic Age. Tragedy reached its final form in Athens, because Attica both preserved the ancient rituals and was intimately connected with Ionia by tradition, religion, and language.

When the epic returned to Attica, it found a people who welcomed it as their own and were inspired by it to transform their ritual forms into works of the noblest art. But it found above all a people free from prejudices and gifted with a complete intellectual seriousness. The rich traditional themes were all the richer for being treated with the full powers of the intellect. It brought out the extraordinary possibilities in them and turned a casual detail into the core of a tragedy. When the Athenian genius had concentrated its disciplined and powerful imagination, a few lines of Homer could be turned into the *Oresteia* or *Oedipus Tyrannus*. But the unique character of Attic poetry comes from quite a different cause, from the Athenian democracy itself. Tragedy was performed with religious solemnity in the full light of day before a vast, critical, and amazingly intelligent audience. Such a performance was, in every sense, a public event, and the plays written for it had to conform to severe standards both in art and religion. Above all, the Attic tragedy was religious in origin and never lost the traces of its birth. To religion it owed the curious formalities of its construction, the convention of the chorus and the epiphany of the god, and to religion it owed its air of restraint and dignity, which even Euripides never fully dared to violate. The Athenians of the time of Themistocles or Pericles were great innovators in politics but they treasured their religious customs with jealous and watchful eyes. So the tragedians were beset by difficulties inherent in their task, and were compelled in different ways to find adequate means of self-expression in this intractable, exacting form.

The first difficulty was the material. Tradition dictated that tragedy must be written on stories of the heroic past, and to this tradition the tragedians adhered. On rare occasions the rule was violated, and Phrynichus wrote his *Capture of Miletus* and Aeschylus his *Persae*. Such exceptions came in moments of great patriotic stress or exaltation, but, though for the moment they had their notoriety or success, they did not alter the main current of the tradition, and the subject of Greek tragedy continued to be the heroic sagas. The stories were indeed found in curious places, and even obscure local legends, like that on which Euripides based his *Hippolytus*, were put to use, but the age of which the tragedians wrote was still the Heroic Age. This obsession with the past had important results for tragedy. In the first place it meant that the theme of almost every tragedy was familiar to the audience who heard it. They knew the outlines of the plot, and were for this reason placed in a position different from that of any modern audience. For them the subject of chief interest was not what was going to happen, for they knew that already, but how the poet was going to treat a familiar theme. They were like the patrons of a Renaissance painter, who knew that their protégé was limited to a certain few subjects and were chiefly interested to see how exactly he would treat them.

The excitement at what will happen next, which had some place in the epic, did not exist for the audiences of Attic tragedies. Their excitement was more subtle and more sophisticated. Knowing the plot, their curiosity was concerned with the details of unravelling it. At times indeed a recondite fable was unearthed, and the audience would lose its ordinary attitude and find itself listening to the story, but the triumphs of the stage were not to be won in that way. The test of the tragic poet, as of the Renaissance painter, was whether he could make a masterpiece out of the material common to all, whether he could shape the tradition into new forms of beauty. By this test he succeeded or failed, and the highest triumphs were won with themes which many poets had attempted. This use of the same stories made tragic art perilous and difficult. But the great poets solved the problem by reshaping the material in the light of their own convictions, and annexed the stories to themselves. But they had still to write plays, and their task was always to give a new twist to an old detail, to recreate characters and put them in new relations to one another. So each of the three great tragedians gives us a new interpretation of the story of Orestes or of Antigone. The differences between their versions are enormous, for each wrote his play in the maturity of his powers and impressed on it his full artistic personality. And even in the case of the greatest, the possible variations seem to have been limited, and it may well be doubted whether Attic tragedy would have maintained its character, even if the confidence of Athens had not been destroyed by the Peloponnesian War. But, while it lasted, the great poets used the traditional form and impressed themselves on it.

Just as the tradition required certain known stories, so too tragedy, being a religious festival, demanded a religious attitude or at least a treatment of religious questions. The epic, even in Ionia, had dealt with the relations of God and man, and on the mainland religion lay at the root of most important poetry. In Athens the populace had not yet lost its inherited faith, and it expected from its poets an intelligent and sincere treatment of the questions of existence. The nature of tragedy always raises the problems of suffering, and the Athenian audience demanded an answer. The three great tragedians each had his own answer, and in this lies much of their greatness. Aeschylus reinterpreted the traditional theology and expounded in the magnificent choruses of the *Oresteia* his own intricate views of sin and punishment and purification. His dominating genius absorbed his material and set on everything the impress of his own thought. His great figures act their parts as victims of the scheme of things without losing any of their heroic stature. He sees the workings of Fate in their doings, but they never yield without resistance or abate any of their eloquence or vitality. The web of destiny, which Aeschylus weaves round them, makes them not less but greater. In the end it may defeat them, but in their unabating fight against it, they are true figures of tragedy, even when, as with Clytaemnestra, the tragedy lies in their own souls. They are flung by fate into situations from which there is no escape, and they are heroic to the end, whether with the patience of Prometheus on his rock or the resignation of Cassandra waiting for death at Agamemnon's door. So the religious views of Aeschylus are no mere appendage to his plays, they are inextricably interwoven with his characters and their destinies. He felt it his mission to justify the ways of God to Man, and he had many strange things to say about it, but he knew that a mere answer was not enough. He must give the evidence for his conclusions, and he gave it in the action of his dramas and the passionate life which he created in them. This unity of his theology with his art is one of the incontestable claims of Aeschylus. Where he succeeded, Milton failed, and the theology of *Paradise Lost* adds little to the grandeur of the poem. Even Dante sometimes failed to harmonize the two, and his characters tend to become vehicles of views, instruments of the Eternal Mind without passion and without personality. Such a blending of religious intellect and perfect art is rare indeed, and no poet possessed it to such a degree as Aeschylus. His nearest peer is Michelangelo, who at times forgot the glories of a rediscovered paganism, and painted scenes where every character is entirely individual, but transfigured in the ecstasy of religious rapture.

Sophocles never attempted to climb these heights. His nature was different, and he followed its dictates and came to a different goal. It is usual to think of Sophocles as a man to whom the gods gave everything, health, wealth, beauty, success and a happy end, and, because of this perfect life of his, he has been robbed of his personality and made a type and symbol of the golden age of Athens. But because he has been thought perfect, he has been thought aloof and cold. He has too often been compared with the motionless statues of the Parthenon and credited with little more than a monumental and marmoreal perfection. Such a view is utterly untrue. All that we really know of him is based on his plays, and they are passionate and profound. He was as deeply concerned as Aeschylus with man and his destiny, but he gave a different expression to his feelings, because his concern was different. Aeschylus sought to explain the workings of God in human affairs and to plumb the Divine Mind, but Sophocles was concerned with the thoughts of God which lie in the mind of man. But he hid his opinions behind his art. His work was the writing of plays, and his concern was with the clash of character and circumstance. So where Aeschylus in his choruses gives us his own views, Sophocles tells us the views of ordinary men and women. He accepted the conventions of the stories which he dramatized, and made the most of their dramatic possibilities. So his plays stand by themselves, and need no reference to his theological or moral opinions. Their appeal indeed is not to the intellect, but to the emotions, and though like all tragedies they suggest penetrating questions, they make no attempt to provide an answer. He gave no explicit or overt explanation of injustice or of suffering, but he knew exactly what men and women thought about them, and, if we look more carefully, we can gather something of what he thought himself. He gave his audience stories which they knew well, and he cast them in a mould which could not give offence to the simplest, most orthodox piety. But the conventional setting is delusive. It hides the hardest thought, the most sensitive sympathy. Many of his audience thought that Oedipus, if not guilty, was defiled with an appalling pollution. And Sophocles saw that this belief was in itself important, and made Oedipus see the horror of his own position. That Oedipus was not really guilty might be true, but any man in his position might feel himself a thing of horror and act as he acted. And this, Sophocles saw, was a matter of deep importance. For it was because of this that Oedipus blinded himself. So too in his *Electra* he may have thought that in reality parricide was unjustifiable, but he knew that both Orestes and Electra thought it right, and he set them down as they were, tragic beings brooding on revenge, with the cruelty and hardness of the Heroic Age. His sympathies were too wide to be limited or distorted by any theory, and he made his situations out of life, setting down many sides of a question with perfect sympathy and impartial understanding, This man, who is claimed as the very pattern of convention, could understand how the unbelief of Jocasta was based on her great love for Oedipus, how the blasphemies of Philoctetes were due to his long and embittering solitude. He could end the *Trachiniae* with the startling blasphemy that all the evils, of which he had spoken, came from Zeus. He understood the workings of the human heart in its moments of disaster or of moral agony. He knew them so well that he could create tragedy out of the moral struggles of a mere boy like Neoptolemus or a hard, hide-bound official like Creon. He is a master of his art because he has an illimitable pity for suffering and this inspires him to attempt a wide variety of tragic themes.

Yet, if we look for it, we can sometimes see his own views shyly obtruding themselves. He, the perfect citizen of the perfect state, presents more than once the struggle between divine and human law, and there can be no question that his sympathies are more with the first than with the second, more with Antigone than with Creon. In his *Oedipus Tyrannus* he had, at least superficially, not disclaimed the guilt of Oedipus, but when, as an old man, he wrote his *Oedipus at Colonus*, he made it clear that Oedipus was more sinned against than sinning. He was deeply religious, as the end of the *Oedipus at Colonus* shows, and he had as profound a feeling of the divine presence as Pindar himself, but he did not attempt an answer to the insoluble. He was content to raise the question, to put all sides of it fairly, and to leave the answer to the emotions rather than to the intellect. In the very heart of suffering and evil he found beauty, and he turned harsh discords into music by the power of his pity and insight. He knew that peace comes at last, and that is his only message, but he knew too that peace is only worth having because of the agony of soul which has preceded it. He has written some of the most despairing words ever written on the loneliness and futility of death, but the death of which he wrote was the close of an unwearying struggle and enhanced by a splendid contrast the intensity of living. His view of life was indeed tragic, and he saw waste everywhere, but he knew that in the moment of disaster man touches sublimity, and from this knowledge he made his plays.

In their different ways both Sophocles and Aeschylus accepted the traditional religion, though they shaped it to suit their own convictions. Their audience might sometimes be surprised at what they said, but it could always be sure of their reverence and fundamental devotion. But the history of Euripides is quite different. There lies between him and his predecessors, both for good and ill, the chasm of the Sophistic Movement. He added to the old Ionian culture in letters and music the new philosophic and scientific interests of Socrates, Protagoras, and Anaxagoras. A man of the most diverse gifts, he seldom attained or even sought that inward unity or concord which belonged by nature to both of his predecessors. Critics have described him by the most different phrases. He has been called, 'Euripides the Realist', 'the Idealist', 'the man who reduced tragedy to a romance', 'a great lyric poet with no gift for drama', he has been called a militant free-thinker and a religious mystic, and finally 'the most tragic of the poets'. Yet for every judgement there is some justification.

He tried experiments in every direction. In plays like the *Electra* and the *Ion* there is much realism: an old saga of a blood-feud and its awful duties is treated as a story of morbid psychology, the ravishing of a mythical princess by a god is shown as an act of brutal lust, and made the subject of one of the most candid blasphemies in literature. In the *Hippolytus* we have the first great love tragedy in European literature, in the *Helen* and the *Iphigeneia in Tauris* the romance of strange adventures and hair-breadth escapes in unknown seas. Some plays have elaborate and exciting plots, like the *Telephus* or the *Iphigenia in Aulis*. Some have almost none at all, like the *Suppliants* or the *Trojan Women*. In the *Medea* two thirds of the play are occupied with almost nothing save the psychology of the heroine; in the *Bacchae* the human beings have no character but are mere vehicles for the expression of a world mystery.

He was particularly bold in his experiments with the Chorus. Sophocles in his *Oedipus Tyrannus* had reduced the choric element to about a fifth of the play, but

Euripides increased it again till in the *Bacchae* and perhaps in the *Trojan Women* it became almost the centre of the action. In several plays he makes particular members of the Chorus come to life as individuals: in the *Medea* he obtains a powerful effect by making the Chorus beat against a barred door behind which a child is being murdered. Yet in other places he sometimes throws in an irrelevant lyric poem of birds on the sea or garden at the end of the world.

It is thus hard to say anything about Euripides whic is true of all his plays, and the little that can be sai contains in itself a contrast. His intellect is always a work, criticizing, destroying, pleading, creating, bu practically never accepting the world as it comes. Y in style and construction he is more formal than Soph cles, and in some ways more formal than Aeschylus. H accepts all the conventions of the tragic form. He lik the long speeches separated by two lines of Chorus, else the clash of stichomythia, line for line. He lik pauses at the ends of lines, he likes the formal prologu the Messenger's speech, the divine epiphany, and oth fragments of the old superseded ritual. And from so similar motive he seems in his dialogue to pursue extreme, formal clarity, even to the sacrifice of flexibi and poetical charm. This clearness, however, was m admired by ancient critics and must have been well sui to the large audiences of the Dionysiac theatre; it is sent in his lyrics also, though it never spoils their i sistible songfulness. Euripides' experiments in trag gave him a great notoriety while he lived, and an unp leled fame after his death. He probed new prob while he clung to traditional forms. His person

made such a combination possible, and while he outraged, he enthralled. But such a combination could not last for ever. The old form could not be everlastingly renewed, and the glamour of the heroic stories began in time to pall. And when at last the great age of Athens came to an end with Lysander's armies, tragedy had reached its final goal, and its last masterpieces coincided with the last agonies of the Athenian Empire.

In Old Comedy, as in Tragedy, we find an ancient ritual adapted to literary uses. Its origins are even more obscure. The origin of tragedy lay in the mysteries of death and suffering, but the origin of comedy lay in the mysteries of fertility and procreation. Comedy grew from a ritual of ithyphallic processions and salacious ribaldry. And these elements it kept when it became an art. They are sometimes incongruously mixed with stern moral teaching, but they were part of the traditional form and they could not be omitted. The frank obscenity of Aristophanes was no mere freedom of speech, it was demanded of him by the art which he practised. It was the business of comedy to treat of such things, and the comic poets obeyed the tradition. But like the tragedians, Aristophanes went far beyond the traditional requirements of his art and made it a criticism of life. The world he created is full of fantastic obscenity and ridiculous paradox, but its characters come straight from the fields or the streets of Athens. In the most absurd situations they act from ordinary motives and behave with ordinary simplicity or shrewdness. Even their wildest jokes seldom trespass on pure nonsense but have a startling reasonableness. This reasonableness was deeply ingrained in Aristophanes and is only equalled by the

courage with which he expressed it. At times he seems an unenlightened reactionary and he certainly failed to see the greatness of the sophists or the claims of the new education. But in his politics he was astonishingly brave and far-sighted. Many of his contemporaries were only too ready to make a brutal use of power, and the Athenian Assembly came within an ace of putting the whole population of Mytilene to death. But in his *Babylonians* Aristophanes pleaded for fair treatment of the allies. When angry passions were stirred by the war, he was an uncompromising advocate of peace, and he was not afraid of urging his opinions. He poured ridicule on popular politicians like Cleon and popular generals like Lamachus. At the height of the war he must have outraged patriotic feelings by presenting starving Megarians on the stage. Even when any hope of peace seemed impossible, in his *Lysistrata* he made his heroine come from Sparta. Such freedom of speech cannot have been palatable to many Athenians, especially as at least once Aristophanes chose to state his views on the Athenian Empire at the Spring Festival when Athens was full of visitors. Thus, though we often think of Aristophanes as obscurantist, on points of politics at least he was more sane and more courageous than most men of his time. His attack on Socrates and the new education seems to show less insight and wisdom, and it is remarkable that the *Clouds* failed to win the first prize when it was performed. But his jokes against Socrates are less malignant than against Cleon, and in this case he was tilting less against a man than against a system. He saw that the new education produced a type of man who cared little for the courtesies and ceremonies of life and did as much harm as the war itself to the gaiety and happiness which he valued so highly. His protest after all is not on behalf of a crabbed and obsolete morality. His battle is always for sanity and enjoyment, and it is in their defence that he tilts against quacks, bullies and the destroyers of the good things of life.

4

Athens fell, and the world, which had been uneasy while the miracle lasted, resumed a more ordinary course. In Athens itself loss of power meant a loss of poetry. Its excitements were too deeply associated with the excitements of politics to survive into the anxieties and perils of the fourth century, and Athenians turned to prose. Only comedy survived, and it had changed its character. The menace of foreign invasion and the extreme bitterness of domestic politics made impossible the free speech of the Old Comedy. So the Middle and New Comedy eschewed politics and found their subjects in domesticity. They have none of the reckless fantasy of Aristophanes, and they owe far less to him than to Euripides. Indeed they are like Euripidean tragedy shorn of its traditional elements and adapted to suit the taste of an audience which was tired of prologues and divine epiphanies. From Euripides comes the language, the love of philosophy and moralizing, the sense of domestic drama and personalities. Their aim was to depict life, and antiquity applauded their success. These masterpieces survive only in fragments or in Roman adaptations, but here clearly was a crowd of living characters, reflecting the thoughts and talk of fourth-century Athenians. Such realism meant of course a lowering of tone. The New Comedy never assails the sublime, never depicts souls in torment or ecstasy. But that was the price it paid for existing in an age which had lost some of its confidence.

Apart from comedy there was hardly any poetry. Plato, who in his youth had been a gifted poet, soon abandoned his efforts and withdrew into philosophy for his search after a permanent satisfaction, turning his great poetic gifts to the formation of a matchless prose. Tragedy dragged on an existence, but it was a literary exercise and achieved little more than an occasional charm. For most purposes the fourth century is barren of poetry, and, when poetry was born again, it was not in Athens but in Africa, and it looked back not to Aeschylus but to the Ionian elegists. The high Hellenic confidence had gone, and the special qualities of Hellenic civilization were being diluted and altered by diffusion in Asia and Africa, but the literature of the Hellenistic age is still the literature of a great nation, still authentically Hellenic in many ways. The language is the same, there are still the same virtues of candour and sincerity, but the intellect has lost its confidence and the passions their urgency. The essence of fifth-century poetry in Athens was that the poets were ready to essay the most difficult of tasks with a perfect hope of final success, and that for this task they gave of their very best in intellect and imagination. In their full assurance that the thing was worth doing and could be done they put all their lives into their work and felt no fear of failure. But with the capture of Athens that fine confidence had perished. It was only possible when a great people was agreed on what it wanted and wanted it passionately. The failure of Athenian politics meant the failure of Athenian confidence. The intellect began to question its values, and the questioning meant that it wanted things less.

In Athens itself poetry had ceased to be of national importance, but it found a new home outside Athens in the Hellenistic Kingdoms founded by the successors of Alexander. In Egypt an enlightened despotism encouraged literature and learning as the ornaments and appanages of power. And this literature, bred in libraries and courts, attained to a distinguished maturity. It could not be in any sense popular in a country where the main bulk of the population were serfs of alien race and language. It was essentially the literature of a few men clustered round a powerful autocrat, and it developed its qualities accordingly. It was written by men of leisure, who were shut out of politics by a powerful monarchy and from religion by the thoroughness of their education. The two great powers which made Attic drama, the democracy and its traditional beliefs, no longer existed, and literature had to feed on other things. The poets of Alexandria found their sustenance in learning, and their work has all the qualities of learned poetry. They were tired of stock characters and places, and they found a new thrill in the bypaths of mythology. Their emotions lacked the violence of men living an active life out of doors, and, in the interests of literature, they assisted their passions with literary reminiscence, enlarging them beyond their proper proportions and elaborating them with mythology. All these are the characteristics of poetry born in the study, and they abound in the rank and file of the Alexandrians. And there are worse vices than these, the tendency to believe that the mind is only powerful when it is obscure and the cold-blooded, calculating sensuality of sedentary men.

But, in spite of all this, Alexandria produced good, if not great, verse, and it enlarged the sphere of entertainment by exploring and annexing new subjects. Its great figures, Callimachus, Apollonius, Theocritus, were indeed poets, who might well have been greater if they had lived in a greater age. Living in a world where their activities were circumscribed, they sought for strangeness and wonder, and they unquestionably succeeded. Theocritus found it near at hand in the songs of shepherds and the magic of Sicily; Callimachus in certain moments of religious excitement, the silence of noon when Athene bathes on Helicon or the trembling of Apollo's shrine at Cyrene; Apollonius in the adventures of heroes at the edge of the world. The wonder they describe excites and enthrals, even if it seems transitory and unsubstantial. But it was not enough for the trained minds of the Alexandrians. It contented part of their natures, but the rest clamoured for something more real and nearer home. So they evolved a poetry out of their personal relations. This had happened before in Lesbos, but the circle of Callimachus was not like the circle of Sappho and Alcaeus. The Alexandrians lacked the confidence of their emotions, and indeed their emotions themselves were more sophisticated and less magnificent. But what they lacked in strength, they gained in subtlety, and, when they write of their friends, the Alexandrians are more intimate than any earlier Greek poets. They can write of domesticity and friendship, of dislike and annoyance, with a perfect appreciation of their importance and no attempt to dramatize them beyond their merits. Apollonius wrote beautifully of Medea's relations with Jason because he understood much of the psychology of women, and the most beautiful of the poems of Callimachus is that in which he remembers the conversation of a dead friend.

But it is Theocritus who is the real master of this kind of poetry. In his Sicily, half real and half romantic, shepherds sing and talk with the intimacy of life and the concentration of pure poetry. It is a world where the sun shines and the flowers grow, and love is the only matter of importance. But what might fall into unreality is kept real by the touches of common life. Under the translucent skies of poetry Theocritus places his living men and women with their lively interest in each other and the things of every day. But even in their talk they are never commonplace. His poetic fancy transfigures what it touches, and, for all the reality of their personalities, his world is of the purest imagination. In it passion is sweet even in despair, and the perishing of beauty has a poignancy which is never too harsh. These shepherds know the melancholy of love, but it never really overmasters them. It never swoops on them quite so irresistibly as it swooped on Sappho, and, even when it leads to death, the horror is always mitigated by the sweetness in the sorrow. The pastoral poem has become so integral a part of the world's literature that we are liable to judge it by the high standards reserved for all familiar things, to expect it to be perfect in its own kind as well as to compete with other kinds of poetry. This is a great demand, but, even when judged by standards so exacting as these, Theocritus is not found wanting. He does not try to plumb the secrets of existence or to proclaim a universal message. But he knows his limits perfectly, and they are not narrow. In his world of singing, amorous shepherds he expressed his own content with physical nature, his own romantic, lovable soul. He wrote little, but all that he wrote has its own full flavour. So great is his art, so masterly his consistency, that in reading him we forget the world in which he lived, the narrow jealousies of Alexandria, the tyrannical selfishness of rulers who were gradually killing the free Greek spirit and narrowing the sphere of its inquiries and enthusiasms.

The real spirit of Alexandria is more clearly seen in Callimachus and the poets who clustered round him. There we see how learning is drying up even the vivid past and how the petty differences of a small circle are magnified into events of great importance. At his worst Callimachus is petty and pedantic. His complaints are too redolent of injured vanity, his mythology is too recondite and allusive. But at his best he is graceful and witty. In his lightness of touch he anticipates the art of Ovid's *Metamorphoses*, where old stories are told again in a new way, becoming delightful and debonair. The art of poems like his *Acontius and Cydippe* is highly sophisticated, but it is not dead nor dull. He has no moral point, and he is concerned with the story, or with the aspects of the story which amuse him. His mature taste takes pleasure only in unexpected aspects, and at times he falls into pedantry. At other times his exquisiteness seems merely frivolous. But this was the price that literature paid for the spread of Greek civilization to countries not its own. The Greeks moved over the world, and took with them much of their material and mental equipment, but it altered with the altered conditions of life. In alien lands literature could only flourish in small circles of cultured men, and in these the worship of good taste and the fear of being thought dull often lead to an artificiality which soon loses its charm and becomes heavy-handed and pretentious.

The change of political conditions accounts for much, but much too must be ascribed to the disintegration of culture caused by its spread over the enormous areas ruled by the successors of Alexander. The Greek settlers were bound to absorb some of the life of their new homes and to lose some of their traditional habits of mind. What they lost in particular was the stress and strain of a life full of intellectual activity. Just as political conditions limited the free play of the intelligence, so Eastern ways of life weakened the sternness and severity which had hitherto guided Greek literature. As the Hellenistic age progressed, poets tended more and more to express themselves in luscious and extravagant imagery. In Alexandria this tendency was severely controlled by the rule of librarians and scholars, who were trained to admire the compact style of earlier days and tried to emulate it. But elsewhere this training did not exist, and the imitators of Theocritus riot with an oriental freedom in every kind of decoration. The sterner spirits steeled themselves against this weakening, and retired more and more into mythology. But there was more life in the new richness than in the age-worn myths, and for all his over-emphasis Meleager is a better and more interesting poet than Lycophron. The myths were dead, and they had not yet attained to that posthumous state, when they were treated simply as beautiful stories. They were still part of education and regarded seriously, and therefore they were dull. The oriental school, if it may be so called, had no nonsense about learning, and concerned itself chiefly with love. At its best in men like Antipater of Sidon it attained a real nobility of utterance, but more often the sweetness cloys, and we turn with relief to something less superficially attractive. The wiser poets realized this and aimed consciously at an archaism modelled on Simonides or Plato, and their work is full of charm. They wrote of simple things, temples by the sea and rest in the summer heat, and they tried to simplify their language, to rid it of the rich accumulations of the centuries. Their success was so great, that it stereotyped Greek literature and gave it in the epigram an instrument which was to suffice through centuries for nearly all the needs of poetry. The popularization of the epigram was one of the great works of the Hellenistic age. By providing a standard form it made writing easier and more lively. With it in time literary Greek became, to almost all purposes, a dead language written by rules in a certain form as it is written by scholars to-day. Alexandria, the home and source of scholarship, adapted the elegiac distich for the scholarly writing of verses and presented Greek literature with a new lease of life.

5

The culture of the Hellenistic monarchies passed into the culture of the Roman Empire, and, even when Rome itself had fallen, a ghost of Hellenism survived for a thousand years at Byzantium. The eastern lands of the Mediterranean were never fully Romanized, and they pursued their own literary development with very little reference to the new literature of Rome. Greek had become the common tongue of these eastern lands and had gained a new colloquial vigour. It was still the language of philosophy and history, still the second tongue of every educated Roman. The glory of its past hung around it and prompted to emulation of the ancient models. Under the Roman Empire there was a steady stream of Greek poetry, and the marvel is that it is still alive and often beautiful. The standard form was, of course, the elegiac epigram, which was the vehicle of beautiful verse, even in the periods when Roman literature was barren. Read in the bulk this poetry is monotonous. It treats too often of threadbare themes: there is a limit to the possible varieties of cadence. But at times some poet's genius triumphs over the difficulties of the well-worn medium, and he says what he means in graceful or moving words. It is never popular poetry. The crowd was busy with strange emotions and fashioning for itself a new form of expression. It was turning from the old culture to the mysteries and ecstasies of new religions, treating the Greek gods as devils and creating a new mythology to meet the needs of troubled souls. For it poetry was a means to an end, and meant little more than hymns and litanies. But of this the orthodox tradition took no notice. It looked to the past for its models and wrote in the correct, traditional way. It was also irretrievably pagan. Just as in Rome literature was the last stronghold of the old gods, so in the eastern parts of the empire poets ignored the new movements in thought and religion. In time they ceased even to consider their own gods, and fell into an angry and gloomy nihilism. By far the most distinguished exponent of this attitude is Palladas, an Alexandrian of the fourth century. He knew Christianity and hated it, lashing the monks of the Thebaid with bitter words. But he had no comfortable doctrine to put in its place. For him the universe was a meaningless disaster, full of evil and futile suffering. His deep moral nature turned with scorn from the pretences of the society in which he lived, and, like many moralists, he denounced his contemporaries in the bitterest obscenities. Behind the fury and the denunciation there lay a real pity for suffering, but it was a pity which turned to wrath and not to tears. His own life seems to have been one of struggling poverty and continual disappointment: so he was not likely to think well of the world. And, for all his hatred of Christianity, his spirit was deeply invaded by it. From it he had his horror of the flesh, his contempt for the displays of wealth and power, his blistering condemnation of ordinary pretences and compromises. When we read him, we feel that he is a father of the Church, who has all the proper characteristics except faith, hope, and charity. Even his verse lacks the elegance of the usual writers of epigrams and recalls Latin in its hard outlines and emphatic resonance. His claim is his sincerity, and, because of this, he is the last Greek poet who deals honestly and eloquently with the fundamental matters of great poetry. And yet it is easy to see, when we read him, why Greek poetry perished. His message was of dust and ashes, of universal wickedness and sorrow. He had no metaphysics and he offered no consolation. His world was dying, and with a last desperate gesture he tried to stand like a hero on its ruins and proclaim that all is vanity. Such was his message, such indeed was the message of most poets of his time. It is not surprising that other men, gifted perhaps with less passion and sincerity, turned to the comforts of a creed which promised peace and reward at last.

Palladas is by no means the only interesting figure of the fourth century. Just as in Rome the expiring efforts of paganism turned to the writing of verse, so in the Greek East men essayed forms more ambitious than the epigram and a school of men wrote epics variously modelled on Homer. The capricious fortune which has destroyed most of Sappho has preserved a great bulk of verse by Musaeus, Nonnus, and Quintus of Smyrna, and it is hard to believe that posterity has been the gainer. Yet these poets have their merits. They can rise to a rhetorical eloquence, they have some talent for description, some capacity for noticing the beauty of common things. They have even great technical ability. Musaeus and Nonnus still wrote their hexameters by quantity, but they lived in an age when the accent of spoken Greek was becoming a stress accent. To meet this difficulty, while still preserving the hexameter form, Nonnus divided his lines in half at the caesura, and had strict rules of accent for either half. In the second half he insists that the accent shall fall on the penultimate or ultimate syllable, while in the first half he generally has it on the ante-penultimate. But these poets, in spite of their skill, are monotonous. Every subject is treated with the same extravagance and over-emphasis, which in the end dull the sensibilities and reduce all to a dead level. It is true, for instance, of Nonnus, that almost any piece of the *Dionysiaca* is as good as any other piece, and such a criticism is his condemnation. He never strikes out a god-given, inevitable phrase and he never weakens the untiring elaboration of his rhetoric. So the monotony stupefies and bores. Nor can much more be said of Musaeus and Quintus, though both are simpler and less trammelled with epithet and periphrasis. The cause of this dullness is twofold. In the first place they were deeply influenced by rhetoric. The result was a passion for making every point as strongly as possible and a loss of all moderation and under-statement. And in the second place these poets wrote of a mythology which had lost its reality. The stories had been told so often that it needed genius to give them life, and genius was lacking.

The burst of epic activity did not last long, but the epigram survived the shocks of politics and blossomed with a few late flowers at Byzantium. It was frankly archaistic and bore as little relation to the spoken tongue as the Latin verses of Thomas Aquinas to the vernacular Latin of the Middle Ages. Popular verse was written by accent, but the late epigrammatists wrote correctly by the old rules of prosody. The language of their poems was learned at schools and had long lost the elasticity of living speech, but they wrote of the real things which concerned them. Sometimes the themes look incongruous in their Hellenistic setting, and it is hard to feel that the Church of the Divine Wisdom at Byzantium is properly described in the medium of Greek elegiacs. Sometimes too the interest is too local and circumscribed to interest us much. The elegiac had to serve many needs, and no doubt many poems addressed to victorious charioteers were not meant for posterity. Yet, in spite of the uses to which it is put, the language of these verses is still vivid and vital, and in the hands of men like Rufinus and Paul the Silentiary it fixed in a few words some passing moment which was worth recording. It is easy to decry this writing as artificial. The themes are indeed the old themes, but often they are treated from a new angle and illuminated with a new phrase, even if the new phrase is in the old manner. So at the court of Justinian poets wrote the language of Simonides and expressed thoughts that would have done credit to Alexandria, just as the carvers of ivory made reliefs of Dionysus and his followers that still savoured of the Hellenistic age. The language may have been learned at school, but it still had behind it the power and influence of a poetry whose images had not yet ceased to charm and whose language was still flexible enough to allow some new variations. In spite of the development of a new civilization, which found its fullest expression in a staid and formal art, the old poetry still kept its hold over some learned and refined souls and turned in their hands to new melody. Even at this late date, even at a still later date when the rest of Europe had almost forgotten all that was represented by Roman literature, the influence of classical Greek verse was still strong enough to stimulate to new and creative imitation. And the spirit, which informs this late art, is in some ways the same spirit which had stirred the creations of a thousand years before. In these careful, considered compositions we find a balance and an intellectual integrity such as the early lyrics possessed, and we feel that the spirit of Homer, which appeared to Ennius and started Latin poetry, is watching over these dying words and giving for the last time to a forgetful world a poetry which knew nothing of rant or obscurity or any emotion uncontrolled by the strictest discipline and self-criticism.

HOMER

(Date unknown)

THE ILIAD

1. *The Beginning of the Wrath*

*Τίς τ' ἄρ σφωε θεῶν ἔριδι ξυνέηκε μάχεσθαι;
Λητοῦς καὶ Διὸς υἱός· ὁ γὰρ βασιλῆϊ χολωθεὶς
νοῦσον ἀνὰ στρατὸν ὦρσε κακήν, ὀλέκοντο δὲ λαοί,
οὕνεκα τὸν Χρύσην ἠτίμασεν ἀρητῆρα
Ἀτρεΐδης· ὁ γὰρ ἦλθε θοὰς ἐπὶ νῆας Ἀχαιῶν
λυσόμενός τε θύγατρα φέρων τ' ἀπερείσι' ἄποινα,
στέμματ' ἔχων ἐν χερσὶν ἑκηβόλου Ἀπόλλωνος
χρυσέῳ ἀνὰ σκήπτρῳ, καὶ λίσσετο πάντας Ἀχαιούς,
Ἀτρεΐδα δὲ μάλιστα δύω, κοσμήτορε λαῶν·
"Ἀτρεΐδαι τε καὶ ἄλλοι ἐϋκνήμιδες Ἀχαιοί,
ὑμῖν μὲν θεοὶ δοῖεν Ὀλύμπια δώματ' ἔχοντες
ἐκπέρσαι Πριάμοιο πόλιν, εὖ δ' οἴκαδ' ἱκέσθαι·
παῖδα δ' ἐμοὶ λύσαιτε φίλην, τὰ δ' ἄποινα δέχεσθαι,
ἁζόμενοι Διὸς υἱὸν ἑκηβόλον Ἀπόλλωνα."
Ἔνθ' ἄλλοι μὲν πάντες ἐπευφήμησαν Ἀχαιοὶ
αἰδεῖσθαί θ' ἱερῆα καὶ ἀγλαὰ δέχθαι ἄποινα·
ἀλλ' οὐκ Ἀτρεΐδῃ Ἀγαμέμνονι ἥνδανε θυμῷ,
ἀλλὰ κακῶς ἀφίει, κρατερὸν δ' ἐπὶ μῦθον ἔτελλε·
"μή σε, γέρον, κοίλῃσιν ἐγὼ παρὰ νηυσὶ κιχείω
ἢ νῦν δηθύνοντ' ἢ ὕστερον αὖτις ἰόντα,
μή νύ τοι οὐ χραίσμῃ σκῆπτρον καὶ στέμμα θεοῖο·
τὴν δ' ἐγὼ οὐ λύσω· πρίν μιν καὶ γῆρας ἔπεισιν
ἡμετέρῳ ἐνὶ οἴκῳ, ἐν Ἄργεϊ, τηλόθι πάτρης,
ἱστὸν ἐποιχομένην καὶ ἐμὸν λέχος ἀντιόωσαν·
ἀλλ' ἴθι, μή μ' ἐρέθιζε, σαώτερος ὥς κε νέηαι."*

Ὣς ἔφατ', ἔδδεισεν δ' ὁ γέρων καὶ ἐπείθετο μύθῳ·
βῆ δ' ἀκέων παρὰ θῖνα πολυφλοίσβοιο θαλάσσης·
πολλὰ δ' ἔπειτ' ἀπάνευθε κιὼν ἠρᾶθ' ὁ γεραιὸς
Ἀπόλλωνι ἄνακτι, τὸν ἠΰκομος τέκε Λητώ·
"κλῦθί μευ, ἀργυρότοξ', ὃς Χρύσην ἀμφιβέβηκας
Κίλλαν τε ζαθέην Τενέδοιό τε ἶφι ἀνάσσεις,
Σμινθεῦ, εἴ ποτέ τοι χαρίεντ' ἐπὶ νηὸν ἔρεψα,
ἢ εἰ δή ποτέ τοι κατὰ πίονα μηρί' ἔκηα
ταύρων ἠδ' αἰγῶν, τόδε μοι κρήηνον ἐέλδωρ·
τείσειαν Δαναοὶ ἐμὰ δάκρυα σοῖσι βέλεσσιν."
Ὣς ἔφατ' εὐχόμενος, τοῦ δ' ἔκλυε Φοῖβος Ἀπόλλων,
βῆ δὲ κατ' Οὐλύμποιο καρήνων χωόμενος κῆρ,
τόξ' ὤμοισιν ἔχων ἀμφηρεφέα τε φαρέτρην·
ἔκλαγξαν δ' ἄρ' ὀϊστοὶ ἐπ' ὤμων χωομένοιο,
αὐτοῦ κινηθέντος· ὁ δ' ἤϊε νυκτὶ ἐοικώς.
ἕζετ' ἔπειτ' ἀπάνευθε νεῶν, μετὰ δ' ἰὸν ἕηκε·
δεινὴ δὲ κλαγγὴ γένετ' ἀργυρέοιο βιοῖο·
οὐρῆας μὲν πρῶτον ἐπῴχετο καὶ κύνας ἀργούς,
αὐτὰρ ἔπειτ' αὐτοῖσι βέλος ἐχεπευκὲς ἐφιεὶς
βάλλ'· αἰεὶ δὲ πυραὶ νεκύων καίοντο θαμειαί.

(I. 8–52)

2. *Thersites*

Ἄλλοι μέν ῥ' ἕζοντο, ἐρήτυθεν δὲ καθ' ἕδρας·
Θερσίτης δ' ἔτι μοῦνος ἀμετροεπὴς ἐκολῴα,
ὃς ἔπεα φρεσὶ ᾗσιν ἄκοσμά τε πολλά τε ᾔδη,
μάψ, ἀτὰρ οὐ κατὰ κόσμον, ἐριζέμεναι βασιλεῦσιν,
ἀλλ' ὅ τι οἱ εἴσαιτο γελοίϊον Ἀργείοισιν
ἔμμεναι· αἴσχιστος δὲ ἀνὴρ ὑπὸ Ἴλιον ἦλθε·
φολκὸς ἔην, χωλὸς δ' ἕτερον πόδα· τὼ δέ οἱ ὤμω

κυρτώ, ἐπὶ στῆθος συνοχωκότε· αὐτὰρ ὕπερθε
φοξὸς ἔην κεφαλήν, ψεδνὴ δ' ἐπενήνοθε λάχνη.
ἔχθιστος δ' Ἀχιλῆϊ μάλιστ' ἦν ἠδ' Ὀδυσῆϊ·
τὼ γὰρ νεικείεσκε· τότ' αὖτ' Ἀγαμέμνονι δίῳ
ὀξέα κεκλήγων λέγ' ὀνείδεα· τῷ δ' ἄρ' Ἀχαιοὶ
ἐκπάγλως κοτέοντο νεμέσσηθέν τ' ἐνὶ θυμῷ.
αὐτὰρ ὁ μακρὰ βοῶν Ἀγαμέμνονα νείκεε μύθῳ·
"Ἀτρεΐδη, τέο δὴ αὖτ' ἐπιμέμφεαι ἠδὲ χατίζεις;
πλεῖαί τοι χαλκοῦ κλισίαι, πολλαὶ δὲ γυναῖκες
εἰσὶν ἐνὶ κλισίῃς ἐξαίρετοι, ἃς τοι Ἀχαιοὶ
πρωτίστῳ δίδομεν, εὖτ' ἂν πτολίεθρον ἕλωμεν.
ἦ ἔτι καὶ χρυσοῦ ἐπιδεύεαι, ὅν κέ τις οἴσει
Τρώων ἱπποδάμων ἐξ Ἰλίου υἷος ἄποινα,
ὅν κεν ἐγὼ δήσας ἀγάγω ἢ ἄλλος Ἀχαιῶν,
ἠὲ γυναῖκα νέην, ἵνα μίσγεαι ἐν φιλότητι,
ἥν τ' αὐτὸς ἀπονόσφι κατίσχεαι; οὐ μὲν ἔοικεν
ἀρχὸν ἐόντα κακῶν ἐπιβασκέμεν υἷας Ἀχαιῶν.
ὦ πέπονες, κάκ' ἐλέγχε', Ἀχαιΐδες, οὐκέτ' Ἀχαιοί,
οἴκαδέ περ σὺν νηυσὶ νεώμεθα, τόνδε δ' ἐῶμεν
αὐτοῦ ἐνὶ Τροίῃ γέρα πεσσέμεν, ὄφρα ἴδηται
ἤ ῥά τί οἱ χἠμεῖς προσαμύνομεν, ἦε καὶ οὐκί·
ὃς καὶ νῦν Ἀχιλῆα, ἕο μέγ' ἀμείνονα φῶτα,
ἠτίμησεν· ἑλὼν γὰρ ἔχει γέρας, αὐτὸς ἀπούρας.
ἀλλὰ μάλ' οὐκ Ἀχιλῆϊ χόλος φρεσίν, ἀλλὰ μεθήμων·
ἦ γὰρ ἄν, Ἀτρεΐδη, νῦν ὕστατα λωβήσαιο."

(II. 211–42)

3. *The Advance of the Trojans*

Αὐτὰρ ἐπεὶ κόσμηθεν ἅμ' ἡγεμόνεσσιν ἕκαστοι,
Τρῶες μὲν κλαγγῇ τ' ἐνοπῇ τ' ἴσαν, ὄρνιθες ὥς,

ἠΰτε περ κλαγγὴ γεράνων πέλει οὐρανόθι πρό,
αἵ τ' ἐπεὶ οὖν χειμῶνα φύγον καὶ ἀθέσφατον ὄμβρον,
κλαγγῇ ταί γε πέτονται ἐπ' Ὠκεανοῖο ῥοάων,
ἀνδράσι Πυγμαίοισι φόνον καὶ κῆρα φέρουσαι·
ἠέριαι δ' ἄρα ταί γε κακὴν ἔριδα προφέρονται·
οἱ δ' ἄρ' ἴσαν σιγῇ μένεα πνείοντες Ἀχαιοί,
ἐν θυμῷ μεμαῶτες ἀλεξέμεν ἀλλήλοισιν.
Εὖτ' ὄρεος κορυφῇσι Νότος κατέχευεν ὀμίχλην,
ποιμέσιν οὔ τι φίλην, κλέπτῃ δέ τε νυκτὸς ἀμείνω,
τόσσον τίς τ' ἐπιλεύσσει ὅσον τ' ἐπὶ λᾶαν ἵησιν·
ὣς ἄρα τῶν ὑπὸ ποσσὶ κονίσαλος ὄρνυτ' ἀελλὴς
ἐρχομένων· μάλα δ' ὦκα διέπρησσον πεδίοιο.

(III. 1–14)

4. *Helen*

Ὣς εἰποῦσα θεὰ γλυκὺν ἵμερον ἔμβαλε θυμῷ
ἀνδρός τε προτέρου καὶ ἄστεος ἠδὲ τοκήων·
αὐτίκα δ' ἀργεννῇσι καλυψαμένη ὀθόνῃσιν
ὁρμᾶτ' ἐκ θαλάμοιο τέρεν κατὰ δάκρυ χέουσα,
οὐκ οἴη, ἅμα τῇ γε καὶ ἀμφίπολοι δύ' ἕποντο,
Αἴθρη, Πιτθῆος θυγάτηρ, Κλυμένη τε βοῶπις·
αἶψα δ' ἔπειθ' ἵκανον ὅθι Σκαιαὶ πύλαι ἦσαν.
Οἱ δ' ἀμφὶ Πρίαμον καὶ Πάνθοον ἠδὲ Θυμοίτην
Λάμπον τε Κλυτίον θ' Ἱκετάονά τ', ὄζον Ἄρηος,
Οὐκαλέγων τε καὶ Ἀντήνωρ, πεπνυμένω ἄμφω,
ἥατο δημογέροντες ἐπὶ Σκαιῇσι πύλῃσι,
γήραϊ δὴ πολέμοιο πεπαυμένοι, ἀλλ' ἀγορηταὶ
ἐσθλοί, τεττίγεσσιν ἐοικότες, οἵ τε καθ' ὕλην
δενδρέῳ ἐφεζόμενοι ὄπα λειριόεσσαν ἱεῖσι·
τοῖοι ἄρα Τρώων ἡγήτορες ἧντ' ἐπὶ πύργῳ.

οἱ δ' ὡς οὖν εἴδονθ' Ἑλένην ἐπὶ πύργον ἰοῦσαν,
ἦκα πρὸς ἀλλήλους ἔπεα πτερόεντ' ἀγόρευον·
"οὐ νέμεσις Τρῶας καὶ ἐϋκνήμιδας Ἀχαιοὺς
τοιῇδ' ἀμφὶ γυναικὶ πολὺν χρόνον ἄλγεα πάσχειν·
αἰνῶς ἀθανάτῃσι θεῇς εἰς ὦπα ἔοικεν·
ἀλλὰ καὶ ὧς τοίη περ ἐοῦσ' ἐν νηυσὶ νεέσθω,
μηδ' ἡμῖν τεκέεσσί τ' ὀπίσσω πῆμα λίποιτο."
  Ὣς ἄρ' ἔφαν, Πρίαμος δ' Ἑλένην ἐκαλέσσατο φωνῇ·
"δεῦρο πάροιθ' ἐλθοῦσα, φίλον τέκος, ἵζευ ἐμεῖο,
ὄφρα ἴδῃ πρότερόν τε πόσιν πηούς τε φίλους τε—
οὔ τί μοι αἰτίη ἐσσί, θεοί νύ μοι αἴτιοί εἰσιν,
οἵ μοι ἐφώρμησαν πόλεμον πολύδακρυν Ἀχαιῶν—
ὥς μοι καὶ τόνδ' ἄνδρα πελώριον ἐξονομήνῃς,
ὅς τις ὅδ' ἐστὶν Ἀχαιὸς ἀνὴρ ἠΰς τε μέγας τε.
ἤ τοι μὲν κεφαλῇ καὶ μείζονες ἄλλοι ἔασι,
καλὸν δ' οὕτω ἐγὼν οὔ πω ἴδον ὀφθαλμοῖσιν,
οὐδ' οὕτω γεραρόν· βασιλῆϊ γὰρ ἀνδρὶ ἔοικε."
  Τὸν δ' Ἑλένη μύθοισιν ἀμείβετο, δῖα γυναικῶν·
"αἰδοῖός τέ μοί ἐσσι, φίλε ἑκυρέ, δεινός τε·
ὡς ὄφελεν θάνατός μοι ἁδεῖν κακὸς ὁππότε δεῦρο
υἱέϊ σῷ ἑπόμην, θάλαμον γνωτούς τε λιποῦσα
παῖδά τε τηλυγέτην καὶ ὁμηλικίην ἐρατεινήν.
ἀλλὰ τά γ' οὐκ ἐγένοντο· τὸ καὶ κλαίουσα τέτηκα.
τοῦτο δέ τοι ἐρέω, ὅ μ' ἀνείρεαι ἠδὲ μεταλλᾷς·
οὗτός γ' Ἀτρεΐδης εὐρὺ κρείων Ἀγαμέμνων,
ἀμφότερον βασιλεύς τ' ἀγαθὸς κρατερός τ' αἰχμητής·
δαὴρ αὖτ' ἐμὸς ἔσκε κυνώπιδος, εἴ ποτ' ἔην γε."

(III. 139–80)

5. *Menelaus and Odysseus*

Τήν δ' αὖτ' Ἀντήνωρ πεπνυμένος ἀντίον ηὔδα·
"ὦ γύναι, ἦ μάλα τοῦτο ἔπος νημερτὲς ἔειπες·
ἤδη γὰρ καὶ δεῦρό ποτ' ἤλυθε δῖος Ὀδυσσεὺς
σεῦ ἕνεκ' ἀγγελίης σὺν ἀρηϊφίλῳ Μενελάῳ·
τοὺς δ' ἐγὼ ἐξείνισσα καὶ ἐν μεγάροισι φίλησα,
ἀμφοτέρων δὲ φυὴν ἐδάην καὶ μήδεα πυκνά.
ἀλλ' ὅτε δὴ Τρώεσσιν ἐν ἀγρομένοισιν ἔμιχθεν,
στάντων μὲν Μενέλαος ὑπείρεχεν εὐρέας ὤμους,
ἄμφω δ' ἑζομένω γεραρώτερος ἦεν Ὀδυσσεύς·
ἀλλ' ὅτε δὴ μύθους καὶ μήδεα πᾶσιν ὕφαινον,
ἦ τοι μὲν Μενέλαος ἐπιτροχάδην ἀγόρευε,
παῦρα μέν, ἀλλὰ μάλα λιγέως, ἐπεὶ οὐ πολύμυθος
οὐδ' ἀφαμαρτοεπής· ἦ καὶ γένει ὕστερος ἦεν.
ἀλλ' ὅτε δὴ πολύμητις ἀναΐξειεν Ὀδυσσεύς,
στάσκεν, ὑπαὶ δὲ ἴδεσκε κατὰ χθονὸς ὄμματα πήξας,
σκῆπτρον δ' οὔτ' ὀπίσω οὔτε προπρηνὲς ἐνώμα,
ἀλλ' ἀστεμφὲς ἔχεσκεν, ἀΐδρεϊ φωτὶ ἐοικώς·
φαίης κε ζάκοτόν τέ τιν' ἔμμεναι ἄφρονά τ' αὔτως.
ἀλλ' ὅτε δὴ ὄπα τε μεγάλην ἐκ στήθεος εἵη
καὶ ἔπεα νιφάδεσσιν ἐοικότα χειμερίῃσιν,
οὐκ ἂν ἔπειτ' Ὀδυσῆΐ γ' ἐρίσσειε βροτὸς ἄλλος·
οὐ τότε γ' ὧδ' Ὀδυσῆος ἀγασσάμεθ' εἶδος ἰδόντες."

(III. 203–24)

6. *The Two Hosts*

Ὡς δ' ὅτ' ἐν αἰγιαλῷ πολυηχέϊ κῦμα θαλάσσης
ὄρνυτ' ἐπασσύτερον Ζεφύρου ὕπο κινήσαντος·
πόντῳ μέν τε πρῶτα κορύσσεται, αὐτὰρ ἔπειτα

χέρσῳ ῥηγνύμενον μεγάλα βρέμει, ἀμφὶ δέ τ' ἄκρας
κυρτὸν ἐὸν κορυφοῦται, ἀποπτύει δ' ἁλὸς ἄχνην·
ὣς τότ' ἐπασσύτεραι Δαναῶν κίνυντο φάλαγγες
νωλεμέως πόλεμόνδε· κέλευε δὲ οἷσιν ἕκαστος
ἡγεμόνων· οἱ δ' ἄλλοι ἀκὴν ἴσαν, οὐδέ κε φαίης
τόσσον λαὸν ἕπεσθαι ἔχοντ' ἐν στήθεσιν αὐδήν,
σιγῇ δειδιότες σημάντορας· ἀμφὶ δὲ πᾶσι
τεύχεα ποικίλ' ἔλαμπε, τὰ εἱμένοι ἐστιχόωντο.
Τρῶες δ', ὥς τ' ὄϊες πολυπάμονος ἀνδρὸς ἐν αὐλῇ
μυρίαι ἑστήκασιν ἀμελγόμεναι γάλα λευκόν,
ἀζηχὲς μεμακυῖαι ἀκούουσαι ὄπα ἀρνῶν,
ὣς Τρώων ἀλαλητὸς ἀνὰ στρατὸν εὐρὺν ὀρώρει·
οὐ γὰρ πάντων ἦεν ὁμὸς θρόος οὐδ' ἴα γῆρυς,
ἀλλὰ γλῶσσ' ἐμέμικτο, πολύκλητοι δ' ἔσαν ἄνδρες.
ὦρσε δὲ τοὺς μὲν Ἄρης, τοὺς δὲ γλαυκῶπις Ἀθήνη
Δεῖμός τ' ἠδὲ Φόβος καὶ Ἔρις ἄμοτον μεμαυῖα,
Ἄρεος ἀνδροφόνοιο κασιγνήτη ἑτάρη τε,
ἥ τ' ὀλίγη μὲν πρῶτα κορύσσεται, αὐτὰρ ἔπειτα
οὐρανῷ ἐστήριξε κάρη καὶ ἐπὶ χθονὶ βαίνει·
ἥ σφιν καὶ τότε νεῖκος ὁμοίϊον ἔμβαλε μέσσῳ
ἐρχομένη καθ' ὅμιλον, ὀφέλλουσα στόνον ἀνδρῶν.

(IV. 422–45)

7. *The Rally*

Ὣς φάτο Σαρπηδών, δάκε δὲ φρένας Ἕκτορι μῦθος·
αὐτίκα δ' ἐξ ὀχέων σὺν τεύχεσιν ἆλτο χαμᾶζε,
πάλλων δ' ὀξέα δοῦρα κατὰ στρατὸν ᾤχετο πάντῃ,
ὀτρύνων μαχέσασθαι, ἔγειρε δὲ φύλοπιν αἰνήν.
οἱ δ' ἐλελίχθησαν καὶ ἐναντίοι ἔσταν Ἀχαιῶν·
Ἀργεῖοι δ' ὑπέμειναν ἀολλέες οὐδὲ φόβηθεν.

ὡς δ' ἄνεμος ἄχνας φορέει ἱερὰς κατ' ἀλωὰς
ἀνδρῶν λικμώντων, ὅτε τε ξανθὴ Δημήτηρ
κρίνῃ ἐπειγομένων ἀνέμων καρπόν τε καὶ ἄχνας,
αἱ δ' ὑπολευκαίνονται ἀχυρμιαί· ὣς τότ' Ἀχαιοὶ
λευκοὶ ὕπερθε γένοντο κονισάλῳ, ὅν ῥα δι' αὐτῶν
οὐρανὸν ἐς πολύχαλκον ἐπέπληγον πόδες ἵππων,
ἂψ ἐπιμισγομένων· ὑπὸ δ' ἔστρεφον ἡνιοχῆες.
(V. 493–505)

8. *The Story of Bellerophon*

Τὸν δ' αὖθ' Ἱππολόχοιο προσηύδα φαίδιμος υἱός·
"Τυδεΐδη μεγάθυμε, τίη γενεὴν ἐρεείνεις;
οἵη περ φύλλων γενεή, τοίη δὲ καὶ ἀνδρῶν.
φύλλα τὰ μέν τ' ἄνεμος χαμάδις χέει, ἄλλα δέ θ' ὕλη
τηλεθόωσα φύει, ἔαρος δ' ἐπιγίγνεται ὥρῃ·
ὣς ἀνδρῶν γενεὴ ἡ μὲν φύει ἡ δ' ἀπολήγει.
εἰ δ' ἐθέλεις καὶ ταῦτα δαήμεναι, ὄφρ' ἐῢ εἰδῇς
ἡμετέρην γενεήν, πολλοὶ δέ μιν ἄνδρες ἴσασιν·
ἔστι πόλις Ἐφύρη μυχῷ Ἄργεος ἱπποβότοιο,
ἔνθα δὲ Σίσυφος ἔσκεν, ὃ κέρδιστος γένετ' ἀνδρῶν,
Σίσυφος Αἰολίδης· ὁ δ' ἄρα Γλαῦκον τέκεθ' υἱόν,
αὐτὰρ Γλαῦκος τίκτεν ἀμύμονα Βελλεροφόντην·
τῷ δὲ θεοὶ κάλλος τε καὶ ἠνορέην ἐρατεινὴν
ὤπασαν· αὐτάρ οἱ Προῖτος κακὰ μήσατο θυμῷ,
ὅς ῥ' ἐκ δήμου ἔλασσεν, ἐπεὶ πολὺ φέρτερος ἦεν,
Ἀργείων· Ζεὺς γάρ οἱ ὑπὸ σκήπτρῳ ἐδάμασσε.
τῷ δὲ γυνὴ Προίτου ἐπεμήνατο, δῖ' Ἄντεια,
κρυπταδίῃ φιλότητι μιγήμεναι· ἀλλὰ τὸν οὔ τι
πεῖθ' ἀγαθὰ φρονέοντα, δαΐφρονα Βελλεροφόντην.
ἡ δὲ ψευσαμένη Προῖτον βασιλῆα προσηύδα·

'τεθναίης, ὦ Προῖτ', ἢ κάκτανε Βελλεροφόντην,
ὅς μ' ἔθελεν φιλότητι μιγήμεναι οὐκ ἐθελούσῃ.'
ὣς φάτο, τὸν δὲ ἄνακτα χόλος λάβεν οἷον ἄκουσε·
κτεῖναι μέν ῥ' ἀλέεινε, σεβάσσατο γὰρ τό γε θυμῷ,
πέμπε δέ μιν Λυκίηνδε, πόρεν δ' ὅ γε σήματα λυγρά,
γράψας ἐν πίνακι πτυκτῷ θυμοφθόρα πολλά,
δεῖξαι δ' ἠνώγειν ᾧ πενθερῷ, ὄφρ' ἀπόλοιτο.
αὐτὰρ ὁ βῆ Λυκίηνδε θεῶν ὑπ' ἀμύμονι πομπῇ.
ἀλλ' ὅτε δὴ Λυκίην ἷξε Ξάνθον τε ῥέοντα,
προφρονέως μιν τῖεν ἄναξ Λυκίης εὐρείης·
ἐννῆμαρ ξείνισσε καὶ ἐννέα βοῦς ἱέρευσεν.
ἀλλ' ὅτε δὴ δεκάτη ἐφάνη ῥοδοδάκτυλος Ἠώς,
καὶ τότε μιν ἐρέεινε καὶ ᾔτεε σῆμα ἰδέσθαι,
ὅττι ῥά οἱ γαμβροῖο πάρα Προίτοιο φέροιτο.
αὐτὰρ ἐπεὶ δὴ σῆμα κακὸν παρεδέξατο γαμβροῦ,
πρῶτον μέν ῥα Χίμαιραν ἀμαιμακέτην ἐκέλευσε
πεφνέμεν· ἡ δ' ἄρ' ἔην θεῖον γένος, οὐδ' ἀνθρώπων,
πρόσθε λέων, ὄπιθεν δὲ δράκων, μέσση δὲ χίμαιρα,
δεινὸν ἀποπνείουσα πυρὸς μένος αἰθομένοιο.
καὶ τὴν μὲν κατέπεφνε θεῶν τεράεσσι πιθήσας·
δεύτερον αὖ Σολύμοισι μαχέσσατο κυδαλίμοισι·
καρτίστην δὴ τήν γε μάχην φάτο δύμεναι ἀνδρῶν.
τὸ τρίτον αὖ κατέπεφνεν Ἀμαζόνας ἀντιανείρας.
τῷ δ' ἄρ' ἀνερχομένῳ πυκινὸν δόλον ἄλλον ὕφαινε·
κρίνας ἐκ Λυκίης εὐρείης φῶτας ἀρίστους
εἷσε λόχον· τοὶ δ' οὔ τι πάλιν οἰκόνδε νέοντο·
πάντας γὰρ κατέπεφνεν ἀμύμων Βελλεροφόντης.
ἀλλ' ὅτε δὴ γίγνωσκε θεοῦ γόνον ἠῢν ἐόντα,
αὐτοῦ μιν κατέρυκε, δίδου δ' ὅ γε θυγατέρα ἥν,
δῶκε δέ οἱ τιμῆς βασιληΐδος ἥμισυ πάσης·

καὶ μέν οἱ Λύκιοι τέμενος τάμον ἔξοχον ἄλλων,
καλὸν φυταλιῆς καὶ ἀρούρης, ὄφρα νέμοιτο."

(VI. 144–95)

9. *Hector and Andromache*

Εὖτε πύλας ἵκανε διερχόμενος μέγα ἄστυ
Σκαιάς, τῇ ἄρ' ἔμελλε διεξίμεναι πεδίονδε,
ἔνθ' ἄλοχος πολύδωρος ἐναντίη ἦλθε θέουσα
'Ανδρομάχη, θυγάτηρ μεγαλήτορος 'Ηετίωνος,
'Ηετίων, ὃς ἔναιεν ὑπὸ Πλάκῳ ὑληέσσῃ,
Θήβῃ 'Υποπλακίῃ, Κιλίκεσσ' ἄνδρεσσιν ἀνάσσων·
τοῦ περ δὴ θυγάτηρ ἔχεθ' Ἕκτορι χαλκοκορυστῇ.
ἥ οἱ ἔπειτ' ἤντησ', ἅμα δ' ἀμφίπολος κίεν αὐτῇ
παῖδ' ἐπὶ κόλπῳ ἔχουσ' ἀταλάφρονα, νήπιον αὔτως,
'Εκτορίδην ἀγαπητόν, ἀλίγκιον ἀστέρι καλῷ,
τόν ῥ' Ἕκτωρ καλέεσκε Σκαμάνδριον, αὐτὰρ οἱ ἄλλοι
'Αστυάνακτ'· οἶος γὰρ ἐρύετο Ἴλιον Ἕκτωρ.
ἦ τοι ὁ μὲν μείδησεν ἰδὼν ἐς παῖδα σιωπῇ·
'Ανδρομάχη δέ οἱ ἄγχι παρίστατο δάκρυ χέουσα,
ἔν τ' ἄρα οἱ φῦ χειρὶ ἔπος τ' ἔφατ' ἔκ τ' ὀνόμαζε·
"δαιμόνιε, φθίσει σε τὸ σὸν μένος, οὐδ' ἐλεαίρεις
παῖδά τε νηπίαχον καὶ ἔμ' ἄμμορον, ἣ τάχα χήρη
σεῦ ἔσομαι· τάχα γάρ σε κατακτανέουσιν 'Αχαιοὶ
πάντες ἐφορμηθέντες· ἐμοὶ δέ κε κέρδιον εἴη
σεῦ ἀφαμαρτούσῃ χθόνα δύμεναι· οὐ γὰρ ἔτ' ἄλλη
ἔσται θαλπωρή, ἐπεὶ ἂν σύ γε πότμον ἐπίσπῃς,
ἀλλ' ἄχε'· οὐδέ μοι ἔστι πατὴρ καὶ πότνια μήτηρ.
ἦ τοι γὰρ πατέρ' ἁμὸν ἀπέκτανε δῖος 'Αχιλλεύς,
ἐκ δὲ πόλιν πέρσεν Κιλίκων εὖ ναιετάουσαν,
Θήβην ὑψίπυλον· κατὰ δ' ἔκτανεν 'Ηετίωνα,

οὐδέ μιν ἐξενάριξε, σεβάσσατο γὰρ τό γε θυμῷ,
ἀλλ' ἄρα μιν κατέκηε σὺν ἔντεσι δαιδαλέοισιν
ἠδ' ἐπὶ σῆμ' ἔχεεν· περὶ δὲ πτελέας ἐφύτευσαν
νύμφαι ὀρεστιάδες, κοῦραι Διὸς αἰγιόχοιο.
οἳ δέ μοι ἑπτὰ κασίγνητοι ἔσαν ἐν μεγάροισιν,
οἱ μὲν πάντες ἰῷ κίον ἤματι Ἄϊδος εἴσω·
πάντας γὰρ κατέπεφνε ποδάρκης δῖος Ἀχιλλεὺς
βουσὶν ἐπ' εἰλιπόδεσσι καὶ ἀργεννῇς ὀΐεσσι.
μητέρα δ', ἣ βασίλευεν ὑπὸ Πλάκῳ ὑληέσσῃ,
τὴν ἐπεὶ ἂρ δεῦρ' ἤγαγ' ἅμ' ἄλλοισι κτεάτεσσιν,
ἂψ ὅ γε τὴν ἀπέλυσε λαβὼν ἀπερείσι' ἄποινα,
πατρὸς δ' ἐν μεγάροισι βάλ' Ἄρτεμις ἰοχέαιρα.
Ἕκτορ, ἀτὰρ σύ μοί ἐσσι πατὴρ καὶ πότνια μήτηρ
ἠδὲ κασίγνητος, σὺ δέ μοι θαλερὸς παρακοίτης·
ἀλλ' ἄγε νῦν ἐλέαιρε καὶ αὐτοῦ μίμν' ἐπὶ πύργῳ,
μὴ παῖδ' ὀρφανικὸν θήῃς χήρην τε γυναῖκα·
λαὸν δὲ στῆσον παρ' ἐρινεόν, ἔνθα μάλιστα
ἀμβατός ἐστι πόλις καὶ ἐπίδρομον ἔπλετο τεῖχος.
τρὶς γὰρ τῇ γ' ἐλθόντες ἐπειρήσανθ' οἱ ἄριστοι
ἀμφ' Αἴαντε δύω καὶ ἀγακλυτὸν Ἰδομενῆα
ἠδ' ἀμφ' Ἀτρεΐδας καὶ Τυδέος ἄλκιμον υἱόν·
ἤ πού τίς σφιν ἔνισπε θεοπροπίων ἐῢ εἰδώς,
ἤ νυ καὶ αὐτῶν θυμὸς ἐποτρύνει καὶ ἀνώγει."

Τὴν δ' αὖτε προσέειπε μέγας κορυθαίολος Ἕκτωρ·
"ἦ καὶ ἐμοὶ τάδε πάντα μέλει, γύναι· ἀλλὰ μάλ' αἰνῶς
αἰδέομαι Τρῶας καὶ Τρῳάδας ἑλκεσιπέπλους,
αἴ κε κακὸς ὣς νόσφιν ἀλυσκάζω πολέμοιο·
οὐδέ με θυμὸς ἄνωγεν, ἐπεὶ μάθον ἔμμεναι ἐσθλὸς
αἰεὶ καὶ πρώτοισι μετὰ Τρώεσσι μάχεσθαι,
ἀρνύμενος πατρός τε μέγα κλέος ἠδ' ἐμὸν αὐτοῦ.

εὖ γὰρ ἐγὼ τόδε οἶδα κατὰ φρένα καὶ κατὰ θυμόν·
ἔσσεται ἦμαρ ὅτ' ἄν ποτ' ὀλώλῃ Ἴλιος ἱρὴ
καὶ Πρίαμος καὶ λαὸς ἐϋμμελίω Πριάμοιο.
ἀλλ' οὔ μοι Τρώων τόσσον μέλει ἄλγος ὀπίσσω,
οὔτ' αὐτῆς Ἑκάβης οὔτε Πριάμοιο ἄνακτος
οὔτε κασιγνήτων, οἵ κεν πολέες τε καὶ ἐσθλοὶ
ἐν κονίῃσι πέσοιεν ὑπ' ἀνδράσι δυσμενέεσσιν,
ὅσσον σεῦ, ὅτε κέν τις Ἀχαιῶν χαλκοχιτώνων
δακρυόεσσαν ἄγηται, ἐλεύθερον ἦμαρ ἀπούρας·
καί κεν ἐν Ἄργει ἐοῦσα πρὸς ἄλλης ἱστὸν ὑφαίνοις,
καί κεν ὕδωρ φορέοις Μεσσηΐδος ἢ Ὑπερείης
πόλλ' ἀεκαζομένη, κρατερὴ δ' ἐπικείσετ' ἀνάγκη·
καί ποτέ τις εἴπῃσιν ἰδὼν κατὰ δάκρυ χέουσαν·
'Ἕκτορος ἥδε γυνή, ὃς ἀριστεύεσκε μάχεσθαι
Τρώων ἱπποδάμων, ὅτε Ἴλιον ἀμφιμάχοντο.'
ὥς ποτέ τις ἐρέει· σοὶ δ' αὖ νέον ἔσσεται ἄλγος
χήτεϊ τοιοῦδ' ἀνδρὸς ἀμύνειν δούλιον ἦμαρ.
ἀλλά με τεθνηῶτα χυτὴ κατὰ γαῖα καλύπτοι,
πρίν γέ τι σῆς τε βοῆς σοῦ θ' ἑλκηθμοῖο πυθέσθαι."
Ὣς εἰπὼν οὗ παιδὸς ὀρέξατο φαίδιμος Ἕκτωρ·
ἂψ δ' ὁ πάϊς πρὸς κόλπον ἐϋζώνοιο τιθήνης
ἐκλίνθη ἰάχων, πατρὸς φίλου ὄψιν ἀτυχθείς,
ταρβήσας χαλκόν τε ἰδὲ λόφον ἱππιοχαίτην,
δεινὸν ἀπ' ἀκροτάτης κόρυθος νεύοντα νοήσας.
ἐκ δὲ γέλασσε πατήρ τε φίλος καὶ πότνια μήτηρ·
αὐτίκ' ἀπὸ κρατὸς κόρυθ' εἵλετο φαίδιμος Ἕκτωρ,
καὶ τὴν μὲν κατέθηκεν ἐπὶ χθονὶ παμφανόωσαν·
αὐτὰρ ὅ γ' ὃν φίλον υἱὸν ἐπεὶ κύσε πῆλέ τε χερσίν,
εἶπε δ' ἐπευξάμενος Διί τ' ἄλλοισίν τε θεοῖσι·
"Ζεῦ ἄλλοι τε θεοί, δότε δὴ καὶ τόνδε γενέσθαι

παῖδ' ἐμόν, ὡς καὶ ἐγώ περ, ἀριπρεπέα Τρώεσσιν,
ὧδε βίην τ' ἀγαθόν, καὶ Ἰλίου ἶφι ἀνάσσειν·
καί ποτέ τις εἴποι 'πατρός γ' ὅδε πολλὸν ἀμείνων'
ἐκ πολέμου ἀνιόντα· φέροι δ' ἔναρα βροτόεντα
κτείνας δήϊον ἄνδρα, χαρείη δὲ φρένα μήτηρ."
Ὣς εἰπὼν ἀλόχοιο φίλης ἐν χερσὶν ἔθηκε
παῖδ' ἑόν· ἡ δ' ἄρα μιν κηώδεϊ δέξατο κόλπῳ
δακρυόεν γελάσασα· πόσις δ' ἐλέησε νοήσας,
χειρί τέ μιν κατέρεξεν ἔπος τ' ἔφατ' ἔκ τ' ὀνόμαζε·
"δαιμονίη, μή μοί τι λίην ἀκαχίζεο θυμῷ·
οὐ γάρ τίς μ' ὑπὲρ αἶσαν ἀνὴρ Ἄϊδι προϊάψει·
μοῖραν δ' οὔ τινά φημι πεφυγμένον ἔμμεναι ἀνδρῶν,
οὐ κακόν, οὐδὲ μὲν ἐσθλόν, ἐπὴν τὰ πρῶτα γένηται.
ἀλλ' εἰς οἶκον ἰοῦσα τὰ σ' αὐτῆς ἔργα κόμιζε,
ἱστόν τ' ἠλακάτην τε, καὶ ἀμφιπόλοισι κέλευε
ἔργον ἐποίχεσθαι· πόλεμος δ' ἄνδρεσσι μελήσει
πᾶσι, μάλιστα δ' ἐμοί, τοὶ Ἰλίῳ ἐγγεγάασιν."
Ὣς ἄρα φωνήσας κόρυθ' εἵλετο φαίδιμος Ἕκτωρ
ἵππουριν· ἄλοχος δὲ φίλη οἶκόνδε βεβήκει
ἐντροπαλιζομένη, θαλερὸν κατὰ δάκρυ χέουσα.

(VI. 392–496)

10. *The Scales of Zeus*

Ὄφρα μὲν ἠὼς ἦν καὶ ἀέξετο ἱερὸν ἦμαρ,
τόφρα μάλ' ἀμφοτέρων βέλε' ἥπτετο, πῖπτε δὲ λαός.
ἦμος δ' Ἠέλιος μέσον οὐρανὸν ἀμφιβεβήκει,
καὶ τότε δὴ χρύσεια πατὴρ ἐτίταινε τάλαντα·
ἐν δὲ τίθει δύο κῆρε τανηλεγέος θανάτοιο,
Τρώων θ' ἱπποδάμων καὶ Ἀχαιῶν χαλκοχιτώνων,
ἕλκε δὲ μέσσα λαβών· ῥέπε δ' αἴσιμον ἦμαρ Ἀχαιῶν.

αἱ μὲν Ἀχαιῶν κῆρες ἐπὶ χθονὶ πουλυβοτείρῃ
ἑζέσθην, Τρώων δὲ πρὸς οὐρανὸν εὐρὺν ἄερθεν·
αὐτὸς δ' ἐξ Ἴδης μεγάλ' ἔκτυπε, δαιόμενον δὲ
ἧκε σέλας μετὰ λαὸν Ἀχαιῶν· οἱ δὲ ἰδόντες
θάμβησαν, καὶ πάντας ὑπὸ χλωρὸν δέος εἷλεν.

(VIII. 66–77)

11. *The Trojan Camp-fires*

Οἱ δὲ μέγα φρονέοντες ἐπὶ πτολέμοιο γεφύρας
ἥατο παννύχιοι, πυρὰ δέ σφισι καίετο πολλά.
ὡς δ' ὅτ' ἐν οὐρανῷ ἄστρα φαεινὴν ἀμφὶ σελήνην
φαίνετ' ἀριπρεπέα, ὅτε τ' ἔπλετο νήνεμος αἰθήρ.
ἔκ τ' ἔφανεν πᾶσαι σκοπιαὶ καὶ πρώονες ἄκροι
καὶ νάπαι· οὐρανόθεν δ' ἄρ' ὑπερράγη ἄσπετος αἰθήρ,
πάντα δὲ εἴδεται ἄστρα, γέγηθε δέ τε φρένα ποιμήν·
τόσσα μεσηγὺ νεῶν ἠδὲ Ξάνθοιο ῥοάων
Τρώων καιόντων πυρὰ φαίνετο Ἰλιόθι πρό.
χίλι' ἄρ' ἐν πεδίῳ πυρὰ καίετο, πὰρ δὲ ἑκάστῳ
ἥατο πεντήκοντα σέλᾳ πυρὸς αἰθομένοιο.
ἵπποι δὲ κρῖ λευκὸν ἐρεπτόμενοι καὶ ὀλύρας
ἑσταότες παρ' ὄχεσφιν ἐΰθρονον Ἠῶ μίμνον.

(VIII. 553–65)

12. *Achilles' Reply to the Embassy*

Τὸν δ' ἀπαμειβόμενος προσέφη πόδας ὠκὺς Ἀχιλ-
λεύς·
"διογενὲς Λαερτιάδη, πολυμήχαν' Ὀδυσσεῦ,
χρὴ μὲν δὴ τὸν μῦθον ἀπηλεγέως ἀποειπεῖν,
ᾗ περ δὴ φρονέω τε καὶ ὡς τετελεσμένον ἔσται,
ὡς μή μοι τρύζητε παρήμενοι ἄλλοθεν ἄλλος.

ἐχθρὸς γάρ μοι κεῖνος ὁμῶς Ἀΐδαο πύλῃσιν
ὅς χ᾽ ἕτερον μὲν κεύθῃ ἐνὶ φρεσίν, ἄλλο δὲ εἴπῃ.
αὐτὰρ ἐγὼν ἐρέω ὥς μοι δοκεῖ εἶναι ἄριστα·
οὔτ᾽ ἔμεγ᾽ Ἀτρεΐδην Ἀγαμέμνονα πεισέμεν οἴω
οὔτ᾽ ἄλλους Δαναούς, ἐπεὶ οὐκ ἄρα τις χάρις ἦεν
μάρνασθαι δηΐοισιν ἐπ᾽ ἀνδράσι νωλεμὲς αἰεί.
ἴση μοῖρα μένοντι, καὶ εἰ μάλα τις πολεμίζοι·
ἐν δὲ ἰῇ τιμῇ ἠμὲν κακὸς ἠδὲ καὶ ἐσθλός·
κάτθαν᾽ ὁμῶς ὅ τ᾽ ἀεργὸς ἀνὴρ ὅ τε πολλὰ ἐοργώς.
οὐδέ τί μοι περίκειται, ἐπεὶ πάθον ἄλγεα θυμῷ,
αἰεὶ ἐμὴν ψυχὴν παραβαλλόμενος πολεμίζειν.
ὡς δ᾽ ὄρνις ἀπτῆσι νεοσσοῖσι προφέρῃσι
μάστακ᾽, ἐπεί κε λάβῃσι, κακῶς δ᾽ ἄρα οἱ πέλει αὐτῇ,
ὣς καὶ ἐγὼ πολλὰς μὲν ἀΰπνους νύκτας ἴαυον,
ἤματα δ᾽ αἱματόεντα διέπρησσον πολεμίζων,
ἀνδράσι μαρνάμενος ὀάρων ἕνεκα σφετεράων.
δώδεκα δὴ σὺν νηυσὶ πόλεις ἀλάπαξ᾽ ἀνθρώπων,
πεζὸς δ᾽ ἕνδεκά φημι κατὰ Τροίην ἐρίβωλον·
τάων ἐκ πασέων κειμήλια πολλὰ καὶ ἐσθλὰ
ἐξελόμην, καὶ πάντα φέρων Ἀγαμέμνονι δόσκον
Ἀτρεΐδῃ· ὁ δ᾽ ὄπισθε μένων παρὰ νηυσὶ θοῇσι
δεξάμενος διὰ παῦρα δασάσκετο, πολλὰ δ᾽ ἔχεσκεν.
ἄλλα δ᾽ ἀριστήεσσι δίδου γέρα καὶ βασιλεῦσι,
τοῖσι μὲν ἔμπεδα κεῖται, ἐμεῦ δ᾽ ἀπὸ μούνου Ἀχαιῶν
εἵλετ᾽, ἔχει δ᾽ ἄλοχον θυμαρέα· τῇ παριαύων
τερπέσθω. τί δὲ δεῖ πολεμιζέμεναι Τρώεσσιν
Ἀργείους; τί δὲ λαὸν ἀνήγαγεν ἐνθάδ᾽ ἀγείρας
Ἀτρεΐδης; ἦ οὐχ Ἑλένης ἕνεκ᾽ ἠϋκόμοιο;
ἦ μοῦνοι φιλέουσ᾽ ἀλόχους μερόπων ἀνθρώπων
Ἀτρεΐδαι; ἐπεὶ ὅς τις ἀνὴρ ἀγαθὸς καὶ ἐχέφρων

τὴν αὐτοῦ φιλέει καὶ κήδεται, ὡς καὶ ἐγὼ τὴν
ἐκ θυμοῦ φίλεον, δουρικτητήν περ ἐοῦσαν.
νῦν δ' ἐπεὶ ἐκ χειρῶν γέρας εἵλετο καί μ' ἀπάτησε,
μή μευ πειράτω εὖ εἰδότος· οὐδέ με πείσει. . . .
οὐδέ τί οἱ βουλὰς συμφράσσομαι, οὐδὲ μὲν ἔργον·
ἐκ γὰρ δή μ' ἀπάτησε καὶ ἤλιτεν· οὐδ' ἂν ἔτ' αὖτις
ἐξαπάφοιτ' ἐπέεσσιν· ἅλις δέ οἱ· ἀλλὰ ἕκηλος
ἐρρέτω· ἐκ γάρ εὑ φρένας εἵλετο μητίετα Ζεύς.
ἐχθρὰ δέ μοι τοῦ δῶρα, τίω δέ μιν ἐν καρὸς αἴσῃ.
οὐδ' εἴ μοι δεκάκις τε καὶ εἰκοσάκις τόσα δοίη
ὅσσα τέ οἱ νῦν ἔστι, καὶ εἴ ποθεν ἄλλα γένοιτο,
οὐδ' ὅσ' ἐς 'Ορχομενὸν ποτινίσεται, οὐδ' ὅσα Θήβας
Αἰγυπτίας, ὅθι πλεῖστα δόμοις ἐν κτήματα κεῖται,
αἵ θ' ἑκατόμπυλοί εἰσι, διηκόσιοι δ' ἀν' ἑκάστας
ἀνέρες ἐξοιχνεῦσι σὺν ἵπποισιν καὶ ὄχεσφιν·
οὐδ' εἴ μοι τόσα δοίη ὅσα ψάμαθός τε κόνις τε,
οὐδέ κεν ὣς ἔτι θυμὸν ἐμὸν πείσει' 'Αγαμέμνων,
πρίν γ' ἀπὸ πᾶσαν ἐμοὶ δόμεναι θυμαλγέα λώβην.
κούρην δ' οὐ γαμέω 'Αγαμέμνονος 'Ατρεΐδαο,
οὐδ' εἰ χρυσείῃ 'Αφροδίτῃ κάλλος ἐρίζοι,
ἔργα δ' 'Αθηναίῃ γλαυκώπιδι ἰσοφαρίζοι·
οὐδέ μιν ὣς γαμέω· ὁ δ' 'Αχαιῶν ἄλλον ἑλέσθω,
ὅς τις οἷ τ' ἐπέοικε καὶ ὃς βασιλεύτερός ἐστιν.
ἢν γὰρ δή με σαῶσι θεοὶ καὶ οἴκαδ' ἵκωμαι,
Πηλεύς θήν μοι ἔπειτα γυναῖκά γε μάσσεται αὐτός.
πολλαὶ 'Αχαιΐδες εἰσὶν ἀν' 'Ελλάδα τε Φθίην τε,
κοῦραι ἀριστήων, οἵ τε πτολίεθρα ῥύονται,
τάων ἥν κ' ἐθέλωμι φίλην ποιήσομ' ἄκοιτιν.
ἔνθα δέ μοι μάλα πολλὸν ἐπέσσυτο θυμὸς ἀγήνωρ
γήμαντα μνηστὴν ἄλοχον, ἐϊκυῖαν ἄκοιτιν,

κτήμασι τέρπεσθαι τὰ γέρων ἐκτήσατο Πηλεύς·
οὐ γὰρ ἐμοὶ ψυχῆς ἀντάξιον οὐδ' ὅσα φασὶν
Ἴλιον ἐκτῆσθαι, εὖ ναιόμενον πτολίεθρον,
τὸ πρὶν ἐπ' εἰρήνης, πρὶν ἐλθεῖν υἷας Ἀχαιῶν,
οὐδ' ὅσα λάϊνος οὐδὸς ἀφήτορος ἐντὸς ἐέργει,
Φοίβου Ἀπόλλωνος, Πυθοῖ ἔνι πετρηέσσῃ.
ληϊστοὶ μὲν γάρ τε βόες καὶ ἴφια μῆλα,
κτητοὶ δὲ τρίποδές τε καὶ ἵππων ξανθὰ κάρηνα·
ἀνδρὸς δὲ ψυχὴ πάλιν ἐλθεῖν οὔτε λεϊστὴ
οὔθ' ἑλετή, ἐπεὶ ἄρ κεν ἀμείψεται ἕρκος ὀδόντων.
μήτηρ γάρ τέ μέ φησι θεὰ Θέτις ἀργυρόπεζα
διχθαδίας κῆρας φερέμεν θανάτοιο τέλοσδε.
εἰ μέν κ' αὖθι μένων Τρώων πόλιν ἀμφιμάχωμαι,
ὤλετο μέν μοι νόστος, ἀτὰρ κλέος ἄφθιτον ἔσται·
εἰ δέ κεν οἴκαδ' ἵκωμι φίλην ἐς πατρίδα γαῖαν,
ὤλετό μοι κλέος ἐσθλόν, ἐπὶ δηρὸν δέ μοι αἰὼν
ἔσσεται, οὐδέ κέ μ' ὦκα τέλος θανάτοιο κιχείη.
καὶ δ' ἂν τοῖς ἄλλοισιν ἐγὼ παραμυθησαίμην
οἴκαδ' ἀποπλείειν, ἐπεὶ οὐκέτι δήετε τέκμωρ
Ἰλίου αἰπεινῆς· μάλα γάρ ἑθεν εὐρύοπα Ζεὺς
χεῖρα ἑὴν ὑπερέσχε, τεθαρσήκασι δὲ λαοί."

(IX. 307–45 and 374–420)

13. *The Appeal of Phoenix*

Ἀλλ', Ἀχιλεῦ, δάμασον θυμὸν μέγαν· οὐδέ τί σε χρὴ
νηλεὲς ἦτορ ἔχειν· στρεπτοὶ δέ τε καὶ θεοὶ αὐτοί,
τῶν περ καὶ μείζων ἀρετὴ τιμή τε βίη τε.
καὶ μὲν τοὺς θυέεσσι καὶ εὐχωλῇς ἀγανῇσι
λοιβῇ τε κνίσῃ τε παρατρωπῶσ' ἄνθρωποι
λισσόμενοι, ὅτε κέν τις ὑπερβήῃ καὶ ἁμάρτῃ.

καὶ γάρ τε Λιταί εἰσι Διὸς κοῦραι μεγάλοιο,
χωλαί τε ῥυσαί τε παραβλῶπές τ' ὀφθαλμώ,
αἵ ῥά τε καὶ μετόπισθ' Ἄτης ἀλέγουσι κιοῦσαι.
ἡ δ' Ἄτη σθεναρή τε καὶ ἀρτίπος, οὕνεκα πάσας
πολλὸν ὑπεκπροθέει, φθάνει δέ τε πᾶσαν ἐπ' αἶαν
βλάπτουσ' ἀνθρώπους· αἱ δ' ἐξακέονται ὀπίσσω.
ὃς μέν τ' αἰδέσεται κούρας Διὸς ἆσσον ἰούσας,
τὸν δὲ μέγ' ὤνησαν καί τ' ἔκλυον εὐχομένοιο·
ὃς δέ κ' ἀνήνηται καί τε στερεῶς ἀποείπῃ,
λίσσονται δ' ἄρα ταί γε Δία Κρονίωνα κιοῦσαι
τῷ Ἄτην ἅμ' ἕπεσθαι, ἵνα βλαφθεὶς ἀποτείσῃ.
ἀλλ', Ἀχιλεῦ, πόρε καὶ σὺ Διὸς κούρῃσιν ἕπεσθαι
τιμήν, ἥ τ' ἄλλων περ ἐπιγνάμπτει νόον ἐσθλῶν.

(IX. 496–514)

14. *Ajax in the Fight*

Ζεὺς δὲ πατὴρ Αἴανθ' ὑψίζυγος ἐν φόβον ὦρσε·
στῆ δὲ ταφών, ὄπιθεν δὲ σάκος βάλεν ἑπταβόειον,
τρέσσε δὲ παπτήνας ἐφ' ὁμίλου, θηρὶ ἐοικώς,
ἐντροπαλιζόμενος, ὀλίγον γόνυ γουνὸς ἀμείβων.
ὡς δ' αἴθωνα λέοντα βοῶν ἀπὸ μεσσαύλοιο
ἐσσεύαντο κύνες τε καὶ ἀνέρες ἀγροιῶται,
οἵ τέ μιν οὐκ εἰῶσι βοῶν ἐκ πῖαρ ἑλέσθαι
πάννυχοι ἐγρήσσοντες· ὁ δὲ κρειῶν ἐρατίζων
ἰθύει, ἀλλ' οὔ τι πρήσσει· θαμέες γὰρ ἄκοντες
ἀντίον ἀΐσσουσι θρασειάων ἀπὸ χειρῶν,
καιόμεναί τε δεταί, τάς τε τρεῖ ἐσσύμενός περ·
ἠῶθεν δ' ἀπονόσφιν ἔβη τετιηότι θυμῷ·
ὣς Αἴας τότ' ἀπὸ Τρώων τετιημένος ἦτορ
ἤϊε πόλλ' ἀέκων· περὶ γὰρ δίε νηυσὶν Ἀχαιῶν.

ὡς δ' ὅτ' ὄνος παρ' ἄρουραν ἰὼν ἐβιήσατο παῖδας
νωθής, ᾧ δὴ πολλὰ περὶ ῥόπαλ' ἀμφὶς ἐάγῃ,
κείρει τ' εἰσελθὼν βαθὺ λήϊον· οἱ δέ τε παῖδες
τύπτουσιν ῥοπάλοισι· βίη δέ τε νηπίη αὐτῶν·
σπουδῇ τ' ἐξήλασσαν, ἐπεί τ' ἐκορέσσατο φορβῆς·
ὣς τότ' ἔπειτ' Αἴαντα μέγαν, Τελαμώνιον υἱόν,
Τρῶες ὑπέρθυμοι πολυηγερέες τ' ἐπίκουροι
νύσσοντες ξυστοῖσι μέσον σάκος αἰὲν ἕποντο.
Αἴας δ' ἄλλοτε μὲν μνησάσκετο θούριδος ἀλκῆς
αὖτις ὑποστρεφθείς, καὶ ἐρητύσασκε φάλαγγας
Τρώων ἱπποδάμων· ὁτὲ δὲ τρωπάσκετο φεύγειν.
πάντας δὲ προέεργε θοὰς ἐπὶ νῆας ὁδεύειν,
αὐτὸς δὲ Τρώων καὶ Ἀχαιῶν θῦνε μεσηγὺ
ἱστάμενος· τὰ δὲ δοῦρα θρασειάων ἀπὸ χειρῶν
ἄλλα μὲν ἐν σάκεϊ μεγάλῳ πάγεν ὄρμενα πρόσσω,
πολλὰ δὲ καὶ μεσσηγύ, πάρος χρόα λευκὸν ἐπαυρεῖν,
ἐν γαίῃ ἵσταντο, λιλαιόμενα χροὸς ἆσαι.

(XI. 544–74)

15. *The Wall*

Ὣς ὁ μὲν ἐν κλισίῃσι Μενοιτίου ἄλκιμος υἱὸς
ἰᾶτ' Εὐρύπυλον βεβλημένον· οἱ δ' ἐμάχοντο
Ἀργεῖοι καὶ Τρῶες ὁμιλαδόν· οὐδ' ἄρ' ἔμελλε
τάφρος ἔτι σχήσειν Δαναῶν καὶ τεῖχος ὕπερθεν
εὐρύ, τὸ ποιήσαντο νεῶν ὕπερ, ἀμφὶ δὲ τάφρον
ἤλασαν, οὐδὲ θεοῖσι δόσαν κλειτὰς ἑκατόμβας,
ὄφρα σφιν νῆάς τε θοὰς καὶ ληΐδα πολλὴν
ἐντὸς ἔχον ῥύοιτο· θεῶν δ' ἀέκητι τέτυκτο
ἀθανάτων· τὸ καὶ οὔ τι πολὺν χρόνον ἔμπεδον ἦεν.
ὄφρα μὲν Ἕκτωρ ζωὸς ἔην καὶ μήνι' Ἀχιλλεὺς

καὶ Πριάμοιο ἄνακτος ἀπόρθητος πόλις ἔπλεν,
τόφρα δὲ καὶ μέγα τεῖχος Ἀχαιῶν ἔμπεδον ἦεν.
αὐτὰρ ἐπεὶ κατὰ μὲν Τρώων θάνον ὅσσοι ἄριστοι,
πολλοὶ δ' Ἀργείων οἱ μὲν δάμεν, οἱ δὲ λίποντο,
πέρθετο δὲ Πριάμοιο πόλις δεκάτῳ ἐνιαυτῷ,
Ἀργεῖοι δ' ἐν νηυσὶ φίλην ἐς πατρίδ' ἔβησαν,
δὴ τότε μητιόωντο Ποσειδάων καὶ Ἀπόλλων
τεῖχος ἀμαλδῦναι, ποταμῶν μένος εἰσαγαγόντες.
ὅσσοι ἀπ' Ἰδαίων ὀρέων ἅλαδε προρέουσι,
Ῥῆσός θ' Ἑπτάπορός τε Κάρησός τε Ῥοδίος τε
Γρήνικός τε καὶ Αἴσηπος δῖός τε Σκάμανδρος
καὶ Σιμόεις, ὅθι πολλὰ βοάγρια καὶ τρυφάλειαι
κάππεσον ἐν κονίῃσι καὶ ἡμιθέων γένος ἀνδρῶν·
τῶν πάντων ὁμόσε στόματ' ἔτραπε Φοῖβος Ἀπόλλων,
ἐννῆμαρ δ' ἐς τεῖχος ἵει ῥόον· ὗε δ' ἄρα Ζεὺς
συνεχές, ὄφρα κε θᾶσσον ἁλίπλοα τείχεα θείη.
αὐτὸς δ' ἐννοσίγαιος ἔχων χείρεσσι τρίαιναν
ἡγεῖτ', ἐκ δ' ἄρα πάντα θεμείλια κύμασι πέμπε
φιτρῶν καὶ λάων, τὰ θέσαν μογέοντες Ἀχαιοί,
λεῖα δ' ἐποίησεν παρ' ἀγάρροον Ἑλλήσποντον,
αὖτις δ' ἠϊόνα μεγάλην ψαμάθοισι κάλυψε,
τεῖχος ἀμαλδύνας· ποταμοὺς δ' ἔτρεψε νέεσθαι
κὰρ ῥόον, ᾗ περ πρόσθεν ἵεν καλλίρροον ὕδωρ.

(XII. 1–33)

16. The Snow of Stones

Ὣς τώ γε προβοῶντε μάχην ὤτρυνον Ἀχαιῶν.
τῶν δ', ὥς τε νιφάδες χιόνος πίπτωσι θαμειαὶ
ἤματι χειμερίῳ, ὅτε τ' ὤρετο μητίετα Ζεὺς
νιφέμεν, ἀνθρώποισι πιφαυσκόμενος τὰ ἃ κῆλα·

κοιμήσας δ' ἀνέμους χέει ἔμπεδον, ὄφρα καλύψῃ
ὑψηλῶν ὀρέων κορυφὰς καὶ πρώονας ἄκρους
καὶ πεδία λωτοῦντα καὶ ἀνδρῶν πίονα ἔργα,
καί τ' ἐφ' ἁλὸς πολιῆς κέχυται λιμέσιν τε καὶ ἀκταῖς,
κῦμα δέ μιν προσπλάζον ἐρύκεται· ἄλλα τε πάντα
εἴλυται καθύπερθ', ὅτ' ἐπιβρίσῃ Διὸς ὄμβρος·
ὣς τῶν ἀμφοτέρωσε λίθοι πωτῶντο θαμειαί,
αἱ μὲν ἄρ' ἐς Τρῶας, αἱ δ' ἐκ Τρώων ἐς Ἀχαιούς,
βαλλομένων· τὸ δὲ τεῖχος ὕπερ πᾶν δοῦπος ὀρώρει.
(XII. 277–89)

17. *Sarpedon and Glaucus*

Οὐδ' ἄν πω τότε γε Τρῶες καὶ φαίδιμος Ἕκτωρ
τείχεος ἐρρήξαντο πύλας καὶ μακρὸν ὀχῆα,
εἰ μὴ ἄρ' υἱὸν ἑὸν Σαρπηδόνα μητίετα Ζεὺς
ὦρσεν ἐπ' Ἀργείοισι, λέονθ' ὣς βουσὶν ἕλιξιν.
αὐτίκα δ' ἀσπίδα μὲν πρόσθ' ἔσχετο πάντοσ' ἐΐσην,
καλὴν χαλκείην ἐξήλατον, ἣν ἄρα χαλκεὺς
ἤλασεν, ἔντοσθεν δὲ βοείας ῥάψε θαμειὰς
χρυσείῃς ῥάβδοισι διηνεκέσιν περὶ κύκλον.
τὴν ἄρ' ὅ γε πρόσθε σχόμενος, δύο δοῦρε τινάσσων,
βῆ ῥ' ἴμεν ὥς τε λέων ὀρεσίτροφος, ὅς τ' ἐπιδευὴς
δηρὸν ἔῃ κρειῶν, κέλεται δέ ἑ θυμὸς ἀγήνωρ
μήλων πειρήσοντα καὶ ἐς πυκινὸν δόμον ἐλθεῖν·
εἴ περ γάρ χ' εὕρῃσι παρ' αὐτόφι βώτορας ἄνδρας
σὺν κυσὶ καὶ δούρεσσι φυλάσσοντας περὶ μῆλα,
οὔ ῥά τ' ἀπείρητος μέμονε σταθμοῖο δίεσθαι,
ἀλλ' ὅ γ' ἄρ' ἢ ἥρπαξε μετάλμενος, ἠὲ καὶ αὐτὸς
ἔβλητ' ἐν πρώτοισι θοῆς ἀπὸ χειρὸς ἄκοντι·
ὥς ῥα τότ' ἀντίθεον Σαρπηδόνα θυμὸς ἀνῆκε

τεῖχος ἐπαΐξαι διά τε ῥήξασθαι ἐπάλξεις.
αὐτίκα δὲ Γλαῦκον προσέφη, παῖδ' Ἱππολόχοιο·
"Γλαῦκε, τίη δὴ νῶϊ τετιμήμεσθα μάλιστα
ἕδρῃ τε κρέασίν τε ἰδὲ πλείοις δεπάεσσιν
ἐν Λυκίῃ, πάντες δὲ θεοὺς ὣς εἰσορόωσι,
καὶ τέμενος νεμόμεσθα μέγα Ξάνθοιο παρ' ὄχθας,
καλὸν φυταλιῆς καὶ ἀρούρης πυροφόροιο;
τῶ νῦν χρὴ Λυκίοισι μέτα πρώτοισιν ἐόντας
ἑστάμεν ἠδὲ μάχης καυστείρης ἀντιβολῆσαι,
ὄφρα τις ὧδ' εἴπῃ Λυκίων πύκα θωρηκτάων·
'οὐ μὰν ἀκλεέες Λυκίην κάτα κοιρανέουσιν
ἡμέτεροι βασιλῆες, ἔδουσί τε πίονα μῆλα
οἶνόν τ' ἔξαιτον μελιηδέα· ἀλλ' ἄρα καὶ ἶς
ἐσθλή, ἐπεὶ Λυκίοισι μέτα πρώτοισι μάχονται.'
ὦ πέπον, εἰ μὲν γὰρ πόλεμον περὶ τόνδε φυγόντε
αἰεὶ δὴ μέλλοιμεν ἀγήρω τ' ἀθανάτω τε
ἔσσεσθ', οὔτε κεν αὐτὸς ἐνὶ πρώτοισι μαχοίμην
οὔτε κε σὲ στέλλοιμι μάχην ἐς κυδιάνειραν·
νῦν δ' ἔμπης γὰρ κῆρες ἐφεστᾶσιν θανάτοιο
μυρίαι, ἃς οὐκ ἔστι φυγεῖν βροτὸν οὐδ' ὑπαλύξαι,
ἴομεν, ἠέ τῳ εὖχος ὀρέξομεν, ἠέ τις ἡμῖν."
  Ὣς ἔφατ', οὐδὲ Γλαῦκος ἀπετράπετ' οὐδ' ἀπίθησε.
(XII. 290–329)

18. *Apollo destroys the Wall*

Ὣς εἰπὼν μάστιγι κατωμαδὸν ἤλασεν ἵππους,
κεκλόμενος Τρώεσσι κατὰ στίχας· οἱ δὲ σὺν αὐτῷ
πάντες ὁμοκλήσαντες ἔχον ἐρυσάρματας ἵππους
ἠχῇ θεσπεσίῃ· προπάροιθε δὲ Φοῖβος Ἀπόλλων
ῥεῖ' ὄχθας καπέτοιο βαθείης ποσσὶν ἐρείπων

ἐς μέσσον κατέβαλλε, γεφύρωσεν δὲ κέλευθον
μακρὴν ἠδ' εὐρεῖαν, ὅσον τ' ἐπὶ δουρὸς ἐρωὴ
γίγνεται, ὁππότ' ἀνὴρ σθένεος πειρώμενος ᾗσι.
τῇ ῥ' οἵ γε προχέοντο φαλαγγηδόν, πρὸ δ' Ἀπόλλων
αἰγίδ' ἔχων ἐρίτιμον· ἔρειπε δὲ τεῖχος Ἀχαιῶν
ῥεῖα μάλ', ὡς ὅτε τις ψάμαθον πάϊς ἄγχι θαλάσσης,
ὅς τ' ἐπεὶ οὖν ποιήσῃ ἀθύρματα νηπιέῃσιν,
ἂψ αὖτις συνέχευε ποσὶν καὶ χερσὶν ἀθύρων.
ὥς ῥα σύ, ἤϊε Φοῖβε, πολὺν κάματον καὶ ὀϊζὺν
σύγχεας Ἀργείων, αὐτοῖσι δὲ φύζαν ἐνῶρσας.
(XV. 352–66)

19. *Ajax on the Decks*

Οὐδ' ἄρ' ἔτ' Αἴαντι μεγαλήτορι ἥνδανε θυμῷ
ἑστάμεν ἔνθα περ ἄλλοι ἀφέστασαν υἷες Ἀχαιῶν·
ἀλλ' ὅ γε νηῶν ἴκρι' ἐπῴχετο μακρὰ βιβάσθων,
νώμα δὲ ξυστὸν μέγα ναύμαχον ἐν παλάμῃσι,
κολλητὸν βλήτροισι, δυωκαιεικοσίπηχυ.
ὡς δ' ὅτ' ἀνὴρ ἵπποισι κελητίζειν ἐῢ εἰδώς,
ὅς τ' ἐπεὶ ἐκ πολέων πίσυρας συναείρεται ἵππους,
σεύας ἐκ πεδίοιο μέγα προτὶ ἄστυ δίηται
λαοφόρον καθ' ὁδόν· πολέες τέ ἑ θηήσαντο
ἀνέρες ἠδὲ γυναῖκες· ὁ δ' ἔμπεδον ἀσφαλὲς αἰεὶ
θρῴσκων ἄλλοτ' ἐπ' ἄλλον ἀμείβεται, οἱ δὲ πέτονται·
ὣς Αἴας ἐπὶ πολλὰ θοάων ἴκρια νηῶν
φοίτα μακρὰ βιβάς, φωνὴ δέ οἱ αἰθέρ' ἵκανεν,
αἰεὶ δὲ σμερδνὸν βοόων Δαναοῖσι κέλευε
νηυσί τε καὶ κλισίῃσιν ἀμυνέμεν. οὐδὲ μὲν Ἕκτωρ
μίμνεν ἐνὶ Τρώων ὁμάδῳ πύκα θωρηκτάων·
ἀλλ' ὥς τ' ὀρνίθων πετεηνῶν αἰετὸς αἴθων

ἔθνος ἐφορμᾶται ποταμὸν πάρα βοσκομενάων,
χηνῶν ἢ γεράνων ἢ κύκνων δουλιχοδείρων,
ὣς Ἕκτωρ ἴθυσε νεὸς κυανοπρῴροιο
ἀντίος ἀΐξας· τὸν δὲ Ζεὺς ὦσεν ὄπισθε
χειρὶ μάλα μεγάλῃ, ὤτρυνε δὲ λαὸν ἅμ' αὐτῷ.
(XV. 674–95)

20. *Achilles and Patroclus*

Ὣς οἱ μὲν περὶ νηὸς ἐϋσσέλμοιο μάχοντο·
Πάτροκλος δ' Ἀχιλῆϊ παρίστατο, ποιμένι λαῶν,
δάκρυα θερμὰ χέων ὥς τε κρήνη μελάνυδρος,
ἥ τε κατ' αἰγίλιπος πέτρης δνοφερὸν χέει ὕδωρ.
τὸν δὲ ἰδὼν ᾤκτιρε ποδάρκης δῖος Ἀχιλλεύς,
καί μιν φωνήσας ἔπεα πτερόεντα προσηύδα·
"τίπτε δεδάκρυσαι, Πατρόκλεες, ἠΰτε κούρη
νηπίη, ἥ θ' ἅμα μητρὶ θέουσ' ἀνελέσθαι ἀνώγει,
είανοῦ ἁπτομένη, καί τ' ἐσσυμένην κατερύκει,
δακρυόεσσα δέ μιν ποτιδέρκεται, ὄφρ' ἀνέληται·
τῇ ἴκελος, Πάτροκλε, τέρεν κατὰ δάκρυον εἴβεις.
ἠέ τι Μυρμιδόνεσσι πιφαύσκεαι, ἢ ἐμοὶ αὐτῷ,
ἠέ τιν' ἀγγελίην Φθίης ἒξ ἔκλυες οἶος;
ζώειν μὰν ἔτι φασὶ Μενοίτιον, Ἄκτορος υἱόν,
ζώει δ' Αἰακίδης Πηλεὺς μετὰ Μυρμιδόνεσσι,
τῶν κε μάλ' ἀμφοτέρων ἀκαχοίμεθα τεθνηώτων.
ἦε σύ γ' Ἀργείων ὀλοφύρεαι, ὡς ὀλέκονται
νηυσὶν ἔπι γλαφυρῇσιν ὑπερβασίης ἕνεκα σφῆς;
ἐξαύδα, μὴ κεῦθε νόῳ, ἵνα εἴδομεν ἄμφω."
Τὸν δὲ βαρὺ στενάχων προσέφης, Πατρόκλεες ἱππεῦ·
"ὦ Ἀχιλεῦ, Πηλῆος υἱέ, μέγα φέρτατ' Ἀχαιῶν,
μὴ νεμέσα· τοῖον γὰρ ἄχος βεβίηκεν Ἀχαιούς.

οἱ μὲν γὰρ δὴ πάντες, ὅσοι πάρος ἦσαν ἄριστοι,
ἐν νηυσὶν κέαται βεβλημένοι οὐτάμενοί τε.
βέβληται μὲν ὁ Τυδεΐδης κρατερὸς Διομήδης,
οὔτασται δ' Ὀδυσεὺς δουρικλυτὸς ἠδ' Ἀγαμέμνων,
βέβληται δὲ καὶ Εὐρύπυλος κατὰ μηρὸν ὀϊστῷ.
τοὺς μέν τ' ἰητροὶ πολυφάρμακοι ἀμφιπένονται,
ἕλκε' ἀκειόμενοι· σὺ δ' ἀμήχανος ἔπλευ, Ἀχιλλεῦ.
μὴ ἐμέ γ' οὖν οὗτός γε λάβοι χόλος, ὃν σὺ φυλάσσεις,
αἰναρέτη· τί σευ ἄλλος ὀνήσεται ὀψίγονός περ,
αἴ κε μὴ Ἀργείοισιν ἀεικέα λοιγὸν ἀμύνῃς;
νηλεές, οὐκ ἄρα σοί γε πατὴρ ἦν ἱππότα Πηλεύς,
οὐδὲ Θέτις μήτηρ· γλαυκὴ δέ σε τίκτε θάλασσα
πέτραι τ' ἠλίβατοι, ὅτι τοι νόος ἐστὶν ἀπηνής.
εἰ δέ τινα φρεσὶ σῇσι θεοπροπίην ἀλεείνεις
καί τινά τοι πὰρ Ζηνὸς ἐπέφραδε πότνια μήτηρ,
ἀλλ' ἐμέ περ πρόες ὦχ', ἅμα δ' ἄλλον λαὸν ὄπασσον
Μυρμιδόνων, ἤν πού τι φόως Δαναοῖσι γένωμαι.
δὸς δέ μοι ὤμοιιν τὰ σὰ τεύχεα θωρηχθῆναι,
αἴ κ' ἐμὲ σοὶ ἴσκοντες ἀπόσχωνται πολέμοιο
Τρῶες, ἀναπνεύσωσι δ' ἀρήϊοι υἷες Ἀχαιῶν
τειρόμενοι· ὀλίγη δέ τ' ἀνάπνευσις πολέμοιο.
ῥεῖα δέ κ' ἀκμῆτες κεκμηότας ἄνδρας ἀϋτῇ
ὤσαιμεν προτὶ ἄστυ νεῶν ἄπο καὶ κλισιάων."
  Ὣς φάτο λισσόμενος μέγα νήπιος· ἦ γὰρ ἔμελλεν
οἷ αὐτῷ θάνατόν τε κακὸν καὶ κῆρα λιτέσθαι.
(XVI. 1–47)

21. *Achilles' Prayer*

Αὐτὰρ Ἀχιλλεὺς
βῆ ῥ' ἴμεν ἐς κλισίην, χηλοῦ δ' ἀπὸ πῶμ' ἀνέῳγε
καλῆς δαιδαλέης, τήν οἱ Θέτις ἀργυρόπεζα

θῆκ' ἐπὶ νηὸς ἄγεσθαι, ἐῢ πλήσασα χιτώνων
χλαινάων τ' ἀνεμοσκεπέων οὔλων τε ταπήτων.
ἔνθα δέ οἱ δέπας ἔσκε τετυγμένον, οὐδέ τις ἄλλος
οὔτ' ἀνδρῶν πίνεσκεν ἀπ' αὐτοῦ αἴθοπα οἶνον,
οὔτε τεῳ σπένδεσκε θεῶν, ὅτε μὴ Διὶ πατρί.
τό ῥα τότ' ἐκ χηλοῖο λαβὼν ἐκάθηρε θεείῳ
πρῶτον, ἔπειτα δ' ἔνιψ' ὕδατος καλῇσι ῥοῇσι,
νίψατο δ' αὐτὸς χεῖρας, ἀφύσσατο δ' αἴθοπα οἶνον.
εὔχετ' ἔπειτα στὰς μέσῳ ἕρκεϊ, λεῖβε δὲ οἶνον
οὐρανὸν εἰσανιδών· Δία δ' οὐ λάθε τερπικέραυνον·
"Ζεῦ ἄνα, Δωδωναῖε, Πελασγικέ, τηλόθι ναίων,
Δωδώνης μεδέων δυσχειμέρου· ἀμφὶ δὲ Σελλοὶ
σοὶ ναίουσ' ὑποφῆται ἀνιπτόποδες χαμαιεῦναι.
ἦ μὲν δή ποτ' ἐμὸν ἔπος ἔκλυες εὐξαμένοιο,
τίμησας μὲν ἐμέ, μέγα δ' ἴψαο λαὸν Ἀχαιῶν,
ἠδ' ἔτι καὶ νῦν μοι τόδ' ἐπικρήηνον ἐέλδωρ·
αὐτὸς μὲν γὰρ ἐγὼ μενέω νηῶν ἐν ἀγῶνι,
ἀλλ' ἕταρον πέμπω πολέσιν μετὰ Μυρμιδόνεσσι
μάρνασθαι· τῷ κῦδος ἅμα πρόες, εὐρύοπα Ζεῦ,
θάρσυνον δέ οἱ ἦτορ ἐνὶ φρεσίν, ὄφρα καὶ Ἕκτωρ
εἴσεται ἤ ῥα καὶ οἶος ἐπίστηται πολεμίζειν
ἡμέτερος θεράπων, ἦ οἱ τότε χεῖρες ἄαπτοι
μαίνονθ', ὁππότ' ἐγώ περ ἴω μετὰ μῶλον Ἄρηος.
αὐτὰρ ἐπεί κ' ἀπὸ ναῦφι μάχην ἐνοπήν τε δίηται,
ἀσκηθής μοι ἔπειτα θοὰς ἐπὶ νῆας ἵκοιτο
τεύχεσί τε ξὺν πᾶσι καὶ ἀγχεμάχοις ἑτάροισιν."
Ὣς ἔφατ' εὐχόμενος, τοῦ δ' ἔκλυε μητίετα Ζεύς.
τῷ δ' ἕτερον μὲν δῶκε πατήρ, ἕτερον δ' ἀνένευσε·
νηῶν μέν οἱ ἀπώσασθαι πόλεμόν τε μάχην τε
δῶκε, σόον δ' ἀνένευσε μάχης ἒξ ἀπονέεσθαι.

22. *The Death of Patroclus*

Ἕκτωρ δ' ὡς εἶδεν Πατροκλῆα μεγάθυμον
ἂψ ἀναχαζόμενον, βεβλημένον ὀξέϊ χαλκῷ,
ἀγχίμολόν ῥά οἱ ἦλθε κατὰ στίχας, οὖτα δὲ δουρὶ
νείατον ἐς κενεῶνα, διαπρὸ δὲ χαλκὸν ἔλασσε·
δούπησεν δὲ πεσών, μέγα δ' ἤκαχε λαὸν Ἀχαιῶν·
ὡς δ' ὅτε σῦν ἀκάμαντα λέων ἐβιήσατο χάρμῃ,
ὥ τ' ὄρεος κορυφῇσι μέγα φρονέοντε μάχεσθον
πίδακος ἀμφ' ὀλίγης· ἐθέλουσι δὲ πιέμεν ἄμφω·
πολλὰ δέ τ' ἀσθμαίνοντα λέων ἐδάμασσε βίηφιν·
ὣς πολέας πεφνόντα Μενοιτίου ἄλκιμον υἱὸν
Ἕκτωρ Πριαμίδης σχεδὸν ἔγχεϊ θυμὸν ἀπηύρα,
καί οἱ ἐπευχόμενος ἔπεα πτερόεντα προσηύδα·
"Πάτροκλ', ἦ που ἔφησθα πόλιν κεραϊξέμεν ἁμήν,
Τρωϊάδας δὲ γυναῖκας ἐλεύθερον ἦμαρ ἀπούρας
ἄξειν ἐν νήεσσι φίλην ἐς πατρίδα γαῖαν,
νήπιε· τάων δὲ πρόσθ' Ἕκτορος ὠκέες ἵπποι
ποσσὶν ὀρωρέχαται πολεμίζειν· ἔγχεϊ δ' αὐτὸς
Τρωσὶ φιλοπτολέμοισι μεταπρέπω, ὅ σφιν ἀμύνω
ἦμαρ ἀναγκαῖον· σὲ δέ τ' ἐνθάδε γῦπες ἔδονται.
ἆ δείλ', οὐδέ τοι ἐσθλὸς ἐὼν χραίσμησεν Ἀχιλλεύς,
ὅς πού τοι μάλα πολλὰ μένων ἐπετέλλετ' ἰόντι·
'μή μοι πρὶν ἰέναι, Πατρόκλεες ἱπποκέλευθε,
νῆας ἔπι γλαφυράς, πρὶν Ἕκτορος ἀνδροφόνοιο
αἱματόεντα χιτῶνα περὶ στήθεσσι δαΐξαι.'
ὥς πού σε προσέφη, σοὶ δὲ φρένας ἄφρονι πεῖθε."

Τὸν δ' ὀλιγοδρανέων προσέφης, Πατρόκλεες ἱππεῦ·
"ἤδη νῦν, Ἕκτορ, μεγάλ' εὔχεο· σοὶ γὰρ ἔδωκε
νίκην Ζεὺς Κρονίδης καὶ Ἀπόλλων, οἵ με δάμασσαν

ῥηιδίως· αὐτοὶ γὰρ ἀπ' ὤμων τεύχε' ἕλοντο.
τοιοῦτοι δ' εἴ πέρ μοι ἐείκοσιν ἀντεβόλησαν,
πάντες κ' αὐτόθ' ὄλοντο ἐμῷ ὑπὸ δουρὶ δαμέντες.
ἀλλά με μοῖρ' ὀλοὴ καὶ Λητοῦς ἔκτανεν υἱός,
ἀνδρῶν δ' Εὔφορβος· σὺ δέ με τρίτος ἐξεναρίζεις.
ἄλλο δέ τοι ἐρέω, σὺ δ' ἐνὶ φρεσὶ βάλλεο σῇσιν·
οὔ θην οὐδ' αὐτὸς δηρὸν βέῃ, ἀλλά τοι ἤδη
ἄγχι παρέστηκεν θάνατος καὶ μοῖρα κραταιή,
χερσὶ δαμέντ' Ἀχιλῆος ἀμύμονος Αἰακίδαο."
῝Ως ἄρα μιν εἰπόντα τέλος θανάτοιο κάλυψε·
ψυχὴ δ' ἐκ ῥεθέων πταμένη Ἄϊδόσδε βεβήκει,
ὃν πότμον γοόωσα, λιποῦσ' ἀνδροτῆτα καὶ ἥβην.
τὸν καὶ τεθνηῶτα προσηύδα φαίδιμος Ἕκτωρ·
"Πατρόκλεις, τί νύ μοι μαντεύεαι αἰπὺν ὄλεθρον;
τίς δ' οἶδ' εἴ κ' Ἀχιλεύς, Θέτιδος πάϊς ἠϋκόμοιο,
φθήῃ ἐμῷ ὑπὸ δουρὶ τυπεὶς ἀπὸ θυμὸν ὀλέσσαι;"
῝Ως ἄρα φωνήσας δόρυ χάλκεον ἐξ ὠτειλῆς
εἴρυσε λὰξ προσβάς, τὸν δ' ὕπτιον ὦσ' ἀπὸ δουρός.
αὐτίκα δὲ ξὺν δουρὶ μετ' Αὐτομέδοντα βεβήκει,
ἀντίθεον θεράποντα ποδώκεος Αἰακίδαο·
ἵετο γὰρ βαλέειν· τὸν δ' ἔκφερον ὠκέες ἵπποι
ἄμβροτοι, οὓς Πηλῆϊ θεοὶ δόσαν ἀγλαὰ δῶρα.

(XVI. 818–67)

23. *The Horses of Achilles*

῝Ως οἱ μὲν μάρναντο, σιδήρειος δ' ὀρυμαγδὸς
χάλκεον οὐρανὸν ἷκε δι' αἰθέρος ἀτρυγέτοιο·
ἵπποι δ' Αἰακίδαο μάχης ἀπάνευθεν ἐόντες
κλαῖον, ἐπεὶ δὴ πρῶτα πυθέσθην ἡνιόχοιο
ἐν κονίῃσι πεσόντος ὑφ' Ἕκτορος ἀνδροφόνοιο.
ἦ μὰν Αὐτομέδων, Διώρεος ἄλκιμος υἱός,

πολλὰ μὲν ἂρ μάστιγι θοῇ ἐπεμαίετο θείνων,
πολλὰ δὲ μειλιχίοισι προσηύδα, πολλὰ δ' ἀρειῇ·
τὼ δ' οὔτ' ἂψ ἐπὶ νῆας ἐπὶ πλατὺν Ἑλλήσποντον
ἠθελέτην ἰέναι οὔτ' ἐς πόλεμον μετ' Ἀχαιούς,
ἀλλ' ὥς τε στήλη μένει ἔμπεδον, ἥ τ' ἐπὶ τύμβῳ
ἀνέρος ἑστήκῃ τεθνηότος ἠὲ γυναικός,
ὣς μένον ἀσφαλέως περικαλλέα δίφρον ἔχοντες,
οὔδει ἐνισκίμψαντε καρήατα· δάκρυα δέ σφι
θερμὰ κατὰ βλεφάρων χαμάδις ῥέε μυρομένοισιν
ἡνιόχοιο πόθῳ· θαλερὴ δ' ἐμιαίνετο χαίτη
ζεύγλης ἐξεριποῦσα παρὰ ζυγὸν ἀμφοτέρωθεν.
Μυρομένω δ' ἄρα τώ γε ἰδὼν ἐλέησε Κρονίων,
κινήσας δὲ κάρη προτὶ ὃν μυθήσατο θυμόν·
"ἆ δειλώ, τί σφωϊ δόμεν Πηλῆϊ ἄνακτι
θνητῷ, ὑμεῖς δ' ἐστὸν ἀγήρω τ' ἀθανάτω τε.
ἦ ἵνα δυστήνοισι μετ' ἀνδράσιν ἄλγε' ἔχητον;
οὐ μὲν γάρ τί πού ἐστιν ὀϊζυρώτερον ἀνδρὸς
πάντων ὅσσα τε γαῖαν ἔπι πνείει τε καὶ ἕρπει.
ἀλλ' οὐ μὰν ὑμῖν γε καὶ ἅρμασι δαιδαλέοισιν
Ἕκτωρ Πριαμίδης ἐποχήσεται· οὐ γὰρ ἐάσω.
ἦ οὐχ ἅλις ὡς καὶ τεύχε' ἔχει καὶ ἐπεύχεται αὔτως;
σφῶϊν δ' ἐν γούνεσσι βαλῶ μένος ἠδ' ἐνὶ θυμῷ,
ὄφρα καὶ Αὐτομέδοντα σαώσετον ἐκ πολέμοιο
νῆας ἔπι γλαφυράς· ἔτι γάρ σφισι κῦδος ὀρέξω,
κτείνειν, εἰς ὅ κε νῆας ἐϋσσέλμους ἀφίκωνται
δύῃ τ' ἠέλιος καὶ ἐπὶ κνέφας ἱερὸν ἔλθῃ."
Ὣς εἰπὼν ἵπποισιν ἐνέπνευσεν μένος ἠΰ.
τὼ δ' ἀπὸ χαιτάων κονίην οὖδάσδε βαλόντε
ῥίμφα φέρον θοὸν ἅρμα μετὰ Τρῶας καὶ Ἀχαιούς.

(XVII. 424–58)

24. *Patroclus' Body saved*

῝Ως οἵ γ᾽ ἐμμεμαῶτε νέκυν φέρον ἐκ πολέμοιο
νῆας ἔπι γλαφυράς· ἐπὶ δὲ πτόλεμος τέτατό σφιν
ἄγριος ἠΰτε πῦρ, τό τ᾽ ἐπεσσύμενον πόλιν ἀνδρῶν
ὄρμενον ἐξαίφνης φλεγέθει, μινύθουσι δὲ οἶκοι
ἐν σέλαϊ μεγάλῳ· τὸ δ᾽ ἐπιβρέμει ἲς ἀνέμοιο.
ὣς μὲν τοῖς ἵππων τε καὶ ἀνδρῶν αἰχμητάων
ἀζηχὴς ὀρυμαγδὸς ἐπήϊεν ἐρχομένοισιν·
οἱ δ᾽ ὥς θ᾽ ἡμίονοι κρατερὸν μένος ἀμφιβαλόντες
ἕλκωσ᾽ ἐξ ὄρεος κατὰ παιπαλόεσσαν ἀταρπὸν
ἢ δοκὸν ἠὲ δόρυ μέγα νήϊον· ἐν δέ τε θυμὸς
τείρεθ᾽ ὁμοῦ καμάτῳ τε καὶ ἱδρῷ σπευδόντεσσιν·
ὣς οἵ γ᾽ ἐμμεμαῶτε νέκυν φέρον. αὐτὰρ ὄπισθεν
Αἴαντ᾽ ἰσχανέτην, ὥς τε πρὼν ἰσχάνει ὕδωρ
ὑλήεις, πεδίοιο διαπρύσιον τετυχηκώς,
ὅς τε καὶ ἰφθίμων ποταμῶν ἀλεγεινὰ ῥέεθρα
ἴσχει, ἄφαρ δέ τε πᾶσι ῥόον πεδίονδε τίθησι
πλάζων· οὐδέ τί μιν σθένεϊ ῥηγνῦσι ῥέοντες·
ὣς αἰεὶ Αἴαντε μάχην ἀνέεργον ὀπίσσω
Τρώων· οἱ δ᾽ ἅμ᾽ ἕποντο, δύω δ᾽ ἐν τοῖσι μάλιστα,
Αἰνείας τ᾽ Ἀγχισιάδης καὶ φαίδιμος Ἕκτωρ.
τῶν δ᾽ ὥς τε ψαρῶν νέφος ἔρχεται ἠὲ κολοιῶν,
οὖλον κεκλήγοντες, ὅτε προΐδωσιν ἰόντα
κίρκον, ὅ τε σμικρῇσι φόνον φέρει ὀρνίθεσσιν,
ὣς ἄρ᾽ ὑπ᾽ Αἰνείᾳ τε καὶ Ἕκτορι κοῦροι Ἀχαιῶν
οὖλον κεκλήγοντες ἴσαν, λήθοντο δὲ χάρμης.
πολλὰ δὲ τεύχεα καλὰ πέσον περί τ᾽ ἀμφί τε τάφρον
φευγόντων Δαναῶν· πολέμου δ᾽ οὐ γίγνετ᾽ ἐρωή.

(XVII. 735–61)

25. *Achilles and Thetis*

Ὣς ἄρα φωνήσασα λίπε σπέος· αἱ δὲ σὺν αὐτῇ
δακρυόεσσαι ἴσαν, περὶ δέ σφισι κῦμα θαλάσσης
ῥήγνυτο· ταὶ δ' ὅτε δὴ Τροίην ἐρίβωλον ἵκοντο,
ἀκτὴν εἰσανέβαινον ἐπισχερώ, ἔνθα θαμειαὶ
Μυρμιδόνων εἴρυντο νέες ταχὺν ἀμφ' Ἀχιλῆα.
τῷ δὲ βαρὺ στενάχοντι παρίστατο πότνια μήτηρ,
ὀξὺ δὲ κωκύσασα κάρη λάβε παιδὸς ἑοῖο,
καί ῥ' ὀλοφυρομένη ἔπεα πτερόεντα προσηύδα·
"τέκνον, τί κλαίεις; τί δέ σε φρένας ἵκετο πένθος;
ἐξαύδα, μὴ κεῦθε· τὰ μὲν δή τοι τετέλεσται
ἐκ Διός, ὡς ἄρα δὴ πρίν γ' εὔχεο χεῖρας ἀνασχών,
πάντας ἐπὶ πρύμνῃσιν ἀλήμεναι υἷας Ἀχαιῶν
σεῦ ἐπιδευομένους, παθέειν τ' ἀεκήλια ἔργα."
Τὴν δὲ βαρὺ στενάχων προσέφη πόδας ὠκὺς Ἀχιλ-
λεύς·
"μῆτερ ἐμή, τὰ μὲν ἄρ μοι Ὀλύμπιος ἐξετέλεσσεν·
ἀλλὰ τί μοι τῶν ἦδος, ἐπεὶ φίλος ὤλεθ' ἑταῖρος,
Πάτροκλος, τὸν ἐγὼ περὶ πάντων τῖον ἑταίρων,
ἶσον ἐμῇ κεφαλῇ· τὸν ἀπώλεσα, τεύχεα δ' Ἕκτωρ
δῃώσας ἀπέδυσε πελώρια, θαῦμα ἰδέσθαι,
καλά· τὰ μὲν Πηλῆϊ θεοὶ δόσαν ἀγλαὰ δῶρα
ἤματι τῷ ὅτε σε βροτοῦ ἀνέρος ἔμβαλον εὐνῇ.
αἴθ' ὄφελες σὺ μὲν αὖθι μετ' ἀθανάτῃς ἁλίῃσι
ναίειν, Πηλεὺς δὲ θνητὴν ἀγαγέσθαι ἄκοιτιν.
νῦν δ' ἵνα καὶ σοὶ πένθος ἐνὶ φρεσὶ μυρίον εἴη
παιδὸς ἀποφθιμένοιο, τὸν οὐχ ὑποδέξεαι αὖτις
οἴκαδε νοστήσαντ', ἐπεὶ οὐδ' ἐμὲ θυμὸς ἄνωγε
ζώειν οὐδ' ἄνδρεσσι μετέμμεναι, αἴ κε μὴ Ἕκτωρ

πρῶτος ἐμῷ ὑπὸ δουρὶ τυπεὶς ἀπὸ θυμὸν ὀλέσσῃ,
Πατρόκλοιο δ' ἕλωρα Μενοιτιάδεω ἀποτείσῃ."
Τὸν δ' αὖτε προσέειπε Θέτις κατὰ δάκρυ χέουσα·
"ὠκύμορος δή μοι, τέκος, ἔσσεαι, οἷ' ἀγορεύεις·
αὐτίκα γάρ τοι ἔπειτα μεθ' Ἕκτορα πότμος ἑτοῖμος."
Τὴν δὲ μέγ' ὀχθήσας προσέφη πόδας ὠκὺς Ἀχιλλεύς·
"αὐτίκα τεθναίην, ἐπεὶ οὐκ ἄρ' ἔμελλον ἑταίρῳ
κτεινομένῳ ἐπαμῦναι· ὁ μὲν μάλα τηλόθι πάτρης
ἔφθιτ', ἐμεῖο δὲ δῆσεν ἀρῆς ἀλκτῆρα γενέσθαι.
νῦν δ' ἐπεὶ οὐ νέομαί γε φίλην ἐς πατρίδα γαῖαν,
οὐδέ τι Πατρόκλῳ γενόμην φάος οὐδ' ἑτάροισι
τοῖς ἄλλοις, οἳ δὴ πολέες δάμεν Ἕκτορι δίῳ,
ἀλλ' ἧμαι παρὰ νηυσὶν ἐτώσιον ἄχθος ἀρούρης,
τοῖος ἐὼν οἷος οὔ τις Ἀχαιῶν χαλκοχιτώνων
ἐν πολέμῳ· ἀγορῇ δέ τ' ἀμείνονές εἰσι καὶ ἄλλοι.
ὡς ἔρις ἔκ τε θεῶν ἔκ τ' ἀνθρώπων ἀπόλοιτο,
καὶ χόλος, ὅς τ' ἐφέηκε πολύφρονά περ χαλεπῆναι,
ὅς τε πολὺ γλυκίων μέλιτος καταλειβομένοιο
ἀνδρῶν ἐν στήθεσσιν ἀέξεται ἠΰτε καπνός·
ὡς ἐμὲ νῦν ἐχόλωσεν ἄναξ ἀνδρῶν Ἀγαμέμνων.
ἀλλὰ τὰ μὲν προτετύχθαι ἐάσομεν ἀχνύμενοί περ,
θυμὸν ἐνὶ στήθεσσι φίλον δαμάσαντες ἀνάγκῃ·
νῦν δ' εἶμ', ὄφρα φίλης κεφαλῆς ὀλετῆρα κιχείω,
Ἕκτορα· κῆρα δ' ἐγὼ τότε δέξομαι, ὁππότε κεν δὴ
Ζεὺς ἐθέλῃ τελέσαι ἠδ' ἀθάνατοι θεοὶ ἄλλοι."

(XVIII. 65–116)

26. *Achilles on the Rampart*

Ἡ μὲν ἄρ' ὣς εἰποῦσ' ἀπέβη πόδας ὠκέα Ἶρις,
αὐτὰρ Ἀχιλλεὺς ὦρτο Διῒ φίλος· ἀμφὶ δ' Ἀθήνη

ὤμοις ἰφθίμοισι βάλ' αἰγίδα θυσσανόεσσαν,
ἀμφὶ δέ οἱ κεφαλῇ νέφος ἔστεφε δῖα θεάων
χρύσεον, ἐκ δ' αὐτοῦ δαῖε φλόγα παμφανόωσαν.
ὡς δ' ὅτε καπνὸς ἰὼν ἐξ ἄστεος αἰθέρ' ἵκηται,
τηλόθεν ἐκ νήσου, τὴν δήϊοι ἀμφιμάχωνται,
οἵ τε πανημέριοι στυγερῷ κρίνονται Ἄρηϊ
ἄστεος ἐκ σφετέρου· ἅμα δ' ἠελίῳ καταδύντι
πυρσοί τε φλεγέθουσιν ἐπήτριμοι, ὑψόσε δ' αὐγὴ
γίγνεται ἀΐσσουσα περικτιόνεσσιν ἰδέσθαι,
αἴ κέν πως σὺν νηυσὶν ἀρῆς ἀλκτῆρες ἵκωνται·
ὣς ἀπ' Ἀχιλλῆος κεφαλῆς σέλας αἰθέρ' ἵκανε·
στῆ δ' ἐπὶ τάφρον ἰὼν ἀπὸ τείχεος, οὐδ' ἐς Ἀχαιοὺς
μίσγετο· μητρὸς γὰρ πυκινὴν ὠπίζετ' ἐφετμήν.
ἔνθα στὰς ἤϋσ', ἀπάτερθε δὲ Παλλὰς Ἀθήνη
φθέγξατ'. ἀτὰρ Τρώεσσιν ἐν ἄσπετον ὦρσε κυδοιμόν·
ὡς δ' ὅτ' ἀριζήλη φωνή, ὅτε τ' ἴαχε σάλπιγξ
ἄστυ περιπλομένων δηΐων ὕπο θυμοραϊστέων,
ὣς τότ' ἀριζήλη φωνὴ γένετ' Αἰακίδαο.
οἱ δ' ὡς οὖν ἄϊον ὄπα χάλκεον Αἰακίδαο,
πᾶσιν ὀρίνθη θυμός· ἀτὰρ καλλίτριχες ἵπποι
ἂψ ὄχεα τρόπεον· ὄσσοντο γὰρ ἄλγεα θυμῷ.
ἡνίοχοι δ' ἔκπληγεν, ἐπεὶ ἴδον ἀκάματον πῦρ
δεινὸν ὑπὲρ κεφαλῆς μεγαθύμου Πηλεΐωνος
δαιόμενον· τὸ δὲ δαῖε θεὰ γλαυκῶπις Ἀθήνη.
τρὶς μὲν ὑπὲρ τάφρου μεγάλ' ἴαχε δῖος Ἀχιλλεύς,
τρὶς δὲ κυκήθησαν Τρῶες κλειτοί τ' ἐπίκουροι.
ἔνθα δὲ καὶ τότ' ὄλοντο δυώδεκα φῶτες ἄριστοι
ἀμφὶ σφοῖς ὀχέεσσι καὶ ἔγχεσιν. αὐτὰρ Ἀχαιοὶ
ἀσπασίως Πάτροκλον ὑπὲκ βελέων ἐρύσαντες
κάτθεσαν ἐν λεχέεσσι· φίλοι δ' ἀμφέσταν ἑταῖροι

μυρόμενοι· μετὰ δέ σφι ποδώκης εἴπετ' Ἀχιλλεὺς
δάκρυα θερμὰ χέων, ἐπεὶ εἴσιδε πιστὸν ἑταῖρον
κείμενον ἐν φέρτρῳ δεδαϊγμένον ὀξέϊ χαλκῷ,
τόν ῥ' ἤ τοι μὲν ἔπεμπε σὺν ἵπποισιν καὶ ὄχεσφιν
ἐς πόλεμον, οὐδ' αὖτις ἐδέξατο νοστήσαντα.

(XVIII. 202–38)

27. *Thetis and Hephaestus*

Κέκλετο δ' Ἥφαιστον κλυτοτέχνην εἶπέ τε μῦθον·
"Ἥφαιστε, πρόμολ' ὧδε· Θέτις νύ τι σεῖο χατίζει."
τὴν δ' ἠμείβετ' ἔπειτα περικλυτὸς ἀμφιγυήεις·
"ἦ ῥά νύ μοι δεινή τε καὶ αἰδοίη θεὸς ἔνδον,
ἥ μ' ἐσάωσ', ὅτε μ' ἄλγος ἀφίκετο τῆλε πεσόντα
μητρὸς ἐμῆς ἰότητι κυνώπιδος, ἥ μ' ἐθέλησε
κρύψαι χωλὸν ἐόντα· τότ' ἂν πάθον ἄλγεα θυμῷ,
εἰ μή μ' Εὐρυνόμη τε Θέτις θ' ὑπεδέξατο κόλπῳ,
Εὐρυνόμη, θυγάτηρ ἀψορρόου Ὠκεανοῖο.
τῇσι παρ' εἰνάετες χάλκευον δαίδαλα πολλά,
πόρπας τε γναμπτάς θ' ἕλικας κάλυκάς τε καὶ ὅρμους
ἐν σπῆϊ γλαφυρῷ· περὶ δὲ ῥόος Ὠκεανοῖο
ἀφρῷ μορμύρων ῥέεν ἄσπετος· οὐδέ τις ἄλλος
ᾔδεεν οὔτε θεῶν οὔτε θνητῶν ἀνθρώπων,
ἀλλὰ Θέτις τε καὶ Εὐρυνόμη ἴσαν, αἵ μ' ἐσάωσαν.
ἣ νῦν ἡμέτερον δόμον ἵκει· τῶ με μάλα χρεὼ
πάντα Θέτι καλλιπλοκάμῳ ζῳάγρια τίνειν.
ἀλλὰ σὺ μὲν νῦν οἱ παράθες ξεινήϊα καλά,
ὄφρ' ἂν ἐγὼ φύσας ἀποθείομαι ὅπλα τε πάντα."
Ἦ, καὶ ἀπ' ἀκμοθέτοιο πέλωρ αἴητον ἀνέστη
χωλεύων· ὑπὸ δὲ κνῆμαι ῥώοντο ἀραιαί.
φύσας μέν ῥ' ἀπάνευθε τίθει πυρός, ὅπλα τε πάντα

λάρνακ' ἐς ἀργυρέην συλλέξατο, τοῖς ἐπονεῖτο·
σπόγγῳ δ' ἀμφὶ πρόσωπα καὶ ἄμφω χεῖρ' ἀπομόργνυ
αὐχένα τε στιβαρὸν καὶ στήθεα λαχνήεντα,
δῦ δὲ χιτῶν', ἕλε δὲ σκῆπτρον παχύ, βῆ δὲ θύραζε
χωλεύων· ὑπὸ δ' ἀμφίπολοι ῥώοντο ἄνακτι
χρύσειαι, ζωῇσι νεήνισιν εἰοικυῖαι.
τῇς ἐν μὲν νόος ἐστὶ μετὰ φρεσίν, ἐν δὲ καὶ αὐδὴ
καὶ σθένος, ἀθανάτων δὲ θεῶν ἄπο ἔργα ἴσασιν.
(XVIII. 391–420)

28. *The Shield of Achilles*

i

Ποίει δὲ πρώτιστα σάκος μέγα τε στιβαρόν τε
πάντοσε δαιδάλλων, περὶ δ' ἄντυγα βάλλε φαεινὴν
τρίπλακα μαρμαρέην, ἐκ δ' ἀργύρεον τελαμῶνα.
πέντε δ' ἄρ' αὐτοῦ ἔσαν σάκεος πτύχες· αὐτὰρ ἐν αὐτῷ
ποίει δαίδαλα πολλὰ ἰδυίῃσι πραπίδεσσιν.
Ἐν μὲν γαῖαν ἔτευξ', ἐν δ' οὐρανόν, ἐν δὲ θάλασσαν,
ἠέλιόν τ' ἀκάμαντα σελήνην τε πλήθουσαν,
ἐν δὲ τὰ τείρεα πάντα, τά τ' οὐρανὸς ἐστεφάνωται,
Πληϊάδας θ' Ὑάδας τε τό τε σθένος Ὠρίωνος
Ἄρκτον θ', ἣν καὶ Ἄμαξαν ἐπίκλησιν καλέουσιν,
ἥ τ' αὐτοῦ στρέφεται καί τ' Ὠρίωνα δοκεύει,
οἴη δ' ἄμμορός ἐστι λοετρῶν Ὠκεανοῖο.
Ἐν δὲ δύω ποίησε πόλεις μερόπων ἀνθρώπων
καλάς. ἐν τῇ μέν ῥα γάμοι τ' ἔσαν εἰλαπίναι τε,
νύμφας δ' ἐκ θαλάμων δαΐδων ὕπο λαμπομενάων
ἠγίνεον ἀνὰ ἄστυ, πολὺς δ' ὑμέναιος ὀρώρει·
κοῦροι δ' ὀρχηστῆρες ἐδίνεον, ἐν δ' ἄρα τοῖσιν

αὐλοὶ φόρμιγγές τε βοὴν ἔχον· αἱ δὲ γυναῖκες
ἱστάμεναι θαύμαζον ἐπὶ προθύροισιν ἑκάστη.

(XVIII. 478–96)

ii

Τὴν δ' ἑτέρην πόλιν ἀμφὶ δύω στρατοὶ ἥατο λαῶν
τεύχεσι λαμπόμενοι· δίχα δέ σφισιν ἥνδανε βουλή,
ἠὲ διαπραθέειν ἢ ἄνδιχα πάντα δάσασθαι,
κτῆσιν ὅσην πτολίεθρον ἐπήρατον ἐντὸς ἔεργεν·
οἱ δ' οὔ πω πείθοντο, λόχῳ δ' ὑπεθωρήσσοντο.
τεῖχος μέν ῥ' ἄλοχοί τε φίλαι καὶ νήπια τέκνα
ῥύατ' ἐφεσταότες, μετὰ δ' ἀνέρες οὓς ἔχε γῆρας·
οἱ δ' ἴσαν· ἦρχε δ' ἄρα σφιν Ἄρης καὶ Παλλὰς Ἀθήνη,
ἄμφω χρυσείω, χρύσεια δὲ εἵματα ἔσθην,
καλὼ καὶ μεγάλω σὺν τεύχεσιν, ὥς τε θεώ περ
ἀμφὶς ἀριζήλω· λαοὶ δ' ὑπολίζονες ἦσαν.

(XVIII. 509–19)

iii

Ἐν δὲ τίθει σταφυλῇσι μέγα βρίθουσαν ἀλωὴν
καλὴν χρυσείην· μέλανες δ' ἀνὰ βότρυες ἦσαν,
ἑστήκει δὲ κάμαξι διαμπερὲς ἀργυρέῃσιν.
ἀμφὶ δὲ κυανέην κάπετον, περὶ δ' ἕρκος ἔλασσε
κασσιτέρου· μία δ' οἴη ἀταρπιτὸς ἦεν ἐπ' αὐτήν,
τῇ νίσοντο φορῆες, ὅτε τρυγόῳεν ἀλωήν.
παρθενικαὶ δὲ καὶ ἠΐθεοι ἀταλὰ φρονέοντες
πλεκτοῖς ἐν ταλάροισι φέρον μελιηδέα καρπόν.
τοῖσιν δ' ἐν μέσσοισι πάϊς φόρμιγγι λιγείῃ
ἱμερόεν κιθάριζε, λίνον δ' ὑπὸ καλὸν ἄειδε
λεπταλέῃ φωνῇ· τοὶ δὲ ῥήσσοντες ἁμαρτῇ
μολπῇ τ' ἰυγμῷ τε ποσὶ σκαίροντες ἕποντο.
Ἐν δ' ἀγέλην ποίησε βοῶν ὀρθοκραιράων·

αἱ δὲ βόες χρυσοῖο τετεύχατο κασσιτέρου τε,
μυκηθμῷ δ' ἀπὸ κόπρου ἐπεσσεύοντο νομόνδε
πὰρ ποταμὸν κελάδοντα, παρὰ ῥοδανὸν δονακῆα.
χρύσειοι δὲ νομῆες ἅμ' ἐστιχόωντο βόεσσι
τέσσαρες, ἐννέα δέ σφι κύνες πόδας ἀργοὶ ἕποντο·
σμερδαλέω δὲ λέοντε δύ' ἐν πρώτῃσι βόεσσι
ταῦρον ἐρύγμηλον ἐχέτην· ὁ δὲ μακρὰ μεμυκὼς
ἕλκετο· τὸν δὲ κύνες μετεκίαθον ἠδ' αἰζηοί.
τὼ μὲν ἀναρρήξαντε βοὸς μεγάλοιο βοείην
ἔγκατα καὶ μέλαν αἷμα λαφύσσετον· οἱ δὲ νομῆες
αὔτως ἐνδίεσαν ταχέας κύνας ὀτρύνοντες.
οἱ δ' ἤτοι δακέειν μὲν ἀπετρωπῶντο λεόντων,
ἱστάμενοι δὲ μάλ' ἐγγὺς ὑλάκτεον ἔκ τ' ἀλέοντο.
   Ἐν δὲ νομὸν ποίησε περικλυτὸς ἀμφιγυήεις
ἐν καλῇ βήσσῃ μέγαν οἰῶν ἀργεννάων,
σταθμούς τε κλισίας τε κατηρεφέας ἰδὲ σηκούς.
   Ἐν δὲ χορὸν ποίκιλλε περικλυτὸς ἀμφιγυήεις,
τῷ ἴκελον οἷόν ποτ' ἐνὶ Κνωσῷ εὐρείῃ
Δαίδαλος ἤσκησεν καλλιπλοκάμῳ Ἀριάδνῃ.
ἔνθα μὲν ἠΐθεοι καὶ παρθένοι ἀλφεσίβοιαι
ὠρχεῦντ', ἀλλήλων ἐπὶ καρπῷ χεῖρας ἔχοντες.
τῶν δ' αἱ μὲν λεπτὰς ὀθόνας ἔχον, οἱ δὲ χιτῶνας
εἵατ' ἐϋννήτους, ἦκα στίλβοντας ἐλαίῳ·
καί ῥ' αἱ μὲν καλὰς στεφάνας ἔχον, οἱ δὲ μαχαίρας
εἶχον χρυσείας ἐξ ἀργυρέων τελαμώνων.
οἱ δ' ὁτὲ μὲν θρέξασκον ἐπισταμένοισι πόδεσσι
ῥεῖα μάλ', ὡς ὅτε τις τροχὸν ἄρμενον ἐν παλάμῃσιν
ἑζόμενος κεραμεὺς πειρήσεται, αἴ κε θέῃσιν·
ἄλλοτε δ' αὖ θρέξασκον ἐπὶ στίχας ἀλλήλοισι.
πολλὸς δ' ἱμερόεντα χορὸν περιίσταθ' ὅμιλος

τερπόμενοι· δοιὼ δὲ κυβιστητῆρε κατ' αὐτοὺς
μολπῆς ἐξάρχοντες ἐδίνευον κατὰ μέσσους.
'Εν δὲ τίθει ποταμοῖο μέγα σθένος 'Ωκεανοῖο
ἄντυγα πὰρ πυμάτην σάκεος πύκα ποιητοῖο.

(XVIII. 561–608)

29. *Achilles and Lycaon*

῝Ως ἄρα μιν Πριάμοιο προσηύδα φαίδιμος υἱὸς
λισσόμενος ἐπέεσσιν, ἀμείλικτον δ' ὄπ' ἄκουσε·
"νήπιε, μή μοι ἄποινα πιφαύσκεο μηδ' ἀγόρευε·
πρὶν μὲν γὰρ Πάτροκλον ἐπισπεῖν αἴσιμον ἦμαρ,
τόφρα τί μοι πεφιδέσθαι ἐνὶ φρεσὶ φίλτερον ἦεν
Τρώων, καὶ πολλοὺς ζωοὺς ἕλον ἠδὲ πέρασσα·
νῦν δ' οὐκ ἔσθ' ὅς τις θάνατον φύγῃ, ὅν κε θεός γε
'Ιλίου προπάροιθεν ἐμῇς ἐν χερσὶ βάλῃσι,
καὶ πάντων Τρώων, πέρι δ' αὖ Πριάμοιό γε παίδων.
ἀλλά, φίλος, θάνε καὶ σύ· τίη ὀλοφύρεαι οὕτως;
κάτθανε καὶ Πάτροκλος, ὅ περ σέο πολλὸν ἀμείνων.
οὐχ ὁράᾳς οἷος καὶ ἐγὼ καλός τε μέγας τε;
πατρὸς δ' εἴμ' ἀγαθοῖο, θεὰ δέ με γείνατο μήτηρ·
ἀλλ' ἔπι τοι καὶ ἐμοὶ θάνατος καὶ μοῖρα κραταιή·
ἔσσεται ἢ ἠὼς ἢ δείλη ἢ μέσον ἦμαρ,
ὁππότε τις καὶ ἐμεῖο ῎Αρῃ ἐκ θυμὸν ἕληται,
ἢ ὅ γε δουρὶ βαλὼν ἢ ἀπὸ νευρῆφιν ὀϊστῷ."
῝Ως φάτο, τοῦ δ' αὐτοῦ λύτο γούνατα καὶ φίλον ἦτορ·
ἔγχος μέν ῥ' ἀφέηκεν, ὁ δ' ἕζετο χεῖρε πετάσσας
ἀμφοτέρας· 'Αχιλεὺς δὲ ἐρυσσάμενος ξίφος ὀξὺ
τύψε κατὰ κληῗδα παρ' αὐχένα, πᾶν δέ οἱ εἴσω
δῦ ξίφος ἄμφηκες· ὁ δ' ἄρα πρηνὴς ἐπὶ γαίῃ

κεῖτο ταθείς, ἐκ δ' αἷμα μέλαν ῥέε, δεῦε δὲ γαῖαν.
τὸν δ' Ἀχιλεὺς ποταμόνδε λαβὼν ποδὸς ἧκε φέρεσθαι,
καί οἱ ἐπευχόμενος ἔπεα πτερόεντ' ἀγόρευεν·
"ἐνταυθοῖ νῦν κεῖσο μετ' ἰχθύσιν, οἵ σ' ὠτειλὴν
αἷμ' ἀπολιχμήσονται ἀκηδέες· οὐδέ σε μήτηρ
ἐνθεμένη λεχέεσσι γοήσεται, ἀλλὰ Σκάμανδρος
οἴσει δινήεις εἴσω ἁλὸς εὐρέα κόλπον.
θρῴσκων τις κατὰ κῦμα μέλαιναν φρῖχ' ὑπαΐξει
ἰχθύς, ὅς κε φάγῃσι Λυκάονος ἀργέτα δημόν.
φθείρεσθ', εἰς ὅ κεν ἄστυ κιχείομεν Ἰλίου ἱρῆς,
ὑμεῖς μὲν φεύγοντες, ἐγὼ δ' ὄπιθεν κεραΐζων.
οὐδ' ὑμῖν ποταμός περ ἐΰρροος ἀργυροδίνης
ἀρκέσει, ᾧ δὴ δηθὰ πολέας ἱερεύετε ταύρους,
ζωοὺς δ' ἐν δίνῃσι καθίετε μώνυχας ἵππους.
ἀλλὰ καὶ ὧς ὀλέεσθε κακὸν μόρον, εἰς ὅ κε πάντες
τείσετε Πατρόκλοιο φόνον καὶ λοιγὸν Ἀχαιῶν,
οὓς ἐπὶ νηυσὶ θοῇσιν ἐπέφνετε νόσφιν ἐμεῖο."

(XXI. 97–135)

30. *Achilles and the Scamander*

Δεινὸν δ' ἀμφ' Ἀχιλῆα κυκώμενον ἵστατο κῦμα,
ὤθει δ' ἐν σάκεϊ πίπτων ῥόος· οὐδὲ πόδεσσιν
εἶχε στηρίξασθαι· ὁ δὲ πτελέην ἕλε χερσὶν
εὐφυέα μεγάλην· ἡ δ' ἐκ ῥιζέων ἐριποῦσα
κρημνὸν ἅπαντα διῶσεν, ἐπέσχε δὲ καλὰ ῥέεθρα
ὄζοισιν πυκινοῖσι, γεφύρωσεν δέ μιν αὐτὸν
εἴσω πᾶσ' ἐριποῦσ'· ὁ δ' ἄρ' ἐκ δίνης ἀνορούσας
ἤϊξεν πεδίοιο ποσὶ κραιπνοῖσι πέτεσθαι,
δείσας· οὐδέ τ' ἔληγε θεὸς μέγας, ὦρτο δ' ἐπ' αὐτῷ
ἀκροκελαινιόων, ἵνα μιν παύσειε πόνοιο

δῖον Ἀχιλλῆα, Τρώεσσι δὲ λοιγὸν ἀλάλκοι.
Πηλεΐδης δ' ἀπόρουσεν ὅσον τ' ἐπὶ δουρὸς ἐρωή,
αἰετοῦ οἴματ' ἔχων μέλανος, τοῦ θηρητῆρος,
ὅς θ' ἅμα κάρτιστός τε καὶ ὤκιστος πετεηνῶν·
τῷ ἐϊκὼς ἤϊξεν, ἐπὶ στήθεσσι δὲ χαλκὸς
σμερδαλέον κονάβιζεν· ὕπαιθα δὲ τοῖο λιασθεὶς
φεῦγ', ὁ δ' ὄπισθε ῥέων ἕπετο μεγάλῳ ὀρυμαγδῷ.
ὡς δ' ὅτ' ἀνὴρ ὀχετηγὸς ἀπὸ κρήνης μελανύδρου
ἂμ φυτὰ καὶ κήπους ὕδατι ῥόον ἡγεμονεύῃ
χερσὶ μάκελλαν ἔχων, ἀμάρης ἐξ ἔχματα βάλλων·
τοῦ μέν τε προρέοντος ὑπὸ ψηφῖδες ἅπασαι
ὀχλεῦνται· τὸ δέ τ' ὦκα κατειβόμενον κελαρύζει
χώρῳ ἔνι προαλεῖ, φθάνει δέ τε καὶ τὸν ἄγοντα·
ὣς αἰεὶ Ἀχιλῆα κιχήσατο κῦμα ῥόοιο
καὶ λαιψηρὸν ἐόντα· θεοὶ δέ τε φέρτεροι ἀνδρῶν.

(XXI. 240–64)

31. *The Pursuit round the Walls*

Ὣς ὅρμαινε μένων, ὁ δέ οἱ σχεδὸν ἦλθεν Ἀχιλλεὺς
ἶσος Ἐνυαλίῳ, κορυθάϊκι πτολεμιστῇ,
σείων Πηλιάδα μελίην κατὰ δεξιὸν ὦμον
δεινήν· ἀμφὶ δὲ χαλκὸς ἐλάμπετο εἴκελος αὐγῇ
ἢ πυρὸς αἰθομένου ἢ ἠελίου ἀνιόντος.
Ἕκτορα δ', ὡς ἐνόησεν, ἕλε τρόμος· οὐδ' ἄρ' ἔτ' ἔτλη
αὖθι μένειν, ὀπίσω δὲ πύλας λίπε, βῆ δὲ φοβηθείς·
Πηλεΐδης δ' ἐπόρουσε ποσὶ κραιπνοῖσι πεποιθώς.
ἠΰτε κίρκος ὄρεσφιν, ἐλαφρότατος πετεηνῶν,
ῥηϊδίως οἴμησε μετὰ τρήρωνα πέλειαν,
ἡ δέ θ' ὕπαιθα φοβεῖται, ὁ δ' ἐγγύθεν ὀξὺ λεληκὼς
ταρφέ' ἐπαΐσσει, ἑλέειν τέ ἑ θυμὸς ἀνώγει·

ὣς ἄρ' ὅ γ' ἐμμεμαὼς ἰθὺς πέτετο, τρέσε δ' Ἕκτωρ
τεῖχος ὕπο Τρώων, λαιψηρὰ δὲ γούνατ' ἐνώμα.
οἱ δὲ παρὰ σκοπιὴν καὶ ἐρινεὸν ἠνεμόεντα
τείχεος αἰὲν ὑπὲκ κατ' ἀμαξιτὸν ἐσσεύοντο,
κρουνὼ δ' ἵκανον καλλιρρόω· ἔνθα δὲ πηγαὶ
δοιαὶ ἀναΐσσουσι Σκαμάνδρου δινήεντος.
ἡ μὲν γάρ θ' ὕδατι λιαρῷ ῥέει, ἀμφὶ δὲ καπνὸς
γίγνεται ἐξ αὐτῆς ὡς εἰ πυρὸς αἰθομένοιο·
ἡ δ' ἑτέρη θέρεϊ προρέει εἰκυῖα χαλάζῃ,
ἢ χιόνι ψυχρῇ, ἢ ἐξ ὕδατος κρυστάλλῳ.
ἔνθα δ' ἐπ' αὐτάων πλυνοὶ εὐρέες ἐγγὺς ἔασι
καλοὶ λαΐνεοι, ὅθι εἵματα σιγαλόεντα
πλύνεσκον Τρώων ἄλοχοι καλαί τε θύγατρες
τὸ πρὶν ἐπ' εἰρήνης, πρὶν ἐλθεῖν υἷας Ἀχαιῶν.
τῇ ῥα παραδραμέτην, φεύγων, ὁ δ' ὄπισθε διώκων·
πρόσθε μὲν ἐσθλὸς ἔφευγε, δίωκε δέ μιν μέγ' ἀμείνων
καρπαλίμως, ἐπεὶ οὐχ ἱερήϊον οὐδὲ βοείην
ἀρνύσθην, ἅ τε ποσσὶν ἀέθλια γίγνεται ἀνδρῶν,
ἀλλὰ περὶ ψυχῆς θέον Ἕκτορος ἱπποδάμοιο.
ὡς δ' ὅτ' ἀεθλοφόροι περὶ τέρματα μώνυχες ἵπποι
ῥίμφα μάλα τρωχῶσι· τὸ δὲ μέγα κεῖται ἄεθλον,
ἢ τρίπος ἠὲ γυνή, ἀνδρὸς κατατεθνηῶτος·
ὣς τὼ τρὶς Πριάμοιο πόλιν πέρι δινηθήτην
καρπαλίμοισι πόδεσσι· θεοὶ δ' ἐς πάντες ὁρῶντο.

(XXII. 131–66)

32. *The Last Fight*

Ὁρμήθη δ' Ἀχιλεύς, μένεος δ' ἐμπλήσατο θυμὸν
ἀγρίου, πρόσθεν δέ σάκος στέρνοιο κάλυψε
καλὸν δαιδάλεον, κόρυθι δ' ἐπένευε φαεινῇ

τετραφάλῳ· καλαὶ δὲ περισσείοντο ἔθειραι
χρύσεαι, ἃς Ἥφαιστος ἵει λόφον ἀμφὶ θαμειάς.
οἷος δ' ἀστὴρ εἶσι μετ' ἀστράσι νυκτὸς ἀμολγῷ
ἕσπερος, ὃς κάλλιστος ἐν οὐρανῷ ἵσταται ἀστήρ,
ὣς αἰχμῆς ἀπέλαμπ' εὐήκεος, ἣν ἄρ' Ἀχιλλεὺς
πάλλεν δεξιτερῇ φρονέων κακὸν Ἕκτορι δίῳ,
εἰσορόων χρόα καλόν, ὅπῃ εἴξειε μάλιστα.
τοῦ δὲ καὶ ἄλλο τόσον μὲν ἔχε χρόα χάλκεα τεύχεα,
καλά, τὰ Πατρόκλοιο βίην ἐνάριξε κατακτάς·
φαίνετο δ' ᾗ κληῗδες ἀπ' ὤμων αὐχέν' ἔχουσι,
λαυκανίην, ἵνα τε ψυχῆς ὤκιστος ὄλεθρος·
τῇ ῥ' ἐπὶ οἷ μεμαῶτ' ἔλασ' ἔγχεϊ δῖος Ἀχιλλεύς,
ἀντικρὺ δ' ἁπαλοῖο δι' αὐχένος ἤλυθ' ἀκωκή·
οὐδ' ἄρ' ἀπ' ἀσφάραγον μελίη τάμε χαλκοβάρεια,
ὄφρα τί μιν προτιείποι ἀμειβόμενος ἐπέεσσιν.
ἤριπε δ' ἐν κονίῃς· ὁ δ' ἐπεύξατο δῖος Ἀχιλλεύς·
"Ἕκτορ, ἀτάρ που ἔφης Πατροκλῆ' ἐξεναρίζων
σῶς ἔσσεσθ', ἐμὲ δ' οὐδὲν ὀπίζεο νόσφιν ἐόντα,
νήπιε· τοῖο δ' ἄνευθεν ἀοσσητὴρ μέγ' ἀμείνων
νηυσὶν ἔπι γλαφυρῇσιν ἐγὼ μετόπισθε λελείμμην,
ὅς τοι γούνατ' ἔλυσα· σὲ μὲν κύνες ἠδ' οἰωνοὶ
ἑλκήσουσ' ἀϊκῶς, τὸν δὲ κτεριοῦσιν Ἀχαιοί."

Τὸν δ' ὀλιγοδρανέων προσέφη κορυθαίολος Ἕκτωρ·
"λίσσομ' ὑπὲρ ψυχῆς καὶ γούνων σῶν τε τοκήων,
μή με ἔα παρὰ νηυσὶ κύνας καταδάψαι Ἀχαιῶν,
ἀλλὰ σὺ μὲν χαλκόν τε ἅλις χρυσόν τε δέδεξο,
δῶρα τά τοι δώσουσι πατὴρ καὶ πότνια μήτηρ,
σῶμα δὲ οἴκαδ' ἐμὸν δόμεναι πάλιν, ὄφρα πυρός με
Τρῶες καὶ Τρώων ἄλοχοι λελάχωσι θανόντα."

Τὸν δ' ἄρ' ὑπόδρα ἰδὼν προσέφη πόδας ὠκὺς Ἀχιλλεύς·

“ μή με, κύον, γούνων γουνάζεο μηδὲ τοκήων·
αἲ γάρ πως αὐτόν με μένος καὶ θυμὸς ἀνείη
ὤμ' ἀποταμνόμενον κρέα ἔδμεναι, οἷα ἔοργας,
ὡς οὐκ ἔσθ' ὃς σῆς γε κύνας κεφαλῆς ἀπαλάλκοι,
οὐδ' εἴ κεν δεκάκις τε καὶ εἰκοσινήριτ' ἄποινα
στήσωσ' ἐνθάδ' ἄγοντες, ὑπόσχωνται δὲ καὶ ἄλλα,
οὐδ' εἴ κέν σ' αὐτὸν χρυσῷ ἐρύσασθαι ἀνώγοι
Δαρδανίδης Πρίαμος· οὐδ' ὧς σέ γε πότνια μήτηρ
ἐνθεμένη λεχέεσσι γοήσεται, ὃν τέκεν αὐτή,
ἀλλὰ κύνες τε καὶ οἰωνοὶ κατὰ πάντα δάσονται.”

Τὸν δὲ καταθνήσκων προσέφη κορυθαίολος Ἕκτωρ·
“ ἦ σ' εὖ γιγνώσκων προτιόσσομαι, οὐδ' ἄρ' ἔμελλον
πείσειν· ἦ γὰρ σοί γε σιδήρεος ἐν φρεσὶ θυμός.
φράζεο νῦν, μή τοί τι θεῶν μήνιμα γένωμαι
ἤματι τῷ ὅτε κέν σε Πάρις καὶ Φοῖβος Ἀπόλλων
ἐσθλὸν ἐόντ' ὀλέσωσιν ἐνὶ Σκαιῇσι πύλῃσιν.”

Ὣς ἄρα μιν εἰπόντα τέλος θανάτοιο κάλυψε,
ψυχὴ δ' ἐκ ῥεθέων πταμένη Ἄϊδόσδε βεβήκει,
ὃν πότμον γοόωσα, λιποῦσ' ἀνδροτῆτα καὶ ἥβην.
τὸν καὶ τεθνηῶτα προσηύδα δῖος Ἀχιλλεύς·
“ τέθναθι· κῆρα δ' ἐγὼ τότε δέξομαι, ὁππότε κεν δὴ
Ζεὺς ἐθέλῃ τελέσαι ἠδ' ἀθάνατοι θεοὶ ἄλλοι.”

(XXII. 312–66)

33. *Andromache*

Ὣς ἔφατο κλαίουσ', ἄλοχος δ' οὔ πώ τι πέπυστο
Ἕκτορος· οὐ γάρ οἵ τις ἐτήτυμος ἄγγελος ἐλθὼν
ἤγγειλ' ὅττι ῥά οἱ πόσις ἔκτοθι μίμνε πυλάων,
ἀλλ' ἥ γ' ἱστὸν ὕφαινε μυχῷ δόμου ὑψηλοῖο
δίπλακα πορφυρέην, ἐν δὲ θρόνα ποικίλ' ἔπασσε.

κέκλετο δ' ἀμφιπόλοισιν ἐϋπλοκάμοις κατὰ δῶμα
ἀμφὶ πυρὶ στῆσαι τρίποδα μέγαν, ὄφρα πέλοιτο
Ἕκτορι θερμὰ λοετρὰ μάχης ἐκ νοστήσαντι,
νηπίη, οὐδ' ἐνόησεν ὅ μιν μάλα τῆλε λοετρῶν
χερσὶν Ἀχιλλῆος δάμασε γλαυκῶπις Ἀθήνη.
κωκυτοῦ δ' ἤκουσε καὶ οἰμωγῆς ἀπὸ πύργου·
τῆς δ' ἐλελίχθη γυῖα, χαμαὶ δέ οἱ ἔκπεσε κερκίς·
ἡ δ' αὖτις δμῳῇσιν ἐϋπλοκάμοισι μετηύδα·
" δεῦτε, δύω μοι ἕπεσθον, ἴδωμ' ὅτιν' ἔργα τέτυκται.
αἰδοίης ἑκυρῆς ὀπὸς ἔκλυον, ἐν δ' ἐμοὶ αὐτῇ
στήθεσι πάλλεται ἦτορ ἀνὰ στόμα, νέρθε δὲ γοῦνα
πήγνυται· ἐγγὺς δή τι κακὸν Πριάμοιο τέκεσσιν.
αἲ γὰρ ἀπ' οὔατος εἴη ἐμεῦ ἔπος· ἀλλὰ μάλ' αἰνῶς
δείδω μὴ δή μοι θρασὺν Ἕκτορα δῖος Ἀχιλλεὺς
μοῦνον ἀποτμήξας πόλιος πεδίονδε δίηται,
καὶ δή μιν καταπαύσῃ ἀγηνορίης ἀλεγεινῆς,
ἥ μιν ἔχεσκ', ἐπεὶ οὔ ποτ' ἐνὶ πληθυῖ μένεν ἀνδρῶν,
ἀλλὰ πολὺ προθέεσκε, τὸ ὃν μένος οὐδενὶ εἴκων."
  Ὣς φαμένη μεγάροιο διέσσυτο μαινάδι ἴση,
παλλομένη κραδίην· ἅμα δ' ἀμφίπολοι κίον αὐτῇ.
αὐτὰρ ἐπεὶ πύργον τε καὶ ἀνδρῶν ἷξεν ὅμιλον,
ἔστη παπτήνασ' ἐπὶ τείχεϊ, τὸν δὲ νόησεν
ἑλκόμενον πρόσθεν πόλιος· ταχέες δέ μιν ἵπποι
ἕλκον ἀκηδέστως κοίλας ἐπὶ νῆας Ἀχαιῶν.
τὴν δὲ κατ' ὀφθαλμῶν ἐρεβεννὴ νὺξ ἐκάλυψεν,
ἤριπε δ' ἐξοπίσω, ἀπὸ δὲ ψυχὴν ἐκάπυσσε.
τῆλε δ' ἀπὸ κρατὸς βάλε δέσματα σιγαλόεντα,
ἄμπυκα κεκρύφαλόν τε ἰδὲ πλεκτὴν ἀναδέσμην
κρήδεμνόν θ', ὅ ῥά οἱ δῶκε χρυσέη Ἀφροδίτη
ἤματι τῷ ὅτε μιν κορυθαίολος ἠγάγεθ' Ἕκτωρ

ἐκ δόμου Ἠετίωνος, ἐπεὶ πόρε μυρία ἕδνα.
ἀμφὶ δέ μιν γαλόῳ τε καὶ εἰνατέρες ἅλις ἔσταν,
αἵ ἑ μετὰ σφίσιν εἶχον ἀτυζομένην ἀπολέσθαι.
ἡ δ᾽ ἐπεὶ οὖν ἔμπνυτο καὶ ἐς φρένα θυμὸς ἀγέρθη,
ἀμβλήδην γοόωσα μετὰ Τρῳῇσιν ἔειπεν·
"Ἕκτορ, ἐγὼ δύστηνος· ἰῇ ἄρα γιγνόμεθ᾽ αἴσῃ
ἀμφότεροι, σὺ μὲν ἐν Τροίῃ Πριάμου κατὰ δῶμα,
αὐτὰρ ἐγὼ Θήβῃσιν ὑπὸ Πλάκῳ ὑληέσσῃ
ἐν δόμῳ Ἠετίωνος, ὅ μ᾽ ἔτρεφε τυτθὸν ἐοῦσαν,
δύσμορος αἰνόμορον· ὡς μὴ ὤφελλε τεκέσθαι.
νῦν δὲ σὺ μὲν Ἀΐδαο δόμους ὑπὸ κεύθεσι γαίης
ἔρχεαι, αὐτὰρ ἐμὲ στυγερῷ ἐνὶ πένθεϊ λείπεις
χήρην ἐν μεγάροισι· πάϊς δ᾽ ἔτι νήπιος αὔτως,
ὃν τέκομεν σύ τ᾽ ἐγώ τε δυσάμμοροι· οὔτε σὺ τούτῳ
ἔσσεαι, Ἕκτορ, ὄνειαρ, ἐπεὶ θάνες, οὔτε σοὶ οὗτος.
ἤν περ γὰρ πόλεμόν γε φύγῃ πολύδακρυν Ἀχαιῶν,
αἰεί τοι τούτῳ γε πόνος καὶ κήδε᾽ ὀπίσσω
ἔσσοντ᾽· ἄλλοι γάρ οἱ ἀπουρίσσουσιν ἀρούρας.
ἦμαρ δ᾽ ὀρφανικὸν παναφήλικα παῖδα τίθησι·
πάντα δ᾽ ὑπομνήμυκε, δεδάκρυνται δὲ παρειαί,
δευόμενος δέ τ᾽ ἄνεισι πάϊς ἐς πατρὸς ἑταίρους,
ἄλλον μὲν χλαίνης ἐρύων, ἄλλον δὲ χιτῶνος·
τῶν δ᾽ ἐλεησάντων κοτύλην τις τυτθὸν ἐπέσχε,
χείλεα μέν τε δίην᾽, ὑπερῴην δ᾽ οὐκ ἐδίηνε.
τὸν δὲ καὶ ἀμφιθαλὴς ἐκ δαιτύος ἐστυφέλιξε,
χερσὶν πεπληγὼς καὶ ὀνειδείοισιν ἐνίσσων·
'ἔρρ᾽ οὕτως· οὐ σός γε πατὴρ μεταδαίνυται ἡμῖν.'
δακρυόεις δέ τ᾽ ἄνεισι πάϊς ἐς μητέρα χήρην,
Ἀστυάναξ, ὃς πρὶν μὲν ἑοῦ ἐπὶ γούνασι πατρὸς
μυελὸν οἶον ἔδεσκε καὶ οἰῶν πίονα δημόν·

αὐτὰρ ὅθ' ὕπνος ἕλοι, παύσαιτό τε νηπιαχεύων,
εὕδεσκ' ἐν λέκτροισιν, ἐν ἀγκαλίδεσσι τιθήνης,
εὐνῇ ἔνι μαλακῇ, θαλέων ἐμπλησάμενος κῆρ·
νῦν δ' ἂν πολλὰ πάθῃσι, φίλου ἀπὸ πατρὸς ἁμαρτών,
Ἀστυάναξ, ὃν Τρῶες ἐπίκλησιν καλέουσιν·
οἶος γάρ σφιν ἔρυσο πύλας καὶ τείχεα μακρά.
νῦν δὲ σὲ μὲν παρὰ νηυσὶ κορωνίσι νόσφι τοκήων
αἰόλαι εὐλαὶ ἔδονται, ἐπεί κε κύνες κορέσωνται,
γυμνόν· ἀτάρ τοι εἵματ' ἐνὶ μεγάροισι κέονται
λεπτά τε καὶ χαρίεντα, τετυγμένα χερσὶ γυναικῶν.
ἀλλ' ἤτοι τάδε πάντα καταφλέξω πυρὶ κηλέῳ,
οὐδὲν σοί γ' ὄφελος, ἐπεὶ οὐκ ἐγκείσεαι αὐτοῖς,
ἀλλὰ πρὸς Τρώων καὶ Τρωϊάδων κλέος εἶναι."
Ὣς ἔφατο κλαίουσ', ἐπὶ δὲ στενάχοντο γυναῖκες.

(XXII. 437–515)

34. *The Ghost of Patroclus*

Ἦλθε δ' ἐπὶ ψυχὴ Πατροκλῆος δειλοῖο,
πάντ' αὐτῷ μέγεθός τε καὶ ὄμματα κάλ' ἐϊκυῖα,
καὶ φωνήν, καὶ τοῖα περὶ χροῒ εἵματα ἕστο·
στῆ δ' ἄρ' ὑπὲρ κεφαλῆς καί μιν πρὸς μῦθον ἔειπεν·
"εὕδεις, αὐτὰρ ἐμεῖο λελασμένος ἔπλευ, Ἀχιλλεῦ.
οὐ μέν μευ ζώοντος ἀκήδεις, ἀλλὰ θανόντος·
θάπτε με ὅττι τάχιστα, πύλας Ἀΐδαο περήσω.
τῆλέ με εἴργουσι ψυχαί, εἴδωλα καμόντων,
οὐδέ μέ πω μίσγεσθαι ὑπὲρ ποταμοῖο ἐῶσιν,
ἀλλ' αὔτως ἀλάλημαι ἀν' εὐρυπυλὲς Ἄϊδος δῶ.
καί μοι δὸς τὴν χεῖρ', ὀλοφύρομαι· οὐ γὰρ ἔτ' αὖτις
νίσομαι ἐξ Ἀΐδαο, ἐπήν με πυρὸς λελάχητε.

οὐ μὲν γὰρ ζωοί γε φίλων ἀπάνευθεν ἑταίρων
βουλὰς ἑζόμενοι βουλεύσομεν, ἀλλ' ἐμὲ μὲν κὴρ
ἀμφέχανε στυγερή, ἥ περ λάχε γιγνόμενόν περ·
καὶ δὲ σοὶ αὐτῷ μοῖρα, θεοῖς ἐπιείκελ' Ἀχιλλεῦ,
τείχει ὕπο Τρώων εὐηφενέων ἀπολέσθαι.
ἄλλο δέ τοι ἐρέω καὶ ἐφήσομαι, αἴ κε πίθηαι·
μὴ ἐμὰ σῶν ἀπάνευθε τιθήμεναι ὀστέ', Ἀχιλλεῦ,
ἀλλ' ὁμοῦ, ὡς τράφομέν περ ἐν ὑμετέροισι δόμοισιν,
εὖτέ με τυτθὸν ἐόντα Μενοίτιος ἐξ Ὀπόεντος
ἤγαγεν ὑμέτερόνδ' ἀνδροκτασίης ὕπο λυγρῆς,
ἤματι τῷ ὅτε παῖδα κατέκτανον Ἀμφιδάμαντος,
νήπιος, οὐκ ἐθέλων, ἀμφ' ἀστραγάλοισι χολωθείς·
ἔνθα με δεξάμενος ἐν δώμασιν ἱππότα Πηλεὺς
ἔτραφέ τ' ἐνδυκέως καὶ σὸν θεράποντ' ὀνόμηνεν·
ὣς δὲ καὶ ὀστέα νῶϊν ὁμὴ σορὸς ἀμφικαλύπτοι
χρύσεος ἀμφιφορεύς, τόν τοι πόρε πότνια μήτηρ."
Τὸν δ' ἀπαμειβόμενος προσέφη πόδας ὠκὺς
Ἀχιλλεύς·
"τίπτε μοι, ἠθείη κεφαλή, δεῦρ' εἰλήλουθας,
καί μοι ταῦτα ἕκαστ' ἐπιτέλλεαι; αὐτὰρ ἐγώ τοι
πάντα μάλ' ἐκτελέω καὶ πείσομαι ὡς σὺ κελεύεις.
ἀλλά μοι ἆσσον στῆθι· μίνυνθά περ ἀμφιβαλόντε
ἀλλήλους ὀλοοῖο τεταρπώμεσθα γόοιο."
Ὣς ἄρα φωνήσας ὠρέξατο χερσὶ φίλῃσιν,
οὐδ' ἔλαβε· ψυχὴ δὲ κατὰ χθονὸς ἠΰτε καπνὸς
ᾤχετο τετριγυῖα· ταφὼν δ' ἀνόρουσεν Ἀχιλλεὺς
χερσί τε συμπλατάγησεν, ἔπος δ' ὀλοφυδνὸν ἔειπεν·
"ὢ πόποι, ἦ ῥά τίς ἐστι καὶ εἰν Ἀΐδαο δόμοισι
ψυχὴ καὶ εἴδωλον, ἀτὰρ φρένες οὐκ ἔνι πάμπαν·
παννυχίη γάρ μοι Πατροκλῆος δειλοῖο

ψυχὴ ἐφεστήκει γοόωσά τε μυρομένη τε,
καί μοι ἕκαστ' ἐπέτελλεν, ἔϊκτο δὲ θέσκελον αὐτῷ."

(XXIII. 65–107)

35. *After the Chariot-Race*

Τὸν δ' αὖτ' Ἀντίλοχος πεπνυμένος ἀντίον ηὔδα·
"ἄνσχεο νῦν· πολλὸν γὰρ ἔγωγε νεώτερός εἰμι
σεῖο, ἄναξ Μενέλαε, σὺ δὲ πρότερος καὶ ἀρείων.
οἶσθ' οἷαι νέου ἀνδρὸς ὑπερβασίαι τελέθουσι·
κραιπνότερος μὲν γάρ τε νόος, λεπτὴ δέ τε μῆτις.
τῶ τοι ἐπιτλήτω κραδίη· ἵππον δέ τοι αὐτὸς
δώσω, τὴν ἀρόμην. εἰ καί νύ κεν οἴκοθεν ἄλλο
μεῖζον ἐπαιτήσειας, ἄφαρ κέ τοι αὐτίκα δοῦναι
βουλοίμην ἢ σοί γε, διοτρεφές, ἤματα πάντα
ἐκ θυμοῦ πεσέειν καὶ δαίμοσιν εἶναι ἀλιτρός."
Ἦ ῥα, καὶ ἵππον ἄγων μεγαθύμου Νέστορος υἱὸς
ἐν χείρεσσι τίθει Μενελάου· τοῖο δὲ θυμὸς
ἰάνθη ὥς εἴ τε περὶ σταχύεσσιν ἐέρση
ληΐου ἀλδήσκοντος, ὅτε φρίσσουσιν ἄρουραι·
ὣς ἄρα σοί, Μενέλαε, μετὰ φρεσὶ θυμὸς ἰάνθη.

(XXIII. 586–600)

36. *Priam and Achilles*

Ὣς ἄρα φωνήσας ἀπέβη πρὸς μακρὸν Ὄλυμπον
Ἑρμείας· Πρίαμος δ' ἐξ ἵππων ἆλτο χαμᾶζε,
Ἰδαῖον δὲ κατ' αὖθι λίπεν· ὁ δὲ μίμνεν ἐρύκων
ἵππους ἡμιόνους τε· γέρων δ' ἰθὺς κίεν οἴκου,
τῇ ῥ' Ἀχιλεὺς ἵζεσκε Διῒ φίλος· ἐν δέ μιν αὐτὸν
εὗρ', ἕταροι δ' ἀπάνευθε καθήατο· τὼ δὲ δύ' οἴω,
ἥρως Αὐτομέδων τε καὶ Ἄλκιμος, ὄζος Ἄρηος,

ποίπνυον παρεόντε· νέον δ' ἀπέληγεν ἐδωδῆς
ἔσθων καὶ πίνων· ἔτι καὶ παρέκειτο τράπεζα.
τοὺς δ' ἔλαθ' εἰσελθὼν Πρίαμος μέγας, ἄγχι δ' ἄρα
 στὰς
χερσὶν 'Αχιλλῆος λάβε γούνατα καὶ κύσε χεῖρας
δεινὰς ἀνδροφόνους, αἵ οἱ πολέας κτάνον υἷας.
ὡς δ' ὅτ' ἂν ἄνδρ' ἄτη πυκινὴ λάβῃ, ὅς τ' ἐνὶ πάτρῃ
φῶτα κατακτείνας ἄλλων ἐξίκετο δῆμον,
ἀνδρὸς ἐς ἀφνειοῦ, θάμβος δ' ἔχει εἰσορόωντας,
ὣς 'Αχιλεὺς θάμβησεν ἰδὼν Πρίαμον θεοειδέα·
θάμβησαν δὲ καὶ ἄλλοι, ἐς ἀλλήλους δὲ ἴδοντο.
τὸν καὶ λισσόμενος Πρίαμος πρὸς μῦθον ἔειπε·
" μνῆσαι πατρὸς σοῖο, θεοῖς ἐπιείκελ' 'Αχιλλεῦ,
τηλίκου ὥς περ ἐγών, ὀλοῷ ἐπὶ γήραος οὐδῷ·
καὶ μέν που κεῖνον περιναιέται ἀμφὶς ἐόντες
τείρουσ', οὐδέ τίς ἐστιν ἀρὴν καὶ λοιγὸν ἀμῦναι.
ἀλλ' ἦ τοι κεῖνός γε σέθεν ζώοντος ἀκούων
χαίρει τ' ἐν θυμῷ, ἐπί τ' ἔλπεται ἤματα πάντα
ὄψεσθαι φίλον υἱὸν ἀπὸ Τροίηθεν ἰόντα·
αὐτὰρ ἐγὼ πανάποτμος, ἐπεὶ τέκον υἷας ἀρίστους
Τροίῃ ἐν εὐρείῃ, τῶν δ' οὔ τινά φημι λελεῖφθαι.
πεντήκοντά μοι ἦσαν, ὅτ' ἤλυθον υἷες 'Αχαιῶν·
ἐννεακαίδεκα μέν μοι ἰῆς ἐκ νηδύος ἦσαν,
τοὺς δ' ἄλλους μοι ἔτικτον ἐνὶ μεγάροισι γυναῖκες.
τῶν μὲν πολλῶν θοῦρος Ἄρης ὑπὸ γούνατ' ἔλυσεν·
ὃς δέ μοι οἶος ἔην, εἴρυτο δὲ ἄστυ καὶ αὐτούς,
τὸν σὺ πρῴην κτεῖνας ἀμυνόμενον περὶ πάτρης,
Ἕκτορα· τοῦ νῦν εἵνεχ' ἱκάνω νῆας 'Αχαιῶν
λυσόμενος παρὰ σεῖο, φέρω δ' ἀπερείσι' ἄποινα.
ἀλλ' αἰδεῖο θεούς, 'Αχιλεῦ, αὐτόν τ' ἐλέησον,

μνησάμενος σοῦ πατρός· ἐγὼ δ' ἐλεεινότερός περ,
ἔτλην δ' οἷ' οὔ πώ τις ἐπιχθόνιος βροτὸς ἄλλος,
ἀνδρὸς παιδοφόνοιο ποτὶ στόμα χεῖρ' ὀρέγεσθαι."
Ὣς φάτο, τῷ δ' ἄρα πατρὸς ὑφ' ἵμερον ὦρσε γόοιο·
ἁψάμενος δ' ἄρα χειρὸς ἀπώσατο ἦκα γέροντα.
τὼ δὲ μνησαμένω, ὁ μὲν Ἕκτορος ἀνδροφόνοιο
κλαῖ' ἁδινὰ προπάροιθε ποδῶν Ἀχιλῆος ἐλυσθείς,
αὐτὰρ Ἀχιλλεὺς κλαῖεν ἑὸν πατέρ', ἄλλοτε δ' αὖτε
Πάτροκλον· τῶν δὲ στοναχὴ κατὰ δώματ' ὀρώρει.
αὐτὰρ ἐπεί ῥα γόοιο τετάρπετο δῖος Ἀχιλλεύς,
καί οἱ ἀπὸ πραπίδων ἦλθ' ἵμερος ἠδ' ἀπὸ γυίων,
αὐτίκ' ἀπὸ θρόνου ὦρτο, γέροντα δὲ χειρὸς ἀνίστη,
οἰκτίρων πολιόν τε κάρη πολιόν τε γένειον,
καί μιν φωνήσας ἔπεα πτερόεντα προσηύδα·
"ἆ δείλ', ἦ δὴ πολλὰ κάκ' ἄνσχεο σὸν κατὰ θυμόν.
πῶς ἔτλης ἐπὶ νῆας Ἀχαιῶν ἐλθέμεν οἶος,
ἀνδρὸς ἐς ὀφθαλμοὺς ὅς τοι πολέας τε καὶ ἐσθλοὺς
υἱέας ἐξενάριξα; σιδήρειόν νύ τοι ἦτορ.
ἀλλ' ἄγε δὴ κατ' ἄρ' ἕζευ ἐπὶ θρόνου, ἄλγεα δ' ἔμπης
ἐν θυμῷ κατακεῖσθαι ἐάσομεν ἀχνύμενοί περ·
οὐ γάρ τις πρῆξις πέλεται κρυεροῖο γόοιο·
ὡς γὰρ ἐπεκλώσαντο θεοὶ δειλοῖσι βροτοῖσι,
ζώειν ἀχνυμένοις· αὐτοὶ δέ τ' ἀκηδέες εἰσί.
δοιοὶ γάρ τε πίθοι κατακείαται ἐν Διὸς οὔδει
δώρων οἷα δίδωσι κακῶν, ἕτερος δὲ ἑάων·
ᾧ μέν κ' ἀμμείξας δώῃ Ζεὺς τερπικέραυνος,
ἄλλοτε μέν τε κακῷ ὅ γε κύρεται, ἄλλοτε δ' ἐσθλῷ·
ᾧ δέ κε τῶν λυγρῶν δώῃ, λωβητὸν ἔθηκε,
καί ἑ κακὴ βούβρωστις ἐπὶ χθόνα δῖαν ἐλαύνει,
φοιτᾷ δ' οὔτε θεοῖσι τετιμένος οὔτε βροτοῖσιν.

ὣς μὲν καὶ Πηλῆϊ θεοὶ δόσαν ἀγλαὰ δῶρα
ἐκ γενετῆς· πάντας γὰρ ἐπ' ἀνθρώπους ἐκέκαστο
ὄλβῳ τε πλούτῳ τε, ἄνασσε δὲ Μυρμιδόνεσσι,
καί οἱ θνητῷ ἐόντι θεὰν ποίησαν ἄκοιτιν.
ἀλλ' ἐπὶ καὶ τῷ θῆκε θεὸς κακόν, ὅττι οἱ οὔ τι
παίδων ἐν μεγάροισι γονὴ γένετο κρειόντων,
ἀλλ' ἕνα παῖδα τέκεν παναώριον· οὐδέ νυ τόν γε
γηράσκοντα κομίζω, ἐπεὶ μάλα τηλόθι πάτρης
ἧμαι ἐνὶ Τροίῃ, σέ τε κήδων ἠδὲ σὰ τέκνα.
καὶ σέ, γέρον, τὸ πρὶν μὲν ἀκούομεν ὄλβιον εἶναι·
ὅσσον Λέσβος ἄνω, Μάκαρος ἕδος, ἐντὸς ἐέργει
καὶ Φρυγίη καθύπερθε καὶ Ἑλλήσποντος ἀπείρων,
τῶν σε, γέρον, πλούτῳ τε καὶ υἱάσι φασὶ κεκάσθαι.
αὐτὰρ ἐπεί τοι πῆμα τόδ' ἤγαγον Οὐρανίωνες,
αἰεί τοι περὶ ἄστυ μάχαι τ' ἀνδροκτασίαι τε.
ἄνσχεο, μηδ' ἀλίαστον ὀδύρεο σὸν κατὰ θυμόν·
οὐ γάρ τι πρήξεις ἀκαχήμενος υἷος ἑῆος,
οὐδέ μιν ἀνστήσεις, πρὶν καὶ κακὸν ἄλλο πάθῃσθα."
Τὸν δ' ἠμείβετ' ἔπειτα γέρων Πρίαμος θεοειδής·
"μή πώ μ' ἐς θρόνον ἵζε, διοτρεφές, ὄφρα κεν Ἕκτωρ
κῆται ἐνὶ κλισίῃσιν ἀκηδής, ἀλλὰ τάχιστα
λῦσον, ἵν' ὀφθαλμοῖσιν ἴδω· σὺ δὲ δέξαι ἄποινα
πολλά, τά τοι φέρομεν· σὺ δὲ τῶνδ' ἀπόναιο, καὶ ἔλθοις
σὴν ἐς πατρίδα γαῖαν, ἐπεί με πρῶτον ἔασας
αὐτόν τε ζώειν καὶ ὁρᾶν φάος ἠελίοιο."
Τὸν δ' ἄρ' ὑπόδρα ἰδὼν προσέφη πόδας ὠκὺς Ἀχιλλεύς·
"μηκέτι νῦν μ' ἐρέθιζε, γέρον· νοέω δὲ καὶ αὐτὸς
Ἕκτορά τοι λῦσαι, Διόθεν δέ μοι ἄγγελος ἦλθε

μήτηρ, ἥ μ' ἔτεκεν, θυγάτηρ ἁλίοιο γέροντος.
καὶ δέ σε γιγνώσκω, Πρίαμε, φρεσίν, οὐδέ με λήθεις,
ὅττι θεῶν τίς σ' ἦγε θοὰς ἐπὶ νῆας Ἀχαιῶν.
οὐ γάρ κε τλαίη βροτὸς ἐλθέμεν, οὐδὲ μάλ' ἡβῶν,
ἐς στρατόν· οὐδὲ γὰρ ἂν φυλάκους λάθοι, οὐδέ κ' ὀχῆα
ῥεῖα μετοχλίσσειε θυράων ἡμετεράων.
τῶ νῦν μή μοι μᾶλλον ἐν ἄλγεσι θυμὸν ὀρίνῃς,
μή σε, γέρον, οὐδ' αὐτὸν ἐνὶ κλισίῃσιν ἐάσω
καὶ ἱκέτην περ ἐόντα, Διὸς δ' ἀλίτωμαι ἐφετμάς."

(XXIV. 468–570)

37. *The Lamentations*

Τῇσιν δ' Ἀνδρομάχη λευκώλενος ἦρχε γόοιο,
Ἕκτορος ἀνδροφόνοιο κάρη μετὰ χερσὶν ἔχουσα·
"ἆνερ, ἀπ' αἰῶνος νέος ὤλεο, κὰδ δέ με χήρην
λείπεις ἐν μεγάροισι· πάϊς δ' ἔτι νήπιος αὔτως,
ὃν τέκομεν σύ τ' ἐγώ τε δυσάμμοροι, οὐδέ μιν οἴω
ἥβην ἵξεσθαι· πρὶν γὰρ πόλις ἥδε κατ' ἄκρης
πέρσεται· ἦ γὰρ ὄλωλας ἐπίσκοπος, ὅς τέ μιν αὐτὴν
ῥύσκευ, ἔχες δ' ἀλόχους κεδνὰς καὶ νήπια τέκνα,
αἳ δή τοι τάχα νηυσὶν ὀχήσονται γλαφυρῇσι,
καὶ μὲν ἐγὼ μετὰ τῇσι· σὺ δ' αὖ, τέκος, ἢ ἐμοὶ αὐτῇ
ἕψεαι, ἔνθα κεν ἔργα ἀεικέα ἐργάζοιο,
ἀθλεύων πρὸ ἄνακτος ἀμειλίχου, ἤ τις Ἀχαιῶν
ῥίψει χειρὸς ἑλὼν ἀπὸ πύργου, λυγρὸν ὄλεθρον,
χωόμενος, ᾧ δή που ἀδελφεὸν ἔκτανεν Ἕκτωρ
ἢ πατέρ', ἠὲ καὶ υἱόν, ἐπεὶ μάλα πολλοὶ Ἀχαιῶν
Ἕκτορος ἐν παλάμῃσιν ὀδὰξ ἕλον ἄσπετον οὖδας.
οὐ γὰρ μείλιχος ἔσκε πατὴρ τεὸς ἐν δαῒ λυγρῇ·

τῶ καί μιν λαοὶ μὲν ὀδύρονται κατὰ ἄστυ,
ἀρητὸν δὲ τοκεῦσι γόον καὶ πένθος ἔθηκας,
Ἕκτορ· ἐμοὶ δὲ μάλιστα λελείψεται ἄλγεα λυγρά.
οὐ γάρ μοι θνῄσκων λεχέων ἐκ χεῖρας ὄρεξας,
οὐδέ τί μοι εἶπες πυκινὸν ἔπος, οὗ τέ κεν αἰεὶ
μεμνῄμην νύκτας τε καὶ ἤματα δάκρυ χέουσα."
Ὣς ἔφατο κλαίουσ', ἐπὶ δὲ στενάχοντο γυναῖκες.
τῇσιν δ' αὖθ' Ἑκάβη ἁδινοῦ ἐξῆρχε γόοιο·
"Ἕκτορ, ἐμῷ θυμῷ πάντων πολὺ φίλτατε παίδων,
ἦ μέν μοι ζωός περ ἐὼν φίλος ἦσθα θεοῖσιν·
οἱ δ' ἄρα σεῦ κήδοντο καὶ ἐν θανάτοιό περ αἴσῃ.
ἄλλους μὲν γὰρ παῖδας ἐμοὺς πόδας ὠκὺς Ἀχιλλεὺς
πέρνασχ', ὅν τιν' ἕλεσκε, πέρην ἁλὸς ἀτρυγέτοιο,
ἐς Σάμον ἔς τ' Ἴμβρον καὶ Λῆμνον ἀμιχθαλόεσσαν·
σεῦ δ' ἐπεὶ ἐξέλετο ψυχὴν ταναήκεϊ χαλκῷ,
πολλὰ ῥυστάζεσκεν ἑοῦ περὶ σῆμ' ἑτάροιο,
Πατρόκλου, τὸν ἔπεφνες· ἀνέστησεν δέ μιν οὐδ' ὧς.
νῦν δέ μοι ἑρσήεις καὶ πρόσφατος ἐν μεγάροισι
κεῖσαι, τῷ ἴκελος ὅν τ' ἀργυρότοξος Ἀπόλλων
οἷς ἀγανοῖσι βέλεσσιν ἐποιχόμενος κατέπεφνεν."
Ὣς ἔφατο κλαίουσα, γόον δ' ἀλίαστον ὄρινε.
τῇσι δ' ἔπειθ' Ἑλένη τριτάτη ἐξῆρχε γόοιο·
"Ἕκτορ, ἐμῷ θυμῷ δαέρων πολὺ φίλτατε πάντων,
ἦ μέν μοι πόσις ἐστὶν Ἀλέξανδρος θεοειδής,
ὅς μ' ἄγαγε Τροίηνδ'· ὡς πρὶν ὤφελλον ὀλέσθαι.
ἤδη γὰρ νῦν μοι τόδ' ἐεικοστὸν ἔτος ἐστὶν
ἐξ οὗ κεῖθεν ἔβην καὶ ἐμῆς ἀπελήλυθα πάτρης·
ἀλλ' οὔ πω σεῦ ἄκουσα κακὸν ἔπος οὐδ' ἀσύφηλον·
ἀλλ' εἴ τίς με καὶ ἄλλος ἐνὶ μεγάροισιν ἐνίπτοι
δαέρων ἢ γαλόων ἢ εἰνατέρων εὐπέπλων,

ἢ ἑκυρή—ἑκυρὸς δὲ πατὴρ ὣς ἤπιος αἰεί—,
ἀλλὰ σὺ τὸν ἐπέεσσι παραιφάμενος κατέρυκες,
σῇ τ' ἀγανοφροσύνῃ καὶ σοῖς ἀγανοῖς ἐπέεσσι.
τῶ σέ θ' ἅμα κλαίω καὶ ἔμ' ἄμμορον ἀχνυμένη κῆρ·
οὐ γάρ τίς μοι ἔτ' ἄλλος ἐνὶ Τροίῃ εὐρείῃ
ἤπιος οὐδὲ φίλος, πάντες δέ με πεφρίκασιν."
Ὣς ἔφατο κλαίουσ', ἐπὶ δ' ἔστενε δῆμος ἀπείρων.

(XXIV. 723–76)

THE ODYSSEY

38. *The Web*

Ὣς φάτο χωόμενος, ποτὶ δὲ σκῆπτρον βάλε γαίῃ,
δάκρυ' ἀναπρήσας· οἶκτος δ' ἕλε λαὸν ἅπαντα.
ἔνθ' ἄλλοι μὲν πάντες ἀκὴν ἔσαν, οὐδέ τις ἔτλη
Τηλέμαχον μύθοισιν ἀμείψασθαι χαλεποῖσιν·
Ἀντίνοος δέ μιν οἶος ἀμειβόμενος προσέειπε·
"Τηλέμαχ' ὑψαγόρη, μένος ἄσχετε, ποῖον ἔειπες
ἡμέας αἰσχύνων, ἐθέλοις δέ κε μῶμον ἀνάψαι.
σοὶ δ' οὔ τι μνηστῆρες Ἀχαιῶν αἴτιοί εἰσιν,
ἀλλὰ φίλη μήτηρ, ἥ τοι περὶ κέρδεα οἶδεν.
ἤδη γὰρ τρίτον ἐστὶν ἔτος, τάχα δ' εἶσι τέταρτον,
ἐξ οὗ ἀτέμβει θυμὸν ἐνὶ στήθεσσιν Ἀχαιῶν.
πάντας μὲν ἔλπει, καὶ ὑπίσχεται ἀνδρὶ ἑκάστῳ,
ἀγγελίας προϊεῖσα· νόος δέ οἱ ἄλλα μενοινᾷ.
ἡ δὲ δόλον τόνδ' ἄλλον ἐνὶ φρεσὶ μερμήριξε·
στησαμένη μέγαν ἱστὸν ἐνὶ μεγάροισιν ὕφαινε,
λεπτὸν καὶ περίμετρον· ἄφαρ δ' ἡμῖν μετέειπε·
κοῦροι, ἐμοὶ μνηστῆρες, ἐπεὶ θάνε δῖος Ὀδυσσεύς,
μίμνετ' ἐπειγόμενοι τὸν ἐμὸν γάμον εἰς ὅ κε φᾶρος

ἐκτελέσω, μή μοι μεταμώνια νήματ᾽ ὄληται,
Λαέρτῃ ἥρωϊ ταφήϊον, εἰς ὅτε κέν μιν
μοῖρ᾽ ὀλοὴ καθέλῃσι τανηλεγέος θανάτοιο,
μή τίς μοι κατὰ δῆμον Ἀχαιϊάδων νεμεσήσῃ,
αἴ κεν ἄτερ σπείρου κεῖται πολλὰ κτεατίσσας.
ὣς ἔφαθ᾽, ἡμῖν δ᾽ αὖτ᾽ ἐπεπείθετο θυμὸς ἀγήνωρ.
ἔνθα καὶ ἠματίη μὲν ὑφαίνεσκεν μέγαν ἱστόν,
νύκτας δ᾽ ἀλλύεσκεν, ἐπεὶ δαΐδας παραθεῖτο.
ὣς τρίετες μὲν ἔληθε δόλῳ καὶ ἔπειθεν Ἀχαιούς·
ἀλλ᾽ ὅτε τέτρατον ἦλθεν ἔτος καὶ ἐπήλυθον ὧραι,
καὶ τότε δή τις ἔειπε γυναικῶν, ἣ σάφα ᾔδη,
καὶ τήν γ᾽ ἀλλύουσαν ἐφεύρομεν ἀγλαὸν ἱστόν.
ὣς τὸ μὲν ἐξετέλεσσε καὶ οὐκ ἐθέλουσ᾽ ὑπ᾽ ἀνάγκης·
σοὶ δ᾽ ὧδε μνηστῆρες ὑποκρίνονται, ἵν᾽ εἰδῇς
αὐτὸς σῷ θυμῷ, εἰδῶσι δὲ πάντες Ἀχαιοί·
μητέρα σὴν ἀπόπεμψον, ἄνωχθι δέ μιν γαμέεσθαι
τῷ ὅτεῴ τε πατὴρ κέλεται καὶ ἁνδάνει αὐτῇ.
εἰ δ᾽ ἔτ᾽ ἀνιήσει γε πολὺν χρόνον υἷας Ἀχαιῶν,
τὰ φρονέουσ᾽ ἀνὰ θυμὸν ἅ οἱ πέρι δῶκεν Ἀθήνη,
ἔργα τ᾽ ἐπίστασθαι περικαλλέα καὶ φρένας ἐσθλὰς
κέρδεά θ᾽, οἷ᾽ οὔ πώ τιν᾽ ἀκούομεν οὐδὲ παλαιῶν,
τάων αἳ πάρος ἦσαν ἐϋπλοκαμῖδες Ἀχαιαί,
Τυρώ τ᾽ Ἀλκμήνη τε ἐϋστέφανός τε Μυκήνη·
τάων οὔ τις ὁμοῖα νοήματα Πηνελοπείῃ
ᾔδη· ἀτὰρ μὲν τοῦτό γ᾽ ἐναίσιμον οὐκ ἐνόησε.
τόφρα γὰρ οὖν βίοτόν τε τεὸν καὶ κτήματ᾽ ἔδονται,
ὄφρα κε κείνη τοῦτον ἔχῃ νόον, ὅν τινά οἱ νῦν
ἐν στήθεσσι τιθεῖσι θεοί. μέγα μὲν κλέος αὐτῇ
ποιεῖτ᾽, αὐτὰρ σοί γε ποθὴν πολέος βιότοιο·
ἡμεῖς δ᾽ οὔτ᾽ ἐπὶ ἔργα πάρος γ᾽ ἴμεν οὔτε πῃ ἄλλῃ,

πρίν γ' αὐτὴν γήμασθαι Ἀχαιῶν ᾧ κ' ἐθέλῃσι."
Τὸν δ' αὖ Τηλέμαχος πεπνυμένος ἀντίον ηὔδα·
"Ἀντίνο', οὔ πως ἔστι δόμων ἀέκουσαν ἀπῶσαι
ἥ μ' ἔτεχ', ἥ μ' ἔθρεψε· πατὴρ δ' ἐμὸς ἄλλοθι γαίης,
ζώει ὅ γ' ἦ τέθνηκε· κακὸν δέ με πόλλ' ἀποτίνειν
Ἰκαρίῳ, αἴ κ' αὐτὸς ἑκὼν ἀπὸ μητέρα πέμψω.
ἐκ γὰρ τοῦ πατρὸς κακὰ πείσομαι, ἄλλα δὲ δαίμων
δώσει, ἐπεὶ μήτηρ στυγερὰς ἀρήσετ' ἐρινῦς
οἴκου ἀπερχομένη· νέμεσις δέ μοι ἐξ ἀνθρώπων
ἔσσεται· ὣς οὐ τοῦτον ἐγώ ποτε μῦθον ἐνίψω.
ὑμέτερος δ' εἰ μὲν θυμὸς νεμεσίζεται αὐτῶν,
ἔξιτέ μοι μεγάρων, ἄλλας δ' ἀλεγύνετε δαῖτας
ὑμὰ κτήματ' ἔδοντες ἀμειβόμενοι κατὰ οἴκους.
εἰ δ' ὑμῖν δοκέει τόδε λωΐτερον καὶ ἄμεινον
ἔμμεναι, ἀνδρὸς ἑνὸς βίοτον νήποινον ὀλέσθαι,
κείρετ'· ἐγὼ δὲ θεοὺς ἐπιβώσομαι αἰὲν ἐόντας,
αἴ κέ ποθι Ζεὺς δῷσι παλίντιτα ἔργα γενέσθαι.
νήποινοί κεν ἔπειτα δόμων ἔντοσθεν ὄλοισθε."
Ὣς φάτο Τηλέμαχος, τῷ δ' αἰετὼ εὐρύοπα Ζεὺς
ὑψόθεν ἐκ κορυφῆς ὄρεος προέηκε πέτεσθαι.

(II. 80–147)

39. *At Pylos*

i. *Memories of Troy*

Τὸν δ' ἠμείβετ' ἔπειτα Γερήνιος ἱππότα Νέστωρ·
"ὦ φίλ', ἐπεί μ' ἔμνησας ὀϊζύος, ἣν ἐν ἐκείνῳ
δήμῳ ἀνέτλημεν μένος ἄσχετοι υἷες Ἀχαιῶν,
ἠμὲν ὅσα ξὺν νηυσὶν ἐπ' ἠεροειδέα πόντον
πλαζόμενοι κατὰ ληΐδ', ὅπῃ ἄρξειεν Ἀχιλλεύς,
ἠδ' ὅσα καὶ περὶ ἄστυ μέγα Πριάμοιο ἄνακτος

μαρνάμεθ'· ἔνθα δ' ἔπειτα κατέκταθεν ὅσσοι ἄριστοι.
ἔνθα μὲν Αἴας κεῖται Ἀρήϊος, ἔνθα δ' Ἀχιλλεύς,
ἔνθα δὲ Πάτροκλος, θεόφιν μήστωρ ἀτάλαντος,
ἔνθα δ' ἐμὸς φίλος υἱός, ἅμα κρατερὸς καὶ ἀμύμων,
Ἀντίλοχος, πέρι μὲν θείειν ταχὺς ἠδὲ μαχητής·
ἄλλα τε πόλλ' ἐπὶ τοῖς πάθομεν κακά· τίς κεν ἐκεῖνα
πάντα γε μυθήσαιτο καταθνητῶν ἀνθρώπων;
οὐδ' εἰ πεντάετές γε καὶ ἑξάετες παραμίμνων
ἐξερέοις ὅσα κεῖθι πάθον κακὰ δῖοι Ἀχαιοί·
πρίν κεν ἀνιηθεὶς σὴν πατρίδα γαῖαν ἵκοιο.
εἰνάετες γάρ σφιν κακὰ ῥάπτομεν ἀμφιέποντες
παντοίοισι δόλοισι, μόγις δ' ἐτέλεσσε Κρονίων.
ἔνθ' οὔ τίς ποτε μῆτιν ὁμοιωθήμεναι ἄντην
ἤθελ', ἐπεὶ μάλα πολλὸν ἐνίκα δῖος Ὀδυσσεὺς
παντοίοισι δόλοισι, πατὴρ τεός, εἰ ἐτεόν γε
κείνου ἔκγονός ἐσσι· σέβας μ' ἔχει εἰσορόωντα.
ἦ τοι γὰρ μῦθοί γε ἐοικότες, οὐδέ κε φαίης
ἄνδρα νεώτερον ὧδε ἐοικότα μυθήσασθαι."

(III. 102–25)

ii. *A False Wife*

Τὴν δ' αὖ Τηλέμαχος πεπνυμένος ἀντίον ηὔδα·
"Μέντορ, μηκέτι ταῦτα λεγώμεθα κηδόμενοί περ.
κείνῳ δ' οὐκέτι νόστος ἐτήτυμος, ἀλλά οἱ ἤδη
φράσσαντ' ἀθάνατοι θάνατον καὶ κῆρα μέλαιναν.
νῦν δ' ἐθέλω ἔπος ἄλλο μεταλλῆσαι καὶ ἐρέσθαι
Νέστορ', ἐπεὶ περὶ οἶδε δίκας ἠδὲ φρόνιν ἄλλων·
τρὶς γὰρ δή μίν φασιν ἀνάξασθαι γένε' ἀνδρῶν,
ὥς τέ μοι ἀθάνατος ἰνδάλλεται εἰσοράασθαι.
ὦ Νέστορ Νηληϊάδη, σὺ δ' ἀληθὲς ἐνίσπες·
πῶς ἔθαν' Ἀτρεΐδης εὐρυκρείων Ἀγαμέμνων;

ποῦ Μενέλαος ἔην; τίνα δ' αὐτῷ μήσατ' ὄλεθρον
Αἴγισθος δολόμητις, ἐπεὶ κτάνε πολλὸν ἀρείω;
ἦ οὐκ Ἄργεος ἦεν Ἀχαϊκοῦ, ἀλλά πῃ ἄλλῃ
πλάζετ' ἐπ' ἀνθρώπους, ὁ δὲ θαρσήσας κατέπεφνε;"
Τὸν δ' ἠμείβετ' ἔπειτα Γερήνιος ἱππότα Νέστωρ·
"τοιγὰρ ἐγώ τοι, τέκνον, ἀληθέα πάντ' ἀγορεύσω.
ἦ τοι μὲν τόδε καὐτὸς ὀΐεαι, ὥς κεν ἐτύχθη,
εἰ ζωόν γ' Αἴγισθον ἐνὶ μεγάροισιν ἔτετμεν
Ἀτρεΐδης Τροίηθεν ἰών, ξανθὸς Μενέλαος·
τῶ κέ οἱ οὐδὲ θανόντι χυτὴν ἐπὶ γαῖαν ἔχευαν,
ἀλλ' ἄρα τόν γε κύνες τε καὶ οἰωνοὶ κατέδαψαν
κείμενον ἐν πεδίῳ ἑκὰς Ἄργεος, οὐδέ κέ τίς μιν
κλαῦσεν Ἀχαιϊάδων· μάλα γὰρ μέγα μήσατο ἔργον.
ἡμεῖς μὲν γὰρ κεῖθι πολέας τελέοντες ἀέθλους
ἥμεθ'· ὁ δ' εὔκηλος μυχῷ Ἄργεος ἱπποβότοιο
πόλλ' Ἀγαμεμνονέην ἄλοχον θέλγεσκεν ἔπεσσιν.
ἡ δ' ἦ τοι τὸ πρὶν μὲν ἀναίνετο ἔργον ἀεικές,
δῖα Κλυταιμνήστρη· φρεσὶ γὰρ κέχρητ' ἀγαθῇσι.
πὰρ δ' ἄρ' ἔην καὶ ἀοιδὸς ἀνήρ, ᾧ πόλλ' ἐπέτελλεν
Ἀτρεΐδης Τροίηνδε κιὼν εἴρυσθαι ἄκοιτιν.
ἀλλ' ὅτε δή μιν μοῖρα θεῶν ἐπέδησε δαμῆναι,
δὴ τότε τὸν μὲν ἀοιδὸν ἄγων ἐς νῆσον ἐρήμην
κάλλιπεν οἰωνοῖσιν ἕλωρ καὶ κύρμα γενέσθαι,
τὴν δ' ἐθέλων ἐθέλουσαν ἀνήγαγεν ὅνδε δόμονδε.
πολλὰ δὲ μηρία κῆε θεῶν ἱεροῖς ἐπὶ βωμοῖς,
πολλὰ δ' ἀγάλματ' ἀνῆψεν, ὑφάσματά τε χρυσόν τε,
ἐκτελέσας μέγα ἔργον, ὃ οὔ ποτε ἔλπετο θυμῷ. . . .
ἑπτάετες δ' ἤνασσε πολυχρύσοιο Μυκήνης
κτείνας Ἀτρεΐδην, δέδμητο δὲ λαὸς ὑπ' αὐτῷ.
τῷ δέ οἱ ὀγδοάτῳ κακὸν ἤλυθε δῖος Ὀρέστης

ἂψ ἀπ' Ἀθηνάων, κατὰ δ' ἔκτανε πατροφονῆα,
Αἴγισθον δολόμητιν, ὅ οἱ πατέρα κλυτὸν ἔκτα.
ἦ τοι ὁ τὸν κτείνας δαίνυ τάφον Ἀργείοισι
μητρός τε στυγερῆς καὶ ἀνάλκιδος Αἰγίσθοιο·
αὐτῆμαρ δέ οἱ ἦλθε βοὴν ἀγαθὸς Μενέλαος,
πολλὰ κτήματ' ἄγων, ὅσα οἱ νέες ἄχθος ἄειραν.

(III. 239–75 and 304–12)

40. *At Sparta*

i. *Helen and Menelaus*

Ἔνθ' αὖτ' ἄλλ' ἐνόησ' Ἑλένη Διὸς ἐκγεγαυῖα·
αὐτίκ' ἄρ' ἐς οἶνον βάλε φάρμακον, ἔνθεν ἔπινον,
νηπενθές τ' ἄχολόν τε, κακῶν ἐπίληθον ἁπάντων.
ὃς τὸ καταβρόξειεν, ἐπεὶ κρητῆρι μιγείη,
οὔ κεν ἐφημέριός γε βάλοι κατὰ δάκρυ παρειῶν,
οὐδ' εἴ οἱ κατατεθναίη μήτηρ τε πατήρ τε,
οὐδ' εἴ οἱ προπάροιθεν ἀδελφεὸν ἢ φίλον υἱὸν
χαλκῷ δηϊόῳεν, ὁ δ' ὀφθαλμοῖσιν ὁρῷτο.
τοῖα Διὸς θυγάτηρ ἔχε φάρμακα μητιόεντα,
ἐσθλά, τά οἱ Πολύδαμνα πόρεν, Θῶνος παράκοιτις,
Αἰγυπτίη, τῇ πλεῖστα φέρει ζείδωρος ἄρουρα
φάρμακα, πολλὰ μὲν ἐσθλὰ μεμιγμένα, πολλὰ δὲ λυγρά·
ἰητρὸς δὲ ἕκαστος ἐπιστάμενος περὶ πάντων
ἀνθρώπων· ἦ γὰρ Παιήονός εἰσι γενέθλης.
αὐτὰρ ἐπεί ῥ' ἐνέηκε κέλευσέ τε οἰνοχοῆσαι,
ἐξαῦτις μύθοισιν ἀμειβομένη προσέειπεν·

"Ἀτρεΐδη Μενέλαε διοτρεφὲς ἠδὲ καὶ οἵδε
ἀνδρῶν ἐσθλῶν παῖδες· ἀτὰρ θεὸς ἄλλοτε ἄλλῳ
Ζεὺς ἀγαθόν τε κακόν τε διδοῖ· δύναται γὰρ ἅπαντα·
ἦ τοι νῦν δαίνυσθε καθήμενοι ἐν μεγάροισι

καὶ μύθοις τέρπεσθε· ἐοικότα γὰρ καταλέξω.
πάντα μὲν οὐκ ἂν ἐγὼ μυθήσομαι οὐδ' ὀνομήνω,
ὅσσοι Ὀδυσσῆος ταλασίφρονός εἰσιν ἄεθλοι·
ἀλλ' οἷον τόδ' ἔρεξε καὶ ἔτλη καρτερὸς ἀνὴρ
δήμῳ ἔνι Τρώων, ὅθι πάσχετε πήματ' Ἀχαιοί.
αὐτόν μιν πληγῇσιν ἀεικελίῃσι δαμάσσας,
σπεῖρα κάκ' ἀμφ' ὤμοισι βαλών, οἰκῆϊ ἐοικώς,
ἀνδρῶν δυσμενέων κατέδυ πόλιν εὐρυάγυιαν·
ἄλλῳ δ' αὐτὸν φωτὶ κατακρύπτων ἤϊσκε
δέκτῃ, ὃς οὐδὲν τοῖος ἔην ἐπὶ νηυσὶν Ἀχαιῶν.
τῷ ἴκελος κατέδυ Τρώων πόλιν, οἱ δ' ἀβάκησαν
πάντες· ἐγὼ δέ μιν οἴη ἀνέγνων τοῖον ἐόντα,
καί μιν ἀνηρώτων· ὁ δὲ κερδοσύνῃ ἀλέεινεν.
ἀλλ' ὅτε δή μιν ἐγὼ λόεον καὶ χρῖον ἐλαίῳ,
ἀμφὶ δὲ εἵματα ἕσσα, καὶ ὤμοσα καρτερὸν ὅρκον
μὴ μὲν πρὶν Ὀδυσῆα μετὰ Τρώεσσ' ἀναφῆναι,
πρίν γε τὸν ἐς νῆάς τε θοὰς κλισίας τ' ἀφικέσθαι,
καὶ τότε δή μοι πάντα νόον κατέλεξεν Ἀχαιῶν.
πολλοὺς δὲ Τρώων κτείνας ταναήκεϊ χαλκῷ
ἦλθε μετ' Ἀργείους, κατὰ δὲ φρόνιν ἤγαγε πολλήν·
ἔνθ' ἄλλαι Τρῳαὶ λίγ' ἐκώκυον· αὐτὰρ ἐμὸν κῆρ
χαῖρ', ἐπεὶ ἤδη μοι κραδίη τέτραπτο νέεσθαι
ἂψ οἶκόνδ', ἄτην δὲ μετέστενον, ἣν Ἀφροδίτη
δῶχ', ὅτε μ' ἤγαγε κεῖσε φίλης ἀπὸ πατρίδος αἴης,
παῖδά τ' ἐμὴν νοσφισσαμένην θάλαμόν τε πόσιν τε
οὔ τευ δευόμενον, οὔτ' ἂρ φρένας οὔτε τι εἶδος."

Τὴν δ' ἀπαμειβόμενος προσέφη ξανθὸς Μενέλαος·
"ναὶ δὴ ταῦτά γε πάντα, γύναι, κατὰ μοῖραν ἔειπες.
ἤδη μὲν πολέων ἐδάην βουλήν τε νόον τε
ἀνδρῶν ἡρώων, πολλὴν δ' ἐπελήλυθα γαῖαν·

ἀλλ' οὔ πω τοιοῦτον ἐγὼν ἴδον ὀφθαλμοῖσιν
οἷον Ὀδυσσῆος ταλασίφρονος ἔσκε φίλον κῆρ.
οἷον καὶ τόδ' ἔρεξε καὶ ἔτλη καρτερὸς ἀνὴρ
ἵππῳ ἔνι ξεστῷ, ἵν' ἐνήμεθα πάντες ἄριστοι
Ἀργείων Τρώεσσι φόνον καὶ κῆρα φέροντες.
ἦλθες ἔπειτα σὺ κεῖσε· κελευσέμεναι δέ σ' ἔμελλε
δαίμων, ὃς Τρώεσσιν ἐβούλετο κῦδος ὀρέξαι·
καί τοι Δηΐφοβος θεοείκελος ἕσπετ' ἰούσῃ.
τρὶς δὲ περίστειξας κοῖλον λόχον ἀμφαφόωσα,
ἐκ δ' ὀνομακλήδην Δαναῶν ὀνόμαζες ἀρίστους,
πάντων Ἀργείων φωνὴν ἴσκουσ' ἀλόχοισιν.
αὐτὰρ ἐγὼ καὶ Τυδεΐδης καὶ δῖος Ὀδυσσεὺς
ἥμενοι ἐν μέσσοισιν ἀκούσαμεν ὡς ἐβόησας.
νῶϊ μὲν ἀμφοτέρω μενεήναμεν ὁρμηθέντε
ἢ ἐξελθέμεναι, ἢ ἔνδοθεν αἶψ' ὑπακοῦσαι·
ἀλλ' Ὀδυσεὺς κατέρυκε καὶ ἔσχεθεν ἱεμένω περ."
(IV. 219–84)

ii. *Menelaus and Proteus*

Ὣς ἐφάμην, ἡ δ' αὐτίκ' ἀμείβετο δῖα θεάων·
"τοιγὰρ ἐγώ τοι ταῦτα μάλ' ἀτρεκέως ἀγορεύσω.
ἦμος δ' ἠέλιος μέσον οὐρανὸν ἀμφιβεβήκῃ,
τῆμος ἄρ' ἐξ ἁλὸς εἶσι γέρων ἅλιος νημερτὴς
πνοιῇ ὕπο Ζεφύροιο, μελαίνῃ φρικὶ καλυφθείς,
ἐκ δ' ἐλθὼν κοιμᾶται ὑπὸ σπέσσι γλαφυροῖσιν·
ἀμφὶ δέ μιν φῶκαι νέποδες καλῆς ἁλοσύδνης
ἀθρόαι εὕδουσιν, πολιῆς ἁλὸς ἐξαναδῦσαι,
πικρὸν ἀποπνείουσαι ἁλὸς πολυβενθέος ὀδμήν.
ἔνθα σ' ἐγὼν ἀγαγοῦσα ἅμ' ἠοῖ φαινομένηφιν
εὐνάσω ἑξείης· σὺ δ' εὖ κρίνασθαι ἑταίρους

τρεῖς, οἵ τοι παρὰ νηυσὶν ἐϋσσέλμοισιν ἄριστοι.
πάντα δέ τοι ἐρέω ὀλοφώϊα τοῖο γέροντος.
φώκας μέν τοι πρῶτον ἀριθμήσει καὶ ἔπεισιν·
αὐτὰρ ἐπὴν πάσας πεμπάσσεται ἠδὲ ἴδηται,
λέξεται ἐν μέσσῃσι, νομεὺς ὣς πώεσι μήλων.
τὸν μὲν ἐπὴν δὴ πρῶτα κατευνηθέντα ἴδησθε,
καὶ τότ' ἔπειθ' ὑμῖν μελέτω κάρτος τε βίη τε,
αὖθι δ' ἔχειν μεμαῶτα καὶ ἐσσύμενόν περ ἀλύξαι.
πάντα δὲ γιγνόμενος πειρήσεται, ὅσσ' ἐπὶ γαῖαν
ἑρπετὰ γίγνονται καὶ ὕδωρ καὶ θεσπιδαὲς πῦρ·
ὑμεῖς δ' ἀστεμφέως ἐχέμεν μᾶλλόν τε πιέζειν.
ἀλλ' ὅτε κεν δή σ' αὐτὸς ἀνείρηται ἐπέεσσι,
τοῖος ἐὼν οἷόν κε κατευνηθέντα ἴδησθε,
καὶ τότε δὴ σχέσθαι τε βίης λῦσαί τε γέροντα,
ἥρως, εἴρεσθαι δὲ θεῶν ὅς τίς σε χαλέπτει,
νόστον θ', ὡς ἐπὶ πόντον ἐλεύσεαι ἰχθυόεντα."
  Ὣς εἰποῦσ' ὑπὸ πόντον ἐδύσετο κυμαίνοντα.
αὐτὰρ ἐγὼν ἐπὶ νῆας, ὅθ' ἕστασαν ἐν ψαμάθοισιν,
ἤϊα· πολλὰ δέ μοι κραδίη πόρφυρε κιόντι.
αὐτὰρ ἐπεί ῥ' ἐπὶ νῆα κατήλυθον ἠδὲ θάλασσαν,
δόρπον θ' ὁπλισάμεσθ', ἐπί τ' ἤλυθεν ἀμβροσίη νύξ·
δὴ τότε κοιμήθημεν ἐπὶ ῥηγμῖνι θαλάσσης.
ἦμος δ' ἠριγένεια φάνη ῥοδοδάκτυλος Ἠώς,
καὶ τότε δὴ παρὰ θῖνα θαλάσσης εὐρυπόροιο
ἤϊα πολλὰ θεοὺς γουνούμενος· αὐτὰρ ἑταίρους
τρεῖς ἄγον, οἷσι μάλιστα πεποίθεα πᾶσαν ἐπ' ἰθύν.
  Τόφρα δ' ἄρ' ἥ γ' ὑποδῦσα θαλάσσης εὐρέα κόλπον
τέσσαρα φωκάων ἐκ πόντου δέρματ' ἔνεικε·
πάντα δ' ἔσαν νεόδαρτα· δόλον δ' ἐπεμήδετο πατρί.
εὐνὰς δ' ἐν ψαμάθοισι διαγλάψασ' ἁλίῃσιν

ἧστο μένουσ᾽· ἡμεῖς δὲ μάλα σχεδὸν ἤλθομεν αὐτῆς·
ἑξείης δ᾽ εὔνησε, βάλεν δ᾽ ἐπὶ δέρμα ἑκάστῳ.
ἔνθα κεν αἰνότατος λόχος ἔπλετο· τεῖρε γὰρ αἰνῶς
φωκάων ἁλιοτρεφέων ὀλοώτατος ὀδμή.
τίς γάρ κ᾽ εἰναλίῳ παρὰ κήτεϊ κοιμηθείη;
ἀλλ᾽ αὐτὴ ἐσάωσε καὶ ἐφράσατο μέγ᾽ ὄνειαρ·
ἀμβροσίην ὑπὸ ῥῖνα ἑκάστῳ θῆκε φέρουσα
ἡδὺ μάλα πνείουσαν, ὄλεσσε δὲ κήτεος ὀδμήν.
πᾶσαν δ᾽ ἠοίην μένομεν τετληότι θυμῷ·
φῶκαι δ᾽ ἐξ ἁλὸς ἦλθον ἀολλέες. αἱ μὲν ἔπειτα
ἑξῆς εὐνάζοντο παρὰ ῥηγμῖνι θαλάσσης·
ἔνδιος δ᾽ ὁ γέρων ἦλθ᾽ ἐξ ἁλός, εὗρε δὲ φώκας
ζατρεφέας, πάσας δ᾽ ἄρ᾽ ἐπῴχετο, λέκτο δ᾽ ἀριθμόν·
ἐν δ᾽ ἡμέας πρώτους λέγε κήτεσιν, οὐδέ τι θυμῷ
ὠΐσθη δόλον εἶναι· ἔπειτα δὲ λέκτο καὶ αὐτός.
ἡμεῖς δὲ ἰάχοντες ἐπεσσύμεθ᾽, ἀμφὶ δὲ χεῖρας
βάλλομεν· οὐδ᾽ ὁ γέρων δολίης ἐπελήθετο τέχνης,
ἀλλ᾽ ἦ τοι πρώτιστα λέων γένετ᾽ ἠϋγένειος,
αὐτὰρ ἔπειτα δράκων καὶ πάρδαλις ἠδὲ μέγας σῦς·
γίγνετο δ᾽ ὑγρὸν ὕδωρ καὶ δένδρεον ὑψιπέτηλον.
ἡμεῖς δ᾽ ἀστεμφέως ἔχομεν τετληότι θυμῷ.

(IV. 398–459)

41. *Penelope Forlorn*

Τὴν δ᾽ αὖτε προσέειπε Μέδων, πεπνυμένα εἰδώς·
"αἲ γὰρ δή, βασίλεια, τόδε πλεῖστον κακὸν εἴη.
ἀλλὰ πολὺ μεῖζόν τε καὶ ἀργαλεώτερον ἄλλο
μνηστῆρες φράζονται, ὃ μὴ τελέσειε Κρονίων·
Τηλέμαχον μεμάασι κατακτάμεν ὀξέϊ χαλκῷ
οἴκαδε νισόμενον· ὁ δ᾽ ἔβη μετὰ πατρὸς ἀκουὴν

ἐς Πύλον ἠγαθέην ἠδ' ἐς Λακεδαίμονα δῖαν."
  Ὣς φάτο, τῆς δ' αὐτοῦ λύτο γούνατα καὶ φίλον ἦτορ,
δὴν δέ μιν ἀμφασίη ἐπέων λάβε· τὼ δέ οἱ ὄσσε
δακρυόφι πλῆσθεν, θαλερὴ δέ οἱ ἔσχετο φωνή.
ὀψὲ δὲ δή μιν ἔπεσσιν ἀμειβομένη προσέειπε·
  "Κῆρυξ, τίπτε δέ μοι πάϊς οἴχεται; οὐδέ τί μιν χρεὼ
νηῶν ὠκυπόρων ἐπιβαινέμεν, αἵ θ' ἁλὸς ἵπποι
ἀνδράσι γίγνονται, περόωσι δὲ πουλὺν ἐφ' ὑγρήν.
ἦ ἵνα μηδ' ὄνομ' αὐτοῦ ἐν ἀνθρώποισι λίπηται;"
  Τὴν δ' ἠμείβετ' ἔπειτα Μέδων πεπνυμένα εἰδώς·
"οὐ οἶδ' ἤ τίς μιν θεὸς ὤρορεν, ἦε καὶ αὐτοῦ
θυμὸς ἐφωρμήθη ἴμεν ἐς Πύλον, ὄφρα πύθηται
πατρὸς ἑοῦ ἢ νόστον ἢ ὅν τινα πότμον ἐπέσπεν."
  Ὣς ἄρα φωνήσας ἀπέβη κατὰ δῶμ' Ὀδυσῆος.
τὴν δ' ἄχος ἀμφεχύθη θυμοφθόρον, οὐδ' ἄρ' ἔτ' ἔτλη
δίφρῳ ἐφέζεσθαι πολλῶν κατὰ οἶκον ἐόντων,
ἀλλ' ἄρ' ἐπ' οὐδοῦ ἷζε πολυκμήτου θαλάμοιο
οἴκτρ' ὀλοφυρομένη· περὶ δὲ δμῳαὶ μινύριζον
πᾶσαι, ὅσαι κατὰ δώματ' ἔσαν νέαι ἠδὲ παλαιαί.
τῇς δ' ἁδινὸν γοόωσα μετηύδα Πηνελόπεια·
  "Κλῦτε, φίλαι· πέρι γάρ μοι Ὀλύμπιος ἄλγε' ἔδωκεν
ἐκ πασέων, ὅσσαι μοι ὁμοῦ τράφεν ἠδ' ἐγένοντο,
ἣ πρὶν μὲν πόσιν ἐσθλὸν ἀπώλεσα θυμολέοντα,
παντοίῃς ἀρετῇσι κεκασμένον ἐν Δαναοῖσιν,
ἐσθλόν, τοῦ κλέος εὐρὺ καθ' Ἑλλάδα καὶ μέσον Ἄργος.
νῦν αὖ παῖδ' ἀγαπητὸν ἀνηρείψαντο θύελλαι
ἀκλέα ἐκ μεγάρων, οὐδ' ὁρμηθέντος ἄκουσα."

(IV. 696–728)

42. *Calypso's Island*

Σεύατ' ἔπειτ' ἐπὶ κῦμα λάρῳ ὄρνιθι ἐοικώς,
ὅς τε κατὰ δεινοὺς κόλπους ἁλὸς ἀτρυγέτοιο
ἰχθῦς ἀγρώσσων πυκινὰ πτερὰ δεύεται ἅλμῃ·
τῷ ἴκελος πολέεσσιν ὀχήσατο κύμασιν Ἑρμῆς.
ἀλλ' ὅτε δὴ τὴν νῆσον ἀφίκετο τηλόθ' ἐοῦσαν,
ἔνθ' ἐκ πόντου βὰς ἰοειδέος ἤπειρόνδε
ἤϊεν, ὄφρα μέγα σπέος ἵκετο, τῷ ἔνι νύμφη
ναῖεν ἐϋπλόκαμος· τὴν δ' ἔνδοθι τέτμεν ἐοῦσαν.
πῦρ μὲν ἐπ' ἐσχαρόφιν μέγα καίετο, τηλόθι δ' ὀδμὴ
κέδρου τ' εὐκεάτοιο θύου τ' ἀνὰ νῆσον ὀδώδει
δαιομένων· ἡ δ' ἔνδον ἀοιδιάουσ' ὀπὶ καλῇ
ἱστὸν ἐποιχομένη χρυσείῃ κερκίδ' ὕφαινεν.
ὕλη δὲ σπέος ἀμφὶ πεφύκει τηλεθόωσα,
κλήθρη τ' αἴγειρός τε καὶ εὐώδης κυπάρισσος.
ἔνθα δέ τ' ὄρνιθες τανυσίπτεροι εὐνάζοντο,
σκῶπές τ' ἴρηκές τε τανύγλωσσοί τε κορῶναι
εἰνάλιαι, τῇσίν τε θαλάσσια ἔργα μέμηλεν.
ἡ δ' αὐτοῦ τετάνυστο περὶ σπείους γλαφυροῖο
ἡμερὶς ἡβώωσα, τεθήλει δὲ σταφυλῇσι·
κρῆναι δ' ἑξείης πίσυρες ῥέον ὕδατι λευκῷ,
πλησίαι ἀλλήλων τετραμμέναι ἄλλυδις ἄλλη.
ἀμφὶ δὲ λειμῶνες μαλακοὶ ἴου ἠδὲ σελίνου
θήλεον· ἔνθα κ' ἔπειτα καὶ ἀθάνατός περ ἐπελθὼν
θηήσαιτο ἰδὼν καὶ τερφθείη φρεσὶν ᾗσιν.
ἔνθα στὰς θηεῖτο διάκτορος ἀργειφόντης.
αὐτὰρ ἐπεὶ δὴ πάντα ἑῷ θηήσατο θυμῷ,
αὐτίκ' ἄρ' εἰς εὐρὺ σπέος ἤλυθεν· οὐδέ μιν ἄντην
ἠγνοίησεν ἰδοῦσα Καλυψώ, δῖα θεάων,

οὐ γάρ τ' ἀγνῶτες θεοὶ ἀλλήλοισι πέλονται
ἀθάνατοι, οὐδ' εἴ τις ἀπόπροθι δώματα ναίει.
οὐδ' ἄρ' Ὀδυσσῆα μεγαλήτορα ἔνδον ἔτετμεν,
ἀλλ' ὅ γ' ἐπ' ἀκτῆς κλαῖε καθήμενος, ἔνθα πάρος περ,
δάκρυσι καὶ στοναχῇσι καὶ ἄλγεσι θυμὸν ἐρέχθων.

(V. 51–83)

43. *Odysseus puts to Sea*

i. *Wreck of the Raft*

Ὣς εἰπὼν σύναγεν νεφέλας, ἐτάραξε δὲ πόντον
χερσὶ τρίαιναν ἑλών· πάσας δ' ὀρόθυνεν ἀέλλας
παντοίων ἀνέμων, σὺν δὲ νεφέεσσι κάλυψε
γαῖαν ὁμοῦ καὶ πόντον· ὀρώρει δ' οὐρανόθεν νύξ.
σὺν δ' Εὖρός τε Νότος τ' ἔπεσον Ζέφυρός τε δυσαὴς
καὶ Βορέης αἰθρηγενέτης, μέγα κῦμα κυλίνδων.
καὶ τότ' Ὀδυσσῆος λύτο γούνατα καὶ φίλον ἦτορ,
ὀχθήσας δ' ἄρα εἶπε πρὸς ὃν μεγαλήτορα θυμόν·
"Ὤ μοι ἐγὼ δειλός, τί νύ μοι μήκιστα γένηται;
δείδω μὴ δὴ πάντα θεὰ νημερτέα εἶπεν,
ἥ μ' ἔφατ' ἐν πόντῳ, πρὶν πατρίδα γαῖαν ἱκέσθαι,
ἄλγε' ἀναπλήσειν· τὰ δὲ δὴ νῦν πάντα τελεῖται,
οἵοισιν νεφέεσσι περιστέφει οὐρανὸν εὐρὺν
Ζεύς, ἐτάραξε δὲ πόντον, ἐπισπέρχουσι δ' ἄελλαι
παντοίων ἀνέμων· νῦν μοι σῶς αἰπὺς ὄλεθρος.
τρισμάκαρες Δαναοὶ καὶ τετράκις, οἳ τότ' ὄλοντο
Τροίῃ ἐν εὐρείῃ, χάριν Ἀτρεΐδῃσι φέροντες.
ὡς δὴ ἐγώ γ' ὄφελον θανέειν καὶ πότμον ἐπισπεῖν
ἤματι τῷ ὅτε μοι πλεῖστοι χαλκήρεα δοῦρα
Τρῶες ἐπέρριψαν περὶ Πηλείωνι θανόντι.
τῷ κ' ἔλαχον κτερέων, καί μευ κλέος ἦγον Ἀχαιοί·

νῦν δέ με λευγαλέῳ θανάτῳ εἵμαρτο ἁλῶναι."
Ὣς ἄρα μιν εἰπόντ' ἔλασεν μέγα κῦμα κατ' ἄκρης,
δεινὸν ἐπεσσύμενον, περὶ δὲ σχεδίην ἐλέλιξε.
τῆλε δ' ἀπὸ σχεδίης αὐτὸς πέσε, πηδάλιον δὲ
ἐκ χειρῶν προέηκε· μέσον δέ οἱ ἱστὸν ἔαξε
δεινὴ μισγομένων ἀνέμων ἐλθοῦσα θύελλα,
τηλοῦ δὲ σπεῖρον καὶ ἐπίκριον ἔμπεσε πόντῳ.
τὸν δ' ἄρ' ὑπόβρυχα θῆκε πολὺν χρόνον, οὐδ' ἐδυνάσθη
αἶψα μάλ' ἀνσχεθέειν μεγάλου ὑπὸ κύματος ὁρμῆς·
εἵματα γάρ ῥ' ἐβάρυνε, τά οἱ πόρε δῖα Καλυψώ.
ὀψὲ δὲ δή ῥ' ἀνέδυ, στόματος δ' ἐξέπτυσεν ἅλμην
πικρήν, ἥ οἱ πολλὴ ἀπὸ κρατὸς κελάρυζεν.
ἀλλ' οὐδ' ὧς σχεδίης ἐπελήθετο, τειρόμενός περ,
ἀλλὰ μεθορμηθεὶς ἐνὶ κύμασιν ἐλλάβετ' αὐτῆς,
ἐν μέσσῃ δὲ καθῖζε τέλος θανάτου ἀλεείνων.
τὴν δ' ἐφόρει μέγα κῦμα κατὰ ῥόον ἔνθα καὶ ἔνθα.
ὡς δ' ὅτ' ὀπωρινὸς Βορέης φορέῃσιν ἀκάνθας
ἂμ πεδίον, πυκιναὶ δὲ πρὸς ἀλλήλῃσιν ἔχονται,
ὣς τὴν ἂμ πέλαγος ἄνεμοι φέρον ἔνθα καὶ ἔνθα·
ἄλλοτε μέν τε Νότος Βορέῃ προβάλεσκε φέρεσθαι,
ἄλλοτε δ' αὖτ' Εὖρος Ζεφύρῳ εἴξασκε διώκειν.

(V. 291–332)

ii. *The Swimming*

Ἔνθα δύω νύκτας δύο τ' ἤματα κύματι πηγῷ
πλάζετο, πολλὰ δέ οἱ κραδίη προτιόσσετ' ὄλεθρον.
ἀλλ' ὅτε δὴ τρίτον ἦμαρ ἐϋπλόκαμος τέλεσ' Ἠώς,
καὶ τότ' ἔπειτ' ἄνεμος μὲν ἐπαύσατο ἠδὲ γαλήνη
ἔπλετο νηνεμίη, ὁ δ' ἄρα σχεδὸν εἴσιδε γαῖαν
ὀξὺ μάλα προϊδών, μεγάλου ὑπὸ κύματος ἀρθείς.
ὡς δ' ὅτ' ἂν ἀσπάσιος βίοτος παίδεσσι φανήῃ

πατρός, ὃς ἐν νούσῳ κεῖται κρατέρ' ἄλγεα πάσχων,
δηρὸν τηκόμενος, στυγερὸς δέ οἱ ἔχραε δαίμων,
ἀσπάσιον δ' ἄρα τόν γε θεοὶ κακότητος ἔλυσαν,
ὣς 'Οδυσῆ' ἀσπαστὸν ἐείσατο γαῖα καὶ ὕλη,
νῆχε δ' ἐπειγόμενος ποσὶν ἠπείρου ἐπιβῆναι.
ἀλλ' ὅτε τόσσον ἀπῆν ὅσσον τε γέγωνε βοήσας,
καὶ δὴ δοῦπον ἄκουσε ποτὶ σπιλάδεσσι θαλάσσης·
ῥόχθει γὰρ μέγα κῦμα ποτὶ ξερὸν ἠπείροιο
δεινὸν ἐρευγόμενον, εἴλυτο δὲ πάνθ' ἁλὸς ἄχνῃ·
οὐ γὰρ ἔσαν λιμένες νηῶν ὀχοί, οὐδ' ἐπιωγαί,
ἀλλ' ἀκταὶ προβλῆτες ἔσαν σπιλάδες τε πάγοι τε·
καὶ τότ' 'Οδυσσῆος λύτο γούνατα καὶ φίλον ἦτορ,
ὀχθήσας δ' ἄρα εἶπε πρὸς ὃν μεγαλήτορα θυμόν·
"Ὤ μοι, ἐπεὶ δὴ γαῖαν ἀελπέα δῶκεν ἰδέσθαι
Ζεύς, καὶ δὴ τόδε λαῖτμα διατμήξας ἐτέλεσσα,
ἔκβασις οὔ πῃ φαίνεθ' ἁλὸς πολιοῖο θύραζε·
ἔκτοσθεν μὲν γὰρ πάγοι ὀξέες, ἀμφὶ δὲ κῦμα
βέβρυχεν ῥόθιον, λισσὴ δ' ἀναδέδρομε πέτρη,
ἀγχιβαθὴς δὲ θάλασσα, καὶ οὔ πως ἔστι πόδεσσι
στήμεναι ἀμφοτέροισι καὶ ἐκφυγέειν κακότητα·
μή πώς μ' ἐκβαίνοντα βάλῃ λίθακι ποτὶ πέτρῃ
κῦμα μέγ' ἁρπάξαν· μελέη δέ μοι ἔσσεται ὁρμή.
εἰ δέ κ' ἔτι προτέρω παρανήξομαι, ἤν που ἐφεύρω
ἠϊόνας τε παραπλῆγας λιμένας τε θαλάσσης,
δείδω μή μ' ἐξαῦτις ἀναρπάξασα θύελλα
πόντον ἐπ' ἰχθυόεντα φέρῃ βαρέα στενάχοντα,
ἠέ τί μοι καὶ κῆτος ἐπισσεύῃ μέγα δαίμων
ἐξ ἁλός, οἷά τε πολλὰ τρέφει κλυτὸς 'Αμφιτρίτη·
οἶδα γὰρ ὥς μοι ὀδώδυσται κλυτὸς ἐννοσίγαιος."
Ἧος ὁ ταῦθ' ὅρμαινε κατὰ φρένα καὶ κατὰ θυμόν,

τόφρα δέ μιν μέγα κῦμα φέρε τρηχεῖαν ἐπ' ἀκτήν.
ἔνθα κ' ἀπὸ ῥινοὺς δρύφθη, σὺν δ' ὀστέ' ἀράχθη,
εἰ μὴ ἐπὶ φρεσὶ θῆκε θεὰ γλαυκῶπις Ἀθήνη·
ἀμφοτέρῃσι δὲ χερσὶν ἐπεσσύμενος λάβε πέτρης,
τῆς ἔχετο στενάχων, ἧος μέγα κῦμα παρῆλθε.
καὶ τὸ μὲν ὣς ὑπάλυξε, παλιρρόθιον δέ μιν αὖτις
πλῆξεν ἐπεσσύμενον, τηλοῦ δέ μιν ἔμβαλε πόντῳ.
ὡς δ' ὅτε πουλύποδος θαλάμης ἐξελκομένοιο
πρὸς κοτυληδονόφιν πυκιναὶ λάϊγγες ἔχονται,
ὣς τοῦ πρὸς πέτρῃσι θρασειάων ἀπὸ χειρῶν
ῥινοὶ ἀπέδρυφθεν· τὸν δὲ μέγα κῦμα κάλυψεν.
ἔνθα κε δὴ δύστηνος ὑπὲρ μόρον ὤλετ' Ὀδυσσεύς,
εἰ μὴ ἐπιφροσύνην δῶκε γλαυκῶπις Ἀθήνη.
κύματος ἐξαναδύς, τά τ' ἐρεύγεται ἤπειρόνδε,
νῆχε παρέξ, ἐς γαῖαν ὁρώμενος, εἴ που ἐφεύροι
ἠϊόνας τε παραπλῆγας λιμένας τε θαλάσσης.
ἀλλ' ὅτε δὴ ποταμοῖο κατὰ στόμα καλλιρόοιο
ἶξε νέων, τῇ δή οἱ ἐείσατο χῶρος ἄριστος,
λεῖος πετράων, καὶ ἐπὶ σκέπας ἦν ἀνέμοιο.

(V. 388–443)

44. *Nausicaa*

i

Ἡ μὲν ἄρ' ὣς εἰποῦσ' ἀπέβη γλαυκῶπις Ἀθήνη
Οὔλυμπόνδ', ὅθι φασὶ θεῶν ἕδος ἀσφαλὲς αἰεὶ
ἔμμεναι· οὔτ' ἀνέμοισι τινάσσεται οὔτε ποτ' ὄμβρῳ
δεύεται οὔτε χιὼν ἐπιπίλναται, ἀλλὰ μάλ' αἴθρη
πέπταται ἀνέφελος, λευκὴ δ' ἐπιδέδρομεν αἴγλη·
τῷ ἔνι τέρπονται μάκαρες θεοὶ ἤματα πάντα.
ἔνθ' ἀπέβη γλαυκῶπις, ἐπεὶ διεπέφραδε κούρῃ.

Αὐτίκα δ' Ἠὼς ἦλθεν ἐΰθρονος, ἥ μιν ἔγειρε
Ναυσικάαν εὔπεπλον· ἄφαρ δ' ἀπεθαύμασ' ὄνειρον,
βῆ δ' ἴμεναι διὰ δώμαθ', ἵν' ἀγγείλειε τοκεῦσι,
πατρὶ φίλῳ καὶ μητρί· κιχήσατο δ' ἔνδον ἐόντας·
ἡ μὲν ἐπ' ἐσχάρῃ ἧστο σὺν ἀμφιπόλοισι γυναιξίν,
ἠλάκατα στρωφῶσ' ἁλιπόρφυρα· τῷ δὲ θύραζε
ἐρχομένῳ ξύμβλητο μετὰ κλειτοὺς βασιλῆας
ἐς βουλήν, ἵνα μιν κάλεον Φαίηκες ἀγαυοί.
ἡ δὲ μάλ' ἄγχι στᾶσα φίλον πατέρα προσέειπε·
"Πάππα φίλ', οὐκ ἂν δή μοι ἐφοπλίσσειας ἀπήνην
ὑψηλὴν εὔκυκλον, ἵνα κλυτὰ εἵματ' ἄγωμαι
ἐς ποταμὸν πλυνέουσα, τά μοι ῥερυπωμένα κεῖται;
καὶ δὲ σοὶ αὐτῷ ἔοικε μετὰ πρώτοισιν ἐόντα
βουλὰς βουλεύειν καθαρὰ χροῒ εἵματ' ἔχοντα.
πέντε δέ τοι φίλοι υἷες ἐνὶ μεγάροις γεγάασιν,
οἱ δύ' ὀπυίοντες, τρεῖς δ' ἠΐθεοι θαλέθοντες·
οἱ δ' αἰεὶ ἐθέλουσι νεόπλυτα εἵματ' ἔχοντες
ἐς χορὸν ἔρχεσθαι· τὰ δ' ἐμῇ φρενὶ πάντα μέμηλεν."
Ὣς ἔφατ'· αἴδετο γὰρ θαλερὸν γάμον ἐξονομῆναι
πατρὶ φίλῳ· ὁ δὲ πάντα νόει καὶ ἀμείβετο μύθῳ·
"Οὔτε τοι ἡμιόνων φθονέω, τέκος, οὔτε τευ ἄλλου.
ἔρχευ· ἀτάρ τοι δμῶες ἐφοπλίσσουσιν ἀπήνην
ὑψηλὴν εὔκυκλον, ὑπερτερίῃ ἀραρυῖαν."
Ὣς εἰπὼν δμώεσσιν ἐκέκλετο, τοὶ δ' ἐπίθοντο.

(VI. 41–71)

ii

Αἱ δ' ὅτε δὴ ποταμοῖο ῥόον περικαλλέ' ἵκοντο,
ἔνθ' ἦ τοι πλυνοὶ ἦσαν ἐπηετανοί, πολὺ δ' ὕδωρ
καλὸν ὑπεκπρορέει μάλα περ ῥυπόωντα καθῆραι,
ἔνθ' αἵ γ' ἡμιόνους μὲν ὑπεκπροέλυσαν ἀπήνης.

καὶ τὰς μὲν σεῦαν ποταμὸν πάρα δινήεντα
τρώγειν ἄγρωστιν μελιηδέα· ταὶ δ' ἀπ' ἀπήνης
εἵματα χερσὶν ἕλοντο καὶ ἐσφόρεον μέλαν ὕδωρ,
στεῖβον δ' ἐν βόθροισι θοῶς ἔριδα προφέρουσαι.
αὐτὰρ ἐπεὶ πλῦνάν τε κάθηράν τε ῥύπα πάντα,
ἑξείης πέτασαν παρὰ θῖν' ἁλός, ἧχι μάλιστα
λάϊγγας ποτὶ χέρσον ἀποπλύνεσκε θάλασσα.
αἱ δὲ λοεσσάμεναι καὶ χρισάμεναι λίπ' ἐλαίῳ
δεῖπνον ἔπειθ' εἵλοντο παρ' ὄχθῃσιν ποταμοῖο,
εἵματα δ' ἠελίοιο μένον τερσήμεναι αὐγῇ.
αὐτὰρ ἐπεὶ σίτου τάρφθεν δμῳαί τε καὶ αὐτή,
σφαίρῃ ταί γ' ἄρα παῖζον, ἀπὸ κρήδεμνα βαλοῦσαι
τῇσι δὲ Ναυσικάα λευκώλενος ἄρχετο μολπῆς.
οἵη δ' Ἄρτεμις εἶσι κατ' οὔρεα ἰοχέαιρα,
ἢ κατὰ Τηΰγετον περιμήκετον ἢ Ἐρύμανθον,
τερπομένη κάπροισι καὶ ὠκείῃς ἐλάφοισι·
τῇ δέ θ' ἅμα νύμφαι, κοῦραι Διὸς αἰγιόχοιο,
ἀγρονόμοι παίζουσι· γέγηθε δέ τε φρένα Λητώ·
πασάων δ' ὑπὲρ ἥ γε κάρη ἔχει ἠδὲ μέτωπα,
ῥεῖά τ' ἀριγνώτη πέλεται, καλαὶ δέ τε πᾶσαι·
ὣς ἥ γ' ἀμφιπόλοισι μετέπρεπε παρθένος ἀδμής.
Ἀλλ' ὅτε δὴ ἄρ' ἔμελλε πάλιν οἶκόνδε νέεσθαι
ζεύξασ' ἡμιόνους πτύξασά τε εἵματα καλά,
ἔνθ' αὖτ' ἄλλ' ἐνόησε θεὰ γλαυκῶπις Ἀθήνη,
ὡς Ὀδυσεὺς ἔγροιτο, ἴδοι τ' εὐώπιδα κούρην,
ἥ οἱ Φαιήκων ἀνδρῶν πόλιν ἡγήσαιτο.
σφαῖραν ἔπειτ' ἔρριψε μετ' ἀμφίπολον βασίλεια·
ἀμφιπόλου μὲν ἅμαρτε, βαθείῃ δ' ἔμβαλε δίνῃ,
αἱ δ' ἐπὶ μακρὸν ἄϋσαν. ὁ δ' ἔγρετο δῖος Ὀδυσσεύς,
ἑζόμενος δ' ὅρμαινε κατὰ φρένα καὶ κατὰ θυμόν·

"Ὢ μοι ἐγώ, τέων αὖτε βροτῶν ἐς γαῖαν ἱκάνω;
ἦ ῥ' οἵ γ' ὑβρισταί τε καὶ ἄγριοι οὐδὲ δίκαιοι,
ἦε φιλόξεινοι, καί σφιν νόος ἐστὶ θεουδής;
ὥς τέ με κουράων ἀμφήλυθε θῆλυς ἀϋτή,
νυμφάων, αἳ ἔχουσ' ὀρέων αἰπεινὰ κάρηνα
καὶ πηγὰς ποταμῶν καὶ πίσεα ποιήεντα.
ἦ νύ που ἀνθρώπων εἰμὶ σχεδὸν αὐδηέντων;
ἀλλ' ἄγ', ἐγὼν αὐτὸς πειρήσομαι ἠδὲ ἴδωμαι."
Ὣς εἰπὼν θάμνων ὑπεδύσετο δῖος Ὀδυσσεύς,
ἐκ πυκινῆς δ' ὕλης πτόρθον κλάσε χειρὶ παχείῃ
φύλλων, ὡς ῥύσαιτο περὶ χροῒ μήδεα φωτός.
βῆ δ' ἴμεν ὥς τε λέων ὀρεσίτροφος, ἀλκὶ πεποιθώς,
ὅς τ' εἶσ' ὑόμενος καὶ ἀήμενος, ἐν δέ οἱ ὄσσε
δαίεται· αὐτὰρ ὁ βουσὶ μετέρχεται ἢ ὀΐεσσιν
ἠὲ μετ' ἀγροτέρας ἐλάφους· κέλεται δέ ἑ γαστὴρ
μήλων πειρήσοντα καὶ ἐς πυκινὸν δόμον ἐλθεῖν·
ὣς Ὀδυσεὺς κούρῃσιν ἐϋπλοκάμοισιν ἔμελλε
μίξεσθαι, γυμνός περ ἐών· χρειὼ γὰρ ἵκανε.
σμερδαλέος δ' αὐτῇσι φάνη κεκακωμένος ἅλμῃ,
τρέσσαν δ' ἄλλυδις ἄλλη ἐπ' ἠϊόνας προὐχούσας·
οἴη δ' Ἀλκινόου θυγάτηρ μένε· τῇ γὰρ Ἀθήνη
θάρσος ἐνὶ φρεσὶ θῆκε καὶ ἐκ δέος εἵλετο γυίων.
στῆ δ' ἄντα σχομένη· ὁ δὲ μερμήριξεν Ὀδυσσεύς,
ἢ γούνων λίσσοιτο λαβὼν εὐώπιδα κούρην,
ἦ αὔτως ἐπέεσσιν ἀποσταδὰ μειλιχίοισι
λίσσοιτ', εἰ δείξειε πόλιν καὶ εἵματα δοίη.
ὣς ἄρα οἱ φρονέοντι δοάσσατο κέρδιον εἶναι,
λίσσεσθαι ἐπέεσσιν ἀποσταδὰ μειλιχίοισι,
μή οἱ γοῦνα λαβόντι χολώσαιτο φρένα κούρη.
αὐτίκα μειλίχιον καὶ κερδαλέον φάτο μῦθον·

“Γουνοῦμαί σε, ἄνασσα· θεός νύ τις ἦ βροτός ἐσσι;
εἰ μέν τις θεός ἐσσι, τοὶ οὐρανὸν εὐρὺν ἔχουσιν,
Ἀρτέμιδί σε ἐγώ γε, Διὸς κούρῃ μεγάλοιο,
εἶδός τε μέγεθός τε φυήν τ' ἄγχιστα ἐΐσκω·
εἰ δέ τίς ἐσσι βροτῶν, τοὶ ἐπὶ χθονὶ ναιετάουσι,
τρισμάκαρες μὲν σοί γε πατὴρ καὶ πότνια μήτηρ,
τρισμάκαρες δὲ κασίγνητοι· μάλα πού σφισι θυμὸς
αἰὲν ἐϋφροσύνῃσιν ἰαίνεται εἵνεκα σεῖο,
λευσσόντων τοιόνδε θάλος χορὸν εἰσοιχνεῦσαν.
κεῖνος δ' αὖ περὶ κῆρι μακάρτατος ἔξοχον ἄλλων,
ὅς κέ σ' ἐέδνοισι βρίσας οἶκόνδ' ἀγάγηται.
οὐ γάρ πω τοιοῦτον ἐγὼ ἴδον ὀφθαλμοῖσιν,
οὔτ' ἄνδρ' οὔτε γυναῖκα· σέβας μ' ἔχει εἰσορόωντα.
Δήλῳ δή ποτε τοῖον Ἀπόλλωνος παρὰ βωμῷ
φοίνικος νέον ἔρνος ἀνερχόμενον ἐνόησα·
ἦλθον γὰρ καὶ κεῖσε, πολὺς δέ μοι ἕσπετο λαὸς
τὴν ὁδὸν ᾗ δὴ μέλλεν ἐμοὶ κακὰ κήδε' ἔσεσθαι.
ὣς δ' αὔτως καὶ κεῖνο ἰδὼν ἐτεθήπεα θυμῷ
δήν, ἐπεὶ οὔ πω τοῖον ἀνήλυθεν ἐκ δόρυ γαίης,
ὡς σέ, γύναι, ἄγαμαί τε τέθηπά τε δείδιά τ' αἰνῶς
γούνων ἅψασθαι· χαλεπὸν δέ με πένθος ἱκάνει.
χθιζὸς ἐεικοστῷ φύγον ἤματι οἴνοπα πόντον·
τόφρα δέ μ' αἰεὶ κῦμ' ἐφόρει κραιπναί τε θύελλαι
νήσου ἀπ' Ὠγυγίης· νῦν δ' ἐνθάδε κάββαλε δαίμων,
ὄφρα τί που καὶ τῇδε πάθω κακόν· οὐ γὰρ ὀΐω
παύσεσθ', ἀλλ' ἔτι πολλὰ θεοὶ τελέουσι πάροιθεν.
ἀλλά, ἄνασσ', ἐλέαιρε· σὲ γὰρ κακὰ πολλὰ μογήσας
ἐς πρώτην ἱκόμην, τῶν δ' ἄλλων οὔ τινα οἶδα
ἀνθρώπων, οἳ τήνδε πόλιν καὶ γαῖαν ἔχουσιν.
ἄστυ δέ μοι δεῖξον, δὸς δὲ ῥάκος ἀμφιβαλέσθαι,

εἴ τί που εἴλυμα σπείρων ἔχες ἐνθάδ' ἰοῦσα.
σοὶ δὲ θεοὶ τόσα δοῖεν ὅσα φρεσὶ σῇσι μενοινᾷς,
ἄνδρα τε καὶ οἶκον καὶ ὁμοφροσύνην ὀπάσειαν
ἐσθλήν· οὐ μὲν γὰρ τοῦ γε κρεῖσσον καὶ ἄρειον,
ἢ ὅθ' ὁμοφρονέοντε νοήμασιν οἶκον ἔχητον
ἀνὴρ ἠδὲ γυνή· πόλλ' ἄλγεα δυσμενέεσσι,
χάρματα δ' εὐμενέτῃσι· μάλιστα δέ τ' ἔκλυον αὐτοί."

(VI. 85–185)

45. *Phaeacian Nights—Demodocus*

Ὣς ἄρ' ἔφη, κῆρυξ δὲ φέρων ἐν χερσὶν ἔθηκεν
ἥρῳ Δημοδόκῳ· ὁ δ' ἐδέξατο, χαῖρε δὲ θυμῷ.
οἱ δ' ἐπ' ὀνείαθ' ἑτοῖμα προκείμενα χεῖρας ἴαλλον.
αὐτὰρ ἐπεὶ πόσιος καὶ ἐδητύος ἐξ ἔρον ἕντο,
δὴ τότε Δημόδοκον προσέφη πολύμητις Ὀδυσσεύς·
"Δημόδοκ', ἔξοχα δή σε βροτῶν αἰνίζομ' ἁπάντων·
ἢ σέ γε Μοῦσ' ἐδίδαξε, Διὸς πάϊς, ἢ σέ γ' Ἀπόλλων.
λίην γὰρ κατὰ κόσμον Ἀχαιῶν οἶτον ἀείδεις,
ὅσσ' ἔρξαν τ' ἔπαθόν τε καὶ ὅσσ' ἐμόγησαν Ἀχαιοί,
ὥς τέ που ἢ αὐτὸς παρεὼν ἢ ἄλλου ἀκούσας.
ἀλλ' ἄγε δὴ μετάβηθι καὶ ἵππου κόσμον ἄεισον
δουρατέου, τὸν Ἐπειὸς ἐποίησεν σὺν Ἀθήνῃ,
ὅν ποτ' ἐς ἀκρόπολιν δόλον ἤγαγε δῖος Ὀδυσσεύς,
ἀνδρῶν ἐμπλήσας οἳ Ἴλιον ἐξαλάπαξαν.
αἴ κεν δή μοι ταῦτα κατὰ μοῖραν καταλέξῃς,
αὐτίκ' ἐγὼ πᾶσιν μυθήσομαι ἀνθρώποισιν
ὡς ἄρα τοι πρόφρων θεὸς ὤπασε θέσπιν ἀοιδήν."
Ὣς φάθ', ὁ δ' ὁρμηθεὶς θεοῦ ἄρχετο, φαῖνε δ' ἀοιδήν,
ἔνθεν ἑλὼν ὡς οἱ μὲν ἐϋσσέλμων ἐπὶ νηῶν
βάντες ἀπέπλειον, πῦρ ἐν κλισίῃσι βαλόντες,

Ἀργεῖοι, τοὶ δ' ἤδη ἀγακλυτὸν ἀμφ' Ὀδυσῆα
ἧατ' ἐνὶ Τρώων ἀγορῇ κεκαλυμμένοι ἵππῳ·
αὐτοὶ γάρ μιν Τρῶες ἐς ἀκρόπολιν ἐρύσαντο.
ὣς ὁ μὲν ἑστήκει, τοὶ δ' ἄκριτα πόλλ' ἀγόρευον
ἥμενοι ἀμφ' αὐτόν· τρίχα δέ σφισιν ἥνδανε βουλή,
ἠὲ διαπλῆξαι κοῖλον δόρυ νηλέϊ χαλκῷ,
ἢ κατὰ πετράων βαλέειν ἐρύσαντας ἐπ' ἄκρης,
ἢ ἐάαν μέγ' ἄγαλμα θεῶν θελκτήριον εἶναι,
τῇ περ δὴ καὶ ἔπειτα τελευτήσεσθαι ἔμελλεν·
αἶσα γὰρ ἦν ἀπολέσθαι, ἐπὴν πόλις ἀμφικαλύψῃ
δουράτεον μέγαν ἵππον, ὅθ' ἥατο πάντες ἄριστοι
Ἀργείων Τρώεσσι φόνον καὶ κῆρα φέροντες.
ἤειδεν δ' ὡς ἄστυ διέπραθον υἷες Ἀχαιῶν
ἱππόθεν ἐκχύμενοι, κοῖλον λόχον ἐκπρολιπόντες.
ἄλλον δ' ἄλλῃ ἄειδε πόλιν κεραϊζέμεν αἰπήν,
αὐτὰρ Ὀδυσσῆα προτὶ δώματα Δηϊφόβοιο
βήμεναι, ἠΰτ' Ἄρηα, σὺν ἀντιθέῳ Μενελάῳ.
κεῖθι δὴ αἰνότατον πόλεμον φάτο τολμήσαντα
νικῆσαι καὶ ἔπειτα διὰ μεγάθυμον Ἀθήνην.

Ταῦτ' ἄρ' ἀοιδὸς ἄειδε περικλυτός· αὐτὰρ Ὀδυσσεὺς
τήκετο, δάκρυ δ' ἔδευεν ὑπὸ βλεφάροισι παρειάς.
ὡς δὲ γυνὴ κλαίῃσι φίλον πόσιν ἀμφιπεσοῦσα,
ὅς τε ἑῆς πρόσθεν πόλιος λαῶν τε πέσῃσιν,
ἄστεϊ καὶ τεκέεσσιν ἀμύνων νηλεὲς ἦμαρ·
ἡ μὲν τὸν θνῄσκοντα καὶ ἀσπαίροντα ἰδοῦσα
ἀμφ' αὐτῷ χυμένη λίγα κωκύει· οἱ δέ τ' ὄπισθε
κόπτοντες δούρεσσι μετάφρενον ἠδὲ καὶ ὤμους
εἴρερον εἰσανάγουσι, πόνον τ' ἐχέμεν καὶ ὀϊζύν·
τῆς δ' ἐλεεινοτάτῳ ἄχεϊ φθινύθουσι παρειαί·
ὣς Ὀδυσεὺς ἐλεεινὸν ὑπ' ὀφρύσι δάκρυον εἶβεν.

ἔνθ' ἄλλους μὲν πάντας ἐλάνθανε δάκρυα λείβων,
Ἀλκίνοος δέ μιν οἶος ἐπεφράσατ' ἠδ' ἐνόησεν,
ἥμενος ἄγχ' αὐτοῦ, βαρὺ δὲ στενάχοντος ἄκουσεν.

(VIII. 482–534)

46. *Phaeacian Nights—Odysseus' Tale*

i. *Of Noman and Cyclops*

Ὣς ἐφάμην, ὁ δὲ δέκτο καὶ ἔκπιεν· ἥσατο δ' αἰνῶς
ἡδὺ ποτὸν πίνων, καί μ' ᾔτεε δεύτερον αὖτις·
"Δός μοι ἔτι πρόφρων, καί μοι τεὸν οὔνομα εἰπὲ
αὐτίκα νῦν, ἵνα τοι δῶ ξείνιον, ᾧ κε σὺ χαίρῃς.
καὶ γὰρ Κυκλώπεσσι φέρει ζείδωρος ἄρουρα
οἶνον ἐριστάφυλον, καί σφιν Διὸς ὄμβρος ἀέξει·
ἀλλὰ τόδ' ἀμβροσίης καὶ νέκταρός ἐστιν ἀπορρώξ."
Ὣς ἔφατ'· αὐτάρ οἱ αὖτις πόρον αἴθοπα οἶνον·
τρὶς μὲν ἔδωκα φέρων, τρὶς δ' ἔκπιεν ἀφραδίῃσιν.
αὐτὰρ ἐπεὶ Κύκλωπα περὶ φρένας ἤλυθεν οἶνος,
καὶ τότε δή μιν ἔπεσσι προσηύδων μειλιχίοισι·
"Κύκλωψ, εἰρωτᾷς μ' ὄνομα κλυτόν; αὐτὰρ ἐγώ τοι
ἐξερέω· σὺ δέ μοι δὸς ξείνιον, ὥς περ ὑπέστης.
Οὖτις ἐμοί γ' ὄνομα· Οὖτιν δέ με κικλήσκουσι
μήτηρ ἠδὲ πατὴρ ἠδ' ἄλλοι πάντες ἑταῖροι."
Ὣς ἐφάμην, ὁ δέ μ' αὐτίκ' ἀμείβετο νηλέϊ θυμῷ·
"Οὖτιν ἐγὼ πύματον ἔδομαι μετὰ οἷς ἑτάροισι,
τοὺς δ' ἄλλους πρόσθεν· τὸ δέ τοι ξεινήϊον ἔσται."
Ἦ καὶ ἀνακλινθεὶς πέσεν ὕπτιος, αὐτὰρ ἔπειτα
κεῖτ' ἀποδοχμώσας παχὺν αὐχένα, κὰδ δέ μιν ὕπνος
ᾕρει πανδαμάτωρ· φάρυγος δ' ἐξέσσυτο οἶνος
ψωμοί τ' ἀνδρόμεοι· ὁ δ' ἐρεύγετο οἰνοβαρείων.
καὶ τότ' ἐγὼ τὸν μοχλὸν ὑπὸ σποδοῦ ἤλασα πολλῆς,

ἧος θερμαίνοιτο· ἔπεσσί τε πάντας ἑταίρους
θάρσυνον, μή τίς μοι ὑποδδείσας ἀναδύη.
ἀλλ' ὅτε δὴ τάχ' ὁ μοχλὸς ἐλάϊνος ἐν πυρὶ μέλλεν
ἅψεσθαι, χλωρός περ ἐών, διεφαίνετο δ' αἰνῶς,
καὶ τότ' ἐγὼν ἆσσον φέρον ἐκ πυρός, ἀμφὶ δ' ἑταῖροι
ἵσταντ'· αὐτὰρ θάρσος ἐνέπνευσεν μέγα δαίμων.
οἱ μὲν μοχλὸν ἑλόντες ἐλάϊνον, ὀξὺν ἐπ' ἄκρῳ,
ὀφθαλμῷ ἐνέρεισαν· ἐγὼ δ' ἐφύπερθεν ἐρεισθεὶς
δίνεον, ὡς ὅτε τις τρυπῷ δόρυ νήϊον ἀνὴρ
τρυπάνῳ, οἱ δέ τ' ἔνερθεν ὑποσσείουσιν ἱμάντι
ἁψάμενοι ἑκάτερθε, τὸ δὲ τρέχει ἐμμενὲς αἰεί·
ὣς τοῦ ἐν ὀφθαλμῷ πυριήκεα μοχλὸν ἑλόντες
δινέομεν, τὸν δ' αἷμα περίρρεε θερμὸν ἐόντα.
πάντα δέ οἱ βλέφαρ' ἀμφὶ καὶ ὀφρύας εὗσεν ἀϋτμὴ
γλήνης καιομένης· σφαραγεῦντο δέ οἱ πυρὶ ῥίζαι.
ὡς δ' ὅτ' ἀνὴρ χαλκεὺς πέλεκυν μέγαν ἠὲ σκέπαρνον
εἰν ὕδατι ψυχρῷ βάπτῃ μεγάλα ἰάχοντα
φαρμάσσων· τὸ γὰρ αὖτε σιδήρου γε κράτος ἐστίν·
ὣς τοῦ σίζ' ὀφθαλμὸς ἐλαϊνέῳ περὶ μοχλῷ.
σμερδαλέον δὲ μέγ' ᾤμωξεν, περὶ δ' ἴαχε πέτρη,
ἡμεῖς δὲ δείσαντες ἀπεσσύμεθ'. αὐτὰρ ὁ μοχλὸν
ἐξέρυσ' ὀφθαλμοῖο πεφυρμένον αἵματι πολλῷ.
τὸν μὲν ἔπειτ' ἔρριψεν ἀπὸ ἕο χερσὶν ἀλύων,
αὐτὰρ ὁ Κύκλωπας μεγάλ' ἤπυεν, οἵ ῥά μιν ἀμφὶς
οἴκεον ἐν σπήεσσι δι' ἄκριας ἠνεμοέσσας.
οἱ δὲ βοῆς ἀΐοντες ἐφοίτων ἄλλοθεν ἄλλος,
ἱστάμενοι δ' εἴροντο περὶ σπέος ὅττι ἑ κήδοι·
"Τίπτε τόσον, Πολύφημ', ἀρημένος ὧδ' ἐβόησας
νύκτα δι' ἀμβροσίην, καὶ ἀΰπνους ἄμμε τίθησθα;
ἦ μή τίς σευ μῆλα βροτῶν ἀέκοντος ἐλαύνει;

ἦ μή τίς σ' αὐτὸν κτείνει δόλῳ ἠὲ βίηφιν;"
Τοὺς δ' αὖτ' ἐξ ἄντρου προσέφη κρατερὸς Πολύφημος·
"ὦ φίλοι, Οὖτίς με κτείνει δόλῳ οὐδὲ βίηφιν."
Οἳ δ' ἀπαμειβόμενοι ἔπεα πτερόεντ' ἀγόρευον·
"εἰ μὲν δὴ μή τίς σε βιάζεται οἶον ἐόντα,
νοῦσόν γ' οὔ πως ἔστι Διὸς μεγάλου ἀλέασθαι,
ἀλλὰ σύ γ' εὔχεο πατρὶ Ποσειδάωνι ἄνακτι."
Ὣς ἄρ' ἔφαν ἀπιόντες, ἐμὸν δ' ἐγέλασσε φίλον κῆρ,
ὡς ὄνομ' ἐξαπάτησεν ἐμὸν καὶ μῆτις ἀμύμων.

(IX. 353-414)

ii. *Of Cyclops and the Ram*

Ἦμος δ' ἠριγένεια φάνη ῥοδοδάκτυλος Ἠώς,
καὶ τότ' ἔπειτα νομόνδ' ἐξέσσυτο ἄρσενα μῆλα,
θήλειαι δ' ἐμέμηκον ἀνήμελκτοι περὶ σηκούς·
οὔθατα γὰρ σφαραγεῦντο. ἄναξ δ' ὀδύνῃσι κακῇσι
τειρόμενος πάντων ὀΐων ἐπεμαίετο νῶτα
ὀρθῶν ἑσταότων· τὸ δὲ νήπιος οὐκ ἐνόησεν,
ὥς οἱ ὑπ' εἰροπόκων ὀΐων στέρνοισι δέδεντο.
ὕστατος ἀρνειὸς μήλων ἔστειχε θύραζε,
λάχνῳ στεινόμενος καὶ ἐμοὶ πυκινὰ φρονέοντι.
τὸν δ' ἐπιμασσάμενος προσέφη κρατερὸς Πολύφημος·
"Κριὲ πέπον, τί μοι ὧδε διὰ σπέος ἔσσυο μήλων
ὕστατος; οὔ τι πάρος γε λελειμμένος ἔρχεαι οἰῶν,
ἀλλὰ πολὺ πρῶτος νέμεαι τέρεν' ἄνθεα ποίης
μακρὰ βιβάς, πρῶτος δὲ ῥοὰς ποταμῶν ἀφικάνεις,
πρῶτος δὲ σταθμόνδε λιλαίεαι ἀπονέεσθαι
ἑσπέριος· νῦν αὖτε πανύστατος. ἦ σύ γ' ἄνακτος
ὀφθαλμὸν ποθέεις, τὸν ἀνὴρ κακὸς ἐξαλάωσε
σὺν λυγροῖς ἑτάροισι, δαμασσάμενος φρένα οἴνῳ,
Οὖτις, ὃν οὔ πώ φημι πεφυγμένον ἔμμεν ὄλεθρον.

εἰ δὴ ὁμοφρονέοις ποτιφωνήεις τε γένοιο
εἰπεῖν ὅππῃ κεῖνος ἐμὸν μένος ἠλασκάζει·
τῷ κέ οἱ ἐγκέφαλός γε διὰ σπέος ἄλλυδις ἄλλῃ
θεινομένου ῥαίοιτο πρὸς οὔδεϊ, κὰδ δέ κ' ἐμὸν κῆρ
λωφήσειε κακῶν, τά μοι οὐτιδανὸς πόρεν Οὖτις."
Ὣς εἰπὼν τὸν κριὸν ἀπὸ ἕο πέμπε θύραζε.
ἐλθόντες δ' ἠβαιὸν ἀπὸ σπείους τε καὶ αὐλῆς
πρῶτος ὑπ' ἀρνειοῦ λυόμην, ὑπέλυσα δ' ἑταίρους.

(IX. 437–63)

iii. *Of the Laestrygones*

Ἔνθ' ἐπεὶ ἐς λιμένα κλυτὸν ἤλθομεν, ὃν πέρι πέτρη
ἠλίβατος τετύχηκε διαμπερὲς ἀμφοτέρωθεν,
ἀκταὶ δὲ προβλῆτες ἐναντίαι ἀλλήλῃσιν
ἐν στόματι προὔχουσιν, ἀραιὴ δ' εἴσοδός ἐστιν,
ἔνθ' οἵ γ' εἴσω πάντες ἔχον νέας ἀμφιελίσσας.
αἱ μὲν ἄρ' ἔντοσθεν λιμένος κοίλοιο δέδεντο
πλησίαι· οὐ μὲν γάρ ποτ' ἀέξετο κῦμά γ' ἐν αὐτῷ,
οὔτε μέγ' οὔτ' ὀλίγον, λευκὴ δ' ἦν ἀμφὶ γαλήνη.
αὐτὰρ ἐγὼν οἶος σχέθον ἔξω νῆα μέλαιναν,
αὐτοῦ ἐπ' ἐσχατιῇ, πέτρης ἐκ πείσματα δήσας·
ἔστην δὲ σκοπιὴν ἐς παιπαλόεσσαν ἀνελθών.
ἔνθα μὲν οὔτε βοῶν οὔτ' ἀνδρῶν φαίνετο ἔργα,
καπνὸν δ' οἶον ὁρῶμεν ἀπὸ χθονὸς ἀΐσσοντα.
δὴ τότ' ἐγὼν ἑτάρους προΐειν πεύθεσθαι ἰόντας
οἵ τινες ἀνέρες εἶεν ἐπὶ χθονὶ σῖτον ἔδοντες,
ἄνδρε δύο κρίνας, τρίτατον κήρυχ' ἅμ' ὀπάσσας.
οἱ δ' ἴσαν ἐκβάντες λείην ὁδόν, ᾗ περ ἅμαξαι
ἄστυδ' ἀφ' ὑψηλῶν ὀρέων καταγίνεον ὕλην.
κούρῃ δὲ ξύμβληντο πρὸ ἄστεος ὑδρευούσῃ,
θυγατέρ' ἰφθίμῃ Λαιστρυγόνος Ἀντιφάταο.

ἡ μὲν ἄρ' ἐς κρήνην κατεβήσετο καλλιρέεθρον
'Αρτακίην· ἔνθεν γὰρ ὕδωρ προτὶ ἄστυ φέρεσκον·
οἱ δὲ παριστάμενοι προσεφώνεον, ἔκ τ' ἐρέοντο
ὅς τις τῶνδ' εἴη βασιλεὺς καὶ οἷσιν ἀνάσσοι.
ἡ δὲ μάλ' αὐτίκα πατρὸς ἐπέφραδεν ὑψερεφὲς δῶ.
οἱ δ' ἐπεὶ εἰσῆλθον κλυτὰ δώματα, τὴν δὲ γυναῖκα
εὗρον ὅσην τ' ὄρεος κορυφήν, κατὰ δ' ἔστυγον αὐτήν.
ἡ δ' αἶψ' ἐξ ἀγορῆς ἐκάλει κλυτὸν 'Αντιφατῆα,
ὃν πόσιν, ὃς δὴ τοῖσιν ἐμήσατο λυγρὸν ὄλεθρον.
αὐτίχ' ἕνα μάρψας ἑτάρων ὁπλίσσατο δεῖπνον·
τὼ δὲ δύ' ἀΐξαντε φυγῇ ἐπὶ νῆας ἱκέσθην.
αὐτὰρ ὁ τεῦχε βοὴν διὰ ἄστεος· οἱ δ' ἀΐοντες
φοίτων ἴφθιμοι Λαιστρυγόνες ἄλλοθεν ἄλλος,
μυρίοι, οὐκ ἄνδρεσσιν ἐοικότες, ἀλλὰ Γίγασιν.
οἵ ῥ' ἀπὸ πετράων ἀνδραχθέσι χερμαδίοισι
βάλλον· ἄφαρ δὲ κακὸς κόναβος κατὰ νῆας ὀρώρει
ἀνδρῶν ὀλλυμένων νηῶν θ' ἅμα ἀγνυμενάων·
ἰχθῦς δ' ὣς πείροντες ἀτερπέα δαῖτα φέροντο.
ὄφρ' οἱ τοὺς ὄλεκον λιμένος πολυβενθέος ἐντός,
τόφρα δ' ἐγὼ ξίφος ὀξὺ ἐρυσσάμενος παρὰ μηροῦ
τῷ ἀπὸ πείσματ' ἔκοψα νεὸς κυανοπρῴροιο.
αἶψα δ' ἐμοῖς ἑτάροισιν ἐποτρύνας ἐκέλευσα
ἐμβαλέειν κώπῃς, ἵν' ὑπὲκ κακότητα φύγοιμεν·
οἱ δ' ἅμα πάντες ἀνέρριψαν, δείσαντες ὄλεθρον.
ἀσπασίως δ' ἐς πόντον ἐπηρεφέας φύγε πέτρας
νηῦς ἐμή· αὐτὰρ αἱ ἄλλαι ἀολλέες αὐτόθ' ὄλοντο.

(X. 87–132)

iv. *Of Circe*

Αὐτὰρ ἐγὼ δίχα πάντας ἐϋκνήμιδας ἑταίρους
ἠρίθμεον, ἀρχὸν δὲ μετ' ἀμφοτέροισιν ὄπασσα·

τῶν μὲν ἐγὼν ἄρχον, τῶν δ' Εὐρύλοχος θεοειδής.
κλήρους δ' ἐν κυνέῃ χαλκήρεϊ πάλλομεν ὦκα·
ἐκ δ' ἔθορε κλῆρος μεγαλήτορος Εὐρυλόχοιο.
βῆ δ' ἰέναι, ἅμα τῷ γε δύω καὶ εἴκοσ' ἑταῖροι
κλαίοντες· κατὰ δ' ἄμμε λίπον γοόωντας ὄπισθεν.
εὗρον δ' ἐν βήσσῃσι τετυγμένα δώματα Κίρκης
ξεστοῖσιν λάεσσι, περισκέπτῳ ἐνὶ χώρῳ.
ἀμφὶ δέ μιν λύκοι ἦσαν ὀρέστεροι ἠδὲ λέοντες,
τοὺς αὐτὴ κατέθελξεν, ἐπεὶ κακὰ φάρμακ' ἔδωκεν.
οὐδ' οἵ γ' ὡρμήθησαν ἐπ' ἀνδράσιν, ἀλλ' ἄρα τοί γε
οὐρῇσιν μακρῇσι περισσαίνοντες ἀνέσταν.
ὡς δ' ὅτ' ἂν ἀμφὶ ἄνακτα κύνες δαίτηθεν ἰόντα
σαίνωσ'· αἰεὶ γάρ τε φέρει μειλίγματα θυμοῦ·
ὣς τοὺς ἀμφὶ λύκοι κρατερώνυχες ἠδὲ λέοντες
σαῖνον· τοὶ δ' ἔδδεισαν, ἐπεὶ ἴδον αἰνὰ πέλωρα.
ἔσταν δ' ἐν προθύροισι θεᾶς καλλιπλοκάμοιο,
Κίρκης δ' ἔνδον ἄκουον ἀειδούσης ὀπὶ καλῇ,
ἱστὸν ἐποιχομένης μέγαν ἄμβροτον, οἷα θεάων
λεπτά τε καὶ χαρίεντα καὶ ἀγλαὰ ἔργα πέλονται.
τοῖσι δὲ μύθων ἦρχε Πολίτης, ὄρχαμος ἀνδρῶν,
ὅς μοι κήδιστος ἑτάρων ἦν κεδνότατός τε·
"Ὦ φίλοι, ἔνδον γάρ τις ἐποιχομένη μέγαν ἱστὸν
καλὸν ἀοιδιάει, δάπεδον δ' ἅπαν ἀμφιμέμυκεν,
ἢ θεὸς ἠὲ γυνή· ἀλλὰ φθεγγώμεθα θᾶσσον."
Ὣς ἄρ' ἐφώνησεν, τοὶ δ' ἐφθέγγοντο καλεῦντες.
ἡ δ' αἶψ' ἐξελθοῦσα θύρας ὤϊξε φαεινὰς
καὶ κάλει· οἱ δ' ἅμα πάντες ἀϊδρείῃσιν ἕποντο·
Εὐρύλοχος δ' ὑπέμεινεν, ὀϊσάμενος δόλον εἶναι.
εἷσεν δ' εἰσαγαγοῦσα κατὰ κλισμούς τε θρόνους τε,
ἐν δέ σφιν τυρόν τε καὶ ἄλφιτα καὶ μέλι χλωρὸν

οἴνῳ Πραμνείῳ ἐκύκα· ἀνέμισγε δὲ σίτῳ
φάρμακα λύγρ', ἵνα πάγχυ λαθοίατο πατρίδος αἴης.
αὐτὰρ ἐπεὶ δῶκέν τε καὶ ἔκπιον, αὐτίκ' ἔπειτα
ῥάβδῳ πεπληγυῖα κατὰ συφεοῖσιν ἐέργνυ.
οἱ δὲ συῶν μὲν ἔχον κεφαλὰς φωνήν τε τρίχας τε
καὶ δέμας, αὐτὰρ νοῦς ἦν ἔμπεδος ὡς τὸ πάρος περ.
ὣς οἱ μὲν κλαίοντες ἐέρχατο· τοῖσι δὲ Κίρκη
πάρ ῥ' ἄκυλον βάλανόν τ' ἔβαλεν καρπόν τε κρανείης
ἔδμεναι, οἷα σύες χαμαιευνάδες αἰὲν ἔδουσιν.

(X. 203–43)

v. *Of his Mother's Shade*

Ὣς φαμένη ψυχὴ μὲν ἔβη δόμον Ἄϊδος εἴσω
Τειρεσίαο ἄνακτος, ἐπεὶ κατὰ θέσφατ' ἔλεξεν·
αὐτὰρ ἐγὼν αὐτοῦ μένον ἔμπεδον, ὄφρ' ἐπὶ μήτηρ
ἤλυθε καὶ πίεν αἷμα κελαινεφές· αὐτίκα δ' ἔγνω,
καί μ' ὀλοφυρομένη ἔπεα πτερόεντα προσηύδα·
"Τέκνον ἐμόν, πῶς ἦλθες ὑπὸ ζόφον ἠερόεντα
ζωὸς ἐών; χαλεπὸν δὲ τάδε ζωοῖσιν ὁρᾶσθαι.
μέσσῳ γὰρ μεγάλοι ποταμοὶ καὶ δεινὰ ῥέεθρα,
Ὠκεανὸς μὲν πρῶτα, τὸν οὔ πως ἔστι περῆσαι
πεζὸν ἐόντ', ἢν μή τις ἔχῃ εὐεργέα νῆα.
ἦ νῦν δὴ Τροίηθεν ἀλώμενος ἐνθάδ' ἱκάνεις
νηΐ τε καὶ ἑτάροισι πολὺν χρόνον; οὐδέ πω ἦλθες
εἰς Ἰθάκην, οὐδ' εἶδες ἐνὶ μεγάροισι γυναῖκα;"
Ὣς ἔφατ', αὐτὰρ ἐγώ μιν ἀμειβόμενος προσέειπον·
"μῆτερ ἐμή, χρειώ με κατήγαγεν εἰς Ἀΐδαο
ψυχῇ χρησόμενον Θηβαίου Τειρεσίαο·
οὐ γάρ πω σχεδὸν ἦλθον Ἀχαιΐδος, οὐδέ πω ἁμῆς
γῆς ἐπέβην, ἀλλ' αἰὲν ἔχων ἀλάλημαι ὀϊζύν,

ἐξ οὗ τὰ πρώτισθ' ἑπόμην Ἀγαμέμνονι δίῳ
Ἴλιον εἰς εὔπωλον, ἵνα Τρώεσσι μαχοίμην.
ἀλλ' ἄγε μοι τόδε εἰπὲ καὶ ἀτρεκέως κατάλεξον·
τίς νύ σε κὴρ ἐδάμασσε τανηλεγέος θανάτοιο;
ἦ δολιχὴ νοῦσος, ἦ Ἄρτεμις ἰοχέαιρα
οἷς ἀγανοῖς βελέεσσιν ἐποιχομένη κατέπεφνεν;
εἰπὲ δέ μοι πατρός τε καὶ υἱέος, ὃν κατέλειπον,
ἢ ἔτι πὰρ κείνοισιν ἐμὸν γέρας, ἦέ τις ἤδη
ἀνδρῶν ἄλλος ἔχει, ἐμὲ δ' οὐκέτι φασὶ νέεσθαι.
εἰπὲ δέ μοι μνηστῆς ἀλόχου βουλήν τε νόον τε,
ἠὲ μένει παρὰ παιδὶ καὶ ἔμπεδα πάντα φυλάσσει
ἦ ἤδη μιν ἔγημεν Ἀχαιῶν ὅς τις ἄριστος."
  Ὣς ἐφάμην, ἡ δ' αὐτίκ' ἀμείβετο πότνια μήτηρ·
"καὶ λίην κείνη γε μένει τετληότι θυμῷ
σοῖσιν ἐνὶ μεγάροισιν· ὀϊζυραὶ δέ οἱ αἰεὶ
φθίνουσιν νύκτες τε καὶ ἤματα δάκρυ χεούσῃ.
σὸν δ' οὔ πώ τις ἔχει καλὸν γέρας, ἀλλὰ ἕκηλος
Τηλέμαχος τεμένεα νέμεται καὶ δαῖτας ἐΐσας
δαίνυται, ἃς ἐπέοικε δικασπόλον ἄνδρ' ἀλεγύνειν·
πάντες γὰρ καλέουσι. πατὴρ δὲ σὸς αὐτόθι μίμνει
ἀγρῷ, οὐδὲ πόλινδε κατέρχεται· οὐδέ οἱ εὐναὶ
δέμνια καὶ χλαῖναι καὶ ῥήγεα σιγαλόεντα,
ἀλλ' ὅ γε χεῖμα μὲν εὕδει ὅθι δμῶες ἐνὶ οἴκῳ
ἐν κόνι ἄγχι πυρός, κακὰ δὲ χροῒ εἵματα εἷται·
αὐτὰρ ἐπὴν ἔλθῃσι θέρος τεθαλυῖά τ' ὀπώρη,
πάντῃ οἱ κατὰ γουνὸν ἀλωῆς οἰνοπέδοιο
φύλλων κεκλιμένων χθαμαλαὶ βεβλήαται εὐναί·
ἔνθ' ὅ γε κεῖτ' ἀχέων, μέγα δὲ φρεσὶ πένθος ἀέξει
σὸν νόστον ποθέων· χαλεπὸν δ' ἐπὶ γῆρας ἱκάνει.
οὕτω γὰρ καὶ ἐγὼν ὀλόμην καὶ πότμον ἐπέσπον·

οὔτ' ἐμέ γ' ἐν μεγάροισιν ἐΰσκοπος ἰοχέαιρα
οἷς ἀγανοῖς βελέεσσιν ἐποιχομένη κατέπεφνεν,
οὔτε τις οὖν μοι νοῦσος ἐπήλυθεν, ἥ τε μάλιστα
τηκεδόνι στυγερῇ μελέων ἐξείλετο θυμόν·
ἀλλά με σός τε πόθος σά τε μήδεα, φαίδιμ' Ὀδυσσεῦ,
σή τ' ἀγανοφροσύνη μελιηδέα θυμὸν ἀπηύρα."
Ὣς ἔφατ', αὐτὰρ ἐγώ γ' ἔθελον φρεσὶ μερμηρίξας
μητρὸς ἐμῆς ψυχὴν ἑλέειν κατατεθνηυίης.
τρὶς μὲν ἐφορμήθην, ἑλέειν τέ με θυμὸς ἀνώγει,
τρὶς δέ μοι ἐκ χειρῶν σκιῇ εἴκελον ἢ καὶ ὀνείρῳ
ἔπτατ'· ἐμοὶ δ' ἄχος ὀξὺ γενέσκετο κηρόθι μᾶλλον.

(XI. 150–208)

vi. *Of the Shade of Achilles*

Ὣς ἔφατ', αὐτὰρ ἐγώ μιν ἀμειβόμενος προσέειπον·
"ὦ Ἀχιλεῦ, Πηλῆος υἱέ, μέγα φέρτατ' Ἀχαιῶν,
ἦλθον Τειρεσίαο κατὰ χρέος, εἴ τινα βουλὴν
εἴποι, ὅπως Ἰθάκην ἐς παιπαλόεσσαν ἱκοίμην·
οὐ γάρ πω σχεδὸν ἦλθον Ἀχαιΐδος, οὐδέ πω ἁμῆς
γῆς ἐπέβην, ἀλλ' αἰὲν ἔχω κακά· σεῖο δ', Ἀχιλλεῦ,
οὔ τις ἀνὴρ προπάροιθε μακάρτατος οὔτ' ἄρ' ὀπίσσω.
πρὶν μὲν γάρ σε ζωὸν ἐτίομεν ἶσα θεοῖσιν
Ἀργεῖοι, νῦν αὖτε μέγα κρατέεις νεκύεσσιν
ἐνθάδ' ἐών· τῷ μή τι θανὼν ἀκαχίζευ, Ἀχιλλεῦ."
Ὣς ἐφάμην, ὁ δέ μ' αὐτίκ' ἀμειβόμενος προσέειπε·
"μὴ δή μοι θάνατόν γε παραύδα, φαίδιμ' Ὀδυσσεῦ.
βουλοίμην κ' ἐπάρουρος ἐὼν θητευέμεν ἄλλῳ,
ἀνδρὶ παρ' ἀκλήρῳ, ᾧ μὴ βίοτος πολὺς εἴη,
ἢ πᾶσιν νεκύεσσι καταφθιμένοισιν ἀνάσσειν."

(XI. 477–91)

vii. *Of the Shade of Ajax*

Ὣς ἐφάμην, ψυχὴ δὲ ποδώκεος Αἰακίδαο
φοίτα μακρὰ βιβᾶσα κατ᾽ ἀσφοδελὸν λειμῶνα,
γηθοσύνῃ ὅ οἱ υἱὸν ἔφην ἀριδείκετον εἶναι.
Αἱ δ᾽ ἄλλαι ψυχαὶ νεκύων κατατεθνηώτων
ἕστασαν ἀχνύμεναι, εἴροντο δὲ κήδε᾽ ἑκάστη.
οἴη δ᾽ Αἴαντος ψυχὴ Τελαμωνιάδαο
νόσφιν ἀφεστήκει, κεχολωμένη εἵνεκα νίκης,
τήν μιν ἐγὼ νίκησα δικαζόμενος παρὰ νηυσὶ
τεύχεσιν ἀμφ᾽ Ἀχιλῆος· ἔθηκε δὲ πότνια μήτηρ.
παῖδες δὲ Τρώων δίκασαν καὶ Παλλὰς Ἀθήνη.
ὡς δὴ μὴ ὄφελον νικᾶν τοιῷδ᾽ ἐπ᾽ ἀέθλῳ·
τοίην γὰρ κεφαλὴν ἕνεκ᾽ αὐτῶν γαῖα κατέσχεν,
Αἴανθ᾽, ὃς περὶ μὲν εἶδος, περὶ δ᾽ ἔργα τέτυκτο
τῶν ἄλλων Δαναῶν μετ᾽ ἀμύμονα Πηλείωνα.
τὸν μὲν ἐγὼν ἐπέεσσι προσηύδων μειλιχίοισιν·
"Αἶαν, παῖ Τελαμῶνος ἀμύμονος, οὐκ ἄρ᾽ ἔμελλες
οὐδὲ θανὼν λήσεσθαι ἐμοὶ χόλου εἵνεκα τευχέων
οὐλομένων; τὰ δὲ πῆμα θεοὶ θέσαν Ἀργείοισι,
τοῖος γάρ σφιν πύργος ἀπώλεο· σεῖο δ᾽ Ἀχαιοὶ
ἶσον Ἀχιλλῆος κεφαλῇ Πηληϊάδαο
ἀχνύμεθα φθιμένοιο διαμπερές· οὐδέ τις ἄλλος
αἴτιος, ἀλλὰ Ζεὺς Δαναῶν στρατὸν αἰχμητάων
ἐκπάγλως ἔχθαιρε, τεῒν δ᾽ ἐπὶ μοῖραν ἔθηκεν.
ἀλλ᾽ ἄγε δεῦρο, ἄναξ, ἵν᾽ ἔπος καὶ μῦθον ἀκούσῃς
ἡμέτερον· δάμασον δὲ μένος καὶ ἀγήνορα θυμόν."
Ὣς ἐφάμην, ὁ δέ μ᾽ οὐδὲν ἀμείβετο, βῆ δὲ μετ᾽ ἄλλας
ψυχὰς εἰς Ἔρεβος νεκύων κατατεθνηώτων.

(XI. 538–64)

47. *Home-coming*

Εὖτ' ἀστὴρ ὑπερέσχε φαάντατος, ὅς τε μάλιστα
ἔρχεται ἀγγέλλων φάος Ἠοῦς ἠριγενείης,
τῆμος δὴ νήσῳ προσεπίλνατο ποντοπόρος νηῦς.
Φόρκυνος δέ τίς ἐστι λιμήν, ἁλίοιο γέροντος,
ἐν δήμῳ Ἰθάκης· δύο δὲ προβλῆτες ἐν αὐτῷ
ἀκταὶ ἀπορρῶγες, λιμένος ποτιπεπτηυῖαι,
αἵ τ' ἀνέμων σκεπόωσι δυσαήων μέγα κῦμα
ἔκτοθεν· ἔντοσθεν δέ τ' ἄνευ δεσμοῖο μένουσι
νῆες ἐΰσσελμοι, ὅτ' ἂν ὅρμου μέτρον ἵκωνται.
αὐτὰρ ἐπὶ κρατὸς λιμένος τανύφυλλος ἐλαίη,
ἀγχόθι δ' αὐτῆς ἄντρον ἐπήρατον ἠεροειδές,
ἱρὸν νυμφάων αἳ νηϊάδες καλέονται.
ἐν δὲ κρητῆρές τε καὶ ἀμφιφορῆες ἔασι
λάϊνοι· ἔνθα δ' ἔπειτα τιθαιβώσσουσι μέλισσαι.
ἐν δ' ἱστοὶ λίθεοι περιμήκεες, ἔνθα τε νύμφαι
φάρε' ὑφαίνουσιν ἁλιπόρφυρα, θαῦμα ἰδέσθαι·
ἐν δ' ὕδατ' ἀενάοντα. δύω δέ τέ οἱ θύραι εἰσίν,
αἱ μὲν πρὸς Βορέαο καταιβαταὶ ἀνθρώποισιν,
αἱ δ' αὖ πρὸς Νότου εἰσὶ θεώτεραι· οὐδέ τι κείνῃ
ἄνδρες ἐσέρχονται, ἀλλ' ἀθανάτων ὁδός ἐστιν.
Ἔνθ' οἵ γ' εἰσέλασαν πρὶν εἰδότες. ἡ μὲν ἔπειτα
ἠπείρῳ ἐπέκελσεν, ὅσον τ' ἐπὶ ἥμισυ πάσης,
σπερχομένη· τοίων γὰρ ἐπείγετο χέρσ' ἐρετάων·
οἱ δ' ἐκ νηὸς βάντες ἐϋζύγου ἤπειρόνδε
πρῶτον Ὀδυσσῆα γλαφυρῆς ἐκ νηὸς ἄειραν
αὐτῷ σύν τε λίνῳ καὶ ῥήγεϊ σιγαλόεντι,
κὰδ δ' ἄρ' ἐπὶ ψαμάθῳ ἔθεσαν δεδμημένον ὕπνῳ.

(XIII. 93–119)

48. *Eumaeus the Swineherd*

i. *His Cloak*

Νὺξ δ' ἄρ' ἐπῆλθε κακή, σκοτομήνιος· ὗε δ' ἄρα Ζεὺς
πάννυχος, αὐτὰρ ἄη Ζέφυρος μέγας αἰὲν ἔφυδρος.
τοῖς δ' Ὀδυσεὺς μετέειπε, συβώτεω πειρητίζων,
εἴ πώς οἱ ἐκδὺς χλαῖναν πόροι, ἤ τιν' ἑταίρων
ἄλλον ἐποτρύνειεν, ἐπεί ἑο κήδετο λίην·
"κέκλυθι νῦν, Εὔμαιε καὶ ἄλλοι πάντες ἑταῖροι,
εὐξάμενός τι ἔπος ἐρέω· οἶνος γὰρ ἀνώγει
ἠλεός, ὅς τ' ἐφέηκε πολύφρονά περ μάλ' ἀεῖσαι
καί θ' ἁπαλὸν γελάσαι, καί τ' ὀρχήσασθαι ἀνῆκε,
καί τι ἔπος προέηκεν ὅ πέρ τ' ἄρρητον ἄμεινον.
ἀλλ' ἐπεὶ οὖν τὸ πρῶτον ἀνέκραγον, οὐκ ἐπικεύσω.
εἴθ' ὣς ἡβώοιμι βίη τέ μοι ἔμπεδος εἴη,
ὡς ὅθ' ὑπὸ Τροίην λόχον ἤγομεν ἀρτύναντες.
ἡγείσθην δ' Ὀδυσεύς τε καὶ Ἀτρεΐδης Μενέλαος,
τοῖσι δ' ἅμα τρίτος ἄρχον ἐγών· αὐτοὶ γὰρ ἄνωγον.
ἀλλ' ὅτε δή ῥ' ἱκόμεσθα ποτὶ πτόλιν αἰπύ τε τεῖχος,
ἡμεῖς μὲν περὶ ἄστυ κατὰ ῥωπήϊα πυκνά,
ἂν δόνακας καὶ ἕλος, ὑπὸ τεύχεσι πεπτηῶτες
κείμεθα, νὺξ δ' ἄρ' ἐπῆλθε κακὴ Βορέαο πεσόντος,
πηγυλίς· αὐτὰρ ὕπερθε χιὼν γένετ' ἠΰτε πάχνη,
ψυχρή, καὶ σακέεσσι περιτρέφετο κρύσταλλος.
ἔνθ' ἄλλοι πάντες χλαίνας ἔχον ἠδὲ χιτῶνας,
εὗδον δ' εὔκηλοι, σάκεσιν εἰλυμένοι ὤμους·
αὐτὰρ ἐγὼ χλαῖναν μὲν ἰὼν ἑτάροισιν ἔλειπον
ἀφραδίῃς, ἐπεὶ οὐκ ἐφάμην ῥιγωσέμεν ἔμπης,
ἀλλ' ἑπόμην σάκος οἶον ἔχων καὶ ζῶμα φαεινόν.
ἀλλ' ὅτε δὴ τρίχα νυκτὸς ἔην, μετὰ δ' ἄστρα βεβήκει,

καὶ τότ' ἐγὼν 'Οδυσῆα προσηύδων ἐγγὺς ἐόντα
ἀγκῶνι νύξας· ὁ δ' ἄρ' ἐμμαπέως ὑπάκουσε·
'διογενὲς Λαερτιάδη, πολυμήχαν' 'Οδυσσεῦ,
οὔ τοι ἔτι ζωοῖσι μετέσσομαι, ἀλλά με χεῖμα
δάμναται· οὐ γὰρ ἔχω χλαῖναν· παρά μ' ἤπαφε δαίμων
οἰοχίτων' ἔμεναι· νῦν δ' οὐκέτι φυκτὰ πέλονται.'
ὣς ἐφάμην, ὁ δ' ἔπειτα νόον σχέθε τόνδ' ἐνὶ θυμῷ,
οἷος κεῖνος ἔην βουλευέμεν ἠδὲ μάχεσθαι·
φθεγξάμενος δ' ὀλίγῃ ὀπί με πρὸς μῦθον ἔειπε·
'σίγα νῦν, μή τίς σευ 'Αχαιῶν ἄλλος ἀκούσῃ.'
ἦ καὶ ἐπ' ἀγκῶνος κεφαλὴν σχέθεν εἶπέ τε μῦθον·
'κλῦτε, φίλοι· θεῖός μοι ἐνύπνιον ἦλθεν ὄνειρος.
λίην γὰρ νηῶν ἑκὰς ἤλθομεν· ἀλλά τις εἴη
εἰπεῖν 'Ατρεΐδῃ 'Αγαμέμνονι, ποιμένι λαῶν,
εἰ πλέονας παρὰ ναῦφιν ἐποτρύνειε νέεσθαι.'
ὣς ἔφατ', ὦρτο δ' ἔπειτα Θόας, 'Ανδραίμονος υἱός,
καρπαλίμως, ἀπὸ δὲ χλαῖναν θέτο φοινικόεσσαν,
βῆ δὲ θέειν ἐπὶ νῆας· ἐγὼ δ' ἐνὶ εἵματι κείνου
κείμην ἀσπασίως, φάε δὲ χρυσόθρονος 'Ηώς.
ὣς νῦν ἡβώοιμι βίη τέ μοι ἔμπεδος εἴη·
δοίη κέν τις χλαῖναν ἐνὶ σταθμοῖσι συφορβῶν,
ἀμφότερον, φιλότητι καὶ αἰδοῖ φωτὸς ἑῆος·
νῦν δέ μ' ἀτιμάζουσι κακὰ χροῒ εἵματ' ἔχοντα."

Τὸν δ' ἀπαμειβόμενος προσέφης, Εὔμαιε συβῶτα·
"ὦ γέρον, αἶνος μέν τοι ἀμύμων, ὃν κατέλεξας,
οὐδέ τί πω παρὰ μοῖραν ἔπος νηκερδὲς ἔειπες·
τῷ οὔτ' ἐσθῆτος δευήσεαι οὔτε τευ ἄλλου,
ὧν ἐπέοιχ' ἱκέτην ταλαπείριον ἀντιάσαντα,
νῦν· ἀτὰρ ἠῶθέν γε τὰ σὰ ῥάκεα δνοπαλίξεις.
οὐ γὰρ πολλαὶ χλαῖναι ἐπημοιβοί τε χιτῶνες

ἐνθάδε ἕννυσθαι, μία δ' οἴη φωτὶ ἑκάστῳ.
αὐτὰρ ἐπὴν ἔλθῃσιν Ὀδυσσῆος φίλος υἱός,
αὐτός τοι χλαῖνάν τε χιτῶνά τε εἵματα δώσει,
πέμψει δ' ὅππῃ σε κραδίη θυμός τε κελεύει."
Ὣς εἰπὼν ἀνόρουσε, τίθει δ' ἄρα οἱ πυρὸς ἐγγὺς
εὐνήν, ἐν δ' οἴων τε καὶ αἰγῶν δέρματ' ἔβαλλεν.
ἔνθ' Ὀδυσεὺς κατέλεκτ'· ἐπὶ δὲ χλαῖναν βάλεν αὐτῷ
πυκνὴν καὶ μεγάλην, ἥ οἱ παρεκέσκετ' ἀμοιβάς,
ἕννυσθαι ὅτε τις χειμὼν ἔκπαγλος ὄροιτο.
Ὣς ὁ μὲν ἔνθ' Ὀδυσεὺς κοιμήσατο, τοὶ δὲ παρ' αὐτὸν
ἄνδρες κοιμήσαντο νεηνίαι· οὐδὲ συβώτῃ
ἥνδανεν αὐτόθι κοῖτος, ὑῶν ἄπο κοιμηθῆναι,
ἀλλ' ὅ γ' ἄρ' ἔξω ἰὼν ὁπλίζετο· χαῖρε δ' Ὀδυσσεύς,
ὅττι ῥά οἱ βιότου περικήδετο νόσφιν ἐόντος.
πρῶτον μὲν ξίφος ὀξὺ περὶ στιβαροῖς βάλετ' ὤμοις,
ἀμφὶ δὲ χλαῖναν ἑέσσατ' ἀλεξάνεμον, μάλα πυκνήν,
ἂν δὲ νάκην ἕλετ' αἰγὸς ἐϋτρεφέος μεγάλοιο,
εἵλετο δ' ὀξὺν ἄκοντα, κυνῶν ἀλκτῆρα καὶ ἀνδρῶν.
βῆ δ' ἴμεναι κείων ὅθι περ σύες ἀργιόδοντες
πέτρῃ ὕπο γλαφυρῇ εὗδον, Βορέω ὑπ' ἰωγῇ.

(XIV. 457–533)

ii. *His Story*

" Νῆσός τις Συρίη κικλήσκεται, εἴ που ἀκούεις,
Ὀρτυγίης καθύπερθεν, ὅθι τροπαὶ ἠελίοιο,
οὔ τι περιπληθὴς λίην τόσον, ἀλλ' ἀγαθὴ μέν,
εὔβοτος εὔμηλος, οἰνοπληθὴς πολύπυρος.
πείνη δ' οὔ ποτε δῆμον ἐσέρχεται, οὐδέ τις ἄλλη
νοῦσος ἐπὶ στυγερὴ πέλεται δειλοῖσι βροτοῖσιν·
ἀλλ' ὅτε γηράσκωσι πόλιν κάτα φῦλ' ἀνθρώπων,
ἐλθὼν ἀργυρότοξος Ἀπόλλων Ἀρτέμιδι ξὺν

οἷς ἀγανοῖς βελέεσσιν ἐποιχόμενος κατέπεφνεν.
ἔνθα δύω πόλιες, δίχα δέ σφισι πάντα δέδασται·
τῇσιν δ' ἀμφοτέρῃσι πατὴρ ἐμὸς ἐμβασίλευε,
Κτήσιος Ὀρμενίδης, ἐπιείκελος ἀθανάτοισιν.
Ἔνθα δὲ Φοίνικες ναυσίκλυτοι ἤλυθον ἄνδρες,
τρῶκται, μυρί' ἄγοντες ἀθύρματα νηῒ μελαίνῃ.
ἔσκε δὲ πατρὸς ἐμοῖο γυνὴ Φοίνισσ' ἐνὶ οἴκῳ,
καλή τε μεγάλη τε καὶ ἀγλαὰ ἔργα ἰδυῖα·
τὴν δ' ἄρα Φοίνικες πολυπαίπαλοι ἠπερόπευον.
πλυνούσῃ τις πρῶτα μίγη κοίλῃ παρὰ νηῒ
εὐνῇ καὶ φιλότητι, τά τε φρένας ἠπεροπεύει
θηλυτέρῃσι γυναιξί, καὶ ἥ κ' εὐεργὸς ἔῃσιν.
εἰρώτα δὴ ἔπειτα τίς εἴη καὶ πόθεν ἔλθοι·
ἡ δὲ μάλ' αὐτίκα πατρὸς ἐπέφραδεν ὑψερεφὲς δῶ·
'ἐκ μὲν Σιδῶνος πολυχάλκου εὔχομαι εἶναι,
κούρη δ' εἴμ' Ἀρύβαντος ἐγὼ ῥυδὸν ἀφνειοῖο·
ἀλλά μ' ἀνήρπαξαν Τάφιοι ληΐστορες ἄνδρες
ἀγρόθεν ἐρχομένην, πέρασαν δέ τε δεῦρ' ἀγαγόντες
τοῦδ' ἀνδρὸς πρὸς δώμαθ'· ὁ δ' ἄξιον ὦνον ἔδωκε.'
Τὴν δ' αὖτε προσέειπεν ἀνήρ, ὃς ἐμίσγετο λάθρῃ·
'ἦ ῥά κε νῦν πάλιν αὖτις ἅμ' ἡμῖν οἴκαδ' ἕποιο,
ὄφρα ἴδῃ πατρὸς καὶ μητέρος ὑψερεφὲς δῶ
αὐτούς τ'; ἦ γὰρ ἔτ' εἰσὶ καὶ ἀφνειοὶ καλέονται.'
Τὸν δ' αὖτε προσέειπε γυνὴ καὶ ἀμείβετο μύθῳ·
'εἴη κεν καὶ τοῦτ', εἴ μοι ἐθέλοιτέ γε, ναῦται,
ὅρκῳ πιστωθῆναι ἀπήμονά μ' οἴκαδ' ἀπάξειν.'
Ὣς ἔφαθ', οἱ δ' ἄρα πάντες ἐπώμνυον ὡς ἐκέλευεν.
αὐτὰρ ἐπεί ῥ' ὄμοσάν τε τελεύτησάν τε τὸν ὅρκον,
τοῖς δ' αὖτις μετέειπε γυνὴ καὶ ἀμείβετο μύθῳ·
'σιγῇ νῦν, μή τίς με προσαυδάτω ἐπέεσσιν

ὑμετέρων ἑτάρων, ξυμβλήμενος ἢ ἐν ἀγυιῇ
ἤ που ἐπὶ κρήνῃ· μή τις ποτὶ δῶμα γέροντι
ἐλθὼν ἐξείπῃ, ὁ δ' ὀϊσάμενος καταδήσῃ
δεσμῷ ἐν ἀργαλέῳ, ὑμῖν δ' ἐπιφράσσετ' ὄλεθρον.
ἀλλ' ἔχετ' ἐν φρεσὶ μῦθον, ἐπείγετε δ' ὦνον ὁδαίων.
ἀλλ' ὅτε κεν δὴ νηῦς πλείη βιότοιο γένηται,
ἀγγελίη μοι ἔπειτα θοῶς ἐς δώμαθ' ἱκέσθω·
οἴσω γὰρ καὶ χρυσόν, ὅτις χ' ὑποχείριος ἔλθῃ·
καὶ δέ κεν ἄλλ' ἐπίβαθρον ἐγὼν ἐθέλουσά γε δοίην.
παῖδα γὰρ ἀνδρὸς ἑῆος ἐνὶ μεγάροις ἀτιτάλλω,
κερδαλέον δὴ τοῖον, ἅμα τροχόωντα θύραζε·
τόν κεν ἄγοιμ' ἐπὶ νηός, ὁ δ' ὑμῖν μυρίον ὦνον
ἄλφοι, ὅπῃ περάσητε κατ' ἀλλοθρόους ἀνθρώπους.'
    Ἡ μὲν ἄρ' ὣς εἰποῦσ' ἀπέβη πρὸς δώματα καλά,
οἱ δ' ἐνιαυτὸν ἅπαντα παρ' ἡμῖν αὖθι μένοντες
ἐν νηῒ γλαφυρῇ βίοτον πολὺν ἐμπολόωντο.
ἀλλ' ὅτε δὴ κοίλη νηῦς ἤχθετο τοῖσι νέεσθαι,
καὶ τότ' ἄρ' ἄγγελον ἧκαν, ὃς ἀγγείλειε γυναικί.
ἤλυθ' ἀνὴρ πολυΐδρις ἐμοῦ πρὸς δώματα πατρὸς
χρύσεον ὅρμον ἔχων, μετὰ δ' ἠλέκτροισιν ἔερτο.
τὸν μὲν ἄρ' ἐν μεγάρῳ δμῳαὶ καὶ πότνια μήτηρ
χερσίν τ' ἀμφαφόωντο καὶ ὀφθαλμοῖσιν ὁρῶντο,
ὦνον ὑπισχόμεναι· ὁ δὲ τῇ κατένευσε σιωπῇ.
ἦ τοι ὁ καννεύσας κοίλην ἐπὶ νῆα βεβήκει,
ἡ δ' ἐμὲ χειρὸς ἑλοῦσα δόμων ἐξῆγε θύραζε.
εὗρε δ' ἐνὶ προδόμῳ ἠμὲν δέπα ἠδὲ τραπέζας
ἀνδρῶν δαιτυμόνων, οἵ μευ πατέρ' ἀμφεπένοντο.
οἱ μὲν ἄρ' ἐς θῶκον πρόμολον δήμιό τε φῆμιν,
ἡ δ' αἶψα τρί' ἄλεισα κατακρύψασ' ὑπὸ κόλπῳ
ἔκφερεν· αὐτὰρ ἐγὼν ἑπόμην ἀεσιφροσύνῃσι.

δύσετό τ' ἠέλιος σκιόωντό τε πᾶσαι ἀγυιαί·
ἡμεῖς δ' ἐς λιμένα κλυτὸν ἤλθομεν ὦκα κιόντες·
ἔνθ' ἄρα Φοινίκων ἀνδρῶν ἦν ὠκύαλος νηῦς.
οἱ μὲν ἔπειτ' ἀναβάντες ἐπέπλεον ὑγρὰ κέλευθα,
νὼ ἀναβησάμενοι· ἐπὶ δὲ Ζεὺς οὖρον ἴαλλεν.
ἑξῆμαρ μὲν ὁμῶς πλέομεν νύκτας τε καὶ ἦμαρ·
ἀλλ' ὅτε δὴ ἕβδομον ἦμαρ ἐπὶ Ζεὺς θῆκε Κρονίων,
τὴν μὲν ἔπειτα γυναῖκα βάλ' Ἄρτεμις ἰοχέαιρα,
ἄντλῳ δ' ἐνδούπησε πεσοῦσ' ὡς εἰναλίη κήξ.
καὶ τὴν μὲν φώκῃσι καὶ ἰχθύσι κύρμα γενέσθαι
ἔκβαλον· αὐτὰρ ἐγὼ λιπόμην ἀκαχήμενος ἦτορ·
τοὺς δ' Ἰθάκῃ ἐπέλασσε φέρων ἄνεμός τε καὶ ὕδωρ,
ἔνθα με Λαέρτης πρίατο κτεάτεσσιν ἑοῖσιν.
οὕτω τήνδε τε γαῖαν ἐγὼν ἴδον ὀφθαλμοῖσι."

(XV. 403–84)

49. *Telemachus finds his Father*

Ἦ ῥα καὶ ὦρσε συφορβόν· ὁ δ' εἵλετο χερσὶ πέδιλα,
δησάμενος δ' ὑπὸ ποσσὶ πόλινδ' ἴεν. οὐδ' ἄρ' Ἀθήνην
λῆθεν ἀπὸ σταθμοῖο κιὼν Εὔμαιος ὑφορβός,
ἀλλ' ἥ γε σχεδὸν ἦλθε· δέμας δ' ἤϊκτο γυναικὶ
καλῇ τε μεγάλῃ τε καὶ ἀγλαὰ ἔργα ἰδυίῃ.
στῆ δὲ κατ' ἀντίθυρον κλισίης Ὀδυσῆϊ φανεῖσα·
οὐδ' ἄρα Τηλέμαχος ἴδεν ἀντίον οὐδ' ἐνόησεν,
οὐ γάρ πως πάντεσσι θεοὶ φαίνονται ἐναργεῖς,
ἀλλ' Ὀδυσεύς τε κύνες τε ἴδον, καί ῥ' οὐχ ὑλάοντο,
κνυζηθμῷ δ' ἑτέρωσε διὰ σταθμοῖο φόβηθεν.
ἡ δ' ἄρ' ἐπ' ὀφρύσι νεῦσε· νόησε δὲ δῖος Ὀδυσσεύς,
ἐκ δ' ἦλθεν μεγάροιο παρὲκ μέγα τειχίον αὐλῆς,
στῆ δὲ πάροιθ' αὐτῆς· τὸν δὲ προσέειπεν Ἀθήνη·

“ διογενὲς Λαερτιάδη, πολυμήχαν' Ὀδυσσεῦ,
ἤδη νῦν σῷ παιδὶ ἔπος φάο μηδ' ἐπίκευθε,
ὡς ἂν μνηστῆρσιν θάνατον καὶ κῆρ' ἀραρόντε
ἔρχησθον προτὶ ἄστυ περικλυτόν· οὐδ' ἐγὼ αὐτὴ
δηρὸν ἀπὸ σφῶϊν ἔσομαι μεμαυῖα μάχεσθαι.”
Ἦ καὶ χρυσείῃ ῥάβδῳ ἐπεμάσσατ' Ἀθήνη.
φᾶρος μέν οἱ πρῶτον ἐϋπλυνὲς ἠδὲ χιτῶνα
θῆκ' ἀμφὶ στήθεσσι, δέμας δ' ὤφελλε καὶ ἥβην.
ἂψ δὲ μελαγχροιὴς γένετο, γναθμοὶ δὲ τάνυσθεν,
κυάνεαι δ' ἐγένοντο γενειάδες ἀμφὶ γένειον.
ἡ μὲν ἄρ' ὣς ἔρξασα πάλιν κίεν· αὐτὰρ Ὀδυσσεὺς
ἤϊεν ἐς κλισίην· θάμβησε δέ μιν φίλος υἱός,
ταρβήσας δ' ἑτέρωσε βάλ' ὄμματα μὴ θεὸς εἴη,
καί μιν φωνήσας ἔπεα πτερόεντα προσηύδα·
“ ἀλλοῖός μοι, ξεῖνε, φάνης νέον ἠὲ πάροιθεν,
ἄλλα δὲ εἵματ' ἔχεις, καί τοι χρὼς οὐκέθ' ὁμοῖος.
ἦ μάλα τις θεός ἐσσι, τοὶ οὐρανὸν εὐρὺν ἔχουσιν·
ἀλλ' ἵληθ', ἵνα τοι κεχαρισμένα δώομεν ἱρὰ
ἠδὲ χρύσεα δῶρα, τετυγμένα· φείδεο δ' ἡμέων.”
Τὸν δ' ἠμείβετ' ἔπειτα πολύτλας δῖος Ὀδυσσεύς·
“ οὔ τίς τοι θεός εἰμι· τί μ' ἀθανάτοισιν ἐΐσκεις;
ἀλλὰ πατὴρ τεός εἰμι, τοῦ εἵνεκα σὺ στεναχίζων
πάσχεις ἄλγεα πολλά, βίας ὑποδέγμενος ἀνδρῶν.”
Ὣς ἄρα φωνήσας υἱὸν κύσε, κὰδ δὲ παρειῶν
δάκρυον ἧκε χαμᾶζε· πάρος δ' ἔχε νωλεμὲς αἰεί.
Τηλέμαχος δ', οὐ γάρ πω ἐπείθετο ὃν πατέρ' εἶναι,
ἐξαῦτίς μιν ἔπεσσιν ἀμειβόμενος προσέειπεν·
“ οὐ σύ γ' Ὀδυσσεύς ἐσσι πατὴρ ἐμός, ἀλλά με δαίμων
θέλγει, ὄφρ' ἔτι μᾶλλον ὀδυρόμενος στεναχίζω.
οὐ γάρ πως ἂν θνητὸς ἀνὴρ τάδε μηχανόῳτο

ᾧ αὐτοῦ γε νόῳ, ὅτε μὴ θεὸς αὐτὸς ἐπελθὼν
ῥηϊδίως ἐθέλων θείη νέον ἠὲ γέροντα.
ἦ γάρ τοι νέον ἦσθα γέρων καὶ ἀεικέα ἕσσο·
νῦν δὲ θεοῖσιν ἔοικας, οἳ οὐρανὸν εὐρὺν ἔχουσι."

Τὸν δ' ἀπαμειβόμενος προσέφη πολύμητις Ὀδυσσεύς·
"Τηλέμαχ', οὔ σε ἔοικε φίλον πατέρ' ἔνδον ἐόντα
οὔτε τι θαυμάζειν περιώσιον οὔτ' ἀγάασθαι·
οὐ μὲν γάρ τοι ἔτ' ἄλλος ἐλεύσεται ἐνθάδ' Ὀδυσσεύς,
ἀλλ' ὅδ' ἐγὼ τοιόσδε, παθὼν κακά, πολλὰ δ' ἀληθείς,
ἤλυθον εἰκοστῷ ἔτεϊ ἐς πατρίδα γαῖαν.
αὐτάρ τοι τόδε ἔργον Ἀθηναίης ἀγελείης,
ἥ τέ με τοῖον ἔθηκεν ὅπως ἐθέλει, δύναται γάρ,
ἄλλοτε μὲν πτωχῷ ἐναλίγκιον, ἄλλοτε δ' αὖτε
ἀνδρὶ νέῳ καὶ καλὰ περὶ χροῒ εἵματ' ἔχοντι.
ῥηΐδιον δὲ θεοῖσι, τοὶ οὐρανὸν εὐρὺν ἔχουσιν,
ἠμὲν κυδῆναι θνητὸν βροτὸν ἠδὲ κακῶσαι."

Ὣς ἄρα φωνήσας κατ' ἄρ' ἕζετο, Τηλέμαχος δὲ
ἀμφιχυθεὶς πατέρ' ἐσθλὸν ὀδύρετο, δάκρυα λείβων.
ἀμφοτέροισι δὲ τοῖσιν ὑφ' ἵμερος ὦρτο γόοιο·
κλαῖον δὲ λιγέως, ἁδινώτερον ἤ τ' οἰωνοί,
φῆναι ἢ αἰγυπιοὶ γαμψώνυχες, οἷσί τε τέκνα
ἀγρόται ἐξείλοντο πάρος πετεηνὰ γενέσθαι·
ὣς ἄρα τοί γ' ἐλεεινὸν ὑπ' ὀφρύσι δάκρυον εἶβον.

(XVI. 154–219)

50. *The Dog Argus*

Ὣς οἱ μὲν τοιαῦτα πρὸς ἀλλήλους ἀγόρευον·
ἂν δὲ κύων κεφαλήν τε καὶ οὔατα κείμενος ἔσχεν,
Ἄργος, Ὀδυσσῆος ταλασίφρονος, ὅν ῥά ποτ' αὐτὸς
θρέψε μέν, οὐδ' ἀπόνητο, πάρος δ' ἐς Ἴλιον ἱρὴν

ᾤχετο. τὸν δὲ πάροιθεν ἀγίνεσκον νέοι ἄνδρες
αἶγας ἐπ' ἀγροτέρας ἠδὲ πρόκας ἠδὲ λαγωούς·
δὴ τότε κεῖτ' ἀπόθεστος ἀποιχομένοιο ἄνακτος,
ἐν πολλῇ κόπρῳ, ἥ οἱ προπάροιθε θυράων
ἡμιόνων τε βοῶν τε ἅλις κέχυτ', ὄφρ' ἂν ἄγοιεν
δμῶες Ὀδυσσῆος τέμενος μέγα κοπρήσοντες·
ἔνθα κύων κεῖτ' Ἄργος, ἐνίπλειος κυνοραιστέων.
δὴ τότε γ', ὡς ἐνόησεν Ὀδυσσέα ἐγγὺς ἐόντα,
οὐρῇ μέν ῥ' ὅ γ' ἔσηνε καὶ οὔατα κάββαλεν ἄμφω,
ἆσσον δ' οὐκέτ' ἔπειτα δυνήσατο οἷο ἄνακτος
ἐλθέμεν· αὐτὰρ ὁ νόσφιν ἰδὼν ἀπομόρξατο δάκρυ,
ῥεῖα λαθὼν Εὔμαιον, ἄφαρ δ' ἐρεείνετο μύθῳ·
"Εὔμαι', ἦ μάλα θαῦμα κύων ὅδε κεῖτ' ἐνὶ κόπρῳ.
καλὸς μὲν δέμας ἐστίν, ἀτὰρ τόδε γ' οὐ σάφα οἶδα,
ἢ δὴ καὶ ταχὺς ἔσκε θέειν ἐπὶ εἴδεϊ τῷδε,
ἦ αὔτως οἷοί τε τραπεζῆες κύνες ἀνδρῶν
γίγνοντ', ἀγλαΐης δ' ἕνεκεν κομέουσιν ἄνακτες."
Τὸν δ' ἀπαμειβόμενος προσέφης, Εὔμαιε συβῶτα·
"καὶ λίην ἀνδρός γε κύων ὅδε τῆλε θανόντος.
εἰ τοιόσδ' εἴη ἠμὲν δέμας ἠδὲ καὶ ἔργα,
οἷόν μιν Τροίηνδε κιὼν κατέλειπεν Ὀδυσσεύς,
αἶψά κε θηήσαιο ἰδὼν ταχυτῆτα καὶ ἀλκήν.
οὐ μὲν γάρ τι φύγεσκε βαθείης βένθεσιν ὕλης
κνώδαλον, ὅττι δίοιτο· καὶ ἴχνεσι γὰρ περιῄδη·
νῦν δ' ἔχεται κακότητι, ἄναξ δέ οἱ ἄλλοθι πάτρης
ὤλετο, τὸν δὲ γυναῖκες ἀκηδέες οὐ κομέουσι.
δμῶες δ', εὖτ' ἂν μηκέτ' ἐπικρατέωσιν ἄνακτες,
οὐκέτ' ἔπειτ' ἐθέλουσιν ἐναίσιμα ἐργάζεσθαι·
ἥμισυ γάρ τ' ἀρετῆς ἀποαίνυται εὐρύοπα Ζεὺς
ἀνέρος, εὖτ' ἄν μιν κατὰ δούλιον ἦμαρ ἕλῃσιν."

Ὣς εἰπὼν εἰσῆλθε δόμους εὖ ναιετάοντας,
βῆ δ' ἰθὺς μεγάροιο μετὰ μνηστῆρας ἀγαυούς.
Ἄργον δ' αὖ κατὰ μοῖρ' ἔλαβεν μέλανος θανάτοιο,
αὐτίκ' ἰδόντ' Ὀδυσῆα ἐεικοστῷ ἐνιαυτῷ.

(XVII. 290–327)

51. *Penelope Dreams*

i

Ὣς ἄρ' ἔφη, γρηῢς δὲ διὲκ μεγάροιο βεβήκει
οἰσομένη ποδάνιπτρα· τὰ γὰρ πρότερ' ἔκχυτο πάντα.
αὐτὰρ ἐπεὶ νίψεν τε καὶ ἤλειψεν λίπ' ἐλαίῳ,
αὖτις ἄρ' ἀσσοτέρω πυρὸς ἕλκετο δίφρον Ὀδυσσεὺς
θερσόμενος, οὐλὴν δὲ κατὰ ῥακέεσσι κάλυψε.
τοῖσι δὲ μύθων ἄρχε περίφρων Πηνελόπεια·
"ξεῖνε, τὸ μέν σ' ἔτι τυτθὸν ἐγὼν εἰρήσομαι αὐτή·
καὶ γὰρ δὴ κοίτοιο τάχ' ἔσσεται ἡδέος ὥρη,
ὅν τινά γ' ὕπνος ἕλοι γλυκερός, καὶ κηδόμενόν περ.
αὐτὰρ ἐμοὶ καὶ πένθος ἀμέτρητον πόρε δαίμων·
ἤματα μὲν γὰρ τέρπομ' ὀδυρομένη, γοόωσα,
ἔς τ' ἐμὰ ἔργ' ὁρόωσα καὶ ἀμφιπόλων ἐνὶ οἴκῳ·
αὐτὰρ ἐπεὶ νὺξ ἔλθῃ, ἕλῃσί τε κοῖτος ἅπαντας,
κεῖμαι ἐνὶ λέκτρῳ, πυκιναὶ δέ μοι ἀμφ' ἁδινὸν κῆρ
ὀξεῖαι μελεδῶναι ὀδυρομένην ἐρέθουσιν.
ὡς δ' ὅτε Πανδαρέου κούρη, χλωρηῒς ἀηδών,
καλὸν ἀείδῃσιν ἔαρος νέον ἱσταμένοιο,
δενδρέων ἐν πετάλοισι καθεζομένη πυκινοῖσιν,
ἥ τε θαμὰ τρωπῶσα χέει πολυηχέα φωνήν,
παῖδ' ὀλοφυρομένη Ἴτυλον φίλον, ὅν ποτε χαλκῷ
κτεῖνε δι' ἀφραδίας, κοῦρον Ζήθοιο ἄνακτος,
ὣς καὶ ἐμοὶ δίχα θυμὸς ὀρώρεται ἔνθα καὶ ἔνθα,

ἠὲ μένω παρὰ παιδὶ καὶ ἔμπεδα πάντα φυλάσσω,
κτῆσιν ἐμήν, δμῳάς τε καὶ ὑψερεφὲς μέγα δῶμα,
εὐνήν τ' αἰδομένη πόσιος δήμοιό τε φῆμιν,
ἦ ἤδη ἅμ' ἕπωμαι Ἀχαιῶν ὅς τις ἄριστος
μνᾶται ἐνὶ μεγάροισι, πορὼν ἀπερείσια ἕδνα,
παῖς δ' ἐμὸς ἧος ἔην ἔτι νήπιος ἠδὲ χαλίφρων,
γήμασθ' οὔ μ' εἴα πόσιος κατὰ δῶμα λιποῦσαν·
νῦν δ' ὅτε δὴ μέγας ἐστὶ καὶ ἥβης μέτρον ἱκάνει,
καὶ δή μ' ἀρᾶται πάλιν ἐλθέμεν ἐκ μεγάροιο,
κτήσιος ἀσχαλόων, τήν οἱ κατέδουσιν Ἀχαιοί.
ἀλλ' ἄγε μοι τὸν ὄνειρον ὑπόκριναι καὶ ἄκουσον.
χῆνές μοι κατὰ οἶκον ἐείκοσι πυρὸν ἔδουσιν
ἐξ ὕδατος, καί τέ σφιν ἰαίνομαι εἰσορόωσα·
ἐλθὼν δ' ἐξ ὄρεος μέγας αἰετὸς ἀγκυλοχείλης
πᾶσι κατ' αὐχένας ἦξε καὶ ἔκτανεν· οἱ δ' ἐκέχυντο
ἀθρόοι ἐν μεγάροις, ὁ δ' ἐς αἰθέρα δῖαν ἀέρθη.
αὐτὰρ ἐγὼ κλαῖον καὶ ἐκώκυον ἔν περ ὀνείρῳ,
ἀμφὶ δ' ἔμ' ἠγερέθοντο ἐϋπλοκαμῖδες Ἀχαιαί,
οἴκτρ' ὀλοφυρομένην ὅ μοι αἰετὸς ἔκτανε χῆνας.
ἂψ δ' ἐλθὼν κατ' ἄρ' ἕζετ' ἐπὶ προὔχοντι μελάθρῳ,
φωνῇ δὲ βροτέῃ κατερήτυε φώνησέν τε·
'θάρσει, Ἰκαρίου κούρη τηλεκλειτοῖο·
οὐκ ὄναρ, ἀλλ' ὕπαρ ἐσθλόν, ὅ τοι τετελεσμένον ἔσται.
χῆνες μὲν μνηστῆρες, ἐγὼ δέ τοι αἰετὸς ὄρνις
ἦα πάρος, νῦν αὖτε τεὸς πόσις εἰλήλουθα,
ὃς πᾶσι μνηστῆρσιν ἀεικέα πότμον ἐφήσω.'
ὣς ἔφατ', αὐτὰρ ἐμὲ μελιηδὴς ὕπνος ἀνῆκε·
παπτήνασα δὲ χῆνας ἐνὶ μεγάροισι νόησα
πυρὸν ἐρεπτομένους παρὰ πύελον, ἧχι πάρος περ."
Τὴν δ' ἀπαμειβόμενος προσέφη πολύμητις Ὀδυσσεύς·

"ὦ γύναι, οὔ πως ἔστιν ὑποκρίνασθαι ὄνειρον
ἄλλῃ ἀποκλίναντ', ἐπεὶ ἦ ῥά τοι αὐτὸς Ὀδυσσεὺς
πέφραδ' ὅπως τελέει· μνηστῆρσι δὲ φαίνετ' ὄλεθρος
πᾶσι μάλ', οὐδέ κέ τις θάνατον καὶ κῆρας ἀλύξει."
Τὸν δ' αὖτε προσέειπε περίφρων Πηνελόπεια·
"ξεῖν', ἦ τοι μὲν ὄνειροι ἀμήχανοι ἀκριτόμυθοι
γίγνοντ', οὐδέ τι πάντα τελείεται ἀνθρώποισι.
δοιαὶ γάρ τε πύλαι ἀμενηνῶν εἰσὶν ὀνείρων·
αἱ μὲν γὰρ κεράεσσι τετεύχαται, αἱ δ' ἐλέφαντι·
τῶν οἳ μέν κ' ἔλθωσι διὰ πριστοῦ ἐλέφαντος,
οἵ ῥ' ἐλεφαίρονται, ἔπε' ἀκράαντα φέροντες·
οἳ δὲ διὰ ξεστῶν κεράων ἔλθωσι θύραζε,
οἵ ῥ' ἔτυμα κραίνουσι, βροτῶν ὅτε κέν τις ἴδηται.
ἀλλ' ἐμοὶ οὐκ ἐντεῦθεν ὀΐομαι αἰνὸν ὄνειρον
ἐλθέμεν· ἦ κ' ἀσπαστὸν ἐμοὶ καὶ παιδὶ γένοιτο.
ἄλλο δέ τοι ἐρέω, σὺ δ' ἐνὶ φρεσὶ βάλλεο σῇσιν·
ἥδε δὴ ἠὼς εἶσι δυσώνυμος, ἥ μ' Ὀδυσῆος
οἴκου ἀποσχήσει· νῦν γὰρ καταθήσω ἄεθλον,
τοὺς πελέκεας, τοὺς κεῖνος ἐνὶ μεγάροισιν ἑοῖσιν
ἵστασχ' ἑξείης, δρυόχους ὥς, δώδεκα πάντας·
στὰς δ' ὅ γε πολλὸν ἄνευθε διαρρίπτασκεν ὀϊστόν.
νῦν δὲ μνηστήρεσσιν ἄεθλον τοῦτον ἐφήσω·
ὃς δέ κε ῥηΐτατ' ἐντανύσῃ βιὸν ἐν παλάμῃσι
καὶ διοϊστεύσῃ πελέκεων δυοκαίδεκα πάντων,
τῷ κεν ἅμ' ἑσποίμην, νοσφισσαμένη τόδε δῶμα
κουρίδιον, μάλα καλόν, ἐνίπλειον βιότοιο,
τοῦ ποτε μεμνήσεσθαι ὀΐομαι ἔν περ ὀνείρῳ."
Τὴν δ' ἀπαμειβόμενος προσέφη πολύμητις Ὀδυσσεύς·
"ὦ γύναι αἰδοίη Λαερτιάδεω Ὀδυσῆος,

μηκέτι νῦν ἀνάβαλλε δόμοις ἔνι τοῦτον ἄεθλον·
πρὶν γάρ τοι πολύμητις ἐλεύσεται ἐνθάδ' Ὀδυσσεύς,
πρὶν τούτους τόδε τόξον ἐΰξοον ἀμφαφόωντας
νευρήν τ' ἐντανύσαι διοϊστεῦσαί τε σιδήρου."

(XIX. 503–87)

ii

Αὐτὰρ ἐπεὶ κλαίουσα κορέσσατο ὃν κατὰ θυμόν,
Ἀρτέμιδι πρώτιστον ἐπεύξατο δῖα γυναικῶν·
"Ἄρτεμι, πότνα θεά, θύγατερ Διός, αἴθε μοι ἤδη
ἰὸν ἐνὶ στήθεσσι βαλοῦσ' ἐκ θυμὸν ἕλοιο
αὐτίκα νῦν, ἢ ἔπειτά μ' ἀναρπάξασα θύελλα
οἴχοιτο προφέρουσα κατ' ἠερόεντα κέλευθα,
ἐν προχοῇς δὲ βάλοι ἀψορρόου Ὠκεανοῖο.
ὡς δ' ὅτε Πανδαρέου κούρας ἀνέλοντο θύελλαι·
τῇσι τοκῆας μὲν φθῖσαν θεοί, αἱ δ' ἐλίποντο
ὀρφαναὶ ἐν μεγάροισι, κόμισσε δὲ δῖ' Ἀφροδίτη
τυρῷ καὶ μέλιτι γλυκερῷ καὶ ἡδέϊ οἴνῳ·
Ἥρη δ' αὐτῇσιν περὶ πασέων δῶκε γυναικῶν
εἶδος καὶ πινυτήν, μῆκος δ' ἔπορ' Ἄρτεμις ἁγνή,
ἔργα δ' Ἀθηναίη δέδαε κλυτὰ ἐργάζεσθαι.
εὖτ' Ἀφροδίτη δῖα προσέστιχε μακρὸν Ὄλυμπον,
κούρῃς αἰτήσουσα τέλος θαλεροῖο γάμοιο,
ἐς Δία τερπικέραυνον—ὁ γάρ τ' εὖ οἶδεν ἅπαντα,
μοῖράν τ' ἀμμορίην τε καταθνητῶν ἀνθρώπων—
τόφρα δὲ τὰς κούρας ἅρπυιαι ἀνηρείψαντο
καί ῥ' ἔδοσαν στυγερῇσιν ἐρινύσιν ἀμφιπολεύειν·
ὣς ἔμ' ἀϊστώσειαν Ὀλύμπια δώματ' ἔχοντες,
ἠέ μ' ἐϋπλόκαμος βάλοι Ἄρτεμις, ὄφρ' Ὀδυσῆα
ὀσσομένη καὶ γαῖαν ὕπο στυγερὴν ἀφικοίμην,
μηδέ τι χείρονος ἀνδρὸς ἐϋφραίνοιμι νόημα.

ἀλλὰ τὸ μὲν καὶ ἀνεκτὸν ἔχει κακόν, ὁππότε κέν τις
ἤματα μὲν κλαίῃ, πυκινῶς ἀκαχήμενος ἦτορ,
νύκτας δ' ὕπνος ἔχῃσιν—ὁ γάρ τ' ἐπέλησεν ἁπάντων,
ἐσθλῶν ἠδὲ κακῶν, ἐπεὶ ἂρ βλέφαρ' ἀμφικαλύψῃ—
αὐτὰρ ἐμοὶ καὶ ὀνείρατ' ἐπέσσευεν κακὰ δαίμων.
τῇδε γὰρ αὖ μοι νυκτὶ παρέδραθεν εἴκελος αὐτῷ,
τοῖος ἐὼν οἷος ᾖεν ἅμα στρατῷ· αὐτὰρ ἐμὸν κῆρ
χαῖρ', ἐπεὶ οὐκ ἐφάμην ὄναρ ἔμμεναι, ἀλλ' ὕπαρ ἤδη."
ὯΩς ἔφατ', αὐτίκα δὲ χρυσόθρονος ἤλυθεν Ἠώς.
τῆς δ' ἄρα κλαιούσης ὄπα σύνθετο δῖος Ὀδυσσεύς.

(XX. 59–92)

52. *The Vision of Theoclymenus*

Ὣς φάτο Τηλέμαχος· μνηστῆρσι δὲ Παλλὰς Ἀθήνη
ἄσβεστον γέλω ὦρσε, παρέπλαγξεν δὲ νόημα.
οἱ δ' ἤδη γναθμοῖσι γελώων ἀλλοτρίοισιν,
αἱμοφόρυκτα δὲ δὴ κρέα ἤσθιον· ὄσσε δ' ἄρα σφέων
δακρυόφιν πίμπλαντο, γόον δ' ὠΐετο θυμός.
τοῖσι δὲ καὶ μετέειπε Θεοκλύμενος θεοειδής·
"ἆ δειλοί, τί κακὸν τόδε πάσχετε; νυκτὶ μὲν ὑμέων
εἰλύαται κεφαλαί τε πρόσωπά τε νέρθε τε γοῦνα,
οἰμωγὴ δὲ δέδηε, δεδάκρυνται δὲ παρειαί,
αἵματι δ' ἐρράδαται τοῖχοι καλαί τε μεσόδμαι·
εἰδώλων δὲ πλέον πρόθυρον, πλείη δὲ καὶ αὐλή,
ἱεμένων Ἔρεβόσδε ὑπὸ ζόφον· ἠέλιος δὲ
οὐρανοῦ ἐξαπόλωλε, κακὴ δ' ἐπιδέδρομεν ἀχλύς."
Ὣς ἔφαθ', οἱ δ' ἄρα πάντες ἐπ' αὐτῷ ἡδὺ γέλασσαν.
τοῖσιν δ' Εὐρύμαχος, Πολύβου πάϊς, ἄρχ' ἀγορεύειν·
"ἀφραίνει ξεῖνος νέον ἄλλοθεν εἰληλουθώς.
ἀλλά μιν αἶψα, νέοι, δόμου ἐκπέμψασθε θύραζε

εἰς ἀγορὴν ἔρχεσθαι, ἐπεὶ τάδε νυκτὶ ἐΐσκει."
  Τὸν δ' αὖτε προσέειπε Θεοκλύμενος θεοειδής·
"Εὐρύμαχ', οὔ τί σ' ἄνωγα ἐμοὶ πομπῆας ὀπάζειν·
εἰσί μοι ὀφθαλμοί τε καὶ οὔατα καὶ πόδες ἄμφω
καὶ νόος ἐν στήθεσσι τετυγμένος οὐδὲν ἀεικής.
τοῖς ἔξειμι θύραζε, ἐπεὶ νοέω κακὸν ὔμμιν
ἐρχόμενον, τό κεν οὔ τις ὑπεκφύγοι οὐδ' ἀλέαιτο
μνηστήρων, οἳ δῶμα κατ' ἀντιθέου Ὀδυσῆος
ἀνέρας ὑβρίζοντες ἀτάσθαλα μηχανάασθε."
  Ὣς εἰπὼν ἐξῆλθε δόμων εὖ ναιετaόντων,
ἵκετο δ' ἐς Πείραιον, ὅ μιν πρόφρων ὑπέδεκτο.

(XX. 345–72)

53. *The Slaying*

i

Ὣς ἔφαθ', οἱ δ' ἄρα πάντες ἐπ' αὐτῷ ἡδὺ γέλασσαν
μνηστῆρες, καὶ δὴ μέθιεν χαλεποῖο χόλοιο
Τηλεμάχῳ· τὰ δὲ τόξα φέρων ἀνὰ δῶμα συβώτης
ἐν χείρεσσ' Ὀδυσῆϊ δαΐφρονι θῆκε παραστάς.
ἐκ δὲ καλεσσάμενος προσέφη τροφὸν Εὐρύκλειαν·
"Τηλέμαχος κέλεταί σε, περίφρων Εὐρύκλεια,
κληῖσαι μεγάροιο θύρας πυκινῶς ἀραρυίας,
ἢν δέ τις ἢ στοναχῆς ἠὲ κτύπου ἔνδον ἀκούσῃ
ἀνδρῶν ἡμετέροισιν ἐν ἕρκεσι, μή τι θύραζε
προβλώσκειν, ἀλλ' αὐτοῦ ἀκὴν ἔμεναι παρὰ ἔργῳ."
  Ὣς ἄρ' ἐφώνησεν, τῇ δ' ἄπτερος ἔπλετο μῦθος,
κλήϊσεν δὲ θύρας μεγάρων εὖ ναιεταόντων.
  Σιγῇ δ' ἐξ οἴκοιο Φιλοίτιος ἆλτο θύραζε,
κλήϊσεν δ' ἄρ' ἔπειτα θύρας εὐερκέος αὐλῆς.
κεῖτο δ' ὑπ' αἰθούσῃ ὅπλον νεὸς ἀμφιελίσσης

βύβλινον, ᾧ ῥ' ἐπέδησε θύρας, ἐς δ' ἤϊεν αὐτός·
ἕζετ' ἔπειτ' ἐπὶ δίφρον ἰών, ἔνθεν περ ἀνέστη,
εἰσορόων Ὀδυσῆα. ὁ δ' ἤδη τόξον ἐνώμα
πάντῃ ἀναστρωφῶν, πειρώμενος ἔνθα καὶ ἔνθα,
μὴ κέρα ἶπες ἔδοιεν ἀποιχομένοιο ἄνακτος.
ὧδε δέ τις εἴπεσκεν ἰδὼν ἐς πλησίον ἄλλον·
"ἦ τις θηητὴρ καὶ ἐπίκλοπος ἔπλετο τόξων.
ἤ ῥά νύ που τοιαῦτα καὶ αὐτῷ οἴκοθι κεῖται,
ἦ ὅ γ' ἐφορμᾶται ποιησέμεν, ὡς ἐνὶ χερσὶ
νωμᾷ ἔνθα καὶ ἔνθα κακῶν ἔμπαιος ἀλήτης."
Ἄλλος δ' αὖ εἴπεσκε νέων ὑπερηνορεόντων·
"αἲ γὰρ δὴ τοσσοῦτον ὀνήσιος ἀντιάσειεν
ὡς οὗτός ποτε τοῦτο δυνήσεται ἐντανύσασθαι."
Ὣς ἄρ' ἔφαν μνηστῆρες· ἀτὰρ πολύμητις Ὀδυσσεύς,
αὐτίκ' ἐπεὶ μέγα τόξον ἐβάστασε καὶ ἴδε πάντῃ,
ὡς ὅτ' ἀνὴρ φόρμιγγος ἐπιστάμενος καὶ ἀοιδῆς
ῥηϊδίως ἐτάνυσσε νέῳ περὶ κόλλοπι χορδήν,
ἅψας ἀμφοτέρωθεν ἐΰστρεφὲς ἔντερον οἰός,
ὣς ἄρ' ἄτερ σπουδῆς τάνυσεν μέγα τόξον Ὀδυσσεύς.
δεξιτερῇ δ' ἄρα χειρὶ λαβὼν πειρήσατο νευρῆς·
ἡ δ' ὑπὸ καλὸν ἄεισε, χελιδόνι εἰκέλη αὐδήν.
μνηστῆρσιν δ' ἄρ' ἄχος γένετο μέγα, πᾶσι δ' ἄρα χρὼς
ἐτράπετο. Ζεὺς δὲ μεγάλ' ἔκτυπε σήματα φαίνων·
γήθησέν τ' ἄρ' ἔπειτα πολύτλας δῖος Ὀδυσσεύς,
ὅττι ῥά οἱ τέρας ἧκε Κρόνου πάϊς ἀγκυλομήτεω·
εἵλετο δ' ὠκὺν ὀϊστόν, ὅ οἱ παρέκειτο τραπέζῃ
γυμνός· τοὶ δ' ἄλλοι κοίλης ἔντοσθε φαρέτρης
κείατο, τῶν τάχ' ἔμελλον Ἀχαιοὶ πειρήσεσθαι.
τόν ῥ' ἐπὶ πήχει ἑλὼν ἕλκεν νευρὴν γλυφίδας τε,
αὐτόθεν ἐκ δίφροιο καθήμενος, ἧκε δ' ὀϊστὸν

ἄντα τιτυσκόμενος, πελέκεων δ' οὐκ ἤμβροτε πάντων
πρώτης στειλειῆς, διὰ δ' ἀμπερὲς ἦλθε θύραζε
ἰὸς χαλκοβαρής· ὁ δὲ Τηλέμαχον προσέειπε·
"Τηλέμαχ', οὔ σ' ὁ ξεῖνος ἐνὶ μεγάροισιν ἐλέγχει
ἥμενος, οὐδέ τι τοῦ σκοποῦ ἤμβροτον οὐδέ τι τόξον
δὴν ἔκαμον τανύων· ἔτι μοι μένος ἔμπεδόν ἐστιν,
οὐχ ὥς με μνηστῆρες ἀτιμάζοντες ὄνονται.
νῦν δ' ὥρη καὶ δόρπον Ἀχαιοῖσιν τετυκέσθαι
ἐν φάει, αὐτὰρ ἔπειτα καὶ ἄλλως ἑψιάασθαι
μολπῇ καὶ φόρμιγγι· τὰ γάρ τ' ἀναθήματα δαιτός."
Ἦ καὶ ἐπ' ὀφρύσι νεῦσεν· ὁ δ' ἀμφέθετο ξίφος ὀξὺ
Τηλέμαχος, φίλος υἱὸς Ὀδυσσῆος θείοιο,
ἀμφὶ δὲ χεῖρα φίλην βάλεν ἔγχεϊ, ἄγχι δ' ἄρ' αὐτοῦ
πὰρ θρόνον ἑστήκει κεκορυθμένος αἴθοπι χαλκῷ.
Αὐτὰρ ὁ γυμνώθη ῥακέων πολύμητις Ὀδυσσεύς,
ἆλτο δ' ἐπὶ μέγαν οὐδόν, ἔχων βιὸν ἠδὲ φαρέτρην
ἰῶν ἐμπλείην, ταχέας δ' ἐκχεύατ' ὀϊστοὺς
αὐτοῦ πρόσθε ποδῶν, μετὰ δὲ μνηστῆρσιν ἔειπεν·
"οὗτος μὲν δὴ ἄεθλος ἀάατος ἐκτετέλεσται·
νῦν αὖτε σκοπὸν ἄλλον, ὃν οὔ πώ τις βάλεν ἀνήρ,
εἴσομαι, αἴ κε τύχωμι, πόρῃ δέ μοι εὖχος Ἀπόλλων."
Ἦ καὶ ἐπ' Ἀντινόῳ ἰθύνετο πικρὸν ὀϊστόν.

(XXI. 376–XXII. 8)

ii

Πάπτηνεν δ' Ὀδυσεὺς καθ' ἑὸν δόμον, εἴ τις ἔτ' ἀνδρῶν
ζωὸς ὑποκλοπέοιτο, ἀλύσκων κῆρα μέλαιναν.
τοὺς δὲ ἴδεν μάλα πάντας ἐν αἵματι καὶ κονίῃσι
πεπτεῶτας πολλούς, ὥς τ' ἰχθύας, οὕς θ' ἁλιῆες
κοῖλον ἐς αἰγιαλὸν πολιῆς ἔκτοσθε θαλάσσης
δικτύῳ ἐξέρυσαν πολυωπῷ· οἱ δέ τε πάντες

κύμαθ' ἁλὸς ποθέοντες ἐπὶ ψαμάθοισι κέχυνται·
τῶν μέν τ' Ἠέλιος φαέθων ἐξείλετο θυμόν·
ὣς τότ' ἄρα μνηστῆρες ἐπ' ἀλλήλοισι κέχυντο.
δὴ τότε Τηλέμαχον προσέφη πολύμητις Ὀδυσσεύς·
"Τηλέμαχ', εἰ δ' ἄγε μοι κάλεσον τροφὸν Εὐρύκλειαν,
ὄφρα ἔπος εἴπωμι τό μοι καταθύμιόν ἐστιν."
Ὣς φάτο, Τηλέμαχος δὲ φίλῳ ἐπεπείθετο πατρί,
κινήσας δὲ θύρην προσέφη τροφὸν Εὐρύκλειαν·
"δεῦρο δὴ ὄρσο, γρηῦ παλαιγενές, ἥ τε γυναικῶν
δμῳάων σκοπός ἐσσι κατὰ μέγαρ' ἡμετεράων·
ἔρχεο· κικλήσκει σε πατὴρ ἐμός, ὄφρα τι εἴπῃ."
Ὣς ἄρ' ἐφώνησεν, τῇ δ' ἄπτερος ἔπλετο μῦθος,
ὤϊξεν δὲ θύρας μεγάρων εὖ ναιεταόντων,
βῆ δ' ἴμεν· αὐτὰρ Τηλέμαχος πρόσθ' ἡγεμόνευεν.
εὗρεν ἔπειτ' Ὀδυσῆα μετὰ κταμένοισι νέκυσσιν,
αἵματι καὶ λύθρῳ πεπαλαγμένον ὥς τε λέοντα,
ὅς ῥά τε βεβρωκὼς βοὸς ἔρχεται ἀγραύλοιο·
πᾶν δ' ἄρα οἱ στῆθός τε παρήϊά τ' ἀμφοτέρωθεν
αἱματόεντα πέλει, δεινὸς δ' εἰς ὦπα ἰδέσθαι·
ὣς Ὀδυσεὺς πεπάλακτο πόδας καὶ χεῖρας ὕπερθεν·
ἡ δ' ὡς οὖν νέκυάς τε καὶ ἄσπετον ἔσιδεν αἷμα,
ἴθυσέν ῥ' ὀλολύξαι, ἐπεὶ μέγα ἔσιδεν ἔργον·
ἀλλ' Ὀδυσεὺς κατέρυκε καὶ ἔσχεθεν ἱεμένην περ,
καί μιν φωνήσας ἔπεα πτερόεντα προσηύδα·
"ἐν θυμῷ, γρηῦ, χαῖρε καὶ ἴσχεο μηδ' ὀλόλυζε·
οὐχ ὁσίη κταμένοισιν ἐπ' ἀνδράσιν εὐχετάασθαι.
τούσδε δὲ μοῖρ' ἐδάμασσε θεῶν καὶ σχέτλια ἔργα·
οὔ τινα γὰρ τίεσκον ἐπιχθονίων ἀνθρώπων,
οὐ κακὸν οὐδὲ μὲν ἐσθλόν, ὅτις σφέας εἰσαφίκοιτο·
τῷ καὶ ἀτασθαλίῃσιν ἀεικέα πότμον ἐπέσπον."

 (XXII. 381–416)

54. *Penelope makes Trial of Odysseus*

Ἂψ δ' αὖτις κατ' ἄρ' ἕζετ' ἐπὶ θρόνου ἔνθεν ἀνέστη,
ἀντίον ἧς ἀλόχου, καί μιν πρὸς μῦθον ἔειπε·
"δαιμονίη, περὶ σοί γε γυναικῶν θηλυτεράων
κῆρ ἀτέραμνον ἔθηκαν Ὀλύμπια δώματ' ἔχοντες·
οὐ μέν κ' ἄλλη γ' ὧδε γυνὴ τετληότι θυμῷ
ἀνδρὸς ἀφεσταίη, ὅς οἱ κακὰ πολλὰ μογήσας
ἔλθοι ἐεικοστῷ ἔτεϊ ἐς πατρίδα γαῖαν.
ἀλλ' ἄγε μοι, μαῖα, στόρεσον λέχος, ὄφρα καὶ αὐτὸς
λέξομαι· ἦ γὰρ τῇ γε σιδήρεον ἐν φρεσὶν ἦτορ."
Τὸν δ' αὖτε προσέειπε περίφρων Πηνελόπεια·
"δαιμόνι', οὔτ' ἄρ τι μεγαλίζομαι οὔτ' ἀθερίζω
οὔτε λίην ἄγαμαι, μάλα δ' εὖ οἶδ' οἷος ἔησθα
ἐξ Ἰθάκης ἐπὶ νηὸς ἰὼν δολιχηρέτμοιο.
ἀλλ' ἄγε οἱ στόρεσον πυκινὸν λέχος, Εὐρύκλεια,
ἐκτὸς ἐϋσταθέος θαλάμου, τόν ῥ' αὐτὸς ἐποίει·
ἔνθα οἱ ἐκθεῖσαι πυκινὸν λέχος ἐμβάλετ' εὐνήν,
κώεα καὶ χλαίνας καὶ ῥήγεα σιγαλόεντα."
Ὣς ἄρ' ἔφη πόσιος πειρωμένη· αὐτὰρ Ὀδυσσεὺς
ὀχθήσας ἄλοχον προσεφώνεε κεδνὰ ἰδυῖαν·
"ὦ γύναι, ἦ μάλα τοῦτο ἔπος θυμαλγὲς ἔειπες.
τίς δέ μοι ἄλλοσε θῆκε λέχος; χαλεπὸν δέ κεν εἴη
καὶ μάλ' ἐπισταμένῳ, ὅτε μὴ θεὸς αὐτὸς ἐπελθὼν
ῥηϊδίως ἐθέλων θείη ἄλλῃ ἐνὶ χώρῃ.
ἀνδρῶν δ' οὔ κέν τις ζωὸς βροτός, οὐδὲ μάλ' ἡβῶν,
ῥεῖα μετοχλίσσειεν, ἐπεὶ μέγα σῆμα τέτυκται
ἐν λέχει ἀσκητῷ· τὸ δ' ἐγὼ κάμον οὐδέ τις ἄλλος.
θάμνος ἔφυ τανύφυλλος ἐλαίης ἕρκεος ἐντός,
ἀκμηνὸς θαλέθων· πάχετος δ' ἦν ἠΰτε κίων.

τῷ δ' ἐγὼ ἀμφιβαλὼν θάλαμον δέμον, ὄφρ' ἐτέλεσσα,
πυκνῇσιν λιθάδεσσι, καὶ εὖ καθύπερθεν ἔρεψα,
κολλητὰς δ' ἐπέθηκα θύρας, πυκινῶς ἀραρυίας.
καὶ τότ' ἔπειτ' ἀπέκοψα κόμην τανυφύλλου ἐλαίης,
κορμὸν δ' ἐκ ῥίζης προταμὼν ἀμφέξεσα χαλκῷ
εὖ καὶ ἐπισταμένως, καὶ ἐπὶ στάθμην ἴθυνα,
ἑρμῖν' ἀσκήσας, τέτρηνα δὲ πάντα τερέτρῳ.
ἐκ δὲ τοῦ ἀρχόμενος λέχος ἔξεον, ὄφρ' ἐτέλεσσα,
δαιδάλλων χρυσῷ τε καὶ ἀργύρῳ ἠδ' ἐλέφαντι·
ἐν δ' ἐτάνυσσ' ἱμάντα βοὸς φοίνικι φαεινόν.
οὕτω τοι τόδε σῆμα πιφαύσκομαι· οὐδέ τι οἶδα,
ἤ μοι ἔτ' ἔμπεδόν ἐστι, γύναι, λέχος, ἦέ τις ἤδη
ἀνδρῶν ἄλλοσε θῆκε, ταμὼν ὕπο πυθμέν' ἐλαίης."
  Ὣς φάτο, τῆς δ' αὐτοῦ λύτο γούνατα καὶ φίλον
    ἦτορ,
σήματ' ἀναγνούσῃ τά οἱ ἔμπεδα πέφραδ' Ὀδυσσεύς·
δακρύσασα δ' ἔπειτ' ἰθὺς δράμεν, ἀμφὶ δὲ χεῖρας
δειρῇ βάλλ' Ὀδυσῆϊ, κάρη δ' ἔκυσ' ἠδὲ προσηύδα·
"μή μοι, Ὀδυσσεῦ, σκύζευ, ἐπεὶ τά περ ἄλλα μάλ-
    ιστα
ἀνθρώπων πέπνυσο· θεοὶ δ' ὤπαζον ὀϊζύν,
οἳ νῶϊν ἀγάσαντο παρ' ἀλλήλοισι μένοντε
ἥβης ταρπῆναι καὶ γήραος οὐδὸν ἱκέσθαι.
αὐτὰρ μὴ νῦν μοι τόδε χώεο μηδὲ νεμέσσα,
οὕνεκά σ' οὐ τὸ πρῶτον, ἐπεὶ ἴδον, ὧδ' ἀγάπησα.
αἰεὶ γάρ μοι θυμὸς ἐνὶ στήθεσσι φίλοισιν
ἐρρίγει μή τίς με βροτῶν ἀπάφοιτο ἔπεσσιν
ἐλθών· πολλοὶ γὰρ κακὰ κέρδεα βουλεύουσιν.
οὐδέ κεν Ἀργείη Ἑλένη, Διὸς ἐκγεγαυῖα,
ἀνδρὶ παρ' ἀλλοδαπῷ ἐμίγη φιλότητι καὶ εὐνῇ,

εἰ ἤδη ὅ μιν αὖτις ἀρήϊοι υἷες Ἀχαιῶν
ἀξέμεναι οἶκόνδε φίλην ἐς πατρίδ' ἔμελλον.
τὴν δ' ἦ τοι ῥέξαι θεὸς ὤρορεν ἔργον ἀεικές·
τὴν δ' ἄτην οὐ πρόσθεν ἑῷ ἐγκάτθετο θυμῷ
λυγρήν, ἐξ ἧς πρῶτα καὶ ἡμέας ἵκετο πένθος.
νῦν δ', ἐπεὶ ἤδη σήματ' ἀριφραδέα κατέλεξας
εὐνῆς ἡμετέρης, τὴν οὐ βροτὸς ἄλλος ὀπώπει,
ἀλλ' οἶοι σύ τ' ἐγώ τε καὶ ἀμφίπολος μία μούνη,
Ἀκτορίς, ἥν μοι δῶκε πατὴρ ἔτι δεῦρο κιούσῃ,
ἣ νῶϊν εἴρυτο θύρας πυκινοῦ θαλάμοιο,
πείθεις δή μευ θυμόν, ἀπηνέα περ μάλ' ἐόντα."
Ὣς φάτο, τῷ δ' ἔτι μᾶλλον ὑφ' ἵμερον ὦρσε γόοιο·
κλαῖε δ' ἔχων ἄλοχον θυμαρέα, κεδνὰ ἰδυῖαν.
ὡς δ' ὅτ' ἂν ἀσπάσιος γῆ νηχομένοισι φανήῃ,
ὧν τε Ποσειδάων εὐεργέα νῆ' ἐνὶ πόντῳ
ῥαίσῃ, ἐπειγομένην ἀνέμῳ καὶ κύματι πηγῷ·
παῦροι δ' ἐξέφυγον πολιῆς ἁλὸς ἤπειρόνδε
νηχόμενοι, πολλὴ δὲ περὶ χροῒ τέτροφεν ἅλμη,
ἀσπάσιοι δ' ἐπέβαν γαίης, κακότητα φυγόντες·
ὣς ἄρα τῇ ἀσπαστὸς ἔην πόσις εἰσοροώσῃ,
δειρῆς δ' οὔ πω πάμπαν ἀφίετο πήχεε λευκώ.

(XXIII. 164–240)

55. *The Last Journey of the Wooers*

Ἑρμῆς δὲ ψυχὰς Κυλλήνιος ἐξεκαλεῖτο
ἀνδρῶν μνηστήρων· ἔχε δὲ ῥάβδον μετὰ χερσὶ
καλὴν χρυσείην, τῇ τ' ἀνδρῶν ὄμματα θέλγει
ὧν ἐθέλει, τοὺς δ' αὖτε καὶ ὑπνώοντας ἐγείρει·
τῇ ῥ' ἄγε κινήσας, ταὶ δὲ τρίζουσαι ἕποντο.

ὡς δ' ὅτε νυκτερίδες μυχῷ ἄντρου θεσπεσίοιο
τρίζουσαι ποτέονται, ἐπεί κέ τις ἀποπέσῃσιν
ὁρμαθοῦ ἐκ πέτρης, ἀνά τ' ἀλλήλῃσιν ἔχονται,
ὣς αἱ τετριγυῖαι ἅμ' ἤϊσαν· ἦρχε δ' ἄρα σφιν
Ἑρμείας ἀκάκητα κατ' εὐρώεντα κέλευθα.
πὰρ δ' ἴσαν Ὠκεανοῦ τε ῥοὰς καὶ Λευκάδα πέτρην,
ἠδὲ παρ' Ἠελίοιο πύλας καὶ δῆμον ὀνείρων
ἤϊσαν· αἶψα δ' ἵκοντο κατ' ἀσφοδελὸν λειμῶνα,
ἔνθα τε ναίουσι ψυχαί, εἴδωλα καμόντων.

(XXIV. 1–14)

56. *Laertes*

i

Ὣς εἰπὼν δμώεσσιν ἀρήϊα τεύχε' ἔδωκεν.
οἱ μὲν ἔπειτα δόμονδε θοῶς κίον, αὐτὰρ Ὀδυσσεὺς
ἆσσον ἴεν πολυκάρπου ἀλωῆς πειρητίζων.
οὐδ' εὗρεν Δολίον, μέγαν ὄρχατον ἐσκαταβαίνων,
οὐδέ τινα δμώων οὐδ' υἱῶν· ἀλλ' ἄρα τοί γε
αἱμασιὰς λέξοντες ἀλωῆς ἔμμεναι ἕρκος
ᾤχοντ', αὐτὰρ ὁ τοῖσι γέρων ὁδὸν ἡγεμόνευε.
τὸν δ' οἶον πατέρ' εὗρεν ἐϋκτιμένῃ ἐν ἀλωῇ,
λιστρεύοντα φυτόν· ῥυπόωντα δὲ ἕστο χιτῶνα
ῥαπτὸν ἀεικέλιον, περὶ δὲ κνήμῃσι βοείας
κνημῖδας ῥαπτὰς δέδετο, γραπτῦς ἀλεείνων,
χειρῖδάς τ' ἐπὶ χερσὶ βάτων ἕνεκ'· αὐτὰρ ὕπερθεν
αἰγείην κυνέην κεφαλῇ ἔχε, πένθος ἀέξων.
τὸν δ' ὡς οὖν ἐνόησε πολύτλας δῖος Ὀδυσσεὺς
γήραϊ τειρόμενον, μέγα δὲ φρεσὶ πένθος ἔχοντα,
στὰς ἄρ' ὑπὸ βλωθρὴν ὄγχνην κατὰ δάκρυον εἶβε.

(XXIV. 219–34)

ii

Τὸν δ' αὖ Λαέρτης ἀπαμείβετο φώνησέν τε·
" εἰ μὲν δὴ 'Οδυσεύς γε ἐμὸς πάϊς ἐνθάδ' ἱκάνεις,
σῆμά τί μοι νῦν εἰπὲ ἀριφραδές, ὄφρα πεποίθω."
Τὸν δ' ἀπαμειβόμενος προσέφη πολύμητις 'Οδυσ-
σεύς·
" οὐλὴν μὲν πρῶτον τήνδε φράσαι ὀφθαλμοῖσι,
τὴν ἐν Παρνησῷ μ' ἔλασεν σῦς λευκῷ ὀδόντι
οἰχόμενον· σὺ δέ με προΐεις καὶ πότνια μήτηρ
ἐς πατέρ' Αὐτόλυκον μητρὸς φίλον, ὄφρ' ἂν ἑλοίμην
δῶρα, τὰ δεῦρο μολών μοι ὑπέσχετο καὶ κατένευσεν.
εἰ δ' ἄγε τοι καὶ δένδρε' ἐϋκτιμένην κατ' ἀλωὴν
εἴπω, ἅ μοί ποτ' ἔδωκας, ἐγὼ δ' ᾔτεόν σε ἕκαστα
παιδνὸς ἐών, κατὰ κῆπον ἐπισπόμενος· διὰ δ' αὐτῶν
ἱκνεύμεσθα, σὺ δ' ὠνόμασας καὶ ἔειπες ἕκαστα.
ὄγχνας μοι δῶκας τρισκαίδεκα καὶ δέκα μηλέας,
συκέας τεσσαράκοντ'· ὄρχους δέ μοι ὧδ' ὀνόμηνας
δώσειν πεντήκοντα, διατρύγιος δὲ ἕκαστος
ἤην· ἔνθα δ' ἀνὰ σταφυλαὶ παντοῖαι ἔασιν,
ὁππότε δὴ Διὸς ὧραι ἐπιβρίσειαν ὕπερθεν."
Ὣς φάτο, τοῦ δ' αὐτοῦ λύτο γούνατα καὶ φίλον
ἦτορ,
σήματ' ἀναγνόντος τά οἱ ἔμπεδα πέφραδ' 'Οδυσσεύς.
ἀμφὶ δὲ παιδὶ φίλῳ βάλε πήχεε· τὸν δὲ ποτὶ οἷ
εἷλεν ἀποψύχοντα πολύτλας δῖος 'Οδυσσεύς.

(XXIV. 327–48)

HESIOD

(Date unknown)

57. *Pandora*

Κρύψαντες γὰρ ἔχουσι θεοὶ βίον ἀνθρώποισιν·
ῥηιδίως γάρ κεν καὶ ἐπ' ἤματι ἐργάσσαιο,
ὥστε σε κεὶς ἐνιαυτὸν ἔχειν καὶ ἀεργὸν ἐόντα·
αἶψά κε πηδάλιον μὲν ὑπὲρ καπνοῦ καταθεῖο,
ἔργα βοῶν δ' ἀπόλοιτο καὶ ἡμιόνων ταλαεργῶν.
ἀλλὰ Ζεὺς ἔκρυψε χολωσάμενος φρεσὶν ᾗσιν,
ὅττι μιν ἐξαπάτησε Προμηθεὺς ἀγκυλομήτης·
τοὔνεκ' ἄρ' ἀνθρώποισιν ἐμήσατο κήδεα λυγρά.
κρύψε δὲ πῦρ· τὸ μὲν αὖτις ἐὺς πάϊς Ἰαπετοῖο
ἔκλεψ' ἀνθρώποισι Διὸς πάρα μητιόεντος
ἐν κοΐλῳ νάρθηκι λαθὼν Δία τερπικέραυνον.
τὸν δὲ χολωσάμενος προσέφη νεφεληγερέτα Ζεύς·
"Ἰαπετιονίδη, πάντων πέρι μήδεα εἰδώς,
χαίρεις πῦρ κλέψας καὶ ἐμὰς φρένας ἠπεροπεύσας,
σοί τ' αὐτῷ μέγα πῆμα καὶ ἀνδράσιν ἐσσομένοισιν.
τοῖς δ' ἐγὼ ἀντὶ πυρὸς δώσω κακόν, ᾧ κεν ἅπαντες
τέρπωνται κατὰ θυμὸν ἑὸν κακὸν ἀμφαγαπῶντες."
Ὣς ἔφατ'· ἐκ δ' ἐγέλασσε πατὴρ ἀνδρῶν τε θεῶν τε.
Ἥφαιστον δ' ἐκέλευσε περικλυτὸν ὅττι τάχιστα
γαῖαν ὕδει φύρειν, ἐν δ' ἀνθρώπου θέμεν αὐδὴν
καὶ σθένος, ἀθανάτῃς δὲ θεῇς εἰς ὦπα ἐίσκειν
παρθενικῆς καλὸν εἶδος ἐπήρατον· αὐτὰρ Ἀθήνην
ἔργα διδασκῆσαι, πολυδαίδαλον ἱστὸν ὑφαίνειν·
καὶ χάριν ἀμφιχέαι κεφαλῇ χρυσέην Ἀφροδίτην
καὶ πόθον ἀργαλέον καὶ γυιοκόρους μελεδῶνας·
ἐν δὲ θέμεν κύνεόν τε νόον καὶ ἐπίκλοπον ἦθος
Ἑρμείην ἤνωγε, διάκτορον Ἀργεϊφόντην.

Ὣς ἔφαθ'· οἱ δ' ἐπίθοντο Διὶ Κρονίωνι ἄνακτι.
αὐτίκα δ' ἐκ γαίης πλάσσεν κλυτὸς Ἀμφιγυήεις
παρθένῳ αἰδοίῃ ἴκελον Κρονίδεω διὰ βουλάς·
ζῶσε δὲ καὶ κόσμησε θεὰ γλαυκῶπις Ἀθήνη·
ἀμφὶ δέ οἱ Χάριτές τε θεαὶ καὶ πότνια Πειθὼ
ὅρμους χρυσείους ἔθεσαν χροΐ· ἀμφὶ δὲ τήν γε
Ὧραι καλλίκομοι στέφον ἄνθεσιν εἰαρινοῖσιν·
ἐν δ' ἄρα οἱ στήθεσσι διάκτορος Ἀργεϊφόντης
ψεύδεά θ' αἱμυλίους τε λόγους καὶ ἐπίκλοπον ἦθος
θῆκε θεῶν κῆρυξ, ὀνόμηνε δὲ τήνδε γυναῖκα
Πανδώρην, ὅτι πάντες Ὀλύμπια δώματ' ἔχοντες
δῶρον ἐδώρησαν, πῆμ' ἀνδράσιν ἀλφηστῇσιν.
Αὐτὰρ ἐπεὶ δόλον αἰπὺν ἀμήχανον ἐξετέλεσσεν,
εἰς Ἐπιμηθέα πέμπε πατὴρ κλυτὸν Ἀργεϊφόντην
δῶρον ἄγοντα, θεῶν ταχὺν ἄγγελον· οὐδ' Ἐπιμηθεὺς
ἐφράσαθ', ὥς οἱ ἔειπε Προμηθεὺς μή ποτε δῶρον
δέξασθαι πὰρ Ζηνὸς Ὀλυμπίου, ἀλλ' ἀποπέμπειν
ἐξοπίσω, μή πού τι κακὸν θνητοῖσι γένηται.
αὐτὰρ ὁ δεξάμενος, ὅτε δὴ κακὸν εἶχ', ἐνόησεν.
Πρὶν μὲν γὰρ ζώεσκον ἐπὶ χθονὶ φῦλ' ἀνθρώπων
νόσφιν ἄτερ τε κακῶν καὶ ἄτερ χαλεποῖο πόνοιο
νούσων τ' ἀργαλέων, αἵ τ' ἀνδράσι Κῆρας ἔδωκαν.
ἀλλὰ γυνὴ χείρεσσι πίθου μέγα πῶμ' ἀφελοῦσα
ἐσκέδασ'· ἀνθρώποισι δ' ἐμήσατο κήδεα λυγρά.
μούνη δ' αὐτόθι Ἐλπὶς ἐν ἀρρήκτοισι δόμοισιν
ἔνδον ἔμιμνε πίθου ὑπὸ χείλεσιν, οὐδὲ θύραζε
ἐξέπτη· πρόσθεν γὰρ ἐπέλλαβε πῶμα πίθοιο.
ἄλλα δὲ μυρία λυγρὰ κατ' ἀνθρώπους ἀλάληται·
πλείη μὲν γὰρ γαῖα κακῶν, πλείη δὲ θάλασσα·
νοῦσοι δ' ἀνθρώποισιν ἐφ' ἡμέρῃ, αἳ δ' ἐπὶ νυκτὶ

αὐτόματοι φοιτῶσι κακὰ θνητοῖσι φέρουσαι
σιγῇ, ἐπεὶ φωνὴν ἐξείλετο μητίετα Ζεύς.

(*Works and Days*, 42–104)

58. *The Five Ages*

Χρύσεον μὲν πρώτιστα γένος μερόπων ἀνθρώπων
ἀθάνατοι ποίησαν Ὀλύμπια δώματ' ἔχοντες.
οἳ μὲν ἐπὶ Κρόνου ἦσαν, ὅτ' οὐρανῷ ἐμβασίλευεν·
ὥστε θεοὶ δ' ἔζωον ἀκηδέα θυμὸν ἔχοντες
νόσφιν ἄτερ τε πόνων καὶ ὀιζύος· οὐδέ τι δειλὸν
γῆρας ἐπῆν, αἰεὶ δὲ πόδας καὶ χεῖρας ὁμοῖοι
τέρποντ' ἐν θαλίῃσι κακῶν ἔκτοσθεν ἁπάντων·
θνῆσκον δ' ὥσθ' ὕπνῳ δεδμημένοι· ἐσθλὰ δὲ πάντα
τοῖσιν ἔην· καρπὸν δ' ἔφερε ζείδωρος ἄρουρα
αὐτομάτη πολλόν τε καὶ ἄφθονον· οἳ δ' ἐθελημοὶ
ἥσυχοι ἔργ' ἐνέμοντο σὺν ἐσθλοῖσιν πολέεσσιν.
ἀφνειοὶ μήλοισι, φίλοι μακάρεσσι θεοῖσιν.

Αὐτὰρ ἐπεὶ δὴ τοῦτο γένος κατὰ γαῖ' ἐκάλυψε,—
τοὶ μὲν δαίμονες ἁγνοὶ ἐπιχθόνιοι καλέονται
ἐσθλοί, ἀλεξίκακοι, φύλακες θνητῶν ἀνθρώπων,
πλουτοδόται· καὶ τοῦτο γέρας βασιλήιον ἔσχον—,
δεύτερον αὖτε γένος πολὺ χειρότερον μετόπισθεν
ἀργύρεον ποίησαν Ὀλύμπια δώματ' ἔχοντες,
χρυσέῳ οὔτε φυὴν ἐναλίγκιον οὔτε νόημα.
ἀλλ' ἑκατὸν μὲν παῖς ἔτεα παρὰ μητέρι κεδνῇ
ἐτρέφετ' ἀτάλλων, μέγα νήπιος, ᾧ ἐνὶ οἴκῳ.
ἀλλ' ὅτ' ἄρ' ἡβήσαι τε καὶ ἥβης μέτρον ἵκοιτο,
παυρίδιον ζώεσκον ἐπὶ χρόνον, ἄλγε' ἔχοντες
ἀφραδίῃς· ὕβριν γὰρ ἀτάσθαλον οὐκ ἐδύναντο
ἀλλήλων ἀπέχειν, οὐδ' ἀθανάτους θεραπεύειν

ἤθελον οὐδ' ἔρδειν μακάρων ἱεροῖς ἐπὶ βωμοῖς,
ἣ θέμις ἀνθρώποις κατὰ ἤθεα. τοὺς μὲν ἔπειτα
Ζεὺς Κρονίδης ἔκρυψε χολούμενος, οὕνεκα τιμὰς
οὐκ ἔδιδον μακάρεσσι θεοῖς, οἳ Ὄλυμπον ἔχουσιν.
Αὐτὰρ ἐπεὶ καὶ τοῦτο γένος κατὰ γαῖ' ἐκάλυψε,—
τοὶ μὲν ὑποχθόνιοι μάκαρες θνητοῖς καλέονται,
δεύτεροι, ἀλλ' ἔμπης τιμὴ καὶ τοῖσιν ὀπηδεῖ—,
Ζεὺς δὲ πατὴρ τρίτον ἄλλο γένος μερόπων ἀνθρώπων
χάλκειον ποίησ', οὐκ ἀργυρέῳ οὐδὲν ὁμοῖον,
ἐκ μελιᾶν, δεινόν τε καὶ ὄβριμον· οἷσιν Ἄρηος
ἔργ' ἔμελεν στονόεντα καὶ ὕβριες· οὐδέ τι σῖτον
ἤσθιον, ἀλλ' ἀδάμαντος ἔχον κρατερόφρονα θυμόν,
ἄπλαστοι· μεγάλη δὲ βίη καὶ χεῖρες ἄαπτοι
ἐξ ὤμων ἐπέφυκον ἐπὶ στιβαροῖσι μέλεσσιν.
τῶν δ' ἦν χάλκεα μὲν τεύχεα, χάλκεοι δέ τε οἶκοι
χαλκῷ δ' εἰργάζοντο· μέλας δ' οὐκ ἔσκε σίδηρος.
καὶ τοὶ μὲν χείρεσσιν ὕπο σφετέρῃσι δαμέντες
βῆσαν ἐς εὐρώεντα δόμον κρυεροῦ Ἀίδαο
νώνυμνοι· θάνατος δὲ καὶ ἐκπάγλους περ ἐόντας
εἷλε μέλας, λαμπρὸν δ' ἔλιπον φάος ἠελίοιο.
Αὐτὰρ ἐπεὶ καὶ τοῦτο γένος κατὰ γαῖ' ἐκάλυψεν,
αὖτις ἔτ' ἄλλο τέταρτον ἐπὶ χθονὶ πουλυβοτείρῃ
Ζεὺς Κρονίδης ποίησε, δικαιότερον καὶ ἄρειον,
ἀνδρῶν ἡρώων θεῖον γένος, οἳ καλέονται
ἡμίθεοι, προτέρη γενεὴ κατ' ἀπείρονα γαῖαν.
καὶ τοὺς μὲν πόλεμός τε κακὸς καὶ φύλοπις αἰνή,
τοὺς μὲν ὑφ' ἑπταπύλῳ Θήβῃ, Καδμηίδι γαίῃ,
ὤλεσε μαρναμένους μήλων ἕνεκ' Οἰδιπόδαο,
τοὺς δὲ καὶ ἐν νήεσσιν ὑπὲρ μέγα λαῖτμα θαλάσσης
ἐς Τροίην ἀγαγὼν Ἑλένης ἕνεκ' ἠυκόμοιο.

ἔνθ' ἤτοι τοὺς μὲν θανάτου τέλος ἀμφεκάλυψε,
τοῖς δὲ δίχ' ἀνθρώπων βίοτον καὶ ἤθε' ὀπάσσας
Ζεὺς Κρονίδης κατένασσε πατὴρ ἐς πείρατα γαίης.
καὶ τοὶ μὲν ναίουσιν ἀκηδέα θυμὸν ἔχοντες
ἐν μακάρων νήσοισι παρ' Ὠκεανὸν βαθυδίνην,
ὄλβιοι ἥρωες, τοῖσιν μελιηδέα καρπὸν
τρὶς ἔτεος θάλλοντα φέρει ζείδωρος ἄρουρα.
τηλοῦ ἀπ' ἀθανάτων· τοῖσιν Κρόνος ἐμβασιλεύει.
Μηκέτ' ἔπειτ' ὤφελλον ἐγὼ πέμπτοισι μετεῖναι
ἀνδράσιν, ἀλλ' ἢ πρόσθε θανεῖν ἢ ἔπειτα γενέσθαι.
νῦν γὰρ δὴ γένος ἐστὶ σιδήρεον· οὐδέ ποτ' ἦμαρ
παύονται καμάτου καὶ ὀιζύος, οὐδέ τι νύκτωρ
φθειρόμενοι. χαλεπὰς δὲ θεοὶ δώσουσι μερίμνας.
ἀλλ' ἔμπης καὶ τοῖσι μεμείξεται ἐσθλὰ κακοῖσιν.
Ζεὺς δ' ὀλέσει καὶ τοῦτο γένος μερόπων ἀνθρώπων,
εὖτ' ἂν γεινόμενοι πολιοκρόταφοι τελέθωσιν.
οὐδὲ πατὴρ παίδεσσιν ὁμοίιος οὐδέ τι παῖδες,
οὐδὲ ξεῖνος ξεινοδόκῳ καὶ ἑταῖρος ἑταίρῳ,
οὐδὲ κασίγνητος φίλος ἔσσεται, ὡς τὸ πάρος περ.
αἶψα δὲ γηράσκοντας ἀτιμήσουσι τοκῆας·
μέμψονται δ' ἄρα τοὺς χαλεποῖς βάζοντες ἔπεσσι
σχέτλιοι οὐδὲ θεῶν ὄπιν εἰδότες· οὐδέ κεν οἵ γε
γηράντεσσι τοκεῦσιν ἀπὸ θρεπτήρια δοῖεν
χειροδίκαι· ἕτερος δ' ἑτέρου πόλιν ἐξαλαπάξει.
οὐδέ τις εὐόρκου χάρις ἔσσεται οὔτε δικαίου
οὔτ' ἀγαθοῦ, μᾶλλον δὲ κακῶν ῥεκτῆρα καὶ ὕβριν
ἀνέρες αἰνήσουσι· δίκη δ' ἐν χερσί, καὶ αἰδὼς
οὐκ ἔσται· βλάψει δ' ὁ κακὸς τὸν ἀρείονα φῶτα
μύθοισιν σκολιοῖς ἐνέπων, ἐπὶ δ' ὅρκον ὀμεῖται.
ζῆλος δ' ἀνθρώποισιν ὀιζυροῖσιν ἅπασι

δυσκέλαδος κακόχαρτος ὁμαρτήσει, στυγερώπης.
καὶ τότε δὴ πρὸς Ὄλυμπον ἀπὸ χθονὸς εὐρυοδείης
λευκοῖσιν φάρεσσι καλυψαμένα χρόα καλὸν
ἀθανάτων μετὰ φῦλον ἴτον προλιπόντ' ἀνθρώπους
Αἰδὼς καὶ Νέμεσις· τὰ δὲ λείψεται ἄλγεα λυγρὰ
θνητοῖς ἀνθρώποισι· κακοῦ δ' οὐκ ἔσσεται ἀλκή.

(*Works and Days*, 109–23, 126–201)

59. *Wholesome Strife*

Καὶ κεραμεὺς κεραμεῖ κοτέει καὶ τέκτονι τέκτων,
καὶ πτωχὸς πτωχῷ φθονέει καὶ ἀοιδὸς ἀοιδῷ.

(*Works and Days*, 25–6)

60. *Plain Living*

Νήπιοι, οὐδὲ ἴσασιν ὅσῳ πλέον ἥμισυ παντὸς
οὐδ' ὅσον ἐν μαλάχῃ τε καὶ ἀσφοδέλῳ μέγ' ὄνειαρ.

(*Works and Days*, 40–1)

61. *Might and Right*

i

Νῦν δ' αἶνον βασιλεῦσιν ἐρέω φρονέουσι καὶ αὐτοῖς·
ὧδ' ἴρηξ προσέειπεν ἀηδόνα ποικιλόδειρον
ὕψι μάλ' ἐν νεφέεσσι φέρων ὀνύχεσσι μεμαρπώς·
ἣ δ' ἐλεόν, γναμπτοῖσι πεπαρμένη ἀμφ' ὀνύχεσσι,
μύρετο· τὴν ὅγ' ἐπικρατέως πρὸς μῦθον ἔειπεν·
"Δαιμονίη, τί λέληκας; ἔχει νύ σε πολλὸν ἀρείων·
τῇ δ' εἶς, ᾗ σ' ἂν ἐγώ περ ἄγω καὶ ἀοιδὸν ἐοῦσαν·
δεῖπνον δ', αἴ κ' ἐθέλω, ποιήσομαι ἠὲ μεθήσω.
ἄφρων δ', ὅς κ' ἐθέλῃ πρὸς κρείσσονας ἀντιφερίζειν·

νίκης τε στέρεται πρός τ' αἴσχεσιν ἄλγεα πάσχει."
Ὣς ἔφατ' ὠκυπέτης ἴρηξ, τανυσίπτερος ὄρνις.

(*Works and Days*, 202–12)

ii

Ὦ βασιλῆς, ὑμεῖς δὲ καταφράζεσθε καὶ αὐτοὶ
τήνδε δίκην· ἐγγὺς γὰρ ἐν ἀνθρώποισιν ἐόντες
ἀθάνατοι φράζονται, ὅσοι σκολιῇσι δίκῃσιν
ἀλλήλους τρίβουσι θεῶν ὄπιν οὐκ ἀλέγοντες.
τρὶς γὰρ μύριοί εἰσιν ἐπὶ χθονὶ πουλυβοτείρῃ
ἀθάνατοι Ζηνὸς φύλακες θνητῶν ἀνθρώπων·
οἵ ῥα φυλάσσουσίν τε δίκας καὶ σχέτλια ἔργα
ἠέρα ἑσσάμενοι, πάντῃ φοιτῶντες ἐπ' αἶαν.

(*Works and Days*, 248–55)

iii

Οἷ γ' αὐτῷ κακὰ τεύχει ἀνὴρ ἄλλῳ κακὰ τεύχων,
ἡ δὲ κακὴ βουλὴ τῷ βουλεύσαντι κακίστη.

(*Works and Days*, 265–6)

62. *Shame*

Αἰδὼς δ' οὐκ ἀγαθὴ κεχρημένον ἄνδρα κομίζει,
αἰδώς, ἥ τ' ἄνδρας μέγα σίνεται ἠδ' ὀνίνησιν.

(*Works and Days*, 317–18)

63. *Neighbours and Kinsfolk*

Τὸν φιλέοντ' ἐπὶ δαῖτα καλεῖν, τὸν δ' ἐχθρὸν ἐᾶσαι·
τὸν δὲ μάλιστα καλεῖν, ὅς τις σέθεν ἐγγύθι ναίει·
εἰ γάρ τοι καὶ χρῆμ' ἐγχώριον ἄλλο γένηται,
γείτονες ἄζωστοι ἔκιον, ζώσαντο δὲ πηοί.

(*Works and Days*, 342–5)

64. *Giving and Taking*

Τὸν φιλέοντα φιλεῖν, καὶ τῷ προσιόντι προσεῖναι.
καὶ δόμεν, ὅς κεν δῷ, καὶ μὴ δόμεν, ὅς κεν μὴ δῷ.
δώτῃ μέν τις ἔδωκεν, ἀδώτῃ δ' οὔτις ἔδωκεν.
δὼς ἀγαθή, ἅρπαξ δὲ κακή, θανάτοιο δότειρα.

(*Works and Days*, 353–6)

65. *Spending and Sparing*

Ἀρχομένου δὲ πίθου καὶ λήγοντος κορέσασθαι,
μεσσόθι φείδεσθαι· δειλὴ δ' ἐνὶ πυθμένι φειδώ.

(*Works and Days*, 368–9)

66. *Marriage*

Ὡραῖος δὲ γυναῖκα τεὸν ποτὶ οἶκον ἄγεσθαι,
μήτε τριηκόντων ἐτέων μάλα πόλλ' ἀπολείπων
μήτ' ἐπιθεὶς μάλα πολλά· γάμος δέ τοι ὥριος οὗτος·
ἡ δὲ γυνὴ τέτορ' ἡβώοι, πέμπτῳ δὲ γαμοῖτο.
παρθενικὴν δὲ γαμεῖν, ὥς κ' ἤθεα κεδνὰ διδάξῃς.
τὴν δὲ μάλιστα γαμεῖν, ἥ τις σέθεν ἐγγύθι ναίει,
πάντα μάλ' ἀμφιιδών, μὴ γείτοσι χάρματα γήμῃς.
οὐ μὲν γάρ τι γυναικὸς ἀνὴρ ληίζετ' ἄμεινον
τῆς ἀγαθῆς, τῆς δ' αὖτε κακῆς οὐ ῥίγιον ἄλλο,
δειπνολόχης· ἥτ' ἄνδρα καὶ ἴφθιμόν περ ἐόντα
εὕει ἄτερ δαλοῖο καὶ ὠμῷ γήραϊ δῶκεν.

(*Works and Days*, 695–705)

67. *The Farmer's Year*

i. *The Sign of the Pleiades*

Πληιάδων Ἀτλαγενέων ἐπιτελλομενάων
ἄρχεσθ' ἀμήτου, ἀρότοιο δὲ δυσομενάων.

αἳ δή τοι νύκτας τε καὶ ἤματα τεσσαράκοντα
κεκρύφαται, αὖτις δὲ περιπλομένου ἐνιαυτοῦ
φαίνονται τὰ πρῶτα χαρασσομένοιο σιδήρου.
οὗτός τοι πεδίων πέλεται νόμος, οἵ τε θαλάσσης
ἐγγύθι ναιετάουσ', οἵ τ' ἄγκεα βησσήεντα,
πόντου κυμαίνοντος ἀπόπροθι, πίονα χῶρον
ναίουσιν· γυμνὸν σπείρειν, γυμνὸν δὲ βοωτεῖν,
γυμνὸν δ' ἀμάειν, εἴ χ' ὥρια πάντ' ἐθέλῃσθα
ἔργα κομίζεσθαι Δημήτερος· ὥς τοι ἕκαστα
ὥρι' ἀέξηται, μή πως τὰ μέταζε χατίζων
πτώσσῃς ἀλλοτρίους οἴκους καὶ μηδὲν ἀνύσσῃς.

(*Works and Days*, 383–95)

ii. *When the Crane Flies South*

Φράζεσθαι δ', εὖτ' ἂν γεράνου φωνὴν ἐπακούσῃς
ὑψόθεν ἐκ νεφέων ἐνιαύσια κεκληγυίης·
ἥτ' ἀρότοιό τε σῆμα φέρει καὶ χείματος ὥρην
δεικνύει ὀμβρηροῦ· κραδίην δ' ἔδακ' ἀνδρὸς ἀβούτεω·
δὴ τότε χορτάζειν ἕλικας βόας ἔνδον ἐόντας·
ῥηίδιον γὰρ ἔπος εἰπεῖν· βόε δὸς καὶ ἄμαξαν·
ῥηίδιον δ' ἀπανήνασθαι· πάρα ἔργα βόεσσιν.
φησὶ δ' ἀνὴρ φρένας ἀφνειὸς πήξασθαι ἄμαξαν,
νήπιος, οὐδὲ τὸ οἶδ'· ἑκατὸν δέ τε δούρατ' ἀμάξης,
τῶν πρόσθεν μελέτην ἐχέμεν οἰκήια θέσθαι.
Εὖτ' ἂν δὲ πρώτιστ' ἄροτος θνητοῖσι φανείῃ,
δὴ τότ' ἐφορμηθῆναι ὁμῶς δμῶές τε καὶ αὐτὸς
αὔην καὶ διερὴν ἀρόων ἀρότοιο καθ' ὥρην,
πρωὶ μάλα σπεύδων, ἵνα τοι πλήθωσιν ἄρουραι.
ἦρι πολεῖν· θέρεος δὲ νεωμένη οὔ σ' ἀπατήσει.
νειὸν δὲ σπείρειν ἔτι κουφίζουσαν ἄρουραν·

νειὸς ἀλεξιάρη παίδων εὐκηλήτειρα.
Εὔχεσθαι δὲ Διὶ χθονίῳ Δημήτερί θ' ἁγνῇ,
ἐκτελέα βρίθειν Δημήτερος ἱερὸν ἀκτήν,
ἀρχόμενος τὰ πρῶτ' ἀρότου, ὅτ' ἂν ἄκρον ἐχέτλης
χειρὶ λαβὼν ὅρπηκα βοῶν ἐπὶ νῶτον ἵκηαι
ἔνδρυον ἑλκόντων μεσάβων. ὁ δὲ τυτθὸς ὄπισθε
δμῷος ἔχων μακέλην πόνον ὀρνίθεσσι τιθείη
σπέρμα κατακρύπτων· εὐθημοσύνη γὰρ ἀρίστη
θνητοῖς ἀνθρώποις, κακοθημοσύνη δὲ κακίστη.
ὧδέ κεν ἁδροσύνῃ στάχυες νεύοιεν ἔραζε,
εἰ τέλος αὐτὸς ὄπισθεν Ὀλύμπιος ἐσθλὸν ὀπάζοι,
ἐκ δ' ἀγγέων ἐλάσειας ἀράχνια· καί σε ἔολπα
γηθήσειν βιότου αἱρεύμενον ἔνδον ἐόντος.
εὐοχθέων δ' ἵξεαι πολιὸν ἔαρ, οὐδὲ πρὸς ἄλλους
αὐγάσεαι· σέο δ' ἄλλος ἀνὴρ κεχρημένος ἔσται.
Εἰ δέ κεν ἠελίοιο τροπῇς ἀρόῳς χθόνα δῖαν,
ἥμενος ἀμήσεις ὀλίγον περὶ χειρὸς ἐέργων,
ἀντία δεσμεύων κεκονιμένος, οὐ μάλα χαίρων,
οἴσεις δ' ἐν φορμῷ· παῦροι δέ σε θηήσονται.
ἄλλοτε δ' ἀλλοῖος Ζηνὸς νόος αἰγιόχοιο,
ἀργαλέος δ' ἄνδρεσσι καταθνητοῖσι νοῆσαι.
εἰ δέ κεν ὄψ' ἀρόσῃς, τόδε κέν τοι φάρμακον εἴη·
ἦμος κόκκυξ κοκκύζει δρυὸς ἐν πετάλοισι
τὸ πρῶτον, τέρπει δὲ βροτοὺς ἐπ' ἀπείρονα γαῖαν,
τῆμος Ζεὺς ὕοι τρίτῳ ἤματι μηδ' ἀπολήγοι,
μήτ' ἄρ' ὑπερβάλλων βοὸς ὁπλὴν μήτ' ἀπολείπων·
οὕτω κ' ὀψαρότης πρῳηρότῃ ἰσοφαρίζοι.
ἐν θυμῷ δ' εὖ πάντα φυλάσσεο· μηδέ σε λήθοι
μήτ' ἔαρ γιγνόμενον πολιὸν μήθ' ὥριος ὄμβρος.

(*Works and Days*, 448–92)

iii. *Winter*

Μῆνα δὲ Ληναιῶνα, κάκ' ἤματα, βουδόρα πάντα,
τοῦτον ἀλεύασθαι, καὶ πηγάδας, αἵτ' ἐπὶ γαῖαν
πνεύσαντος Βορέαο δυσηλεγέες τελέθουσιν,
ὅστε διὰ Θρῄκης ἱπποτρόφου εὐρέι πόντῳ
ἐμπνεύσας ὤρινε· μέμυκε δὲ γαῖα καὶ ὕλη·
πολλὰς δὲ δρῦς ὑψικόμους ἐλάτας τε παχείας
οὔρεος ἐν βήσσῃς πιλνᾷ χθονὶ πουλυβοτείρῃ
ἐμπίπτων, καὶ πᾶσα βοᾷ τότε νήριτος ὕλη.
θῆρες δὲ φρίσσουσ', οὐρὰς δ' ὑπὸ μέζε' ἔθεντο,
τῶν καὶ λάχνῃ δέρμα κατάσκιον· ἀλλά νυ καὶ τῶν
ψυχρὸς ἐὼν διάησι δασυστέρνων περ ἐόντων.
καί τε διὰ ῥινοῦ βοὸς ἔρχεται, οὐδέ μιν ἴσχει·
καί τε δι' αἶγα ἄησι τανύτριχα· πώεα δ' οὔ τι,
οὕνεκ' ἐπηεταναὶ τρίχες αὐτῶν, οὐ διάησιν
ἲς ἀνέμου Βορέου· τροχαλὸν δὲ γέροντα τίθησιν.
καὶ διὰ παρθενικῆς ἁπαλόχροος οὐ διάησιν,
ἥτε δόμων ἔντοσθε φίλῃ παρὰ μητέρι μίμνει
οὔ πω ἔργα ἰδυῖα πολυχρύσου Ἀφροδίτης·
εὖ τε λοεσσαμένη τέρενα χρόα καὶ λίπ' ἐλαίῳ
χρισαμένη μυχίη καταλέξεται ἔνδοθι οἴκου
ἤματι χειμερίῳ, ὅτ' ἀνόστεος ὃν πόδα τένδει
ἔν τ' ἀπύρῳ οἴκῳ καὶ ἤθεσι λευγαλέοισιν.
οὐδέ οἱ ἠέλιος δείκνυ νομὸν ὁρμηθῆναι·
ἀλλ' ἐπὶ κυανέων ἀνδρῶν δῆμόν τε πόλιν τε
στρωφᾶται, βράδιον δὲ Πανελλήνεσσι φαείνει.
καὶ τότε δὴ κεραοὶ καὶ νήκεροι ὑληκοῖται
λυγρὸν μυλιόωντες ἀνὰ δρία βησσήεντα
φεύγουσιν· καὶ πᾶσιν ἐνὶ φρεσὶ τοῦτο μέμηλεν,
ὡς σκέπα μαιόμενοι πυκινοὺς κευθμῶνας ἔχωσι

καὶ γλάφυ πετρῆεν· τότε δὴ τρίποδι βροτῷ ἶσοι,
οὗ τ' ἐπὶ νῶτα ἔαγε, κάρη δ' εἰς οὖδας ὁρᾶται,
τῷ ἴκελοι φοιτῶσιν, ἀλευόμενοι νίφα λευκήν.
Καὶ τότε ἕσσασθαι ἔρυμα χροός, ὥς σε κελεύω,
χλαῖνάν τε μαλακὴν καὶ τερμιόεντα χιτῶνα·
στήμονι δ' ἐν παύρῳ πολλὴν κρόκα μηρύσασθαι·
τὴν περιέσσασθαι, ἵνα τοι τρίχες ἀτρεμέωσι,
μηδ' ὀρθαὶ φρίσσωσιν ἀειρόμεναι κατὰ σῶμα.
ἀμφὶ δὲ ποσσὶ πέδιλα βοὸς ἶφι κταμένοιο
ἄρμενα δήσασθαι, πίλοις ἔντοσθε πυκάσσας.
πρωτογόνων δ' ἐρίφων, ὁπότ' ἂν κρύος ὥριον ἔλθῃ,
δέρματα συρράπτειν νεύρῳ βοός, ὄφρ' ἐπὶ νώτῳ
ὑετοῦ ἀμφιβάλῃ ἀλέην· κεφαλῆφι δ' ὕπερθεν
πῖλον ἔχειν ἀσκητόν, ἵν' οὔατα μὴ καταδεύῃ·
ψυχρὴ γάρ τ' ἠὼς πέλεται Βορέαο πεσόντος,
ἠῷος δ' ἐπὶ γαῖαν ἀπ' οὐρανοῦ ἀστερόεντος
ἀὴρ πυροφόρος τέταται μακάρων ἐπὶ ἔργοις·
ὅστε ἀρυσσάμενος ποταμῶν ἄπο αἰεναόντων,
ὑψοῦ ὑπὲρ γαίης ἀρθεὶς ἀνέμοιο θυέλλῃ
ἄλλοτε μέν θ' ὕει ποτὶ ἕσπερον, ἄλλοτ' ἄησι
πυκνὰ Θρηικίου Βορέου νέφεα κλονέοντος.

(*Works and Days*, 504–53)

iv. *When the Snail Climbs*

'Αλλ' ὁπότ' ἂν φερέοικος ἀπὸ χθονὸς ἂμ φυτὰ βαίνῃ
Πληιάδας φεύγων, τότε δὴ σκάφος οὐκέτι οἰνέων·
ἀλλ' ἅρπας τε χαρασσέμεναι καὶ δμῶας ἐγείρειν·
φεύγειν δὲ σκιεροὺς θώκους καὶ ἐπ' ἠόα κοῖτον
ὥρῃ ἐν ἀμήτου, ὅτε τ' ἠέλιος χρόα κάρφει.
τημοῦτος σπεύδειν καὶ οἴκαδε καρπὸν ἀγινεῖν

ὄρθρου ἀνιστάμενος, ἵνα τοι βίος ἄρκιος εἴη.
ἠὼς γὰρ ἔργοιο τρίτην ἀπομείρεται αἶσαν,
ἠώς τοι προφέρει μὲν ὁδοῦ, προφέρει δὲ καὶ ἔργου,
ἠώς, ἥτε φανεῖσα πολέας ἐπέβησε κελεύθου
ἀνθρώπους πολλοῖσί τ' ἐπὶ ζυγὰ βουσὶ τίθησιν.

(*Works and Days*, 571–81)

v. *Cicada Days*

Ἦμος δὲ σκόλυμός τ' ἀνθεῖ καὶ ἠχέτα τέττιξ
δενδρέῳ ἐφεζόμενος λιγυρὴν καταχεύετ' ἀοιδὴν
πυκνὸν ὑπὸ πτερύγων, θέρεος καματώδεος ὥρῃ,
τῆμος πιόταταί τ' αἶγες καὶ οἶνος ἄριστος,
μαχλόταται δὲ γυναῖκες, ἀφαυρότατοι δέ τοι ἄνδρες
εἰσίν, ἐπεὶ κεφαλὴν καὶ γούνατα Σείριος ἄζει,
αὐαλέος δέ τε χρὼς ὑπὸ καύματος· ἀλλὰ τότ' ἤδη
εἴη πετραίη τε σκιὴ καὶ βίβλινος οἶνος,
μάζα τ' ἀμολγαίη γάλα τ' αἰγῶν σβεννυμενάων,
καὶ βοὸς ὑλοφάγοιο κρέας μή πω τετοκυίης
πρωτογόνων τ' ἐρίφων· ἐπὶ δ' αἴθοπα πινέμεν οἶνον,
ἐν σκιῇ ἑζόμενον, κεκορημένον ἦτορ ἐδωδῆς,
ἀντίον ἀκραέος Ζεφύρου τρέψαντα πρόσωπα,
κρήνης τ' αἰενάου καὶ ἀπορρύτου, ἥτ' ἀθόλωτος,
τρὶς ὕδατος προχέειν, τὸ δὲ τέτρατον ἱέμεν οἴνου.

(*Works and Days*, 582–96)

vi. *Sailing Weather*

Ἤματα πεντήκοντα μετὰ τροπὰς ἠελίοιο,
ἐς τέλος ἐλθόντος θέρεος καματώδεος ὥρης,
ὡραῖος πέλεται θνητοῖς πλόος· οὔτε κε νῆα

καυάξαις οὔτ' ἄνδρας ἀποφθείσειε θάλασσα,
εἰ δὴ μὴ πρόφρων γε Ποσειδάων ἐνοσίχθων
ἢ Ζεὺς ἀθανάτων βασιλεὺς ἐθέλῃσιν ὀλέσσαι·
ἐν τοῖς γὰρ τέλος ἐστὶν ὁμῶς ἀγαθῶν τε κακῶν τε.
τῆμος δ' εὐκρινέες τ' αὖραι καὶ πόντος ἀπήμων·
εὔκηλος τότε νῆα θοὴν ἀνέμοισι πιθήσας
ἑλκέμεν ἐς πόντον φόρτον τ' ἐς πάντα τίθεσθαι,
σπεύδειν δ' ὅττι τάχιστα πάλιν οἶκόνδε νέεσθαι·
μηδὲ μένειν οἶνόν τε νέον καὶ ὀπωρινὸν ὄμβρον
καὶ χειμῶν' ἐπιόντα Νότοιό τε δεινὰς ἀήτας,
ὅστ' ὤρινε θάλασσαν ὁμαρτήσας Διὸς ὄμβρῳ
πολλῷ ὀπωρινῷ, χαλεπὸν δέ τε πόντον ἔθηκεν.
    Ἄλλος δ' εἰαρινὸς πέλεται πλόος ἀνθρώποισιν·
ἦμος δὴ τὸ πρῶτον, ὅσον τ' ἐπιβᾶσα κορώνη
ἴχνος ἐποίησεν, τόσσον πέταλ' ἀνδρὶ φανείῃ
ἐν κράδῃ ἀκροτάτῃ, τότε δ' ἄμβατός ἐστι θάλασσα·
εἰαρινὸς δ' οὗτος πέλεται πλόος. οὔ μιν ἔγωγε
αἴνημ'· οὐ γὰρ ἐμῷ θυμῷ κεχαρισμένος ἐστίν·
ἁρπακτός· χαλεπῶς κε φύγοις κακόν· ἀλλά νυ καὶ τὰ
ἄνθρωποι ῥέζουσιν ἀιδρείῃσι νόοιο·
χρήματα γὰρ ψυχὴ πέλεται δειλοῖσι βροτοῖσιν.
δεινὸν δ' ἐστὶ θανεῖν μετὰ κύμασιν. ἀλλά σ' ἄνωγα
φράζεσθαι τάδε πάντα μετὰ φρεσίν, ὡς ἀγορεύω.
μηδ' ἐν νηυσὶν ἅπαντα βίον κοίλῃσι τίθεσθαι·
ἀλλὰ πλέω λείπειν, τὰ δὲ μείονα φορτίζεσθαι.
δεινὸν γὰρ πόντου μετὰ κύμασι πήματι κύρσαι.
δεινὸν δ', εἴ κ' ἐπ' ἄμαξαν ὑπέρβιον ἄχθος ἀείρας
ἄξονα καυάξαις καὶ φορτία μαυρωθείη.
μέτρα φυλάσσεσθαι· καιρὸς δ' ἐπὶ πᾶσιν ἄριστος.

(*Works and Days*, 663–94)

68. *Good Days and Bad*

i

Ἤματα δ' ἐκ Διόθεν πεφυλαγμένος εὖ κατὰ μοῖραν
πεφραδέμεν δμώεσσι· τριηκάδα μηνὸς ἀρίστην
ἔργα τ' ἐποπτεύειν ἠδ' ἁρμαλιὴν δατέασθαι.
Αἵδε γὰρ ἡμέραι εἰσὶ Διὸς πάρα μητιόεντος,
εὖτ' ἂν ἀληθείην λαοὶ κρίνοντες ἄγωσιν.
Πρῶτον ἔνη τετράς τε καὶ ἑβδόμη ἱερὸν ἦμαρ·
τῇ γὰρ Ἀπόλλωνα χρυσάορα γείνατο Λητώ·
ὀγδοάτη δ' ἐνάτη τε, δύω γε μὲν ἤματα μηνὸς
ἔξοχ' ἀεξομένοιο βροτήσια ἔργα πένεσθαι·
ἑνδεκάτη δὲ δυωδεκάτη τ', ἄμφω γε μὲν ἐσθλαί,
ἡμὲν ὄις πείκειν ἠδ' εὔφρονα καρπὸν ἀμᾶσθαι·
ἡ δὲ δυωδεκάτη τῆς ἑνδεκάτης μέγ' ἀμείνων·
τῇ γάρ τοι νῇ νήματ' ἀερσιπότητος ἀράχνης
ἤματος ἐκ πλείου, ὅτε ἴδρις σωρὸν ἀμᾶται·
τῇ δ' ἱστὸν στήσαιτο γυνὴ προβάλοιτό τε ἔργον.

(*Works and Days*, 765–79)

ii

Αἵδε μὲν ἡμέραι εἰσὶν ἐπιχθονίοις μέγ' ὄνειαρ,
αἱ δ' ἄλλαι μετάδουποι, ἀκήριοι, οὔ τι φέρουσαι.
ἄλλος δ' ἀλλοίην αἰνεῖ, παῦροι δὲ ἴσασιν.
ἄλλοτε μητρυιὴ πέλει ἡμέρη, ἄλλοτε μήτηρ.
τάων εὐδαίμων τε καὶ ὄλβιος, ὃς τάδε πάντα
εἰδὼς ἐργάζηται ἀναίτιος ἀθανάτοισιν,
ὄρνιθας κρίνων καὶ ὑπερβασίας ἀλεείνων.

(*Works and Days*, 822–8)

69. *Length of Life*

Ἐννέα τοι ζώει γενεὰς λακέρυζα κορώνη
ἀνδρῶν γηράντων· ἔλαφος δέ τε τετρακόρωνος·
τρεῖς δ' ἐλάφους ὁ κόραξ γηράσκεται· αὐτὰρ ὁ φοῖνιξ
ἐννέα μὲν κόρακας, δέκα φοίνικας δέ τοι ἡμεῖς
Νύμφαι εὐπλόκαμοι, κοῦραι Διὸς αἰγιόχοιο.

(*Precepts of Chiron*)

70. *The Muses' Gift*

i

Μουσάων Ἑλικωνιάδων ἀρχώμεθ' ἀείδειν,
αἵθ' Ἑλικῶνος ἔχουσιν ὄρος μέγα τε ζάθεόν τε
καί τε περὶ κρήνην ἰοειδέα πόσσ' ἁπαλοῖσιν
ὀρχεῦνται καὶ βωμὸν ἐρισθενέος Κρονίωνος.
αἵ νύ ποθ' Ἡσίοδον καλὴν ἐδίδαξαν ἀοιδήν,
ἄρνας ποιμαίνονθ' Ἑλικῶνος ὕπο ζαθέοιο.
τόνδε δέ με πρώτιστα θεαὶ πρὸς μῦθον ἔειπον,
Μοῦσαι Ὀλυμπιάδες, κοῦραι Διὸς αἰγιόχοιο·
"Ποιμένες ἄγραυλοι, κάκ' ἐλέγχεα, γαστέρες οἶον,
ἴδμεν ψεύδεα πολλὰ λέγειν ἐτύμοισιν ὁμοῖα,
ἴδμεν δ', εὖτ' ἐθέλωμεν, ἀληθέα γηρύσασθαι."
Ὣς ἔφασαν κοῦραι μεγάλου Διὸς ἀρτιέπειαι·
καί μοι σκῆπτρον ἔδον δάφνης ἐριθηλέος ὄζον
δρέψασαι, θηητόν· ἐνέπνευσαν δέ μοι αὐδὴν
θέσπιν, ἵνα κλείοιμι τά τ' ἐσσόμενα πρό τ' ἐόντα.
καί μ' ἐκέλονθ' ὑμνεῖν μακάρων γένος αἰὲν ἐόντων,
σφᾶς δ' αὐτὰς πρῶτόν τε καὶ ὕστατον αἰὲν ἀείδειν.
ἀλλὰ τί ἦ μοι ταῦτα περὶ δρῦν ἢ περὶ πέτρην;

(*Theogony*, 1–4, 22–35)

ii

Ὅν τινα τιμήσωσι Διὸς κοῦραι μεγάλοιο
γεινόμενόν τε ἴδωσι διοτρεφέων βασιλήων,
τῷ μὲν ἐπὶ γλώσσῃ γλυκερὴν χείουσιν ἐέρσην,
τοῦ δ' ἔπε' ἐκ στόματος ῥεῖ μείλιχα· οἱ δέ τε λαοὶ
πάντες ἐς αὐτὸν ὁρῶσι διακρίνοντα θέμιστας
ἰθείῃσι δίκῃσιν· ὁ δ' ἀσφαλέως ἀγορεύων
αἶψά κε καὶ μέγα νεῖκος ἐπισταμένως κατέπαυσεν·
τοὔνεκα γὰρ βασιλῆες ἐχέφρονες, οὕνεκα λαοῖς
βλαπτομένοις ἀγορῆφι μετάτροπα ἔργα τελεῦσι
ῥηιδίως, μαλακοῖσι παραιφάμενοι ἐπέεσσιν.
ἐρχόμενον δ' ἀν' ἀγῶνα θεὸν ὣς ἱλάσκονται
αἰδοῖ μειλιχίῃ, μετὰ δὲ πρέπει ἀγρομένοισιν·
τοίη Μουσάων ἱερὴ δόσις ἀνθρώποισιν.
ἐκ γάρ τοι Μουσέων καὶ ἑκηβόλου Ἀπόλλωνος
ἄνδρες ἀοιδοὶ ἔασιν ἐπὶ χθόνα καὶ κιθαρισταί,
ἐκ δὲ Διὸς βασιλῆες· ὁ δ' ὄλβιος, ὅν τινα Μοῦσαι
φίλωνται· γλυκερή οἱ ἀπὸ στόματος ῥέει αὐδή.
εἰ γάρ τις καὶ πένθος ἔχων νεοκηδέι θυμῷ
ἄζηται κραδίην ἀκαχήμενος, αὐτὰρ ἀοιδὸς
Μουσάων θεράπων κλέεα προτέρων ἀνθρώπων
ὑμνήσῃ μάκαράς τε θεούς, οἳ Ὄλυμπον ἔχουσιν,
αἶψ' ὅ γε δυσφροσυνέων ἐπιλήθεται οὐδέ τι κηδέων
μέμνηται· ταχέως δὲ παρέτραπε δῶρα θεάων.

(*Theogony*, 81–103)

71. *Zeus and the Titans*

Οὐδ' ἄρ' ἔτι Ζεὺς ἴσχεν ἑὸν μένος, ἀλλά νυ τοῦ γε
εἶθαρ μὲν μένεος πλῆντο φρένες, ἐκ δέ τε πᾶσαν
φαῖνε βίην· ἄμυδις δ' ἄρ' ἀπ' οὐρανοῦ ἠδ' ἀπ' Ὀλύμπου

ἀστράπτων ἔστειχε συνωχαδόν· οἱ δὲ κεραυνοὶ
ἴκταρ ἅμα βροντῇ τε καὶ ἀστεροπῇ ποτέοντο
χειρὸς ἄπο στιβαρῆς, ἱερὴν φλόγα εἰλυφόωντες
ταρφέες· ἀμφὶ δὲ γαῖα φερέσβιος ἐσμαράγιζε
καιομένη, λάκε δ᾽ ἀμφὶ πυρὶ μεγάλ᾽ ἄσπετος ὕλη.
ἔζεε δὲ χθὼν πᾶσα καὶ Ὠκεανοῖο ῥέεθρα
πόντος τ᾽ ἀτρύγετος· τοὺς δ᾽ ἄμφεπε θερμὸς ἀυτμὴ
Τιτῆνας χθονίους, φλὸξ δ᾽ αἰθέρα δῖαν ἵκανεν
ἄσπετος, ὄσσε δ᾽ ἄμερδε καὶ ἰφθίμων περ ἐόντων
αὐγὴ μαρμαίρουσα κεραυνοῦ τε στεροπῆς τε.
καῦμα δὲ θεσπέσιον κάτεχεν Χάος· εἴσατο δ᾽ ἄντα
ὀφθαλμοῖσιν ἰδεῖν ἠδ᾽ οὔασι ὄσσαν ἀκοῦσαι
αὔτως, ὡς εἰ Γαῖα καὶ Οὐρανὸς εὐρὺς ὕπερθε
πίλνατο· τοῖος γάρ κε μέγας ὑπὸ δοῦπος ὀρώρει
τῆς μὲν ἐρειπομένης, τοῦ δ᾽ ὑψόθεν ἐξεριπόντος·
τόσσος δοῦπος ἔγεντο θεῶν ἔριδι ξυνιόντων.
σὺν δ᾽ ἄνεμοι ἔνοσίν τε κονίην τ᾽ ἐσφαράγιζον
βροντήν τε στεροπήν τε καὶ αἰθαλόεντα κεραυνόν,
κῆλα Διὸς μεγάλοιο, φέρον δ᾽ ἰαχήν τ᾽ ἐνοπήν τε
ἐς μέσον ἀμφοτέρων· ὄτοβος δ᾽ ἄπλητος ὀρώρει
σμερδαλέης ἔριδος, κάρτος δ᾽ ἀνεφαίνετο ἔργων.
ἐκλίνθη δὲ μάχη· πρὶν δ᾽ ἀλλήλοις ἐπέχοντες
ἐμμενέως ἐμάχοντο διὰ κρατερὰς ὑσμίνας.

Οἱ δ᾽ ἄρ᾽ ἐνὶ πρώτοισι μάχην δριμεῖαν ἔγειραν
Κόττος τε Βριάρεώς τε Γύης τ᾽ ἄατος πολέμοιο,
οἵ ῥα τριηκοσίας πέτρας στιβαρῶν ἀπὸ χειρῶν
πέμπον ἐπασσυτέρας, κατὰ δ᾽ ἐσκίασαν βελέεσσι
Τιτῆνας, καὶ τοὺς μὲν ὑπὸ χθονὸς εὐρυοδείης
πέμψαν καὶ δεσμοῖσιν ἐν ἀργαλέοισιν ἔδησαν
χερσὶν νικήσαντες ὑπερθύμους περ ἐόντας.

(*Theogony*, 687–719)

72. *Combat of Heracles and Cycnus*

Δὴ τότ᾽ ἀπ᾽ εὐπλεκέων δίφρων θόρον αἶψ᾽ ἐπὶ γαῖαν
παῖς τε Διὸς μεγάλου καὶ Ἐνυαλίοιο ἄνακτος.
Οἷος δ᾽ ἐν βήσσῃς ὄρεος χαλεπὸς προϊδέσθαι
κάπρος χαυλιόδων φρονέει θυμῷ μαχέσασθαι
ἀνδράσι θηρευτῇς, θήγει δέ τε λευκὸν ὀδόντα
δοχμωθείς, ἀφρὸς δὲ περὶ στόμα μαστιχόωντι
λείβεται, ὄσσε δέ οἱ πυρὶ λαμπετόωντι ἔικτον,
ὀρθὰς δ᾽ ἐν λοφιῇ φρίσσει τρίχας ἀμφί τε δειρήν·
τῷ ἴκελος Διὸς υἱὸς ἀφ᾽ ἱππείου θόρε δίφρου.
ἦμος δὲ χλοερῷ κυανόπτερος ἠχέτα τέττιξ
ὄζῳ ἐφεζόμενος θέρος ἀνθρώποισιν ἀείδειν
ἄρχεται, ᾧ τε πόσις καὶ βρῶσις θῆλυς ἐέρση,
καί τε πανημέριός τε καὶ ἠῷος χέει αὐδὴν
ἴδει ἐν αἰνοτάτῳ, ὅτε τε χρόα Σείριος ἄζει,
τῆμος δὴ κέγχροισι πέρι γλῶχες τελέθουσι
τούς τε θέρει σπείρουσιν, ὅτ᾽ ὄμφακες αἰόλλονται,
οἷα Διώνυσος δῶκ᾽ ἀνδράσι χάρμα καὶ ἄχθος·
τὴν ὥρην μάρναντο, πολὺς δ᾽ ὀρυμαγδὸς ὀρώρει.
οἳ δ᾽ ὥς τ᾽ αἰγυπιοὶ γαμψώνυχες, ἀγκυλοχεῖλαι,
πέτρῃ ἔφ᾽ ὑψηλῇ μεγάλα κλάζοντε μάχονται
αἰγὸς ὀρεσσινόμου ἢ ἀγροτέρης ἐλάφοιο
πίονος, ἥν τ᾽ ἐδάμασσε βαλὼν αἰζήιος ἀνὴρ
ἰῷ ἀπὸ νευρῆς, αὐτὸς δ᾽ ἀπαλήσεται ἄλλῃ
χώρου ἄιδρις ἐών· οἳ δ᾽ ὀτραλέως ἐνόησαν,
ἐσσυμένως δέ οἱ ἀμφὶ μάχην δριμεῖαν ἔθεντο·
ὣς οἳ κεκλήγοντες ἐπ᾽ ἀλλήλοισιν ὄρουσαν.
Ἔνθ᾽ ἦ τοι Κύκνος μὲν ὑπερμενέος Διὸς υἱὸν
κτεινέμεναι μεμαὼς σάκει ἔμβαλε χάλκεον ἔγχος,

οὐδ' ἔρρηξεν χαλκόν· ἔρυτο δὲ δῶρα θεοῖο.
'Αμφιτρυωνιάδης δέ, βίη 'Ηρακληείη,
μεσσηγὺς κόρυθός τε καὶ ἀσπίδος ἔγχεϊ μακρῷ
αὐχένα γυμνωθέντα θοῶς ὑπένερθε γενείου
ἤλασ' ἐπικρατέως· ἀπὸ δ' ἄμφω κέρσε τένοντε
ἀνδροφόνος μελίη· μέγα γὰρ σθένος ἔμπεσε φωτός.
ἤριπε δ', ὡς ὅτε τις δρῦς ἤριπεν ἢ ὅτε πεύκη
ἠλίβατος, πληγεῖσα Διὸς ψολόεντι κεραυνῷ·
ὣς ἔριπ'· ἀμφὶ δέ οἱ βράχε τεύχεα ποικίλα χαλκῷ.

(*Shield of Heracles*, 370–1, 386–401, 405–23)

73. *A Visitation*

Πολλὰ δ' ἀπὸ βλωθρῶν δένδρων ἀμύοντα χαμᾶζε
χεύετο καλὰ πέτηλα, ῥέεσκε δὲ καρπὸς ἔραζε
πνείοντος Βορέαο περιζαμενὲς Διὸς αἴσῃ·
ἔζεσκεν δὲ θάλασσα, τρομέεσκε δὲ πάντ' ἀπὸ τοῖο,
τρῦζεσκεν δὲ μένος βρότεον, μινύθεσκε δὲ καρπὸς
ὥρῃ ἐν εἰαρινῇ, ὅτε τ' ἄτριχος οὔρεσι τίκτει
γαίης ἐν κευθμῶνι τρίτῳ ἔτεϊ τρία τέκνα.

(*Eoiae*)

74. *Light-footed Iphiclus*

Ἄκρον ἐπ' ἀνθερίκων καρπὸν θέεν οὐδὲ κατέκλα,
ἀλλ' ἐπὶ πυραμίνων ἀθέρων δρομάασκε πόδεσσι
κοὐ σινέσκετο καρπόν.

(*Eoiae*)

75. *The Spring called Parthenius*

Ὡς ἀκαλὰ προρέων ὡς ἁβρὴ παρθένος εἶσιν.

76. *The Ages of Man*

Ἔργα νέων, βουλαὶ δὲ μέσων, εὐχαὶ δὲ γερόντων.

(Date unknown)

77. *The Rape of Persephone*

Δήμητρ' ἠΰκομον σεμνὴν θεὸν ἄρχομ' ἀείδειν,
αὐτὴν ἠδὲ θύγατρα τανύσφυρον ἣν Ἀϊδωνεὺς
ἥρπαξεν, δῶκεν δὲ βαρύκτυπος εὐρυόπα Ζεύς,
νόσφιν Δήμητρος χρυσαόρου ἀγλαοκάρπου
παίζουσαν κούρῃσι σὺν Ὠκεανοῦ βαθυκόλποις,
ἄνθεά τ' αἰνυμένην ῥόδα καὶ κρόκον ἠδ' ἴα καλὰ
λειμῶν' ἂμ μαλακὸν καὶ ἀγαλλίδας ἠδ' ὑάκινθον
νάρκισσόν θ', ὃν φῦσε δόλον καλυκώπιδι κούρῃ
Γαῖα Διὸς βουλῇσι χαριζομένη πολυδέκτῃ
θαυμαστὸν γανόωντα, σέβας τότε πᾶσιν ἰδέσθαι
ἀθανάτοις τε θεοῖς ἠδὲ θνητοῖς ἀνθρώποις·
τοῦ καὶ ἀπὸ ῥίζης ἑκατὸν κάρα ἐξεπεφύκει,
κῶζ' ἥδιστ' ὀδμή, πᾶς δ' οὐρανὸς εὐρὺς ὕπερθε
γαῖά τε πᾶσ' ἐγέλασσε καὶ ἁλμυρὸν οἶδμα θαλάσσης.
ἡ δ' ἄρα θαμβήσασ' ὠρέξατο χερσὶν ἅμ' ἄμφω
καλὸν ἄθυρμα λαβεῖν· χάνε δὲ χθὼν εὐρυάγυια
Νύσιον ἂμ πεδίον τῇ ὄρουσεν ἄναξ πολυδέγμων
ἵπποις ἀθανάτοισι Κρόνου πολυώνυμος υἱός.
ἁρπάξας δ' ἀέκουσαν ἐπὶ χρυσέοισιν ὄχοισιν
ἦγ' ὀλοφυρομένην· ἰάχησε δ' ἄρ' ὄρθια φωνῇ
κεκλομένη πατέρα Κρονίδην ὕπατον καὶ ἄριστον.
οὐδέ τις ἀθανάτων οὐδὲ θνητῶν ἀνθρώπων
ἤκουσεν φωνῆς, οὐδ' ἀγλαόκαρποι ἐλαῖαι.

(II. 1–23)

78. *Demeter at Eleusis*

Ἕζετο δ' ἐγγὺς ὁδοῖο φίλον τετιημένη ἦτορ
Παρθενίῳ φρέατι ὅθεν ὑδρεύοντο πολῖται,

ἐν σκιῇ αὐτὰρ ὕπερθε πεφύκει θάμνος ἐλαίης,
γρηῒ παλαιγενέϊ ἐναλίγκιος, ἥ τε τόκοιο
εἴργηται δώρων τε φιλοστεφάνου Ἀφροδίτης,
οἷαί τε τροφοί εἰσι θεμιστοπόλων βασιλήων
παίδων καὶ ταμίαι κατὰ δώματα ἠχήεντα.
τὴν δὲ ἴδον Κελεοῖο Ἐλευσινίδαο θύγατρες
ἐρχόμεναι μεθ' ὕδωρ εὐήρυτον ὄφρα φέροιεν
κάλπισι χαλκείῃσι φίλα πρὸς δώματα πατρός,
τέσσαρες ὥς τε θεαὶ κουρήϊον ἄνθος ἔχουσαι,
Καλλιδίκη καὶ Κλεισιδίκη Δημώ τ' ἐρόεσσα
Καλλιθόη θ', ἣ τῶν προγενεστάτη ἦεν ἁπασῶν·
οὐδ' ἔγνων· χαλεποὶ δὲ θεοὶ θνητοῖσιν ὁρᾶσθαι.
ἀγχοῦ δ' ἱστάμεναι ἔπεα πτερόεντα προσηύδων·
"Τίς πόθεν ἐσσί, γρηῢ, παλαιγενέων ἀνθρώπων;
τίπτε δὲ νόσφι πόληος ἀπέστιχες οὐδὲ δόμοισι
πιλνᾷς; ἔνθα γυναῖκες ἀνὰ μέγαρα σκιόεντα
τηλίκαι ὡς σύ περ ὧδε καὶ ὁπλότεραι γεγάασιν,
αἵ κέ σε φίλωνται ἠμὲν ἔπει ἠδὲ καὶ ἔργῳ."
Ὣς ἔφαθ', ἡ δ' ἐπέεσσιν ἀμείβετο πότνα θεάων·
"τέκνα φίλ', αἵ τινές ἐστε γυναικῶν θηλυτεράων,
χαίρετ', ἐγὼ δ' ὑμῖν μυθήσομαι· οὔ τοι ἀεικὲς
ὑμῖν εἰρομένῃσιν ἀληθέα μυθήσασθαι.
Δωσὼ ἐμοί γ' ὄνομ' ἐστί· τὸ γὰρ θέτο πότνια μήτηρ·
νῦν αὖτε Κρήτηθεν ἐπ' εὐρέα νῶτα θαλάσσης
ἤλυθον οὐκ ἐθέλουσα, βίῃ δ' ἀέκουσαν ἀνάγκῃ
ἄνδρες ληϊστῆρες ἀπήγαγον. οἱ μὲν ἔπειτα
νηῒ θοῇ Θορικόνδε κατέσχεθον ἔνθα γυναῖκες
ἠπείρου ἐπέβησαν ἀολλέες ἠδὲ καὶ αὐτοὶ
δεῖπνου ἐπηρτύνοντο παρὰ πρυμνήσια νηός·
ἀλλ' ἐμοὶ οὐ δόρποιο μελίφρονος ἤρατο θυμός,

λάθρῃ δ' ὁρμηθεῖσα δι' ἠπείροιο μελαίνης
φεῦγον ὑπερφιάλους σημάντορας, ὄφρα κε μή με
ἀπριάτην περάσαντες ἐμῆς ἀπονaίατο τιμῆς.
οὕτω δεῦρ' ἱκόμην ἀλαλημένη, οὐδέ τι οἶδα
ἥ τις δὴ γαῖ' ἐστὶ καὶ οἵ τινες ἐγγεγάασιν.
ἀλλ' ὑμῖν μὲν πάντες 'Ολύμπια δώματ' ἔχοντες
δοῖεν κουριδίους ἄνδρας καὶ τέκνα τεκέσθαι
ὡς ἐθέλουσι τοκῆες· ἐμὲ δ' αὖτ' οἰκτείρατε κοῦραι.
τοῦτο δέ μοι σαφέως ὑποθήκατε ὄφρα πύθωμαι,
προφρονέως, φίλα τέκνα, τέων πρὸς δώμαθ' ἵκωμαι
ἀνέρος ἠδὲ γυναικός, ἵνα σφίσιν ἐργάζωμαι
πρόφρων οἷα γυναικὸς ἀφήλικος ἔργα τέτυκται·
καί κεν παῖδα νεογνὸν ἐν ἀγκοίνῃσιν ἔχουσα
καλὰ τιθηνοίμην καὶ δώματα τηρήσαιμι
καί κε λέχος στορέσαιμι μυχῷ θαλάμων εὐπήκτων
δεσπόσυνον καί κ' ἔργα διδασκήσαιμι γυναῖκας."
Φῆ ῥα θεά· τὴν δ' αὐτίκ' ἀμείβετο παρθένος ἀδμὴς
Καλλιδίκη Κελεοῖο θυγατρῶν εἶδος ἀρίστη·
"Μαῖα, θεῶν μὲν δῶρα καὶ ἀχνύμενοί περ ἀνάγκῃ
τέτλαμεν ἄνθρωποι· δὴ γὰρ πολὺ φέρτεροί εἰσιν.
ταῦτα δέ τοι σαφέως ὑποθήσομαι ἠδ' ὀνομήνω
ἀνέρας οἷσιν ἔπεστι μέγα κράτος ἐνθάδε τιμῆς,
δήμου τε προὔχουσιν, ἰδὲ κρήδεμνα πόληος
εἰρύαται βουλῇσι καὶ ἰθείῃσι δίκῃσιν.
ἠμὲν Τριπτολέμου πυκιμήδεος ἠδὲ Διόκλου
ἠδὲ Πολυξείνου καὶ ἀμύμονος Εὐμόλποιο
καὶ Δολίχου καὶ πατρὸς ἀγήνορος ἡμετέροιο,
τῶν πάντων ἄλοχοι κατὰ δώματα πορσαίνουσι·
τάων οὐκ ἄν τίς σε κατὰ πρώτιστον ὀπωπὴν
εἶδος ἀτιμήσασα δόμων ἀπονοσφίσσειεν,

ἀλλά σε δέξονται· δὴ γὰρ θεοείκελός ἐσσι.
εἰ δ' ἐθέλεις, ἐπίμεινον, ἵνα πρὸς δώματα πατρὸς
ἔλθωμεν καὶ μητρὶ βαθυζώνῳ Μετανείρῃ
εἴπωμεν τάδε πάντα διαμπερές, αἴ κέ σ' ἀνώγῃ
ἡμέτερόνδ' ἰέναι μηδ' ἄλλων δώματ' ἐρευνᾶν.
τηλύγετος δέ οἱ υἱὸς ἐνὶ μεγάρῳ εὐπήκτῳ
ὀψίγονος τρέφεται, πολυεύχετος ἀσπάσιός τε.
εἰ τόν γ' ἐκθρέψαιο καὶ ἥβης μέτρον ἵκοιτο
ῥεῖά κέ τίς σε ἰδοῦσα γυναικῶν θηλυτεράων
ζηλώσαι· τόσα κέν τοι ἀπὸ θρεπτήρια δοίη."
  Ὣς ἔφαθ'· ἡ δ' ἐπένευσε καρήατι, ταὶ δὲ φαεινὰ
πλησάμεναι ὕδατος φέρον ἄγγεα κυδιάουσαι.
ῥίμφα δὲ πατρὸς ἵκοντο μέγαν δόμον, ὦκα δὲ μητρὶ
ἔννεπον ὡς εἶδόν τε καὶ ἔκλυον. ἡ δὲ μάλ' ὦκα
ἐλθούσας ἐκέλευε καλεῖν ἐπ' ἀπείρονι μισθῷ.
αἱ δ' ὥς τ' ἢ ἔλαφοι ἢ πόρτιες ἤαρος ὥρῃ
ἅλλοντ' ἂν λειμῶνα κορεσσάμεναι φρένα φορβῇ
ὣς αἱ ἐπισχόμεναι ἑανῶν πτύχας ἱμεροέντων
ἤϊξαν κοίλην κατ' ἀμαξιτόν, ἀμφὶ δὲ χαῖται
ὤμοις ἀΐσσοντο κροκηΐῳ ἄνθει ὁμοῖαι.
τέτμον δ' ἐγγὺς ὁδοῦ κυδρὴν θεὸν ἔνθα πάρος περ
κάλλιπον· αὐτὰρ ἔπειτα φίλα πρὸς δώματα πατρὸς
ἡγεῦνθ', ἡ δ' ἄρ' ὄπισθε φίλον τετιημένη ἦτορ
στεῖχε κατὰ κρῆθεν κεκαλυμμένη, ἀμφὶ δὲ πέπλος
κυάνεος ῥαδινοῖσι θεᾶς ἐλελίζετο ποσσίν.
αἶψα δὲ δώμαθ' ἵκοντο διοτρεφέος Κελεοῖο,
βὰν δὲ δι' αἰθούσης ἔνθα σφίσι πότνια μήτηρ
ἧστο παρὰ σταθμὸν τέγεος πύκα ποιητοῖο,
παῖδ' ὑπὸ κόλπῳ ἔχουσα νέον θάλος· αἱ δὲ παρ' αὐτὴν
ἔδραμον, ἡ δ' ἄρ' ἐπ' οὐδὸν ἔβη ποσὶ καί ῥα μελάθρου

κῦρε κάρη, πλῆσεν δὲ θύρας σέλαος θείοιο.
τὴν δ' αἰδώς τε σέβας τε ἰδὲ χλωρὸν δέος εἷλεν·
εἶξε δέ οἱ κλισμοῖο καὶ ἑδριάασθαι ἄνωγεν.

(II. 98–191)

79. *Ionian Holiday*

Ἀλλὰ σὺ Δήλῳ Φοῖβε μάλιστ' ἐπιτέρπεαι ἦτορ,
ἔνθα τοι ἑλκεχίτωνες Ἰάονες ἠγερέθονται
αὐτοῖς σὺν παίδεσσι καὶ αἰδοίῃς ἀλόχοισιν.
οἱ δέ σε πυγμαχίῃ τε καὶ ὀρχηθμῷ καὶ ἀοιδῇ
μνησάμενοι τέρπουσιν ὅταν στήσωνται ἀγῶνα.
φαίη κ' ἀθανάτους καὶ ἀγήρως ἔμμεναι αἰεὶ
ὃς τότ' ἐπαντιάσει' ὅτ' Ἰάονες ἀθρόοι εἶεν·
πάντων γάρ κεν ἴδοιτο χάριν, τέρψαιτο δὲ θυμὸν
ἄνδρας τ' εἰσορόων καλλιζώνους τε γυναῖκας
νῆάς τ' ὠκείας ἠδ' αὐτῶν κτήματα πολλά.
πρὸς δὲ τόδε μέγα θαῦμα, ὅου κλέος οὔποτ' ὀλεῖται,
κοῦραι Δηλιάδες Ἑκατηβελέταο θεράπναι·
αἵ τ' ἐπεὶ ἂρ πρῶτον μὲν Ἀπόλλων' ὑμνήσωσιν,
αὖτις δ' αὖ Λητώ τε καὶ Ἄρτεμιν ἰοχέαιραν,
μνησάμεναι ἀνδρῶν τε παλαιῶν ἠδὲ γυναικῶν
ὕμνον ἀείδουσιν, θέλγουσι δὲ φῦλ' ἀνθρώπων.
πάντων δ' ἀνθρώπων φωνὰς καὶ κρεμβαλιαστὺν
μιμεῖσθ' ἴσασιν· φαίη δέ κεν αὐτὸς ἕκαστος
φθέγγεσθ'· οὕτω σφιν καλὴ συνάρηρεν ἀοιδή.

(III. 146–64)

80. *The Blind Old Man*

Ἀλλ' ἄγεθ' ἱλήκοι μὲν Ἀπόλλων Ἀρτέμιδι ξύν,
χαίρετε δ' ὑμεῖς πᾶσαι· ἐμεῖο δὲ καὶ μετόπισθε

μνήσασθ', ὁππότε κέν τις ἐπιχθονίων ἀνθρώπων
ἐνθάδ' ἀνείρηται ξεῖνος ταλαπείριος ἐλθών·
"ὦ κοῦραι, τίς δ' ὔμμιν ἀνὴρ ἥδιστος ἀοιδῶν
ἐνθάδε πωλεῖται, καὶ τέῳ τέρπεσθε μάλιστα;"
ὑμεῖς δ' εὖ μάλα πᾶσαι ὑποκρίνασθ' ἀμφ' ἡμέων·
"τυφλὸς ἀνήρ, οἰκεῖ δὲ Χίῳ ἔνι παιπαλοέσσῃ,
τοῦ πᾶσαι μετόπισθεν ἀριστεύουσιν ἀοιδαί."
ἡμεῖς δ' ὑμέτερον κλέος οἴσομεν ὅσσον ἐπ' αἶαν
ἀνθρώπων στρεφόμεσθα πόλεις εὖ ναιεταώσας·
οἱ δ' ἐπὶ δὴ πείσονται, ἐπεὶ καὶ ἐτήτυμόν ἐστιν.
αὐτὰρ ἐγὼν οὐ λήξω ἑκηβόλον Ἀπόλλωνα
ὑμνέων ἀργυρότοξον ὃν ἠΰκομος τέκε Λητώ.

(III. 165–78)

81. *The Choirs of Heaven*

Εἶσι δὲ φορμίζων Λητοῦς ἐρικυδέος υἱὸς
φόρμιγγι γλαφυρῇ πρὸς Πυθὼ πετρήεσσαν,
ἄμβροτα εἵματ' ἔχων τε θυώδεα· τοῖο δὲ φόρμιγξ
χρυσέου ὑπὸ πλήκτρου καναχὴν ἔχει ἱμερόεσσαν.
ἔνθεν δὲ πρὸς Ὄλυμπον ἀπὸ χθονὸς ὥς τε νόημα
εἶσι Διὸς πρὸς δῶμα θεῶν μεθ' ὁμήγυριν ἄλλων·
αὐτίκα δ' ἀθανάτοισι μέλει κίθαρις καὶ ἀοιδή.
Μοῦσαι μέν θ' ἅμα πᾶσαι ἀμειβόμεναι ὀπὶ καλῇ
ὑμνεῦσίν ῥα θεῶν δῶρ' ἄμβροτα ἠδ' ἀνθρώπων
τλημοσύνας, ὅσ' ἔχοντες ὑπ' ἀθανάτοισι θεοῖσι
ζώουσ' ἀφραδέες καὶ ἀμήχανοι, οὐδὲ δύνανται
εὑρέμεναι θανάτοιό τ' ἄκος καὶ γήραος ἄλκαρ·
αὐτὰρ ἐϋπλόκαμοι Χάριτες καὶ ἐΰφρονες Ὧραι
Ἁρμονίη θ' Ἥβη τε Διὸς θυγάτηρ τ' Ἀφροδίτη
ὀρχεῦντ' ἀλλήλων ἐπὶ καρπῷ χεῖρας ἔχουσαι·

τῇσι μὲν οὔτ' αἰσχρὴ μεταμέλπεται οὔτ' ἐλάχεια,
ἀλλὰ μάλα μεγάλη τε ἰδεῖν καὶ εἶδος ἀγητή,
Ἄρτεμις ἰοχέαιρα ὁμότροφος Ἀπόλλωνι.
ἐν δ' αὖ τῇσιν Ἄρης καὶ ἐΰσκοπος Ἀργειφόντης
παίζουσ'· αὐτὰρ ὁ Φοῖβος Ἀπόλλων ἐγκιθαρίζει
καλὰ καὶ ὕψι βιβάς, αἴγλη δέ μιν ἀμφιφαείνει
μαρμαρυγαί τε ποδῶν καὶ ἐϋκλώστοιο χιτῶνος.
οἱ δ' ἐπιτέρπονται θυμὸν μέγαν εἰσορόωντες
Λητώ τε χρυσοπλόκαμος καὶ μητίετα Ζεὺς
υἷα φίλον παίζοντα μετ' ἀθανάτοισι θεοῖσι.

(III. 182–206)

82. *The Tortoise-shell*

Ἑρμῆς τοι πρώτιστα χέλυν τεκτήνατ' ἀοιδόν,
ἥ ῥά οἱ ἀντεβόλησεν ἐπ' αὐλείῃσι θύρῃσι,
βοσκομένη προπάροιθε δόμων ἐριθηλέα ποίην,
σαῦλα ποσὶν βαίνουσα· Διὸς δ' ἐριούνιος υἱὸς
ἀθρήσας ἐγέλασσε καὶ αὐτίκα μῦθον ἔειπε·
"σύμβολον ἤδη μοι μέγ' ὀνήσιμον, οὐκ ὀνοτάζω.
χαῖρε φυὴν ἐρόεσσα, χοροίτυπε, δαιτὸς ἑταίρη,
ἀσπασίη προφανεῖσα· πόθεν τόδε καλὸν ἄθυρμα
αἰόλον ὄστρακον ἕσσο χέλυς ὄρεσι ζώουσα;
ἀλλ' οἴσω σ' εἰς δῶμα λαβών· ὄφελός τί μοι ἔσσῃ,
οὐδ' ἀποτιμήσω· σὺ δέ με πρώτιστον ὀνήσεις.
οἴκοι βέλτερον εἶναι, ἐπεὶ βλαβερὸν τὸ θύρηφιν·
ἦ γὰρ ἐπηλυσίης πολυπήμονος ἔσσεαι ἔχμα
ζώουσ'· ἢν δὲ θάνῃς τότε κεν μάλα καλὸν ἀείδοις."
Ὣς ἄρ' ἔφη· καὶ χερσὶν ἅμ' ἀμφοτέρῃσιν ἀείρας
ἂψ εἴσω κίε δῶμα φέρων ἐρατεινὸν ἄθυρμα.
ἔνθ' ἀναπηλήσας γλυφάνῳ πολιοῖο σιδήρου

αἰῶν' ἐξετόρησεν ὀρεσκῴοιο χελώνης.
ὡς δ' ὁπότ' ὠκὺ νόημα διὰ στέρνοιο περήσῃ
ἀνέρος ὅν τε θαμιναὶ ἐπιστρωφῶσι μέριμναι,
ἢ ὅτε δινηθῶσιν ἀπ' ὀφθαλμῶν ἀμαρυγαί,
ὣς ἅμ' ἔπος τε καὶ ἔργον ἐμήδετο κύδιμος Ἑρμῆς.
πῆξε δ' ἄρ' ἐν μέτροισι ταμὼν δόνακας καλάμοιο
πειρήνας κατὰ νῶτα διὰ ῥινοῖο χελώνης.
ἀμφὶ δὲ δέρμα τάνυσσε βοὸς πραπίδεσσιν ἑῇσι,
καὶ πήχεις ἐνέθηκ', ἐπὶ δὲ ζυγὸν ἤραρεν ἀμφοῖν,
ἑπτὰ δὲ συμφώνους οἰῶν ἐτανύσσατο χορδάς.
αὐτὰρ ἐπεὶ δὴ τεῦξε φέρων ἐρατεινὸν ἄθυρμα
πλήκτρῳ ἐπειρήτιζε κατὰ μέρος, ἡ δ' ὑπὸ χειρὸς
σμερδαλέον κονάβησε· θεὸς δ' ὑπὸ καλὸν ἄειδεν
ἐξ αὐτοσχεδίης πειρώμενος ἠΰτε κοῦροι
ἡβηταὶ θαλίῃσι παραιβόλα κερτομέουσιν,
ἀμφὶ Δία Κρονίδην καὶ Μαιάδα καλλιπέδιλον
ὃν πάρος ὠρίζεσκον ἑταιρείῃ φιλότητι,
ἥν τ' αὐτοῦ γενεὴν ὀνομακλυτὸν ἐξονομάζων·
ἀμφιπόλους τε γέραιρε καὶ ἀγλαὰ δώματα νύμφης,
καὶ τρίποδας κατὰ οἶκον ἐπηετανούς τε λέβητας.
καὶ τὰ μὲν οὖν ἤειδε, τὰ δὲ φρεσὶν ἄλλα μενοίνα.
καὶ τὴν μὲν κατέθηκε φέρων ἱερῷ ἐνὶ λίκνῳ
φόρμιγγα γλαφυρήν· ὁ δ' ἄρα κρειῶν ἐρατίζων
ἆλτο κατὰ σκοπιὴν εὐώδεος ἐκ μεγάροιο,
ὁρμαίνων δόλον αἰπὺν ἐνὶ φρεσὶν οἷά τε φῶτες
φηληταὶ διέπουσι μελαίνης νυκτὸς ἐν ὥρῃ.

(IV. 25–67)

83. *The Cattle-thief*

Φῆ ῥ' ὁ γέρων· ὁ δὲ θᾶσσον ὁδὸν κίε μῦθον ἀκούσας.
οἰωνὸν δ' ἐνόει τανυσίπτερον, αὐτίκα δ' ἔγνω

φηλητὴν γεγαῶτα Διὸς παῖδα Κρονίωνος.
ἐσσυμένως δ' ἤϊξεν ἄναξ Διὸς υἱὸς Ἀπόλλων
ἐς Πύλον ἠγαθέην διζήμενος εἰλίποδας βοῦς,
πορφυρέῃ νεφέλῃ κεκαλυμμένος εὐρέας ὤμους·
ἴχνιά τ' εἰσενόησεν Ἑκηβόλος εἶπέ τε μῦθον·
"Ὦ πόποι ἦ μέγα θαῦμα τόδ' ὀφθαλμοῖσιν ὁρῶμαι·
ἴχνια μὲν τάδε γ' ἐστὶ βοῶν ὀρθοκραιράων,
ἀλλὰ πάλιν τέτραπται ἐς ἀσφοδελὸν λειμῶνα·
βήματα δ' οὔτ' ἀνδρὸς τάδε γίγνεται οὔτε γυναικὸς
οὔτε λύκων πολιῶν οὔτ' ἄρκτων οὔτε λεόντων·
οὔτε τι κενταύρου λασιαύχενος ἔλπομαι εἶναι
ὅς τις τοῖα πέλωρα βιβᾷ ποσὶ καρπαλίμοισιν·
αἰνὰ μὲν ἔνθεν ὁδοῖο, τὰ δ' αἰνότερ' ἔνθεν ὁδοῖο."
Ὣς εἰπὼν ἤϊξεν ἄναξ Διὸς υἱὸς Ἀπόλλων,
Κυλλήνης δ' ἀφίκανεν ὄρος καταείμενον ὕλῃ
πέτρης εἰς κευθμῶνα βαθύσκιον, ἔνθα τε νύμφη
ἀμβροσίη ἐλόχευσε Διὸς παῖδα Κρονίωνος.
ὀδμὴ δ' ἱμερόεσσα δι' οὔρεος ἠγαθέοιο
κίδνατο, πολλὰ δὲ μῆλα ταναύποδα βόσκετο ποίην.
ἔνθα τότε σπεύδων κατεβήσατο λάϊνον οὐδὸν
ἄντρον ἐς ἠερόεν ἑκατηβόλος αὐτὸς Ἀπόλλων.
Τὸν δ' ὡς οὖν ἐνόησε Διὸς καὶ Μαιάδος υἱὸς
χωόμενον περὶ βουσὶν ἑκηβόλον Ἀπόλλωνα,
σπάργαν' ἔσω κατέδυνε θυήεντ'· ἠΰτε πολλὴν
πρέμνων ἀνθρακιὴν ὕλης σποδὸς ἀμφικαλύπτει,
ὣς Ἑρμῆς Ἑκάεργον ἰδὼν ἀνεείλε' ἓ αὐτόν.
ἐν δ' ὀλίγῳ συνέλασσε κάρη χεῖράς τε πόδας τε
φή ῥα νεόλλουτος προκαλεύμενος ἥδυμον ὕπνον
ἐγρήσσων ἐτεόν γε· χέλυν δ' ὑπὸ μασχάλῃ εἶχε.
γνῶ δ' οὐδ' ἠγνοίησε Διὸς καὶ Λητοῦς υἱὸς

νύμφην τ' οὐρείην περικαλλέα καὶ φίλον υἱόν,
παῖδ' ὀλίγον δολίῃς εἰλυμένον ἐντροπίῃσι.
παπτήνας δ' ἀνὰ πάντα μυχὸν μεγάλοιο δόμοιο
τρεῖς ἀδύτους ἀνέῳγε λαβὼν κληῖδα φαεινὴν
νέκταρος ἐμπλείους ἠδ' ἀμβροσίης ἐρατεινῆς·
πολλὸς δὲ χρυσός τε καὶ ἄργυρος ἔνδον ἔκειτο,
πολλὰ δὲ φοινικόεντα καὶ ἄργυφα εἵματα νύμφης,
οἷα θεῶν μακάρων ἱεροὶ δόμοι ἐντὸς ἔχουσιν.
ἔνθ' ἐπεὶ ἐξερέεινε μυχοὺς μεγάλοιο δόμοιο
Λητοΐδης μύθοισι προσηύδα κύδιμον Ἑρμῆν·
"Ὦ παῖ ὃς ἐν λίκνῳ κατάκειαι, μήνυέ μοι βοῦς
θᾶττον· ἐπεὶ τάχα νῶϊ διοισόμεθ' οὐ κατὰ κόσμον.
ῥίψω γάρ σε λαβὼν ἐς Τάρταρον ἠερόεντα,
εἰς ζόφον αἰνόμορον καὶ ἀμήχανον· οὐδέ σε μήτηρ
ἐς φάος οὐδὲ πατὴρ ἀναλύσεται, ἀλλ' ὑπὸ γαίῃ
ἐρρήσεις ὀλίγοισι μετ' ἀνδράσιν ἡγεμονεύων."
Τὸν δ' Ἑρμῆς μύθοισιν ἀμείβετο κερδαλέοισι·
"Λητοΐδη τίνα τοῦτον ἀπηνέα μῦθον ἔειπας
καὶ βοῦς ἀγραύλους διζήμενος ἐνθάδ' ἱκάνεις;
οὐκ ἴδον, οὐ πυθόμην, οὐκ ἄλλου μῦθον ἄκουσα·
οὐκ ἂν μηνύσαιμ', οὐκ ἂν μήνυτρον ἀροίμην·
οὐδὲ βοῶν ἐλατῆρι κραταιῷ φωτὶ ἔοικα,
οὐδ' ἐμὸν ἔργον τοῦτο, πάρος δέ μοι ἄλλα μέμηλεν·
ὕπνος ἐμοί γε μέμηλε καὶ ἡμετέρης γάλα μητρός,
σπάργανά τ' ἀμφ' ὤμοισιν ἔχειν καὶ θερμὰ λοετρά.
μή τις τοῦτο πύθοιτο πόθεν τόδε νεῖκος ἐτύχθη·
καί κεν δὴ μέγα θαῦμα μετ' ἀθανάτοισι γένοιτο
παῖδα νέον γεγαῶτα διὰ προθύροιο περῆσαι
βουσὶ μετ' ἀγραύλοισι· τὸ δ' ἀπρεπέως ἀγορεύεις.
χθὲς γενόμην, ἁπαλοὶ δὲ πόδες, τρηχεῖα δ' ὑπὸ χθών.

εἰ δὲ θέλεις πατρὸς κεφαλὴν μέγαν ὅρκον ὀμοῦμαι·
μὴ μὲν ἐγὼ μήτ' αὐτὸς ὑπίσχομαι αἴτιος εἶναι,
μήτε τιν' ἄλλον ὄπωπα βοῶν κλοπὸν ὑμετεράων,
αἵ τινες αἱ βόες εἰσί· τὸ δὲ κλέος οἶον ἀκούω."
῝Ως ἄρ' ἔφη καὶ πυκνὸν ἀπὸ βλεφάρων ἀμαρύσσων
ὀφρύσι ῥιπτάζεσκεν ὁρώμενος ἔνθα καὶ ἔνθα,
μάκρ' ἀποσυρίζων, ἅλιον τὸν μῦθον ἀκούων.

(IV. 212–80)

84. *The Power of Music*

Τὸν δ' ἔρος ἐν στήθεσσιν ἀμήχανος αἴνυτο θυμόν,
καί μιν φωνήσας ἔπεα πτερόεντα προσηύδα·
"Βουφόνε μηχανιῶτα πονεύμενε δαιτὸς ἑταῖρε
πεντήκοντα βοῶν ἀντάξια ταῦτα μέμηλας.
ἡσυχίως καὶ ἔπειτα διακρινέεσθαι ὀΐω.
νῦν δ' ἄγε μοι τόδε εἰπὲ πολύτροπε Μαιάδος υἱὲ
ἦ σοί γ' ἐκ γενετῆς τάδ' ἅμ' ἕσπετο θαυματὰ ἔργα
ἠέ τις ἀθανάτων ἠὲ θνητῶν ἀνθρώπων
δῶρον ἀγαυὸν ἔδωκε καὶ ἔφρασε θέσπιν ἀοιδήν;
θαυμασίην γὰρ τήνδε νεήφατον ὄσσαν ἀκούω,
ἣν οὔ πώ ποτέ φημι δαήμεναι οὔτε τιν' ἀνδρῶν,
οὔτε τιν' ἀθανάτων οἳ Ὀλύμπια δώματ' ἔχουσι,
νόσφι σέθεν φηλῆτα Διὸς καὶ Μαιάδος υἱέ.
τίς τέχνη, τίς μοῦσα ἀμηχανέων μελεδώνων,
τίς τρίβος; ἀτρεκέως γὰρ ἅμα τρία πάντα πάρεστιν
εὐφροσύνην καὶ ἔρωτα καὶ ἥδυμον ὕπνον ἑλέσθαι.
καὶ γὰρ ἐγὼ Μούσῃσιν Ὀλυμπιάδεσσιν ὀπηδός,
τῇσι χοροί τε μέλουσι καὶ ἀγλαὸς οἶμος ἀοιδῆς
καὶ μολπὴ τεθαλυῖα καὶ ἱμερόεις βρόμος αὐλῶν·
ἀλλ' οὔ πώ τί μοι ὧδε μετὰ φρεσὶν ἄλλο μέλησεν,

οἷα νέων θαλίῃς ἐνδέξια ἔργα πέλονται·
θαυμάζω Διὸς υἱὲ τάδ' ὡς ἐρατὸν κιθαρίζεις.
νῦν δ' ἐπεὶ οὖν ὀλίγος περ ἐὼν κλυτὰ μήδεα οἶδας,
ἷζε πέπον καὶ μῦθον ἐπαίνει πρεσβυτέροισι.
νῦν γάρ τοι κλέος ἔσται ἐν ἀθανάτοισι θεοῖσι
σοί τ' αὐτῷ καὶ μητρί· τὸ δ' ἀτρεκέως ἀγορεύσω·
ναὶ μὰ τόδε κρανέϊνον ἀκόντιον ἦ μὲν ἐγώ σε
κυδρὸν ἐν ἀθανάτοισι καὶ ὄλβιον ἡγεμόν' εἴσω,
δώσω τ' ἀγλαὰ δῶρα καὶ ἐς τέλος οὐκ ἀπατήσω."

Τὸν δ' Ἑρμῆς μύθοισιν ἀμείβετο κερδαλέοισιν·
"εἰρωτᾷς μ' Ἑκάεργε περιφραδές· αὐτὰρ ἐγώ σοι
τέχνης ἡμετέρης ἐπιβήμεναι οὔ τι μεγαίρω.
σήμερον εἰδήσεις· ἐθέλω δέ τοι ἤπιος εἶναι
βουλῇ καὶ μύθοισι, σὺ δὲ φρεσὶ πάντ' εὖ οἶδας.
πρῶτος γὰρ Διὸς υἱὲ μετ' ἀθανάτοισι θαάσσεις
ἠΰς τε κρατερός τε· φιλεῖ δέ σε μητίετα Ζεὺς
ἐκ πάσης ὁσίης, ἔπορεν δέ τοι ἀγλαὰ δῶρα·
καὶ τιμὰς σέ γέ φασι δαήμεναι ἐκ Διὸς ὀμφῆς
μαντείας θ' Ἑκάεργε Διὸς πάρα, θέσφατα πάντα·
τῶν νῦν αὐτὸς ἐγώ σε παῖ ἀφνειὸν δεδάηκα.
σοὶ δ' αὐτάγρετόν ἐστι δαήμεναι ὅττι μενοινᾷς.
ἀλλ' ἐπεὶ οὖν τοι θυμὸς ἐπιθύει κιθαρίζειν,
μέλπεο καὶ κιθάριζε καὶ ἀγλαΐας ἀλέγυνε
δέγμενος ἐξ ἐμέθεν· σὺ δέ μοι φίλε κῦδος ὄπαζε.
εὐμόλπει μετὰ χερσὶν ἔχων λιγύφωνον ἑταίρην
καλὰ καὶ εὖ κατὰ κόσμον ἐπιστάμενος ἀγορεύειν.
εὔκηλος μὲν ἔπειτα φέρειν εἰς δαῖτα θάλειαν
καὶ χορὸν ἱμερόεντα καὶ ἐς φιλοκυδέα κῶμον,
εὐφροσύνην νυκτός τε καὶ ἤματος. ὅς τις ἂν αὐτὴν
τέχνῃ καὶ σοφίῃ δεδαημένος ἐξερεείνῃ,

φθεγγομένη παντοῖα νόῳ χαρίεντα διδάσκει
ῥεῖα συνηθείῃσιν ἀθυρομένη μαλακῇσιν,
ἐργασίην φεύγουσα δυήπαθον· ὃς δέ κεν αὐτὴν
νῆϊς ἐὼν τὸ πρῶτον ἐπιζαφελῶς ἐρεείνῃ,
μὰψ αὔτως κεν ἔπειτα μετήορά τε θρυλίζοι.
σοὶ δ' αὐτάγρετόν ἐστι δαήμεναι ὅττι μενοινᾷς.
καί τοι ἐγὼ δώσω ταύτην Διὸς ἀγλαὲ κοῦρε·
ἡμεῖς δ' αὖτ' ὄρεός τε καὶ ἱπποβότου πεδίοιο
βουσὶ νομοὺς Ἑκάεργε νομεύσομεν ἀγραύλοισιν."

(IV. 434–92)

85. *Aphrodite on Ida*

Ἑσσαμένη δ' εὖ πάντα περὶ χροῒ εἵματα καλὰ
χρυσῷ κοσμηθεῖσα φιλομμειδὴς Ἀφροδίτη
σεύατ' ἐπὶ Τροίης προλιποῦσ' εὐώδεα Κύπρον,
ὕψι μετὰ νέφεσιν ῥίμφα πρήσσουσα κέλευθον.
Ἴδην δ' ἵκανεν πολυπίδακα, μητέρα θηρῶν,
βῆ δ' ἰθὺς σταθμοῖο δι' οὔρεος· οἱ δὲ μετ' αὐτὴν
σαίνοντες πολιοί τε λύκοι χαροποί τε λέοντες
ἄρκτοι παρδάλιές τε θοαὶ προκάδων ἀκόρητοι
ἤϊσαν· ἡ δ' ὁρόωσα μετὰ φρεσὶ τέρπετο θυμὸν
καὶ τοῖς ἐν στήθεσσι βάλ' ἵμερον, οἱ δ' ἅμα πάντες
σύνδυο κοιμήσαντο κατὰ σκιόεντας ἐναύλους.
αὐτὴ δ' ἐς κλισίας εὐποιήτους ἀφίκανε·
τὸν δ' εὗρε σταθμοῖσι λελειμμένον οἶον ἀπ' ἄλλων
Ἀγχίσην ἥρωα θεῶν ἄπο κάλλος ἔχοντα.
οἱ δ' ἅμα βουσὶν ἕποντο νομοὺς κάτα ποιήεντας
πάντες, ὁ δὲ σταθμοῖσι λελειμμένος οἶος ἀπ' ἄλλων
πωλεῖτ' ἔνθα καὶ ἔνθα διαπρύσιον κιθαρίζων.
στῆ δ' αὐτοῦ προπάροιθε Διὸς θυγάτηρ Ἀφροδίτη

παρθένῳ ἀδμήτῃ μέγεθος καὶ εἶδος ὁμοίη
μή μιν ταρβήσειεν ἐν ὀφθαλμοῖσι νοήσας.
Ἀγχίσης δ᾿ ὁρόων ἐφράζετο θαύμαινέν τε
εἶδός τε μέγεθός τε καὶ εἵματα σιγαλόεντα.
πέπλον μὲν γὰρ ἕεστο φαεινότερον πυρὸς αὐγῆς,
εἶχε δ᾿ ἐπιγναμπτὰς ἕλικας κάλυκάς τε φαεινάς,
ὅρμοι δ᾿ ἀμφ᾿ ἁπαλῇ δειρῇ περικαλλέες ἦσαν
καλοὶ χρύσειοι παμποίκιλοι· ὡς δὲ σελήνη
στήθεσιν ἀμφ᾿ ἁπαλοῖσιν ἐλάμπετο, θαῦμα ἰδέσθαι.

(V. 64–90)

86. *Afterthoughts*

" Νῦν δέ σε μὲν τάχα γῆρας ὁμοίιον ἀμφικαλύψει
νηλειές, τό τ᾿ ἔπειτα παρίσταται ἀνθρώποισιν,
οὐλόμενον καματηρόν, ὅ τε στυγέουσι θεοί περ.
αὐτὰρ ἐμοὶ μέγ᾿ ὄνειδος ἐν ἀθανάτοισι θεοῖσιν
ἔσσεται ἤματα πάντα διαμπερὲς εἵνεκα σεῖο,
οἳ πρὶν ἐμοὺς ὀάρους καὶ μήτιας, αἷς ποτε πάντας
ἀθανάτους συνέμιξα καταθνητῇσι γυναιξί,
τάρβεσκον· πάντας γὰρ ἐμὸν δάμνασκε νόημα.
νῦν δὲ δὴ οὐκέτι μοι στόμα χείσεται ἐξονομῆναι
τοῦτο μετ᾿ ἀθανάτοισιν, ἐπεὶ μάλα πολλὸν ἀάσθην
σχέτλιον οὐκ ὀνομαστόν, ἀπεπλάγχθην δὲ νόοιο,
παῖδα δ᾿ ὑπὸ ζώνῃ ἐθέμην βροτῷ εὐνηθεῖσα.
τὸν μὲν ἐπὴν δὴ πρῶτον ἴδῃ φάος ἠελίοιο,
νύμφαι μιν θρέψουσιν ὀρεσκῷοι βαθύκολποι,
αἳ τόδε ναιετάουσιν ὄρος μέγα τε ζάθεόν τε·
αἵ ῥ᾿ οὔτε θνητοῖς οὔτ᾿ ἀθανάτοισιν ἕπονται·
δηρὸν μὲν ζώουσι καὶ ἄμβροτον εἶδαρ ἔδουσι,
καί τε μετ᾿ ἀθανάτοισι καλὸν χορὸν ἐρρώσαντο.

τῇσι δὲ Σειληνοί τε καὶ εὔσκοπος Ἀργειφόντης
μίσγοντ᾽ ἐν φιλότητι μυχῷ σπείων ἐροέντων.
τῇσι δ᾽ ἅμ᾽ ἢ ἐλάται ἠὲ δρύες ὑψικάρηνοι
γεινομένῃσιν ἔφυσαν ἐπὶ χθονὶ βωτιανείρῃ,
καλαὶ τηλεθάουσαι ἐν οὔρεσιν ὑψηλοῖσιν.
ἑστᾶσ᾽ ἠλίβατοι, τεμένη δέ ἑ κικλήσκουσιν
ἀθανάτων· τὰς δ᾽ οὔ τι βροτοὶ κείρουσι σιδήρῳ.
ἀλλ᾽ ὅτε κεν δὴ μοῖρα παρεστήκῃ θανάτοιο,
ἀζάνεται μὲν πρῶτον ἐπὶ χθονὶ δένδρεα καλά,
φλοιὸς δ᾽ ἀμφιπεριφθινύθει, πίπτουσι δ᾽ ἄπ᾽ ὄζοι,
τῶν δέ θ᾽ ὁμοῦ ψυχὴ λείπει φάος ἠελίοιο.
αἱ μὲν ἐμὸν θρέψουσι παρὰ σφίσιν υἱὸν ἔχουσαι.
τὸν μὲν ἐπὴν δὴ πρῶτον ἕλῃ πολυήρατος ἥβη
ἄξουσίν σοι δεῦρο θεαί, δείξουσί τε παῖδα·
σοὶ δ᾽ ἐγώ, ὄφρα κε ταῦτα μετὰ φρεσὶ πάντα διέλθω,
ἐς πέμπτον ἔτος αὖτις ἐλεύσομαι υἱὸν ἄγουσα.
τὸν μὲν ἐπὴν δὴ πρῶτον ἴδῃς θάλος ὀφθαλμοῖσι,
γηθήσεις ὁρόων· μάλα γὰρ θεοείκελος ἔσται·
ἄξεις δ᾽ αὐτίκα νιν ποτὶ Ἴλιον ἠνεμόεσσαν.
ἢν δέ τις εἴρηταί σε καταθνητῶν ἀνθρώπων
ἥ τις σοὶ φίλον υἱὸν ὑπὸ ζώνῃ θέτο μήτηρ,
τῷ δὲ σὺ μυθεῖσθαι μεμνημένος ὥς σε κελεύω·
φασίν τοι νύμφης καλυκώπιδος ἔκγονον εἶναι
αἳ τόδε ναιετάουσιν ὄρος καταειμένον ὕλῃ.
εἰ δέ κεν ἐξείπῃς καὶ ἐπεύξεαι ἄφρονι θυμῷ
ἐν φιλότητι μιγῆναι ἐϋστεφάνῳ Κυθερείῃ,
Ζεύς σε χολωσάμενος βαλέει ψολόεντι κεραυνῷ.
εἴρηταί τοι πάντα· σὺ δὲ φρεσὶ σῇσι νοήσας
ἴσχεο μηδ᾽ ὀνόμαινε, θεῶν δ᾽ ἐποπίζεο μῆνιν."

(V. 244–90)

87. *To Dionysus*

Ἀμφὶ Διώνυσον Σεμέλης ἐρικυδέος υἱὸν
μνήσομαι, ὡς ἐφάνη παρὰ θῖν' ἁλὸς ἀτρυγέτοιο
ἀκτῇ ἔπι προβλῆτι νεηνίῃ ἀνδρὶ ἐοικὼς
πρωθήβῃ· καλαὶ δὲ περισσείοντο ἔθειραι
κυάνεαι, φᾶρος δὲ περὶ στιβαροῖς ἔχεν ὤμοις
πορφύρεον· τάχα δ' ἄνδρες ἐϋσσέλμου ἀπὸ νηὸς
ληϊσταὶ προγένοντο θοῶς ἐπὶ οἴνοπα πόντον
Τυρσηνοί· τοὺς δ' ἦγε κακὸς μόρος· οἱ δὲ ἰδόντες
νεῦσαν ἐς ἀλλήλους, τάχα δ' ἔκθορον, αἶψα δ' ἑλόντες
εἷσαν ἐπὶ σφετέρης νηὸς κεχαρημένοι ἦτορ.
υἱὸν γάρ μιν ἔφαντο διοτρεφέων βασιλήων
εἶναι, καὶ δεσμοῖς ἔθελον δεῖν ἀργαλέοισι.
τὸν δ' οὐκ ἴσχανε δεσμά, λύγοι δ' ἀπὸ τηλόσε πῖπτον
χειρῶν ἠδὲ ποδῶν· ὁ δὲ μειδιάων ἐκάθητο
ὄμμασι κυανέοισι, κυβερνήτης δὲ νοήσας
αὐτίκα οἷς ἑτάροισιν ἐκέκλετο φώνησέν τε·
“Δαιμόνιοι τίνα τόνδε θεὸν δεσμεύεθ' ἑλόντες
καρτερόν; οὐδὲ φέρειν δύναταί μιν νηῦς εὐεργής.
ἢ γὰρ Ζεὺς ὅδε γ' ἐστὶν ἢ ἀργυρότοξος Ἀπόλλων
ἠὲ Ποσειδάων· ἐπεὶ οὐ θνητοῖσι βροτοῖσιν
εἴκελος, ἀλλὰ θεοῖς οἳ Ὀλύμπια δώματ' ἔχουσιν.
ἀλλ' ἄγετ' αὐτὸν ἀφῶμεν ἐπ' ἠπείροιο μελαίνης
αὐτίκα, μηδ' ἐπὶ χεῖρας ἰάλλετε μή τι χολωθεὶς
ὄρσῃ ἀργαλέους τ' ἀνέμους καὶ λαίλαπα πολλήν.”
Ὣς φάτο· τὸν δ' ἀρχὸς στυγερῷ ἠνίπαπε μύθῳ·
“δαιμόνι' οὖρον ὅρα, ἅμα δ' ἱστίον ἕλκεο νηὸς
σύμπανθ' ὅπλα λαβών· ὅδε δ' αὖτ' ἄνδρεσσι μελήσει.
ἔλπομαι ἢ Αἴγυπτον ἀφίξεται ἢ ὅ γε Κύπρον

ἢ ἐς Ὑπερβορέους ἢ ἑκαστέρω· ἐς δὲ τελευτὴν
ἔκ ποτ᾽ ἐρεῖ αὐτοῦ τε φίλους καὶ κτήματα πάντα
οὕς τε κασιγνήτους, ἐπεὶ ἡμῖν ἔμβαλε δαίμων."
Ὣς εἰπὼν ἱστόν τε καὶ ἱστίον ἕλκετο νηός.
ἔμπνευσεν δ᾽ ἄνεμος μέσον ἱστίον, ἀμφὶ δ᾽ ἄρ᾽ ὅπλα
καττάνυσαν· τάχα δέ σφιν ἐφαίνετο θαυματὰ ἔργα.
οἶνος μὲν πρώτιστα θοὴν ἀνὰ νῆα μέλαιναν
ἡδύποτος κελάρυζ᾽ εὐώδης, ὤρνυτο δ᾽ ὀδμὴ
ἀμβροσίη· ναύτας δὲ τάφος λάβε πάντας ἰδόντας.
αὐτίκα δ᾽ ἀκρότατον παρὰ ἱστίον ἐξετανύσθη
ἄμπελος ἔνθα καὶ ἔνθα, κατεκρημνῶντο δὲ πολλοὶ
βότρυες· ἀμφ᾽ ἱστὸν δὲ μέλας εἱλίσσετο κισσὸς
ἄνθεσι τηλεθάων, χαρίεις δ᾽ ἐπὶ καρπὸς ὀρώρει·
πάντες δὲ σκαλμοὶ στεφάνους ἔχον· οἱ δὲ ἰδόντες
νῆ᾽ ἤδη τότ᾽ ἔπειτα κυβερνήτην ἐκέλευον
γῇ πελάαν· ὁ δ᾽ ἄρα σφι λέων γένετ᾽ ἔνδοθι νηὸς
δεινὸς ἐπ᾽ ἀκροτάτης, μέγα δ᾽ ἔβραχεν, ἐν δ᾽ ἄρα μέσσῃ
ἄρκτον ἐποίησεν λασιαύχενα σήματα φαίνων·
ἂν δ᾽ ἔστη μεμαυῖα, λέων δ᾽ ἐπὶ σέλματος ἄκρου
δεινὸν ὑπόδρα ἰδών· οἱ δ᾽ εἰς πρύμνην ἐφόβηθεν,
ἀμφὶ κυβερνήτην δὲ σαόφρονα θυμὸν ἔχοντα
ἔσταν ἄρ᾽ ἐκπληγέντες· ὁ δ᾽ ἐξαπίνης ἐπορούσας
ἀρχὸν ἕλ᾽, οἱ δὲ θύραζε κακὸν μόρον ἐξαλύοντες
πάντες ὁμῶς πήδησαν ἐπεὶ ἴδον εἰς ἅλα δῖαν,
δελφῖνες δ᾽ ἐγένοντο· κυβερνήτην δ᾽ ἐλεήσας
ἔσχεθε καί μιν ἔθηκε πανόλβιον εἶπέ τε μῦθον·
"Θάρσει δῖ᾽ ἑκάτωρ τῷ ἐμῷ κεχαρισμένε θυμῷ·
εἰμὶ δ᾽ ἐγὼ Διόνυσος ἐρίβρομος ὃν τέκε μήτηρ
Καδμηῒς Σεμέλη Διὸς ἐν φιλότητι μιγεῖσα."

Χαῖρε τέκος Σεμέλης εὐώπιδος· οὐδέ πῃ ἔστι
σεῖό γε ληθόμενον γλυκερὴν κοσμῆσαι ἀοιδήν.

(VII. 1–59)

88. *To Pan*

Ἀμφί μοι Ἑρμείαο φίλον γόνον ἔννεπε Μοῦσα,
αἰγιπόδην δικέρωτα φιλόκροτον ὅς τ' ἀνὰ πίση
δενδρήεντ' ἄμυδις φοιτᾷ χοροήθεσι νύμφαις
αἵ τε κατ' αἰγίλιπος πέτρης στείβουσι κάρηνα
Πᾶν' ἀνακεκλόμεναι νόμιον θεὸν ἀγλαέθειρον
αὐχμήενθ', ὃς πάντα λόφον νιφόεντα λέλογχε
καὶ κορυφὰς ὀρέων καὶ πετρήεντα κέλευθα.
φοιτᾷ δ' ἔνθα καὶ ἔνθα διὰ ῥωπήϊα πυκνά,
ἄλλοτε μὲν ῥείθροισιν ἐφελκόμενος μαλακοῖσιν,
ἄλλοτε δ' αὖ πέτρῃσιν ἐν ἠλιβάτοισι διοιχνεῖ,
ἀκροτάτην κορυφὴν μηλόσκοπον εἰσαναβαίνων.
πολλάκι δ' ἀργινόεντα διέδραμεν οὔρεα μακρά,
πολλάκι δ' ἐν κνημοῖσι διήλασε θῆρας ἐναίρων
ὀξέα δερκόμενος· τότε δ' ἕσπερος ἔκλαγεν οἶον
ἄγρης ἐξανιών, δονάκων ὕπο μοῦσαν ἀθύρων
νήδυμον· οὐκ ἂν τόν γε παραδράμοι ἐν μελέεσσιν
ὄρνις ἥ τ' ἔαρος πολυανθέος ἐν πετάλοισι
θρῆνον ἐπιπροχέουσ' ἀχέει μελίγηρυν ἀοιδήν.
σὺν δέ σφιν τότε νύμφαι ὀρεστιάδες λιγύμολποι
φοιτῶσαι πυκνὰ ποσσὶν ἐπὶ κρήνῃ μελανύδρῳ
μέλπονται, κορυφὴν δὲ περιστένει οὔρεος ἠχώ·
δαίμων δ' ἔνθα καὶ ἔνθα χορῶν τοτὲ δ' ἐς μέσον ἕρπων
πυκνὰ ποσὶν διέπει, λαῖφος δ' ἐπὶ νῶτα δαφοινὸν
λυγκὸς ἔχει λιγυρῇσιν ἀγαλλόμενος φρένα μολπαῖς
ἐν μαλακῷ λειμῶνι τόθι κρόκος ἠδ' ὑάκινθος

εὐώδης θαλέθων καταμίσγεται ἄκριτα ποίῃ.
ὑμνεῦσιν δὲ θεοὺς μάκαρας καὶ μακρὸν Ὄλυμπον·
οἷόν θ' Ἑρμείην ἐριούνιον ἔξοχον ἄλλων
ἔννεπον ὡς ὅ γ' ἅπασι θεοῖς θοὸς ἄγγελός ἐστι
καί ῥ' ὅ γ' ἐς Ἀρκαδίην πολυπίδακα, μητέρα μήλων,
ἐξίκετ', ἔνθα τέ οἱ τέμενος Κυλληνίου ἐστίν.
ἔνθ' ὅ γε καὶ θεὸς ὢν ψαφαρότριχα μῆλ' ἐνόμευεν
ἀνδρὶ πάρα θνητῷ· θάλε γὰρ πόθος ὑγρὸς ἐπελθὼν
νύμφῃ ἐϋπλοκάμῳ Δρύοπος φιλότητι μιγῆναι·
ἐκ δ' ἐτέλεσσε γάμον θαλερόν, τέκε δ' ἐν μεγάροισιν
Ἑρμείῃ φίλον υἱὸν ἄφαρ τερατωπὸν ἰδέσθαι,
αἰγιπόδην δικέρωτα πολύκροτον ἡδυγέλωτα·
φεῦγε δ' ἀναΐξασα, λίπεν δ' ἄρα παῖδα τιθήνη·
δεῖσε γὰρ ὡς ἴδεν ὄψιν ἀμείλιχον ἠϋγένειον.
τὸν δ' αἶψ' Ἑρμείας ἐριούνιος εἰς χέρα θῆκε
δεξάμενος, χαῖρεν δὲ νόῳ περιώσια δαίμων.
ῥίμφα δ' ἐς ἀθανάτων ἕδρας κίε παῖδα καλύψας
δέρμασιν ἐν πυκινοῖσιν ὀρεσκῴοιο λαγωοῦ·
πὰρ δὲ Ζηνὶ καθῖζε καὶ ἄλλοις ἀθανάτοισιν,
δεῖξε δὲ κοῦρον ἑόν· πάντες δ' ἄρα θυμὸν ἔτερφθεν
ἀθάνατοι, περίαλλα δ' ὁ Βάκχειος Διόνυσος·
Πᾶνα δέ μιν καλέεσκον ὅτι φρένα πᾶσιν ἔτερψε.
  Καὶ σὺ μὲν οὕτω χαῖρε ἄναξ, ἵλαμαι δέ σ' ἀοιδῇ·
αὐτὰρ ἐγὼ καὶ σεῖο καὶ ἄλλης μνήσομ' ἀοιδῆς.

(XIX. 1–49)

89. *To Apollo*

Φοῖβε, σὲ μὲν καὶ κύκνος ὑπὸ πτερύγων λίγ' ἀείδει
ὄχθῃ ἐπιθρῴσκων ποταμὸν πάρα δινήεντα
Πηνειόν· σὲ δ' ἀοιδὸς ἔχων φόρμιγγα λίγειαν

ἡδυεπὴς πρῶτόν τε καὶ ὕστατον αἰὲν ἀείδει.
Καὶ σὺ μὲν οὕτω χαῖρε ἄναξ, ἵλαμαι δέ σ' ἀοιδῇ.
(XXI. 1–5)

90. *The Goddess of the Hearth*

Ἑστίη ἣ πάντων ἐν δώμασιν ὑψηλοῖσιν
ἀθανάτων τε θεῶν χαμαὶ ἐρχομένων τ' ἀνθρώπων
ἕδρην ἀΐδιον ἔλαχες πρεσβηΐδα τιμὴν
καλὸν ἔχουσα γέρας καὶ τιμήν· οὐ γὰρ ἄτερ σοῦ
εἰλαπίναι θνητοῖσιν ἵν' οὐ πρώτῃ πυμάτῃ τε
Ἑστίῃ ἀρχόμενος σπένδει μελιηδέα οἶνον.
(XXIX. 1–6)

91. *Earth the Mother of All*

Γαῖαν παμμήτειραν ἀείσομαι ἠϋθέμεθλον
πρεσβίστην, ἣ φέρβει ἐπὶ χθονὶ πάνθ' ὁπόσ' ἐστίν·
ἠμὲν ὅσα χθόνα δῖαν ἐπέρχεται ἠδ' ὅσα πόντον,
ἠδ' ὅσα πωτῶνται, τάδε φέρβεται ἐκ σέθεν ὄλβου.
ἐκ σέο δ' εὔπαιδές τε καὶ εὔκαρποι τελέθουσι
πότνια, σεῦ δ' ἔχεται δοῦναι βίον ἠδ' ἀφελέσθαι
θνητοῖς ἀνθρώποισιν· ὁ δ' ὄλβιος ὅν κε σὺ θυμῷ
πρόφρων τιμήσῃς· τῷ τ' ἄφθονα πάντα πάρεστι.
βρίθει μέν σφιν ἄρουρα φερέσβιος, ἠδὲ κατ' ἀγροὺς
κτήνεσιν εὐθηνεῖ, οἶκος δ' ἐμπίπλαται ἐσθλῶν·
αὐτοὶ δ' εὐνομίῃσι πόλιν κάτα καλλιγύναικα
κοιρανέουσ', ὄλβος δὲ πολὺς καὶ πλοῦτος ὀπηδεῖ·
παῖδες δ' εὐφροσύνῃ νεοθηλέϊ κυδιόωσι,
παρθενικαί τε χοροῖς φερεσανθέσιν εὔφρονι θυμῷ
παίζουσαι σκαίρουσι κατ' ἄνθεα μαλθακὰ ποίης,
οὕς κε σὺ τιμήσῃς σεμνὴ θεὰ ἄφθονε δαῖμον.

Χαῖρε θεῶν μήτηρ, ἄλοχ' Οὐρανοῦ ἀστερόεντος,
πρόφρων δ' ἀντ' ᾠδῆς βίοτον θυμήρε' ὄπαζε·
αὐτὰρ ἐγὼ καὶ σεῖο καὶ ἄλλης μνήσομ' ἀοιδῆς.

(XXX. 1–16)

HOMERIC EPIGRAM

(Date unknown)

92. *Midas' Tomb*

Χαλκῆ παρθένος εἰμί, Μίδεω δ' ἐπὶ σήματι κεῖμαι·
ἔστ' ἂν ὕδωρ τε νάῃ καὶ δένδρεα μακρὰ τεθήλῃ
ἠέλιός τ' ἀνιὼν λάμπῃ, λαμπρά τε σελήνη,
καὶ ποταμοί γε ῥέωσιν ἀνακλύζῃ δὲ θάλασσα,
αὐτοῦ τῇδε μένουσα πολυκλαύτου ἐπὶ τύμβου
ἀγγελέω παριοῦσι Μίδης ὅτι τῇδε τέθαπται.

MARGITES

(Date unknown)

93. *Master of None*

i

Πόλλ' ἠπίστατο ἔργα, κακῶς δ' ἠπίστατο πάντα.

ii

Τὸν δ' οὔτ' ἄρ' σκαπτῆρα θεοὶ θέσαν οὔτ' ἀροτῆρα
οὔτ' ἄλλως τι σοφόν· πάσης δ' ἡμάρτανε τέχνης.

TITANOMACHIA

(Date unknown)

94. *Golden Fish*

Ἐν δ' αὐτῇ πλωτοὶ χρυσώπιδες ἰχθύες ἐλλοὶ
νήχοντες παίζουσι δι' ὕδατος ἀμβροσίοιο.

95. *Zeus dances*

Μεσσοῖσιν δ' ὀρχεῖτο πατὴρ ἀνδρῶν τε θεῶν τε.

CYPRIA

(Date unknown)

96. *Flowery Garments*

Εἵματα μὲν χροὶ ἕστο τά οἱ Χάριτές τε καὶ Ὧραι
ποίησαν καὶ ἔβαψαν ἐν ἄνθεσιν εἰαρινοῖσι,
οἷα φοροῦσ' Ὧραι, ἔν τε κρόκῳ ἔν θ' ὑακίνθῳ
ἔν τε ἴῳ θαλέθοντι ῥόδου τ' ἐνὶ ἄνθεϊ καλῷ
ἡδέι νεκταρέῳ, ἔν τ' ἀμβροσίαις καλύκεσσι
ἄνθεσι ναρκίσσου καὶ λειρίου· τοῖ' Ἀφροδίτη
ὥραις παντοίαις τεθυωμένα εἵματα ἕστο.

TYRTAEUS

(fl. 685–668 B.C.)

97. *How can Man die better?*

Τεθνάμεναι γὰρ καλὸν ἐπὶ προμάχοισι πεσόντα
  ἄνδρ' ἀγαθὸν περὶ ᾗ πατρίδι μαρνάμενον.
τὴν δ' αὐτοῦ προλιπόντα πόλιν καὶ πίονας ἀγροὺς
  πτωχεύειν πάντων ἔστ' ἀνιηρότατον,
πλαζόμενον σὺν μητρὶ φίλῃ καὶ πατρὶ γέροντι
  παισί τε σὺν μικροῖς κουριδίῃ τ' ἀλόχῳ.
ἐχθρὸς μὲν γὰρ τοῖσι μετέσσεται, οὕς κεν ἵκηται
  χρησμοσύνῃ τ' εἴκων καὶ στυγερῇ πενίῃ,
αἰσχύνει τε γένος, κατὰ δ' ἀγλαὸν εἶδος ἐλέγχει,
  πᾶσα δ' ἀτιμία καὶ κακότης ἕπεται.

εἰ δ' οὕτως ἀνδρός τοι ἀλωμένου οὐδεμί' ὤρη
γίγνεται, οὔτ' αἰδὼς οὔτ' ὀπίσω γένεος,
θυμῷ γῆς περὶ τῆσδε μαχώμεθα καὶ περὶ παίδων
θνήσκωμεν ψυχέων μηκέτι φειδόμενοι.
ὦ νέοι, ἀλλὰ μάχεσθε παρ' ἀλλήλοισι μένοντες,
μηδὲ φυγῆς αἰσχρᾶς ἄρχετε μηδὲ φόβου,
ἀλλὰ μέγαν ποιεῖσθε καί ἄλκιμον ἐν φρεσὶ θυμόν,
μηδὲ φιλοψυχεῖτ' ἀνδράσι μαρνάμενοι·
τοὺς δὲ παλαιοτέρους, ὧν οὐκέτι γούνατ' ἐλαφρά,
μὴ καταλείποντες φεύγετε, τοὺς γεραιούς·
αἰσχρὸν γὰρ δὴ τοῦτο μετὰ προμάχοισι πεσόντα
κεῖσθαι πρόσθε νέων ἄνδρα παλαιότερον,
ἤδη λευκὸν ἔχοντα κάρη πολιόν τε γένειον,
θυμὸν ἀποπνείοντ' ἄλκιμον ἐν κονίῃ,
αἱματόεντ' αἰδοῖα φίλαις ἐν χερσὶν ἔχοντα—
αἰσχρὰ τάγ' ὀφθαλμοῖς καὶ νεμεσητὸν ἰδεῖν—
καὶ χρόα γυμνωθέντα· νέοισι δὲ πάντ' ἐπέοικεν,
ὄφρ' ἐρατῆς ἥβης ἀγλαὸν ἄνθος ἔχῃ·
ἀνδράσι μὲν θηητὸς ἰδεῖν, ἐρατὸς δὲ γυναιξίν,
ζωὸς ἐών, καλὸς δ' ἐν προμάχοισι πεσών.
ἀλλά τις εὖ διαβὰς μενέτω ποσὶν ἀμφοτέροισιν
στηριχθεὶς ἐπὶ γῆς, χεῖλος ὀδοῦσι δακών.

98. *Marching Song*

Ἄγετ', ὦ Σπάρτας εὐάνδρου
κοῦροι πατέρων πολιητᾶν,
λαιᾷ μὲν ἴτυν προβάλεσθε,
δόρυ δ' εὐτόλμως πάλλοντες
μὴ φειδόμενοι τᾶς ζωᾶς·
οὐ γὰρ πάτριον τᾷ Σπάρτᾳ.

TERPANDER

(fl. 676 B.C.)

99. To Zeus

Ζεῦ πάντων ἀρχά,
πάντων ἀγήτωρ,
Ζεῦ, σοὶ σπένδω
ταύταν ὕμνων ἀρχάν.

100. To Apollo and the Muses

Σπένδωμεν ταῖς Μνάμας
παισὶν Μώσαις
καὶ τῷ Μωσάρχῳ
Λατῶς υἱεῖ.

101. Sparta

Ἔνθ' αἰχμά τε νέων θάλλει καὶ μῶσα λίγεια
καὶ δίκα εὐρυάγυια, καλῶν ἐπιτάρροθος ἔργων.

CALLINUS

(fl. 660 B.C.)

102. A Call to Action

Μέχρις τεῦ κατάκεισθε; κότ' ἄλκιμον ἕξετε θυμόν,
ὦ νέοι; οὐδ' αἰδεῖσθ' ἀμφιπερικτίονας,
ὧδε λίην μεθιέντες, ἐν εἰρήνῃ δὲ δοκεῖτε
ἧσθαι, ἀτὰρ πόλεμος γαῖαν ἅπασαν ἔχει.

. . . .

καί τις ἀποθνήσκων ὕστατ' ἀκοντισάτω.
τιμῆέν τε γάρ ἐστι καὶ ἀγλαὸν ἀνδρὶ μάχεσθαι
γῆς πέρι καὶ παίδων κουριδίης τ' ἀλόχου

δυσμενέσιν· θάνατος δὲ τότ' ἔσσεται, ὁππότε κεν δὴ
  Μοῖραι ἐπικλώσωσ', ἀλλά τις ἰθὺς ἴτω
ἔγχος ἀνασχόμενος καὶ ὑπ' ἀσπίδος ἄλκιμον ἦτορ
  ἔλσας, τὸ πρῶτον μιγνυμένου πολέμου.
οὐ γάρ κως θάνατόν γε φυγεῖν εἱμαρμένον ἐστὶν
  ἄνδρ', οὐδ' εἰ προγόνων ᾖ γένος ἀθανάτων.
πολλάκι δηϊοτῆτα φυγὼν καὶ δοῦπον ἀκόντων
  ἔρχεται, ἐν δ' οἴκῳ μοῖρα κίχεν θανάτου·
ἀλλ' ὁ μὲν οὐκ ἔμπης δήμῳ φίλος οὐδὲ ποθεινός,
  τὸν δ' ὀλίγος στενάχει καὶ μέγας, ἤν τι πάθῃ·
λαῷ γὰρ σύμπαντι πόθος κρατερόφρονος ἀνδρὸς
  θνήσκοντος· ζώων δ' ἄξιος ἡμιθέων·
ὥσπερ γάρ μιν πύργον ἐν ὀφθαλμοῖσιν ὁρῶσιν·
  ἔρδει γὰρ πολλῶν ἄξια μοῦνος ἐών.

ARCHILOCHUS

(fl. 648 B.C.)

103. *The Poet's Spear*

Ἐν δορὶ μέν μοι μᾶζα μεμαγμένη, ἐν δορὶ δ' οἶνος
  Ἰσμαρικός, πίνω δ' ἐν δορὶ κεκλιμένος.

104. *The Poet's Shield*

Ἀσπίδι μὲν Σαΐων τις ἀγάλλεται, ἣν παρὰ θάμνῳ
  ἔντος ἀμώμητον κάλλιπον οὐκ ἐθέλων·
αὐτὸς δ' ἐξέφυγον θανάτου τέλος· ἀσπὶς ἐκείνη
  ἐρρέτω· ἐξαῦτις κτήσομαι οὐ κακίω.

105. *Thasos*

Ἧδε δ' ὥστ' ὄνου ῥάχις
ἕστηκεν ὕλης ἀγρίης ἐπιστεφής·

οὐ γάρ τι καλὸς χῶρος οὐδ' ἐφίμερος
οὐδ' ἐρατός, οἷος ἀμφὶ Σίριος ῥοάς.

106. *Simple Tastes*

Οὔ μοι τὰ Γύγεω τοῦ πολυχρύσου μέλει,
οὐδ' εἷλέ πώ με ζῆλος, οὐδ' ἀγαίομαι
θεῶν ἔργα, μεγάλης δ' οὐκ ἐρέω τυραννίδος·
ἀπόπροθεν γάρ ἐστιν ὀφθαλμῶν ἐμῶν.

107. *A girl*

Ἔχουσα θαλλὸν μυρσίνης ἐτέρπετο
ῥοδῆς τε καλὸν ἄνθος, ἡ δέ οἱ κόμη
ὤμους κατεσκίαζε καὶ μετάφρενα.

108. *Rough Sea*

Γλαῦχ', ὅρα, βαθὺς γὰρ ἤδη κύμασιν ταράσσεται
πόντος, ἀμφὶ δ' ἄκρα Γυρέων ὀρθὸν ἵσταται νέφος,
σῆμα χειμῶνος· κιχάνει δ' ἐξ ἀελπτίης φόβος.

109. *The Ideal General*

Οὐ φιλέω μέγαν στρατηγὸν οὐδὲ διαπεπλιγμένον,
οὐδὲ βοστρύχοισι γαῦρον οὐδ' ὑπεξυρημένον,
ἀλλά μοι σμικρός τις εἴη καὶ περὶ κνήμας ἰδεῖν
ῥοικός, ἀσφαλέως βεβηκὼς ποσσί, καρδίης πλέως.

110. *Be still, my Soul*

Θυμέ, θύμ' ἀμηχάνοισι κήδεσιν κυκώμενε,
ἀνάδυ, δυσμενῶν δ' ἀλέξευ προσβαλὼν ἐναντίον
στέρνον, ἐν δοκοῖσιν ἐχθρῶν πλησίον κατασταθεὶς
ἀσφαλέως· καὶ μήτε νικῶν ἀμφάδην ἀγάλλεο,

μήτε νικηθεὶς ἐν οἴκῳ καταπεσὼν ὀδύρεο·
ἀλλὰ χαρτοῖσίν τε χαῖρε καὶ κακοῖσιν ἀσχάλα
μὴ λίην· γίγνωσκε δ' οἷος ῥυσμὸς ἀνθρώπους ἔχει.

111. *There is nothing strange*

Χρημάτων ἄελπτον οὐδέν ἐστιν οὐδ' ἀπώμοτον,
οὐδὲ θαυμάσιον, ἐπειδὴ Ζεὺς πατὴρ 'Ολυμπίων
ἐκ μεσημβρίης ἔθηκε νύκτ' ἀποκρύψας φάος
ἡλίου λάμποντος· ὑγρὸν δ' ἦλθ' ἐπ' ἀνθρώπους δέος.
ἐκ δὲ τοῦ καὶ πιστὰ πάντα κἀπίελπτα γίγνεται
ἀνδράσιν· μηδεὶς ἔθ' ὑμῶν εἰσορῶν θαυμαζέτω,
μηδ' ὅταν δελφῖσι θῆρες ἀνταμείψωνται νομὸν
ἐνάλιον καί σφιν θαλάσσης ἠχέεντα κύματα
φίλτερ' ἠπείρου γένηται, τοῖσι δ' ἡδὺ ᾖ ὄρος.

112. *God punishes*

῏Ω Ζεῦ, πάτερ Ζεῦ, σὸν μὲν οὐρανοῦ κράτος,
σὺ δ' ἔργ' ἐπ' ἀνθρώπων ὁρᾷς
λεωργὰ καὶ θεμιστά, σοὶ δὲ θηρίων
ὕβρις τε καὶ δίκη μέλει.

113. *Knowledge*

Πόλλ' οἶδ' ἀλώπηξ, ἀλλ' ἐχῖνος ἓν μέγα.

ALCMAN

(fl. 630 B.C.)

114. *Hagesichora*

῎Εστι τις σιῶν τίσις.
ὁ δ' ὄλβιος, ὅστις εὔφρων
ἁμέραν διαπλέκει

ἄκλαυτος. ἐγὼν δ' ἀείδω
'Αγιδῶς τὸ φῶς· ὁρῶ
Ϝ' ὥτ' ἅλιον, ὅνπερ ἇμιν
'Αγιδὼ μαρτύρεται
φαίνην. ἐμὲ δ' οὔτ' ἐπαινῆν
οὔτε μωμήσθαι νιν ἁ κλεννὰ χοραγὸς
οὐδ' ἁμῶς ἐῇ· δοκεῖ γὰρ ἤμεν αὐτὰ
ἐκπρεπὴς τώς, ὥσπερ αἴ τις
ἐν βοτοῖς στάσειεν ἵππον
παγὸν ἀεθλοφόρον καναχάποδα
  τῶν ὑποπετριδίων ὀνείρων.

ἦ οὐχ ὁρῇς; ὁ μὲν κέλης
'Ενετικός· ἁ δὲ χαίτα
τᾶς ἐμᾶς ἀνεψιᾶς
'Αγησιχόρας ἐπανθεῖ
χρυσὸς ὡς ἀκήρατος·
τὸ τ' ἀργύριον πρόσωπον—
διαφάδαν τί τοι λέγω;
'Αγησιχόρα μὲν αὕτα.
ἁ δὲ δευτέρα πεδ' 'Αγιδὼν τὸ Ϝεῖδος
ἵππος Εἰβηνῷ Κολαξαῖος δραμείται.
ταὶ Πελειάδες γὰρ ἇμιν
'Ορθρίαι φάρος φεροίσαις
νύκτα δι' ἀμβροσίαν ἅτε Σήριον
  ἄστρον ἀνειρομέναι μάχονται.

οὔτε γάρ τι πορφύρας
τόσσος κόρος, ὥστ' ἀμύναι,
οὔτε ποικίλος δράκων
παγχρύσιος οὐδὲ μίτρα

Λυδία, νεανίδων
ἰανογλεφάρων ἄγαλμα,
οὐδὲ ταὶ Ναννῶς κόμαι,
ἀλλ' οὐδ' Ἀρέτα σιειδὴς
οὐδὲ Συλακίς τε καὶ Κλεησισήρα
οὐδ' ἐς Αἰνησιμβρότας ἐνθοῖσα φασεῖς·
" Ἀσταφίς τέ μοι γένοιτο
καὶ ποτιγλέποι Φιλύλλα
Δαμαρέτα τ' ἐρατά τε Ϝιανθεμίς"—
ἀλλ' Ἁγησιχόρα με τηρεῖ.

οὐ γὰρ ἁ καλλίσφυρος
Ἁγησιχόρα πάρ' αὐτεῖ;
Ἀγιδοῖ δ' ἴκταρ μένει
θωστήριά τ' ἅμ' ἐπαινεῖ;
ἀλλὰ τᾶν εὐχάς, σιοί,
δέξασθε· σιῶν γὰρ ἄνα
καὶ τέλος. χοροστάτις,
εἴποιμί κ', ἐγὼν μὲν αὐτὰ
παρσένος μάταν ἀπὸ θράνω λέλακα
γλαύξ—ἐγὼν δὲ τᾷ μὲν Ἀώτι μαλίστᾳ
ἁνδάνην ἐρῶ· πόνων γὰρ
ἅμιν ἰάτωρ ἔγεντο—·
ἐξ Ἁγησιχόρας δὲ νεάνιδες
εἰρήνας ἐρατᾶς ἐπέβαν.

τῷ τε γὰρ σηραφόρῳ
αὐτῶς ἕπεται μέγ' ἅρμα,
τῷ κυβερνάτᾳ δὲ χρὴ
κὴν νᾶϊ μάλ' ἀίεν ὦκα.
ἁ δὲ τᾶν Σηρηνίδων

ἀοιδοτέρα μὲν οὐχί,
σιαὶ γάρ, ἀντὶ δ' ἕνδεκα
παίδων δεκὰς οἷ' ἀείδει.
φθέγγεται δ' ἄρ' ὥτ' ἐπὶ Ξάνθω ῥοαῖσι
κύκνος· ἁ δ' ἐπιμέρῳ ξανθᾷ κομίσκᾳ. . .

115. *The Halcyons*

Οὔ μ' ἔτι, παρθενικαὶ μελιγάρυες ἱμερόφωνοι,
γυῖα φέρειν δύναται· βάλε δὴ βάλε κηρύλος εἴην,
ὅς τ' ἐπὶ κύματος ἄνθος ἅμ' ἀλκυόνεσσι ποτῆται
νηδεὲς ἦτορ ἔχων, ἁλιπόρφυρος εἴαρος ὄρνις.

116. *On the Mountains*

Πολλάκι δ' ἐν κορυφαῖς ὀρέων, ὅκα
θεοῖσιν ἅδῃ πολύφανος ἑορτά,
χρύσιον ἄγγος ἔχοισα μέγαν σκύφον,
οἷά τε ποιμένες ἄνδρες ἔχουσιν,
χερσὶ λεόντεον ἐκ γάλα . . . .
τυρὸν ἐτύρησας μέγαν ἄτρυφον ἀργιφόνταν.

117. *Night*

Εὕδουσιν δ' ὀρέων κορυφαί τε καὶ φάραγγες,
πρώονές τε καὶ χαράδραι,
φῦλά θ' ἑρπετὰ τόσσα τρέφει μέλαινα γαῖα,
θῆρές τ' ὀρεσκῷοι καὶ γένος μελισσᾶν
καὶ κνώδαλ' ἐν βένθεσσι πορφυρέας ἁλός·
εὕδουσιν δ' οἰωνῶν
φῦλα τανυπτερύγων.

(fl. 630 B.C.)

118. *Sine amore nil est jucundum*

Τίς δὲ βίος, τί δὲ τερπνὸν ἄτερ χρυσῆς Ἀφροδίτης;
τεθναίην, ὅτε μοι μηκέτι ταῦτα μέλοι,
κρυπταδίη φιλότης καὶ μείλιχα δῶρα καὶ εὐνή·
οἷ' ἥβης ἄνθεα γίγνεται ἁρπαλέα
ἀνδράσιν ἠδὲ γυναιξίν· ἐπεὶ δ' ὀδυνηρὸν ἐπέλθῃ
γῆρας, ὅ τ' αἰσχρὸν ὁμῶς καὶ κακὸν ἄνδρα τιθεῖ,
αἰεί μιν φρένας ἀμφὶ κακαὶ τείρουσι μέριμναι,
οὐδ' αὐγὰς προσορῶν τέρπεται ἠελίου,
ἀλλ' ἐχθρὸς μὲν παισίν, ἀτίμαστος δὲ γυναιξίν·
οὕτως ἀργαλέον γῆρας ἔθηκε θεός.

119. *We all do fail as a leaf*

Ἡμεῖς δ' οἷά τε φύλλα φύει πολυάνθεμος ὥρη
ἔαρος, ὅτ' αἶψ' αὐγῇς αὔξεται ἠελίου,
τοῖς ἴκελοι πήχυιον ἐπὶ χρόνον ἄνθεσιν ἥβης
τερπόμεθα, πρὸς θεῶν εἰδότες οὔτε κακὸν
οὔτ' ἀγαθόν· Κῆρες δὲ παρεστήκασι μέλαιναι,
ἡ μὲν ἔχουσα τέλος γήραος ἀργαλέου,
ἡ δ' ἑτέρη θανάτοιο· μίνυνθα δὲ γίγνεται ἥβης
καρπός, ὅσον τ' ἐπὶ γῆν κίδναται ἠέλιος·
αὐτὰρ ἐπὴν δὴ τοῦτο τέλος παραμείψεται ὥρης,
αὐτίκα τεθνάμεναι βέλτιον ἢ βίοτος·
πολλὰ γὰρ ἐν θυμῷ κακὰ γίγνεται· ἄλλοτε οἶκος
τρυχοῦται, πενίης δ' ἔργ' ὀδυνηρὰ πέλει·
ἄλλος δ' αὖ παίδων ἐπιδεύεται, ὧν τε μάλιστα
ἱμείρων κατὰ γῆς ἔρχεται εἰς Ἀΐδην·

ἄλλος νοῦσον ἔχει θυμοφθόρον· οὐδέ τις ἔστιν
ἀνθρώπων, ᾧ Ζεὺς μὴ κακὰ πολλὰ διδοῖ.

120. *The Never-resting Sun*

Ἠέλιος μὲν γὰρ πόνον ἔλλαχεν ἤματα πάντα,
οὐδέ ποτ᾽ ἄμπαυσις γίγνεται οὐδεμία
ἵπποισίν τε καὶ αὐτῷ, ἐπεὶ ῥοδοδάκτυλος Ἠὼς
Ὠκεανὸν προλιποῦσ᾽ οὐρανὸν εἰσαναβῇ·
τὸν μὲν γὰρ διὰ κῦμα φέρει πολυήρατος εὐνὴ
κοΐλη, Ἡφαίστου χερσὶν ἐληλαμένη
χρυσοῦ τιμήεντος, ὑπόπτερος, ἄκρον ἐφ᾽ ὕδωρ
εὕδονθ᾽ ἁρπαλέως χώρου ἀφ᾽ Ἑσπερίδων
γαῖαν ἐς Αἰθιόπων, ἵνα δὴ θοὸν ἅρμα καὶ ἵπποι
ἑστᾶσ᾽, ὄφρ᾽ Ἠὼς ἠριγένεια μόλῃ.

SEMONIDES

(fl. 630 B.C.)

121. *The Dead*

Τοῦ μὲν θανόντος οὐκ ἂν ἐνθυμοίμεθα,
εἴ τι φρονοῖμεν, πλεῖον ἡμέρης μιῆς.

122. *Some Women*

Χωρὶς γυναικὸς θεὸς ἐποίησεν νόον
τὰ πρῶτα· τὴν μὲν ἐξ ὑὸς τανύτριχος,
τῇ πάντ᾽ ἀν᾽ οἶκον βορβόρῳ πεφυρμένα
ἄκοσμα κεῖται, καὶ κυλίνδεται χαμαί·
αὐτὴ δ᾽ ἄλουτος ἀπλύτοις τ᾽ ἐν εἵμασιν
ἐν κοπρίῃσιν ἡμένη πιαίνεται.

Τὴν δ' ἐξ ἀλιτρῆς θεὸς ἔθηκ' ἀλώπεκος
γυναῖκα, πάντων ἴδριν· οὐδέ μιν κακῶν
λέληθεν οὐδέν, οὐδὲ τῶν ἀμεινόνων.
τὸ μὲν γὰρ αὐτῶν εἶπε πολλάκις κακόν,
τὸ δ' ἐσθλόν· ὀργὴν δ' ἄλλοτ' ἀλλοίην ἔχει.
Τὴν δ' ἐκ κυνὸς λίταργον, αὐτομήτορα,
ἣ πάντ' ἀκοῦσαι, πάντα δ' εἰδέναι θέλει,
πάντῃ δὲ παπταίνουσα καὶ πλανωμένη
λέληκεν, ἢν καὶ μηδέν' ἀνθρώπων ὁρᾷ.
παύσειε δ' ἄν μιν οὔτ' ἀπειλήσας ἀνήρ,
οὐδ' εἰ χολωθεὶς ἐξαράξειεν λίθῳ
ὀδόντας, οὔτ' ἂν μειλίχως μυθεύμενος,
οὐδ' εἰ παρὰ ξείνοισιν ἡμένη τύχοι·
ἀλλ' ἐμπέδως ἄπρηκτον αὑονὴν ἔχει.
Τὴν δὲ πλάσαντες γηΐνην Ὀλύμπιοι
ἔδωκαν ἀνδρὶ πηρόν· οὔτε γὰρ κακόν,
οὔτ' ἐσθλὸν οὐδὲν οἶδε τοιαύτη γυνή,
ἔργον δὲ μοῦνον ἐσθίειν ἐπίσταται·
κοὐδ' ἢν κακὸν χειμῶνα ποιήσῃ θεός,
ῥιγῶσα δίφρον ἆσσον ἕλκεται πυρός.
Τὴν δ' ἐκ θαλάσσης, ἣ δύ' ἐν φρεσὶν νοεῖ.
τὴν μὲν γελᾷ τε καὶ γέγηθεν ἡμέρην·
ἐπαινέσει μιν ξεῖνος ἐν δόμοις ἰδών·
"Οὐκ ἔστιν ἄλλη τῆσδε λωΐων γυνὴ
ἐν πᾶσιν ἀνθρώποισιν, οὐδὲ καλλίων."
τὴν δ' οὐκ ἀνεκτὸς οὔτ' ἐν ὀφθαλμοῖς ἰδεῖν,
οὔτ' ἆσσον ἐλθεῖν, ἀλλὰ μαίνεται τότε
ἄπλητον, ὥσπερ ἀμφὶ τέκνοισιν κύων·
ἀμείλιχος δὲ πᾶσι κἀποθυμίη
ἐχθροῖσιν ἶσα καὶ φίλοισι γίγνεται.

ὥσπερ θάλασσα πολλάκις μὲν ἀτρεμὴς
ἕστηκ᾽ ἀπήμων, χάρμα ναύτῃσιν μέγα,
θέρεος ἐν ὥρῃ, πολλάκις δὲ μαίνεται
βαρυκτύποισι κύμασιν φορευμένη·
ταύτῃ μάλιστ᾽ ἔοικε τοιαύτη γυνὴ
ὀργήν· φυὴν δὲ πόντος ἀλλοίην ἔχει. . . .
Τὴν δ᾽ ἐκ μελίσσης· τήν τις εὐτυχεῖ λαβών·
κείνῃ γὰρ οἴῃ μῶμος οὐ προσιζάνει,
θάλλει δ᾽ ὑπ᾽ αὐτῆς κἀπαέξεται βίος·
φίλη δὲ σὺν φιλεῦντι γηράσκει πόσι,
τεκοῦσα καλὸν κοὐνομάκλυτον γένος·
κἀριπρεπὴς μὲν ἐν γυναιξὶ γίγνεται
πάσῃσι, θείη δ᾽ ἀμφιδέδρομεν χάρις·
οὐδ᾽ ἐν γυναιξὶν ἥδεται καθημένη,
ὅκου λέγουσιν ἀφροδισίους λόγους.
Τοίας γυναῖκας ἀνδράσιν χαρίζεται
Ζεὺς τὰς ἀρίστας καὶ πολυφραδεστάτας.

ARION?

(fl. 620 B.C.)

123. *Hymn to Poseidon*

Ὕψιστε θεῶν,
πόντιε χρυσοτρίαινα Πόσειδον,
γαιάοχ᾽, ἐγκύμον᾽ ἀν᾽ ἅλμαν·
βραγχίοις περὶ δὲ σὲ πλωτοὶ
θῆρες χορεύουσι κύκλῳ,
κούφοισι ποδῶν ῥίμμασιν
ἐλάφρ᾽ ἀναπαλλόμενοι, σιμοί,
φριξαύχενες, ὠκύδρομοι σκύλακες, φιλόμουσοι

δελφῖνες, ἔναλα θρέμματα
κουρᾶν Νηρεΐδων θεᾶν,
ἃς ἐγείνατ' Ἀμφιτρίτα·
οἵ μ' εἰς Πέλοπος γᾶν ἐπὶ Ταιναρίαν ἀκτὰν
ἐπορεύσατε πλαζόμενον Σικελῷ ἐνὶ πόντῳ,
κυρτοῖσι νώτοις ὀχέοντες,
ἄλοκα Νηρεΐας πλακὸς
τέμνοντες, ἀστιβῆ πόρον, φῶτες δόλιοι
ὥς μ' ἀφ' ἁλιπλόου γλαφυρᾶς νεὼς
εἰς οἶδμ' ἁλιπόρφυρον λίμνας ἔριψαν.

ANONYMOUS

(VII and VI B.C.)

124. *Country Lore*

i. *Sowing Days*

Σῖτον ἐν πηλῷ φύτευε· τὴν δὲ κριθὴν ἐν κόνει.

ii. *Wind and Weather*

Λὶψ ἄνεμος ταχὺ μὲν νεφέλας, ταχὺ δ' αἴθρια ποιεῖ,
  Ἀργέστῃ δ' ἀνέμῳ πᾶσ' ἕπεται νεφέλη.

125. *Songs of Work*

i. *For the Sheaf*

Πλεῖστον οὖλον ἵει, ἴουλον ἵει.

ii. *At the Mill*

Ἄλει, μύλα, ἄλει·
καὶ γὰρ Πιττακὸς ἄλει,
μεγάλας Μιτυλάνας βασιλεύων.

126. *Songs of Play*

i. *Here we go gathering . . .*

Ποῦ μοι τὰ ῥόδα, ποῦ μοι τὰ ἴα, ποῦ μοι τὰ καλὰ σέλινα;
Ταδὶ τὰ ῥόδα, ταδὶ τὰ ἴα, ταδὶ τὰ καλὰ σέλινα.

ii. *Blind Man's Buff*

Χαλκῆν μυῖαν θηράσω.
Θηράσεις, ἀλλ' οὐ λήψει.

iii. *Tortoise in the Ring*

A. Χέλει χελώνη, τί ποίεις ἐν τῷ μέσῳ;
B. Μαρύομ' ἔρια καὶ κρόκαν Μιλησίαν.
A. Ὁ δ' ἔκγονός σου τί ποίων ἀπώλετο;
B. Λευκᾶν ἀφ' ἵππων εἰς θάλασσαν ἅλατο.

127. *A Love Song*

Ὦ τί πάσχεις; μὴ προδῷς ἄμμ', ἱκετεύω·
πρὶν καὶ μολεῖν κεῖνον, ἀνίστω·
μὴ κακὸν σὲ μέγα ποιήσῃς κἠμὲ τὰν δειλάκραν·
ἀμέρα καὶ δή· τὸ φῶς ζὰ τᾶς θυρίδος οὐκ ὁρῇς;

128. *A Marching Song*

Ἀμὲς πόκ' ἦμες ἄλκιμοι νεανίαι.
Ἀμὲς δέ γ' εἰμές· αἰ δὲ λῇς, αὐγάσδεο.
Ἀμὲς δέ γ' ἐσσόμεσθα πολλῷ κάρρονες.

129. *Linos*

Ὦ Λίνε πᾶσι θεοῖσιν
τετιμένε, σοὶ γὰρ ἔδωκαν
πρώτῳ μέλος ἀνθρώποισιν
φωναῖς λιγυραῖς ἀεῖσαι·
Φοῖβος δὲ κότῳ σ' ἀναιρεῖ,
Μοῦσαι δέ σε θρηνέουσιν.

130. *Swallow Song*

Ἦλθ', ἦλθε χελιδών,
καλὰς ὥρας ἄγουσα,
καλοὺς ἐνιαυτούς,
ἐπὶ γαστέρα λευκά,
ἐπὶ νῶτα μέλαινα.
παλάθαν σὺ προκύκλει
ἐκ πίονος οἴκου,
οἴνου τε δέπαστρον,
τυρῶν τε κάνυστρον·
καὶ πύρνα χελιδὼν
καὶ λεκιθίταν
οὐκ ἀπωθεῖται. πότερ' ἀπίωμες, ἢ λαβώμεθα;
εἰ μέν τι δώσεις· εἰ δὲ μή, οὐκ ἐάσομες,
ἢ τὰν θύραν φέρωμες ἢ τοὐπέρθυρον,
ἢ τὰν γυναῖκα τὰν ἔσω καθημέναν·
μικρὰ μέν ἐστι, ῥᾳδίως μιν οἴσομες.
ἀλλ' εἰ φέρῃς τι,
μέγα δή τι φέροις.
ἄνοιγ', ἄνοιγε τὰν θύραν χελιδόνι·
οὐ γὰρ γέροντές ἐσμεν, ἀλλὰ παιδία.

ALCAEUS

(fl. 600(?) B.C.)

131. *To Athena*

Ἄνασσ' Ἀθανάα πολεμαδόκος,
ἄ ποι Κορωνήας ἐπὶ πίσεων
ναύω πάροιθεν ἀμφιβαίνεις,
Κωραλίω ποτάμω πὰρ ὄχθαις.

132. *An Armoury*

Μαρμαίρει δὲ μέγας δόμος χάλκῳ· παῖσα δ' ἄδην
κεκόσμηται στέγα
λάμπραισιν κυνίαισι, κὰτ τᾶν λεῦκοι κατύπερθεν ἴππιοι
λόφοι
νεύοισιν, κεφάλαισιν ἄνδρων ἀγάλματα· χάλκιαι δὲ
πασσάλοις
κρύπτοισιν περικείμεναι λάμπραι κνάμιδες, ἄρκος
ἰσχύρω βέλεος,
θόρρακές τε νέω λίνω κοΐλαί τε κὰτ ἄσπιδες βεβλή-
μεναι·
πὰρ δὲ Χαλκίδικαι σπάθαι, πὰρ δὲ ζώματα πόλλα
καὶ κυπάσσιδες·
τῶν οὐκ ἔστι λάθεσθ' ἐπειδὴ πρώτιστ' ὐπὰ τὦργον
ἔσταμεν τόδε.

133. *Storm at Sea*

i

Ἀσυννέτημι τὼν ἀνέμων στάσιν·
τὸ μὲν γὰρ ἔνθεν κῦμα κυλίνδεται,
τὸ δ' ἔνθεν· ἄμμες δ' ὂν τὸ μέσσον
νᾶϊ φορήμμεθα σὺν μελαίνᾳ,

χείμωνι μόχθεντες μεγάλῳ μάλα·
πὲρ μὲν γὰρ ἄντλος ἰστοπέδαν ἔχει,
λαῖφος δὲ πὰν ζάδηλον ἤδη
καὶ λάκιδες μέγαλαι κὰτ αὖτο·

ii

τὸ δηὖτε κῦμα τῶν προτέρων ὄνω
στείχει, παρέξει δ' ἄμμι πόνον πόλυν. . . .
φαρξώμεθ' ὡς ὤκιστα τοίχοις,
ἐς δ' ἔχυρον λίμενα δρόμωμεν.

καὶ μή τιν' ὄκνος μόλθακος ἀμμέων
λάχῃ· πρόδηλον γὰρ μέγ' ἀέθλιον·
μνάσθητε τῶ πάροιθα μόχθω·
νῦν τις ἄνηρ δόκιμος γενέσθω.

134. *Antimenidas*

Ἦλθες ἐκ περάτων γᾶς ἐλεφαντίναν
λάβαν τῶ ξίφεος χρυσοδέταν ἔχων,
σύμμαχος δ' ἐτέλεσσας Βαβυλωνίων
ἄεθλον μέγαν, ἐρρύσαο δ' ἐκ πόνων,
κτένναις ἄνδρα μαχαίταν βασιληΐων
παλάσταν ἀπυλείποντα μόναν ἴαν
παχέων ἀπὺ πέμπων.

135. *Drinking Songs*

i

Υ̓́ει μὲν ὀ Ζεῦς, ἐκ δ' ὀράνω μέγας
χείμων, πεπάγαισιν δ' ὐδάτων ῥόαι. . . .

κάββαλλε τὸν χείμων', ἐπὶ μὲν τίθεις
πῦρ, ἐν δὲ κέρναις οἶνον ἀφειδέως
μέλιχρον, αὐτὰρ ἀμφὶ κόρσᾳ
μόλθακον ἀμφιβάλων γνόφαλλον.

οὐ χρῆ κάκοισι θῦμον ἐπιτρέπην·
προκόψομεν γὰρ οὐδ' ἒν ἀσάμενοι,
ὦ Βύκχι, φάρμακον δ' ἄριστον
οἶνον ἐνεικαμένοις μεθύσθην.

ii

'Αλλ' ἀνήτω μὲν περὶ ταῖς δέραισι
περθέτω πλέκταις ὑπαθύμιδάς τις,
κὰδ δὲ χευάτω μύρον ἆδυ κὰτ τὼ
στήθεος ἄμμι.

iii

Πώνωμεν· τί τὰ λύχν' ὀμμένομεν; δάκτυλος ἀμέρα.
κὰδ δ' ἄερρε κυλίχναις μεγάλαις αἶψ' ἀπὺ πασσάλων·

οἶνον γὰρ Σεμέλας καὶ Δίος υἶος λαθικάδεον
ἀνθρώποισιν ἔδωκ'· ἔγχεε κέρναις ἕνα καὶ δύο

πλήαις κὰκ κεφάλας, ἀ δ' ἀτέρα τὰν ἀτέραν κύλιξ
ὠθήτω.

iv

Τέγγε πνεύμονας οἴνῳ· τὸ γὰρ ἄστρον περιτέλλεται,
ἀ δ' ὤρα χαλέπα, πάντα δὲ δίψαισ' ὑπὰ καύματος.

ἄχει δ' ἐκ πετάλων ἄδεα τέττιξ, πτερύγων δ' ὔπα
κακχέει λιγύραν πύκνον ἀοίδαν, θέρος ὄπποτα

φλόγιον . . . . πεπτάμενον πάντα καταυλέῃ.
ἄνθει δὲ σκόλυμος· νῦν δὲ γύναικες μιαρώταται,

λέπτοι δ' ἄνδρες, ἐπεὶ καὶ κεφάλαν καὶ γόνα Σείριος
ἄσδει.

V

Κὰτ τὰς πόλλα παθοίσας κεφάλας κάκχεέ μοι μύρον
καὶ κὰτ τὼ πολίω στήθεος.

136. *To Sappho*

Ἰόπλοκ' ἄγνα μελλιχόμειδε Σάπφοι.

137. *Immortalia ne speres*

Πῶνε καὶ μέθυ', ὦ Μελάνιππ', ἄμ' ἔμοι. τί φαῖς,
διννάεντ' ὅτ' ἀμείψεαι Ἀχέροντα μέγαν πόρον

ζάβαις, ἀελίω κόθαρον φάος ἄψερον
ὄψεσθ'; ἀλλ' ἄγι μὴ μεγάλων ἐπιβάλλεο·

καὶ γὰρ Σίσυφος Αἰολίδαις βασίλευς ἔφα
ἄνδρων πλεῖστα νοησάμενος θάνατον φύγην.

ἀλλὰ καὶ πολύιδρις ἔων ὑπὰ κᾶρι δὶς
διννάεντ' Ἀχέροντ' ἐπέραισε· μέγαν δέ οἶ

κάτω μόχθον ἔχην Κρονίδαις βάρυν ὤρισε
μελαίνας χθόνος. ἀλλ' ἄγι μὴ τάδ' ἐπέλπεο,

ἔστ' ἀβάσομεν· αἴ ποτα κἄλλοτα, νῦν πρέπει
φέρην ὄττινα τῶνδε πάθην τάχα δῷ θέος.

138. *Helen and Thetis*

Οὐ τεαύταν Αἰακίδαις ποθέννην
πάντας ἐς γάμον μάκαρας καλέσσαις
ἄγετ᾽ ἐκ Νήρηος ἔλων μελάθρων
πάρθενον ἄβραν

ἐς δόμον Χέρρωνος· ἔλυσε δ᾽ ἄγνας
ζῶμα παρθένω· φιλότας δ᾽ ἔγεντο
Πήλεος καὶ Νηρεΐδων ἀρίστας.
ἐς δ᾽ ἐνίαυτον

παῖδα γέννατ᾽ αἰμιθέων φέριστον,
ὄλβιον ξάνθαν ἐλάτηρα πώλων,
οἰ δ᾽ ἀπώλοντ᾽ ἀμφ᾽ Ἐλένᾳ Φρύγες τε
καὶ πόλις αὔτων.

139. *Castor and Pollux*

Δεῦτέ νυν νᾶσον Πέλοπος λίποντες
παῖδες ἴφθιμοι Δίος ἠδὲ Λήδας,
ἰλλάῳ θύμῳ προφάνητε, Κάστορ
καὶ Πολύδευκες,
οἲ κὰτ εὔρηαν χθόνα καὶ θάλασσαν
παῖσαν ἔρχεσθ᾽ ὠκυπόδων ἐπ᾽ ἴππων,
ῥήα δ᾽ ἀνθρώποις θανάτω ῥύεσθε
ζακρυόεντος
εὐσδύγων θρῴσκοντες ὂν ἄκρα νάων
πήλοθεν λάμπροι πρότον᾽ ὀντρέχοντες
ἀργαλέᾳ δ᾽ ἐν νύκτι φάος φέροντες
νᾶϊ μελαίνᾳ.

(fl. 600 (?) B. C.)

140. *To Aphrodite*

Ποικιλόθρον' ἀθανάτ' Ἀφρόδιτα,
παῖ Δίος δολόπλοκε, λίσσομαί σε,
μή μ' ἄσαισι μηδ' ὀνίαισι δάμνα,
πότνια, θῦμον,

ἀλλὰ τυίδ' ἔλθ', αἴ ποτα κἀτέρωτα
τὰς ἔμας αὔδας ἀίοισα πήλοι
ἔκλυες πάτρος δὲ δόμον λίποισα
χρύσιον ἦλθες

ἄρμ' ὐπαζεύξαισα· κάλοι δέ σ' ἄγον
ὤκεες στροῦθοι περὶ γᾶς μελαίνας
πύκνα δίννεντες πτέρ' ἀπ' ὠράνω αἴθε-
ρος διὰ μέσσω

αἶψα δ' ἐξίκοντο· σὺ δ', ὦ μάκαιρα,
μειδιαίσαισ' ἀθανάτῳ προσώπῳ
ἤρε' ὄττι δηὖτε πέπονθα κὤττι
δηὖτε κάλημμι

κὤττι μοι μάλιστα θέλω γένεσθαι
μαινόλᾳ θύμῳ· τίνα δηὖτε πείθω
. . . . ἐς σὰν φιλότατα; τίς σ', ὦ
Ψάπφ', ἀδικήει;

καὶ γὰρ αἰ φεύγει, ταχέως διώξει,
αἰ δὲ δῶρα μὴ δέκετ', ἀλλὰ δώσει,
αἰ δὲ μὴ φίλει, ταχέως φιλήσει
κωὐκὶ θέλοισα.

ἔλθε μοι καὶ νῦν, χαλέπαν δὲ λῦσον
ἐκ μερίμναν, ὄσσα δέ μοι τέλεσσαι
θῦμος ἰμέρρει, τέλεσον, σὺ δ' αὔτα
σύμμαχος ἔσσο.

141. *To a Bride*

Φαίνεταί μοι κῆνος ἴσος θέοισιν
ἔμμεν' ὤνηρ, ὄττις ἐνάντιός τοι
ἰσδάνει καὶ πλάσιον ἆδυ φωνεί-
σας ὐπακούει

καὶ γελαίσας ἰμέροεν, τό μ' ἦ μὰν
καρδίαν ἐν στήθεσιν ἐπτόαισεν,
ὠς γὰρ ἔς σ' ἴδω βρόχε' ὤς με φώναισ'
οὐδ'ἒν ἔτ' εἴκει,

ἀλλ' ἄκαν μὲν γλῶσσα πέπαγε λέπτον δ'
αὔτικα χρῷ πῦρ ὐπαδεδρόμηκεν,
ὀππάτεσσι δ' οὐδ'ἒν ὄρημμ', ἐπιρρόμ-
βεισι δ' ἄκουαι,

κὰδ δέ μ' ἴδρως κακχέεται, τρόμος δὲ
παῖσαν ἄγρει, χλωροτέρα δὲ ποίας
ἔμμι, τεθνάκην δ' ὀλίγω 'πιδεύης
φαίνομ' ἀλαία.

142. *The Moon*

Ἄστερες μὲν ἀμφὶ κάλαν σελάνναν
ἂψ ἀπυκρύπτοισι φάεννον εἶδος,
ὄπποτα πλήθοισα μάλιστα λάμπῃ
γᾶν ἐπὶ παῖσαν
. . . . ἀργυρία.

143. *Forgotten*

Κατθάνοισα δὲ κείσῃ οὐδέ ποτα μναμοσύνα σέθεν
ἔσσετ' οὐδὲ πόθα εἰς ὕστερον· οὐ γὰρ πεδέχῃς βρόδων
τῶν ἐκ Πιερίας· ἀλλ' ἀφάνης κἀν 'Αίδα δόμῳ
φοιτάσῃς πεδ' ἀμαύρων νεκύων ἐκπεποταμένα.

144. *Flowers for the Graces*

Σὺ δὲ στεφάνοις, ὦ Δίκα, πέρθεσθ' ἐράτοις φόβαισιν
ὄρπακας ἀνήτω συναέρραισ' ἀπάλαισι χέρσιν·
εὐάνθεα γὰρ θέα μέλεται καὶ Χάριτες μάκαιραι
μᾶλλον προφέρην, ἀστεφανώτοισι δ' ἀπυστρέφονται.

145. *An absent friend*

σε θέᾳ σ' ἰκέλαν ἀρι-
γνώτᾳ, σᾷ δὲ μάλιστ' ἔχαιρε μόλπᾳ.

νῦν δὲ Λύδαισιν ἐμπρέπεται γυναί-
κεσσιν, ὥς ποτ' ἀελίω
δύντος ἀ βροδοδάκτυλος σελάννα

πάντα περρέχοισ' ἄστρα· φάος δ' ἐπί-
σχει θάλασσαν ἐπ' ἀλμύραν
ἴσως καὶ πολυανθέμοις ἀρούραις,

ἀ δ' ἐέρσα κάλα κέχυται τεθά-
λαισι δὲ βρόδα κἄπαλ' ἄν-
θρυσκα καὶ μελίλωτος ἀνθεμώδης·

πόλλα δὲ ζαφοίταισ', ἀγάνας ἐπι-
μνάσθεισ' Ἄτθιδος ἰμέρῳ,
λέπταν ποι φρένα, κῆρ δ' ἄσᾳ βόρηται.

146. *Evening*

Ἔσπερε πάντα φέρων ὄσα φαίνολις ἐσκέδασ' αὔως,
φέρεις ὄιν, φέρεις αἶγα, φέρεις ἄπυ μάτερι παῖδα.

147. *Parting*

Τεθνάκην δ' ἀδόλως θέλω·
ἄ με ψισδομένα κατελίμπανε

πόλλα καὶ τόδ' ἔειπέ μοι·
"ὤιμ' ὡς δεῖνα πεπόνθαμεν,
Ψάπφ', ἦ μάν σ' ἀέκοισ' ἀπυλιμπάνω."

τὰν δ' ἔγω τάδ' ἀμειβόμαν·
"χαίροισ' ἔρχεο κἄμεθεν
μέμναισ', οἶσθα γὰρ ὤς σε πεδήπομεν·

αἰ δὲ μή, ἀλλά σ' ἔγω θέλω
ὄμμναισαι, σὺ δὲ λάθεαι
ὄσσα μόλθακα καὶ κάλ' ἐπάσχομεν.

πόλλοις γὰρ στεφάνοις ἴων
καὶ βρόδων κροκίων τ' ὔμοι
κἀνήτω πὰρ ἔμοι περεθήκαο

καὶ πόλλαις ὐπαθύμιδας
πλέκταις ἀμφ' ἀπάλᾳ δέρᾳ
ἀνθέων ἐράτων πεποημμέναις

καὶ πόλλῳ θάμακις μύρῳ
βρενθείῳ κεφάλαν ἔμαν
ἐξαλείψαο καὶ βασιληίῳ."

148. *A Young Bride*

i

Οἶον τὸ γλυκύμαλον ἐρεύθεται ἄκρῳ ἐπ' ὔσδῳ,
ἄκρον ἐπ' ἀκροτάτῳ, λελάθοντο δὲ μαλοδρόπηες,
οὐ μὰν ἐκλελάθοντ', ἀλλ' οὐκ ἐδύναντ' ἐπίκεσθαι.

ii

οἴαν τὰν ὐάκινθον ἐν ὤρεσι ποίμενες ἄνδρες
πόσσι καταστείβοισι, χάμαι δέ τε πόρφυρον ἄνθος . . .

149. *Mother, I cannot mind my wheel*

Γλύκηα μᾶτερ, οὔτοι δύναμαι κρέκην τὸν ἴστον
πόθῳ δάμεισα παῖδος βραδίναν δι' Ἀφροδίταν.

150. *Wedding Songs*

i

(νύμφη). παρθενία, παρθενία, ποῖ με λίποισ' ἀποίχῃ;
(παρθενία). οὐκέτ' ἤξω πρὸς σέ, φίλα, νῦν πάλιν οὐκέτ' ἤξω.

ii

τίῳ σ', ὦ φίλε γάμβρε, κάλως ἐικάσδω;
ὄρπακι βραδίνῳ σε μάλιστ' ἐικάσδω.

151. *A Garden*

Ἐν δ' ὔδωρ ψῦχρον κελάδει δι' ὔσδων
μαλίνων, βρόδοισι δὲ παῖς ὁ χῶρος
ἐσκίαστ', αἰθυσσομένων δὲ φύλλων
κῶμα κατέρρει.

152. *Love*

Ἔρος δηὖτέ μ᾽ ὀ λυσιμέλης δόνει,
γλυκύπικρον ἀμάχανον ὄρπετον.

153. *A girl*

Ἔστι μοι κάλα πάις χρυσίοισιν ἀνθέμοισιν
ἐμφέρην ἔχοισα μόρφαν Κλεῦις ἀγαπάτα,
ἀντὶ τᾶς ἔγω οὐδὲ Λυδίαν παῖσαν οὐδ᾽ ἐράνναν . . . .

154. *To Atthis*

Ἠράμαν μὲν ἔγω σέθεν, Ἄτθι, πάλαι ποτά. . . .
σμίκρα μοι πάις ἔμμεν᾽ ἐφαίνεο κἄχαρις.

155. *The Nightingale*

Ἦρος ἄγγελος ἰμερόφωνος ἀήδω.

156. *Night*

Δέδυκε μὲν ἀ σελάννα
καὶ Πληιάδες, μέσαι δὲ
νύκτες, παρὰ δ᾽ ἔρχετ᾽ ὤρα,
ἔγω δὲ μόνα κατεύδω.

157. *Andromache's Wedding*

"Ἕκτωρ καὶ συνέταιροι ἄγοισ᾽ ἐλικώπιδα
Θήβας ἐξ ἴερας Πλακίας τ᾽ ἀπ᾽ αἰννάω
ἄβραν Ἀνδρομάχαν ἐνὶ ναῦσιν ἐπ᾽ ἄλμυρον

πόντον· πόλλα δ' ἐλίγματα χρύσια κἄμματα
πορφύρα κὰτ ἀύτμενα, ποίκιλ' ἀθύρματα,
ἀργύρα τ' ἀνάριθμα ποτήρια κἀλέφαις."
ὣς εἶπ'· ὀτραλέως δ' ἀνόρουσε πάτηρ φίλος.
φάμα δ' ἦλθε κατὰ πτόλιν εὐρύχορον φίλοις.
αὔτικ' Ἰλίαδαι σατίναις ὑπ' εὐτρόχοις
ἆγον αἰμιόνοις. ἐπέβαινε δὲ παῖς ὄχλος
γυναίκων τ' ἄμα παρθενίκαν τ' ἀπαλοσφύρων·
χῶρις δ' αὖ Περάμοιο θύγατρες ἐπήισαν.
ἴπποις δ' ἄνδρες ὔπαγον ὐπ' ἄρματα κάμπυλα
πάντες ἠίθεοι· . . .

αὖλος δ' ἀδυμέλης κιθάρα τ' ὀνεμίγνυτο
καὶ ψόφος κροτάλων, λιγέως δ' ἄρα πάρθενοι
ἄειδον μέλος ἄγνον, ἴκανε δ' ἐς αἴθερα
ἄχω θεσπεσία. . . .
μύρρα καὶ κασία λίβανος τ' ὀνεμείχνυτο,
γύναικες δ' ἐλέλυσδον ὄσαι προγενέστεραι
πάντες δ' ἄνδρες ἐπήρατον ἴαχον ὄρθιον
Πάον' ὀνκαλέοντες ἐκάβολον εὐλύραν,
ὔμνην δ' Ἔκτορα κ' Ἀνδρομάχαν θεοεικέλοις.

SOLON

(fl. 594 B. C.)

158. *The Protectress of Athens*

Ἡμετέρα δὲ πόλις κατὰ μὲν Διὸς οὔποτ' ὀλεῖται
  αἶσαν καὶ μακάρων θεῶν φρένας ἀθανάτων·
τοίη γὰρ μεγάθυμος ἐπίσκοπος ὀβριμοπάτρη
  Παλλὰς Ἀθηναίη χεῖρας ὕπερθεν ἔχει.

159. *The Lawgiver's Boast*

Δήμῳ μὲν γὰρ ἔδωκα τόσον κράτος, ὅσσον ἀπαρκεῖ,
    τιμῆς οὔτ' ἀφελὼν οὔτ' ἐπορεξάμενος·
οἳ δ' εἶχον δύναμιν καὶ χρήμασιν ἦσαν ἀγητοί,
    καὶ τοῖς ἐφρασάμην μηδὲν ἀεικὲς ἔχειν·
ἔστην δ' ἀμφιβαλὼν κρατερὸν σάκος ἀμφοτέροισιν,
    νικᾶν δ' οὐκ εἴασ' οὐδετέρους ἀδίκως.

160. *Diversity of Gifts*

Σπεύδει δ' ἄλλοθεν ἄλλος· ὁ μὲν κατὰ πόντον ἀλᾶται
    ἐν νηυσὶν χρῄζων οἴκαδε κέρδος ἄγειν
ἰχθυόεντ', ἀνέμοισι φορεύμενος ἀργαλέοισιν,
    φειδωλὴν ψυχῆς οὐδεμίαν θέμενος·
ἄλλος γῆν τέμνων πολυδένδρεον εἰς ἐνιαυτὸν
    λατρεύει, τοῖσιν καμπύλ' ἄροτρα μέλει·
ἄλλος Ἀθηναίης τε καὶ Ἡφαίστου πολυτέχνεω
    ἔργα δαεὶς χειροῖν ξυλλέγεται βίοτον·
ἄλλος Ὀλυμπιάδων Μουσέων πάρα δῶρα διδαχθείς,
    ἱμερτῆς σοφίης μέτρον ἐπιστάμενος·
ἄλλον μάντιν ἔθηκεν ἄναξ ἑκάεργος Ἀπόλλων,
    ἔγνω δ' ἀνδρὶ κακὸν τηλόθεν ἐρχόμενον,
ᾧ συνομαρτήσωσι θεοί· τὰ δὲ μόρσιμα πάντως
    οὔτε τις οἰωνὸς ῥύσεται οὔθ' ἱερά·
ἄλλοι Παιῶνος πολυφαρμάκου ἔργον ἔχοντες
    ἰητροί, καὶ τοῖς οὐδὲν ἔπεστι τέλος·
πολλάκι δ' ἐξ ὀλίγης ὀδύνης μέγα γίγνεται ἄλγος,
    κοὐκ ἄν τις λύσαιτ' ἤπια φάρμακα δούς·
τὸν δὲ κακαῖς νούσοισι κυκώμενον ἀργαλέαις τε
    ἁψάμενος χειροῖν αἶψα τίθησ' ὑγιῆ.

STESICHORUS

(c. 630–c. 553 B. C.)

161. *The Setting Sun*

Ἀέλιος δ' Ὑπεριονίδας δέπας ἐσκατέβαινεν
χρύσεον, ὄφρα δι' Ὠκεανοῖο περάσας
ἀφίκοιθ' ἱερᾶς ποτὶ βένθεα νυκτὸς ἐρεμνᾶς
ποτὶ ματέρα κουριδίαν τ' ἄλοχον παῖδάς τε φίλους·
ὁ δ' ἐς ἄλσος ἔβα
δάφναισι κατάσκιον ποσσὶ πάϊς Διός.

162. *Palinode on Helen*

Οὐκ' ἔστ' ἔτυμος λόγος οὗτος·
οὐδ' ἔβας ἐν ναυσὶν εὐσέλμοις,
οὐδ' ἵκεο πέργαμα Τροίας.

DELPHIC ORACLE

(c. 580 ? B. C.)

163. *The Power of an Oath*

Γλαῦκ' Ἐπικυδείδη, τὸ μὲν αὐτίκα κέρδιον οὕτω
ὅρκῳ νικῆσαι καὶ χρήματα ληίσσασθαι.
ὄμνυ, ἐπεὶ θάνατός γε καὶ εὔορκον μένει ἄνδρα.
ἀλλ' Ὅρκου πάϊς ἐστὶν ἀνώνυμος, οὐδ' ἔπι χεῖρες
οὐδὲ πόδες· κραιπνὸς δὲ μετέρχεται, εἰς ὅ κε πᾶσαν
συμμάρψας ὀλέσῃ γενεὴν καὶ οἶκον ἅπαντα.
ἀνδρὸς δ' εὐόρκου γενεὴ μετόπισθεν ἀμείνων.

IBYCUS

(fl. 560 B.C.)

164. *In the Spring*

Ἦρι μὲν αἵ τε Κυδώνιαι
μηλίδες ἀρδόμεναι ῥοᾶν
ἐκ ποταμῶν, ἵνα παρθένων
κῆπος ἀκήρατος, αἵ τ' οἰνανθίδες
αὐξόμεναι σκιεροῖσιν ὑφ' ἕρνεσιν
οἰναρέοις θαλέθοισιν· ἐμοὶ δ' ἔρος
οὐδεμίαν κατάκοιτος ὥραν,
ἀλλ' ἅθ' ὑπὸ στεροπᾶς φλέγων
Θρηΐκιος βορέας, ἀίσ-
σων παρὰ Κύπριδος ἀζαλέαις μανί-
αισιν ἐρεμνὸς ἀθαμβὴς
παιδόθεν ἐγκρατέως φυλάσσει
ἡμετέρας φρένας.

165. *Love*

Ἔρος αὖτέ με κυανέοισιν ὑπὸ
βλεφάροις τακέρ' ὄμμασι δερκόμενος
κηλήμασι παντοδαποῖς ἐς ἄπειρα
δίκτυα Κύπριδι βάλλει·
ἦ μὰν τρομέω νιν ἐπερχόμενον,
ὥστε φερέζυγος ἵππος ἀεθλοφόρος ποτὶ γήραϊ
ἀέκων σὺν ὄχεσφι θοοῖς ἐς ἅμιλλαν ἔβα.

166. *An Epilogue to Polycrates*

Οἳ καὶ Δαρδανίδα Πριάμοιο μέγ'
ἄστυ περικλεὲς ὄλβιον ἠνάρον

Ἄργοθεν ὀρνυμένοι
Ζηνὸς μεγάλοιο βουλαῖς
ξανθᾶς Ἑλένας περὶ εἴδει
δῆριν πολύυμνον ἔχοντες
πόλεμον κατὰ δακρυόεντα,
Πέργαμον δ' ἀνέβα ταλαπείριον ἄτα
χρυσοέθειραν διὰ Κυπρίδα.

νῦν δέ μοι οὔτε ξειναπάταν Πάριν
ἦν ἐπιθύμιον οὔτε τανίσφυρον
ὑμνῆν Κασσάνδραν
Πριάμοιό τε παίδας ἄλλους
Τροίας θ' ὑψιπύλοιο ἁλώσιμον
ἆμαρ ἀνώνυμον· οὐδ' ἐπανέρχομαι
ἡρώων ἀρετὰν -
ὑπεράφανον οὕς τε κοίλαι
νάες πολυγόμφοι ἐλεύσαν
Τροίᾳ κακὸν ἥρωας ἐσθλούς·
τῶν μὲν κρείων Ἀγαμέμνων
ἦρχε Πλεισθενίδας βασιλεὺς ἄγος ἀνδρῶν
Ἀτρέος ἐσθλοῦ πάις ἐκ πατρός.

καὶ τὰ μὲν ἂν Μοῖσαι σεσοφισμέναι
εὖ Ἑλικωνίδες ἐμβαίεν λόγῳ
θνατὸς δ' οὔ κεν ἀνὴρ
διερὸς τὰ ἕκαστα εἴποι
ναῶν, ὡς Μενέλαος ἀπ' Αὐλίδος
Αἰγαῖον διὰ πόντον ἀπ' Ἄργεος
ἤλυθε Δαρδανίαν
ἱπποτρόφον, ὥς δὲ φῶτες
χαλκάσπιδες, υἷες Ἀχαιῶν,

τῶν μὲν προφερέστατος αἰχμᾷ
ἔσκεν πόδας ὠκὺς Ἀχίλλευς
καὶ μέγας Τελαμώνιος ἄλκιμος Αἴας. . . .
ἁ χρυσεόστροφος
Ὑλλὶς ἐγήνατο, τῷ δ' ἄρα Τρωίλον
ὥσει χρυσὸν ὀρει-
χάλκῳ τρὶς ἄπεφθον ἤδη
Τρῶες Δαναοί τ' ἐρόεσσαν
μορφὰν μάλ' ἐΐσκον ὅμοιον.
τοῖς μὲν πέδα κάλλεος αἰέν·
καὶ σύ, Πουλύκρατες, κλέος ἄφθιτον ἑξεῖς,
ὡς κατ' ἀοιδὰν καὶ ἐμὸν κλέος.

ORACLE

(c. 546 B.C.)

167. *The Capture of Athens*

Ἔρριπται δ' ὁ βόλος, τὸ δὲ δίκτυον ἐκπεπέτασται,
θύννοι δ' οἰμήσουσι σεληναίης διὰ νυκτός.

PHOCYLIDES

(fl. 544 B.C.)

168. *The Exception*

Καὶ τόδε Φωκυλίδεω· Λέριοι κακοί· οὐχ ὁ μέν, ὃς δ' οὔ·
πάντες, πλὴν Προκλέους· καὶ Προκλέης Λέριος.

169. *A Small City on a Rock*

Καὶ τόδε Φωκυλίδεω· πόλις ἐν σκοπέλῳ κατὰ κόσμον
οἰκεῦσα σμικρὴ κρέσσων Νίνου ἀφραινούσης.

DEMODOCUS

(fl. 537 B.C.)

170. *The Snake it was that Died*

Καππαδόκην ποτ' ἔχιδνα κακὴ δάκεν· ἀλλὰ καὶ αὐτὴ
κάτθανε, γευσαμένη αἵματος ἰοβόλου.

ANACREON

(c. 563–478 B.C.)

171. *To Artemis*

Γουνοῦμαι σ', ἐλαφηβόλε,
ξανθὴ παῖ Διός, ἀγρίων
δέσποιν' Ἄρτεμι θηρῶν·
ἥ κου νῦν ἐπὶ Ληθαίου
δίνῃσι θρασυκαρδίων
ἀνδρῶν ἐσκατορᾷς πόλιν
χαίρουσ'· οὐ γὰρ ἀνημέρους
ποιμαίνεις πολιήτας.

172. *To Dionysus*

Ὦναξ, ᾧ δαμάλης Ἔρως
καὶ Νύμφαι κυανώπιδες
πορφυρέη τ' Ἀφροδίτη
συμπαίζουσιν· ἐπιστρέφεαι δ'
ὑψηλὰς ὀρέων κορυφάς.
γουνοῦμαί σε· σὺ δ' εὐμενὴς
ἔλθ' ἡμῖν, κεχαρισμένης δ'
εὐχωλῆς ἐπακούειν.
Κλευβούλῳ δ' ἀγαθὸς γενεῦ
σύμβουλος· τὸν ἐμὸν δ' ἔρωτ',
ὦ Δεύνυσε, δέχεσθαι.

173. *To Cleobulus*

Ὦ παῖ παρθένιον βλέπων,
δίζημαί σε, σὺ δ' οὐ κοεῖς,
οὐκ εἰδώς, ὅτι τῆς ἐμῆς
ψυχῆς ἡνιοχεύεις.

174. *Love*

Σφαίρῃ δηὖτέ με πορφυρέῃ
βάλλων χρυσοκόμης Ἔρως
νήνι ποικιλοσαμβάλῳ
συμπαίζειν προκαλεῖται·
ἡ δ', ἐστὶν γὰρ ἀπ' εὐκτίτου
Λέσβου, τὴν μὲν ἐμὴν κόμην,
λευκὴ γάρ, καταμέμφεται,
πρὸς δ' ἄλλην τινὰ χάσκει.

175. *Old Age*

i

Ἐγὼ δ' οὔτ' ἂν Ἀμαλθέης
βουλοίμην κέρας, οὔτ' ἔτεα
πεντήκοντά τε κἀκατὸν
Ταρτησσοῦ βασιλεῦσαι.

ii

Πολιοὶ μὲν ἡμὶν ἤδη
κρόταφοι κάρη τε λευκόν,
χαρίεσσα δ' οὐκέθ' ἥβη
πάρα, γηράλεοι δ' ὀδόντες.

γλυκεροῦ δ' οὐκέτι πολλὸς
βιότου χρόνος λέλειπται·
διὰ ταῦτ' ἀνασταλύζω
θαμὰ Τάρταρον δεδοικώς.

'Αΐδεω γάρ ἐστι δεινὸς
μυχός, ἀργαλέη δ' ἐς αὐτὸν
κάθοδος· καὶ γὰρ ἑτοῖμον
καταβάντι μὴ ἀναβῆναι.

176. *Nunc est bibendum*

Φέρ' ὕδωρ, φέρ' οἶνον, ὦ παῖ,
φέρε δ' ἀνθεμεῦντας ἡμὶν
στεφάνους, ἔνεικον, ὡς δὴ
πρὸς Ἔρωτα πυκταλίζω.

Ἄγε δή, φέρ' ἡμίν, ὦ παῖ,
κελέβην, ὅκως ἄμυστιν
προπίω, τὰ μὲν δέκ' ἐγχέας
ὕδατος, τὰ πέντε δ' οἴνου
κυάθους, ὡς ἀνυβριστὶ
ἀνὰ δηῦτε βασσαρήσω.

Ἄγε δηῦτε μηκέθ' οὕτω
πατάγῳ τε κἀλαλητῷ
Σκυθικὴν πόσιν παρ' οἴνῳ
μελετῶμεν, ἀλλὰ καλοῖς
ὑποπίνοντες ἐν ὕμνοις.

177. *Take her, break her*

Πῶλε Θρῃκίη, τί δή με λοξὸν ὄμμασιν βλέπουσα
νηλεῶς φεύγεις, δοκέεις δέ μ' οὐδὲν εἰδέναι σοφόν;

ἴσθι τοι, καλῶς μὲν ἄν τοι τὸν χαλινὸν ἐμβάλοιμι,
ἡνίας δ' ἔχων στρέφοιμί σ' ἀμφὶ τέρματα δρόμου.

νῦν δὲ λειμῶνάς τε βόσκεαι κοῦφά τε σκιρτῶσα
παίζεις·
δεξιὸν γὰρ ἱπποπείρην οὐκ ἔχεις ἐπεμβάτην.

ANACREONTEA

(Date unknown)

178. *To the Swallow*

Σὺ μέν, φίλη χελιδών,
ἐτησίη μολοῦσα
θέρει πλέκεις καλιήν·
χειμῶνι δ' εἶς ἄφαντος
ἢ Νεῖλον ἢ 'πὶ Μέμφιν.
Ἔρως δ' ἀεὶ πλέκει μευ
ἐν καρδίῃ καλιήν.
Πόθος δ' ὁ μὲν πτεροῦται,
ὁ δ' ᾠόν ἐστιν ἀκμήν,
ὁ δ' ἡμίλεπτος ἤδη.
βοὴ δὲ γίνετ' αἰεὶ
κεχηνότων νεοσσῶν.
Ἐρωτιδεῖς δὲ μικροὺς
οἱ μείζονες τρέφουσιν.
οἱ δὲ τραφέντες εὐθὺς

πάλιν κύουσιν ἄλλους.
τί μῆχος οὖν γένηται;
οὐ γὰρ σθένω τοσούτους
Ἔρωτας ἐκβοῆσαι.

179. *At the mid hour of Night*

Μεσονυκτίοις ποθ' ὥραις,
στρέφεθ' ἡνίκ' Ἄρκτος ἤδη
κατὰ χεῖρα τὴν Βοώτου,
μερόπων δὲ φῦλα πάντα
κέαται κόπῳ δαμέντα,
τότ' Ἔρως ἐπισταθείς μευ
θυρέων ἔκοπτ' ὀχῆας.
"τίς", ἔφην, "θύρας ἀράσσει;
κατά μευ σχίζεις ὀνείρους."
ὁ δ' Ἔρως, "ἄνοιγε," φησίν·
"βρέφος εἰμί, μὴ φόβησαι·
βρέχομαι δὲ κἀσέληνον
κατὰ νύκτα πεπλάνημαι."
ἐλέησα ταῦτ' ἀκούσας,
ἀνὰ δ' εὐθὺ λύχνον ἅψας
ἀνέῳξα, καὶ βρέφος μὲν
ἐσορῶ φέροντα τόξον
πτέρυγάς τε καὶ φαρέτρην.
παρὰ δ' ἱστίην καθῖσα,
παλάμαις τε χεῖρας αὐτοῦ
ἀνέθαλπον, ἐκ δὲ χαίτης
ἀπέθλιβον ὑγρὸν ὕδωρ.
ὁ δ', ἐπεὶ κρύος μεθῆκεν,

“φέρε,” φησί, “πειράσωμεν
τόδε τόξον, εἴ τι μοι νῦν
βλάβεται βραχεῖσα νευρή.”
τανύει δὲ καί με τύπτει
μέσον ἧπαρ, ὥσπερ οἶστρος·
ἀνὰ δ' ἅλλεται καχάζων,
“ξένε δ',” εἶπε, “συγχάρηθι·
κέρας ἀβλαβὲς μὲν ἡμῖν,
σὺ δὲ καρδίην πονήσεις.”

180. *A Grasshopper*

Μακαρίζομέν σε, τέττιξ,
ὅτε δενδρέων ἐπ' ἄκρων
ὀλίγην δρόσον πεπωκὼς
βασιλεὺς ὅπως ἀείδεις·
σὰ γάρ ἐστι κεῖνα πάντα,
ὁπόσα βλέπεις ἐν ἀγροῖς,
ὁπόσα τρέφουσιν ὗλαι.
σὺ δὲ τίμιος βροτοῖσιν,
θέρεος γλυκὺς προφήτης.
φιλέουσι μέν σε Μοῦσαι,
φιλέει δὲ Φοῖβος αὐτός,
λιγυρὴν δ' ἔδωκεν οἴμην.
τὸ δὲ γῆρας οὔ σε τείρει,
σοφέ, γηγενής, φίλυμνε·
ἀπαθὴς δ', ἀναιμόσαρκε,
σχεδὸν εἶ θεοῖς ὅμοιος.

HIPPONAX

(fl. 542 B.C.)

181. *A Visit from Wealth*

Ἐμοὶ δὲ Πλοῦτος, ἔστι γὰρ λίην τυφλός,
ἐς τῳκί' ἐλθὼν οὐδάμ' εἶπεν· "Ἱππῶναξ,
δίδωμί σοι μνᾶς ἀργύρου τριήκοντα,
καὶ πόλλ' ἔτ' ἄλλα·" τὰς φρένας γὰρ δείλαιος.

182. *A Woman's Best Days*

Δύ' ἡμέραι γυναικός εἰσιν ἥδισται,
ὅταν γαμῇ τις κἀκφέρῃ τεθνηκυῖαν.

ANONYMOUS

183. *Marriage*

Γάμος κράτιστός ἐστιν ἀνδρὶ σώφρονι,
τρόπον γυναικὸς χρηστὸν ἕδνον λαμβάνειν.
αὕτη γὰρ ἡ προὶξ οἰκίαν σώζει μόνη.
συνεργὸν οὗτος ἀντὶ δεσποίνης ἔχει
εὔνουν, βεβαίαν εἰς ἅπαντα τὸν βίον.

XENOPHANES

(570–479 B.C.)

184. *Pythagoras and the Dog*

Καί ποτέ μιν στυφελιζομένου σκύλακος παριόντα
φασὶν ἐποικτεῖραι καὶ τόδε φάσθαι ἔπος·
"παῦσαι μηδὲ ῥάπιζ', ἐπεὶ ἦ φίλου ἀνέρος ἐστὶν
ψυχή, τὴν ἔγνων φθεγξαμένης ἀΐων."

(fl. 520 B.C.)

185. *Choosing Friends*

Ταῦτα μὲν οὕτως ἴσθι· κακοῖσι δὲ μὴ προσομίλει
ἀνδράσιν, ἀλλ' αἰεὶ τῶν ἀγαθῶν ἔχεο·
καὶ μετὰ τοῖσιν πῖνε καὶ ἔσθιε, καὶ μετὰ τοῖσιν
ἵζε, καὶ ἅνδανε τοῖς, ὧν μεγάλη δύναμις.
ἐσθλῶν μὲν γὰρ ἄπ' ἐσθλὰ μαθήσεαι· ἢν δὲ κακοῖσιν
συμμίσγῃς, ἀπολεῖς καὶ τὸν ἐόντα νόον.

(31–6)

186. *Reproach no Man for Poverty*

Μήποτέ τοι πενίην θυμοφθόρον ἀνδρὶ χολωθείς,
μηδ' ἀχρημοσύνην οὐλομένην πρόφερε·
Ζεὺς γάρ τοι τὸ τάλαντον ἐπιρρέπει ἄλλοτε ἄλλως,
ἄλλοτε μὲν πλουτεῖν, ἄλλοτε μηδὲν ἔχειν.

(155–8)

187. *The Bane of Poverty*

Ἄνδρ' ἀγαθὸν πενίη πάντων δάμνησι μάλιστα
καὶ γήρως πολιοῦ, Κύρνε, καὶ ἠπιάλου,
ἣν δὴ χρὴ φεύγοντα καὶ ἐς βαθυκήτεα πόντον
ῥιπτεῖν, καὶ πετρέων, Κύρνε, κατ' ἠλιβάτων.
καὶ γὰρ ἀνὴρ πενίῃ δεδμημένος οὔτε τι εἰπεῖν
οὔθ' ἔρξαι δύναται, γλῶσσα δέ οἱ δέδεται.

(173–8)

188. *Eugenics*

Κριοὺς μὲν καὶ ὄνους διζήμεθα, Κύρνε, καὶ ἵππους
εὐγενέας, καί τις βούλεται ἐξ ἀγαθῶν

βήσεσθαι· γῆμαι δὲ κακὴν κακοῦ οὐ μελεδαίνει
ἐσθλὸς ἀνήρ, ἤν οἱ χρήματα πολλὰ διδῷ.
οὐδὲ γυνὴ κακοῦ ἀνδρὸς ἀναίνεται εἶναι ἄκοιτις
πλουσίου, ἀλλ' ἀφνεὸν βούλεται ἀντ' ἀγαθοῦ.
χρήματα γὰρ τιμῶσι· καὶ ἐκ κακοῦ ἐσθλὸς ἔγημεν,
καὶ κακὸς ἐξ ἀγαθοῦ· πλοῦτος ἔμιξε γένος.
οὕτω μὴ θαύμαζε γένος, Πολυπαΐδη, ἀστῶν
μαυροῦσθαι· σὺν γὰρ μίσγεται ἐσθλὰ κακοῖς.

(183–92)

189. *All things to all Men*

Κύρνε, φίλους κάτα πάντας ἐπίστρεφε ποικίλον ἦθος,
ὀργὴν συμμίσγων ἥντιν' ἕκαστος ἔχει.
πουλύπου ὀργὴν ἴσχε πολυπλόκου, ὃς ποτὶ πέτρῃ,
τῇ προσομιλήσῃ, τοῖος ἰδεῖν ἐφάνη.
νῦν μὲν τῇδ' ἐφέπου, τοτὲ δ' ἀλλοῖος χρόα γίνου.
κρέσσων τοι σοφίη γίνεται ἀτροπίης.

(213–18)

190. *Immortality conferred in Vain*

Σοὶ μὲν ἐγὼ πτέρ' ἔδωκα, σὺν οἷς ἐπ' ἀπείρονα πόντον
πωτήσῃ καὶ γῆν πᾶσαν ἀειράμενος
ῥηϊδίως· θοίνῃς δὲ καὶ εἰλαπίνῃσι παρέσσῃ
ἐν πάσαις, πολλῶν κείμενος ἐν στόμασιν·
καί σε σὺν αὐλίσκοισι λιγυφθόγγοις νέοι ἄνδρες
ἐν κώμοις ἐρατοῖς καλά τε καὶ λιγέα
ᾄσονται· καὶ ὅταν δνοφερῆς ὑπὸ κεύθεσι γαίης
βῇς πολυκωκύτους εἰς 'Αΐδαο δόμους,
οὐδὲ τότ' οὐδὲ θανὼν ἀπολεῖς κλέος, ἀλλὰ μελήσεις
ἄφθιτον ἀνθρώποις αἰὲν ἔχων ὄνομα,

Κύρνε, καθ' Ἑλλάδα γῆν στρωφώμενος ἠδ' ἀνὰ νήσους,
  ἰχθυόεντα περῶν πόντον ἐπ' ἀτρύγετον,
οὐχ ἵπποις θνητοῖσιν ἐφήμενος· ἀλλά σε πέμψει
  ἀγλαὰ Μουσάων δῶρα ἰοστεφάνων·
πᾶσι γάρ, οἷσι μέμηλε, καὶ ἐσσομένοισιν ἀοιδὴ
  ἔσσῃ ὁμῶς, ὄφρ' ἂν ᾖ γῆ τε καὶ ἠέλιος·
αὐτὰρ ἐγὼν ὀλίγης παρὰ σεῦ οὐ τυγχάνω αἰδοῦς,
  ἀλλ' ὥσπερ μικρὸν παῖδα λόγοις μ' ἀπατᾷς.

(237–54)

191. *May I drink the Blood of My Enemies*

Ἀλλὰ Ζεῦ τέλεσόν μοι Ὀλύμπιε καίριον εὐχήν·
  δὸς δέ μοι ἀντὶ κακῶν καί τι παθεῖν ἀγαθόν.
τεθναίην δ', εἰ μή τι κακῶν ἄμπαυμα μεριμνέων
  εὑροίμην, δοίην δ' ἀντ' ἀνιῶν ἀνίας·
αἶσα γὰρ οὕτως ἐστί· τίσις δ' οὐ φαίνεται ἡμῖν
  ἀνδρῶν, οἳ τἀμὰ χρήματ' ἔχουσι βίῃ
συλήσαντες· ἐγὼ δὲ κύων ἐπέρησα χαράδρην,
  χειμάρρῳ ποταμῷ πάντ' ἀποσεισάμενος·
τῶν εἴη μέλαν αἷμα πιεῖν· ἐπί τ' ἐσθλὸς ὄροιτο
  δαίμων, ὃς κατ' ἐμὸν νοῦν τελέσειε τάδε.

(341–50)

192. *Refined Gold*

Εἴ μ' ἐθέλεις πλύνειν, κεφαλῆς ἀμίαντον ἀπ' ἄκρης
  αἰεὶ λευκὸν ὕδωρ ῥεύσεται ἡμετέρης.
εὑρήσεις δέ με πᾶσιν ἐπ' ἔργμασιν ὥσπερ ἄπεφθον
  χρυσόν, ἐρυθρὸν ἰδεῖν τριβόμενον βασάνῳ,
τοῦ χροιῆς καθύπερθε μέλας οὐχ ἅπτεται ἰὸς
  οὐδ' εὐρώς, αἰεὶ δ' ἄνθος ἔχει καθαρόν.

(447–52)

193. *The Faithless Friend*

Οὔ μ' ἔλαθες φοιτῶν κατ' ἀμαξιτόν, ἣν ἄρα καὶ πρὶν
ἠλάστρεις, κλέπτων ἡμετέρην φιλίην.
ἔρρε, θεοῖσίν τ' ἐχθρὲ καὶ ἀνθρώποισιν ἄπιστε,
ψυχρὸν ὃς ἐν κόλπῳ ποικίλον εἶχες ὄφιν.

(599-602)

194. *An Oath*

Ἔν μοι ἔπειτα πέσοι μέγας οὐρανὸς εὐρὺς ὕπερθεν
χάλκεος, ἀνθρώπων δεῖμα χαμαιγενέων,
εἰ μὴ ἐγὼ τοῖσιν μὲν ἐπαρκέσω οἵ με φιλεῦσιν,
τοῖς δ' ἐχθροῖς ἀνίη καὶ μέγα πῆμ' ἔσομαι.

(869–72)

195. *Put money in thy purse*

Φείδεσθαι μὲν ἄμεινον, ἐπεὶ οὐδὲ θανόντ' ἀποκλαίει
οὐδείς, ἢν μὴ ὁρᾷ χρήματα λειπόμενα.

(931–2)

196. *Weep for Youth's Passing*

Ἄφρονες ἄνθρωποι καὶ νήπιοι, οἵτε θανόντας
κλαίουσ', οὐδ' ἥβης ἄνθος ἀπολλύμενον.

(1069–70)

197. *Pride of the Flesh*

Ὕβρις καὶ Μάγνητας ἀπώλεσε καὶ Κολοφῶνα
καὶ Σμύρνην. πάντως, Κύρνε, καὶ ὔμμ' ἀπολεῖ.

(1103–4)

198. *The Dead feel not*

Οὐκ ἔραμαι κλισμῷ βασιληΐῳ ἐγκατακεῖσθαι
τεθνεώς, ἀλλά τί μοι ζῶντι γένοιτ' ἀγαθόν.

ἀσπάλαθοι δὲ τάπησιν ὁμοῖον στρῶμα θανόντι·
ξυνόν γ' εἰ σκληρὸν γίνεται ἢ μαλακόν.

(1191–4)

199. *The Crane's Message*

Ὄρνιθος φωνήν, Πολυπαΐδη, ὀξὺ βοώσης
ἤκουσ', ἥτε βροτοῖς ἄγγελος ἦλθ' ἀρότου
ὡραίου· καί μοι κραδίην ἐπάταξε μέλαιναν,
ὅττι μοι εὐανθεῖς ἄλλοι ἔχουσιν ἀγρούς.

(1197–1200)

ANONYMOUS

200. *Kicking against the Pricks*

Ἵππος ὄνῳ· "πρὸς κέντρα μὴ λακτιζέτω."

201. *Belly and Mind*

Παχεῖα γαστὴρ λεπτὸν οὐ τίκτει νόον.

202. *A Mite*

Οὐκ ἀξιῶ μικκῶν σε, μεγάλα δ' οὐκ ἔχω.

SIMONIDES

(556–467 B.C.)

203. *The Greek Dead at Thermopylae*

Τῶν ἐν Θερμοπύλαισι θανόντων
εὐκλεὴς μὲν ἁ τύχα, καλὸς δ' ὁ πότμος,
βωμὸς δ' ὁ τάφος, πρὸ γόων δὲ μνᾶστις, ὁ δ' οἶκτος
ἔπαινος·

ἐντάφιον δὲ τοιοῦτον οὔτ' εὐρὼς
οὔθ' ὁ πανδαμάτωρ ἀμαυρώσει χρόνος.
ἀνδρῶν ἀγαθῶν ὅδε σηκὸς οἰκέταν εὐδοξίαν
Ἑλλάδος εἵλετο· μαρτυρεῖ δὲ καὶ Λεωνίδας
Σπάρτας βασιλεύς, ἀρετᾶς μέγαν λελοιπὼς
κόσμον ἀέναον κλέος τε.

204. *Human Imperfection*

Ἄνδρ' ἀγαθὸν μὲν ἀλαθέως γενέσθαι
χαλεπὸν χερσίν τε καὶ ποσὶ καὶ νόῳ
τετράγωνον, ἄνευ ψόγου τετυγμένον· . . . .
ὁ δὲ μὴ κακὸς μηδ' ἄγαν ἀπάλαμνος, εἰ-
δώς γ' ὀνησίπολιν δίκαν,
ὑγιὴς ἀνήρ· οὐδὲ μή μιν ἐγὼ
μωμάσομαι· τῶν γὰρ ἀλιθίων
ἀπείρων γενέθλα. πάντα τοι καλά,
τοῖσιν αἰσχρὰ μὴ μέμικται.

Οὐδέ μοι ἐμμελέως τὸ Πιττάκειον
νέμεται, καίτοι σοφοῦ παρὰ φωτὸς εἰ-
ρημένον· χαλεπὸν φάτ' ἐσθλὸν ἔμμεναι.
θεὸς ἂν μόνος τοῦτ' ἔχοι γέρας· ἄνδρα δ' οὐκ
ἔστι μὴ οὐ κακὸν ἔμμεναι,
ὃν ἀμάχανος συμφορὰ καθέλῃ.
πράξαις γὰρ εὖ πᾶς ἀνὴρ ἀγαθός,
κακὸς δ', εἰ κακῶς τι· καὶ τὸ πλεῖστον ἄρι-
στοι, τούς κε θεοὶ φιλέωντι.

Τοὔνεκεν οὔποτ' ἐγὼ τὸ μὴ γενέσθαι
δυνατὸν διζήμενος, κενεὰν ἐς ἄ-

πρακτον ἐλπίδα μοῖραν αἰῶνος βαλέω,
πανάμωμον ἄνθρωπον, εὐρυέδους ὅσοι
καρπὸν αἰνύμεθα χθονός·
ἐπί τ' ὔμμιν εὑρὼν ἀπαγγελέω.
πάντας δ' ἐπαίνημι καὶ φιλέω,
ἑκὼν ὅστις ἕρδῃ μηδὲν αἰσχρόν, ἀνάγ-
κᾳ δ' οὐδὲ θεοὶ μάχονται.

205. *The Turn of a Dragonfly's Wing*

Ἄνθρωπος ἐὼν μή ποτε φάσῃς ὅ τι γίνεται αὔριον,
μηδ' ἄνδρα ἰδὼν ὄλβιον, ὅσσον χρόνον ἔσσεται·
ὠκεῖα γὰρ οὐδὲ τανυπτερύγου μυίας
οὕτως ἁ μετάστασις.

206. *Danae*

Ὅτε λάρνακι κεῖτ' ἐν δαιδαλέᾳ
ἄνεμός τέ μιν πνέων ἐφόρει
κινηθεῖσά τε λίμνα,
δεῖμα προσεῖρπε τότ' οὐκ ἀδιάντοισι παρειαῖς,
ἀμφί τε Περσεῖ βάλεν φίλαν χέρ' εἶπέ τ' · "ὦ τέκος,

οἷον ἔχω πόνον·
σὺ δ' ἀωτεῖς· γαλαθηνῷ τ'
ἤτορι κνώσσεις ἐν ἀτερπεῖ
δούρατι χαλκεογόμφῳ,
νυκτιλαμπεῖ κυανέῳ τε δνόφῳ ταθείς.
ἅλμαν δ' ὕπερθεν τεᾶν κομᾶν βαθεῖαν
παριόντος κύματος οὐκ
ἀλέγεις οὐδ' ἀνέμου φθόγγον πορφυρέᾳ κείμενος

ἐν χλανίδι πρόσωπον κλιθὲν προσώπῳ.
εἰ δέ τοι δεινὸν τό γε δεινὸν ἦν, καί κεν
ἐμῶν ῥηματών λεπτὸν ὑπεῖχες οὖας.
κέλομ', εὗδε, βρέφος, εὑδέτω δε πόντος, εὑδέτω δ'
ἄμετρον κακόν· μεταιβολία δέ τις φανείη,

Ζεῦ πάτερ, ἐκ σέο.
ὅτι δὴ θαρσαλέον ἔπος
εὔχομαι καὶ νόσφι δίκας, σύγγνωθί μοι."

207. *Orpheus*

Τοῦ καὶ ἀπειρέσιοι
ὄρνιθες ὑπὲρ κεφαλᾶς πωτῶντ', ἀνὰ δ' ἰχθύες ὀρθοὶ
κυανέας ἁλὸς ἐξάλλοντο καλᾶς ὑπ' ἀοιδᾶς.

208. *Stillness and Sound*

Οὐδὲ γὰρ ἐννοσίφυλλος ἀήτα τότ' ὦρτ' ἀνέμων,
ἅ τις κατεκώλυε κιδναμένα μελιαδέα γᾶρυν
ἀραρεῖν ἀκοαῖσι βροτῶν.

209. *Monuments perish*

Τίς κεν αἰνήσειε νόῳ πίσυνος Λίνδου ναέταν Κλεό-
βουλον
ἀενάοις ποταμοῖς ἄνθεσί τ' εἰαρινοῖσιν
ἀελίου τε φλογὶ χρυσέας τε σελάνας
καὶ θαλασσαίαισι δίναις ἀντία θέντα μένος στάλας;
ἅπαντα γάρ ἐστι θεῶν ἥσσω· λίθον δὲ
καὶ βρότεοι παλάμαι θραύοντι· μωροῦ φωτὸς ἅδε
βουλά.

210. *The Climb to Virtue*

Ἔστι τις λόγος
τὰν Ἀρετὰν ναίειν δυσαμβάτοις ἐπὶ πέτραις,
νυμφᾶν δέ μιν θοᾶν χορὸν ἁγνὸν ἀμφέπειν.
οὐδὲ πάντων βλεφάροις θνατῶν ἔσοπτος,
ᾧ μὴ δακέθυμος ἱδρὼς ἔνδοθεν μόλῃ
ἵκῃ τ' ἐς ἄκρον ἀνδρείας.

211. *The Athenian Dead*

Δίρφυος ἐδμήθημεν ὑπὸ πτυχί, σῆμα δ' ἐφ' ἡμῖν
 ἐγγύθεν Εὐρίπου δημοσίᾳ κέχυται,
οὐκ ἀδίκως· ἐρατὴν γὰρ ἀπωλέσαμεν νεότητα
 τρηχεῖαν πολέμου δεξάμενοι νεφέλην.

212. *At Thermopylae*

Ὦ ξεῖν', ἀγγέλλειν Λακεδαιμονίοις ὅτι τῇδε
 κείμεθα, τοῖς κείνων ῥήμασι πειθόμενοι.

213. *The Poet's Friend*

Μνῆμα τόδε κλεινοῖο Μεγιστία, ὅν ποτε Μῆδοι
 Σπερχειὸν ποταμὸν κτεῖναν ἀμειψάμενοι,
μάντιος, ὃς τότε κῆρας ἐπερχομένας σάφα εἰδὼς
 οὐκ ἔτλη Σπάρτης ἡγεμόνας προλιπεῖν.

214. *Plataea*

i. *The Spartan Monument*

Ἄσβεστον κλέος οἵδε φίλῃ περὶ πατρίδι θέντες
 κυάνεον θανάτου ἀμφεβάλοντο νέφος·

οὐδὲ τεθνᾶσι θανόντες, ἐπεί σφ᾽ ἀρετὴ καθύπερθεν
κυδαίνουσ᾽ ἀνάγει δώματος ἐξ Ἀΐδεω.

ii. *The Athenian Monument*

Εἰ τὸ καλῶς θνήσκειν ἀρετῆς μέρος ἐστὶ μέγιστον,
ἡμῖν ἐκ πάντων τοῦτ᾽ ἀπένειμε τύχη·
Ἑλλάδι γὰρ σπεύδοντες ἐλευθερίην περιθεῖναι
κείμεθ᾽ ἀγηράντῳ χρώμενοι εὐλογίῃ.

215. *Tegea*

i. *A Cenotaph*

Τῶνδε δι᾽ ἀνθρώπων ἀρετὰν οὐχ ἵκετο καπνὸς
αἰθέρα δαιομένης εὐρυχόρου Τεγέας·
οἳ βούλοντο πόλιν μὲν ἐλευθερίᾳ τεθαλυῖαν
παισὶ λιπεῖν, αὐτοὶ δ᾽ ἐν προμάχοισι θανεῖν.

ii. *A Grave*

Εὐθυμάχων ἀνδρῶν μνησώμεθα, τῶν ὅδε τύμβος,
οἳ θάνον εὔμηλον ῥυόμενοι Τεγέαν,
αἰχμηταὶ πρὸ πόληος, ἵνα σφίσι μὴ καθέληται
Ἑλλὰς ἀποφθιμένη κρατὸς ἐλευθερίαν.

216. *Archedice*

Ἀνδρὸς ἀριστεύσαντος ἐν Ἑλλάδι τῶν ἐφ᾽ ἑαυτοῦ
Ἱππίου Ἀρχεδίκην ἥδε κέκευθε κόνις·
ἣ πατρός τε καὶ ἀνδρὸς ἀδελφῶν τ᾽ οὖσα τυράννων
παίδων τ᾽ οὐκ ἤρθη νοῦν ἐς ἀτασθαλίην.

217. *Lost at Sea*

i

Τούσδε ποτ' ἐκ Σπάρτας ἀκροθίνια Φοίβῳ ἄγοντας
ἓν πέλαγος, μία νύξ, εἷς τάφος ἐκτέρισεν.

ii

Ἠερίη Γεράνεια, κακὸν λέπας, ὤφελεν Ἴστρον
τῆλε καὶ ἐς Σκυθέων μακρὸν ὁρᾶν Τάναϊν,
μηδὲ πέλας ναίειν Σκειρωνικὸν οἶδμα θαλάσσης
ἄγκεα μαινομένης ἀμφὶ Μολουριάδα·
νῦν δ' ὁ μὲν ἐν πόντῳ κρυερὸς νέκυς, οἱ δὲ βαρεῖαν
ναυτιλίην κενεοὶ τῇδε βοῶσι τάφοι.

iii

Σῶμα μὲν ἀλλοδαπὴ κεύθει κόνις, ἐν δέ σε πόντῳ,
Κλείσθενες, Εὐξείνῳ μοῖρ' ἔκιχεν θανάτου
πλαζόμενον· γλυκεροῦ δὲ μελίφρονος οἴκαδε νόστου
ἤμπλακες, οὐδ' ἵκευ Κέων πάλιν ἀμφιρύτην.

218. *Timomachus*

Φῆ τότε Τιμόμαχος, πατρὸς περὶ χεῖρας ἔχοντος,
ἡνίκ' ἀφ' ἱμερτὴν ἔπνεεν ἡλικίην·
"ὦ Τιμηνορίδη, παιδὸς φίλου οὔποτε λήξεις
οὔτ' ἀρετὴν ποθέων, οὔτε σαοφροσύνην."

219. *A Friend's Grave*

Αἰαῖ, νοῦσε βαρεῖα, τί δὴ ψυχαῖσι μεγαίρεις
ἀνθρώπων ἐρατῇ πὰρ νεότητι μένειν;
ἢ καὶ Τίμαρχον γλυκερῆς αἰῶνος ἄμερσας
ἠΐθεον, πρὶν ἰδεῖν κουριδίην ἄλοχον.

220. *A Cretan Merchant*

Κρὴς γενεὰν Βρόταχος Γορτύνιος ἐνθάδε κεῖμαι,
  οὐ κατὰ τοῦτ' ἐλθών, ἀλλὰ κατ' ἐμπορίαν.

221. *A Hound*

Ἦ σεῦ καὶ φθιμένας λεύκ' ὀστέα τῷδ' ἐνὶ τύμβῳ
  ἴσκω ἔτι τρομέειν θῆρας, ἄγρωσσα Λυκάς·
τὰν δ' ἀρετὰν οἶδεν μέγα Πήλιον ἅ τ' ἀρίδηλος
  Ὄσσα Κιθαιρῶνός τ' οἰονόμοι σκοπιαί.

222. *Timocreon*

Πολλὰ φαγὼν καὶ πολλὰ πιὼν καὶ πολλὰ κάκ' εἰπὼν
  ἀνθρώπους κεῖμαι Τιμοκρέων Ῥόδιος.

223. *Dedication for a Spear*

Οὕτω τοι, μελία ταναά, ποτὶ κίονα μακρὸν
  ἧσο, πανομφαίῳ Ζηνὶ μένουσ' ἱερά·
ἤδη γὰρ χαλκός τε γέρων αὐτά τε τέτρυσαι
  πυκνὰ κραδαινομένα δαΐῳ ἐν πολέμῳ.

224. *A Winner of the Pentathlon*

Ἴσθμια καὶ Πυθοῖ Διοφῶν ὁ Φίλωνος ἐνίκα
  ἅλμα, ποδωκείην, δίσκον, ἄκοντα, πάλην.

225. *A Boxer*

Εἰπὸν τίς, τίνος ἐσσί, τίνος πατρίδος, τί δ' ἐνίκης;
  Κασμύλος, Εὐαγόρου, Πύθια πύξ, Ῥόδιος.

ANONYMOUS

(vi–v cents. B. C.)

226. *To Athene*

Παλλὰς Τριτογένει', ἄνασσ' Ἀθανᾶ,
ὄρθου τήνδε πόλιν τε καὶ πολίτας
ἄτερ ἀλγέων καὶ στάσεων
καὶ θανάτων ἀώρων σύ τε καὶ πατήρ.

227. *To Pan*

Ὦ Πάν, Ἀρκαδίας μεδέων κλεεννᾶς,
ὀρχηστά, Βρομίαις ὀπαδὲ Νύμφαις,
γελάσειας, ὦ Πάν, ἐπ' ἐμαῖς
εὐφροσύναισι, ταῖσδ' ἀοιδαῖς κεχαρημένος.

228. *A Window in the Breast*

Εἴθ' ἐξῆν ὁποῖός τις ἦν ἕκαστος
τὸ στῆθος διελόντ', ἔπειτα τὸν νοῦν
ἐσιδόντα, κλείσαντα πάλιν,
ἄνδρα φίλον νομίζειν ἀδόλῳ φρενί.

229. *The Four Best Things*

Ὑγιαίνειν μὲν ἄριστον ἀνδρὶ θνατῷ,
δεύτερον δὲ φυὰν καλὸν γενέσθαι,
τὸ τρίτον δὲ πλουτεῖν ἀδόλως,
καὶ τὸ τέταρτον ἡβᾶν μετὰ τῶν φίλων.

230. *Harmodius and Aristogeiton*

Ἐν μύρτου κλαδὶ τὸ ξίφος φορήσω,
ὥσπερ Ἁρμόδιος καὶ Ἀριστογείτων,

ὅτε τὸν τύραννον κανέτην
ἰσονόμους τ' Ἀθήνας ἐποιησάτην.

Φίλταθ' Ἁρμόδι', οὔ τί που τέθνηκας,
νήσοις δ' ἐν μακάρων σέ φασιν εἶναι,
ἵνα περ ποδώκης Ἀχιλεύς,
Τυδεΐδην τέ φασιν ἐσθλὸν Διομήδεα.

Ἐν μύρτου κλαδὶ τὸ ξίφος φορήσω,
ὥσπερ Ἁρμόδιος καὶ Ἀριστογείτων,
ὅτ' Ἀθηναίης ἐν θυσίαις
ἄνδρα τύραννον Ἵππαρχον ἐκαινέτην.

Αἰεὶ σφῷν κλέος ἔσσεται κατ' αἶαν,
φίλταθ' Ἁρμόδιε καὶ Ἀριστόγειτον,
ὅτι τὸν τύραννον κανέτην,
ἰσονόμους τ' Ἀθήνας ἐποιησάτην.

231. *Leipsydrion*

Αἰαῖ, Λειψύδριον προδωσέταιρον,
οἵους ἄνδρας ἀπώλεσας, μάχεσθαι
ἀγαθούς τε χἄμ' εὐπατρίδας,
οἳ τότ' ἔδειξαν οἵων πατέρων ἔσαν.

232. *The Crab and the Snake*

Ὁ καρκίνος ὧδ' ἔφα
χαλᾷ τὸν ὄφιν λαβών·
" εὐθὺν χρὴ τὸν ἑταῖρον ἔμμεν
καὶ μὴ σκολιὰ φρονεῖν."

233. *Wishes*

Εἴθε λύρα καλὴ γενοίμην ἐλεφαντίνη,
καί με καλοὶ παῖδες φέροιεν Διονύσιον ἐς χορόν.

Εἴθ' ἄπυρον καλὸν γενοίμην μέγα χρυσίον,
καί με καλὴ γυνὴ φοροίη καθαρὸν θεμένη νόον.

234. *What makes a Friend*

Σύν μοι πῖνε, συνήβα, συνέρα, συστεφανηφόρει,
σύν μοι μαινομένῳ μαίνεο, σὺν σώφρονι σωφρόνει.

235. *A Scorpion under every Stone*

Ὑπὸ παντὶ λίθῳ σκορπίος, ὦ 'ταῖρ', ὑποδύεται·
φράζευ, μή σε βάλῃ· τῷ δ' ἀφανεῖ πᾶς ἕπεται δόλος.

236. *Wayward Desire*

Ἁ ὗς τὰν βάλανον τὰν μὲν ἔχει, τὰν δ' ἔραται λαβεῖν·
κἀγὼ παῖδα καλὴν τὴν μὲν ἔχω, τὴν δ' ἔραμαι λαβεῖν.

HYBRIAS

(Date uncertain)

237. *A Soldier's Riches*

Ἔστι μοι πλοῦτος μέγας δόρυ καὶ ξίφος
καὶ τὸ καλὸν λαισήϊον, πρόβλημα χρωτός·
τούτῳ γὰρ ἀρῶ, τούτῳ θερίζω,
τούτῳ πατέω τὸν ἁδὺν οἶνον ἀπ' ἀμπέλω·
τούτῳ δεσπότας μνοΐας κέκλημαι.

HYBRIAS

Τοὶ δὲ μὴ τολμῶντ' ἔχειν δόρυ καὶ ξίφος
καὶ τὸ καλὸν λαισήϊον, πρόβλημα χρωτός,
πάντες γόνυ πεπτηῶτες ἀμφὶ
ἐμόν προσκυνεῦντί με δεσπόταν
καὶ μέγαν βασιλῆα φωνέοντες.

AESCHYLUS

(525–456 B.C.)

238. *Io*

ΧΟΡΟΣ

Παλαιὸν δ' εἰς ἴχνος μετέσταν
ματέρος ἀνθονόμους ἐπωπάς,
λειμῶνα βούχιλον, ἔνθεν Ἰὼ
οἴστρῳ ἐρεσσομένα
φεύγει ἁμαρτίνοος,
πολλὰ βροτῶν διαμειβομένα
φῦλα, διχῇ δ' ἀντίπορον
γαῖαν ἐν αἴσᾳ διατέ-
μνουσα πόρον κυματίαν ὁρίζει·

ἰάπτει δ' Ἀσίδος δι' αἴας
μηλοβότου Φρυγίας διαμπάξ·
περᾷ δὲ Τεύθραντος ἄστυ Μυσῶν,
Λύδιά τ' ἂγ γύαλα,
καὶ δι' ὀρῶν Κιλίκων
Παμφύλων τε διορνυμένα
πὰρ ποταμοὺς ἀενάους
καὶ βαθύπλουτον χθόνα καὶ
τὰν Ἀφροδίτας πολύπυρον αἶαν.

ἱκνεῖται δ' ἐκδονουμένα βέλει
βουκόλου πτερόεντος
Δῖον πάμβοτον ἄλσος,
λειμῶνα χιονόβοσκον, ὅντ' ἐπέρχεται
Τυφῶ μένος,
ὕδωρ τε Νείλου νόσοις ἄθικτον,
μαινομένα πόνοις ἀτί-
μοις ὀδύναις τε κεντροδα-
λήτισι θυιὰς Ἥρας.

βροτοὶ δ', οἳ γᾶς τότ' ἦσαν ἔννομοι,
χλωρῷ δείματι θυμὸν
πάλλοντ' ὄψιν ἀήθη,
βοτὸν ἐσορῶντες δυσχερὲς μιξόμβροτον,
τὰν μὲν βοός,
τὰν δ' αὖ γυναικός· τέρας δ' ἐθάμβουν.
καὶ τότε δὴ τίς ἦν ὁ θέλ-
ξας πολύπλαγκτον ἀθλίαν
οἰστροδόνητον Ἰώ;

δι' αἰῶνος κρέων ἀπαύστου
Ζεὺς κακῶν νιν ἔλυσεν.
χειρὸς δ' ἀπημάντῳ σθένει
καὶ θείαις ἐπιπνοίαις
παύεται, δακρύων δ' ἀπο-
στάζει πένθιμον αἰδῶ.
λαβοῦσα δ' ἕρμα Δῖον ἀψευδεῖ λόγῳ
γείνατο παῖδ' ἀμεμφῆ,

δι' αἰῶνος μακροῦ πάνολβον·
ἔνθεν πᾶσα βοᾷ χθών,
"φυσιζόου γένος τόδε

Ζηνός ἐστιν ἀληθῶς·
τίς γὰρ ἂν κατέπαυσεν Ἥ-
ρας νόσους ἐπιβούλους;"
Διὸς τόδ' ἔργον· καὶ τόδ' ἂν γένος λέγων
ἐξ Ἐπάφου κυρήσαις.

τίν' ἂν θεῶν ἐνδικωτέροισιν
κεκλοίμαν εὐλόγως ἐπ' ἔργοις;
αὐτὸς ὁ πατὴρ φυτουργὸς αὐτόχειρ ἄναξ
γένους παλαιόφρων μέγας
τέκτων, τὸ πᾶν μῆχαρ, οὔριος Ζεύς.

ὑπ' ἀρχᾶς δ' οὔτινος θοάζων
τὸ μεῖον κρεισσόνων κρατύνει;
οὔτινος ἄνωθεν ἡμένου σέβει κάτω.
πάρεστι δ' ἔργον ὡς ἔπος
σπεῦσαί τι τῶν βούλιος φέρει φρήν.

(*Supplices*, 538–99)

239. *Prayer for Deliverance*

ΧΟΡΟΣ

Ἰὼ γᾶ βοῦνι, πάνδικον σέβας,
τί πεισόμεσθα; ποῖ φύγωμεν Ἀπίας
χθονός, κελαινὸν εἴ τι κεῦθός ἐστί που;
μέλας γενοίμαν καπνὸς
νέφεσσι γειτονῶν Διός·
τὸ πᾶν δ' ἄφαντος
ἀμπετὴς ἄιστος ὡς
κόνις ἄτερθε πτερύγων ὀλοίμαν.

ἀλυκτὸν δ' οὐκέτ' ἂν πέλοι τέλος·
κελαινόχρως δὲ πάλλεταί μου καρδία.

πατρὸς σκοπαὶ δέ μ' εἷλον· οἴχομαι φόβῳ.
θέλοιμι δ' ἂν μορσίμου
βρόχου τυχεῖν ἐν ἀρτάναις,
πρὶν ἄνδρ' ἀπευκτὸν
τῷδε χριμφθῆναι χροΐ·
πρόπαρ θανούσας δ' Ἀίδας ἀνάσσοι.

πόθεν δέ μοι γένοιτ' ἂν αἰθέρος θρόνος,
πρὸς ὃν νεφῶν ὑδρηλὰ γίγνεται χιών,
ἢ λισσὰς αἰγίλιψ ἀπρόσ-
δεικτος οἰόφρων κρεμὰς
γυπιὰς πέτρα, βαθὺ
πτῶμα μαρτυροῦσά μοι,
πρὶν δαΐκτορος βίᾳ
καρδίας γάμου κυρῆσαι;

κυσὶν δ' ἔπειθ' ἕλωρα κἀπιχωρίοις
ὄρνισι δεῖπνον οὐκ ἀναίνομαι πέλειν·
τὸ γὰρ θανεῖν ἐλευθεροῦ-
ται φιλαιάκτων πόνων.
ἐλθέτω μόρος, πρὸ κοί-
τας γαμηλίου τυχών.
πᾷ τίν' ἀμφυγᾶς ἔτ' οἶ-
μον τέμω γάμου λυτῆρα;

(*Suppiices*, 776–807)

240. *Salamis*

ΑΓΓΕΛΟΣ

Ἦρξεν μέν, ὦ δέσποινα, τοῦ παντὸς κακοῦ
φανεὶς ἀλάστωρ ἢ κακὸς δαίμων ποθέν.
ἀνὴρ γὰρ Ἕλλην ἐξ Ἀθηναίων στρατοῦ

ἐλθὼν ἔλεξε παιδὶ σῷ Ξέρξῃ τάδε,
ὡς εἰ μελαίνης νυκτὸς ἵξεται κνέφας,
Ἕλληνες οὐ μενοῖεν, ἀλλὰ σέλμασιν
ναῶν ἐπενθορόντες ἄλλος ἄλλοσε
δρασμῷ κρυφαίῳ βίοτον ἐκσωσοίατο.
ὁ δ᾽ εὐθὺς ὡς ἤκουσεν, οὐ ξυνεὶς δόλον
Ἕλληνος ἀνδρὸς οὐδὲ τὸν θεῶν φθόνον,
πᾶσιν προφωνεῖ τόνδε ναυάρχοις λόγον,
εὖτ᾽ ἂν φλέγων ἀκτῖσιν ἥλιος χθόνα
λήξῃ, κνέφας δὲ τέμενος αἰθέρος λάβῃ,
τάξαι νεῶν μὲν στῖφος ἐν στοίχοις τρισὶν
ἔκπλους φυλάσσειν καὶ πόρους ἁλιρρόθους,
ἄλλας δὲ κύκλῳ νῆσον Αἴαντος πέριξ·
ὡς εἰ μόρον φευξοίαθ᾽ Ἕλληνες κακόν,
ναυσὶν κρυφαίως δρασμὸν εὑρόντες τινά,
πᾶσιν στέρεσθαι κρατὸς ἦν προκείμενον.
τοσαῦτ᾽ ἔλεξε κάρθ᾽ ὑπ᾽ εὐθύμου φρενός·
οὐ γὰρ τὸ μέλλον ἐκ θεῶν ἠπίστατο.
οἱ δ᾽ οὐκ ἀκόσμως, ἀλλὰ πειθάρχῳ φρενὶ
δεῖπνόν τ᾽ ἐπορσύνοντο, ναυβάτης τ᾽ ἀνὴρ
τροποῦτο κώπην σκαλμὸν ἀμφ᾽ εὐήρετμον.
ἐπεὶ δὲ φέγγος ἡλίου κατέφθιτο
καὶ νὺξ ἐπῄει, πᾶς ἀνὴρ κώπης ἄναξ
ἐς ναῦν ἐχώρει πᾶς θ᾽ ὅπλων ἐπιστάτης·
τάξις δὲ τάξιν παρεκάλει νεὼς μακρᾶς·
πλέουσι δ᾽ ὡς ἕκαστος ἦν τεταγμένος,
καὶ πάννυχοι δὴ διάπλοον καθίστασαν
ναῶν ἄνακτες πάντα ναυτικὸν λεών.
καὶ νὺξ ἐχώρει, κοὐ μάλ᾽ Ἑλλήνων στρατὸς
κρυφαῖον ἔκπλουν οὐδαμῇ καθίστατο·

ἐπεί γε μέντοι λευκόπωλος ἡμέρα
πᾶσαν κατέσχε γαῖαν εὐφεγγὴς ἰδεῖν,
πρῶτον μὲν ἠχῇ κέλαδος Ἑλλήνων πάρα
μολπηδὸν ηὐφήμησεν, ὄρθιον δ' ἅμα
ἀντηλάλαξε νησιώτιδος πέτρας
ἠχώ· φόβος δὲ πᾶσι βαρβάροις παρῆν
γνώμης ἀποσφαλεῖσιν· οὐ γὰρ ὡς φυγῇ
παιᾶν' ἐφύμνουν σεμνὸν Ἕλληνες τότε,
ἀλλ' ἐς μάχην ὁρμῶντες εὐψύχῳ θράσει·
σάλπιγξ δ' αὐτῇ πάντ' ἐκεῖν' ἐπέφλεγεν.
εὐθὺς δὲ κώπης ῥοθιάδος ξυνεμβολῇ
ἔπαισαν ἅλμην βρύχιον ἐκ κελεύματος,
θοῶς δὲ πάντες ἦσαν ἐκφανεῖς ἰδεῖν.
τὸ δεξιὸν μὲν πρῶτον εὐτάκτως κέρας
ἡγεῖτο κόσμῳ, δεύτερον δ' ὁ πᾶς στόλος
ἐπεξεχώρει, καὶ παρῆν ὁμοῦ κλύειν
πολλὴν βοήν, "ὦ παῖδες Ἑλλήνων ἴτε,
ἐλευθεροῦτε πατρίδ', ἐλευθεροῦτε δὲ
παῖδας, γυναῖκας, θεῶν τε πατρῴων ἕδη,
θήκας τε προγόνων· νῦν ὑπὲρ πάντων ἀγών."
καὶ μὴν παρ' ἡμῶν Περσίδος γλώσσης ῥόθος
ὑπηντίαζε, κοὐκέτ' ἦν μέλλειν ἀκμή.
εὐθὺς δὲ ναῦς ἐν νηὶ χαλκήρη στόλον
ἔπαισεν· ἦρξε δ' ἐμβολῆς Ἑλληνικὴ
ναῦς, κἀποθραύει πάντα Φοινίσσης νεὼς
κόρυμβ', ἐπ' ἄλλην δ' ἄλλος ηὔθυνεν δόρυ.
τὰ πρῶτα μέν νυν ῥεῦμα Περσικοῦ στρατοῦ
ἀντεῖχεν· ὡς δὲ πλῆθος ἐν στενῷ νεῶν
ἤθροιστ', ἀρωγὴ δ' οὔτις ἀλλήλοις παρῆν,
αὐτοὶ θ' ὑφ' αὐτῶν ἐμβόλοις χαλκοστόμοις

παίοντ', ἔθραυον πάντα κωπήρη στόλον,
Ἑλληνικαί τε νῆες οὐκ ἀφρασμόνως
κύκλῳ πέριξ ἔθεινον, ὑπτιοῦτο δὲ
σκάφη νεῶν, θάλασσα δ' οὐκέτ' ἦν ἰδεῖν,
ναυαγίων πλήθουσα καὶ φόνου βροτῶν.
ἀκταὶ δὲ νεκρῶν χοιράδες τ' ἐπλήθυον,
φυγῇ δ' ἀκόσμῳ πᾶσα ναῦς ἠρέσσετο,
ὅσαιπερ ἦσαν βαρβάρου στρατεύματος.
τοὶ δ' ὥστε θύννους ἤ τιν' ἰχθύων βόλον
ἀγαῖσι κωπῶν θραύμασίν τ' ἐρειπίων
ἔπαιον, ἐρράχιζον· οἰμωγὴ δ' ὁμοῦ
κωκύμασιν κατεῖχε πελαγίαν ἅλα,
ἕως κελαινῆς νυκτὸς ὄμμ' ἀφείλετο.
κακῶν δὲ πλῆθος, οὐδ' ἂν εἰ δέκ' ἤματα
στοιχηγοροίην, οὐκ ἂν ἐκπλήσαιμί σοι.
εὖ γὰρ τόδ' ἴσθι, μηδάμ' ἡμέρᾳ μιᾷ
πλῆθος τοσουτάριθμον ἀνθρώπων θανεῖν.

(*Persae*, 353–432)

241. *Xerxes defeated*

ΧΟΡΟΣ

Νῦν δὴ πρόπασα μὲν στένει
γαῖ' Ἀσὶς ἐκκεκενωμένα.
Ξέρξης μὲν ἄγαγεν, ποποῖ,
Ξέρξης δ' ἀπώλεσεν, τοτοῖ,
Ξέρξης δὲ πάντ' ἐπέσπε δυσφρόνως
βαρίδεσσι ποντίαις.
τίπτε Δαρεῖος μὲν οὔ-
τω τότ' ἀβλαβὴς ἐπῆν

τόξαρχος πολιήταις,
Σουσίδαις φίλος ἄκτωρ;

πεζοὺς δὲ καὶ θαλασσίους
λινόπτεροι κυανώπιδες
νᾶες μὲν ἄγαγον, ποποῖ,
νᾶες δ' ἀπώλεσαν, τοτοῖ,
νᾶες πανωλέθροισιν ἐμβολαῖς,
ἠδ' Ἰαόνων χέρες.
τυτθὰ δ' ἐκφυγεῖν ἄνακτ'
αὐτὸν εἰσακούομεν
Θρῄκης ἂμ πεδιήρεις
δυσχίμους τε κελεύθους.

τοὶ δ' ἄρα πρωτόμοιροι, φεῦ,
ληφθέντες πρὸς ἀνάγκας, ἠέ,
ἀκτὰς ἀμφὶ Κυχρείας, ὀᾶ,
ἔρρουσι· στένε καὶ δακνά-
ζου, βαρὺ δ' ἀμβόασον
οὐράνι' ἄχη, ὀᾶ·
τεῖνε δὲ δυσβάυκτον
βοᾶτιν τάλαιναν αὐδάν.

γναπτόμενοι δὲ δίνᾳ, φεῦ,
σκύλλονται πρὸς ἀναύδων, ἠέ,
παίδων τᾶς ἀμιάντου, ὀᾶ.
πενθεῖ δ' ἄνδρα δόμος στερη-
θείς, τοκέες τ' ἄπαιδες
δαιμόνι' ἄχη, ὀᾶ,
δυρόμενοι γέροντες
τὸ πᾶν δὴ κλύουσιν ἄλγος.

τοὶ δ' ἀνὰ γᾶν Ἀσίαν δὴν
οὐκέτι περσονομοῦνται,
οὐδ' ἔτι δασμοφοροῦσιν
δεσποσύνοισιν ἀνάγκαις,
οὐδ' ἐς γᾶν προπίτνοντες
ἄζονται· βασιλεία
γὰρ διόλωλεν ἰσχύς.

οὐδ' ἔτι γλῶσσα βροτοῖσιν
ἐν φυλακαῖς· λέλυται γὰρ
λαὸς ἐλεύθερα βάζειν,
ὡς ἐλύθη ζυγὸν ἀλκᾶς.
αἱμαχθεῖσα δ' ἄρουραν
Αἴαντος περικλύστα
νᾶσος ἔχει τὰ Περσᾶν.

(*Persae*, 548–96)

242. *News of War*

ΑΓΓΕΛΟΣ, ΕΤΕΟΚΛΗΣ

Αγ. Ἐτεόκλεες, φέριστε Καδμείων ἄναξ,
ἥκω σαφῆ τἀκεῖθεν ἐκ στρατοῦ φέρων,
αὐτὸς κατόπτης δ' εἴμ' ἐγὼ τῶν πραγμάτων·
ἄνδρες γὰρ ἑπτά, θούριοι λοχαγέται,
ταυροσφαγοῦντες ἐς μελάνδετον σάκος
καὶ θιγγάνοντες χερσὶ ταυρείου φόνου,
Ἄρη τ', Ἐνυώ, καὶ φιλαίματον Φόβον
ὡρκωμότησαν ἢ πόλει κατασκαφὰς
θέντες λαπάξειν ἄστυ Καδμείων βίᾳ,
ἢ γῆν θανόντες τήνδε φυράσειν φόνῳ·
μνημεῖά θ' αὑτῶν τοῖς τεκοῦσιν ἐς δόμους

πρὸς ἅρμ' Ἀδράστου χερσὶν ἔστεφον, δάκρυ
λείβοντες· οἶκτος δ' οὔτις ἦν διὰ στόμα.
σιδηρόφρων γὰρ θυμὸς ἀνδρείᾳ φλέγων
ἔπνει, λεόντων ὣς Ἄρη δεδορκότων.
καὶ τῶνδε πίστις οὐκ ὄκνῳ χρονίζεται.
κληρουμένους δ' ἔλειπον, ὡς πάλῳ λαχὼν
ἕκαστος αὐτῶν πρὸς πύλας ἄγοι λόχον.
πρὸς ταῦτ' ἀρίστους ἄνδρας ἐκκρίτους πόλεως
πυλῶν ἐπ' ἐξόδοισι τάγευσαι τάχος·
ἐγγὺς γὰρ ἤδη πάνοπλος Ἀργείων στρατὸς
χωρεῖ, κονίει, πεδία δ' ἀργηστὴς ἀφρὸς
χραίνει σταλαγμοῖς ἱππικῶν ἐκ πλευμόνων.
σὺ δ' ὥστε ναὸς κεδνὸς οἰακοστρόφος
φράξαι πόλισμα, πρὶν καταιγίσαι πνοὰς
Ἄρεως· βοᾷ γὰρ κῦμα χερσαῖον στρατοῦ·
καὶ τῶνδε καιρὸν ὅστις ὤκιστος λαβέ·
κἀγὼ τὰ λοιπὰ πιστὸν ἡμεροσκόπον
ὀφθαλμὸν ἕξω, καὶ σαφηνείᾳ λόγου
εἰδὼς τὰ τῶν θύραθεν ἀβλαβὴς ἔσει.
Ετ. ὦ Ζεῦ τε καὶ Γῆ καὶ πολισσοῦχοι θεοί,
Ἀρά τ' Ἐρινὺς πατρὸς ἡ μεγασθενής,
μή μοι πόλιν γε πρυμνόθεν πανώλεθρον
ἐκθαμνίσητε δῃάλωτον, Ἑλλάδος
φθόγγον χέουσαν, καὶ δόμους ἐφεστίους·
ἐλευθέραν δὲ γῆν τε καὶ Κάδμου πόλιν
ζυγοῖσι δουλίοισι μήποτε σχεθεῖν·
γένεσθε δ' ἀλκή· ξυνὰ δ' ἐλπίζω λέγειν·
πόλις γὰρ εὖ πράσσουσα δαίμονας τίει.

(*Septem contra Thebas*, 39–77)

243. *Prometheus Bound*

ΠΡΟΜΗΘΕΥΣ

Ὦ δῖος αἰθὴρ καὶ ταχύπτεροι πνοαί,
ποταμῶν τε πηγαί, ποντίων τε κυμάτων
ἀνήριθμον γέλασμα, παμμῆτόρ τε γῆ,
καὶ τὸν πανόπτην κύκλον ἡλίου καλῶ·
ἴδεσθέ μ' οἷα πρὸς θεῶν πάσχω θεός.
δέρχθηθ' οἵαις αἰκίαισιν
διακναιόμενος τὸν μυριετῆ
χρόνον ἀθλεύσω.
τοιόνδ' ὁ νέος ταγὸς μακάρων
ἐξηῦρ' ἐπ' ἐμοὶ δεσμὸν ἀεικῆ.
φεῦ φεῦ, τὸ παρὸν τό τ' ἐπερχόμενον
πῆμα στενάχω, πῇ ποτε μόχθων
  χρὴ τέρματα τῶνδ' ἐπιτεῖλαι.

καίτοι τί φημι; πάντα προυξεπίσταμαι
σκεθρῶς τὰ μέλλοντ', οὐδέ μοι ποταίνιον
πῆμ' οὐδὲν ἥξει. τὴν πεπρωμένην δὲ χρὴ
αἶσαν φέρειν ὡς ῥᾷστα, γιγνώσκονθ' ὅτι
τὸ τῆς ἀνάγκης ἔστ' ἀδήριτον σθένος.
ἀλλ' οὔτε σιγᾶν οὔτε μὴ σιγᾶν τύχας
οἷόν τέ μοι τάσδ' ἐστί. θνητοῖς γὰρ γέρα
πορὼν ἀνάγκαις ταῖσδ' ἐνέζευγμαι τάλας·
ναρθηκοπλήρωτον δὲ θηρῶμαι πυρὸς
πηγὴν κλοπαίαν, ἣ διδάσκαλος τέχνης
πάσης βροτοῖς πέφηνε καὶ μέγας πόρος.
τοιῶνδε ποινὰς ἀμπλακημάτων τίνω
ὑπαιθρίοις δεσμοῖς πεπασσαλευμένος.

(*Prometheus Vinctus*, 87–113)

244. *Prometheus the Teacher of Men*

ΠΡΟΜΗΘΕΥΣ

Μή τοι χλιδῇ δοκεῖτε μηδ' αὐθαδίᾳ
σιγᾶν με· συννοίᾳ δὲ δάπτομαι κέαρ,
ὁρῶν ἐμαυτὸν ὧδε προυσελούμενον.
καίτοι θεοῖσι τοῖς νέοις τούτοις γέρα
τίς ἄλλος ἢ 'γὼ παντελῶς διώρισεν;
ἀλλ' αὐτὰ σιγῶ. καὶ γὰρ εἰδυίαισιν ἂν
ὑμῖν λέγοιμι· τἀν βροτοῖς δὲ πήματα
ἀκούσαθ', ὥς σφας νηπίους ὄντας τὸ πρὶν
ἔννους ἔθηκα καὶ φρενῶν ἐπηβόλους.
λέξω δέ, μέμψιν οὔτιν' ἀνθρώποις ἔχων,
ἀλλ' ὧν δέδωκ' εὔνοιαν ἐξηγούμενος·
οἳ πρῶτα μὲν βλέποντες ἔβλεπον μάτην,
κλύοντες οὐκ ἤκουον, ἀλλ' ὀνειράτων
ἀλίγκιοι μορφαῖσι τὸν μακρὸν βίον
ἔφυρον εἰκῇ πάντα, κοὔτε πλινθυφεῖς
δόμους προσείλους ᾖσαν, οὐ ξυλουργίαν·
κατώρυχες δ' ἔναιον ὥστ' ἀήσυροι
μύρμηκες ἄντρων ἐν μυχοῖς ἀνηλίοις.
ἦν δ' οὐδὲν αὐτοῖς οὔτε χείματος τέκμαρ
οὔτ' ἀνθεμώδους ἦρος οὔτε καρπίμου
θέρους βέβαιον, ἀλλ' ἄτερ γνώμης τὸ πᾶν
ἔπρασσον, ἔστε δή σφιν ἀντολὰς ἐγὼ
ἄστρων ἔδειξα τάς τε δυσκρίτους δύσεις.
καὶ μὴν ἀριθμόν, ἔξοχον σοφισμάτων,
ἐξηῦρον αὐτοῖς, γραμμάτων τε συνθέσεις,
μνήμην θ' ἁπάντων, μουσομήτορ' ἐργάνην.
κἄζευξα πρῶτος ἐν ζυγοῖσι κνώδαλα

ζεύγλαισι δουλεύοντα σάγμασίν θ', ὅπως
θνητοῖς μεγίστων διάδοχοι μοχθημάτων
γένοινθ', ὑφ' ἅρμα τ' ἤγαγον φιληνίους
ἵππους, ἄγαλμα τῆς ὑπερπλούτου χλιδῆς.
θαλασσόπλαγκτα δ' οὔτις ἄλλος ἀντ' ἐμοῦ
λινόπτερ' ηὗρε ναυτίλων ὀχήματα.
τοιαῦτα μηχανήματ' ἐξευρὼν τάλας
βροτοῖσιν, αὐτὸς οὐκ ἔχω σόφισμ' ὅτῳ
τῆς νῦν παρούσης πημονῆς ἀπαλλαγῶ.

(*Prometheus Vinctus*, 436–71)

245. *The Overthrow of Zeus*

ΠΡΟΜΗΘΕΥΣ

Ἦ μὴν ἔτι Ζεύς, καίπερ αὐθάδη φρονῶν,
ἔσται ταπεινός, οἷον ἐξαρτύεται
γάμον γαμεῖν, ὃς αὐτὸν ἐκ τυραννίδος
θρόνων τ' ἄιστον ἐκβαλεῖ· πατρὸς δ' ἀρὰ
Κρόνου τότ' ἤδη παντελῶς κρανθήσεται,
ἣν ἐκπίτνων ἠρᾶτο δηναιῶν θρόνων.
τοιῶνδε μόχθων ἐκτροπὴν οὐδεὶς θεῶν
δύναιτ' ἂν αὐτῷ πλὴν ἐμοῦ δεῖξαι σαφῶς.
ἐγὼ τάδ' οἶδα χᾧ τρόπῳ. πρὸς ταῦτά νυν
θαρσῶν καθήσθω τοῖς πεδαρσίοις κτύποις
πιστός, τινάσσων τ' ἐν χεροῖν πύρπνουν βέλος.
οὐδὲν γὰρ αὐτῷ ταῦτ' ἐπαρκέσει τὸ μὴ οὐ
πεσεῖν ἀτίμως πτώματ' οὐκ ἀνασχετά·
τοῖον παλαιστὴν νῦν παρασκευάζεται
ἐπ' αὐτὸς αὐτῷ, δυσμαχώτατον τέρας·
ὃς δὴ κεραυνοῦ κρείσσον' εὑρήσει φλόγα,
βροντῆς θ' ὑπερβάλλοντα καρτερὸν κτύπον

θαλασσίαν τε γῆς τινάκτειραν νόσων
αἰχμήν, τρίαιναν ἣ Ποσειδῶνος σκεδᾷ.
πταίσας δὲ τῷδε πρὸς κακῷ μαθήσεται
ὅσον τό τ' ἄρχειν καὶ τὸ δουλεύειν δίχα.

(*Prometheus Vinctus*, 907–27)

246. *Prometheus in the Earthquake*

ΠΡΟΜΗΘΕΥΣ, ΕΡΜΗΣ, ΧΟΡΟΣ

Πρ. Εἰδότι τοί μοι τάσδ' ἀγγελίας
ὅδ' ἐθώυξεν, πάσχειν δὲ κακῶς
ἐχθρὸν ὑπ' ἐχθρῶν οὐδὲν ἀεικές.
πρὸς ταῦτ' ἐπ' ἐμοὶ ῥιπτέσθω μὲν
πυρὸς ἀμφήκης βόστρυχος, αἰθὴρ δ'
ἐρεθιζέσθω βροντῇ σφακέλῳ τ'
ἀγρίων ἀνέμων· χθόνα δ' ἐκ πυθμένων
αὐταῖς ῥίζαις πνεῦμα κραδαίνοι,
κῦμα δὲ πόντου τραχεῖ ῥοθίῳ
συγχώσειεν τῶν τ' οὐρανίων
ἄστρων διόδους· εἴς τε κελαινὸν
Τάρταρον ἄρδην ῥίψειε δέμας
τοὐμὸν ἀνάγκης στερραῖς δίναις·
πάντως ἐμέ γ' οὐ θανατώσει.

Ερ. τοιάδε μέντοι τῶν φρενοπλήκτων
βουλεύματ' ἔπη τ' ἔστιν ἀκοῦσαι.
τί γὰρ ἐλλείπει μὴ οὐ παραπαίειν
ἡ τοῦδ' εὐχή; τί χαλᾷ μανιῶν;
ἀλλ' οὖν ὑμεῖς γ' αἱ πημοσύναις
συγκάμνουσαι ταῖς τοῦδε τόπων
μετά ποι χωρεῖτ' ἐκ τῶνδε θοῶς,
μὴ φρένας ὑμῶν ἠλιθιώσῃ

βροντῆς μύκημ' ἀτέραμνον.
Χο. ἄλλο τι φώνει καὶ παραμυθοῦ μ'
ὅ τι καὶ πείσεις· οὐ γὰρ δή που
τοῦτό γε τλητὸν παρέσυρας ἔπος.
πῶς με κελεύεις κακότητ' ἀσκεῖν;
μετὰ τοῦδ' ὅ τι χρὴ πάσχειν ἐθέλω·
τοὺς προδότας γὰρ μισεῖν ἔμαθον,
κοὐκ ἔστι νόσος
τῆσδ' ἥντιν' ἀπέπτυσα μᾶλλον.
Ερ. ἀλλ' οὖν μέμνησθ' ἁγὼ προλέγω
μηδὲ πρὸς ἄτης θηραθεῖσαι
μέμψησθε τύχην, μηδέ ποτ' εἴπηθ'
ὡς Ζεὺς ὑμᾶς εἰς ἀπρόοπτον
πῆμ' εἰσέβαλεν· μὴ δῆτ', αὐταὶ δ'
ὑμᾶς αὐτάς. εἰδυῖαι γὰρ
κοὐκ ἐξαίφνης οὐδὲ λαθραίως
εἰς ἀπέραντον δίκτυον ἄτης
ἐμπλεχθήσεσθ' ὑπ' ἀνοίας.
Πρ. καὶ μὴν ἔργῳ κοὐκέτι μύθῳ
χθὼν σεσάλευται.
βρυχία δ' ἠχὼ παραμυκᾶται
βροντῆς, ἕλικες δ' ἐκλάμπουσι
στεροπῆς ζάπυροι, στρόμβοι δὲ κόνιν
εἱλίσσουσι· σκιρτᾷ δ' ἀνέμων
πνεύματα πάντων εἰς ἄλληλα
στάσιν ἀντίπνουν ἀποδεικνύμενα·
ξυντετάρακται δ' αἰθὴρ πόντῳ.
τοιάδ' ἐπ' ἐμοὶ ῥιπὴ Διόθεν
τεύχουσα φόβον στείχει φανερῶς.
ὦ μητρὸς ἐμῆς σέβας, ὦ πάντων

αἰθὴρ κοινὸν φάος εἱλίσσων,
ἐσορᾷς μ' ὡς ἔκδικα πάσχω.

(*Prometheus Vinctus*, 1040–94)

247. *The Sacrifice of Iphigenia*

ΧΟΡΟΣ

Ζεύς, ὅστις ποτ' ἐστίν, εἰ τόδ' αὐ-
τῷ φίλον κεκλημένῳ,
τοῦτό νιν προσεννέπω.
οὐκ ἔχω προσεικάσαι
πάντ' ἐπισταθμώμενος
πλὴν Διός, εἰ τὸ μάταν
ἀπὸ φροντίδος ἄχθος
χρὴ βαλεῖν ἐτητύμως.

οὐδ' ὅστις πάροιθεν ἦν μέγας,
παμμάχῳ θράσει βρύων,
οὐδὲ λέξεται πρὶν ὤν·
ὃς δ' ἔπειτ' ἔφυ, τρια-
κτῆρος οἴχεται τυχών.
Ζῆνα δέ τις προφρόνως
ἐπινίκια κλάζων
τεύξεται φρενῶν τὸ πᾶν·

τὸν φρονεῖν βροτοὺς ὁδώ-
σαντα, τὸν πάθει μάθος
θέντα κυρίως ἔχειν.
στάζει δ' ἔν θ' ὕπνῳ πρὸ καρδίας
μνησιπήμων πόνος· καὶ παρ' ἄ-
κοντας ἦλθε σωφρονεῖν.

δαιμόνων δέ που χάρις βίαιος
σέλμα σεμνὸν ἡμένων.

καὶ τόθ' ἡγεμὼν ὁ πρέ-
σβυς νεῶν Ἀχαιικῶν,
μάντιν οὔτινα ψέγων,
ἐμπαίοις τύχαισι συμπνέων,
εὖτ' ἀπλοίᾳ κεναγγεῖ βαρύ-
νοντ' Ἀχαιικὸς λεώς,
Χαλκίδος πέραν ἔχων παλιρρό-
χθοις ἐν Αὐλίδος τόποις·

πνοαὶ δ' ἀπὸ Στρυμόνος μολοῦσαι
κακόσχολοι, νήστιδες, δύσορμοι,
βροτῶν ἄλαι,
νεῶν τε καὶ πεισμάτων ἀφειδεῖς,
παλιμμήκη χρόνον τιθεῖσαι
τρίβῳ κατέξαινον ἄνθος Ἄργους.
ἐπεὶ δὲ καὶ πικροῦ
χείματος ἄλλο μῆχαρ
βριθύτερον πρόμοισιν
μάντις ἔκλαγξεν προφέρων Ἄρτεμιν, ὥστε χθόνα βά-
κτροις ἐπικρούσαντας Ἀτρείδας δάκρυ μὴ κατασχεῖν·

ἄναξ δ' ὁ πρέσβυς τότ' εἶπε φωνῶν·
"βαρεῖα μὲν κὴρ τὸ μὴ πιθέσθαι,
βαρεῖα δ', εἰ
τέκνον δαΐξω, δόμων ἄγαλμα,
μιαίνων παρθενοσφάγοισι
ῥείθροις πατρῴους χέρας πρὸ βωμοῦ.
τί τῶνδ' ἄνευ κακῶν,

πῶς λιπόναυς γένωμαι
ξυμμαχίας ἁμαρτών;
παυσανέμου γὰρ θυσίας παρθενίου θ' αἵματος ὀρ-
γᾷ περιόργῳ σφ' ἐπιθυμεῖν θέμις. εὖ γὰρ εἴη."

ἐπεὶ δ' ἀνάγκας ἔδυ λέπαδνον
φρενὸς πνέων δυσσεβῆ τροπαίαν
ἄναγνον, ἀνίερον, τόθεν
τὸ παντότολμον φρονεῖν μετέγνω.
βροτοὺς θρασύνει γὰρ αἰσχρόμητις
τάλαινα παρακοπὰ πρωτοπήμων.
ἔτλα δ' οὖν θυτὴρ γενέ-
σθαι θυγατρός, γυναικοποί-
νων πολέμων ἀρωγὰν
καὶ προτέλεια ναῶν.

λιτὰς δὲ καὶ κληδόνας πατρῴους
παρ' οὐδὲν αἰῶνα παρθένειόν τ'
ἔθεντο φιλόμαχοι βραβῆς.
φράσεν δ' ἀόζοις πατὴρ μετ' εὐχὰν
δίκαν χιμαίρας ὕπερθε βωμοῦ
πέπλοισι περιπετῆ παντὶ θυμῷ
προνωπῆ λαβεῖν ἀέρ-
δην, στόματός τε καλλιπρῴ-
ρου φυλακᾷ κατασχεῖν
φθόγγον ἀραῖον οἴκοις,

βίᾳ χαλινῶν τ' ἀναύδῳ μένει.
κρόκου βαφὰς δ' ἐς πέδον χέουσα
ἔβαλλ' ἕκαστον θυτή-
ρων ἀπ' ὄμματος βέλει φιλοίκτῳ,

πρέπουσά θ' ὡς ἐν γραφαῖς, προσεννέπειν
θέλουσ', ἐπεὶ πολλάκις
πατρὸς κατ' ἀνδρῶνας εὐτραπέζους
ἔμελψεν, ἁγνᾷ δ' ἀταύρωτος αὐδᾷ πατρὸς
φίλου τριτόσπονδον εὔποτμον
παιᾶνα φίλως ἐτίμα.
τὰ δ' ἔνθεν οὔτ' εἶδον οὔτ' ἐννέπω·
τέχναι δὲ Κάλχαντος οὐκ ἄκραντοι.
Δίκα δὲ τοῖς μὲν παθοῦ-
σιν μαθεῖν ἐπιρρέπει· τὸ μέλλον δ'
ἐπεὶ γένοιτ' ἂν κλύοις· πρὸ χαιρέτω·
ἴσον δὲ τῷ προστένειν.
τορὸν γὰρ ἥξει σύνορθρον αὐγαῖς.

(*Agamemnon*, 160–254)

248. *The Beacons*

ΚΛΥΤΑΙΜΗΣΤΡΑ

Ἥφαιστος Ἴδης λαμπρὸν ἐκπέμπων σέλας.
φρυκτὸς δὲ φρυκτὸν δεῦρ' ἀπ' ἀγγάρου πυρὸς
ἔπεμπεν· Ἴδη μὲν πρὸς Ἑρμαῖον λέπας
Λήμνου· μέγαν δὲ πανὸν ἐκ νήσου τρίτον
Ἀθῷον αἶπος Ζηνὸς ἐξεδέξατο,
ὑπερτελής τε, πόντον ὥστε νωτίσαι,
ἰσχὺς πορευτοῦ λαμπάδος πρὸς ἡδονὴν
πέμπει τὸ χρυσοφεγγές, ὥς τις ἥλιος,
σέλας παραγγείλασα Μακίστου σκοπαῖς·
ὁ δ' οὔτι μέλλων οὐδ' ἀφρασμόνως ὕπνῳ
νικώμενος παρῆκεν ἀγγέλου μέρος·
ἑκὰς δὲ φρυκτοῦ φῶς ἐπ' Εὐρίπου ῥοὰς
Μεσσαπίου φύλαξι σημαίνει μολόν.

οἱ δ' ἀντέλαμψαν καὶ παρήγγειλαν πρόσω
γραίας ἐρείκης θωμὸν ἅψαντες πυρί.
σθένουσα λαμπὰς δ' οὐδέπω μαυρουμένη,
ὑπερθοροῦσα πεδίον Ἀσωποῦ, δίκην
φαιδρᾶς σελήνης, πρὸς Κιθαιρῶνος λέπας
ἤγειρεν ἄλλην ἐκδοχὴν πομποῦ πυρός.
φάος δὲ τηλέπομπον οὐκ ἠναίνετο
φρουρὰ πλέον καίουσα τῶν εἰρημένων
λίμνην δ' ὑπὲρ Γοργῶπιν ἔσκηψεν φάος.
ὄρος τ' ἐπ' Αἰγίπλαγκτον ἐξικνούμενον
ὤτρυνε θεσμὸν μηχανήσασθαι πυρός·
πέμπουσι δ' ἀνδαίοντες ἀφθόνῳ μένει
φλογὸς μέγαν πώγωνα, καὶ Σαρωνικοῦ
πορθμοῦ κάτοπτον πρῶν' ὑπερβάλλειν πρόσω
φλέγουσαν, ἔστ' ἔσκηψεν, εὖτ' ἀφίκετο
Ἀραχναῖον αἶπος, ἀστυγείτονας σκοπάς·
κἄπειτ' Ἀτρειδῶν ἐς τόδε σκήπτει στέγος
φάος τόδ' οὐκ ἄπαππον Ἰδαίου πυρός.
τοιοίδε τοί μοι λαμπαδηφόρων νόμοι,
ἄλλος παρ' ἄλλου διαδοχαῖς πληρούμενοι·
νικᾷ δ' ὁ πρῶτος καὶ τελευταῖος δραμών.

(*Agamemnon*, 281–314)

249. *Helen*

ΧΟΡΟΣ

Διὸς πλαγὰν ἔχουσιν εἰπεῖν,
πάρεστιν τοῦτό γ' ἐξιχνεῦσαι.
ἔπραξαν ὡς ἔκρανεν. οὐκ ἔφα τις
θεοὺς βροτῶν ἀξιοῦσθαι μέλειν
ὅσοις ἀθίκτων χάρις

πατοῖθ'· ὁ δ' οὐκ εὐσεβής.
πέφανται δ' ἐκτίνου-
σα τόλμα τῶν Ἄρη
πνεόντων μεῖζον ἢ δικαίως,
φλεόντων δωμάτων ὑπέρφευ
ὑπὲρ τὸ βέλτιστον. ἔστω δ' ἀπή-
μαντον, ὥστ' ἀπαρκεῖν
εὖ πραπίδων λαχόντα.
οὐ γὰρ ἔστιν ἔπαλξις
πλούτου πρὸς κόρον ἀνδρὶ
λακτίσαντι μέγαν Δίκας
βωμὸν εἰς ἀφάνειαν.

βιᾶται δ' ἁ τάλαινα πειθώ,
προβούλου παῖς ἄφερτος ἄτας.
ἄκος δὲ πᾶν μάταιον. οὐκ ἐκρύφθη,
πρέπει δέ, φῶς αἰνολαμπές, σίνος·
κακοῦ δὲ χαλκοῦ τρόπον
τρίβῳ τε καὶ προσβολαῖς
μελαμπαγὴς πέλει
δικαιωθείς, ἐπεὶ
διώκει παῖς ποτανὸν ὄρνιν,
πόλει πρόστριμμ' ἄφερτον ἐνθείς.
λιτᾶν δ' ἀκούει μὲν οὔτις θεῶν·
τὸν δ' ἐπίστροφον τῶν
φῶτ' ἄδικον καθαιρεῖ.
οἷος καὶ Πάρις ἐλθὼν
ἐς δόμον τὸν Ἀτρειδᾶν
ᾔσχυνε ξενίαν τράπε-
ζαν κλοπαῖσι γυναικός.

λιποῦσα δ' ἀστοῖσιν ἀσπίστοράς
τε καὶ κλόνους λογχίμους
ναυβάτας θ' ὁπλισμούς,
ἄγουσά τ' ἀντίφερνον Ἰλίῳ φθορὰν
βέβακεν ῥίμφα διὰ πυλᾶν
ἄτλητα τλᾶσα· πολλὰ δ' ἔστενον
τόδ' ἐννέποντες δόμων προφῆται·
"ἰὼ ἰὼ δῶμα δῶμα καὶ πρόμοι,
ἰὼ λέχος καὶ στίβοι φιλάνορες."
πάρεστι σιγὰς ἀτίμους ἀλοιδόρους
ἄλγιστ' ἀφημένων ἰδεῖν.
πόθῳ δ' ὑπερποντίας
φάσμα δόξει δόμων ἀνάσσειν.
εὐμόρφων δὲ κολοσσῶν
ἔχθεται χάρις ἀνδρί·
ὀμμάτων δ' ἐν ἀχηνίαις
ἔρρει πᾶσ' Ἀφροδίτα.

ὀνειρόφαντοι δὲ πειθήμονες
πάρεισι δόξαι φέρου-
σαι χάριν ματαίαν.
μάταν γάρ, εὖτ' ἂν ἐσθλά τις δοκῶν ὁρᾷ,
παραλλάξασα διὰ χερῶν
βέβακεν ὄψις οὐ μεθύστερον
πτεροῖς ὀπαδοῦσ' ὕπνου κελεύθοις.
τὰ μὲν κατ' οἴκους ἐφ' ἑστίας ἄχη
τάδ' ἐστὶ καὶ τῶνδ' ὑπερβατώτερα.
τὸ πᾶν δ' ἀφ' Ἕλλανος αἴας συνορμένοις
πένθεια τλησικάρδιος
δόμων ἑκάστου πρέπει.

πολλὰ γοῦν θιγγάνει πρὸς ἧπαρ·
οὓς μὲν γάρ τις ἔπεμψεν
οἶδεν, ἀντὶ δὲ φωτῶν
τεύχη καὶ σποδὸς εἰς ἑκά-
στου δόμους ἀφικνεῖται.

ὁ χρυσαμοιβὸς δ' Ἄρης σωμάτων
καὶ ταλαντοῦχος ἐν μάχῃ δορὸς
πυρωθὲν ἐξ Ἰλίου
φίλοισι πέμπει βραχὺ
ψῆγμα δυσδάκρυτον ἀν-
τήνορος σποδοῦ γεμί-
ζων λέβητας εὐθέτους.
στένουσι δ' εὖ λέγοντες ἄν-
δρα τὸν μὲν ὡς μάχης ἴδρις,
τὸν δ' ἐν φοναῖς καλῶς πεσόντ'
ἀλλοτρίας διαὶ γυναι-
κός· τὰ δὲ σῖγά τις βαΰ-
ζει· φθονερὸν δ' ὑπ' ἄλγος ἕρ-
πει προδίκοις Ἀτρείδαις.
οἱ δ' αὐτοῦ περὶ τεῖχος
θήκας Ἰλιάδος γᾶς
εὔμορφοι κατέχουσιν· ἐ-
χθρὰ δ' ἔχοντας ἔκρυψεν.

βαρεῖα δ' ἀστῶν φάτις ξὺν κότῳ·
δημοκράντου δ' ἀρᾶς τίνει χρέος.
μένει δ' ἀκοῦσαί τί μου
μέριμνα νυκτηρεφές.
τῶν πολυκτόνων γὰρ οὐκ
ἄσκοποι θεοί. κελαι-

ναὶ δ' Ἐρινύες χρόνῳ
τυχηρὸν ὄντ' ἄνευ δίκας
παλιντυχεῖ τριβᾷ βίου
τιθεῖσ' ἀμαυρόν, ἐν δ' ἀΐ-
στοις τελέθοντος οὔτις ἀλ-
κά· τὸ δ' ὑπερκόπως κλύειν
εὖ βαρύ· βάλλεται γὰρ ὄσ-
σοις Διόθεν κεραυνός.
κρίνω δ' ἄφθονον ὄλβον·
μήτ' εἴην πτολιπόρθης
μήτ' οὖν αὐτὸς ἁλοὺς ὑπ' ἄλ-
λων βίον κατίδοιμι.

(*Agamemnon*, 367–474)

250. *Welcome to Agamemnon*

ΚΛΥΤΑΙΜΗΣΤΡΑ

Ἄνδρες πολῖται, πρέσβος Ἀργείων τόδε,
οὐκ αἰσχυνοῦμαι τοὺς φιλάνορας τρόπους
λέξαι πρὸς ὑμᾶς· ἐν χρόνῳ δ' ἀποφθίνει
τὸ τάρβος ἀνθρώποισιν. οὐκ ἄλλων πάρα
μαθοῦσ', ἐμαυτῆς δύσφορον λέξω βίον
τοσόνδ' ὅσονπερ οὗτος ἦν ὑπ' Ἰλίῳ.
τὸ μὲν γυναῖκα πρῶτον ἄρσενος δίχα
ἦσθαι δόμοις ἔρημον ἔκπαγλον κακόν,
πολλὰς κλύουσαν κληδόνας παλιγκότους·
καὶ τὸν μὲν ἥκειν, τὸν δ' ἐπεσφέρειν κακοῦ
κάκιον ἄλλο πῆμα, λάσκοντας δόμοις.
καὶ τραυμάτων μὲν εἰ τόσων ἐτύγχανεν
ἀνὴρ ὅδ', ὡς πρὸς οἶκον ὠχετεύετο
φάτις, τέτρηται δικτύου πλέον λέγειν.

εἰ δ' ἦν τεθνηκώς, ὡς ἐπλήθυον λόγοι,
τρισώματός τἂν Γηρυὼν ὁ δεύτερος
χθονὸς τρίμοιρον χλαῖναν ἐξηύχει λαβεῖν,
ἅπαξ ἑκάστῳ κατθανὼν μορφώματι.
τοιῶνδ' ἕκατι κληδόνων παλιγκότων
πολλὰς ἄνωθεν ἀρτάνας ἐμῆς δέρης
ἔλυσαν ἄλλοι πρὸς βίαν λελημμένης.
ἐκ τῶνδέ τοι παῖς ἐνθάδ' οὐ παραστατεῖ,
ἐμῶν τε καὶ σῶν κύριος πιστωμάτων,
ὡς χρῆν, Ὀρέστης· μηδὲ θαυμάσῃς τόδε.
τρέφει γὰρ αὐτὸν εὐμενὴς δορύξενος
Στρόφιος ὁ Φωκεύς, ἀμφίλεκτα πήματα
ἐμοὶ προφωνῶν, τόν θ' ὑπ' Ἰλίῳ σέθεν
κίνδυνον, εἴ τε δημόθρους ἀναρχία
βουλὴν καταρρίψειεν, ὥστε σύγγονον
βροτοῖσι τὸν πεσόντα λακτίσαι πλέον.
τοιάδε μέντοι σκῆψις οὐ δόλον φέρει.
ἔμοιγε μὲν δὴ κλαυμάτων ἐπίσσυτοι
πηγαὶ κατεσβήκασιν, οὐδ' ἔνι σταγών.
ἐν ὀψικοίτοις δ' ὄμμασιν βλάβας ἔχω
τὰς ἀμφί σοι κλαίουσα λαμπτηρουχίας
ἀτημελήτους αἰέν. ἐν δ' ὀνείρασιν
λεπταῖς ὑπαὶ κώνωπος ἐξηγειρόμην
ῥιπαῖσι θωύσσοντος, ἀμφί σοι πάθη
ὁρῶσα πλείω τοῦ ξυνεύδοντος χρόνου.
νῦν ταῦτα πάντα τλᾶσ' ἀπενθήτῳ φρενὶ
λέγοιμ' ἂν ἄνδρα τόνδε τῶν σταθμῶν κύνα,
σωτῆρα ναὸς πρότονον, ὑψηλῆς στέγης
στῦλον ποδήρη, μονογενὲς τέκνον πατρί,
καὶ γῆν φανεῖσαν ναυτίλοις παρ' ἐλπίδα.

κάλλιστον ἦμαρ εἰσιδεῖν ἐκ χείματος,
ὁδοιπόρῳ διψῶντι πηγαῖον ῥέος.
τερπνὸν δὲ τἀναγκαῖον ἐκφυγεῖν ἅπαν.

(*Agamemnon*, 855–902)

251. *The Purple Carpet*

ΚΛΥΤΑΙΜΗΣΤΡΑ

Ἔστιν θάλασσα, τίς δέ νιν κατασβέσει;
τρέφουσα πολλῆς πορφύρας ἰσάργυρον
κηκῖδα παγκαίνιστον, εἱμάτων βαφάς.
οἶκος δ' ὑπάρχει τῶνδε σὺν θεοῖς, ἄναξ,
ἔχειν· πένεσθαι δ' οὐκ ἐπίσταται δόμος.
πολλῶν πατησμὸν δ' εἱμάτων ἂν ηὐξάμην,
δόμοισι προυνεχθέντος ἐν χρηστηρίοις,
ψυχῆς κόμιστρα τῆσδε μηχανωμένῃ.
ῥίζης γὰρ οὔσης φυλλὰς ἵκετ' ἐς δόμους,
σκιὰν ὑπερτείνασα σειρίου κυνός.
καὶ σοῦ μολόντος δωματῖτιν ἑστίαν,
θάλπος μὲν ἐν χειμῶνι σημαίνεις μολόν·
ὅταν δὲ τεύχῃ Ζεὺς ἀπ' ὄμφακος πικρᾶς
οἶνον, τότ' ἤδη ψῦχος ἐν δόμοις πέλει,
ἀνδρὸς τελείου δῶμ' ἐπιστρωφωμένου.
Ζεῦ Ζεῦ τέλειε, τὰς ἐμὰς εὐχὰς τέλει·
μέλοι δέ τοι σοὶ τῶνπερ ἂν μέλλῃς τελεῖν.

(*Agamemnon*, 958–74)

252. *Cassandra prepares to die*

ΧΟΡΟΣ, ΚΑΣΑΝΔΡΑ

Χο. Ὦ πολλὰ μὲν τάλαινα, πολλὰ δ' αὖ σοφὴ
γύναι, μακρὰν ἔτεινας. εἰ δ' ἐτητύμως

μόρον τὸν αὐτῆς οἶσθα, πῶς θεηλάτου
βοὸς δίκην πρὸς βωμὸν εὐτόλμως πατεῖς;
Κα. οὐκ ἔστ' ἄλυξις, οὔ, ξένοι, χρόνον πλέω.
Χο. ὁ δ' ὕστατός γε τοῦ χρόνου πρεσβεύεται.
Κα. ἥκει τόδ' ἦμαρ· σμικρὰ κερδανῶ φυγῇ.
Χο. ἀλλ' ἴσθι τλήμων οὖσ' ἀπ' εὐτόλμου φρενός.
Κα. οὐδεὶς ἀκούει ταῦτα τῶν εὐδαιμόνων.
Χο. ἀλλ' εὐκλεῶς τοι κατθανεῖν χάρις βροτῷ.
Κα. ἰὼ πάτερ σοῦ τῶν τε γενναίων τέκνων.
Χο. τί δ' ἐστὶ χρῆμα; τίς σ' ἀποστρέφει φόβος;
Κα. φεῦ φεῦ.
Χο. τί τοῦτ' ἔφευξας; εἴ τι μὴ φρενῶν στύγος.
Κα. φόνον δόμοι πνέουσιν αἱματοσταγῆ.
Χο. καὶ πῶς; τόδ' ὄζει θυμάτων ἐφεστίων.
Κα. ὅμοιος ἀτμὸς ὥσπερ ἐκ τάφου πρέπει.
Χο. οὐ Σύριον ἀγλάισμα δώμασιν λέγεις.
Κα. ἀλλ' εἶμι κἀν δόμοισι κωκύσουσ' ἐμὴν
'Αγαμέμνονός τε μοῖραν. ἀρκείτω βίος.
ἰὼ ξένοι.
οὔτοι δυσοίζω θάμνον ὡς ὄρνις φόβῳ
ἄλλως· θανούσῃ μαρτυρεῖτέ μοι τόδε,
ὅταν γυνὴ γυναικὸς ἀντ' ἐμοῦ θάνῃ,
ἀνήρ τε δυσδάμαρτος ἀντ' ἀνδρὸς πέσῃ.
ἐπιξενοῦμαι ταῦτα δ' ὡς θανουμένη.
Χο. ὦ τλῆμον, οἰκτείρω σε θεσφάτου μόρου.
Κα. ἅπαξ ἔτ' εἰπεῖν ῥῆσιν οὐ θρῆνον θέλω
ἐμὸν τὸν αὐτῆς. ἡλίου δ' ἐπεύχομαι
πρὸς ὕστατον φῶς τοὺς ἐμοὺς τιμαόρους
δίκην φονεῦσι τοῖς ἐμοῖς τίνειν ὁμοῦ,
δούλης θανούσης, εὐμαροῦς χειρώματος.

ἰὼ βρότεια πράγματ᾽· εὐτυχοῦντα μὲν
σκιᾷ τις ἂν πρέψειεν· εἰ δὲ δυστυχῇ,
βολαῖς ὑγρώσσων σπόγγος ὤλεσεν γραφήν.
καὶ ταῦτ᾽ ἐκείνων μᾶλλον οἰκτείρω πολύ.

(*Agamemnon*, 1295–1330)

253. *Invocation of Agamemnon's Ghost*

ΟΡΕΣΤΗΣ, ΧΟΡΟΣ, ΗΛΕΚΤΡΑ

Ορ. Ὦ πάτερ αἰνοπαθές, τί σοι
φάμενος ἢ τί ῥέξας
τύχοιμ᾽ ἂν ἕκαθεν οὐρίσας,
ἔνθα σ᾽ ἔχουσιν εὐναί;
σκότῳ φάος ἀντίμοι-
ρον· χάριτες δ᾽ ὁμοίως
κέκληνται γόος εὐκλεὴς
προσθοδόμοις Ἀτρείδαις.

Χο. τέκνον, φρόνημα τοῦ
θανόντος οὐ δαμάζει
πυρὸς μαλερὰ γνάθος,
φαίνει δ᾽ ὕστερον ὀργάς·
ὀτοτύζεται δ᾽ ὁ θνῄσκων,
ἀναφαίνεται δ᾽ ὁ βλάπτων.
πατέρων τε καὶ τεκόντων
γόος ἔνδικος ματεύει
τἄποιν᾽ ἀμφιλαφὴς ταραχθείς.

Ηλ. κλῦθί νυν, ὦ πάτερ, ἐν μέρει
πολυδάκρυτα πένθη.
δίπαις τοί σ᾽ ἐπιτύμβιος

θρῆνος ἀναστενάζει.
τάφος δ' ἱκέτας δέδεκται
φυγάδας θ' ὁμοίως.
τί τῶνδ' εὖ, τί δ' ἄτερ κακῶν;
οὐκ ἀτρίακτος ἄτα;

Χο. ἀλλ' ἔτ' ἂν ἐκ τῶνδε θεὸς χρῄζων
θείη κελάδους εὐφθογγοτέρους·
ἀντὶ δὲ θρήνων ἐπιτυμβιδίων
παιὰν μελάθροις ἐν βασιλείοις
νεοκρᾶτα φίλον κομίσειεν.

Ορ. εἰ γὰρ ὑπ' Ἰλίῳ
πρός τινος Λυκίων, πάτερ,
δορίτμητος κατηναρίσθης,
λιπὼν ἂν εὔκλειαν ἐν δόμοισι
τέκνων τ' ἐν κελεύθοις
ἐπιστρεπτὸν αἰῶ
κτίσας πολύχωστον ἂν εἶχες
τάφον διαποντίου γᾶς
δώμασιν εὐφόρητον.

Χο. φίλος φίλοισι τοῖς
ἐκεῖ καλῶς θανοῦσι
κατὰ χθονὸς ἐμπρέπων
σεμνότιμος ἀνάκτωρ,
πρόπολός τε τῶν μεγίστων
χθονίων ἐκεῖ τυράννων·
βασιλεὺς γὰρ ἦν, ὄφρ' ἔζη,
μόριμον λάχος πιπλάντων
χειροῖν πεισιβρότῳ τε βάκτρῳ.

Ηλ. μηδ' ὑπὸ Τρωίας
τείχεσι φθίμενος, πάτερ,
μετ' ἄλλῳ δουρικμῆτι λαῷ
παρὰ Σκαμάνδρου πόρον τεθάφθαι,
πάρος δ' οἱ κτανόντες
νιν οὕτως δαμῆναι
φίλοις θανατηφόρον αἶσαν
πρόσω τινὰ πυνθάνεσθαι
τῶνδε πόνων ἄπειρον.

(*Choephoroe*, 315–71)

254. *Orestes goes mad*

ΟΡΕΣΤΗΣ, ΧΟΡΟΣ

Ορ. Ἴδεσθε χώρας τὴν διπλῆν τυραννίδα
πατροκτόνους τε δωμάτων πορθήτορας.
σεμνοὶ μὲν ἦσαν ἐν θρόνοις τόθ' ἥμενοι,
φίλοι δὲ καὶ νῦν, ὡς ἐπεικάσαι πάθη
πάρεστιν, ὅρκος τ' ἐμμένει πιστώμασι.
ξυνώμοσαν μὲν θάνατον ἀθλίῳ πατρὶ
καὶ ξυνθανεῖσθαι· καὶ τάδ' εὐόρκως ἔχει.
ἴδεσθε δ' αὖτε, τῶνδ' ἐπήκοοι κακῶν,
τὸ μηχάνημα, δεσμὸν ἀθλίῳ πατρί,
πέδας τε χειροῖν καὶ ποδοῖν ξυνωρίδα.
τί νιν προσείπω, κἂν τύχω μάλ' εὐστομῶν;
ἄγρευμα θηρός, ἢ νεκροῦ ποδένδυτον
δροίτης κατασκήνωμα; δίκτυον μὲν οὖν,
ἄρκυν τ' ἂν εἴποις καὶ ποδιστῆρας πέπλους.
τοιοῦτον ἂν κτήσαιτο φηλήτης ἀνήρ,
ξένων ἀπαιόλημα κἀργυροστερῆ
βίον νομίζων, τῷδέ τ' ἂν δολώματι

πολλοὺς ἀναιρῶν πολλὰ θερμαίνοι φρένα.
ἐκτείνατ' αὐτὸ καὶ κύκλῳ παρασταδὸν
στέγαστρον ἀνδρὸς δείξαθ', ὡς ἴδῃ πατήρ,
οὐχ οὑμός, ἀλλ' ὁ πάντ' ἐποπτεύων τάδε
Ἥλιος, ἄναγνα μητρὸς ἔργα τῆς ἐμῆς,
ὡς ἂν παρῇ μοι μάρτυς ἐν δίκῃ ποτέ,
ὡς τόνδ' ἐγὼ μετῆλθον ἐνδίκως μόρον
τὸν μητρός· Αἰγίσθου γὰρ οὐ λέγω μόρον·
ἔχει γὰρ αἰσχυντῆρος, ὡς νόμος, δίκην·
ἥτις δ' ἐπ' ἀνδρὶ τοῦτ' ἐμήσατο στύγος,
ἐξ οὗ τέκνων ἤνεγχ' ὑπὸ ζώνην βάρος,
φίλον τέως, νῦν δ' ἐχθρόν, ὡς φαίνει, κακόν,
τί σοι δοκεῖ; μύραινά γ' εἴτ' ἔχιδν' ἔφυ
σήπειν θιγοῦσ' ἂν ἄλλον οὐ δεδηγμένον
τόλμης ἕκατι κἀκδίκου φρονήματος.
τοιάδ' ἐμοὶ ξύνοικος ἐν δόμοισι μὴ
γένοιτ'· ὀλοίμην πρόσθεν ἐκ θεῶν ἄπαις.

Χο. αἰαῖ αἰαῖ μελέων ἔργων·
στυγερῷ θανάτῳ διεπράχθης.
ἒ ἔ, μίμνοντι δὲ καὶ πάθος ἀνθεῖ.

Ορ. ἔδρασεν ἢ οὐκ ἔδρασε; μαρτυρεῖ δέ μοι
φᾶρος τόδ', ὡς ἔβαψεν Αἰγίσθου ξίφος.
φόνου δὲ κηκὶς ξὺν χρόνῳ ξυμβάλλεται,
πολλὰς βαφὰς φθείρουσα τοῦ ποικίλματος.
νῦν αὐτὸν αἰνῶ, νῦν ἀποιμώζω παρών,
πατροκτόνον θ' ὕφασμα προσφωνῶν τόδε
ἀλγῶ μὲν ἔργα καὶ πάθος γένος τε πᾶν,
ἄζηλα νίκης τῆσδ' ἔχων μιάσματα.

Χο. οὔτις μερόπων ἀσινὴ βίοτον
διὰ παντὸς ἄνατος ἀμείψει.

ἒ ἔ, μόχθος δ' ὁ μὲν αὐτίχ', ὁ δ' ἥξει.
Ορ. ἀλλ' ὡς ἂν εἰδῆτ', οὐ γὰρ οἶδ' ὅπῃ τελεῖ,
ὥσπερ ξὺν ἵπποις ἡνιοστροφῶ δρόμου
ἐξωτέρω· φέρουσι γὰρ νικώμενον
φρένες δύσαρκτοι· πρὸς δὲ καρδίᾳ φόβος
ᾄδειν ἕτοιμος ἠδ' ὑπορχεῖσθαι κότῳ.
ἕως δ' ἔτ' ἔμφρων εἰμί, κηρύσσω φίλοις,
κτανεῖν τέ φημι μητέρ' οὐκ ἄνευ δίκης,
πατροκτόνον μίασμα καὶ θεῶν στύγος.
καὶ φίλτρα τόλμης τῆσδε πλειστηρίζομαι
τὸν πυθόμαντιν Λοξίαν, χρήσαντ' ἐμοὶ
πράξαντι μὲν ταῦτ' ἐκτὸς αἰτίας κακῆς
εἶναι, παρέντα δ'—οὐκ ἐρῶ τὴν ζημίαν·
τόξῳ γὰρ οὔτις πημάτων προσίξεται.
καὶ νῦν ὁρᾶτέ μ', ὡς παρεσκευασμένος
ξὺν τῷδε θαλλῷ καὶ στέφει προσίξομαι
μεσόμφαλόν θ' ἵδρυμα, Λοξίου πέδον,
πυρός τε φέγγος ἄφθιτον κεκλημένον,
φεύγων τόδ' αἷμα κοινόν· οὐδ' ἐφ' ἑστίαν
ἄλλην τραπέσθαι Λοξίας ἐφίετο.
καὶ μαρτυρεῖν μὲν ὡς ἐπορσύνθη κακὰ
τάδ' ἐν χρόνῳ μοι πάντας Ἀργείους λέγω·
φεύγω δ' ἀλήτης τῆσδε γῆς ἀπόξενος,
ζῶν καὶ τεθνηκὼς τάσδε κληδόνας λιπών.
Χο. ἀλλ' εὖ γ' ἔπραξας, μηδ' ἐπιζευχθῇς στόμα
φήμῃ πονηρᾷ μηδ' ἐπιγλωσσῶ κακά,
ἐλευθερώσας πᾶσαν Ἀργείων πόλιν,
δυοῖν δρακόντοιν εὐπετῶς τεμὼν κάρα.
Ορ. ἆ, ἆ.
δμωαὶ γυναῖκες αἵδε Γοργόνων δίκην

φαιοχίτωνες καὶ πεπλεκτανημέναι
πυκνοῖς δράκουσιν· οὐκέτ' ἂν μείναιμ' ἐγώ.
Χο. τίνες σὲ δόξαι, φίλτατ' ἀνθρώπων πατρί,
στροβοῦσιν; ἴσχε, μὴ φόβου νικῶ πολύ.
Ορ. οὐκ εἰσὶ δόξαι τῶνδε πημάτων ἐμοί·
σαφῶς γὰρ αἵδε μητρὸς ἔγκοτοι κύνες.
Χο. ποταίνιον γὰρ αἷμά σοι χεροῖν ἔτι·
ἐκ τῶνδέ τοι ταραγμὸς ἐς φρένας πίτνει.
Ορ. ἄναξ Ἄπολλον, αἵδε πληθύουσι δή,
κἀξ ὀμμάτων στάζουσιν αἷμα δυσφιλές.
Χο. εἷς σοὶ καθαρμός· Λοξίας δὲ προσθιγὼν
ἐλεύθερόν σε τῶνδε πημάτων κτίσει.
Ορ. ὑμεῖς μὲν οὐχ ὁρᾶτε τάσδ', ἐγὼ δ' ὁρῶ·
ἐλαύνομαι δὲ κοὐκέτ' ἂν μείναιμ' ἐγώ.

(*Choephoroe*, 973–1062)

255. *The Furies' Prayer*

ΧΟΡΟΣ

Ἄγε δὴ καὶ χορὸν ἅψωμεν, ἐπεὶ
μοῦσαν στυγερὰν
ἀποφαίνεσθαι δεδόκηκεν,
λέξαι τε λάχη τὰ κατ' ἀνθρώπους
ὡς ἐπινωμᾷ στάσις ἁμά.
εὐθυδίκαιοι δ' οἰόμεθ' εἶναι·
τὸν μὲν καθαρὰς χεῖρας προνέμοντ'
οὔτις ἐφέρπει μῆνις ἀφ' ἡμῶν,
ἀσινὴς δ' αἰῶνα διοιχνεῖ·
ὅστις δ' ἀλιτὼν ὥσπερ ὅδ' ἀνὴρ
χεῖρας φονίας ἐπικρύπτει,
μάρτυρες ὀρθαὶ τοῖσι θανοῦσιν

παραγιγνόμεναι πράκτορες αἵματος
αὐτῷ τελέως ἐφάνημεν.

μᾶτερ ἅ μ' ἔτικτες, ὦ μᾶτερ
Νύξ, ἀλαοῖσι καὶ δεδορκόσιν
ποινάν, κλῦθ'. ὁ Λατοῦς γὰρ ἶ-
νίς μ' ἄτιμον τίθησιν
τόνδ' ἀφαιρούμενος
πτῶκα, ματρῷον ἅγ-
νισμα κύριον φόνου.

ἐπὶ δὲ τῷ τεθυμένῳ
τόδε μέλος, παρακοπά,
παραφορὰ φρενοδαλής,
ὕμνος ἐξ 'Ερινύων,
δέσμιος φρενῶν, ἀφόρ-
μικτος, αὑονὰ βροτοῖς.

τοῦτο γὰρ λάχος διανταία
Μοῖρ' ἐπέκλωσεν ἐμπέδως ἔχειν,
θνατῶν τοῖσιν αὐτουργίαι
ξυμπέσωσιν μάταιοι,
τοῖς ὁμαρτεῖν, ὄφρ' ἂν
γᾶν ὑπέλθῃ· θανὼν δ'
οὐκ ἄγαν ἐλεύθερος.

ἐπὶ δὲ τῷ τεθυμένῳ
τόδε μέλος, παρακοπά,
παραφορὰ φρενοδαλής,
ὕμνος ἐξ 'Ερινύων,
δέσμιος φρενῶν, ἀφόρ-
μικτος, αὑονὰ βροτοῖς.

(*Eumenides*, 307–46)

256. *The Eumenides*

ΧΟΡΟΣ

Δέξομαι Παλλάδος ξυνοικίαν,
οὐδ' ἀτιμάσω πόλιν,
τὰν καὶ Ζεὺς ὁ παγκρατὴς Ἄρης τε
φρούριον θεῶν νέμει,
ῥυσίβωμον Ἑλλάνων ἄγαλμα δαιμόνων·
ᾇτ' ἐγὼ κατεύχομαι
θεσπίσασα πρευμενῶς
ἐπισσύτους βίου τύχας ὀνησίμους
γαίας ἐξαμβρῦσαι
φαιδρὸν ἁλίου σέλας.

δενδροπήμων δὲ μὴ πνέοι βλάβα,
τὰν ἐμὰν χάριν λέγω·
φλογμός τ' ὀμματοστερὴς φυτῶν, τὸ
μὴ περᾶν ὅρον λοπῶν,
μηδ' ἄκαρπος αἰανὴς ἐφερπέτω νόσος,
μῆλά τ' εὐθενοῦντα Πὰν
ξὺν διπλοῖσιν ἐμβρύοις
τρέφοι χρόνῳ τεταγμένῳ· γόνος δ' ἀεὶ
πλουτόχθων ἑρμαίαν
δαιμόνων δόσιν τίοι.

ἀνδροκμῆτας δ' ἀώρ-
ους ἀπεννέπω τύχας,
νεανίδων τ' ἐπηράτων
ἀνδροτυχεῖς βιότους
δότε, κύρι' ἔχοντες,
θεαί τ' ὦ Μοῖραι

μητροκασιγνῆται,
δαίμονες ὀρθονόμοι,
παντὶ δόμῳ μετάκοινοι,
παντὶ χρόνῳ δ' ἐπιβριθεῖς
ἐνδίκοις ὁμιλίαις,
πάντᾳ τιμιώταται θεῶν.

τὰν δ' ἄπληστον κακῶν
μήποτ' ἐν πόλει στάσιν
τᾷδ' ἐπεύχομαι βρέμειν.
μηδὲ πιοῦσα κόνις
μέλαν αἷμα πολιτᾶν
δι' ὀργὰν ποινᾶς
ἀντιφόνους ἄτας
ἁρπαλίσαι πόλεως.
χάρματα δ' ἀντιδιδοῖεν
κοινοφιλεῖ διανοίᾳ,
καὶ στυγεῖν μιᾷ φρενί.
πολλῶν γὰρ τόδ' ἐν βροτοῖς ἄκος.

χαίρετε χαίρετ' ἐν αἰσιμίαισι πλούτου.
χαίρετ' ἀστικὸς λεώς,
ἴκταρ ἥμενοι Διός,
παρθένου φίλας φίλοι
σωφρονοῦντες ἐν χρόνῳ.
Παλλάδος δ' ὑπὸ πτεροῖς
ὄντας ἅζεται πατήρ.

χαίρετε, χαίρετε δ' αὖθις, ἐπανδιπλάζω,
πάντες οἱ κατὰ πτόλιν,
δαίμονές τε καὶ βροτοί,

Παλλάδος πόλιν νέμον-
τες· μετοικίαν δ' ἐμὴν
εὖ σέβοντες οὔτι μέμ-
ψεσθε συμφορὰς βίου.

(*Eumenides*, 916–26, 938–48, 956–67, 976–87, 996–1002, 1014–20)

257. *The Marriage of Heaven and Earth*

Ἐρᾷ μὲν ἁγνὸς οὐρανὸς τρῶσαι χθόνα,
ἔρως δὲ γαῖαν λαμβάνει γάμου τυχεῖν·
ὄμβρος δ' ἀπ' εὐνατῆρος οὐρανοῦ πεσὼν
ἔκυσε γαῖαν· ἡ δὲ τίκτεται βροτοῖς
μήλων τε βοσκὰς καὶ βίον Δημήτριον·
δένδρων ὀπώρα δ' ἐκ νοτίζοντος γάνους
τέλειός ἐστι· τῶνδ' ἐγὼ παραίτιος.

(*Danaïdes*)

258. *The Worship of Cotys*

Σεμνὰ Κοτυτοῦς ὄργι' ἔχουσιν·
ὁ μὲν ἐν χερσὶν βόμβυκας ἔχων,
τόρνου κάματον, δακτυλόδεικτον
πίμπλησι μέλος,
μανίας ἐπαρωγὸν ὁμοκλάν·
ὁ δὲ χαλκοδέτοις κοτύλαις ὀτοβεῖ,
. . ψαλμὸς δ' ἀλαλάζει·
ταυρόφθογγοι δ' ὑπομυκῶνταί
ποθεν ἐξ ἀφανοῦς φοβεροὶ μῖμοι
τυπάνου δ' εἰκὼν ὥσθ' ὑπογαίου
βροντῆς φέρεται βαρυταρβής.

(*Edoni*)

259. *Zeus*

Ζεύς ἐστιν αἰθήρ, Ζεὺς δὲ γῆ, Ζεὺς δ' οὐρανός,
Ζεύς τοι τὰ πάντα χὤτι τῶνδ' ὑπέρτερον. (*Heliades*)

260. *The Wounded Eagle*

Ὧδ' ἐστὶ μύθων τῶν Λιβυστικῶν κλέος
πληγέντ' ἀτράκτῳ τοξικῷ τὸν αἰετὸν
εἰπεῖν ἰδόντα μηχανὴν πτερώματος·
"τάδ' οὐχ ὑπ' ἄλλων, ἀλλὰ τοῖς αὑτῶν πτεροῖς
ἁλισκόμεσθα." (*Myrmidones*)

261. *Inexorable Death*

Μόνος θεῶν γὰρ θάνατος οὐ δώρων ἐρᾷ,
οὐδ' ἄν τι θύων οὐδ' ἐπισπένδων ἄνοις,
οὐδ' ἔστι βωμὸς οὐδὲ παιωνίζεται·
μόνου δὲ Πειθὼ δαιμόνων ἀποστατεῖ. (*Niobe*)

262. *The Gods' Children*

. . . οἱ θεῶν ἀγχίσποροι
οἱ Ζηνὸς ἐγγύς, ὧν κατ' Ἰδαῖον πάγον
Διὸς πατρῴου βωμός ἐστ' ἐν αἰθέρι,
κοὔπω σφιν ἐξίτηλον αἷμα δαιμόνων. (*Niobe*)

263. *The Red Sea*

Φοινικόπεδόν τ' ἐρυθρᾶς ἱερὸν
χεῦμα θαλάσσης
χαλκοκέραυνόν τε παρ' Ὠκεανῷ
λίμναν παντοτρόφον Αἰθιόπων,
ἵν' ὁ παντόπτας Ἥλιος αἰεὶ
χρῶτ' ἀθάνατον κάματόν θ' ἵππων
θερμαῖς ὕδατος
μαλακοῦ προχοαῖς ἀναπαύει. (*Prometheus Liberatus*)

264. *Philoctetes calls for Death*

Ὦ θάνατε παιάν, μή μ' ἀτιμάσῃς μολεῖν·
μόνος γὰρ εἶ σὺ τῶν ἀνηκέστων κακῶν
ἰατρός, ἄλγος δ' οὐδὲν ἅπτεται νεκροῦ.

(*Philoctetes*)

265. *Justice protects the Dead*

Καὶ τοὺς θανόντας εἰ θέλεις εὐεργετεῖν
εἴτ' οὖν κακουργεῖν, ἀμφιδεξίως ἔχει
τῷ μήτε χαίρειν μήτε λυπεῖσθαι βροτούς.
ἡμῶν γε μέντοι Νέμεσίς ἐσθ' ὑπερτέρα,
καὶ τοῦ θανόντος ἡ Δίκη πράσσει κότον.

(*Phryges*)

266. *The Daughters of Atlas*

Αἱ δ' ἑπτ' Ἄτλαντος παῖδες ὠνομασμέναι
πατρὸς μέγιστον ἆθλον οὐρανοστεγῆ
κλαίεσκον, ἔνθα νυκτέρων φαντασμάτων
ἔχουσι μορφὰς ἄπτεροι πελειάδες.

267. *Thetis*

Ὁ δ' ἐνδατεῖται τὰς ἐμὰς εὐπαιδίας
νόσων τ' ἀπείρους καὶ μακραίωνας βίου,
ξύμπαντά τ' εἰπὼν θεοφιλεῖς ἐμὰς τύχας
παιᾶν' ἐπηυφήμησεν εὐθυμῶν ἐμέ.
κἀγὼ τὸ Φοίβου θεῖον ἀψευδὲς στόμα
ἤλπιζον εἶναι, μαντικῇ βρύον τέχνῃ·
ὁ δ' αὐτὸς ὑμνῶν, αὐτὸς ἐν θοίνῃ παρών,
αὐτὸς τάδ' εἰπών, αὐτός ἐστιν ὁ κτανὼν
τὸν παῖδα τὸν ἐμόν.

268. *A Grave on Ossa*

Κυανέη καὶ τούσδε μενεγχέας ὤλεσεν ἄνδρας
μοῖρα, πολύρρηνον πατρίδα ῥυομένους.
ζωὸν δὲ φθιμένων πέλεται κλέος, οἵ ποτε γυίοις
τλήμονες Ὀσσαίαν ἀμφιέσαντο κόνιν.

269. *His Own Epitaph*

Αἰσχύλον Εὐφορίωνος Ἀθηναῖον τόδε κεύθει
μνῆμα καταφθίμενον πυροφόροιο Γέλας·
ἀλκὴν δ' εὐδόκιμον Μαραθώνιον ἄλσος ἂν εἴποι
καὶ βαθυχαιτήεις Μῆδος ἐπιστάμενος.

PARMENIDES

(fl. 502 B.C.)

270. *The Way of Knowledge*

Ἵπποι ταί με φέρουσιν, ὅσον τ' ἐπὶ θυμὸς ἱκάνοι,
πέμπον, ἐπεί μ' ἐς ὁδὸν βῆσαν πολύφημον ἄγουσι
δαίμονος, ἣ κατὰ πάντ' ἄστη φέρει εἰδότα φῶτα·
τῇ φερόμην· τῇ γάρ με πολύφραστοι φέρον ἵπποι
ἅρμα τιταίνουσαι, κοῦραι δ' ὁδὸν ἡγεμόνευον.
ἄξων δ' ἐν χνοίῃσιν ἵει σύριγγος ἀϋτὴν
αἰθόμενος (δοιοῖς γὰρ ἐπείγετο δινωτοῖσιν
κύκλοις ἀμφοτέρωθεν), ὅτε σπερχοίατο πέμπειν
Ἡλιάδες κοῦραι, προλιποῦσαι δώματα Νυκτός,
εἰς φάος, ὠσάμεναι κράτων ἄπο χερσὶ καλύπτρας.
ἔνθα πύλαι Νυκτός τε καὶ Ἤματός εἰσι κελεύθων,
καί σφας ὑπέρθυρον ἀμφὶς ἔχει καὶ λάϊνος οὐδός·
αὐταὶ δ' αἰθέριαι πλῆνται μεγάλοισι θυρέτροις·
τῶν δὲ Δίκη πολύποινος ἔχει κληῖδας ἀμοιβούς.

(fl. 500 B.C.)

271. *Pindarum quisquis . . .*

Μέμφομη δὲ κὴ λιγουρὰν
Μουρτίδ' ἰώνγα,
ὅτι βανὰ φοῦσ'
ἔβα Πινδάροι ποτ' ἔριν.

272. *Helicon and Cithaeron*

Μάκαρας δ' αὐτίκα Μώση
φερέμεν ψᾶφον ἔταττον
κρουφίαν καλπίδας ἐν χρου-
σοφαῖς. τὺ δ' ἅμα πάντες ὧρθεν.
πλίονας δ' εἶλε Κιθηρών.
τάχα δ' Ἑρμᾶς ἀνέφα μα-
κρὸν ἀούσας, ἐρατὰν ὡς
ἕλε νίκαν, στεφάνυσιν
δὲ κατ' ὤιαν ἀνεκόσμιον
μάκαρες· τῶ δὲ νόος γεγάθι.
ὁ δὲ λούπησι κάθεκτος
χαλεπῆσιν Ϝελικὼν ἐ-
σέρυε λιττάδα πέτραν·
ἐνέδωκεν δ' ὄρος· ὑκτρῶς
δὲ βοῶν οὐψόθεν εἴρι-
σέ νιν ἐμ μουριάδεσσι λᾶυς.

273. *The Daughters of Asopus*

" Δᾶνα γὰρ θιάς τ' ἐφέπω-
σ' εὐδήμων ἔσετ' εἴδει.
τᾶν δὲ πήδων τρῖς μὲν ἔχι

Δεὺς πατείρ, πάντων βασιλεύς·
τρῖς δὲ πόντω γᾶμε μέδων
Ποτιδάων, τᾶν δὲ δουῖν
Φῦβος λέκτρα κρατοῦνι.
    τὰν δ' ἴαν Μήας ἀγαθὸς
πῆς 'Ερμᾶς· οὕτω γὰρ Ἔρως
κὴ Κούπρις πιθέταν, τιὼς
ἐν δόμως βάντας κρουφάδαν
κώρας ἐννί' ἑλέσθη.
    τή ποκ' εἱρώων γενέθλαν
ἐσγεννάσουθ' εἱμιθίων
κἄσσουθη πολουσπερίες
τ' ἀγείρω τ', ἐς μαντοσούνω
τρίποδος ὥστ' ἐδιδάχθειν.
    τόδε γέρας κατῖσχον ἰὼν
ἐς πεντείκοντα κρατερῶν
ὁμήμων, πέδοχος προφά-
τας σεμνῶν ἀδούτων λαχὼν
ἀψεύδιαν 'Ακρηφείν.
    πράτοι μὲν γὰρ Λατοΐδας
δῶκ' Εὐωνούμοι τριπόδων
ἐσς ἰῶν χρεισμὼς ἐνέπιν.
τὸν δ' ἐς γᾶς βαλὼν Οὑριεὺς
τιμὰν δεύτερος ἶσχεν,
    πῆς Ποτιδάωνος, ἔπιτ'
'Ωαρίων ἁμὸς γενέτωρ
γῆαν Ϝὰν ἀππασάμενος.
χὢ μὲν ὠρανὸν ἀμφέπι,
τιμὰν δ' ἔλλαχον οὕταν.
    τώνεκ' εὖ τ' ἔγνων ἐνέπω

τ' ἀτρέκιαν χρεισμολόγον,
τοὺ δέ, φίλος, ϝῖκ' ἀθανάτυς
κὴ λούσον στουγερὰς φρένας
δημόνεσσ' ἑκουρεύων."
ὣς ἔφα μάντις περάγείς.

PINDAR

(522–448 (?) B. C.)

274. *Pelops*

Πρὸς εὐάνθεμον δ' ὅτε φυὰν
λάχναι νιν μέλαν γένειον ἔρεφον,
ἑτοῖμον ἀνεφρόντισεν γάμον

Πισάτα παρὰ πατρὸς εὔ-
δοξον Ἱπποδάμειαν
σχεθέμεν. ἐγγὺς ἐλ-
θὼν πολιᾶς ἁλὸς οἶος ἐν ὄρφνᾳ
ἄπυεν βαρύκτυπον
Εὐρίαινιν· ὁ δ' αὐτῷ
πὰρ ποδὶ σχεδὸν φάνη.
τῷ μὲν εἶπε· "Φίλια δῶρα
Κυπρίας ἄγ' εἴ τι, Ποσεί-
δαον, ἐς χάριν
τέλλεται, πέδασον ἔγχος
Οἰνομάου χάλκεον,
ἐμὲ δ' ἐπὶ ταχυτάτων πόρευσον ἁρμάτων
ἐς Ἆλιν, κράτει δὲ πέλασον.

ἐπεὶ τρεῖς τε καὶ δέκ' ἄνδρας ὀλέσαις
μναστῆρας ἀναβάλλεται γάμον

θυγατρός. ὁ μέγας δὲ κίν-
δυνος ἄναλκιν οὐ φῶτα λαμβάνει.
θανεῖν δ' οἷσιν ἀνάγ-
κα, τά κέ τις ἀνώνυμον
γῆρας ἐν σκότῳ καθ-
ήμενος ἕψοι μάταν,
ἁπάντων καλῶν ἄμμορος; ἀλλ' ἐμοὶ
μὲν οὗτος ἄεθλος
ὑποκείσεται· τὺ δὲ πρᾶ-
ξιν φίλαν δίδοι."
ὣς ἔννεπεν· οὐδ' ἀκράν-
τοις ἐφάψατο
ἔπεσι. τὸν μὲν ἀγάλλων θεὸς
ἔδωκεν δίφρον τε χρύσεον πτεροῖ-
σίν τ' ἀκάμαντας ἵππους.

ἕλεν δ' Οἰνομάου βίαν
παρθένον τε σύνευνον·
ἃ τέκε λαγέτας
ἓξ ἀρεταῖσι μεμαότας υἱούς.
νῦν δ' ἐν αἱμακουρίαις
ἀγλααῖσι μέμεικται,
'Αλφεοῦ πόρῳ κλιθείς,
τύμβον ἀμφίπολον ἔχων πο-
λυξενωτάτῳ παρὰ βωμῷ.

(*Olympian*, i. 67–93)

275. *The Island of the Blest*

Ἴσαις δὲ νύκτεσσιν αἰεί,
ἴσαις δ' ἁμέραις
ἅλιον ἔχοντες, ἀπονέστερον
ἐσλοὶ δέκονται βίοτον, οὐ χθόνα τα-
ράσσοντες ἐν χερὸς ἀκμᾷ
οὐδὲ πόντιον ὕδωρ
κενεὰν παρὰ δίαιταν, ἀλ-
λὰ παρὰ μὲν τιμίοις
θεῶν οἵτινες ἔ-
χαιρον εὐορκίαις
ἄδακρυν νέμονται
αἰῶνα, τοὶ δ' ἀπροσόρα-
τον ὀκχέοντι πόνον·—

ὅσοι δ' ἐτόλμασαν ἐστρὶς
ἑκατέρωθι μεί-
ναντες ἀπὸ πάμπαν ἀδίκων ἔχειν
ψυχάν, ἔτειλαν Διὸς ὁδὸν παρὰ Κρό-
νου τύρσιν· ἔνθα μακάρων
νᾶσον ὠκεανίδες
αὖραι περιπνέοισιν·
ἄνθεμα δὲ χρυσοῦ φλέγει,
τὰ μὲν χερσόθεν ἀπ'
ἀγλαῶν δενδρέων,
ὕδωρ δ' ἄλλα φέρβει,
ὅρμοισι τῶν χέρας ἀνα-
πλέκοντι καὶ στεφάνους

βουλαῖς ἐν ὀρθαῖσι Ῥαδαμάνθυος,

ὃν πατὴρ ἔχει μέγας ἑτοῖμον αὐ-
τῷ πάρεδρον,
πόσις ὁ πάντων Ῥέας
ὑπέρτατον ἐχοίσας θρόνον.
Πηλεύς τε καὶ Κάδμος ἐν
τοῖσιν ἀλέγονται·
Ἀχιλλέα τ' ἔνεικ', ἐπεὶ Ζηνὸς ἦτορ
λιταῖς ἔπεισε, μάτηρ·

ὃς Ἕκτορ' ἔσφαλε, Τροίας
ἄμαχον ἀστραβῆ
κίονα, Κύκνον τε θανάτῳ πόρεν,
Ἀοῦς τε παῖδ' Αἰθίοπα.

(*Olympian*, ii. 61–83)

276. *Evadne and her Son*

Ἅ τοι Ποσειδάωνι μει-
χθεῖσα Κρονίῳ λέγεται
παῖδα ἰόπλοκον Εὐάδναν τεκέμεν.
κρύψε δὲ παρθενίαν ὠδῖνα κόλποις·
κυρίῳ δ' ἐν μηνὶ πέμποισ'
ἀμφιπόλους ἐκέλευσεν
ἥρωι πορσαίνειν δόμεν
Εἰλατίδᾳ βρέφος,
ὃς ἀνδρῶν Ἀρκάδων ἄνασσε Φαισά-
νᾳ, λάχε τ' Ἀλφεὸν οἰκεῖν·
ἔνθα τραφεῖσ' ὑπ' Ἀπόλλω-
νι γλυκείας πρῶτον ἔψαυσ' Ἀφροδίτας.

οὐδ' ἔλαθ' Αἴπυτον ἐν παν-
τὶ χρόνῳ κλέπτοισα θεοῖο γόνον·

ἀλλ᾽ ὁ μὲν Πυθῶνάδ᾽, ἐν θυμῷ πιέσαις
χόλον οὐ φατὸν ὀξείᾳ μελέτᾳ,
ᾤχετ᾽ ἰὼν μαντευσόμενος ταύ-
τας περ᾽ ἀτλάτου πάθας.
ἁ δὲ φοινικόκροκον ζώ-
ναν καταθηκαμένα
κάλπιδά τ᾽ ἀργυρέαν λό-
χμας ὑπὸ κυανέας
τίκτε θεόφρονα κοῦρον.
τᾷ μὲν ὁ χρυσοκόμας
πραΰμητίν τ᾽ Ἐλείθυι-
αν παρέστασέν τε Μοίρας·

ἦλθεν δ᾽ ὑπὸ σπλάγχνων ὑπ᾽ ὠ-
δῖνός τ᾽ ἐρατᾶς Ἴαμος
ἐς φάος αὐτίκα. τὸν μὲν κνιζομένα
λεῖπε χαμαί· δύο δὲ γλαυκῶπες αὐτὸν
δαιμόνων βουλαῖσιν ἐθρέ-
ψαντο δράκοντες ἀμεμφεῖ
ἰῷ μελισσᾶν καδόμε-
νοι. βασιλεὺς δ᾽ ἐπεὶ
πετραέσσας ἐλαύνων ἵκετ᾽ ἐκ Πυ-
θῶνος, ἅπαντας ἐν οἴκῳ
εἴρετο παῖδα, τὸν Εὐά-
δνα τέκοι· Φοίβου γὰρ αὐτὸν φᾶ γεγάκειν

πατρός, περὶ θνατῶν δ᾽ ἔσε-
σθαι μάντιν ἐπιχθονίοις
ἔξοχον, οὐδέ ποτ᾽ ἐκλείψειν γενεάν.
ὣς ἄρα μάνυε. τοὶ δ᾽ οὔτ᾽ ὦν ἀκοῦσαι

οὔτ' ἰδεῖν εὔχοντο πεμπταῖ-
ον γεγενημένον. ἀλλ' ἐν
κέκρυπτο γὰρ σχοίνῳ βατι-
ᾷ τ' ἐν ἀπειρίτῳ,
ἴων ξανθαῖσι καὶ παμπορφύροις ἀ-
κτῖσι βεβρεγμένος ἁβρὸν
σῶμα· τὸ καὶ κατεφάμι-
ξεν καλεῖσθαί νιν χρόνῳ σύμπαντι μάτηρ

τοῦτ' ὄνυμ' ἀθάνατον. τερ-
πνᾶς δ' ἐπεὶ χρυσοστεφάνοιο λάβεν
καρπὸν Ἥβας, Ἀλφεῷ μέσσῳ καταβὰς
ἐκάλεσσε Ποσειδᾶν' εὐρυβίαν,
ὃν πρόγονον, καὶ τοξοφόρον Δά-
λου θεοδμάτας σκοπόν,
αἰτέων λαοτρόφον τι-
μάν τιν' ἑᾷ κεφαλᾷ,
νυκτὸς ὑπαίθριος. ἀντε-
φθέγξατο δ' ἀρτιεπὴς
πατρία ὄσσα, μετάλλα-
σέν τέ νιν· "Ὄρσο, τέκος,
δεῦρο πάγκοινον ἐς χώ-
ραν ἴμεν φάμας ὄπισθεν."

ἵκοντο δ' ὑψηλοῖο πέ-
τραν ἀλίβατον Κρονίου·
ἔνθα οἱ ὤπασε θησαυρὸν δίδυμον
μαντοσύνας, τόκα μὲν φωνὰν ἀκούειν
ψευδέων ἄγνωτον, εὖτ' ἂν
δὲ θρασυμάχανος ἐλθὼν

Ἡρακλέης, σεμνὸν θάλος
　Ἀλκαϊδᾶν, πατρὶ
ἑορτάν τε κτίσῃ πλειστόμβροτον τε-
　θμόν τε μέγιστον ἀέθλων,
Ζηνὸς ἐπ' ἀκροτάτῳ βω-
　μῷ τότ' αὖ χρηστήριον θέσθαι κέλευσεν.

(*Olympian*, vi. 29–70)

277. *Bellerophon*

Ὃς τᾶς ὀφιώδεος υἱ-
　όν ποτε Γοργόνος ἦ πόλλ' ἀμφὶ κρουνοῖς
Πάγασον ζεῦξαι ποθέων ἔπαθεν,
πρίν γέ οἱ χρυσάμπυκα κούρα χαλινὸν
Παλλὰς ἤνεγκ', ἐξ ὀνείρου δ' αὐτίκα
ἦν ὕπαρ, φώνησε δ'· "Εὕδεις,
　Αἰολίδα βασιλεῦ;
ἄγε φίλτρον τόδ' ἵππειον δέκευ,
καὶ Δαμαίῳ νιν θύων
ταῦρον ἀργάεντα πατρὶ δεῖξον."

κυάναιγις ἐν ὄρφνᾳ
κνώσσοντί οἱ παρθένος τόσα εἰπεῖν
ἔδοξεν· ἀνὰ δ' ἔπαλτ' ὀρθῷ ποδί.
παρκείμενον δὲ συλλαβὼν τέρας,
ἐπιχώριον μάντιν ἄσμενος εὗρεν,
δεῖξέν τε Κοιρανίδᾳ πᾶσαν τελευ-
　τὰν πράγματος, ὥς τ' ἀνὰ βωμῷ θεᾶς
κοιτάξατο νύκτ' ἀπὸ κεί-
　νου χρήσιος, ὥς τέ οἱ αὐ-
　τὰ Ζηνὸς ἐγχεικεραύνου παῖς ἔπορεν

δαμασίφρονα χρυσόν.
ἐνυπνίῳ δ' ᾇ τάχιστα πιθέσθαι
κελήσατό νιν, ὅταν δ' εὐρυσθενεῖ
καρταίποδ' ἀναρύῃ Γαιαόχῳ,
θέμεν Ἱππίᾳ βωμὸν εὐθὺς Ἀθάνᾳ.
τελεῖ δὲ θεῶν δύναμις καὶ τὰν παρ' ὅρ-
　κον καὶ παρὰ ἐλπίδα κούφαν κτίσιν.
ἤτοι καὶ ὁ καρτερὸς ὁρ-
　μαίνων ἕλε Βελλεροφόν-
　τας, φάρμακον πραῢ τείνων ἀμφὶ γέννι,

ἵππον πτερόεντ'· ἀναβὰς δ'
　εὐθὺς ἐνόπλια χαλκωθεὶς ἔπαιζεν.
σὺν δὲ κείνῳ καί ποτ' Ἀμαζονίδων
αἰθέρος ψυχρῶν ἀπὸ κόλπων ἐρήμου
τοξόταν βάλλων γυναικεῖον στρατὸν
καὶ Χίμαιραν πῦρ πνέοισαν
　καὶ Σολύμους ἔπεφνεν.
διασωπάσομαί οἱ μόρον ἐγώ·
τὸν δ' ἐν Οὐλύμπῳ φάτναι
Ζηνὸς ἀρχαῖαι δέκονται.

(*Olympian*, xiii. 63–92)

278. *The Power of Music*

Χρυσέα φόρμιγξ, Ἀπόλλω-
　νος καὶ ἰοπλοκάμων
σύνδικον Μοισᾶν κτέανον· τᾶς ἀκούει
　μὲν βάσις ἀγλαΐας ἀρχά,
πείθονται δ' ἀοιδοὶ σάμασιν,

ἁγησιχόρων ὁπόταν προοιμίων
  ἀμβολὰς τεύχῃς ἐλελιζομένα.
καὶ τὸν αἰχματὰν κεραυνὸν σβεννύεις
αἰενάου πυρός. εὕδει δ' ἀνὰ σκά-
  πτῳ Διὸς αἰετός, ὠκεῖ-
  αν πτέρυγ' ἀμφοτέρωθεν χαλάξαις,

ἀρχὸς οἰωνῶν, κελαινῶ-
  πιν δ' ἐπὶ οἱ νεφέλαν
ἀγκύλῳ κρατί, γλεφάρων ἁδὺ κλαΐ-
  θρον, κατέχευας· ὁ δὲ κνώσσων
ὑγρὸν νῶτον αἰωρεῖ, τεαῖς
ῥιπαῖσι κατασχόμενος. καὶ γὰρ βια-
  τὰς Ἄρης, τραχεῖαν ἄνευθε λιπὼν
ἐγχέων ἀκμάν, ἰαίνει καρδίαν
κώματι, κῆλα δὲ καὶ δαιμόνων θέλ-
  γει φρένας, ἀμφί τε Λατοί-
  δα σοφίᾳ βαθυκόλπων τε Μοισᾶν.

ὅσσα δὲ μὴ πεφίληκε
  Ζεὺς ἀτύζονται βοὰν
Πιερίδων ἀΐοντα, γᾶν τε καὶ πόν-
  τον κατ' ἀμαιμάκετον,
ὅς τ' ἐν αἰνᾷ Ταρτάρῳ κεῖ-
  ται, θεῶν πολέμιος,
Τυφὼς ἑκατοντακάρανος· τόν ποτε
Κιλίκιον θρέψεν πολυώνυμον ἄντρον·
  νῦν γε μάν
ταί θ' ὑπὲρ Κύμας ἁλιερκέες ὄχθαι
Σικελία τ' αὐτοῦ πιέζει

στέρνα λαχνάεντα· κίων δ'
οὐρανία συνέχει,
νιφόεσσ' Αἴτνα, πανέτης
χιόνος ὀξείας τιθήνα·

τᾶς ἐρεύγονται μὲν ἀπλά-
του πυρὸς ἁγνόταται
ἐκ μυχῶν παγαί· ποταμοὶ δ' ἁμέραισιν
μὲν προχέοντι ῥόον καπνοῦ
αἴθων'· ἀλλ' ἐν ὄρφναισιν πέτρας
φοίνισσα κυλινδομένα φλὸξ ἐς βαθεῖ-
αν φέρει πόντου πλάκα σὺν πατάγῳ.
κεῖνο δ' Ἁφαίστοιο κρουνοὺς ἑρπετὸν
δεινοτάτους ἀναπέμπει· τέρας μὲν
θαυμάσιον προσιδέσθαι,
θαῦμα δὲ καὶ παρεόντων ἀκοῦσαι,

οἷον Αἴτνας ἐν μελαμφύλ-
λοις δέδεται κορυφαῖς
καὶ πέδῳ, στρωμνὰ δὲ χαράσσοισ' ἅπαν νῶ-
τον ποτικεκλιμένον κεντεῖ.

(*Pythian*, i. 1–28)

279. *Asclepius*

Ἤθελον Χίρωνά κε Φιλυρίδαν,
εἰ χρεὼν τοῦθ' ἁμετέρας ἀπὸ γλώσσας
κοινὸν εὔξασθαι ἔπος,
ζώειν τὸν ἀποιχόμενον,
Οὐρανίδα γόνον εὐ-
ρυμέδοντα Κρόνου, βάσ-
σαισί τ' ἄρχειν Παλίου φῆρ' ἀγρότερον

νόον ἔχοντ' ἀνδρῶν φίλον· οἷ-
ος ἐὼν θρέψεν ποτὲ
τέκτονα νωδυνίας
ἅμερον γυιαρκέος Ἀσκλαπιόν,
ἥροα παντοδαπᾶν ἀλκτῆρα νούσων.

τὸν μὲν εὐίππου Φλεγύα θυγάτηρ
πρὶν τελέσσαι ματροπόλῳ σὺν Ἐλειθυί-
ᾳ, δαμεῖσα χρυσέοις
τόξοισιν ὕπ' Ἀρτέμιδος
εἰς Ἀΐδα δόμον ἐν
θαλάμῳ κατέβα, τέ-
χναις Ἀπόλλωνος. χόλος δ' οὐκ ἀλίθιος
γίνεται παίδων Διός. ἁ δ'
ἀποφλαυρίξαισά νιν
ἀμπλακίαισι φρενῶν,
ἄλλον αἴνησεν γάμον κρύβδαν πατρός,
πρόσθεν ἀκερσεκόμᾳ μειχθεῖσα Φοίβῳ

καὶ φέροισα σπέρμα θεοῦ καθαρόν·
οὐκ ἔμειν' ἐλθεῖν τράπεζαν νυμφικάν,
οὐδὲ παμφώνων ἰαχὰν
ὑμεναίων, ἅλικες
οἷα παρθένοι φιλέοισιν ἑταῖραι
ἑσπερίαις ὑποκουρί-
ζεσθ' ἀοιδαῖς· ἀλλά τοι
ἤρατο τῶν ἀπεόντων·
οἷα καὶ πολλοὶ πάθον.
ἔστι δὲ φῦλον ἐν ἀνθρώ-
ποισι ματαιότατον,

ὅστις αἰσχύνων ἐπιχώ-
ρια παπταίνει τὰ πόρσω,
μεταμώνια θηρεύ-
ων ἀκράντοις ἐλπίσιν.

ἔσχε τοιαύταν μεγάλαν ἀάταν
καλλιπέπλου λῆμα Κορωνίδος. ἐλθόν-
τος γὰρ εὐνάσθη ξένου
λέκτροισιν ἀπ' Ἀρκαδίας.
οὐδ' ἔλαθε σκοπόν· ἐν δ'
ἄρα μηλοδόκῳ Πυ-
θῶνι τόσσαις ἄϊεν ναοῦ βασιλεὺς
Λοξίας, κοινᾶνι παρ' εὐ-
θυτάτῳ γνώμαν πιθών,
πάντα ἰσάντι νόῳ·
ψευδέων δ' οὐχ ἅπτεται, κλέπτει τέ νιν
οὐ θεὸς οὐ βροτὸς ἔργοις οὔτε βουλαῖς.

καὶ τότε γνοὺς Ἴσχυος Εἰλατίδα
ξεινίαν κοίταν ἄθεμίν τε δόλον, πέμ-
ψεν κασιγνήταν μένει
θυίοισαν ἀμαιμακέτῳ
ἐς Λακέρειαν, ἐπεὶ
παρὰ Βοιβιάδος κρη-
μνοῖσιν ᾤκει παρθένος· δαίμων δ' ἕτερος
ἐς κακὸν τρέψαις ἐδαμάσ-
σατό νιν, καὶ γειτόνων
πολλοὶ ἐπαῦρον, ἁμᾶ δ'
ἔφθαρεν· πολλὰν δ' ὄρει πῦρ ἐξ ἑνὸς
σπέρματος ἐνθορὸν ἀΐστωσεν ὕλαν.

ἀλλ᾽ ἐπεὶ τείχει θέσαν ἐν ξυλίνῳ
σύγγονοι κούραν, σέλας δ᾽ ἀμφέδραμεν
λάβρον Ἁφαίστου, τότ᾽ ἔει-
πεν Ἀπόλλων· "Οὐκέτι
τλάσομαι ψυχᾷ γένος ἁμὸν ὀλέσσαι
οἰκτροτάτῳ θανάτῳ μα-
τρὸς βαρείᾳ σὺν πάθᾳ."
ὣς φάτο· βάματι δ᾽ ἐν πρώ-
τῳ κιχὼν παῖδ᾽ ἐκ νεκροῦ
ἅρπασε· καιομένα δ᾽ αὐ-
τῷ διέφαινε πυρά.
καί ῥά νιν Μάγνητι φέρων
πόρε Κενταύρῳ διδάξαι
πολυπήμονας ἀνθρώ-
ποισιν ἰᾶσθαι νόσους.

τοὺς μὲν ὦν, ὅσσοι μόλον αὐτοφύτων
ἑλκέων ξυνάονες, ἢ πολιῷ χαλ-
κῷ μέλη τετρωμένοι
ἢ χερμάδι τηλεβόλῳ,
ἢ θερινῷ πυρὶ περ-
θόμενοι δέμας ἢ χει-
μῶνι, λύσαις ἄλλον ἀλλοίων ἀχέων
ἔξαγεν, τοὺς μὲν μαλακαῖς
ἐπαοιδαῖς ἀμφέπων,
τοὺς δὲ προσανέα πί-
νοντας, ἢ γυίοις περάπτων πάντοθεν
φάρμακα, τοὺς δὲ τομαῖς ἔστασεν ὀρθούς·

ἀλλὰ κέρδει καὶ σοφία δέδεται.
ἔτραπεν καὶ κεῖνον ἀγάνορι μισθῷ

χρυσὸς ἐν χερσὶν φανεὶς
ἄνδρ᾽ ἐκ θανάτου κομίσαι
ἤδη ἁλωκότα· χερ-
σὶ δ᾽ ἄρα Κρονίων ῥί-
ψαις δι᾽ ἀμφοῖν ἀμπνοὰν στέρνων καθέλεν
ὠκέως, αἴθων δὲ κεραυ-
νὸς ἐνέσκιμψεν μόρον.
χρὴ τὰ ἐοικότα πὰρ
δαιμόνων μαστευέμεν θναταῖς φρασὶν
γνόντα τὸ πὰρ ποδός, οἵας εἰμὲν αἴσας.

(*Pythian*, iii. 1–60)

280. *The Quest of the Golden Fleece*

Τίς γὰρ ἀρχὰ δέξατο ναυτιλίας;
τίς δὲ κίνδυνος κρατεροῖς ἀδάμαντος
δῆσεν ἅλοις; θέσφατον ἦν Πελίαν
ἐξ ἀγαυῶν Αἰολιδᾶν θανέμεν χεί-
ρεσσιν ἢ βουλαῖς ἀκάμπτοις.
ἦλθε δέ οἱ κρυόεν
πυκινῷ μάντευμα θυμῷ,
πὰρ μέσον ὀμφαλὸν εὐδέν-
δροιο ῥηθὲν ματέρος·
τὸν μονοκρήπιδα πάντως
ἐν φυλακᾷ σχεθέμεν μεγάλᾳ,
εὖτ᾽ ἂν αἰπεινῶν ἀπὸ στα-
θμῶν ἐς εὐδείελον
χθόνα μόλῃ κλειτᾶς Ἰαολκοῦ,

ξεῖνος αἴτ᾽ ὦν ἀστός. ὁ δ᾽ ἦρα χρόνῳ
ἵκετ᾽ αἰχμαῖσιν διδύμαισιν ἀνὴρ ἔκ-
παγλος· ἐσθὰς δ᾽ ἀμφοτέρα νιν ἔχεν,

ἅ τε Μαγνήτων ἐπιχώριος ἁρμό-
    ζοισα θαητοῖσι γυίοις,
ἀμφὶ δὲ παρδαλέᾳ
    στέγετο φρίσσοντας ὄμβρους·
οὐδὲ κομᾶν πλόκαμοι καρ-
    θέντες ᾤχοντ' ἀγλαοί,
ἀλλ' ἅπαν νῶτον καταίθυσ-
    σον. τάχα δ' εὐθὺς ἰὼν σφετέρας
ἐστάθη γνώμας ἀταρβά-
    κτοιο πειρώμενος
ἐν ἀγορᾷ πλήθοντος ὄχλου.

τὸν μὲν οὐ γίνωσκον· ὀπιζομένων δ' ἔμ-
    πας τις εἶπεν καὶ τόδε·
"Οὔ τί που οὗτος Ἀπόλλων,
    οὐδὲ μὰν χαλκάρματός ἐστι πόσις
Ἀφροδίτας· ἐν δὲ Νάξῳ
    φαντὶ θανεῖν λιπαρᾷ
Ἰφιμεδείας παῖδας, Ὦτον καὶ σέ, τολ-
    μάεις Ἐπιάλτα ἄναξ.
καὶ μὰν Τιτυὸν βέλος Ἀρ-
    τέμιδος θήρευσε κραιπνόν,
ἐξ ἀνικάτου φαρέτρας ὀρνύμενον,
ὄφρα τις τᾶν ἐν δυνατῷ φιλοτά-
    των ἐπιψαύειν ἔραται."

τοὶ μὲν ἀλλάλοισιν ἀμειβόμενοι
γάρυον τοιαῦτ'· ἀνὰ δ' ἡμιόνοις ξε-
    στᾷ τ' ἀπήνᾳ προτροπάδαν Πελίας
ἵκετο σπεύδων· τάφε δ' αὐτίκα παπτά-
    ναις ἀρίγνωτον πέδιλον

δεξιτερῷ μόνον ἀμ-
φὶ ποδί. κλέπτων δὲ θυμῷ
δεῖμα προσήνεπε· " Ποίαν
γαῖαν, ὦ ξεῖν', εὔχεαι
πατρίδ' ἔμμεν; καὶ τίς ἀνθρώ-
πων σε χαμαιγενέων πολιᾶς
ἐξανῆκεν γαστρός; ἐχθί-
στοισι μὴ ψεύδεσιν
καταμιάναις εἰπὲ γένναν."

τὸν δὲ θαρσήσαις ἀγανοῖσι λόγοις
ὧδ' ἀμείφθη· "Φαμὶ διδασκαλίαν Χί-
ρωνος οἴσειν. ἀντρόθε γὰρ νέομαι
πὰρ Χαρικλοῦς καὶ Φιλύρας, ἵνα Κενταύ-
ρου με κοῦραι θρέψαν ἁγναί.
εἴκοσι δ' ἐκτελέσαις
ἐνιαυτοὺς οὔτε ἔργον
οὔτ' ἔπος ἐκτράπελον κεί-
νοισιν εἰπὼν ἱκόμαν
οἴκαδ', ἀρχαίαν κομίζων
πατρὸς ἐμοῦ, βασιλευομέναν
οὐ κατ' αἶσαν, τάν ποτε Ζεὺς
ὤπασεν λαγέτᾳ
Αἰόλῳ καὶ παισὶ τιμάν.

πεύθομαι γάρ νιν Πελίαν ἄθεμιν λευ-
καῖς πιθήσαντα φρασὶν
ἁμετέρων ἀποσυλᾶ-
σαι βιαίως ἀρχεδικᾶν τοκέων·
τοί μ', ἐπεὶ πάμπρωτον εἶδον
φέγγος, ὑπερφιάλου

ἁγεμόνος δείσαντες ὕβριν, κᾶδος ὡσ-
εί τε φθιμένου δνοφερὸν
ἐν δώμασι θηκάμενοι
μίγα κωκυτῷ γυναικῶν,
κρύβδα πέμπον σπαργάνοις ἐν πορφυρέοις,
νυκτὶ κοινάσαντες ὁδόν, Κρονίδᾳ
δὲ τράφεν Χίρωνι δῶκαν.

ἀλλὰ τούτων μὲν κεφάλαια λόγων
ἴστε. λευκίππων δὲ δόμους πατέρων, κε-
δνοὶ πολῖται, φράσσατέ μοι σαφέως·
Αἴσονος γὰρ παῖς ἐπιχώριος οὐ ξεί-
ναν ἱκάνω γαῖαν ἄλλων.
φὴρ δέ με θεῖος Ἰά-
σονα κικλῄσκων προσαύδα."
ὣς φάτο· τὸν μὲν ἐσελθόντ'
ἔγνον ὀφθαλμοὶ πατρός·
ἐκ δ' ἄρ' αὐτοῦ πομφόλυξαν
δάκρυα γηραλέων γλεφάρων,
ἂν περὶ ψυχὰν ἐπεὶ γά-
θησεν, ἐξαίρετον
γόνον ἰδὼν κάλλιστον ἀνδρῶν.

καὶ κασίγνητοί σφισιν ἀμφότεροι
ἤλυθον κείνου γε κατὰ κλέος· ἐγγὺς
μὲν Φέρης κράναν Ὑπερῇδα λιπών,
ἐκ δὲ Μεσσάνας Ἀμυθάν· ταχέως δ' Ἄ-
δματος ἷκεν καὶ Μέλαμπος
εὐμενέοντες ἀνε-
ψιόν. ἐν δαιτὸς δὲ μοίρᾳ

μειλιχίοισι λόγοις αὐ-
τοὺς Ἰάσων δέγμενος
ξείνι' ἁρμόζοντα τεύχων
πᾶσαν εὐφροσύναν τάνυεν
ἀθρόαις πέντε δραπὼν νύ-
κτεσσιν ἔν θ' ἁμέραις
ἱερὸν εὐζῴας ἄωτον.

ἀλλ' ἐν ἕκτᾳ πάντα λόγον θέμενος σπου-
δαῖον ἐξ ἀρχᾶς ἀνὴρ
συγγενέσιν παρεκοινᾶθ'·
οἱ δ' ἐπέσποντ'. αἶψα δ' ἀπὸ κλισιᾶν
ὦρτο σὺν κείνοισι· καί ῥ' ἦλ-
θον Πελία μέγαρον·
ἐσσύμενοι δ' εἴσω κατέσταν· τῶν δ' ἀκού-
σαις αὐτὸς ὑπαντίασεν
Τυροῦς ἐρασιπλοκάμου
γενεά· πραῢν δ' Ἰάσων
μαλθακᾷ φωνᾷ ποτιστάζων ὄαρον
βάλλετο κρηπῖδα σοφῶν ἐπέων·
" Παῖ Ποσειδᾶνος Πετραίου,

ἐντὶ μὲν θνατῶν φρένες ὠκύτεραι
κέρδος αἰνῆσαι πρὸ δίκας δόλιον τρα-
χεῖαν ἑρπόντων πρὸς ἔπιβδαν ὅμως·
ἀλλ' ἐμὲ χρὴ καὶ σὲ θεμισσαμένους ὀρ-
γὰς ὑφαίνειν λοιπὸν ὄλβον.
εἰδότι τοι ἐρέω·
μία βοῦς Κρηθεῖ τε μάτηρ
καὶ θρασυμήδεϊ Σαλμω-
νεῖ· τρίταισιν δ' ἐν γοναῖς

ἄμμες αὖ κείνων φυτευθέν-
τες σθένος ἀελίου χρύσεον
λεύσσομεν. Μοῖραι δ' ἀφίσταντ',
εἴ τις ἔχθρα πέλει
ὁμογόνοις αἰδῶ καλύψαι.

οὐ πρέπει νῷν χαλκοτόροις ξίφεσιν
οὐδ' ἀκόντεσσιν μεγάλαν προγόνων τι-
μὰν δάσασθαι. μῆλά τε γάρ τοι ἐγὼ
καὶ βοῶν ξανθὰς ἀγέλας ἀφίημ' ἀ-
γρούς τε πάντας, τοὺς ἀπούρας
ἁμετέρων τοκέων
νέμεαι πλοῦτον πιαίνων·
κοὔ με πονεῖ τεὸν οἶκον
ταῦτα πορσύνοντ' ἄγαν·
ἀλλὰ καὶ σκᾶπτον μόναρχον
καὶ θρόνος, ᾧ ποτε Κρηθεΐδας
ἐγκαθίζων ἱππόταις εὔ-
θυνε λαοῖς δίκας—
τὰ μὲν ἄνευ ξυνᾶς ἀνίας

λῦσον ἄμμιν, μή τι νεώτερον ἐξ αὐ-
τῶν ἀναστάῃ κακόν."
ὣς ἄρ' ἔειπεν, ἀκᾷ δ' ἀντ-
αγόρευσεν καὶ Πελίας· "Ἔσομαι
τοῖος· ἀλλ' ἤδη με γηραι-
ὸν μέρος ἁλικίας
ἀμφιπολεῖ· σὸν δ' ἄνθος ἥβας ἄρτι κυ-
μαίνει· δύνασαι δ' ἀφελεῖν
μᾶνιν χθονίων. κέλεται
γὰρ ἑὰν ψυχὰν κομίξαι

Φρίξος ἐλθόντας πρὸς Αἰήτα θαλάμους
δέρμα τε κριοῦ βαθύμαλλον ἄγειν,
τῷ ποτ' ἐκ πόντου σαώθη

ἔκ τε ματρυιᾶς ἀθέων βελέων.
ταῦτά μοι θαυμαστὸς ὄνειρος ἰὼν φω-
νεῖ. μεμάντευμαι δ' ἐπὶ Κασταλίᾳ,
εἰ μετάλλατόν τι· καὶ ὡς τάχος ὀτρύ-
νει με τεύχειν ναῒ πομπάν.
τοῦτον ἄεθλον ἑκὼν
τέλεσον· καί τοι μοναρχεῖν
καὶ βασιλευέμεν ὄμνυ-
μι προήσειν. καρτερὸς
ὅρκος ἄμμιν μάρτυς ἔστω
Ζεὺς ὁ γενέθλιος ἀμφοτέροις."
σύνθεσιν ταύταν ἐπαινή-
σαντες οἱ μὲν κρίθεν·
ἀτὰρ Ἰάσων αὐτὸς ἤδη

ὤρνυεν κάρυκας ἐόντα πλόον
φαινέμεν παντᾷ. τάχα δὲ Κρονίδαο
Ζηνὸς υἱοὶ τρεῖς ἀκαμαντομάχαι
ἦλθον Ἀλκμάνας θ' ἑλικογλεφάρου Λή-
δας τε, δοιοὶ δ' ὑψιχαῖται
ἀνέρες, Ἐννοσίδα
γένος, αἰδεσθέντες ἀλκάν,
ἔκ τε Πύλου καὶ ἀπ' ἄκρας
Ταινάρου· τῶν μὲν κλέος
ἐσλὸν Εὐφάμου τ' ἐκράνθη
σόν τε, Περικλύμεν' εὐρυβία.

ἐξ Ἀπόλλωνος δὲ φορμιγ-
κτὰς ἀοιδᾶν πατὴρ
ἔμολεν, εὐαίνητος Ὀρφεύς.

πέμπε δ' Ἑρμᾶς χρυσόραπις διδύμους υἱ-
οὺς ἐπ' ἄτρυτον πόνον
τὸν μὲν Ἐχίονα, κεχλά-
δοντας ἥβᾳ, τὸν δ' Ἔρυτον. ταχέες
ἀμφὶ Παγγαίου θεμέθλοις
ναιετάοντες ἔβαν,
καὶ γὰρ ἑκὼν θυμῷ γελανεῖ θᾶσσον ἔν-
τυνεν βασιλεὺς ἀνέμων
Ζάταν Κάλαΐν τε πατὴρ
Βορέας, ἄνδρας πτεροῖσιν
νῶτα πεφρίκοντας ἄμφω πορφυρέοις.
τὸν δὲ παμπειθῆ γλυκὺν ἡμιθέοι-
σιν πόθον ἔνδαιεν Ἥρα

ναὸς Ἀργοῦς, μή τινα λειπόμενον
τὰν ἀκίνδυνον παρὰ ματρὶ μένειν αἰ-
ῶνα πέσσοντ', ἀλλ' ἐπὶ καὶ θανάτῳ
φάρμακον κάλλιστον ἑᾶς ἀρετᾶς ἅ-
λιξιν εὑρέσθαι σὺν ἄλλοις.
ἐς δ' Ἰαολκὸν ἐπεὶ
κατέβα ναυτᾶν ἄωτος,
λέξατο πάντας ἐπαινή-
σαις Ἰάσων. καί ῥά οἱ
μάντις ὀρνίχεσσι καὶ κλά-
ροισι θεοπροπέων ἱεροῖς
Μόψος ἄμβασε στρατὸν πρό-
φρων· ἐπεὶ δ' ἐμβόλου
κρέμασαν ἀγκύρας ὕπερθεν,

χρυσέαν χείρεσσι λαβὼν φιάλαν
ἀρχὸς ἐν πρύμνᾳ πατέρ' Οὐρανιδᾶν ἐγ-
χεικέραυνον Ζῆνα, καὶ ὠκυπόρους
κυμάτων ῥιπὰς ἀνέμους τ' ἐκάλει νύ-
κτας τε καὶ πόντου κελεύθους
ἄματά τ' εὔφρονα καὶ
φιλίαν νόστοιο μοῖραν·
ἐκ νεφέων δέ οἱ ἀντά-
υσε βροντᾶς αἴσιον
φθέγμα· λαμπραὶ δ' ἦλθον ἀκτῖ-
νες στεροπᾶς ἀπορηγνύμεναι.
ἀμπνοὰν δ' ἥρωες ἔστα-
σαν θεοῦ σάμασιν
πιθόμενοι· κάρυξε δ' αὐτοῖς

ἐμβαλεῖν κώπαισι τερασκόπος ἁδεί-
ας ἐνίπτων ἐλπίδας·
εἰρεσία δ' ὑπεχώρη-
σεν ταχειᾶν ἐκ παλαμᾶν ἄκορος.
σὺν Νότου δ' αὔραις ἐπ' Ἀξεί-
νου στόμα πεμπόμενοι
ἤλυθον· ἔνθ' ἁγνὸν Ποσειδάωνος ἕσ-
σαντ' ἐνναλίου τέμενος,
φοίνισσα δὲ Θρηϊκίων
ἀγέλα ταύρων ὕπαρχεν
καὶ νεόκτιστον λίθων βωμοῖο θέναρ.
ἐς δὲ κίνδυνον βαθὺν ἱέμενοι
δεσπόταν λίσσοντο ναῶν,

συνδρόμων κινηθμὸν ἀμαιμάκετον
ἐκφυγεῖν πετρᾶν. δίδυμαι γὰρ ἔσαν ζω-
αί, κυλινδέσκοντό τε κραιπνότεραι

ἢ βαρυγδούπων ἀνέμων στίχες· ἀλλ' ἤ-
    δη τελευτὰν κεῖνος αὐταῖς
ἡμιθέων πλόος ἄ-
    γαγεν. ἐς Φᾶσιν δ' ἔπειτεν
ἤλυθον, ἔνθα κελαινώ-
    πεσσι Κόλχοισιν βίαν
μεῖξαν Αἰήτᾳ παρ' αὐτῷ.
    πότνια δ' ὀξυτάτων βελέων
ποικίλαν ἴϋγγα τετρά-
    κναμον Οὐλυμπόθεν
ἐν ἀλύτῳ ζεύξαισα κύκλῳ

μαινάδ' ὄρνιν Κυπρογένεια φέρεν
πρῶτον ἀνθρώποισι, λιτάς τ' ἐπαοιδὰς
    ἐκδιδάσκησεν σοφὸν Αἰσονίδαν·
ὄφρα Μηδείας τοκέων ἀφέλοιτ' αἰ-
    δῶ, ποθεινὰ δ' Ἑλλὰς αὐτὰν
ἐν φρασὶ καιομέναν
    δονέοι μάστιγι Πειθοῦς.
καὶ τάχα πείρατ' ἀέθλων
    δείκνυεν πατρωΐων·
σὺν δ' ἐλαίῳ φαρμακώσαισ'
    ἀντίτομα στερεᾶν ὀδυνᾶν
δῶκε χρίεσθαι. καταίνη-
    σάν τε κοινὸν γάμον
γλυκὺν ἐν ἀλλάλοισι μεῖξαι.

ἀλλ' ὅτ' Αἰήτας ἀδαμάντινον ἐν μέσ-
    σοις ἄροτρον σκίμψατο
καὶ βόας, οἳ φλόγ' ἀπὸ ξαν-
    θᾶν γενύων πνέον καιομένοιο πυρός,

χαλκέαις δ' ὁπλαῖς ἀράσ-
σεσκον χθόν' ἀμειβόμενοι·
τοὺς ἀγαγὼν ζεύγλᾳ πέλασσεν μοῦνος. ὀρ-
θὰς δ' αὔλακας ἐντανύσαις
ἤλαυν', ἀναβωλακίας δ'
ὀρόγυιαν σχίζε νῶτον
γᾶς. ἔειπεν δ' ὧδε· "Τοῦτ' ἔργον βασιλεύς,
ὅστις ἄρχει ναός, ἐμοὶ τελέσαις
ἄφθιτον στρωμνὰν ἀγέσθω,

κῶας αἰγλᾶεν χρυσέῳ θυσάνῳ."
ὣς ἄρ' αὐδάσαντος ἀπὸ κροκόεν ῥί-
ψαις Ἰάσων εἷμα θεῷ πίσυνος
εἴχετ' ἔργου· πῦρ δέ νιν οὐκ ἐόλει παμ-
φαρμάκου ξείνας ἐφετμαῖς,
σπασσάμενος δ' ἄροτρον,
βοέους δήσαις ἀνάγκᾳ
ἔντεσιν αὐχένας ἐμβάλ-
λων τ' ἐριπλεύρῳ φυᾷ
κέντρον αἰανὲς βιατὰς
ἐξεπόνησ' ἐπιτακτὸν ἀνὴρ
μέτρον. ἴυγξεν δ' ἀφωνή-
τῳ περ ἔμπας ἄχει
δύνασιν Αἰήτας ἀγασθείς.

πρὸς δ' ἑταῖροι καρτερὸν ἄνδρα φίλας
ὤρεγον χεῖρας, στεφάνοισί τέ νιν ποί-
ας ἔρεπτον, μειλιχίοις τε λόγοις
ἀγαπάζοντ'. αὐτίκα δ' Ἀελίου θαυ-
μαστὸς υἱὸς δέρμα λαμπρὸν

ἔννεπεν, ἔνθα νιν ἐκ-
τάνυσαν Φρίξου μάχαιραι·
ἔλπετο δ' οὐκέτι οἱ κει-
νόν γε πράξασθαι πόνον.
κεῖτο γὰρ λόχμᾳ, δράκοντος δ'
εἴχετο λαβροταταν γενύων,
ὃς πάχει μάκει τε πεντη-
κόντερον ναῦν κράτει,
τέλεσαν ἃν πλαγαὶ σιδάρου.

μακρά μοι νεῖσθαι κατ' ἀμαξιτόν· ὥρα
γὰρ συνάπτει· καί τινα
οἶμον ἴσαιμι βραχύν· πολ-
λοῖσι δ' ἄγημαι σοφίας ἑτέροις.
κτεῖνε μὲν γλαυκῶπα τέ-
χναις ποικιλόνωτον ὄφιν,
ὠρκεσίλα, κλέψεν τε Μήδειαν σὺν αὐ-
τᾷ, τὰν Πελίαο φονόν·
ἐν τ' Ὠκεανοῦ πελάγεσ-
σι μίγεν πόντῳ τ' ἐρυθρῷ
Λαμνιᾶν τ' ἔθνει γυναικῶν ἀνδροφόνων·
ἔνθα καὶ γυίων ἀέθλοις ἐπέδει-
ξαν κρίσιν ἐσθᾶτος ἀμφίς.

(*Pythian*, iv. 70–253)

281. *Human Life*

Ὁ δὲ καλόν τι νέον λαχὼν
ἁβρότατος ἔπι μεγάλας
ἐξ ἐλπίδος πέτεται
ὑποπτέροις ἀνορέαις, ἔχων
κρέσσονα πλούτου μέριμναν. ἐν δ' ὀλίγῳ βροτῶν

τὸ τερπνὸν αὔξεται· οὕ-
τω δὲ καὶ πίτνει χαμαί,
ἀποτρόπῳ γνώμᾳ σεσεισμένον.

ἐπάμεροι· τί δέ τις;
τί δ' οὔ τις; σκιᾶς ὄναρ
ἄνθρωπος. ἀλλ' ὅταν αἴ-
γλα διόσδοτος ἔλθῃ,
λαμπρὸν φέγγος ἔπεστιν ἀν-
δρῶν καὶ μείλιχος αἰών.
Αἴγινα φίλα μᾶτερ, ἐλευθέρῳ στόλῳ
πόλιν τάνδε κόμιζε Δὶ
καὶ κρέοντι σὺν Αἰακῷ
Πηλεῖ τε κἀγαθῷ Τελαμῶνι σύν τ' Ἀχιλλεῖ.

(*Pythian*, viii. 88–100)

282. *Cyrene*

Ἁ μὲν οὔθ' ἱ-
στῶν παλιμβάμους ἐφίλησεν ὁδούς,
οὔτε δείπνων οἰκοριᾶν μεθ' ἑταιρᾶν
τέρψιας,
ἀλλ' ἀκόντεσσίν τε χαλκέοις
φασγάνῳ τε μαρναμένα κεράϊζεν
ἀγρίους
θῆρας, ἦ πολλάν τε καὶ ἡσύχιον
βουσὶν εἰρήναν παρέχοισα πατρῴαις,
τὸν δὲ σύγκοιτον γλυκὺν
παῦρον ἐπὶ γλεφάροις
ὕπνον ἀναλίσκοισα ῥέποντα πρὸς ἀῶ.

κίχε νιν λέοντί ποτ' εὐρυφαρέτρας
ὀβρίμῳ μούναν παλαίοισαν

ἄτερ ἐγχέων ἑκάεργος Ἀπόλλων.
αὐτίκα δ' ἐκ μεγάρων Χί-
ρωνα προσήνεπε φωνᾷ·
"σεμνὸν ἄντρον, Φιλυρίδα, προλιπὼν θυ-
μὸν γυναικὸς καὶ μεγάλαν δύνασιν
θαύμασον, οἷον ἀταρβεῖ
νεῖκος ἄγει κεφαλᾷ, μό-
χθου καθύπερθε νεᾶνις
ἦτορ ἔχοισα· φόβῳ δ'
οὐ κεχείμανται φρένες.
τίς νιν ἀνθρώπων τέκεν; ποί-
ας δ' ἀποσπασθεῖσα φύτλας

ὀρέων κευθμῶνας ἔχει σκιοέντων;
γεύεται δ' ἀλκᾶς ἀπειράντου.
ὁσία κλυτὰν χέρα οἱ προσενεγκεῖν,
ἦ ῥα καὶ ἐκ λεχέων κεῖ-
ραι μελιαδέα ποίαν;"
τὸν δὲ Κένταυρος ζαμενής, ἀγανᾷ χλοα-
ρὸν γελάσσαις ὀφρύϊ, μῆτιν ἑὰν
εὐθὺς ἀμείβετο· "κρυπταὶ
κλαΐδες ἐντὶ σοφᾶς Πει-
θοῦς ἱερᾶν φιλοτάτων,
Φοῖβε, καὶ ἔν τε θεοῖς
τοῦτο κἀνθρώποις ὁμῶς
αἰδέοντ', ἀμφαδὸν ἁδεί-
ας τυχεῖν τὸ πρῶτον εὐνᾶς.

καὶ γὰρ σέ, τὸν οὐ θεμιτὸν ψεύδει θιγεῖν,
ἔτραπε μείλιχος ὀργὰ παρφάμεν τοῦ-
τον λόγον. κούρας δ' ὁπόθεν γενεὰν

ἐξερωτᾷς, ὦ ἄνα; κύριον ὃς πάν-
 των τέλος
οἶσθα καὶ πάσας κελεύθους·
ὅσσα τε χθὼν ἠρινὰ φύλλ' ἀναπέμπει,
 χὠπόσαι
ἐν θαλάσσᾳ καὶ ποταμοῖς ψάμαθοι
κύμασι ῥιπαῖς τ' ἀνέμων κλονέονται,
 χὤ τι μέλλει, χὠπόθεν
ἔσσεται, εὖ καθορᾷς.
εἰ δὲ χρὴ καὶ πὰρ σοφὸν ἀντιφερίξαι,

ἐρέω· ταύτᾳ πόσις ἵκεο βᾶσσαν
τάνδε, καὶ μέλλεις ὑπὲρ πόντου
Διὸς ἔξοχον ποτὶ κᾶπον ἐνεῖκαι.
ἔνθα νιν ἀρχέπολιν θή-
 σεις, ἐπὶ λαὸν ἀγείραις
νασιώταν ὄχθον ἐς ἀμφίπεδον· νῦν δ'
 εὐρυλείμων πότνιά τοι Λιβύα
δέξεται εὐκλέα νύμφαν
 δώμασιν ἐν χρυσέοις πρό-
 φρων· ἵνα οἱ χθονὸς αἶσαν
αὐτίκα συντελέθειν
 ἔννομον δωρήσεται,
οὔτε παγκάρπων φυτῶν νά-
 ποινον οὔτ' ἀγνῶτα θηρῶν."

(*Pythian*, ix. 18–58)

283. *The Hyperboreans*

Μοῖσα δ' οὐκ ἀποδαμεῖ
τρόποις ἐπὶ σφετέροισι· παν-
 τᾷ δὲ χοροὶ παρθένων

λυρᾶν τε βοαὶ καναχαί τ' αὐλῶν δονέονται·
δάφνᾳ τε χρυσέᾳ
κόμας ἀναδήσαν-
τες εἰλαπινάζοισιν εὐφρόνως.
νόσοι δ' οὔτε γῆρας οὐλόμενον κέκραται
ἱερᾷ γενεᾷ· πόνων δὲ καὶ μαχᾶν ἄτερ
οἰκέοισι φυγόντες
ὑπέρδικον Νέμεσιν. θρασεί-
ᾳ δὲ πνέων καρδίᾳ
μόλεν Δανάας ποτὲ παῖς, ἁγεῖτο δ' Ἀθάνα,
ἐς ἀνδρῶν μακάρων
ὅμιλον· ἔπεφνέν
τε Γοργόνα, καὶ ποικίλον κάρα
δρακόντων φόβαισιν ἤλυθε νασιώταις
λίθινον θάνατον φέρων.

(*Pythian*, x. 37–48)

284. *Orestes*

Τὸν δὴ φονευομένου
πατρὸς Ἀρσινόα Κλυταιμήστρας
χειρῶν ὕπο κρατερᾶν
ἐκ δόλου τροφὸς ἄνελε δυσπενθέος,
ὁπότε Δαρδανίδα κόραν Πριάμου
Κασσάνδραν πολιῷ
χαλκῷ σὺν Ἀγαμεμνονίᾳ
ψυχᾷ πόρευ' Ἀχέρον-
τος ἀκτὰν παρ' εὔσκιον
νηλὴς γυνά. πότερόν
νιν ἄρ' Ἰφιγένει' ἐπ' Εὐρίπῳ
σφαχθεῖσα τῆλε πάτρας

ἔκνιξεν βαρυπάλαμον ὄρσαι χόλον;
ἢ ἑτέρῳ λέχεϊ δαμαζομέναν
ἔννυχοι πάραγον
  κοῖται; τὸ δὲ νέαις ἀλόχοις
ἔχθιστον ἀμπλάκιον
  καλύψαι τ' ἀμάχανον

ἀλλοτρίαισι γλώσσαις·
κακολόγοι δὲ πολῖται.
ἴσχει τε γὰρ ὄλβος οὐ μείονα φθόνον·
ὁ δὲ χαμηλὰ πνέων ἄφαντον βρέμει.
θάνεν μὲν αὐτὸς ἥρως Ἀτρεΐδας
ἵκων χρόνῳ κλυταῖς ἐν Ἀμύκλαις,

μάντιν τ' ὄλεσσε κόραν,
  ἐπεὶ ἀμφ' Ἑλένᾳ πυρωθέντων
Τρώων ἔλυσε δόμους
ἁβρότατος. ὁ δ' ἄρα γέροντα ξένον
Στρόφιον ἐξίκετο, νέα κεφαλά,
Παρνασσοῦ πόδα ναί-
  οντ'· ἀλλὰ χρονίῳ σὺν Ἄρει
πέφνεν τε ματέρα θῆ-
  κέ τ' Αἴγισθον ἐν φοναῖς.

(*Pythian*, xi. 17–37)

285. *The Infant Heracles*

Ἐγὼ δ' Ἡρακλέος ἀντέχομαι
προφρόνως
ἐν κορυφαῖς ἀρετᾶν
μεγάλαις, ἀρχαῖον ὀτρύνων λόγον,

ὡς, ἐπεὶ σπλάγχνων ὕπο ματέρος αὐ-
τίκα θαητὰν ἐς αἴγλαν παῖς Διὸς
ὠδῖνα φεύγων διδύμῳ
σὺν κασιγνήτῳ μόλεν,

ὥς τ' οὐ λαθὼν χρυσόθρονον
Ἥραν κροκωτὸν σπάργανον ἐγκατέβα,
ἀλλὰ θεῶν βασίλεα
σπερχθεῖσα θυμῷ πέμπε δράκοντας ἄφαρ.
τοὶ μὲν οἰχθεισᾶν πυλᾶν
ἐς θαλάμου μυχὸν εὐ-
ρὺν ἔβαν, τέκνοισιν ὠκείας γνάθους
ἀμφελίξασθαι μεμαῶτες· ὁ δ' ὀρ-
θὸν μὲν ἄντεινεν κάρα, πει-
ρᾶτο δὲ πρῶτον μάχας,

δισσαῖσι δοιοὺς αὐχένων
μάρψαις ἀφύκτοις χερσὶν ἑαῖς ὄφιας.
ἀγχομένοις δὲ χρόνος
ψυχὰς ἀπέπνευσεν μελέων ἀφάτων.
ἐκ δ' ἄρ' ἄτλατον δέος
πλᾶξε γυναῖκας, ὅσαι
τύχον Ἀλκμάνας ἀρήγοισαι λέχει·
καὶ γὰρ αὐτὰ ποσσὶν ἄπεπλος ὀρού-
σαισ' ἀπὸ στρωμνᾶς ὅμως ἄ-
μυνεν ὕβριν κνωδάλων.

(*Nemean*, i. 33–51)

286. *The Childhood of Achilles*

Ξανθὸς δ' Ἀχιλεὺς τὰ μὲν
μένων Φιλύρας ἐν δόμοις,

παῖς ἐὼν ἄθυρε
    μεγάλα ἔργα· χερσὶ θαμινὰ
βραχυσίδαρον ἄκοντα πάλλων ἴσα τ' ἀνέμοις,
μάχᾳ λεόντεσσιν ἀγροτέροις ἔπρασ-
    σεν φόνον,
κάπρους τ' ἔναιρε· σώματα δὲ παρὰ Κρονίδαν
Κένταυρον ἀσθμαίνοντα κόμιζεν,
ἑξέτης τὸ πρῶτον, ὅλον δ' ἔπειτ' ἂν χρόνον·
τὸν ἐθάμβεον Ἄρτεμίς
    τε καὶ θρασεῖ' Ἀθάνα,

κτείνοντ' ἐλάφους ἄνευ
    κυνῶν δολίων θ' ἑρκέων·
ποσσὶ γὰρ κράτεσκε.
    λεγόμενον δὲ τοῦτο προτέρων
ἔπος ἔχω· βαθυμῆτα Χίρων τράφε λιθίνῳ
Ἰάσον' ἔνδον τέγει, καὶ ἔπειτεν Ἀ-
    σκλαπιόν,
τὸν φαρμάκων δίδαξε μαλακόχειρα νόμον·
νύμφευσε δ' αὖτις ἀγλαόκολπον
Νηρέος θύγατρα, γόνον τέ οἱ φέρτατον
ἀτίταλλεν ἐν ἀρμένοι-
    σι πᾶσι θυμὸν αὔξων·

ὄφρα θαλασσίαις
    ἀνέμων ῥιπαῖσι πεμφθεὶς
ὑπὸ Τροΐαν δορίκτυπον ἀλαλὰν Λυκίων
    τε προσμένοι καὶ Φρυγῶν
Δαρδάνων τε, καὶ ἐγχεσφόροις ἐπιμείξαις
Αἰθιόπεσσι χεῖρας, ἐν φρασὶ πά-
    ξαιθ', ὅπως σφίσι μὴ κοίρανος ὀπίσω

πάλιν οἴκαδ' ἀνεψιὸς
ζαμενὴς Ἑλένοιο Μέμνων μόλοι.

(*Nemean*, iii. 43–63)

287. *Castor and Polydeuces*

Μεταμειβόμενοι δ' ἐναλλὰξ
ἁμέραν τὰν μὲν παρὰ πατρὶ φίλῳ
Δὶ νέμονται, τὰν δ' ὑπὸ κεύθεσι γαίας
ἐν γυάλοις Θεράπνας,
πότμον ἀμπιπλάντες ὁμοῖον· ἐπεὶ
τοῦτον ἢ πάμπαν θεὸς ἔμμεναι οἰκεῖν τ'
οὐρανῷ,
εἵλετ' αἰῶνα φθιμένου Πολυδεύκης
Κάστορος ἐν πολέμῳ.
τὸν γὰρ Ἴδας ἀμφὶ βουσίν πως χολω-
θεὶς ἔτρωσεν χαλκέας λόγχας ἀκμᾷ.

ἀπὸ Ταϋγέτου πεδαυγά-
ζων ἴδεν Λυγκεὺς δρυὸς ἐν στελέχει
ἥμενον. κείνου γὰρ ἐπιχθονίων πάν-
των γένετ' ὀξύτατον
ὄμμα. λαιψηροῖς δὲ πόδεσσιν ἄφαρ
ἐξικέσθαν, καὶ μέγα ἔργον ἐμήσαντ'
ὠκέως
καὶ πάθον δεινὸν παλάμαις Ἀφαρητί-
δαι Διός· αὐτίκα γὰρ
ἦλθε Λήδας παῖς διώκων· τοὶ δ' ἔναν-
τα στάθεν τύμβῳ σχεδὸν πατρωΐῳ·

ἔνθεν ἁρπάξαντες ἄγαλμ'
Ἀΐδα, ξεστὸν πέτρον,

ἔμβαλον στέρνῳ Πολυδεύ-
　κεος· ἀλλ᾽ οὔ νιν φλάσαν
οὐδ᾽ ἀνέχασσαν· ἐφορμα-
　θεὶς δ᾽ ἄρ᾽ ἄκοντι θοῷ,
ἤλασε Λυγκέος ἐν πλευραῖσι χαλκόν.
Ζεὺς δ᾽ ἐπ᾽ Ἴδᾳ πυρφόρον πλᾶ-
　ξε ψολόεντα κεραυνόν·
ἅμα δ᾽ ἐκαίοντ᾽ ἐρῆ-
　μοι. χαλεπὰ δ᾽ ἔρις ἀνθρώ-
　ποις ὁμιλεῖν κρεσσόνων.

ταχέως δ᾽ ἐπ᾽ ἀδελφεοῦ βί-
　αν πάλιν χώρησεν ὁ Τυνδαρίδας,
καί νιν οὔπω τεθναότ᾽, ἄσθματι δὲ φρίσ-
　σοντα πνοὰς ἔκιχεν.
θερμὰ δὴ τέγγων δάκρυα στοναχαῖς
ὄρθιον φώνησε· "Πάτερ Κρονίων, τίς
　δὴ λύσις
ἔσσεται πενθέων; καὶ ἐμοὶ θάνατον σὺν
　τῷδ᾽ ἐπίτειλον, ἄναξ.
οἴχεται τιμὰ φίλων τατωμένῳ
　φωτί· παῦροι δ᾽ ἐν πόνῳ πιστοὶ βροτῶν

καμάτου μεταλαμβάνειν." ὣς
　ἔννεπε· Ζεὺς δ᾽ ἀντίος ἤλυθέ οἱ,
καὶ τόδ᾽ ἐξαύδασ᾽ ἔπος· "Ἐσσί μοι υἱός·
　τόνδε δ᾽ ἔπειτα πόσις
σπέρμα θνατὸν ματρὶ τεᾷ πελάσαις
στάξεν ἥρως. ἀλλ᾽ ἄγε τῶνδέ τοι ἔμπαν
　αἵρεσιν

παρδίδωμ'· εἰ μὲν θάνατόν τε φυγὼν καὶ
γῆρας ἀπεχθόμενον
αὐτὸς Ὄλυμπον θέλεις ναίειν ἐμοὶ
σύν τ' Ἀθαναίᾳ κελαινεγχεῖ τ' Ἄρει,

ἔστι τοι τούτων λάχος· εἰ
δὲ κασιγνήτου πέρι
μάρνασαι, πάντων δὲ νοεῖς
ἀποδάσσασθαι ἴσον,
ἥμισυ μέν κε πνέοις γαί-
ας ὑπένερθεν ἐών,
ἥμισυ δ' οὐρανοῦ ἐν χρυσέοις δόμοισιν."
ὣς ἄρ' αὐδάσαντος οὐ γνώ-
μᾳ διπλόαν θέτο βουλάν,
ἀνὰ δ' ἔλυσεν μὲν ὀ-
φθαλμόν, ἔπειτα δὲ φωνὰν
χαλκομίτρα Κάστορος.

(*Nemean*, x. 55–90)

288. *The Sons of Aeacus*

Καὶ γὰρ ἡρώων ἀγαθοὶ πολεμισταὶ
λόγον ἐκέρδαναν· κλέονται δ' ἔν τε φορμίγ-
γεσσιν ἐν αὐλῶν τε παμφώνοις ὁμοκλαῖς

μυρίον χρόνον· μελέταν δὲ σοφισταῖς
Διὸς ἕκατι πρόσβαλον σεβιζόμενοι
ἐν μὲν Αἰτωλῶν θυσίαισι φαενναῖς
Οἰνεΐδαι κρατεροί,
ἐν δὲ Θήβαις ἱπποσόας Ἰόλαος
γέρας ἔχει, Περσεὺς δ' ἐν Ἄργει, Κάστορος δ' αἰ-
χμὰ Πολυδεύκεός τ' ἐπ' Εὐρώτα ῥεέθροις.

ἀλλ' ἐν Οἰνώνᾳ μεγαλήτορες ὀργαὶ
Αἰακοῦ παίδων τε· τοὶ καὶ σὺν μάχαις
δὶς πόλιν Τρώων ἔπραθον, σπόμενοι
Ἡρακλῆϊ πρότερον,
καὶ σὺν Ἀτρείδαις. ἔλα νῦν μοι πεδόθεν·
λέγε, τίνες Κύκνον, τίνες Ἕκτορα πέφνον,
καὶ στράταρχον Αἰθιόπων ἄφοβον
Μέμνονα χαλκοάραν·
τίς γὰρ ἐσλὸν Τήλεφον
τρῶσεν ἑῷ δορὶ Καΐκου παρ' ὄχθαις;

τοῖσιν Αἴγιναν προφέρει στόμα πάτραν,
διαπρεπέα νᾶσον· τετείχισται δὲ πάλαι
πύργος ὑψηλαῖς ἀρεταῖς ἀναβαίνειν.
πολλὰ μὲν ἀρτιεπὴς
γλῶσσά μοι τοξεύματ' ἔχει περὶ κείνων
κελαδέμεν· καὶ νῦν ἐν Ἄρει μαρτυρήσαι
κεν πόλις Αἴαντος ὀρθωθεῖσα ναύταις

ἐν πολυφθόρῳ Σαλαμὶς Διὸς ὄμβρῳ
ἀναρίθμων ἀνδρῶν χαλαζάεντι φόνῳ.
ἀλλ' ὅμως καύχαμα κατάβρεχε σιγᾷ·
Ζεὺς τά τε καὶ τὰ νέμει,
Ζεὺς ὁ πάντων κύριος. ἐν δ' ἐρατεινῷ
μέλιτι καὶ τοιᾷδε τιμᾷ καλλίνικον
χάρμ' ἀγαπάζοντι.

(*Isthmian*, v. 26–54 b)

289. *Strepsiades of Thebes*

Φλέγεται δὲ ἰοπλόκοισι Μοίσαις,
μάτρωΐ θ' ὁμωνύμῳ
δέδωκε κοινὸν θάλος,

χάλκασπις ᾧ πότμον μὲν Ἄρης ἔμειξεν,
τιμὰ δ' ἀγαθοῖσιν ἀντίκειται.
ἴστω γὰρ σαφὲς ὅστις ἐν
ταύτᾳ νεφέλᾳ χάλα-
ζαν αἵματος πρὸ φίλας πάτρας ἀμύνεται,

λοιγὸν ἀντιτίνων ἐναντίῳ στρατῷ,
ἀστῶν γενεᾷ μέγιστον κλέος αὔξων
ζώων τ' ἀπὸ καὶ θανών.
τὺ δέ, Διοδότοιο παῖ, μαχατὰν
αἰνέων Μελέαγρον, αἰ-
νέων δὲ καὶ Ἕκτορα
Ἀμφιάρηόν τε,
εὐανθέ' ἀπέπνευσας ἁλικίαν

προμάχων ἀν' ὅμιλον, ἔνθ' ἄριστοι
ἔσχον πολέμοιο νεῖ-
κος ἐσχάταις ἐλπίσιν.
ἔτλαν δὲ πένθος οὐ φατόν· ἀλλὰ νῦν μοι
Γαιάοχος εὐδίαν ὄπασσεν
ἐκ χειμῶνος. ἀείσομαι
χαίταν στεφάνοισιν ἁρ-
μόζων. ὁ δ' ἀθανάτων μὴ θρασσέτω φθόνος.

ὅ τι τερπνὸν ἐφάμερον διώκων
ἕκαλος ἔπειμι γῆ-
ρας ἔς τε τὸν μόρσιμον
αἰῶνα. θνᾴσκομεν γὰρ ὁμῶς ἅπαντες·
δαίμων δ' ἄϊσος· τὰ μακρὰ δ' εἴ τις
παπταίνει, βραχὺς ἐξικέ-
σθαι χαλκόπεδον θεῶν
ἕδραν· ὅ τοι πτερόεις ἔρριψε Πάγασος

δεσπόταν ἐθέλοντ᾽ ἐς οὐρανοῦ σταθμοὺς
ἐλθεῖν μεθ᾽ ὁμάγυριν Βελλεροφόνταν
Ζηνός. τὸ δὲ πὰρ δίκαν
γλυκὺ πικροτάτα μένει τελευτά.
ἄμμι δ᾽, ὦ χρυσέᾳ κόμᾳ
θάλλων, πόρε, Λοξία,
τεαῖσιν ἁμίλλαισιν
εὐανθέα καὶ Πυθόϊ στέφανον.

(*Isthmian*, vii. 23–51)

290 *The Marriage of Thetis*

Ταῦτα καὶ μακάρων ἐμέμναντ᾽ ἀγοραί,
Ζεὺς ὅτ᾽ ἀμφὶ Θέτιος ἀγλα-
ός τ᾽ ἔρισαν Ποσειδᾶν γάμῳ,
ἄλοχον εὐειδέα θέλων ἑκάτερος
ἑὰν ἔμμεν· ἔρως γὰρ ἔχεν.
ἀλλ᾽ οὔ σφιν ἄμβροτοι
τέλεσαν εὐνὰν θεῶν πραπίδες,

ἐπεὶ θεσφάτων ἐπάκου-
σαν· εἶπεν εὔβουλος ἐν μέσοισι Θέμις,
οὕνεκεν πεπρωμένον ἦν, φέρτερον γό-
νον ἄνακτα πατρὸς τεκεῖν
ποντίαν θεόν, ὃς κεραυ-
νοῦ τε κρέσσον ἄλλο βέλος
διώξει χερὶ τριόδον-
τός τ᾽ ἀμαιμακέτου, Δί τε μισγομέναν
ἢ Διὸς παρ᾽ ἀδελφεοῖσιν. “ἀλλὰ τὰ μὲν
παύσατε· βροτέων δὲ λεχέων τυχοῖσα
υἱὸν εἰσιδέτω θανόντ᾽ ἐν πολέμῳ,

χεῖρας Ἄρεϊ τ' ἐναλίγκι-
　ον στεροπαῖσί τ' ἀκμὰν ποδῶν.
τὸ μὲν ἐμόν, Πηλέϊ γέρας θεόμορον
ὀπάσσαι γάμου Αἰακίδᾳ,
ὅν τ' εὐσεβέστατον
　φάτις Ἰαολκοῦ τράφειν πεδίον·

ἰόντων δ' ἐς ἄφθιτον ἄν-
　τρον εὐθύς Χίρωνος αὐτίκ' ἀγγελίαι·
μηδὲ Νηρέος θυγάτηρ
　νεικέων πέταλα δὶς ἐγγυαλιζέτω
ἄμμιν· ἐν διχομηνίδεσ-
　σιν δὲ ἑσπέραις ἐρατὸν
λύοι κεν χαλινὸν ὑφ' ἥ-
　ρωϊ παρθενίας." ὣς φάτο Κρονίδαις
　ἐννέποισα θεά· τοὶ δ' ἐπὶ γλεφάροις
νεῦσαν ἀθανάτοισιν· ἐπέων δὲ καρπὸς
οὐ κατέφθινε. φαντὶ γὰρ ξύν' ἀλέγειν
καὶ γάμον Θέτιος ἄνακτε.
　καὶ νεαρὰν ἔδειξαν σοφῶν
στόματ' ἀπείροισιν ἀρετὰν Ἀχιλέος·
ὃ καὶ Μύσιον ἀμπελόεν
αἵμαξε Τηλέφου
　μέλανι ῥαίνων φόνῳ πεδίον,

γεφύρωσέ τ' Ἀτρεΐδαι-
　σι νόστον, Ἑλέναν τ' ἐλύσατο, Τροΐας
ἶνας ἐκταμὼν δορί, ταί
　νιν ῥύοντό ποτε μάχας ἐναριμβρότου
ἔργον ἐν πεδίῳ κορύσ-
　σοντα, Μέμνονός τε βίαν

ὑπέρθυμον Ἕκτορά τ' ἄλ-
λους τ' ἀριστέας· οἷς δῶμα Φερσεφόνας
μανύων Ἀχιλεύς, οὗρος Αἰακιδᾶν,
Αἴγιναν σφετέραν τε ῥίζαν πρόφαινεν.
τὸν μὲν οὐδὲ θανόντ' ἀοιδαί τι λίπον,
ἀλλά οἱ παρά τε πυρὰν τά-
φον θ' Ἑλικώνιαι παρθένοι
στάν, ἐπὶ θρῆνόν τε πολύφαμον ἔχεαν.
ἔδοξ' ἦρα καὶ ἀθανάτοις,
ἐσλόν γε φῶτα καὶ
φθίμενον ὕμνοις θεᾶν διδόμεν.

(*Isthmian*, viii. 26–60)

291. *To Athens*

Δεῦτ' ἐν χόρον, Ὀλύμπιοι,
ἐπί τε κλυτὰν πέμπετε χάριν, θεοί,
πολύβατον οἵ τ' ἄστεος ὀμφαλὸν θυόεντα
ἐν ταῖς ἱεραῖς Ἀθάναις
οἰχνεῖτε πανδαίδαλόν τ' εὐκλέ' ἀγοράν.
ἰοδέτων λαχεῖν στεφάνων τᾶν ἐαρί-
δρόπων ἀοιδᾶν·
Διόθεν τέ με σὺν ἀγλαΐᾳ
ἴδετε πορευθέντ' ἀοιδᾶν δεύτερον
ἐπὶ κισσοάραν θεόν,
Βρόμιον ὅν τ' Ἐριβόαν
τε βροτοὶ καλέομεν,
γόνον ὑπάτων μὲν πατέρων μελπέμεν
γυναικῶν τε Καδμεϊᾶν.

ἐναργέα δ' ἐμὲ
σάματ' οὐ λανθάνει,

φοινικοεάνων ὁπότ' οἰ-
　χθέντος Ὡρᾶν θαλάμου
εὔοδμον ἐπάγῃσιν ἔαρ φυτὰ νεκτάρεα.
τότε βάλλεται, τότ' ἐπ' ἀμβρόταν χθόν' ἐραταὶ
ἴων φόβαι, ῥόδα τε κόμαισι μίγνυται,
ἀχεῖ τ' ὀμφαὶ μελέων σὺν αὐλοῖς,
ἀχεῖ τε Σεμέλαν ἑλικάμπυκα χοροί. (*Dithyramb*)

292. *An Eclipse*

Θεοῦ δὲ δείξαντος ἀρχὰν
ἕκαστον ἐν πρᾶγος, εὐθεῖα δὴ
κέλευθος ἀρετὰν λαβεῖν,
τελευταί τε καλλίονες.
θεῷ δὲ δυνατὸν μελαίνας
ἐκ νυκτὸς ἀμίαντον ὄρσαι φάος,
κελαινεφέϊ δὲ σκότει
καλύψαι σέλας καθαρὸν
ἁμέρας. (*Hyporchema*)

293. *Theoxenus*

Χρῆν μὲν κατὰ καιρὸν ἐρώ-
　των δρέπεσθαι, θυμέ, σὺν ἁλικίᾳ·
τὰς δὲ Θεοξένου ἀκτῖ-
　νας πρὸς ὄσσων μαρμαρυζοίσας δρακεὶς
ὃς μὴ πόθῳ κυμαίνεται, ἐξ ἀδάμαντος
ἢ σιδάρου κεχάλκευ-
　ται μέλαιναν καρδίαν

ψυχρᾷ φλογί, πρὸς δ' Ἀφροδί-
　τας ἀτιμασθεὶς ἑλικογλεφάρου

ἢ περὶ χρήμασι μοχθί-
ζει βιαίως, ἢ γυναικείῳ θράσει
ψυχρὰν φορεῖται πᾶσαν ὁδὸν θεραπεύων.
ἀλλ' ἐγὼ θεᾶς ἕκατι
κηρὸς ὣς δαχθεὶς ἕλᾳ

ἱρᾶν μελισσᾶν τάκομαι, εὖτ' ἂν ἴδω
παιδὸς νεόγυιον ἐς ἥ-
βαν· ἐν δ' ἄρα καὶ Τενέδῳ
Πειθώ τ' ἔναιεν καὶ Χάρις
υἱὸν ἀνᾶγ' Ἁγησίλα.

(*Skolion*)

294. *Thrasybulus*

Ὦ Θρασύβουλ', ἐρατᾶν ὄχημ' ἀοιδᾶν
τοῦτό τοι πέμπω μεταδόρ-
πιον. ἐν ξυνῷ κεν εἴη
συμπόταισίν τε γλυκερὸν
καὶ Διωνύσοιο καρπῷ

καὶ κυλίκεσσιν Ἀθαναίαισι κέντρον·
ἀνίκ' ἀνθρώπων καματώ-
δεες οἴχονται μέριμναι
στηθέων ἔξω· πελάγει δ'
ἐν πολυχρύσοιο πλούτου

πάντες ἴσον νέομεν ψευδῆ πρὸς ἀκτάν·
ὃς μὲν ἀχρήμων, ἀφνεὸς
τότε, τοὶ δ' αὖ πλουτέοντες
ἀέξονται φρένας ἀμ-
πελίνοις τόξοις δαμέντες.

(*Skolion*)

295. *Life after Death*

Τοῖσι λάμπει
μὲν σθένος ἀελίου τὰν
ἐνθάδε νύκτα κάτω, φοι-
νικορόδοις δ' ἐνὶ λειμώ-
νεσσι προάστιον αὐτῶν
καὶ λιβάνῳ σκιαρὸν καὶ
χρυσέοις καρποῖς βεβριθός.
τοὶ μὲν ἱππείαισί τε γυ-
μνασίαις τε, τοὶ δὲ πεσσοῖς,
τοὶ δὲ φορμίγγεσσι τέρπον-
ται, παρὰ δέ σφισιν εὐαν-
θὴς ἅπας τέθαλεν ὄλβος·
ὀδμὰ δ' ἐρατὸν κατὰ χῶρον κίδναται
αἰεὶ θύα μιγνύν-
των πυρὶ τηλεφανεῖ παν-
τοῖα θεῶν ἐπὶ βωμοῖς.

(*Threnos*)

296. *The Reign of Law*

Νόμος ὁ πάντων βασιλεὺς
θνατῶν τε καὶ ἀθανάτων
ἄγει δικαιῶν τὸ βιαιότατον
ὑπερτάτᾳ χειρί. τεκμαίρομαι
ἔργοισιν Ἡρακλέος· ἐπεὶ
Γαρυόνα βόας
Κυκλωπίων ἐπὶ προθύρων Εὐρυσθέος
ἀναιτήτας τε καὶ ἀπριάτας ἤλασεν.

297. *Delos*

Ἰήϊε Δάλι' Ἄπολλον·
καὶ σποράδας φερεμήλους
ἔκτισαν νάσους ἐρικυδέα τ' ἔσχον
Δᾶλον, ἐπεί σφιν Ἀπόλλων
δῶκεν ὁ χρυσοκόμας
Ἀστερίας δέμας οἰκεῖν·

ἰήϊε Δάλι' Ἄπολλον·
Λατόος ἔνθα με παῖδες,
εὐμενεῖ δέξασθε νόῳ θεράποντα
ὑμέτερον κελαδεννᾷ
σὺν μελιγάρυϊ παι-
ᾶνος ἀγακλέος ὀμφᾷ.

(*Paean* v)

CRATINUS

(520–422 B. C.)

298. *Pericles*

Ὁ σχινοκέφαλος Ζεὺς ὁδὶ προσέρχεται
Περικλέης, τῴδεῖον ἐπὶ τοῦ κρανίου
ἔχων, ἐπειδὴ τοὔστρακον παροίχεται.

299. *The Poet's Inspiration*

Οἶνός τοι χαρίεντι πέλει ταχὺς ἵππος ἀοιδῷ,
ὕδωρ δὲ πίνων οὐδὲν ἂν τέκοι σοφόν.

(480 B.C.)

300. *The Army of Xerxes*

Ὦ μέλεοι, τί κάθησθε; λιπὼν φεῦγ' ἔσχατα γαίης
δώματα καὶ πόλιος τροχοειδέος ἄκρα κάρηνα.
οὔτε γὰρ ἡ κεφαλὴ μένει ἔμπεδον οὔτε τὸ σῶμα,
οὔτε πόδες νέατοι οὔτ' ὦν χέρες, οὔτε τι μέσσης
λείπεται, ἀλλ' ἄζηλα πέλει· κατὰ γάρ μιν ἐρείπει
πῦρ τε καὶ ὀξὺς Ἄρης, Συριηγενὲς ἅρμα διώκων.
πολλὰ δὲ κἆλλ' ἀπολεῖ πυργώματα, κοὐ τὸ σὸν οἶον·
πολλοὺς δ' ἀθανάτων νηοὺς μαλερῷ πυρὶ δώσει,
οἵ που νῦν ἱδρῶτι ῥεούμενοι ἑστήκασι,
δείματι παλλόμενοι, κατὰ δ' ἀκροτάτοις ὀρόφοισιν
αἷμα μέλαν κέχυται, προϊδὸν κακότητος ἀνάγκας.
ἀλλ' ἴτον ἐξ ἀδύτοιο, κακοῖς δ' ἐπικίδνατε θυμόν.

301. *The Wooden Walls of Athens*

Οὐ δύναται Παλλὰς Δί' Ὀλύμπιον ἐξιλάσασθαι,
λισσομένη πολλοῖσι λόγοις καὶ μήτιδι πυκνῇ.
σοὶ δὲ τόδ' αὖτις ἔπος ἐρέω, ἀδάμαντι πελάσσας.
τῶν ἄλλων γὰρ ἁλισκομένων ὅσα Κέκροπος οὖρος
ἐντὸς ἔχει κευθμών τε Κιθαιρῶνος ζαθέοιο,
τεῖχος Τριτογενεῖ ξύλινον διδοῖ εὐρύοπα Ζεὺς
μοῦνον ἀπόρθητον τελέθειν, τὸ σὲ τέκνα τ' ὀνήσει.
μηδὲ σύ γ' ἱπποσύνην τε μένειν καὶ πεζὸν ἰόντα
πολλὸν ἀπ' ἠπείρου στρατὸν ἥσυχος, ἀλλ' ὑποχωρεῖν
νῶτον ἐπιστρέψας· ἔτι τοί ποτε κἀντίος ἔσσῃ.
ὦ θείη Σαλαμίς, ἀπολεῖς δὲ σὺ τέκνα γυναικῶν
ἤ που σκιδναμένης Δημήτερος ἢ συνιούσης.

DELPHIC ORACLE

302. *Neutral Argos*

Ἐχθρὲ περικτιόνεσσι, φίλ' ἀθανάτοισι θεοῖσι,
εἴσω τὸν προβόλαιον ἔχων πεφυλαγμένος ἧσο
καὶ κεφαλὴν πεφύλαξο· κάρη δὲ τὸ σῶμα σαώσει.

LAMPROCLES

(fl. 480 (?) B. C.)

303. *A National Anthem*

Παλλάδα περσέπολιν, δεινὰν θεὸν ἐγρεκύδοιμον
ποτικλήζω πολεμαδόκον, ἁγνὰν
παῖδα Διὸς μεγάλου δαμάσιππον.

TIMOCREON

(fl. 480 B. C.)

304. *Wealth*

Ὤφελέν σ', ὦ τυφλὲ Πλοῦτε, μήτε γῇ μήτ' ἐν θα-
λάσσῃ μήτ' ἐν ἠπείρῳ φανῆμεν,
ἀλλὰ Τάρταρόν τε ναίειν κἀχέροντα· διὰ σὲ γὰρ
σύμπαντ' ἐν ἀνθρώποις κακά.

305. *Themistocles*

Ἀλλ' εἰ τύ γα Πανσανίαν ἢ καὶ τύ γα Ξάνθιππον αἰνεῖς
ἢ τύ γα Λευτυχίδαν, ἐγὼ δ' Ἀριστείδαν ἐπαινέω
ἄνδρ' ἱερᾶν ἀπ' Ἀθηνᾶν
ἐλθεῖν ἕνα λῷστον, ἐπεὶ Θεμιστοκλῆν ἤχθαρε Λατώ,

ψεύσταν, ἄδικον, προδόταν, ὃς Τιμοκρέοντα ξεῖνον ἐόντα
ἀργυρίοισι κοβαλικοῖσι πεισθεὶς οὐ κατᾶγεν
ἐς πατρίδ' Ἰάλυσον.
λαβὼν δὲ τρί' ἀργυρίου τάλαντ' ἔβα πλέων εἰς ὄλεθρον,

τοὺς μὲν κατάγων ἀδίκως, τοὺς δ' ἐκδιώκων, τοὺς δὲ καίνων,
ἀργυρίου δ' ὑπόπλεως Ἰσθμοῖ γελοίως πανδόκευε
ψυχρὰ κρέα παρέχων·
οἱ δ' ἤσθιον κηὔχοντο μὴ ὥραν Θεμιστοκλέος γενέσθαι.

BACCHYLIDES

(505–450 B.C.)

306. *Croesus*

Βρύει μὲν ἱερὰ βουθύτοις ἑορταῖς,
βρύουσι φιλοξενίας ἀγυιαί·
λάμπει δ' ὑπὸ μαρμαρυγαῖς ὁ χρυσὸς
ὑψιδαιδάλτων τριπόδων σταθέντων

πάροιθε ναοῦ, τόθι μέγιστον ἄλσος
Φοίβου παρὰ Κασταλίας ῥεέθροις
Δελφοὶ διέπουσι. θεόν, θεόν τις
ἀγλαϊζέτω, ὁ γὰρ ἄριστος ὄλβῳ.

ἐπεί ποτε καὶ δαμασίππου
Λυδίας ἀρχαγέταν,
εὖτε τὰν πεπρωμέναν
Ζηνὸς τελειοῦσαι κρίσιν
Σάρδιες Περσᾶν ἐπορθεῦντο στρατῷ,
Κροῖσον ὁ χρυσάορος

φύλαξ' Ἀπόλλων. ὁ δ' ἐς ἄελπτον ἆμαρ
μολὼν πολυδάκρυον οὐκ ἔμελλε
μίμνειν ἔτι δουλοσύναν· πυρὰν δὲ
χαλκοτειχέος προπάροιθεν αὐλᾶς

ναήσατ', ἔνθα σὺν ἀλόχῳ τε κεδνᾷ
σὺν εὐπλοκάμοις τ' ἐπέβαιν' ἄλαστον
θυγατράσι δυρομέναις· χέρας δ' ἐς
αἰπὺν αἰθέρα σφετέρας ἀείρας

γέγωνεν· "ὑπέρβιε δαῖμον,
ποῦ θεῶν ἐστὶν χάρις;
ποῦ δὲ Λατοΐδας ἄναξ;
πίτνουσιν Ἀλυάττα δόμοι,
τίς δὲ νῦν δώρων ἀμοιβὰ μυρίων
φαίνεται Πυθωνόθεν;

πέρθουσι Μῆδοι δοριάλωτον ἄστυ,
φοινίσσεται αἵματι χρυσοδίνας
Πακτωλός· ἀεικελίως γυναῖκες
ἐξ ἐϋκτίτων μεγάρων ἄγονται·

τὰ πρόσθε δ' ἐχθρὰ φίλα· θανεῖν γλύκιστον."
τόσ' εἶπε, καὶ ἁβροβάταν κέλευσεν
ἅπτειν ξύλινον δόμον. ἔκλαγον δὲ
παρθένοι, φίλας τ' ἀνὰ ματρὶ χεῖρας

ἔβαλλον· ὁ γὰρ προφανὴς θνα-
τοῖσιν ἔχθιστος φόνων·
ἀλλ' ἐπεὶ δεινοῦ πυρὸς
λαμπρὸν διάϊσσεν μένος,

Ζεὺς ἐπιστάσας μελαγκευθὲς νέφος
σβέννυεν ξανθὰν φλόγα.

ἄπιστον οὐδέν, ὅ τι θεῶν μέριμνα
τεύχει· τότε Δαλογενὴς Ἀπόλλων
φέρων ἐς Ὑπερβορέους γέροντα
σὺν τανισφύροις κατένασσε κούραις

δι' εὐσέβειαν, ὅτι μέγιστα θνατῶν
ἐς ἀγαθέαν ἀνέπεμψε Πυθώ.

(iii. 15-62)

307. *The Eagle of Song*

Δεῦρ' ἐπάθρησον νόῳ,
ἦ σὺν Χαρίτεσσι βαθυζώνοις ὑφάνας
ὕμνον ἀπὸ ζαθέας
νάσου ξένος ὑμετέραν πέμ-
πει κλεεννὰν ἐς πόλιν,
χρυσάμπυκος Οὐρανίας κλει-
νὸς θεράπων· ἐθέλει δὲ
γᾶρυν ἐκ στηθέων χέων

αἰνεῖν Ἱέρωνα. βαθὺν
δ' αἰθέρα ξουθαῖσι τάμνων
ὑψοῦ πτερύγεσσι ταχεί-
αις αἰετὸς εὐρυάνακτος ἄγγελος
Ζηνὸς ἐρισφαράγου
θαρσεῖ κρατερᾷ πίσυνος
ἰσχύϊ, πτάσσοντι δ' ὄρνι-
χες λιγύφθογγοι φόβῳ·

οὔ νιν κορυφαὶ μεγάλας ἴσχουσι γαίας,
οὐδ' ἁλὸς ἀκαμάτας
δυσπαίπαλα κύματα· νωμᾶ-
ται δ' ἐν ἀτρύτῳ χάει
λεπτότριχα σὺν ζεφύρου πνοι-
αῖσιν ἔθειραν ἀρίγνω-
τος μετ' ἀνθρώποις ἰδεῖν.

τὼς νῦν καὶ ἐμοὶ μυρία πάντᾳ κέλευθος
ὑμετέραν ἀρετὰν
ὑμνεῖν, κυανοπλοκάμου θ' ἕκατι Νίκας
χαλκεοστέρνου τ' Ἄρηος.

(v. 8–34)

308. *Heracles and Meleager*

Καὶ μάν ποτ' ἐρειψιπύλαν
παῖδ' ἀνίκατον λέγουσιν
δῦναι Διὸς ἀργικεραύ-
νου δώματα Φερσεφόνας τανισφύρου,
καρχαρόδοντα κύν' ἄ-
ξοντ' ἐς φάος ἐξ Ἀΐδα,
υἱὸν ἀπλάτοι' Ἐχίδνας·
ἔνθα δυστάνων βροτῶν
ψυχὰς ἐδάη παρὰ Κωκυτοῦ ῥεέθροις,
οἷά τε φύλλ' ἄνεμος
Ἴδας ἀνὰ μηλοβότους
πρῶνας ἀργηστὰς δονεῖ.
ταῖσιν δὲ μετέπρεπεν εἴδω-
λον θρασυμέμνονος ἐγ-
χεσπάλου Πορθαονίδα·

τὸν δ᾽ ὡς ἴδεν ᾽Αλκμήνιος θαυμαστὸς ἥρως
τεύχεσι λαμπόμενον,
νευρὰν ἐπέβασε λιγυκλαγγῆ κορώνας,
χαλκεόκρανον δ᾽ ἔπειτ᾽ ἐξ-
είλετο ἰὸν ἀνα-
πτύξας φαρέτρας πῶμα· τῷ δ᾽ ἐναντία
ψυχὰ προφάνη Μελεάγρου
καί νιν εὖ εἰδὼς προσεῖπεν·
"υἱὲ Διὸς μεγάλου,
στᾶθί τ᾽ ἐν χώρᾳ, γελανώσας τε θυμὸν

μὴ ταΰσιον προΐει
τραχὺν ἐκ χειρῶν ὀϊστὸν
ψυχαῖσιν ἔπι φθιμένων·
οὔτοι δέος." ὣς φάτο· θάμβησεν δ᾽ ἄναξ
᾽Αμφιτρυωνιάδας,
εἶπέν τε· "τίς ἀθανάτων
ἢ βροτῶν τοιοῦτον ἔρνος
θρέψεν ἐν ποίᾳ χθονί;
τίς δ᾽ ἔκτανεν; ἦ τάχα καλλίζωνος Ἥρα
κεῖνον ἐφ᾽ ἁμετέρᾳ
πέμψει κεφαλᾷ· τὰ δέ που
Παλλάδι ξανθᾷ μέλει."
τὸν δὲ προσέφα Μελέαγρος
δακρυόεις· "χαλεπὸν
θεῶν παρατρέψαι νόον

ἄνδρεσσιν ἐπιχθονίοις.
καὶ γὰρ ἂν πλάξιππος Οἰνεὺς
παῦσεν καλυκοστεφάνου
σεμνᾶς χόλον ᾽Αρτέμιδος λευκωλένου

λισσόμενος πολέων
  τ' αἰγῶν θυσίαισι πατὴρ
καὶ βοῶν φοινικονώτων·
  ἀλλ' ἀνίκατον θεὰ
ἔσχεν χόλον· εὐρυβίαν δ' ἔσσευε κούρα
  κάπρον ἀναιδομάχαν
ἐς καλλίχορον Καλυδῶ-
  ν', ἔνθα πλημύρων σθένει
ὄρχους ἐπέκειρεν ὀδόντι,
  σφάζε τε μῆλα, βροτῶν
  θ' ὅστις εἰσάνταν μόλοι.

τῷ δὲ στυγερὰν δῆριν Ἑλλάνων ἄριστοι
  στασάμεθ' ἐνδυκέως
ἓξ ἄματα συνεχέως· ἐπεὶ δὲ δαίμων
  κάρτος Αἰτωλοῖς ὄρεξεν,
  θάπτομεν οὓς κατέπε-
φνεν σῦς ἐριβρύχας ἐπαΐσσων βίᾳ,
Ἀγκαῖον ἐμῶν τ' Ἀγέλαον
  φέρτατον κεδνῶν ἀδελφεῶν,
  οὓς τέκεν ἐν μεγάροις
  πατρὸς Ἀλθαία περικλειτοῖσιν Οἰνέος·

τῶν δ' ὤλεσε μοῖρ' ὀλοὰ
  πλεῦνας· οὐ γάρ πω δαΐφρων
παῦσεν χόλον ἀγροτέρα
  Λατοῦς θυγάτηρ· περὶ δ' αἴθωνος δορᾶς
μαρνάμεθ' ἐνδυκέως
  Κουρῆσι μενεπτολέμοις·
ἔνθ' ἐγὼ πολλοῖς σὺν ἄλλοις
  Ἴφικλον κατέκτανον

ἐσθλόν τ᾽ Ἀφάρητα, θοοὺς μάτρωας· οὐ γὰρ
καρτερόθυμος Ἄρης
κρίνει φίλον ἐν πολέμῳ·
τυφλὰ δ᾽ ἐκ χειρῶν βέλη
ψυχαῖς ἔπι δυσμενέων φοι-
τᾷ θάνατόν τε φέρει
τοῖσιν ἂν δαίμων θέλῃ·

ταῦτ᾽ οὐκ ἐπιλεξαμένα
Θεστίου κούρα δαΐφρων
μάτηρ κακόποτμος ἐμοὶ
βούλευσεν ὄλεθρον ἀτάρβακτος γυνά·
καῖέ τε δαιδαλέας
ἐκ λάρνακος ὠκύμορον
φιτρὸν ἀγκλαύσασα, τὸν δὴ
μοῖρ᾽ ἐπέκλωσεν τότε
ζωᾶς ὅρον ἁμετέρας ἔμμεν. τύχον μὲν
Δαϊπύλου Κλύμενον
παῖδ᾽ ἄλκιμον ἐξεναρί-
ζων ἀμώμητον δέμας,
πύργων προπάροιθε κιχήσας·
τοὶ δὲ πρὸς εὐκτιμέναν
φεῦγον ἀρχαίαν πόλιν

Πλευρῶνα· μινύνθη δέ μοι ψυχὰ γλυκεῖα,
γνῶν δ᾽ ὀλιγοσθενέων·
αἰαῖ· πύματον δὲ πνέων δάκρυσα τλάμων
ἀγλαὰν ἥβαν προλείπων."
φασὶν ἀδεισιβόαν
Ἀμφιτρύωνος παῖδα μοῦνον δὴ τότε
τέγξαι βλέφαρον, ταλαπενθέος

πότμον οἰκτίροντα φωτός·
καί νιν ἀμειβόμενος
τοῖ' ἔφα· "θνατοῖσι μὴ φῦναι φέριστον,

μηδ' ἀελίου προσιδεῖν
φέγγος· ἀλλ' οὐ γάρ τίς ἐστιν
πρᾶξις τάδε μυρομένοις,
χρὴ κεῖνο λέγειν ὅ τι καὶ μέλλει τελεῖν.
ἦ ῥα τις ἐν μεγάροις
Οἰνῆος ἀρηϊφίλου
ἔστιν ἀδμήτα θυγάτρων,
σοὶ φυὰν ἀλιγκία;
τάν κεν λιπαρὰν ἐθέλων θείμαν ἄκοιτιν."
τὸν δὲ μενεπτολέμου
ψυχὰ προσέφα Μελεά-
γρου· "λίπον χλωραύχενα
ἐν δώμασι Δαϊάνειραν,
νῆϊν ἔτι χρυσέας
Κύπριδος θελξιμβρότου."

(v. 56–175)

309. *Theseus*

i

Τόσ' εἶπεν ἀρέταιχμος ἥρως·
τάφον δὲ ναυβάται
φωτὸς ὑπεράφανον
θάρσος· Ἁλίου τε γαμβρῷ χολώσατ' ἦτορ,
ὕφαινέ τε ποταινίαν
μῆτιν, εἶπέν τε· "μεγαλοσθενὲς
Ζεῦ πάτερ, ἄκουσον· εἴπερ με κούρα
Φοίνισσα λευκώλενος σοὶ τέκε,

νῦν πρόπεμπ᾽ ἀπ᾽ οὐρανοῦ θοὰν
πυριέθειραν ἀστραπὰν
σᾶμ᾽ ἀρίγνωτον· εἰ
    δὲ καὶ σὲ Τροιζηνία σεισίχθονι
    φύτευσεν Αἴθρα Ποσει-
    δᾶνι, τόνδε χρύσεον
χειρὸς ἀγλαὸν
    ἔνεγκε κόσμον ἐκ βαθείας ἁλός,
δικὼν θράσει σῶμα πατρὸς ἐς δόμους.
εἴσεαι δ᾽ αἴ κ᾽ ἐμᾶς κλύῃ
    Κρόνιος εὐχᾶς
ἀναξιβρόντας ὁ πάντων μεδέων."

κλύε δ᾽ ἄμετρον εὐχὰν μεγασθενὴς
Ζεύς, ὑπέροχόν τε Μίνωϊ φύτευσε
    τιμὰν φίλῳ θέλων
παιδὶ πανδερκέα θέμεν,
ἄστραψέ θ᾽· ὁ δὲ θυμάρμενον
    ἰδὼν τέρας χέρε πέτασσε
    κλυτὰν ἐς αἰθέρα μενεπτόλεμος ἥρως,
εἶρέν τε· "Θησεῦ, σὺ τάδε
    μὲν βλέπεις σαφῆ Διὸς
δῶρα· σὺ δ᾽ ὄρνυ᾽ ἐς βα-
    ρύβρομον πέλαγος· Κρονίδας
δέ τοι πατὴρ ἄναξ τελεῖ
Ποσειδὰν ὑπέρτατον
    κλέος χθόνα κατ᾽ ἠΰδενδρον."
    ὣς εἶπε· τῷ δ᾽ οὐ πάλιν
θυμὸς ἀνεκάμπτετ᾽, ἀλλ᾽ εὐ-
    πάκτων ἐπ᾽ ἰκρίων

σταθεὶς ὄρουσε, πόντιόν τέ νιν
δέξατο θελημὸν ἄλσος.
τάφεν δὲ Διὸς υἱὸς ἔνδοθεν
κέαρ, κέλευσέ τε κατ' οὖ-
ρον ἴσχεν εὐδαίδαλον
νᾶα· μοῖρα δ' ἑτέραν ἐπόρσυν' ὁδόν.

ἵετο δ' ὠκύπομπον δόρυ· σόει
νιν βορεὰς ἐξόπιν πνέουσ' ἀήτα·
τρέσσαν δ' Ἀθαναίων
ἠϊθέων πᾶν γένος, ἐπεὶ
ἥρως θόρεν πόντονδε, κα-
τὰ λειρίων τ' ὀμμάτων δά-
κρυ χέον, βαρεῖαν ἐπιδέγμενοι ἀνάγκαν·
φέρον δὲ δελφῖνες ἁλι-
ναιέται μέγαν θοῶς
Θησέα πατρὸς ἱππί-
ου δόμον, μέγαρόν τε θεῶν
μόλεν· τόθι κλυτὰς ἰδὼν
ἔδεισ' ὀλβίοιο Νη-
ρέος κόρας· ἀπὸ γὰρ ἀγλα-
ῶν λάμπε γυίων σέλας
ὧτε πυρός, ἀμφὶ χαίταις
δὲ χρυσεόπλοκοι
δίνηντο ταινίαι· χορῷ δ' ἔτερ-
πον κέαρ ὑγροῖσι ποσσίν·
σεμνάν τε πατρὸς ἄλοχον φίλαν
ἴδε βοῶπιν ἐρατοῖ-
σιν Ἀμφιτρίταν δόμοις·
ἅ νιν ἀμφέβαλεν αἰόλαν πορφύραν,

κόμαισί τ' ἐπέθηκεν οὔλαις
 ἀμεμφέα πλόκον,
τόν ποτέ οἱ ἐν γάμῳ
δῶκε δόλιος Ἀφροδίτα ῥόδοις ἐρεμνόν.
ἄπιστον ὅ τι δαίμονες
θέωσιν οὐδὲν φρενοάραις βροτοῖς·
νᾶα παρὰ λεπτόπρυμνον φάνη· φεῦ,
οἵαισιν ἐν φροντίσι Κνώσιον
ἔσχασεν στραταγέταν, ἐπεὶ
μόλ' ἀδίαντος ἐξ ἁλὸς
θαῦμα πάντεσσι, λάμ-
 πε δ' ἀμφὶ γυίοις θεῶν δῶρ', ἀγλαό-
 θρονοί τε κοῦραι σὺν εὐ-
 θυμίᾳ νεοκτίτῳ
ὠλόλυξαν, ἔ-
 κλαγεν δὲ πόντος· ἠΐθεοι δ' ἐγγύθεν
νέοι παιάνιξαν ἐρατᾷ ὀπί.

(xvi. 47–129)

ii

ΧΟΡΟΣ

Βασιλεῦ τᾶν ἱερᾶν Ἀθανᾶν,
 τῶν ἁβροβίων ἄναξ Ἰώνων,
τί νέον ἔκλαγε χαλκοκώδων
 σάλπιγξ πολεμηΐαν ἀοιδάν;
ἦ τις ἁμετέρας χθονὸς
 δυσμενὴς ὅρι' ἀμφιβάλλει
 στραταγέτας ἀνήρ;
ἢ λῃσταὶ κακομάχανοι
ποιμένων ἀέκατι μήλων
 σεύοντ' ἀγέλας βίᾳ;

ἦ τί τοι κραδίαν ἀμύσσει;
φθέγγευ· δοκέω γὰρ εἴ τινι βροτῶν
ἀλκίμων ἐπικουρίαν
καὶ τὶν ἔμμεναι νέων,
ὦ Πανδίονος υἱὲ καὶ Κρεούσας.

ΑΙΓΕΥΣ

Νέον ἦλθεν δολιχὰν ἀμείψας
κᾶρυξ ποσὶν Ἰσθμίαν κέλευθον·
ἄφατα δ' ἔργα λέγει κραταιοῦ
φωτός· τὸν ὑπέρβιόν τ' ἔπεφνεν
Σίνιν, ὃς ἰσχύϊ φέρτατος
θνατῶν ἦν, Κρονίδα Λυταίου
σεισίχθονος τέκος·
σῦν τ' ἀνδροκτόνον ἐν νάπαις
Κρεμμυῶνος, ἀτάσθαλόν τε
Σκίρωνα κατέκτανεν·
τάν τε Κερκυόνος παλαίστραν
ἔσχεν, Πολυπήμονός τε καρτερὰν
σφῦραν ἐξέβαλεν Προκό-
πτας, ἀρείονος τυχὼν
φωτός. ταῦτα δέδοιχ' ὅπᾳ τελεῖται.

ΧΟΡΟΣ

Τίνα δ' ἔμμεν πόθεν ἄνδρα τοῦτον
λέγει, τίνα τε στολὰν ἔχοντα;
πότερα σὺν πολεμηΐοις ὅ-
πλοισι στρατιὰν ἄγοντα πολλάν;
ἦ μοῦνον σὺν ὀπάοσιν
στείχειν ἔμπορον οἷ' ἀλάταν
ἐπ' ἀλλοδαμίαν,

ἰσχυρόν τε καὶ ἄλκιμον
ὧδε καὶ θρασύν, ὅς τε τούτων
ἀνδρῶν κρατερὸν σθένος
ἔσχεν; ἦ θεὸς αὐτὸν ὁρμᾷ,
δίκας ἀδίκοισιν ὄφρα μήσεται·
οὐ γὰρ ῥᾴδιον αἰὲν ἔρ-
δοντα μὴ 'ντυχεῖν κακῷ.
πάντ' ἐν τῷ δολιχῷ χρόνῳ τελεῖται.

ΑΙΓΕΥΣ

Δύο οἱ φῶτε μόνους ἁμαρτεῖν
λέγει, περὶ φαιδίμοισι δ' ὤμοις
ξίφος ἔχειν ἐλεφαντόκωπον·
ξεστοὺς δὲ δύ' ἐν χέρεσσ' ἄκοντας
κηΰτυκτον κυνέαν Λάκαι-
ναν κρατὸς πέρι πυρσοχαίτου·
στέρνοις τε πορφύρεον
χιτῶν' ἄμφι, καὶ οὔλιον
Θεσσαλὰν χλαμύδ'· ὀμμάτων δὲ
στίλβειν ἄπο Λαμνίαν
φοίνισσαν φλόγα· παῖδα δ' ἔμμεν
πρώθηβον, ἀρηΐων δ' ἀθυρμάτων
μεμνᾶσθαι πολέμου τε καὶ
χαλκεοκτύπου μάχας·
δίζησθαι δὲ φιλαγλάους Ἀθάνας.

(xvii. 1–60)

310. *Peace*

Τίκτει δέ τε θνατοῖσιν εἰρήνα μεγάλα
πλοῦτον μελιγλώσσων τ' ἀοιδᾶν ἄνθεα,
δαιδαλέων τ' ἐπὶ βωμῶν θεοῖσιν αἴθεσθαι βοῶν

ξανθᾷ φλογὶ μῆρα τανυτρίχων τε μήλων,
γυμνασίων τε νέοις αὐλῶν τε καὶ κώμων μέλειν.
ἐν δὲ σιδαροδέτοις πόρπαξιν αἰθᾶν
ἀραχνᾶν ἱστοὶ πέλονται·
ἔγχεά τε λογχωτὰ ξίφεα τ' ἀμφάκεα δάμναται εὐρώς.
χαλκεᾶν δ' οὐκ ἔστι σαλπίγγων κτύπος,
οὐδὲ συλᾶται μελίφρων ὕπνος ἀπὸ βλεφάρων,
ἀῷος ὃς θάλπει κέαρ.
συμποσίων δ' ἐρατῶν βρίθοντ' ἀγυιαί, παιδικοί θ'
    ὕμνοι φλέγονται.

311 'Fecundi calices'

Ὦ βάρβιτε, μηκέτι πάσσαλον φυλάσσων
ἑπτάτονον λιγυρὰν κάππαυε γᾶρυν·
δεῦρ' ἐς ἐμὰς χέρας· ὁρμαίνω τι πέμπειν
χρύσεον Μουσᾶν Ἀλεξάνδρῳ πτερὸν

καὶ συμποσίοισιν ἄγαλμ' ἐν εἰκάδεσσιν
εὖτε νέων ἁταλὸν γλυκεῖ' ἀνάγκα
σευομενᾶν κυλίκων θάλπησι θυμόν,
Κύπριδός τ' ἐλπὶς διαιθύσσῃ φρένας

ἀμμειγνυμένα Διονυσίοισι δώροις·
ἀνδράσι δ' ὑψοτάτω πέμπει μερίμνας·
αὐτίκα μὲν πολίων κρήδεμνα λύει,
πᾶσι δ' ἀνθρώποις μοναρχήσειν δοκεῖ·

χρυσῷ δ' ἐλέφαντί τε μαρμαίρουσιν οἶκοι
πυροφόροι δὲ κατ' αἰγλάεντα πόντον
νᾶες ἄγουσιν ἀπ' Αἰγύπτου μέγιστον
πλοῦτον· ὣς πίνοντος ὁρμαίνει κέαρ.

(495–406 B.C.)

312. *Universal Change*

ΑΙΑΣ

Ἅπανθ' ὁ μακρὸς κἀναρίθμητος χρόνος
φύει τ' ἄδηλα καὶ φανέντα κρύπτεται·
κοὐκ ἔστ' ἄελπτον οὐδέν, ἀλλ' ἁλίσκεται
χὠ δεινὸς ὅρκος χαἰ περισκελεῖς φρένες.
κἀγὼ γάρ, ὃς τὰ δείν' ἐκαρτέρουν τότε,
βαφῇ σίδηρος ὥς, ἐθηλύνθην στόμα
πρὸς τῆσδε τῆς γυναικός· οἰκτίρω δέ νιν
χήραν παρ' ἐχθροῖς παῖδά τ' ὀρφανὸν λιπεῖν.
ἀλλ' εἶμι πρός τε λουτρὰ καὶ παρακτίους
λειμῶνας, ὡς ἂν λύμαθ' ἁγνίσας ἐμὰ
μῆνιν βαρεῖαν ἐξαλύξωμαι θεᾶς·
μολών τε χῶρον ἔνθ' ἂν ἀστιβῆ κίχω
κρύψω τόδ' ἔγχος τοὐμόν, ἔχθιστον βελῶν,
γαίας ὀρύξας ἔνθα μή τις ὄψεται·
ἀλλ' αὐτὸ νὺξ Ἅιδης τε σῳζόντων κάτω.
ἐγὼ γὰρ ἐξ οὗ χειρὶ τοῦτ' ἐδεξάμην
παρ' Ἕκτορος δώρημα δυσμενεστάτου,
οὔπω τι κεδνὸν ἔσχον Ἀργείων πάρα.
ἀλλ' ἔστ' ἀληθὴς ἡ βροτῶν παροιμία,
ἐχθρῶν ἄδωρα δῶρα κοὐκ ὀνήσιμα.
τοιγὰρ τὸ λοιπὸν εἰσόμεσθα μὲν θεοῖς
εἴκειν, μαθησόμεσθα δ' Ἀτρείδας σέβειν.
ἄρχοντές εἰσιν, ὥσθ' ὑπεικτέον. τί μήν;
καὶ γὰρ τὰ δεινὰ καὶ τὰ καρτερώτατα
τιμαῖς ὑπείκει· τοῦτο μὲν νιφοστιβεῖς
χειμῶνες ἐκχωροῦσιν εὐκάρπῳ θέρει·

ἐξίσταται δὲ νυκτὸς αἰανὴς κύκλος
τῇ λευκοπώλῳ φέγγος ἡμέρᾳ φλέγειν·
δεινῶν τ' ἄημα πνευμάτων ἐκοίμισε
στένοντα πόντον· ἐν δ' ὁ παγκρατὴς ὕπνος
λύει πεδήσας, οὐδ' ἀεὶ λαβὼν ἔχει.
ἡμεῖς δὲ πῶς οὐ γνωσόμεσθα σωφρονεῖν;
ἐγὼ δ' ἐπίσταμαι γὰρ ἀρτίως ὅτι
ὅ τ' ἐχθρὸς ἡμῖν ἐς τοσόνδ' ἐχθαρτέος,
ὡς καὶ φιλήσων αὖθις, ἔς τε τὸν φίλον
τοσαῦθ' ὑπουργῶν ὠφελεῖν βουλήσομαι,
ὡς αἰὲν οὐ μενοῦντα. τοῖς πολλοῖσι γὰρ
βροτῶν ἄπιστός ἐσθ' ἑταιρείας λιμήν.
ἀλλ' ἀμφὶ μὲν τούτοισιν εὖ σχήσει· σὺ δὲ
εἴσω θεοῖς ἐλθοῦσα διὰ τέλους, γύναι,
εὔχου τελεῖσθαι τοὐμὸν ὧν ἐρᾷ κέαρ.
ὑμεῖς θ', ἑταῖροι, ταὐτὰ τῇδέ μοι τάδε
τιμᾶτε, Τεύκρῳ τ', ἢν μόλῃ, σημήνατε
μέλειν μὲν ἡμῶν, εὐνοεῖν δ' ὑμῖν ἅμα.
ἐγὼ γὰρ εἶμ' ἐκεῖσ' ὅποι πορευτέον·
ὑμεῖς δ' ἃ φράζω δρᾶτε, καὶ τάχ' ἄν μ' ἴσως
πύθοισθε, κεἰ νῦν δυστυχῶ, σεσωμένον.

(*Ajax*, 646–92)

313. *Before Death*

ΑΙΑΣ

Ὁ μὲν σφαγεὺς ἕστηκεν ᾗ τομώτατος
γένοιτ' ἄν, εἴ τῳ καὶ λογίζεσθαι σχολή,
δῶρον μὲν ἀνδρὸς Ἕκτορος ξένων ἐμοὶ
μάλιστα μισηθέντος, ἐχθίστου θ' ὁρᾶν.
πέπηγε δ' ἐν γῇ πολεμίᾳ τῇ Τρῳάδι,

σιδηροβρῶτι θηγάνῃ νεηκονής·
ἔπηξα δ' αὐτὸν εὖ περιστείλας ἐγώ,
εὐνούστατον τῷδ' ἀνδρὶ διὰ τάχους θανεῖν.
οὕτω μὲν εὐσκευοῦμεν· ἐκ δὲ τῶνδέ μοι
σὺ πρῶτος, ὦ Ζεῦ, καὶ γὰρ εἰκός, ἄρκεσον.
αἰτήσομαι δέ σ' οὐ μακρὸν γέρας λαχεῖν.
πέμψον τιν' ἡμῖν ἄγγελον, κακὴν φάτιν
Τεύκρῳ φέροντα, πρῶτος ὥς με βαστάσῃ
πεπτῶτα τῷδε περὶ νεορράντῳ ξίφει,
καὶ μὴ πρὸς ἐχθρῶν του κατοπτευθεὶς πάρος
ῥιφθῶ κυσὶν πρόβλητος οἰωνοῖς θ' ἕλωρ.
τοσαῦτά σ', ὦ Ζεῦ, προστρέπω, καλῶ δ' ἅμα
πομπαῖον Ἑρμῆν χθόνιον εὖ με κοιμίσαι,
ξὺν ἀσφαδᾴστῳ καὶ ταχεῖ πηδήματι
πλευρὰν διαρρήξαντα τῷδε φασγάνῳ.
καλῶ δ' ἀρωγοὺς τὰς ἀεί τε παρθένους
ἀεί θ' ὁρώσας πάντα τὰν βροτοῖς πάθη,
σεμνὰς Ἐρινῦς τανύποδας, μαθεῖν ἐμὲ
πρὸς τῶν Ἀτρειδῶν ὡς διόλλυμαι τάλας.
καί σφας κακοὺς κάκιστα καὶ πανωλέθρους
ξυναρπάσειαν, ὥσπερ εἰσορῶσ' ἐμὲ
αὐτοσφαγῆ πίπτοντα· τὼς αὐτοσφαγεῖς
πρὸς τῶν φιλίστων ἐκγόνων ὀλοίατο.
ἴτ', ὦ ταχεῖαι ποίνιμοί τ' Ἐρινύες,
γεύεσθε, μὴ φείδεσθε πανδήμου στρατοῦ.
σὺ δ', ὦ τὸν αἰπὺν οὐρανὸν διφρηλατῶν
Ἥλιε, πατρῴαν τὴν ἐμὴν ὅταν χθόνα
ἴδῃς, ἐπισχὼν χρυσόνωτον ἡνίαν
ἄγγειλον ἄτας τὰς ἐμὰς μόρον τ' ἐμὸν
γέροντι πατρὶ τῇ τε δυστήνῳ τροφῷ.

οὐκ οἶδα τοιοῦδ' ἀνδρὸς ἔργα καὶ κράτη·
ἓν δ' ἴσθ'· ὅσων γὰρ εἰσεκήρυξαν βραβῆς
δρόμων διαύλων ἆθλ' ἅπερ νομίζεται,
τούτων ἐνεγκὼν πάντα κἀπινίκια
ὠλβίζετ', Ἀργεῖος μὲν ἀνακαλούμενος,
ὄνομα δ' Ὀρέστης, τοῦ τὸ κλεινὸν Ἑλλάδος
Ἀγαμέμνονος στράτευμ' ἀγείραντός ποτε.
καὶ ταῦτα μὲν τοιαῦθ'· ὅταν δέ τις θεῶν
βλάπτῃ, δύναιτ' ἂν οὐδ' ἂν ἰσχύων φυγεῖν.
κεῖνος γὰρ ἄλλης ἡμέρας, ὅθ' ἱππικῶν
ἦν ἡλίου τέλλοντος ὠκύπους ἀγών,
εἰσῆλθε πολλῶν ἁρματηλατῶν μέτα.
εἷς ἦν Ἀχαιός, εἷς ἀπὸ Σπάρτης, δύο
Λίβυες ζυγωτῶν ἁρμάτων ἐπιστάται·
κἀκεῖνος ἐν τούτοισι Θεσσαλὰς ἔχων
ἵππους, ὁ πέμπτος· ἕκτος ἐξ Αἰτωλίας
ξανθαῖσι πώλοις· ἕβδομος Μάγνης ἀνήρ·
ὁ δ' ὄγδοος λεύκιππος, Αἰνιὰν γένος·
ἔνατος Ἀθηνῶν τῶν θεοδμήτων ἄπο·
Βοιωτὸς ἄλλος, δέκατον ἐκπληρῶν ὄχον.
στάντες δ' ὅθ' αὐτοὺς οἱ τεταγμένοι βραβῆς
κλήροις ἔπηλαν καὶ κατέστησαν δίφρους,
χαλκῆς ὑπαὶ σάλπιγγος ᾖξαν· οἱ δ' ἅμα
ἵπποις ὁμοκλήσαντες ἡνίας χεροῖν
ἔσεισαν· ἐν δὲ πᾶς ἐμεστώθη δρόμος
κτύπου κροτητῶν ἁρμάτων· κόνις δ' ἄνω
φορεῖθ'· ὁμοῦ δὲ πάντες ἀναμεμειγμένοι
φείδοντο κέντρων οὐδέν, ὡς ὑπερβάλοι
χνόας τις αὐτῶν καὶ φρυάγμαθ' ἱππικά.
ὁμοῦ γὰρ ἀμφὶ νῶτα καὶ τροχῶν βάσεις

ἤφριζον, εἰσέβαλλον ἱππικαὶ πνοαί.
καὶ πρὶν μὲν ὀρθοὶ πάντες ἕστασαν δίφροι·
ἔπειτα δ' Αἰνιᾶνος ἀνδρὸς ἄστομοι
πῶλοι βίᾳ φέρουσιν, ἐκ δ' ὑποστροφῆς
τελοῦντες ἕκτον ἕβδομόν τ' ἤδη δρόμον
μέτωπα συμπαίουσι Βαρκαίοις ὄχοις·
κἀντεῦθεν ἄλλος ἄλλον ἐξ ἑνὸς κακοῦ
ἔθραυε κἀνέπιπτε, πᾶν δ' ἐπίμπλατο
ναυαγίων Κρισαῖον ἱππικῶν πέδον.
γνοὺς δ' οὑξ 'Αθηνῶν δεινὸς ἡνιοστρόφος
ἔξω παρασπᾷ κἀνοκωχεύει παρεὶς
κλύδων' ἔφιππον ἐν μέσῳ κυκώμενον.
ἤλαυνε δ' ἔσχατος μὲν ὑστέρας δ' ἔχων
πώλους 'Ορέστης, τῷ τέλει πίστιν φέρων·
ὃ δ' ὡς ὁρᾷ μόνον νιν ἐλλελειμμένον,
ὀξὺν δι' ὤτων κέλαδον ἐνσείσας θοαῖς
πώλοις διώκει, κἀξισώσαντε ζυγὰ
ἠλαυνέτην, τότ' ἄλλος, ἄλλοθ' ἅτερος
κάρα προβάλλων ἱππικῶν ὀχημάτων.
κεῖνος δ' ὑπ' αὐτὴν ἐσχάτην στήλην ἔχων
ἔχριμπτ' ἀεὶ σύριγγα, δεξιὸν δ' ἀνεὶς
σειραῖον ἵππον εἶργε τὸν προσκείμενον.
καὶ τοὺς μὲν ἄλλους πάντας ἀσφαλεῖς δρόμους
ὠρθοῦθ' ὁ τλήμων ὀρθὸς ἐξ ὀρθῶν δίφρων·
ἔπειτα λύων ἡνίαν ἀριστερὰν
κάμπτοντος ἵππου λανθάνει στήλην ἄκραν
παίσας· ἔθραυσε δ' ἄξονος μέσας χνόας,
κἀξ ἀντύγων ὤλισθεν· ἐν δ' ἑλίσσεται
τμητοῖς ἱμᾶσι· τοῦ δὲ πίπτοντος πέδῳ
πῶλοι διεσπάρησαν ἐς μέσον δρόμον.

στρατὸς δ' ὅπως ὁρᾷ νιν ἐκπεπτωκότα
δίφρων, ἀνωλόλυξε τὸν νεανίαν,
οἷ' ἔργα δράσας οἷα λαγχάνει κακά,
φορούμενος πρὸς οὖδας, ἄλλοτ' οὐρανῷ
σκέλη προφαίνων, ἔστε νιν διφρηλάται,
μόλις κατασχεθόντες ἵππικὸν δρόμον,
ἔλυσαν αἱματηρόν, ὥστε μηδένα
γνῶναι φίλων ἰδόντ' ἂν ἄθλιον δέμας.
καί νιν πυρᾷ κέαντες εὐθὺς ἐν βραχεῖ
χαλκῷ μέγιστον σῶμα δειλαίας σποδοῦ
φέρουσιν ἄνδρες Φωκέων τεταγμένοι,
ὅπως πατρῴας τύμβον ἐκλάχῃ χθονός.
τοιαῦτά σοι ταῦτ' ἐστίν, ὡς μὲν ἐν λόγοις
ἀλγεινά, τοῖς δ' ἰδοῦσιν, οἵπερ εἴδομεν,
μέγιστα πάντων ὧν ὄπωπ' ἐγὼ κακῶν.

(*Electra*, 681–763)

316. *A Burial-urn*

ΗΛΕΚΤΡΑ

Ὦ φιλτάτου μνημεῖον ἀνθρώπων ἐμοὶ
ψυχῆς Ὀρέστου λοιπόν, ὥς σ' ἀπ' ἐλπίδων
οὐχ ὥσπερ ἐξέπεμπον εἰσεδεξάμην.
νῦν μὲν γὰρ οὐδὲν ὄντα βαστάζω χεροῖν,
δόμων δέ σ', ὦ παῖ, λαμπρὸν ἐξέπεμψ' ἐγώ.
ὡς ὤφελον πάροιθεν ἐκλιπεῖν βίον,
πρὶν ἐς ξένην σε γαῖαν ἐκπέμψαι χεροῖν
κλέψασα τοῖνδε κἀνασώσασθαι φόνου,
ὅπως θανὼν ἔκεισο τῇ τόθ' ἡμέρᾳ,
τύμβου πατρῴου κοινὸν εἰληχὼς μέρος.
νῦν δ' ἐκτὸς οἴκων κἀπὶ γῆς ἄλλης φυγὰς

κακῶς ἀπώλου, σῆς κασιγνήτης δίχα·
κοὔτ᾽ ἐν φίλαισι χερσὶν ἡ τάλαιν᾽ ἐγὼ
λουτροῖς σ᾽ ἐκόσμησ᾽ οὔτε παμφλέκτου πυρὸς
ἀνειλόμην, ὡς εἰκός, ἄθλιον βάρος,
ἀλλ᾽ ἐν ξένῃσι χερσὶ κηδευθεὶς τάλας
σμικρὸς προσήκεις ὄγκος ἐν σμικρῷ κύτει.
οἴμοι τάλαινα τῆς ἐμῆς πάλαι τροφῆς
ἀνωφελήτου, τὴν ἐγὼ θάμ᾽ ἀμφὶ σοὶ
πόνῳ γλυκεῖ παρέσχον. οὔτε γάρ ποτε
μητρὸς σύ γ᾽ ἦσθα μᾶλλον ἢ κἀμοῦ φίλος,
οὔθ᾽ οἱ κατ᾽ οἶκον ἦσαν ἀλλ᾽ ἐγὼ τροφός,
ἐγὼ δ᾽ ἀδελφὴ σοὶ προσηυδώμην ἀεί.
νῦν δ᾽ ἐκλέλοιπε ταῦτ᾽ ἐν ἡμέρᾳ μιᾷ
θανόντι σὺν σοί. πάντα γὰρ συναρπάσας,
θύελλ᾽ ὅπως, βέβηκας. οἴχεται πατήρ·
τέθνηκ᾽ ἐγὼ σοί· φροῦδος αὐτὸς εἶ θανών·
γελῶσι δ᾽ ἐχθροί· μαίνεται δ᾽ ὑφ᾽ ἡδονῆς
μήτηρ ἀμήτωρ, ἧς ἐμοὶ σὺ πολλάκις
φήμας λάθρα προὔπεμπες ὡς φανούμενος
τιμωρὸς αὐτός. ἀλλὰ ταῦθ᾽ ὁ δυστυχὴς
δαίμων ὁ σός τε κἀμὸς ἐξαφείλετο,
ὅς σ᾽ ὧδέ μοι προὔπεμψεν ἀντὶ φιλτάτης
μορφῆς σποδόν τε καὶ σκιὰν ἀνωφελῆ.
οἴμοι μοι.
ὦ δέμας οἰκτρόν. φεῦ φεῦ.
ὦ δεινοτάτας, οἴμοι μοι,
πεμφθεὶς κελεύθους, φίλταθ᾽, ὥς μ᾽ ἀπώλεσας·
ἀπώλεσας δῆτ᾽, ὦ κασίγνητον κάρα.
τοιγὰρ σὺ δέξαι μ᾽ ἐς τὸ σὸν τόδε στέγος,
τὴν μηδὲν ἐς τὸ μηδέν, ὡς σὺν σοὶ κάτω

ναίω τὸ λοιπόν. καὶ γὰρ ἡνίκ' ἦσθ' ἄνω,
ξὺν σοὶ μετεῖχον τῶν ἴσων· καὶ νῦν ποθῶ
τοῦ σοῦ θανοῦσα μὴ ἀπολείπεσθαι τάφου.
τοὺς γὰρ θανόντας οὐχ ὁρῶ λυπουμένους.

(*Electra*, 1126–70)

317. *In Time of Pestilence*

ΧΟΡΟΣ

Ὦ Διὸς ἁδυεπὲς φάτι, τίς ποτε
τᾶς πολυχρύσου
Πυθῶνος ἀγλαὰς ἔβας
Θήβας; ἐκτέταμαι φοβερὰν φρένα
δείματι πάλλων
ἰήιε Δάλιε Παιάν,
ἀμφὶ σοὶ ἁζόμενος τί μοι ἢ νέον
ἢ περιτελλομέναις ὥραις πάλιν
ἐξανύσεις χρέος.
εἰπέ μοι, ὦ χρυσέας τέκνον Ἐλπίδος,
ἄμβροτε Φάμα.

πρῶτά σε κεκλόμενος, θύγατερ Διός,
ἄμβροτ' Ἀθάνα,
γαιάοχόν τ' ἀδελφεὰν
Ἄρτεμιν, ἃ κυκλόεντ' ἀγορᾶς θρόνον
Εὔκλεα θάσσει,
καὶ Φοῖβον ἑκαβόλον, ἰὼ
τρισσοὶ ἀλεξίμοροι προφάνητέ μοι,
εἴ ποτε καὶ προτέρας ἄτας ὕπερ
ὀρνυμένας πόλει
ἠνύσατ' ἐκτοπίαν φλόγα πήματος,
ἔλθετε καὶ νῦν.

ὢ πόποι, ἀνάριθμα γὰρ φέρω
πήματα· νοσεῖ δέ μοι πρόπας
στόλος, οὐδ' ἔνι φροντίδος ἔγχος
ᾧ τις ἀλέξεται. οὔτε γὰρ ἔκγονα
κλυτᾶς χθονὸς αὔξεται οὔτε τόκοισιν
ἰηίων
καμάτων ἀνέχουσι γυναῖκες·
ἄλλον δ' ἂν ἄλ-
λῳ προσίδοις ἅπερ εὔπτερον ὄρνιν
κρεῖσσον ἀμαιμακέτου πυρὸς ὄρμενον
ἀκτὰν πρὸς ἑσπέρου θεοῦ·

ὧν πόλις ἀνάριθμος ὄλλυται·
νηλέα δὲ γένεθλα πρὸς πέδῳ
θαναταφόρα κεῖται ἀνοίκτως·
ἐν δ' ἄλοχοι πολιαί τ' ἔπι ματέρες
ἀκτὰν παρὰ βώμιον ἄλλοθεν ἄλλαι
λυγρῶν πόνων
ἱκτῆρες ἐπιστενάχουσιν.
παιὰν δὲ λάμ-
πει στονόεσσά τε γῆρυς ὅμαυλος·
ὧν ὕπερ, ὦ χρυσέα θύγατερ Διός,
εὐῶπα πέμψον ἀλκάν·

Ἀρεά τε τὸν μαλερόν, ὃς
νῦν ἄχαλκος ἀσπίδων
φλέγει με περιβόατος ἀντιάζων,
παλίσσυτον δράμημα νωτίσαι πάτρας
ἄπουρον, εἴτ' ἐς μέγαν
θάλαμον Ἀμφιτρίτας

εἴτ' ἐς τὸν ἀπόξενον ὅρμων
Θρῄκιον κλύδωνα·
τέλει γάρ, εἴ τι νὺξ ἀφῇ,
τοῦτ' ἐπ' ἆμαρ ἔρχεται·
τόν, ὦ τᾶν πυρφόρων
ἀστραπᾶν κράτη νέμων,
ὦ Ζεῦ πάτερ, ὑπὸ σῷ φθίσον κεραυνῷ.

Λύκει' ἄναξ, τά τε σὰ χρυ-
σοστρόφων ἀπ' ἀγκυλᾶν
βέλεα θέλοιμ' ἂν ἀδάματ' ἐνδατεῖσθαι
ἀρωγὰ προσταθέντα, τάς τε πυρφόρους
'Αρτέμιδος αἴγλας, ξὺν αἷς
Λύκι' ὄρεα διᾴσσει·
τὸν χρυσομίτραν τε κικλήσκω,
τᾶσδ' ἐπώνυμον γᾶς,
οἰνῶπα βάκχον, εὔιον
Μαινάδων ὁμόστολον,
πελασθῆναι φλέγοντ'
ἀγλαῶπι σύμμαχον
πεύκᾳ 'πὶ τὸν ἀπότιμον ἐν θεοῖς θεόν.

(*Oedipus Tyrannus*, 151–215)

318. *God and Man*

ΧΟΡΟΣ

Εἴ μοι ξυνείη φέροντι μοῖρα τὰν
εὔσεπτον ἁγνείαν λόγων
ἔργων τε πάντων, ὧν νόμοι πρόκεινται
ὑψίποδες, οὐρανίᾳ 'ν

αἰθέρι τεκνωθέντες, ὧν Ὄλυμπος
πατὴρ μόνος, οὐδέ νιν
θνατὰ φύσις ἀνέρων
ἔτικτεν, οὐδὲ μήποτε λά-
θα κατακοιμάσῃ·
μέγας ἐν τούτοις θεός, οὐδὲ γηράσκει.

ὕβρις φυτεύει τύραννον· ὕβρις, εἰ
πολλῶν ὑπερπλησθῇ μάταν,
ἃ μὴ 'πίκαιρα μηδὲ συμφέροντα,
ἀκρότατα γεῖσ' ἀναβᾶσ'
ἀπότομον ὤρουσεν εἰς ἀνάγκαν
ἔνθ' οὐ ποδὶ χρησίμῳ
χρῆται. τὸ καλῶς δ' ἔχον
πόλει πάλαισμα μήποτε λῦ-
σαι θεὸν αἰτοῦμαι.
θεὸν οὐ λήξω ποτὲ προστάταν ἴσχων.

εἰ δέ τις ὑπέροπτα χερ-
σὶν ἢ λόγῳ πορεύεται,
Δίκας ἀφόβητος, οὐδὲ
δαιμόνων ἕδη σέβων,
κακά νιν ἕλοιτο μοῖρα,
δυσπότμου χάριν χλιδᾶς.
εἰ μὴ τὸ κέρδος κερδανεῖ δικαίως
καὶ τῶν ἀσέπτων ἔρξεται,
ἢ τῶν ἀθίκτων ἕξεται ματᾴζων,
τίς ἔτι ποτ' ἐν τοῖσδ' ἀνὴρ βέλη θεῶν
ἔρξεται ψυχᾶς ἀμύ-
νων; εἰ γὰρ αἱ τοιαίδε πράξεις τίμιαι,
τί δεῖ με χορεύειν;

οὐκέτι τὸν ἄθικτον εἶ-
μι γᾶς ἐπ' ὀμφαλὸν σέβων,
οὐδ' ἐς τὸν Ἀβαῖσι ναόν,
οὐδὲ τὰν Ὀλυμπίαν,
εἰ μὴ τάδε χειρόδεικτα
πᾶσιν ἁρμόσει βροτοῖς.
ἀλλ', ὦ κρατύνων, εἴπερ ὄρθ' ἀκούεις,
Ζεῦ, πάντ' ἀνάσσων, μὴ λάθοι
σὲ τάν τε σὰν ἀθάνατον αἰὲν ἀρχάν.
φθίνοντα γὰρ Λαΐου παλαιὰ
θέσφατ' ἐξαιροῦσιν ἤ-
δη, κοὐδαμοῦ τιμαῖς Ἀπόλλων ἐμφανής·
ἔρρει δὲ τὰ θεῖα.

(*Oedipus Tyrannus*, 863–910)

319. *Jocasta's Death*

ΕΞΑΓΓΕΛΟΣ, ΧΟΡΟΣ

Εξ. Ὦ γῆς μέγιστα τῆσδ' ἀεὶ τιμώμενοι,
οἷ' ἔργ' ἀκούσεσθ', οἷα δ' εἰσόψεσθ', ὅσον δ'
ἀρεῖσθε πένθος, εἴπερ ἐγγενῶς ἔτι
τῶν Λαβδακείων ἐντρέπεσθε δωμάτων.
οἶμαι γὰρ οὔτ' ἂν Ἴστρον οὔτε Φᾶσιν ἂν
νίψαι καθαρμῷ τήνδε τὴν στέγην, ὅσα
κεύθει, τὰ δ' αὐτίκ' ἐς τὸ φῶς φανεῖ κακὰ
ἑκόντα κοὐκ ἄκοντα. τῶν δὲ πημονῶν
μάλιστα λυποῦσ' αἳ φανῶσ' αὐθαίρετοι.
Χο. λείπει μὲν οὐδ' ἃ πρόσθεν ᾔδεμεν τὸ μὴ οὐ
βαρύστον' εἶναι· πρὸς δ' ἐκείνοισιν τί φής;
Εξ. ὁ μὲν τάχιστος τῶν λόγων εἰπεῖν τε καὶ
μαθεῖν, τέθνηκε θεῖον Ἰοκάστης κάρα.

Χο. ὦ δυστάλαινα, πρὸς τίνος ποτ' αἰτίας;
Εξ. αὐτὴ πρὸς αὑτῆς. τῶν δὲ πραχθέντων τὰ μὲν
ἄλγιστ' ἄπεστιν· ἡ γὰρ ὄψις οὐ πάρα.
ὅμως δ', ὅσον γε κἀν ἐμοὶ μνήμης ἔνι,
πεύσῃ τὰ κείνης ἀθλίας παθήματα.
ὅπως γὰρ ὀργῇ χρωμένη παρῆλθ' ἔσω
θυρῶνος, ἵετ' εὐθὺς ἐς τὰ νυμφικὰ
λέχη, κόμην σπῶσ' ἀμφιδεξίοις ἀκμαῖς·
πύλας δ', ὅπως εἰσῆλθ', ἐπιρράξασ' ἔσω,
καλεῖ τὸν ἤδη Λάιον πάλαι νεκρόν,
μνήμην παλαιῶν σπερμάτων ἔχουσ', ὑφ' ὧν
θάνοι μὲν αὐτός, τὴν δὲ τίκτουσαν λίποι
τοῖς οἷσιν αὐτοῦ δύστεκνον παιδουργίαν.
γοᾶτο δ' εὐνάς, ἔνθα δύστηνος διπλοῦς
ἐξ ἀνδρὸς ἄνδρα καὶ τέκν' ἐκ τέκνων τέκοι.
χὤπως μὲν ἐκ τῶνδ' οὐκέτ' οἶδ' ἀπόλλυται·
βοῶν γὰρ εἰσέπαισεν Οἰδίπους, ὑφ' οὗ
οὐκ ἦν τὸ κείνης ἐκθεάσασθαι κακόν,
ἀλλ' εἰς ἐκεῖνον περιπολοῦντ' ἐλεύσσομεν.
φοιτᾷ γὰρ ἡμᾶς ἔγχος ἐξαιτῶν πορεῖν,
γυναῖκά τ' οὐ γυναῖκα, μητρῴαν δ' ὅπου
κίχοι διπλῆν ἄρουραν οὗ τε καὶ τέκνων.
λυσσῶντι δ' αὐτῷ δαιμόνων δείκνυσί τις·
οὐδεὶς γὰρ ἀνδρῶν, οἳ παρῆμεν ἐγγύθεν.
δεινὸν δ' ἀύσας ὡς ὑφηγητοῦ τινος
πύλαις διπλαῖς ἐνήλατ', ἐκ δὲ πυθμένων
ἔκλινε κοῖλα κλῇθρα κἀμπίπτει στέγῃ.
οὗ δὴ κρεμαστὴν τὴν γυναῖκ' εἰσείδομεν,
πλεκταῖς ἑώραις ἐμπεπλεγμένην. ὁ δέ,
ὅπως ὁρᾷ νιν, δεινὰ βρυχηθεὶς τάλας,

χαλᾷ κρεμαστὴν ἀρτάνην. ἐπεὶ δὲ γῇ
ἔκειτο τλήμων, δεινὰ δ' ἦν τἀνθένδ' ὁρᾶν.
ἀποσπάσας γὰρ εἱμάτων χρυσηλάτους
περόνας ἀπ' αὐτῆς, αἶσιν ἐξεστέλλετο,
ἄρας ἔπαισεν ἄρθρα τῶν αὑτοῦ κύκλων,
αὐδῶν τοιαῦθ', ὁθούνεκ' οὐκ ὄψοιντό νιν
οὔθ' οἷ' ἔπασχεν οὔθ' ὁποῖ' ἔδρα κακά,
ἀλλ' ἐν σκότῳ τὸ λοιπὸν οὓς μὲν οὐκ ἔδει
ὀψοίαθ', οὓς δ' ἔχρῃζεν οὐ γνωσοίατο.
τοιαῦτ' ἐφυμνῶν πολλάκις τε κοὐχ ἅπαξ
ἤρασσε περόναις βλέφαρα. φοίνιαι δ' ὁμοῦ
γλῆναι γένει' ἔτεγγον, οὐδ' ἀνίεσαν
φόνου μυδώσας σταγόνας, ἀλλ' ὁμοῦ μέλας
ὄμβρος χάλαζά θ' αἱματοῦσσ' ἐτέγγετο.
  τάδ' ἐς δυοῖν ἔρρωγεν οὐ μόνου κάρα
ἀλλ' ἀνδρὶ καὶ γυναικὶ συμμιγῆ κακά.
ὁ πρὶν παλαιὸς δ' ὄλβος ἦν πάροιθε μὲν
ὄλβος δικαίως, νῦν δὲ τῇδε θἠμέρᾳ
στεναγμός, ἄτη, θάνατος, αἰσχύνη, κακῶν
ὅσ' ἐστὶ πάντων ὀνόματ', οὐδέν ἐστ' ἀπόν.

(*Oedipus Tyrannus*, 1223–85)

320. *Blindness*

ΟΙΔΙΠΟΥΣ

Ὡς μὲν τάδ' οὐχ ὧδ' ἔστ' ἄριστ' εἰργασμένα,
μή μ' ἐκδίδασκε, μηδὲ συμβούλευ' ἔτι.
ἐγὼ γὰρ οὐκ οἶδ' ὄμμασιν ποίοις βλέπων
πατέρα ποτ' ἂν προσεῖδον εἰς Ἅιδου μολών,
οὐδ' αὖ τάλαιναν μητέρ', οἷν ἐμοὶ δυοῖν
ἔργ' ἐστὶ κρείσσον' ἀγχόνης εἰργασμένα.

ἀλλ' ἡ τέκνων δῆτ' ὄψις ἦν ἐφίμερος,
βλαστοῦσ' ὅπως ἔβλαστε, προσλεύσσειν ἐμοί;
οὐ δῆτα τοῖς γ' ἐμοῖσιν ὀφθαλμοῖς ποτε·
οὐδ' ἄστυ γ', οὐδὲ πύργος, οὐδὲ δαιμόνων
ἀγάλμαθ' ἱερά, τῶν ὁ παντλήμων ἐγὼ
κάλλιστ' ἀνὴρ εἷς ἔν γε ταῖς Θήβαις τραφεὶς
ἀπεστέρησ' ἐμαυτόν, αὐτὸς ἐννέπων
ὠθεῖν ἅπαντας τὸν ἀσεβῆ, τὸν ἐκ θεῶν
φανέντ' ἄναγνον καὶ γένους τοῦ Λαΐου.
τοιάνδ' ἐγὼ κηλῖδα μηνύσας ἐμὴν
ὀρθοῖς ἔμελλον ὄμμασιν τούτους ὁρᾶν;
ἥκιστά γ'· ἀλλ' εἰ τῆς ἀκουούσης ἔτ' ἦν
πηγῆς δι' ὤτων φραγμός, οὐκ ἂν ἐσχόμην
τὸ μὴ ἀποκλῇσαι τοὐμὸν ἄθλιον δέμας,
ἵν' ἦ τυφλός τε καὶ κλύων μηδέν· τὸ γὰρ
τὴν φροντίδ' ἔξω τῶν κακῶν οἰκεῖν γλυκύ.
ἰὼ Κιθαιρών, τί μ' ἐδέχου; τί μ' οὐ λαβὼν
ἔκτεινας εὐθύς, ὡς ἔδειξα μήποτε
ἐμαυτὸν ἀνθρώποισιν ἔνθεν ἦ γεγώς;
ὦ Πόλυβε καὶ Κόρινθε καὶ τὰ πάτρια
λόγῳ παλαιὰ δώμαθ', οἷον ἆρά με
κάλλος κακῶν ὕπουλον ἐξεθρέψατε.
νῦν γὰρ κακός τ' ὢν κἀκ κακῶν εὑρίσκομαι.
ὦ τρεῖς κέλευθοι καὶ κεκρυμμένη νάπη
δρυμός τε καὶ στενωπὸς ἐν τριπλαῖς ὁδοῖς,
αἳ τοὐμὸν αἷμα τῶν ἐμῶν χειρῶν ἄπο
ἐπίετε πατρός, ἆρά μου μέμνησθ' ἔτι
οἷ' ἔργα δράσας ὑμὶν εἶτα δεῦρ' ἰὼν
ὁποῖ' ἔπρασσον αὖθις; ὦ γάμοι γάμοι,
ἐφύσαθ' ἡμᾶς, καὶ φυτεύσαντες πάλιν

ἀνεῖτε ταὐτὸν σπέρμα, κἀπεδείξατε
πατέρας, ἀδελφούς, παῖδας, αἷμ᾽ ἐμφύλιον,
νύμφας γυναῖκας μητέρας τε, χὠπόσα
αἴσχιστ᾽ ἐν ἀνθρώποισιν ἔργα γίγνεται.
ἀλλ᾽, οὐ γὰρ αὐδᾶν ἔσθ᾽ ἃ μηδὲ δρᾶν καλόν,
ὅπως τάχιστα πρὸς θεῶν ἔξω μέ που
καλύψατ᾽, ἢ φονεύσατ᾽, ἢ θαλάσσιον
ἐκρίψατ᾽, ἔνθα μήποτ᾽ εἰσόψεσθ᾽ ἔτι.
ἴτ᾽, ἀξιώσατ᾽ ἀνδρὸς ἀθλίου θιγεῖν·
πίθεσθε, μὴ δείσητε· τἀμὰ γὰρ κακὰ
οὐδεὶς οἷός τε πλὴν ἐμοῦ φέρειν βροτῶν.

(*Oedipus Tyrannus*, 1369–1415)

321. *What a Piece of Work is Man!*

ΧΟΡΟΣ

Πολλὰ τὰ δεινὰ κοὐδὲν ἀν-
θρώπου δεινότερον πέλει·
τοῦτο καὶ πολιοῦ πέραν
πόντου χειμερίῳ νότῳ
χωρεῖ, περιβρυχίοισιν
περῶν ὑπ᾽ οἴδμασιν, θεῶν
τε τὰν ὑπερτάταν, Γᾶν
ἄφθιτον, ἀκαμάταν ἀποτρύεται,
ἰλλομένων ἀρότρων ἔτος εἰς ἔτος,
ἱππείῳ γένει πολεύων.

κουφονόων τε φῦλον ὀρ-
νίθων ἀμφιβαλὼν ἀγρεῖ
καὶ θηρῶν ἀγρίων ἔθνη

πόντου τ' εἰναλίαν φύσιν
σπείραισι δικτυοκλώστοις,
περιφραδὴς ἀνήρ· κρατεῖ
δὲ μηχαναῖς ἀγραύλου
θηρὸς ὀρεσσιβάτα, λασιαύχενά θ'
ἵππον ὑπαξέμεν ἀμφίλοφον ζυγὸν
οὔρειόν τ' ἀκμῆτα ταῦρον.

καὶ φθέγμα καὶ ἀνεμόεν
φρόνημα καὶ ἀστυνόμους
ὀργὰς ἐδιδάξατο καὶ δυσαύλων
πάγων ὑπαίθρεια καὶ
δύσομβρα φεύγειν βέλη
παντοπόρος· ἄπορος ἐπ' οὐδὲν ἔρχεται
τὸ μέλλον· Ἅιδα μόνον
φεῦξιν οὐκ ἐπάξεται·
νόσων δ' ἀμαχάνων φυγὰς
ξυμπέφρασται.

σοφόν τι τὸ μαχανόεν
τέχνας ὑπὲρ ἐλπίδ' ἔχων
τοτὲ μὲν κακόν, ἄλλοτ' ἐπ' ἐσθλὸν ἕρπει,
νόμους περαίνων χθονὸς
θεῶν τ' ἔνορκον δίκαν·
ὑψίπολις· ἄπολις ὅτῳ τὸ μὴ καλὸν
ξύνεστι τόλμας χάριν.
μήτ' ἐμοὶ παρέστιος
γένοιτο μήτ' ἴσον φρονῶν
ὃς τάδ' ἔρδοι.

(*Antigone*, 332–75)

322. *The Undying Law*

ΑΝΤΙΓΟΝΗ

Οὐ γάρ τί μοι Ζεὺς ἦν ὁ κηρύξας τάδε,
οὐδ' ἡ ξύνοικος τῶν κάτω θεῶν Δίκη
τοιούσδ' ἐν ἀνθρώποισιν ὥρισεν νόμους,
οὐδὲ σθένειν τοσοῦτον ᾠόμην τὰ σὰ
κηρύγμαθ' ὥστ' ἄγραπτα κἀσφαλῆ θεῶν
νόμιμα δύνασθαι θνητὸν ὄνθ' ὑπερδραμεῖν.
οὐ γάρ τι νῦν γε κἀχθές, ἀλλ' ἀεί ποτε
ζῇ ταῦτα, κοὐδεὶς οἶδεν ἐξ ὅτου 'φάνη.
τούτων ἐγὼ οὐκ ἔμελλον, ἀνδρὸς οὐδενὸς
φρόνημα δείσασ', ἐν θεοῖσι τὴν δίκην
δώσειν· θανουμένη γὰρ ἐξῄδη, τί δ' οὔ;
κεἰ μὴ σὺ προυκήρυξας. εἰ δὲ τοῦ χρόνου
πρόσθεν θανοῦμαι, κέρδος αὔτ' ἐγὼ λέγω.
ὅστις γὰρ ἐν πολλοῖσιν ὡς ἐγὼ κακοῖς
ζῇ, πῶς ὅδ' οὐχὶ κατθανὼν κέρδος φέρει;
οὕτως ἔμοιγε τοῦδε τοῦ μόρου τυχεῖν
παρ' οὐδὲν ἄλγος· ἀλλ' ἄν, εἰ τὸν ἐξ ἐμῆς
μητρὸς θανόντ' ἄθαπτον ἠνσχόμην νέκυν,
κείνοις ἂν ἤλγουν· τοῖσδε δ' οὐκ ἀλγύνομαι.
σοὶ δ' εἰ δοκῶ νῦν μῶρα δρῶσα τυγχάνειν,
σχεδόν τι μώρῳ μωρίαν ὀφλισκάνω.

(*Antigone*, 450–70)

323. *Unconquerable Love*

ΧΟΡΟΣ

Ἔρως ἀνίκατε μάχαν,
Ἔρως, ὃς ἐν κτήμασι πίπτεις,
ὃς ἐν μαλακαῖς παρειαῖς

νεάνιδος ἐννυχεύεις,
φοιτᾷς δ' ὑπερπόντιος ἔν τ'
ἀγρονόμοις αὐλαῖς·
καί σ' οὔτ' ἀθανάτων φύξιμος οὐδεὶς
οὔθ' ἁμερίων σέ γ' ἀνθρώ-
πων, ὁ δ' ἔχων μέμηνεν.

σὺ καὶ δικαίων ἀδίκους
φρένας παρασπᾷς ἐπὶ λώβᾳ·
σὺ καὶ τόδε νεῖκος ἀνδρῶν
ξύναιμον ἔχεις ταράξας·
νικᾷ δ' ἐναργὴς βλεφάρων
ἵμερος εὐλέκτρου
νύμφας, τῶν μεγάλων πάρεδρος ἐν ἀρχαῖς
θεσμῶν· ἄμαχος γὰρ ἐμπαί-
ζει θεὸς Ἀφροδίτα.

(*Antigone*, 781–801)

324. *The Last Journey*

ΑΝΤΙΓΟΝΗ

Ὁρᾶτ' ἔμ', ὦ γᾶς πατρίας πολῖται,
τὰν νεάταν ὁδὸν
στείχουσαν, νέατον δὲ φέγ-
γος λεύσσουσαν ἀελίου,
κοὔποτ' αὖθις· ἀλλά μ' ὁ παγ-
κοίτας Ἅιδας ζῶσαν ἄγει
τὰν Ἀχέροντος
ἀκτάν, οὔθ' ὑμεναίων
ἔγκληρον, οὔτ' ἐπὶ νυμ-
φείοις πώ μέ τις ὕμνος ὕ-
μνησεν, ἀλλ' Ἀχέροντι νυμφεύσω.

ἤκουσα δὴ λυγροτάταν ὀλέσθαι
τὰν Φρυγίαν ξέναν
Ταντάλου Σιπύλῳ πρὸς ἄ-
κρῳ, τὰν κισσὸς ὡς ἀτενὴς
πετραία βλάστα δάμασεν,
καί νιν ὄμβροι τακομέναν,
ὡς φάτις ἀνδρῶν,
χιών τ' οὐδαμὰ λείπει,
τέγγει δ' ὑπ' ὀφρύσι παγ-
κλαύτοις δειράδας· ᾇ με δαί-
μων ὁμοιοτάταν κατευνάζει.

(*Antigone*, 806–16, 823–33)

325. *Buried Alive*

ΑΝΤΙΓΟΝΗ

Ὦ τύμβος, ὦ νυμφεῖον, ὦ κατασκαφὴς
οἴκησις αἰείφρουρος, οἷ πορεύομαι
πρὸς τοὺς ἐμαυτῆς, ὧν ἀριθμὸν ἐν νεκροῖς
πλεῖστον δέδεκται Φερσέφασσ' ὀλωλότων·
ὧν λοισθία 'γὼ καὶ κάκιστα δὴ μακρῷ
κάτειμι, πρίν μοι μοῖραν ἐξήκειν βίου.
ἐλθοῦσα μέντοι κάρτ' ἐν ἐλπίσιν τρέφω
φίλη μὲν ἥξειν πατρί, προσφιλὴς δὲ σοί,
μῆτερ, φίλη δὲ σοί, κασίγνητον κάρα.
ἐπεὶ θανόντας αὐτόχειρ ὑμᾶς ἐγὼ
ἔλουσα κἀκόσμησα κἀπιτυμβίους
χοὰς ἔδωκα· νῦν δέ, Πολύνεικες, τὸ σὸν
δέμας περιστέλλουσα τοιάδ' ἄρνυμαι. . . .
ἀλλ' εἰ μὲν οὖν τάδ' ἐστὶν ἐν θεοῖς καλά,

παθόντες ἂν ξυγγνοῖμεν ἡμαρτηκότες·
εἰ δ' οἵδ' ἁμαρτάνουσι, μὴ πλείω κακὰ
πάθοιεν ἢ καὶ δρῶσιν ἐκδίκως ἐμέ.

(*Antigone*, 891–903, 925–8)

326. *Heracles*

ΔΗΙΑΝΕΙΡΑ, ΧΟΡΟΣ, ΛΙΧΑΣ

Δη. Μή, πρός σε τοῦ κατ' ἄκρον Οἰταῖον νάπος
Διὸς καταστράπτοντος, ἐκκλέψῃς λόγον.
οὐ γὰρ γυναικὶ τοὺς λόγους ἐρεῖς κακῇ,
οὐδ' ἥτις οὐ κάτοιδε τἀνθρώπων, ὅτι
χαίρειν πέφυκεν οὐχὶ τοῖς αὐτοῖς ἀεί.
Ἔρωτι μέν νυν ὅστις ἀντανίσταται
πύκτης ὅπως ἐς χεῖρας, οὐ καλῶς φρονεῖ.
οὗτος γὰρ ἄρχει καὶ θεῶν ὅπως θέλει,
κἀμοῦ γε· πῶς δ' οὐ χἀτέρας οἵας γ' ἐμοῦ;
ὥστ' εἴ τι τὠμῷ τ' ἀνδρὶ τῇδε τῇ νόσῳ
ληφθέντι μεμπτός εἰμι, κάρτα μαίνομαι,
ἢ τῇδε τῇ γυναικί, τῇ μεταιτίᾳ
τοῦ μηδὲν αἰσχροῦ μηδ' ἐμοὶ κακοῦ τινος.
οὐκ ἔστι ταῦτ'. ἀλλ' εἰ μὲν ἐκ κείνου μαθὼν
ψεύδῃ, μάθησιν οὐ καλὴν ἐκμανθάνεις·
εἰ δ' αὐτὸς αὑτὸν ὧδε παιδεύεις, ὅταν
θέλῃς γενέσθαι χρηστός, ὀφθήσῃ κακός.
ἀλλ' εἰπὲ πᾶν τἀληθές· ὡς ἐλευθέρῳ
ψευδεῖ καλεῖσθαι κὴρ πρόσεστιν οὐ καλή.
ὅπως δὲ λήσεις, οὐδὲ τοῦτο γίγνεται·
πολλοὶ γὰρ οἷς εἴρηκας, οἳ φράσουσ' ἐμοί.
κεἰ μὲν δέδοικας, οὐ καλῶς ταρβεῖς, ἐπεὶ

τὸ μὴ πυθέσθαι, τοῦτό μ' ἀλγύνειεν ἄν·
τὸ δ' εἰδέναι τί δεινόν; οὐχὶ χἀτέρας
πλείστας ἀνὴρ εἷς Ἡρακλῆς ἔγημε δή;
κοὔπω τις αὐτῶν ἔκ γ' ἐμοῦ λόγον κακὸν
ἠνέγκατ' οὐδ' ὄνειδος· ἥδε τ' οὐδ' ἂν εἰ
κάρτ' ἐντακείη τῷ φιλεῖν, ἐπεί σφ' ἐγὼ
ᾤκτιρα δὴ μάλιστα προσβλέψασ', ὅτι
τὸ κάλλος αὐτῆς τὸν βίον διώλεσεν,
καὶ γῆν πατρῴαν οὐχ ἑκοῦσα δύσμορος
ἔπερσε κἀδούλωσεν. ἀλλὰ ταῦτα μὲν
ῥείτω κατ' οὖρον· σοὶ δ' ἐγὼ φράζω κακὸν
πρὸς ἄλλον εἶναι, πρὸς δ' ἔμ' ἀψευδεῖν ἀεί.
Χο. πιθοῦ λεγούσῃ χρηστά, κοὐ μέμψῃ χρόνῳ
γυναικὶ τῇδε, κἀπ' ἐμοῦ κτήσῃ χάριν.
Λι. ἀλλ', ὦ φίλη δέσποιν', ἐπεί σε μανθάνω
θνητὴν φρονοῦσαν θνητὰ κοὐκ ἀγνώμονα,
πᾶν σοι φράσω τἀληθὲς οὐδὲ κρύψομαι.
ἔστιν γὰρ οὕτως ὥσπερ οὗτος ἐννέπει.
ταύτης ὁ δεινὸς ἵμερός ποθ' Ἡρακλῆ
διῆλθε, καὶ τῆσδ' οὕνεχ' ἡ πολύφθορος
καθῃρέθη πατρῷος Οἰχαλία δορί.
καὶ ταῦτα, δεῖ γὰρ καὶ τὸ πρὸς κείνου λέγειν,
οὔτ' εἶπε κρύπτειν οὔτ' ἀπηρνήθη ποτέ,
ἀλλ' αὐτός, ὦ δέσποινα, δειμαίνων τὸ σὸν
μὴ στέρνον ἀλγύνοιμι τοῖσδε τοῖς λόγοις,
ἥμαρτον, εἴ τι τήνδ' ἁμαρτίαν νέμεις.
ἐπεί γε μὲν δὴ πάντ' ἐπίστασαι λόγον,
κείνου τε καὶ σὴν ἐξ ἴσου κοινὴν χάριν
καὶ στέργε τὴν γυναῖκα καὶ βούλου λόγους
οὓς εἶπας ἐς τήνδ' ἐμπέδως εἰρηκέναι.

ὡς τἄλλ' ἐκεῖνος πάντ' ἀριστεύων χεροῖν
τοῦ τῆσδ' ἔρωτος εἰς ἅπανθ' ἥσσων ἔφυ.

(*Trachiniae*, 436–89.)

327. *Deianira's Wooing*

ΧΟΡΟΣ

Μέγα τι σθένος ἁ Κύπρις ἐκφέρεται
νίκας ἀεί.
καὶ τὰ μὲν θεῶν
παρέβαν, καὶ ὅπως Κρονίδαν ἀπάτα-
σεν οὐ λέγω,
οὐδὲ τὸν ἔννυχον Ἅιδαν,
ἢ Ποσειδάωνα τινάκτορα γαίας·
ἀλλ' ἐπὶ τάνδ' ἄρ' ἄκοιτιν
τίνες ἀμφίγυοι κατέβαν πρὸ γάμων,
τίνες πάμπληκτα παγκόνιτά τ' ἐξ-
ῆλθον ἄεθλ' ἀγώνων;

ὁ μὲν ἦν ποταμοῦ σθένος, ὑψίκερω
τετραόρου
φάσμα ταύρου,
Ἀχελῷος ἀπ' Οἰνιαδᾶν, ὁ δὲ Βακ-
χίας ἄπο
ἦλθε παλίντονα Θήβας
τόξα καὶ λόγχας ῥόπαλόν τε τινάσσων,
παῖς Διός· οἳ τότ' ἀολλεῖς
ἴσαν ἐς μέσον ἱέμενοι λεχέων·
μόνα δ' εὔλεκτρος ἐν μέσῳ Κύπρις
ῥαβδονόμει ξυνοῦσα.

τότ᾽ ἦν χερός, ἦν δὲ τόξων
πάταγος, ταυ-
ρείων τ᾽ ἀνάμιγδα κεράτων·
ἦν δ᾽ ἀμφίπλι-
κτοι κλίμακες, ἦν δὲ μετώπων
ὀλόεντα
πλήγματα καὶ στόνος ἀμφοῖν.
ἁ δ᾽ εὐῶπις ἁβρὰ
τηλαυγεῖ παρ᾽ ὄχθῳ
ἧστο, τὸν ὃν προσμένουσ᾽ ἀκοίταν.
ἐγὼ δὲ μάτηρ μὲν οἷα φράζω·
τὸ δ᾽ ἀμφινείκητον ὄμμα νύμφας
ἐλεινὸν ἀμμένει·
κἀπὸ ματρὸς ἄφαρ βέβαχ᾽,
ὥστε πόρτις ἐρήμα.

(*Trachiniae*, 497–530)

328. *Philoctetes Deserted*

ΦΙΛΟΚΤΗΤΗΣ

Τότ᾽ ἄσμενοί μ᾽ ὡς εἶδον ἐκ πολλοῦ σάλου
εὕδοντ᾽ ἐπ᾽ ἀκτῆς ἐν κατηρεφεῖ πέτρᾳ,
λιπόντες ᾤχονθ᾽, οἷα φωτὶ δυσμόρῳ
ῥάκη προθέντες βαιὰ καί τι καὶ βορᾶς
ἐπωφέλημα σμικρόν, οἷ᾽ αὐτοῖς τύχοι.
σὺ δή, τέκνον, ποίαν μ᾽ ἀνάστασιν δοκεῖς
αὐτῶν βεβώτων ἐξ ὕπνου στῆναι τότε;
ποῖ᾽ ἐκδακρῦσαι, ποῖ᾽ ἀποιμῶξαι κακά;
ὁρῶντα μὲν ναῦς, ἃς ἔχων ἐναυστόλουν,
πάσας βεβώσας, ἄνδρα δ᾽ οὐδέν᾽ ἔντοπον,
οὐχ ὅστις ἀρκέσειεν, οὐδ᾽ ὅστις νόσου

κάμνοντι συλλάβοιτο· πάντα δὲ σκοπῶν
ηὕρισκον οὐδὲν πλὴν ἀνιᾶσθαι παρόν,
τούτου δὲ πολλὴν εὐμάρειαν, ὦ τέκνον.
ὁ μὲν χρόνος δὴ διὰ χρόνου προὔβαινέ μοι,
κἄδει τι βαιᾷ τῇδ' ὑπὸ στέγῃ μόνον
διακονεῖσθαι· γαστρὶ μὲν τὰ σύμφορα
τόξον τόδ' ἐξηύρισκε, τὰς ὑποπτέρους
βάλλον πελείας· πρὸς δὲ τοῦθ', ὅ μοι βάλοι
νευροσπαδὴς ἄτρακτος, αὐτὸς ἂν τάλας
εἰλυόμην δύστηνον ἐξέλκων πόδα
πρὸς τοῦτ' ἄν· εἴ τ' ἔδει τι καὶ ποτὸν λαβεῖν,
καί που πάγου χυθέντος, οἷα χείματι,
ξύλον τι θραῦσαι, ταῦτ' ἂν ἐξέρπων τάλας
ἐμηχανώμην· εἶτα πῦρ ἂν οὐ παρῆν,
ἀλλ' ἐν πέτροισι πέτρον ἐκτρίβων μόλις
ἔφην' ἄφαντον φῶς, ὃ καὶ σῴζει μ' ἀεί.
οἰκουμένη γὰρ οὖν στέγη πυρὸς μέτα
πάντ' ἐκπορίζει πλὴν τὸ μὴ νοσεῖν ἐμέ.

(*Philoctetes*, 271–99)

329. *The Stolen Bow*

ΦΙΛΟΚΤΗΤΗΣ

Ὦ πῦρ σὺ καὶ πᾶν δεῖμα καὶ πανουργίας
δεινῆς τέχνημ' ἔχθιστον, οἷά μ' εἰργάσω,
οἷ' ἠπάτηκας· οὐδ' ἐπαισχύνῃ μ' ὁρῶν
τὸν προστρόπαιον, τὸν ἱκέτην, ὦ σχέτλιε;
ἀπεστέρηκας τὸν βίον τὰ τόξ' ἑλών.
ἀπόδος, ἱκνοῦμαί σ', ἀπόδος, ἱκετεύω, τέκνον
πρὸς θεῶν πατρῴων, τὸν βίον με μὴ ἀφέλῃς.
ὤμοι τάλας. ἀλλ' οὐδὲ προσφωνεῖ μ' ἔτι,

ἀλλ᾽ ὡς μεθήσων μήποθ᾽, ὧδ᾽ ὁρᾷ πάλιν.
ὦ λιμένες, ὦ προβλῆτες, ὦ ξυνουσίαι
θηρῶν ὀρείων, ὦ καταρρῶγες πέτραι,
ὑμῖν τάδ᾽, οὐ γὰρ ἄλλον οἶδ᾽ ὅτῳ λέγω,
ἀνακλαίομαι παροῦσι τοῖς εἰωθόσιν,
οἷ᾽ ἔργ᾽ ὁ παῖς μ᾽ ἔδρασεν οὑξ Ἀχιλλέως·
ὀμόσας ἀπάξειν οἴκαδ᾽, ἐς Τροίαν μ᾽ ἄγει·
προσθείς τε χεῖρα δεξιάν, τὰ τόξα μου
ἱερὰ λαβὼν τοῦ Ζηνὸς Ἡρακλέους ἔχει,
καὶ τοῖσιν Ἀργείοισι φήνασθαι θέλει,
ὡς ἄνδρ᾽ ἑλών μ᾽ ἰσχυρὸν ἐκ βίας ἄγει,
κοὐκ οἶδ᾽ ἐναίρων νεκρόν, ἢ καπνοῦ σκιάν,
εἴδωλον ἄλλως. οὐ γὰρ ἂν σθένοντά γε
εἷλέν μ᾽· ἐπεὶ οὐδ᾽ ἂν ὧδ᾽ ἔχοντ᾽, εἰ μὴ δόλῳ.
νῦν δ᾽ ἠπάτημαι δύσμορος. τί χρή με δρᾶν;
ἀλλ᾽ ἀπόδος. ἀλλὰ νῦν ἔτ᾽ ἐν σαυτοῦ γενοῦ.
τί φής; σιωπᾷς. οὐδέν εἰμ᾽ ὁ δύσμορος.
ὦ σχῆμα πέτρας δίπυλον, αὖθις αὖ πάλιν
εἴσειμι πρὸς σὲ ψιλός, οὐκ ἔχων τροφήν·
ἀλλ᾽ αὐανοῦμαι τῷδ᾽ ἐν αὐλίῳ μόνος,
οὐ πτηνὸν ὄρνιν, οὐδὲ θῆρ᾽ ὀρειβάτην
τόξοις ἐναίρων τοισίδ᾽, ἀλλ᾽ αὐτὸς τάλας
θανὼν παρέξω δαῖτ᾽ ἀφ᾽ ὧν ἐφερβόμην,
καί μ᾽ οὓς ἐθήρων πρόσθε θηράσουσι νῦν·
φόνον φόνου δὲ ῥύσιον τείσω τάλας
πρὸς τοῦ δοκοῦντος οὐδὲν εἰδέναι κακόν.
ὄλοιο μή πω, πρὶν μάθοιμ᾽ εἰ καὶ πάλιν
γνώμην μετοίσεις· εἰ δὲ μή, θάνοις κακῶς.

(*Philoctetes*, 927–62)

330. *Everything Decays*

ΟΙΔΙΠΟΥΣ

Ὦ φίλτατ' Αἰγέως παῖ, μόνοις οὐ γίγνεται
θεοῖσι γῆρας οὐδὲ κατθανεῖν ποτε,
τὰ δ' ἄλλα συγχεῖ πάνθ' ὁ παγκρατὴς χρόνος.
φθίνει μὲν ἰσχὺς γῆς, φθίνει δὲ σώματος,
θνῄσκει δὲ πίστις, βλαστάνει δ' ἀπιστία,
καὶ πνεῦμα ταὐτὸν οὔποτ' οὔτ' ἐν ἀνδράσιν
φίλοις βέβηκεν οὔτε πρὸς πόλιν πόλει.
τοῖς μὲν γὰρ ἤδη, τοῖς δ' ἐν ὑστέρῳ χρόνῳ
τὰ τερπνὰ πικρὰ γίγνεται καὖθις φίλα.
καὶ ταῖσι Θήβαις εἰ τανῦν εὐημερεῖ
καλῶς τὰ πρὸς σέ, μυρίας ὁ μυρίος
χρόνος τεκνοῦται νύκτας ἡμέρας τ' ἰών,
ἐν αἷς τὰ νῦν ξύμφωνα δεξιώματα
δόρει διασκεδῶσιν ἐκ σμικροῦ λόγου·
ἵν' οὑμὸς εὕδων καὶ κεκρυμμένος νέκυς
ψυχρός ποτ' αὐτῶν θερμὸν αἷμα πίεται,
εἰ Ζεὺς ἔτι Ζεὺς χὡ Διὸς Φοῖβος σαφής.

(*Oedipus Coloneus*, 607–23)

331. *The Grove of Colonus*

ΧΟΡΟΣ

Εὐίππου, ξένε, τᾶσδε χώ-
ρας ἵκου τὰ κράτιστα γᾶς ἔπαυλα,
τὸν ἀργῆτα Κολωνόν, ἔνθ'
ἁ λίγεια μινύρεται

θαμίζουσα μάλιστ᾽ ἀη-
δὼν χλωραῖς ὑπὸ βάσσαις,
τὸν οἰνωπὸν ἔχουσα κισ-
σὸν καὶ τὰν ἄβατον θεοῦ
φυλλάδα μυριόκαρπον ἀνάλιον
ἀνήνεμόν τε πάντων
χειμώνων· ἵν᾽ ὁ βακχιώ-
τας ἀεὶ Διόνυσος ἐμβατεύει
θείαις ἀμφιπολῶν τιθήναις.

θάλλει δ᾽ οὐρανίας ὑπ᾽ ἄ-
χνας ὁ καλλίβοτρυς κατ᾽ ἦμαρ αἰεὶ
νάρκισσος, μεγάλοιν θεοῖν
ἀρχαῖον στεφάνωμ᾽, ὅ τε
χρυσαυγὴς κρόκος· οὐδ᾽ ἄυ-
πνοι κρῆναι μινύθουσιν
Κηφισοῦ νομάδες ῥεέ-
θρων, ἀλλ᾽ αἰὲν ἐπ᾽ ἤματι
ὠκυτόκος πεδίων ἐπινίσεται
ἀκηράτῳ σὺν ὄμβρῳ
στερνούχου χθονός· οὐδὲ Μου-
σᾶν χοροί νιν ἀπεστύγησαν, οὐδ᾽ αὖ
ἁ χρυσάνιος Ἀφροδίτα.

ἔστιν δ᾽ οἷον ἐγὼ γᾶς
Ἀσίας οὐκ ἐπακούω,
οὐδ᾽ ἐν τᾷ μεγάλᾳ Δωρίδι νάσῳ
Πέλοπος πώποτε βλαστὸν
φύτευμ᾽ ἀχείρωτον αὐτοποιόν,
ἐγχέων φόβημα δαΐων,

ὃ τᾷδε θάλλει μέγιστα χώρᾳ,
γλαυκᾶς παιδοτρόφου φύλλον ἐλαίας·
τὸ μέν τις οὐ νεαρὸς οὐδὲ γήρᾳ
συνναίων ἁλιώσει χερὶ πέρσας· ὁ
γὰρ εἰσαιὲν ὁρῶν κύκλος
λεύσσει νιν Μορίου Διὸς
χἀ γλαυκῶπις Ἀθάνα.

ἄλλον δ' αἶνον ἔχω μα-
τροπόλει τᾷδε κράτιστον,
δῶρον τοῦ μεγάλου δαίμονος, εἰπεῖν,
χθονὸς αὔχημα μέγιστον,
εὔιππον, εὔπωλον, εὐθάλασσον.
ὦ παῖ Κρόνου, σὺ γάρ νιν ἐς
τόδ' εἷσας αὔχημ', ἄναξ Ποσειδάν,
ἵπποισιν τὸν ἀκεστῆρα χαλινὸν
πρώταισι ταῖσδε κτίσας ἀγυιαῖς.
ἁ δ' εὐήρετμος ἔκπαγλ' ἁλία χερσὶ
παραιθυσσομένα πλάτα
θρῴσκει, τῶν ἑκατομπόδων
Νηρῄδων ἀκόλουθος.

(*Oedipus Coloneus*, 668–719)

332. *Old Age*

ΧΟΡΟΣ

Ὅστις τοῦ πλέονος μέρους
χρῄζει τοῦ μετρίου παρεὶς
ζώειν, σκαιοσύναν φυλάσ-
σων ἐν ἐμοὶ κατάδηλος ἔσται.

ἐπεὶ πολλὰ μὲν αἱ μακραὶ
ἁμέραι κατέθεντο δὴ
λύπας ἐγγυτέρω, τὰ τέρ-
ποντα δ' οὐκ ἂν ἴδοις ὅπου,
ὅταν τις ἐς πλέον πέσῃ
τοῦ δέοντος· ὁ δ' ἐπίκουρος ἰσοτέλεστος,
"Αϊδος ὅτε μοῖρ' ἀνυμέναιος
ἄλυρος ἄχορος ἀναπέφηνε,
θάνατος ἐς τελευτάν.

μὴ φῦναι τὸν ἅπαντα νι-
κᾷ λόγον· τὸ δ', ἐπεὶ φανῇ,
βῆναι κεῖσ' ὁπόθεν περ ἥ-
κει πολὺ δεύτερον ὡς τάχιστα.
ὡς εὖτ' ἂν τὸ νέον παρῇ
κούφας ἀφροσύνας φέρον,
τίς πλάγχθη πολὺ μόχθος ἔ-
ξω; τίς οὐ καμάτων ἔνι;
φθόνος, στάσεις, ἔρις, μάχαι
καὶ φόνοι· τό τε κατάμεμπτον ἐπιλέλογχε
πύματον ἀκρατὲς ἀπροσόμιλον
γῆρας ἄφιλον, ἵνα πρόπαντα
κακὰ κακῶν ξυνοικεῖ.

ἐν ᾧ τλάμων ὅδ', οὐκ ἐγὼ μόνος,
πάντοθεν βόρειος ὥς τις ἀκτὰ
κυματοπλὴξ χειμερία κλονεῖται,
ὣς καὶ τόνδε κατ' ἄκρας
δειναὶ κυματοαγεῖς
ἆται κλονέουσιν ἀεὶ ξυνοῦσαι,

αἱ μὲν ἀπ' ἀελίου δυσμᾶν,
 αἱ δ' ἀνατέλλοντος,
αἱ δ' ἀνὰ μέσσαν ἀκτῖν',
 αἱ δ' ἐννυχιᾶν ἀπὸ 'Ριπᾶν.

(*Oedipus Coloneus*, 1211–48)

333. *The Passing of Oedipus*

ΑΓΓΕΛΟΣ

'Ως μὲν γὰρ ἐνθένδ' εἷρπε, καὶ σύ που παρὼν
ἔξοισθ', ὑφηγητῆρος οὐδενὸς φίλων,
ἀλλ' αὐτὸς ἡμῖν πᾶσιν ἐξηγούμενος·
ἐπεὶ δ' ἀφῖκτο τὸν καταρράκτην ὀδὸν
χαλκοῖς βάθροισι γῆθεν ἐρριζωμένον,
ἔστη κελεύθων ἐν πολυσχίστων μιᾷ,
κοίλου πέλας κρατῆρος, οὗ τὰ Θησέως
Περίθου τε κεῖται πίστ' ἀεὶ ξυνθήματα·
ἀφ' οὗ μέσος στὰς τοῦ τε Θορικίου πέτρου
κοίλης τ' ἀχέρδου κἀπὸ λαΐνου τάφου
καθέζετ'· εἶτ' ἔλυσε δυσπινεῖς στολάς.
κἄπειτ' ἀΰσας παῖδας ἠνώγει ῥυτῶν
ὑδάτων ἐνεγκεῖν λουτρὰ καὶ χοάς ποθεν·
τὼ δ' εὐχλόου Δήμητρος εἰς προσόψιον
πάγον μολοῦσαι τάσδ' ἐπιστολὰς πατρὶ
ταχεῖ 'πόρευσαν σὺν χρόνῳ, λουτροῖς τέ νιν
ἐσθῆτί τ' ἐξήσκησαν ᾗ νομίζεται.
ἐπεὶ δὲ παντὸς εἶχε δρῶντος ἡδονήν,
κοὐκ ἦν ἔτ' οὐδὲν ἀργὸν ὧν ἐφίετο,
κτύπησε μὲν Ζεὺς χθόνιος, αἱ δὲ παρθένοι
ῥίγησαν ὡς ἤκουσαν· ἐς δὲ γούνατα

πατρὸς πεσοῦσαι κλαῖον, οὐδ' ἀνίεσαν
στέρνων ἀραγμοὺς οὐδὲ παμμήκεις γόους.
ὁ δ' ὡς ἀκούει φθόγγον ἐξαίφνης πικρόν,
πτύξας ἐπ' αὐταῖς χεῖρας εἶπεν· "ὦ τέκνα,
οὐκ ἔστ' ἔθ' ὑμῖν τῇδ' ἐν ἡμέρᾳ πατήρ.
ὄλωλε γὰρ δὴ πάντα τἀμά, κοὐκέτι
τὴν δυσπόνητον ἕξετ' ἀμφ' ἐμοὶ τροφήν·
σκληρὰν μέν, οἶδα, παῖδες· ἀλλ' ἓν γὰρ μόνον
τὰ πάντα λύει ταῦτ' ἔπος μοχθήματα.
τὸ γὰρ φιλεῖν οὐκ ἔστιν ἐξ ὅτου πλέον
ἢ τοῦδε τἀνδρὸς ἔσχεθ', οὗ τητώμεναι
τὸ λοιπὸν ἤδη τὸν βίον διάξετον."
τοιαῦτ' ἐπ' ἀλλήλοισιν ἀμφικείμενοι
λύγδην ἔκλαιον πάντες. ὡς δὲ πρὸς τέλος
γόων ἀφίκοντ' οὐδ' ἔτ' ὠρώρει βοή,
ἦν μὲν σιωπή, φθέγμα δ' ἐξαίφνης τινὸς
θώϋξεν αὐτόν, ὥστε πάντας ὀρθίας
στῆσαι φόβῳ δείσαντας ἐξαίφνης τρίχας.
καλεῖ γὰρ αὐτὸν πολλὰ πολλαχῇ θεός·
"ὦ οὗτος οὗτος, Οἰδίπους, τί μέλλομεν
χωρεῖν; πάλαι δὴ τἀπὸ σοῦ βραδύνεται."
ὁ δ' ὡς ἐπῄσθετ' ἐκ θεοῦ καλούμενος,
αὐδᾷ μολεῖν οἱ γῆς ἄνακτα Θησέα.
κἀπεὶ προσῆλθεν, εἶπεν· "ὦ φίλον κάρα,
δός μοι χερὸς σῆς πίστιν ὁρκίαν τέκνοις,
ὑμεῖς τε, παῖδες, τῷδε· καὶ καταίνεσον
μήποτε προδώσειν τάσδ' ἑκών, τελεῖν δ' ὅσ' ἂν
μέλλῃς φρονῶν εὖ ξυμφέροντ' αὐταῖς ἀεί."
ὁ δ', ὡς ἀνὴρ γενναῖος, οὐκ οἴκτου μέτα
κατῄνεσεν τάδ' ὅρκιος δράσειν ξένῳ.

ὅπως δὲ ταῦτ' ἔδρασεν, εὐθὺς Οἰδίπους
ψαύσας ἀμαυραῖς χερσὶν ὧν παίδων λέγει·
"ὦ παῖδε, τλάσας χρὴ τὸ γενναῖον φρενὶ
χωρεῖν τόπων ἐκ τῶνδε, μηδ' ἃ μὴ θέμις
λεύσσειν δικαιοῦν, μηδὲ φωνούντων κλύειν.
ἀλλ' ἕρπεθ' ὡς τάχιστα· πλὴν ὁ κύριος
Θησεὺς παρέστω μανθάνων τὰ δρώμενα."
τοσαῦτα φωνήσαντος εἰσηκούσαμεν
ξύμπαντες· ἀστακτὶ δὲ σὺν ταῖς παρθένοις
στένοντες ὡμαρτοῦμεν. ὡς δ' ἀπήλθομεν,
χρόνῳ βραχεῖ στραφέντες, ἐξαπείδομεν
τὸν ἄνδρα τὸν μὲν οὐδαμοῦ παρόντ' ἔτι,
ἄνακτα δ' αὐτὸν ὀμμάτων ἐπίσκιον
χεῖρ' ἀντέχοντα κρατός, ὡς δεινοῦ τινος
φόβου φανέντος οὐδ' ἀνασχετοῦ βλέπειν.
ἔπειτα μέντοι βαιὸν οὐδὲ σὺν χρόνῳ
ὁρῶμεν αὐτὸν γῆν τε προσκυνοῦνθ' ἅμα
καὶ τὸν θεῶν Ὄλυμπον ἐν ταὐτῷ λόγῳ.
μόρῳ δ' ὁποίῳ κεῖνος ὤλετ' οὐδ' ἂν εἷς
θνητῶν φράσειε πλὴν τὸ Θησέως κάρα.
οὐ γάρ τις αὐτὸν οὔτε πυρφόρος θεοῦ
κεραυνὸς ἐξέπραξεν οὔτε ποντία
θύελλα κινηθεῖσα τῷ τότ' ἐν χρόνῳ,
ἀλλ' ἤ τις ἐκ θεῶν πομπός, ἢ τὸ νερτέρων
εὔνουν διαστὰν γῆς ἀλάμπετον βάθρον.
ἀνὴρ γὰρ οὐ στενακτὸς οὐδὲ σὺν νόσοις
ἀλγεινὸς ἐξεπέμπετ', ἀλλ' εἴ τις βροτῶν
θαυμαστός. εἰ δὲ μὴ δοκῶ φρονῶν λέγειν,
οὐκ ἂν παρείμην οἷσι μὴ δοκῶ φρονεῖν.

(*Oedipus Coloneus*, 1587–66)

334. *Wind in the Poplars*

Ὥσπερ γὰρ ἐν φύλλοισιν αἰγείρου μακρᾶς,
κἂν ἄλλο μηδέν, ἀλλὰ τοὐκείνης κάρα
κινεῖ τις αὔρα κἀνακουφίζει πτερόν.

(*Aegeus*)

335. *Night Fears*

Θάρσει, γύναι· τὰ πολλὰ τῶν δεινῶν, ὄναρ
πνεύσαντα νυκτός, ἡμέρας μαλάσσεται.

(*Acrisius*)

336. *Hecate*

Ἥλιε δέσποτα καὶ πῦρ ἱερόν,
τῆς εἰνοδίας Ἑκάτης ἔγχος,
τὸ δι' Οὐλύμπου πωλοῦσα φέρει
καὶ γῆς ναίουσ' ἱερὰς τριόδους,
στεφανωσαμένη δρυῒ καὶ πλεκτοῖς
ὠμῶν σπείραισι δρακόντων.

(*Rhizotomi*)

337. *Womankind*

Νῦν δ' οὐδέν εἰμι χωρίς. ἀλλὰ πολλάκις
ἔβλεψα ταύτῃ τὴν γυναικείαν φύσιν,
ὡς οὐδέν ἐσμεν. αἳ νέαι μὲν ἐν πατρὸς
ἥδιστον, οἶμαι, ζῶμεν ἀνθρώπων βίον·
τερπνῶς γὰρ ἀεὶ παῖδας ἁνοία τρέφει.
ὅταν δ' ἐς ἥβην ἐξικώμεθ' ἔμφρονες.
ὠθούμεθ' ἔξω καὶ διεμπολώμεθα
θεῶν πατρῴων τῶν τε φυσάντων ἄπο,
αἱ μὲν ξένους πρὸς ἄνδρας, αἱ δὲ βαρβάρους,

αἱ δ' εἰς ἀληθῆ δώμαθ', αἱ δ' ἐπίρροθα.
καὶ ταῦτ', ἐπειδὰν εὐφρόνη ζεύξῃ μία,
χρεὼν ἐπαινεῖν καὶ δοκεῖν καλῶς ἔχειν.

(*Tereus*)

338. *Suave mari magno*

Φεῦ φεῦ, τί τούτου χάρμα μεῖζον ἂν λάβοις
τοῦ γῆς ἐπιψαύσαντα κᾆθ' ὑπὸ στέγῃ
πυκνῆς ἀκοῦσαι ψακάδος εὑδούσῃ φρενί;

(*Tympanistae*)

339. *The God of War*

Τυφλὸς γάρ, ὦ γυναῖκες, οὐδ' ὁρῶν Ἄρης
συὸς προσώπῳ πάντα τυρβάζει κακά.

340. *Fortune is like the Moon*

Ἀλλ' οὑμὸς αἰεὶ πότμος ἐν πυκνῷ θεοῦ
τροχῷ κυκλεῖται καὶ μεταλλάσσει φύσιν,
ὥσπερ σελήνης ὄψις εὐφρόνας δύο
στῆναι δύναιτ' ἂν οὔποτ' ἐν μορφῇ μιᾷ,
ἀλλ' ἐξ ἀδήλου πρῶτον ἔρχεται νέα
πρόσωπα καλλύνουσα καὶ πληρουμένη,
χὤταν περ αὑτῆς εὐπρεπεστάτη φανῇ,
πάλιν διαρρεῖ κἀπὶ μηδὲν ἔρχεται.

341. *Melting Ice*

Τὸ γὰρ νόσημα τοὖτ' ἐφίμερον κακόν·
ἔχοιμ' ἂν αὐτὸ μὴ κακῶς ἀπεικάσαι.
ὅταν πάγου φανέντος αἰθρίου χεροῖν
κρύσταλλον ἁρπάσωσι παῖδες εὐπαγῆ,
τὰ πρῶτ' ἔχουσιν ἡδονὰς ποταινίους·

τέλος δ' ὁ κρυμὸς οὔθ' ὅπως ἀφῇ θέλει,
οὔτ' ἐν χεροῖν τὸ πῆγμα σύμφορον μένειν.
οὕτω δὲ τοὺς ἐρῶντας αὐτὸς ἵμερος
δρᾶν καὶ τὸ μὴ δρᾶν πολλάκις προσίεται.

(*Achillis Amatores*)

342. *The Power of Love*

Ὦ παῖδες, ἥ τοι Κύπρις οὐ Κύπρις μόνον,
ἀλλ' ἐστὶ πολλῶν ὀνομάτων ἐπώνυμος.
ἔστιν μὲν Ἅιδης, ἔστι δ' ἄφθιτος βία,
ἔστιν δὲ λύσσα μανίας, ἔστι δ' ἵμερος
ἄκρατος, ἔστ' οἰμωγμός. ἐν κείνῃ τὸ πᾶν
σπουδαῖον, ἡσυχαῖον, εἰς βίαν ἄγον.
ἐντήκεται γὰρ πλευμόνων ὅσοις ἔνι
ψυχή· τίς οὐχὶ τῆσδε δεύτερος θεοῦ;
εἰσέρχεται μὲν ἰχθύων πλωτῷ γένει,
χέρσου δ' ἔνεστιν ἐν τετρασκελεῖ γονῇ·
νωμᾷ δ' ἐν οἰωνοῖσι τοὐκείνης πτερόν,
ἐν θηρσίν, ἐν βροτοῖσιν, ἐν θεοῖς ἄνω.
τίν' οὐ παλαίουσ' ἐς τρὶς ἐκβάλλει θεῶν;
εἴ μοι θέμις, θέμις δὲ τἀληθῆ λέγειν,
Διὸς τυραννεῖ πλευμόνων, ἄνευ δορός,
ἄνευ σιδήρου· πάντα τοι συντέμνεται
Κύπριδι τὰ θνητῶν καὶ θεῶν βουλεύματα.

343. *The Edge of the World*

Ὑπέρ τε πόντον πάντ' ἐπ' ἔσχατα χθονὸς
νυκτός τε πηγὰς οὐρανοῦ τ' ἀναπτυχάς,
Φοίβου παλαιὸν κῆπον.

(*Orithyia*)

344. *A Lyre*

ΚΥΛΛΗΝΗ, ΧΟΡΟΣ

Κυ. μὴ νῦν ἀπίστει, πιστὰ γάρ σε προσγελᾷ θεᾶς ἔπη.
Χο. καὶ πῶς πίθωμαι τοῦ θανόντος φθέγμα τοιοῦτον βρέμειν;
Κυ. πιθοῦ· θανὼν γὰρ ἔσχε φωνήν, ζῶν δ' ἄναυδος ἦν ὁ θήρ.
Χο. ποῖος τις ἦν εἶδος; προμήκης ἢ 'πίκυρτος ἢ βραχύς;
Κυ. βραχὺς χυτρώδης ποικίλῃ δορᾷ κατερρικνωμένος.
Χο. ὡς αἰέλουρος εἰκάσαι πέφυκεν ἢ 'τως πόρδαλις;
Κυ. πλεῖστον μεταξύ, γογγύλον γάρ ἐστι καὶ βραχυσκελές.
Χο. οὐδ' ὡς ἰχνευτῇ προσφερὲς πέφυκεν οὐδ' ὡς καρκίνῳ;
Κυ. οὐδ' αὖ τοιοῦτόν ἐστιν, ἀλλ' ἄλλον τιν' ἐξευροῦ τρόπον.
Χο. ἀλλ' ὡς κεράστης κάνθαρος δῆτ' ἐστὶν Αἰτναῖος φυήν;
Κυ. νῦν ἐγγυς ἔγνως ᾧ μάλιστα προσφερὲς τὸ κνώδαλον.
Χο. τί δ' αὖ τὸ φωνοῦν ἐστιν αὐτοῦ, τοὐντὸς ἢ τοὔξω, φράσον.
Κυ. . . . . ὀρεινὴ σύγγονος τῶν ὀστράκων.
Χο. ποῖον δὲ τοὔνομ' ἐννέπεις; πόρσυνον, εἴ τι πλέον ἔχεις.
Κυ. τὸν θῆρα μὲν χέλυν, τὸ φωνοῦν δ' αὖ λύραν ὁ παῖς καλεῖ.

(*Ichneutae*, 291–305)

(494–434 B.C.)

345. *The Limitations of Knowledge*

Στεινωποὶ μὲν γὰρ παλάμαι κατὰ γυῖα κέχυνται·
πολλὰ δὲ δείλ' ἔμπαια, τά τ' ἀμβλύνουσι μερίμνας.
παῦρον δὲ ζωῆς ἰδίου μέρος ἀθρήσαντες
ὠκύμοροι καπνοῖο δίκην ἀρθέντες ἀπέπταν
αὐτὸ μόνον πεισθέντες, ὅτῳ προσέκυρσεν ἕκαστος
πάντοσ' ἐλαυνόμενοι, τὸ δ' ὅλον πᾶς εὔχεται εὑρεῖν·
οὕτως οὔτ' ἐπιδερκτὰ τάδ' ἀνδράσιν οὐδ' ἐπακουστὰ
οὔτε νόῳ περιληπτά. σὺ δ' οὖν, ἔπει ὧδ' ἐλιάσθης,
πεύσεαι οὐ πλέον ἠὲ βροτείη μῆτις ὄρωρεν.

346. *Nature the Artist*

Ὡς δ' ὁπόταν γραφέες ἀναθήματα ποικίλλωσιν
ἀνέρες ἀμφὶ τέχνης ὑπὸ μήτιος εὖ δεδαῶτε,
οἵτ' ἐπεὶ οὖν μάρψωσι πολύχροα φάρμακα χερσίν,
ἁρμονίῃ μείξαντε τὰ μὲν πλέω, ἄλλα δ' ἐλάσσω,
ἐκ τῶν εἴδεα πᾶσιν ἀλίγκια πορσύνουσι,
δένδρεά τε κτίζοντε καὶ ἀνέρας ἠδὲ γυναῖκας
θῆράς τ' οἰωνούς τε καὶ ὑδατοθρέμμονας ἰχθῦς
καί τε θεοὺς δολιχαίωνας τιμῇσι φερίστους·
οὕτω μή σ' ἀπάτη φρένα καινύτω ἄλλοθεν εἶναι
θνητῶν, ὅσσα γε δῆλα γεγάκασιν ἄσπετα, πηγήν,
ἀλλὰ τορῶς ταῦτ' ἴσθι, θεοῦ πάρα μῦθον ἀκούσας.

347. *The Divine Philosopher*

Ὦ φίλοι, οἳ μέγα ἄστυ κατὰ ξανθοῦ Ἀκράγαντος
ναίετ' ἀν' ἄκρα πόλεος, ἀγαθῶν μελεδήμονες ἔργων,

ξείνων αἰδοῖοι λιμένες κακότητος ἄπειροι,
χαίρετ'· ἐγὼ δ' ὑμῖν θεὸς ἄμβροτος, οὐκέτι θνητὸς
πωλεῦμαι μετὰ πᾶσι τετιμένος, ὥσπερ ἔοικα,
ταινίαις τε περίστεπτος στέφεσίν τε θαλείοις·
τοῖσιν ἅμ' εὖτ' ἂν ἵκωμαι ἐς ἄστεα τηλεθάοντα,
ἀνδράσιν ἠδὲ γυναιξί, σεβίζομαι· οἱ δ' ἅμ' ἕπονται
μυρίοι ἐξερέοντες, ὅπῃ πρὸς κέρδος ἀταρπός.

348. *The Blood-guilty*

Ἔστιν Ἀνάγκης χρῆμα, θεῶν ψήφισμα παλαιόν,
ἀίδιον, πλατέεσσι κατεσφρηγισμένον ὅρκοις·
εὖτε τις ἀμπλακίῃσι φόνῳ φίλα γυῖα μιήνῃ,
Νείκεΐ θ' ὅς κ' ἐπίορκον ἁμαρτήσας ἐπομόσσῃ,
δαίμονες οἵτε μακραίωνος λελάχασι βίοιο,
τρίς μιν μυρίας ὧρας ἀπὸ μακάρων ἀλάλησθαι,
φυομένους παντοῖα διὰ χρόνου εἴδεα θνητῶν
ἀργαλέας βιότοιο μεταλλάσσοντα κελεύθους.
αἰθέριον μὲν γάρ σφε μένος πόντονδε διώκει,
πόντος δ' ἐς χθονὸς οὖδας ἀπέπτυσε, γαῖα δ' ἐς αὐγὰς
ἠελίου φαέθοντος, ὁ δ' αἰθέρος ἔμβαλε δίναις·
ἄλλος δ' ἐξ ἄλλου δέχεται, στυγέουσι δὲ πάντες.

349. *Transmigration*

Ἤδη γάρ ποτ' ἐγὼ γενόμην κοῦρός τε κόρη τε
θάμνος τ' οἰωνός τε καὶ ἔξαλος ἔλλοπος ἰχθύς.

(480–406 B.C.)

350. *A Cyclops's Philosophy*

ΚΥΚΛΩΨ

Ὁ πλοῦτος, ἀνθρωπίσκε, τοῖς σοφοῖς θεός,
τὰ δ' ἄλλα κόμποι καὶ λόγων εὐμορφίαι.
ἄκρας δ' ἐναλίας ἃς καθίδρυται πατὴρ
χαίρειν κελεύω· τί τάδε προὐστήσω λόγῳ;
Ζηνὸς δ' ἐγὼ κεραυνὸν οὐ φρίσσω, ξένε,
οὐδ' οἶδ' ὅ τι Ζεύς ἐστ' ἐμοῦ κρείσσων θεός.
οὔ μοι μέλει τὸ λοιπόν· ὡς δ' οὔ μοι μέλει,
ἄκουσον. ὅταν ἄνωθεν ὄμβρον ἐκχέῃ,
ἐν τῇδε πέτρᾳ στέγν' ἔχων σκηνώματα,
ἢ μόσχον ὀπτὸν ἤ τι θήρειον δάκος
δαινύμενος, εὖ τέγγων τε γαστέρ' ὑπτίαν,
ἐπεκπιὼν γάλακτος ἀμφορέα, πέπλον
κρούω, Διὸς βρονταῖσιν εἰς ἔριν κτυπῶν.
ὅταν δὲ βορέας χιόνα Θρῄκιος χέῃ,
δοραῖσι θηρῶν σῶμα περιβαλὼν ἐμὸν
καὶ πῦρ ἀναίθων—χιόνος οὐδέν μοι μέλει.
ἡ γῆ δ' ἀνάγκῃ, κἂν θέλῃ κἂν μὴ θέλῃ,
τίκτουσα ποίαν τἀμὰ πιαίνει βοτά.
ἁγὼ οὔτινι θύω πλὴν ἐμοί, θεοῖσι δ' οὔ,
καὶ τῇ μεγίστῃ, γαστρὶ τῇδε, δαιμόνων.
ὡς τοὐμπιεῖν γε κἀμφαγεῖν τοὐφ' ἡμέραν
Ζεὺς οὗτος ἀνθρώποισι τοῖσι σώφροσιν,
λυπεῖν δὲ μηδὲν αὑτόν. οἳ δὲ τοὺς νόμους
ἔθεντο ποικίλλοντες ἀνθρώπων βίον,
κλαίειν ἄνωγα· τὴν δ' ἐμὴν ψυχὴν ἐγὼ
οὐ παύσομαι δρῶν εὖ—κατεσθίων τε σέ.

ξένιά τε λήψῃ τοιάδ', ὡς ἄμεμπτος ὦ,
πῦρ καὶ πατρῷον τόνδε λέβητά γ', ὃς ζέσας
σὴν σάρκα διαφόρητον ἀμφέξει καλῶς.
ἀλλ' ἕρπετ' εἴσω, τῷ κατ' αὔλιον θεῷ
ἵν' ἀμφὶ βωμὸν στάντες εὐωχῆτέ με.

(*Cyclops*, 316–46)

351. *To Alcestis*

ΧΟΡΟΣ

Ὦ Πελίου θύγατερ,
χαίρουσά μοι εἰν Ἀίδαο δόμοις
τὸν ἀνάλιον οἶκον οἰκετεύοις.
ἴστω δ' Ἀίδας ὁ μελαγχαίτας θεὸς ὅς τ' ἐπὶ κώπᾳ
πηδαλίῳ τε γέρων
νεκροπομπὸς ἵζει,
πολὺ δὴ πολὺ δὴ γυναῖκ' ἀρίσταν
λίμναν Ἀχεροντίαν πορεύ-
σας ἐλάτᾳ δικώπῳ.

πολλά σε μουσοπόλοι
μέλψουσι καθ' ἑπτάτονόν τ' ὀρείαν
χέλυν ἔν τ' ἀλύροις κλέοντες ὕμνοις,
Σπάρτᾳ κύκλος ἁνίκα Καρνείου περινίσσεται ὥρας
μηνός, ἀειρομένας
παννύχου σελάνας,
λιπαραῖσί τ' ἐν ὀλβίαις Ἀθάναις.
τοίαν ἔλιπες θανοῦσα μολ-
πὰν μελέων ἀοιδοῖς.

εἴθ' ἐπ' ἐμοὶ μὲν εἴη,
δυναίμαν δέ σε πέμψαι

φάος ἐξ Ἀίδα τεράμνων
καὶ Κωκυτοῖο ῥεέθρων
ποταμίᾳ νερτέρᾳ τε κώπᾳ.
σὺ γὰρ ὦ, μόνα, ὦ φίλα γυναικῶν,
σὺ τὸν αὑτᾶς
ἔτλας πόσιν ἀντὶ σᾶς ἀμεῖψαι
ψυχᾶς ἐξ Ἅιδα. κοῦφα σοι
χθὼν ἐπάνωθε πέσοι, γύναι. εἰ δέ τι
καινὸν ἕλοιτο πόσις λέχος, ἦ μάλ' ἂν ἔμοιγ' ἂν εἴη
στυγηθεὶς τέκνοις τε τοῖς σοῖς.

(*Alcestis*, 435–65)

352. *Hospitality*

ΗΡΑΚΛΗΣ

Οὗτος, τί σεμνὸν καὶ πεφροντικὸς βλέπεις;
οὐ χρὴ σκυθρωπὸν τοῖς ξένοις τὸν πρόσπολον
εἶναι, δέχεσθαι δ' εὐπροσηγόρῳ φρενί.
σὺ δ' ἄνδρ' ἑταῖρον δεσπότου παρόνθ' ὁρῶν,
στυγνῷ προσώπῳ καὶ συνωφρυωμένῳ
δέχῃ, θυραίου πήματος σπουδὴν ἔχων.
δεῦρ' ἔλθ', ὅπως ἂν καὶ σοφώτερος γένῃ.
τὰ θνητὰ πράγματ' οἶδας ἣν ἔχει φύσιν;
οἶμαι μὲν οὔ· πόθεν γάρ; ἀλλ' ἄκουέ μου.
βροτοῖς ἅπασι κατθανεῖν ὀφείλεται,
κοὐκ ἔστι θνητῶν ὅστις ἐξεπίσταται
τὴν αὔριον μέλλουσαν εἰ βιώσεται·
τὸ τῆς τύχης γὰρ ἀφανὲς οἷ προβήσεται,
κἄστ' οὐ διδακτὸν οὐδ' ἁλίσκεται τέχνῃ.
ταῦτ' οὖν ἀκούσας καὶ μαθὼν ἐμοῦ πάρα,
εὔφραινε σαυτόν, πῖνε, τὸν καθ' ἡμέραν

βίον λογίζου σόν, τὰ δ' ἄλλα τῆς τύχης.
τίμα δὲ καὶ τὴν πλεῖστον ἡδίστην θεῶν
Κύπριν βροτοῖσιν· εὐμενὴς γὰρ ἡ θεός.
τὰ δ' ἄλλ' ἔασον ταῦτα καὶ πιθοῦ λόγοις
ἐμοῖσιν—εἴπερ ὀρθά σοι δοκῶ λέγειν;
οἶμαι μέν. οὔκουν τὴν ἄγαν λύπην ἀφεὶς
πίῃ μεθ' ἡμῶν τάσδ' ὑπερβαλὼν τύχας,
στεφάνοις πυκασθείς; καὶ σάφ' οἶδ' ὁθούνεκα
τοῦ νῦν σκυθρωποῦ καὶ ξυνεστῶτος φρενῶν
μεθορμιεῖ σε πίτυλος ἐμπεσὼν σκύφου.
ὄντας δὲ θνητοὺς θνητὰ καὶ φρονεῖν χρεών·
ὡς τοῖς γε σεμνοῖς καὶ συνωφρυωμένοις
ἅπασίν ἐστιν, ὥς γ' ἐμοὶ χρῆσθαι κριτῇ,
οὐ βίος ἀληθῶς ὁ βίος, ἀλλὰ συμφορά.

(*Alcestis*, 773–802)

353. *Death the Enemy*

ΗΡΑΚΛΗΣ

Ὦ πολλὰ τλᾶσα καρδία καὶ χεὶρ ἐμή,
νῦν δεῖξον οἷον παῖδά σ' ἡ Τιρυνθία
Ἠλεκτρύωνος γείνατ' Ἀλκμήνη Διί.
δεῖ γάρ με σῶσαι τὴν θανοῦσαν ἀρτίως
γυναῖκα κἀς τόνδ' αὖθις ἱδρῦσαι δόμον
Ἄλκηστιν, Ἀδμήτῳ θ' ὑπουργῆσαι χάριν.
ἐλθὼν δ' ἄνακτα τὸν μελάμπεπλον νεκρῶν
Θάνατον φυλάξω, καί νιν εὑρήσειν δοκῶ
πίνοντα τύμβου πλησίον προσφαγμάτων.
κἄνπερ λοχαίας αὐτὸν ἐξ ἕδρας συθεὶς
μάρψω, κύκλον δὲ περιβάλω χεροῖν ἐμαῖν,
οὐκ ἔστιν ὅστις αὐτὸν ἐξαιρήσεται

μογοῦντα πλευρά, πρὶν γυναῖκ' ἐμοὶ μεθῇ.
ἢν δ' οὖν ἁμάρτω τῆσδ' ἄγρας, καὶ μὴ μόλῃ
πρὸς αἱματηρὸν πέλανον, εἶμι τῶν κάτω
Κόρης Ἄνακτός τ' εἰς ἀνηλίους δόμους
αἰτήσομαί τε· καὶ πέποιθ' ἄξειν ἄνω
Ἄλκηστιν, ὥστε χερσὶν ἐνθεῖναι ξένου,
ὅς μ' ἐς δόμους ἐδέξατ' οὐδ' ἀπήλασε,
καίπερ βαρείᾳ συμφορᾷ πεπληγμένος,
ἔκρυπτε δ' ὢν γενναῖος, αἰδεσθεὶς ἐμέ.

(*Alcestis*, 837–57)

354. *Bereavement*

ΧΟΡΟΣ

Ἐμοί τις ἦν
ἐν γένει, ᾧ κόρος ἀξιόθρηνος
ὤλετ' ἐν δόμοισιν
μονόπαις· ἀλλ' ἔμπας
ἔφερε κακὸν ἅλις, ἄτεκνος ὤν,
πολιὰς ἐπὶ χαίτας
ἤδη προπετὴς ὢν
βιότου τε πόρσω.

παρ' εὐτυχῆ
σοὶ πότμον ἦλθεν ἀπειροκάκῳ τόδ'
ἄλγος· ἀλλ' ἔσωσας
βίοτον καὶ ψυχάν.
ἔθανε δάμαρ, ἔλιπε φιλίαν·
τί νέον τόδε; πολλοῖς
ἤδη παρέλυσεν
θάνατος δάμαρτας.

(*Alcestis*, 903–10, 926–33)

355. *Shifting Fortune*

ΧΟΡΟΣ

Ἄνω ποταμῶν ἱερῶν χωροῦσι παγαί,
καὶ δίκα καὶ πάντα πάλιν στρέφεται.
ἀνδράσι μὲν δόλιαι βουλαί, θεῶν δ'
οὐκέτι πίστις ἄραρε·
τὰν δ' ἐμὰν εὔκλειαν ἔχειν βιοτὰν στρέψουσι
 φᾶμαι·
ἔρχεται τιμὰ γυναικείῳ γένει·
οὐκέτι δυσκέλαδος φάμα γυναῖκας ἕξει.

μοῦσαι δὲ παλαιγενέων λήξουσ' ἀοιδῶν
τὰν ἐμὰν ὑμνεῦσαι ἀπιστοσύναν.
οὐ γὰρ ἐν ἁμετέρᾳ γνώμᾳ λύρας
ὤπασε θέσπιν ἀοιδὰν
Φοῖβος, ἁγήτωρ μελέων· ἐπεὶ ἀντάχησ' ἂν ὕμνον
ἀρσένων γέννᾳ. μακρὸς δ' αἰὼν ἔχει
πολλὰ μὲν ἁμετέραν ἀνδρῶν τε μοῖραν εἰπεῖν.

(*Medea*, 410–30)

356. *Vengeance*

ΜΗΔΕΙΑ

Ὦ Ζεῦ Δίκη τε Ζηνὸς Ἡλίου τε φῶς,
νῦν καλλίνικοι τῶν ἐμῶν ἐχθρῶν, φίλαι,
γενησόμεσθα κεἰς ὁδὸν βεβήκαμεν·
νῦν ἐλπὶς ἐχθροὺς τοὺς ἐμοὺς τείσειν δίκην.
οὗτος γὰρ ἁνὴρ ᾗ μάλιστ' ἐκάμνομεν
λιμὴν πέφανται τῶν ἐμῶν βουλευμάτων·
ἐκ τοῦδ' ἀναψόμεσθα πρυμνήτην κάλων,

μολόντες ἄστυ καὶ πόλισμα Παλλάδος.
ἤδη δὲ πάντα τἀμά σοι βουλεύματα
λέξω· δέχου δὲ μὴ πρὸς ἡδονὴν λόγους.
πέμψασ' ἐμῶν τιν' οἰκετῶν Ἰάσονα
ἐς ὄψιν ἐλθεῖν τὴν ἐμὴν αἰτήσομαι·
μολόντι δ' αὐτῷ μαλθακοὺς λέξω λόγους,
ὡς καὶ δοκεῖ μοι ταὐτά, καὶ καλῶς ἔχειν
γάμους τυράννων οὓς προδοὺς ἡμᾶς ἔχει·
καὶ ξύμφορ' εἶναι καὶ καλῶς ἐγνωσμένα.
παῖδας δὲ μεῖναι τοὺς ἐμοὺς αἰτήσομαι,
οὐχ ὡς λιποῦσ' ἂν πολεμίας ἐπὶ χθονὸς
ἐχθροῖσι παῖδας τοὺς ἐμοὺς καθυβρίσαι,
ἀλλ' ὡς δόλοισι παῖδα βασιλέως κτάνω.
πέμψω γὰρ αὐτοὺς δῶρ' ἔχοντας ἐν χεροῖν,
νύμφῃ φέροντας, τήνδε μὴ φυγεῖν χθόνα,
λεπτόν τε πέπλον καὶ πλόκον χρυσήλατον·
κἄνπερ λαβοῦσα κόσμον ἀμφιθῇ χροΐ,
κακῶς ὀλεῖται πᾶς θ' ὃς ἂν θίγῃ κόρης·
τοιοῖσδε χρίσω φαρμάκοις δωρήματα.
ἐνταῦθα μέντοι τόνδ' ἀπαλλάσσω λόγον·
ᾤμωξα δ' οἷον ἔργον ἔστ' ἐργαστέον
τοὐντεῦθεν ἡμῖν· τέκνα γὰρ κατακτενῶ
τἄμ'· οὔτις ἔστιν ὅστις ἐξαιρήσεται·
δόμον τε πάντα συγχέασ' Ἰάσονος
ἔξειμι γαίας, φιλτάτων παίδων φόνον
φεύγουσα καὶ τλᾶσ' ἔργον ἀνοσιώτατον.
οὐ γὰρ γελᾶσθαι τλητὸν ἐξ ἐχθρῶν, φίλαι.
ἴτω· τί μοι ζῆν κέρδος; οὔτε μοι πατρὶς
οὔτ' οἶκος ἔστιν οὔτ' ἀποστροφὴ κακῶν.
ἡμάρτανον τόθ' ἡνίκ' ἐξελίμπανον

δόμους πατρῴους, ἀνδρὸς Ἕλληνος λόγοις
πεισθεῖσ', ὃς ἡμῖν σὺν θεῷ τείσει δίκην.
οὔτ' ἐξ ἐμοῦ γὰρ παῖδας ὄψεταί ποτε
ζῶντας τὸ λοιπὸν οὔτε τῆς νεοζύγου
νύμφης τεκνώσει παῖδ', ἐπεὶ κακῶς κακὴν
θανεῖν σφ' ἀνάγκη τοῖς ἐμοῖσι φαρμάκοις.
μηδείς με φαύλην κἀσθενῆ νομιζέτω
μηδ' ἡσυχαίαν, ἀλλὰ θατέρου τρόπου,
βαρεῖαν ἐχθροῖς καὶ φίλοισιν εὐμενῆ·
τῶν γὰρ τοιούτων εὐκλεέστατος βίος.

(*Medea*, 764–810)

357. *Medea's Resolve*

ΜΗΔΕΙΑ

Φίλαι, δέδοκται τοὔργον ὡς τάχιστά μοι
παῖδας κτανούσῃ τῆσδ' ἀφορμᾶσθαι χθονός,
καὶ μὴ σχολὴν ἄγουσαν ἐκδοῦναι τέκνα
ἄλλῃ φονεῦσαι δυσμενεστέρᾳ χερί.
πάντως σφ' ἀνάγκη κατθανεῖν· ἐπεὶ δὲ χρή,
ἡμεῖς κτενοῦμεν, οἵπερ ἐξεφύσαμεν.
ἀλλ' εἶ' ὁπλίζου, καρδία. τί μέλλομεν
τὰ δεινὰ κἀναγκαῖα μὴ πράσσειν κακά;
ἄγ', ὦ τάλαινα χεὶρ ἐμή, λαβὲ ξίφος,
λάβ', ἕρπε πρὸς βαλβῖδα λυπηρὰν βίου,
καὶ μὴ κακισθῇς μηδ' ἀναμνησθῇς τέκνων,
ὡς φίλταθ', ὡς ἔτικτες· ἀλλὰ τήνδε γε
λαθοῦ βραχεῖαν ἡμέραν παίδων σέθεν,
κἄπειτα θρήνει· καὶ γὰρ εἰ κτενεῖς σφ', ὅμως
φίλοι γ' ἔφυσαν—δυστυχὴς δ' ἐγὼ γυνή.

(*Medea*, 1236–50)

358. *Macaria and Iolaus*

ΜΑΚΑΡΙΑ, ΙΟΛΑΟΣ, ΔΗΜΟΦΩΝ

Μα. Μή νυν τρέσῃς ἔτ' ἐχθρὸν Ἀργεῖον δόρυ·
ἐγὼ γὰρ αὐτὴ πρὶν κελευσθῆναι, γέρον,
θνῄσκειν ἑτοίμη καὶ παρίστασθαι σφαγῇ.
τί φήσομεν γάρ, εἰ πόλις μὲν ἀξιοῖ
κίνδυνον ἡμῶν οὕνεκ' αἴρεσθαι μέγαν,
αὐτοὶ δὲ προστιθέντες ἄλλοισιν πόνους,
παρόν σφε σῷσαι, φευξόμεσθα μὴ θανεῖν;
οὐ δῆτ', ἐπεί τοι καὶ γέλωτος ἄξια,
στένειν μὲν ἱκέτας δαιμόνων καθημένους,
πατρὸς δ' ἐκείνου φύντας οὗ πεφύκαμεν
κακοὺς ὁρᾶσθαι· ποῦ τάδ' ἐν χρηστοῖς πρέπει;
κάλλιον, οἶμαι, τῆσδ'—ἃ μὴ τύχοι ποτέ—
πόλεως ἁλούσης, χεῖρας εἰς ἐχθρῶν πεσεῖν,
κἄπειτ' ἄτιμα πατρὸς οὖσαν εὐγενοῦς
παθοῦσαν Ἅιδην μηδὲν ἧσσον εἰσιδεῖν.
ἀλλ' ἐκπεσοῦσα τῆσδ' ἀλητεύσω χθονός;
κοὐκ αἰσχυνοῦμαι δῆτ', ἐὰν δή τις λέγῃ·
"Τί δεῦρ' ἀφίκεσθ' ἱκεσίοισι σὺν κλάδοις
αὐτοὶ φιλοψυχοῦντες; ἔξιτε χθονός·
κακοὺς γὰρ ἡμεῖς οὐ προσωφελήσομεν."
ἀλλ' οὐδὲ μέντοι, τῶνδε μὲν τεθνηκότων,
αὐτὴ δὲ σωθεῖσ', ἐλπίδ' εὖ πράξειν ἔχω·
—πολλοὶ γὰρ ἤδη τῇδε προύδοσαν φίλους.—
τίς γὰρ κόρην ἔρημον ἢ δάμαρτ' ἔχειν,
ἢ παιδοποιεῖν ἐξ ἐμοῦ βουλήσεται;
οὐκ οὖν θανεῖν ἄμεινον ἢ τούτων τυχεῖν
ἀναξίαν; ἄλλῃ δὲ κἂν πρέποι τινὶ

μᾶλλον τάδ', ἥτις μὴ 'πίσημος ὡς ἐγώ.
ἡγεῖσθ' ὅπου δεῖ σῶμα κατθανεῖν τόδε
καὶ στεμματοῦτε καὶ κατάρχεσθ', εἰ δοκεῖ·
νικᾶτε δ' ἐχθρούς· ἥδε γὰρ ψυχὴ πάρα
ἑκοῦσα κοὐκ ἄκουσα· κἀξαγγέλλομαι
θνῄσκειν ἀδελφῶν τῶνδε κἀμαυτῆς ὕπερ.
εὕρημα γάρ τοι μὴ φιλοψυχοῦσ' ἐγὼ
κάλλιστον ηὕρηκ', εὐκλεῶς λιπεῖν βίον.

Ιο. ὦ τέκνον, οὐκ ἔστ' ἄλλοθεν τὸ σὸν κάρα,
ἀλλ' ἐξ ἐκείνου σπέρμα τῆς θείας φρενὸς
πέφυκας Ἡράκλειος· οὐδ' αἰσχύνομαι
τοῖς σοῖς λόγοισι, τῇ τύχῃ δ' ἀλγύνομαι.
ἀλλ' ᾗ γένοιτ' ἂν ἐνδικωτέρως φράσω·
πάσας ἀδελφὰς τῆσδε δεῦρο χρὴ καλεῖν,
κᾆθ' ἡ λαχοῦσα θνῃσκέτω γένους ὕπερ·
σὲ δ' οὐ δίκαιον κατθανεῖν ἄνευ πάλου.

Μα. οὐκ ἂν θάνοιμι τῇ τύχῃ λαχοῦσ' ἐγώ·
χάρις γὰρ οὐ πρόσεστι· μὴ λέξῃς, γέρον.
ἕπου δέ, πρέσβυ· σῇ γὰρ ἐνθανεῖν χερὶ
θέλω· πέπλοις δὲ σῶμ' ἐμὸν κρύψον παρών.

Ιο. οὐκ ἂν δυναίμην σῷ παρεστάναι μόρῳ.

Μα. σὺ δ' ἀλλὰ τοῦδε χρῇζε, μή μ' ἐν ἀρσένων,
ἀλλ' ἐν γυναικῶν, χερσὶν ἐκπνεῦσαι βίον.

Δη. ἔσται τάδ', ὦ τάλαινα παρθένων, ἐπεὶ
κἀμοὶ τόδ' αἰσχρόν, μή σε κοσμεῖσθαι καλῶς,
πολλῶν ἕκατι, τῆς τε σῆς εὐψυχίας
καὶ τοῦ δικαίου· τλημονεστάτην δὲ σὲ
πασῶν γυναικῶν εἶδον ὀφθαλμοῖς ἐγώ.
ἀλλ', εἴ τι βούλῃ, τούσδε τὸν γέροντά τε
χώρει προσειποῦσ' ὑστάτοις προσφθέγμασιν.

Μα. ὦ χαῖρε, πρέσβυ, χαῖρε καὶ δίδασκέ μοι
τοιούσδε τούσδε παῖδας, ἐς τὸ πᾶν σοφούς,
ὥσπερ σύ, μηδὲν μᾶλλον· ἀρκέσουσι γάρ.
πειρῶ δὲ σῶσαι μὴ θανεῖν, πρόθυμος ὤν·
σοὶ παῖδές ἐσμεν, σαῖν χεροῖν τεθράμμεθα.
ὁρᾷς δὲ κἀμὲ τὴν ἐμὴν ὥραν γάμου
διδοῦσαν ἀντὶ τῶνδε κατθανουμένην.
ὑμεῖς τ', ἀδελφῶν ἡ παροῦσ' ὁμιλία,
εὐδαιμονοῖτε, καὶ γένοιθ' ὑμῖν ὅσων
ἡμὴ πάροιθε καρδία σφαγήσεται.
καὶ τὸν γέροντα τήν τ' ἔσω γραῖαν δόμων
τιμᾶτε πατρὸς μητέρ' Ἀλκμήνην ἐμοῦ
ξένους τε τούσδε. κἂν ἀπαλλαγὴ πόνων
καὶ νόστος ὑμῖν εὑρεθῇ ποτ' ἐκ θεῶν,
μέμνησθε τὴν σώτειραν ὡς θάψαι χρεών.
κάλλιστά τοι δίκαιον· οὐ γὰρ ἐνδεὴς
ὑμῖν παρέστην, ἀλλὰ προὔθανον γένους.
τάδ' ἀντὶ παίδων ἐστί μοι κειμήλια
καὶ παρθενείας, εἴ τι δὴ κάτω χθονός·
εἴη γε μέντοι μηδέν. εἰ γὰρ ἕξομεν
κἀκεῖ μερίμνας οἱ θανούμενοι βροτῶν,
οὐκ οἶδ' ὅποι τις τρέψεται· τὸ γὰρ θανεῖν
κακῶν μέγιστον φάρμακον νομίζεται.

(*Heraclidae*, 500–34, 539–48, 560–1, 564–96)

359. *The Garland*

ΙΠΠΟΛΥΤΟΣ

Σοὶ τόνδε πλεκτὸν στέφανον ἐξ ἀκηράτου
λειμῶνος, ὦ δέσποινα, κοσμήσας φέρω,
ἔνθ' οὔτε ποιμὴν ἀξιοῖ φέρβειν βοτὰ

οὔτ' ἦλθέ πω σίδαρος, ἀλλ' ἀκήρατον
μέλισσα λειμῶν' ἠρινὴ διέρχεται,
Αἰδὼς δὲ ποταμίαισι κηπεύει δρόσοις·
ὅσοις διδακτὸν μηδέν, ἀλλ' ἐν τῇ φύσει
τὸ σωφρονεῖν εἴληχεν ἐς τὰ πάνθ' ὁμῶς,
τούτοις δρέπεσθαι, τοῖς κακοῖσι δ' οὐ θέμις.
ἀλλ', ὦ φίλη δέσποινα, χρυσέας κόμης
ἀνάδημα δέξαι χειρὸς εὐσεβοῦς ἄπο.
μόνῳ γάρ ἐστι τοῦτ' ἐμοὶ γέρας βροτῶν·
σοὶ καὶ ξύνειμι καὶ λόγοις ἀμείβομαι,
κλύων μὲν αὐδήν, ὄμμα δ' οὐχ ὁρῶν τὸ σόν.
τέλος δὲ κάμψαιμ' ὥσπερ ἠρξάμην βίου.

(*Hippolytus*, 73–87)

360. *The Birds of God*

ΧΟΡΟΣ

Ἠλιβάτοις ὑπὸ κευθμῶσι γενοίμαν,
ἵνα με πτεροῦσσαν ὄρνιν ἀγέλῃσι
ποταναῖς θεὸς ἐνθείη·
ἀρθείην δ' ἐπὶ πόντιον
κῦμα τᾶς Ἀδριηνᾶς
ἀκτᾶς Ἠριδανοῦ θ' ὕδωρ·
ἔνθα πορφύρεον σταλάσ-
σουσιν ἐς οἶδμα πατρὸς τάλαι-
ναι κόραι Φαέθοντος οἴ-
κτῳ δακρύων
τὰς ἠλεκτροφαεῖς αὐγάς.

Ἑσπερίδων δ' ἐπὶ μηλόσπορον ἀκτὰν
ἀνύσαιμι τᾶν ἀοιδῶν, ἵν' ὁ ποντο-
μέδων πορφυρέας λίμνας

ναύταις οὐκέθ᾽ ὁδὸν νέμει,
σεμνὸν τέρμονα κυρῶν
οὐρανοῦ, τὸν Ἄτλας ἔχει·
κρῆναί τ᾽ ἀμβρόσιαι χέον-
ται Ζηνὸς μελάθρων παρὰ κοί-
ταις, ἵν᾽ ἁ βιόδωρος αὔ-
ξει ζαθέα
χθὼν εὐδαιμονίαν θεοῖς.

(*Hippolytus*, 732–51)

361. *The Doom of Hippolytus*

ΑΓΓΕΛΟΣ

Ἡμεῖς μὲν ἀκτῆς κυμοδέγμονος πέλας
ψήκτραισιν ἵππων ἐκτενίζομεν τρίχας
κλαίοντες· ἦλθε γάρ τις ἄγγελος λέγων
ὡς οὐκέτ᾽ ἐν γῇ τῇδ᾽ ἀναστρέψοι πόδα
Ἱππόλυτος, ἐκ σοῦ τλήμονας φυγὰς ἔχων.
ὁ δ᾽ ἦλθε ταὐτὸν δακρύων ἔχων μέλος
ἡμῖν ἐπ᾽ ἀκτάς· μυρία δ᾽ ὀπισθόπους
φίλων ἅμ᾽ ἔστειχ᾽ ἡλίκων θ᾽ ὁμήγυρις.
χρόνῳ δὲ δήποτ᾽ εἶπ᾽ ἀπαλλαχθεὶς γόων·
"Τί ταῦτ᾽ ἀλύω; πειστέον πατρὸς λόγοις.
ἐντύναθ᾽ ἵππους ἅρμασι ζυγηφόρους,
δμῶες· πόλις γὰρ οὐκέτ᾽ ἔστιν ἥδε μοι."
τοὐνθένδε μέντοι πᾶς ἀνὴρ ἠπείγετο,
καὶ θᾶσσον ἢ λέγοι τις ἐξηρτυμένας
πώλους παρ᾽ αὐτὸν δεσπότην ἐστήσαμεν.
μάρπτει δὲ χερσὶν ἡνίας ἀπ᾽ ἄντυγος,
αὐταῖσιν ἀρβύλαισιν ἁρμόσας πόδα.
καὶ πρῶτα μὲν θεοῖς εἶπ᾽ ἀναπτύξας χέρας·

"Ζεῦ, μηκέτ' εἴην, εἰ κακὸς πέφυκ' ἀνήρ·
αἴσθοιτο δ' ἡμᾶς ὡς ἀτιμάζει πατὴρ
ἤτοι θανόντας ἢ φάος δεδορκότας."
κἀν τῷδ' ἐπῆγε κέντρον ἐς χεῖρας λαβὼν
πώλοις ὁμαρτῇ· πρόσπολοι δ' ὑφ' ἅρματος
πέλας χαλινῶν εἱπόμεσθα δεσπότῃ
τὴν εὐθὺς Ἄργους κἀπιδαυρίας ὁδόν.
ἐπεὶ δ' ἔρημον χῶρον εἰσεβάλλομεν,
ἀκτή τις ἔστι τοὐπέκεινα τῆσδε γῆς
πρὸς πόντον ἤδη κειμένη Σαρωνικόν.
ἔνθεν τις ἠχὼ χθόνιος ὡς βροντὴ Διὸς
βαρὺν βρόμον μεθῆκε, φρικώδη κλύειν·
ὀρθὸν δὲ κρᾶτ' ἔστησαν οὖς τ' ἐς οὐρανὸν
ἵπποι· παρ' ἡμῖν δ' ἦν φόβος νεανικὸς
πόθεν ποτ' εἴη φθόγγος. ἐς δ' ἁλιρρόθους
ἀκτὰς ἀποβλέψαντες ἱερὸν εἴδομεν
κῦμ' οὐρανῷ στηρίζον, ὥστ' ἀφῃρέθη
Σκίρωνος ἀκτὰς ὄμμα τοὐμὸν εἰσορᾶν·
ἔκρυπτε δ' Ἰσθμὸν καὶ πέτραν Ἀσκληπιοῦ.
κἄπειτ' ἀνοιδῆσάν τε καὶ πέριξ ἀφρὸν
πολὺν καχλάζον ποντίῳ φυσήματι
χωρεῖ πρὸς ἀκτάς, οὗ τέθριππος ἦν ὄχος.
αὐτῷ δὲ σὺν κλύδωνι καὶ τρικυμίᾳ
κῦμ' ἐξέθηκε ταῦρον, ἄγριον τέρας·
οὗ πᾶσα μὲν χθὼν φθέγματος πληρουμένη
φρικῶδες ἀντεφθέγγετ', εἰσορῶσι δὲ
κρεῖσσον θέαμα δεργμάτων ἐφαίνετο.
εὐθὺς δὲ πώλοις δεινὸς ἐμπίπτει φόβος·
καὶ δεσπότης μὲν ἱππικοῖσιν ἤθεσιν
πολὺς ξυνοικῶν ἥρπασ' ἡνίας χεροῖν,

ἕλκει δὲ κώπην ὥστε ναυβάτης ἀνὴρ
ἱμᾶσιν ἐς τοὔπισθεν ἀρτήσας δέμας·
αἱ δ' ἐνδακοῦσαι στόμια πυριγενῆ γναθμοῖς
βίᾳ φέρουσιν, οὔτε ναυκλήρου χερὸς
οὔθ' ἱπποδέσμων οὔτε κολλητῶν ὄχων
μεταστρέφουσαι. κεἰ μὲν ἐς τὰ μαλθακὰ
γαίας ἔχων οἴακας εὐθύνοι δρόμον,
προυφαίνετ' ἐς τὸ πρόσθεν, ὥστ' ἀναστρέφειν,
ταῦρος, φόβῳ τέτρωρον ἐκμαίνων ὄχον·
εἰ δ' ἐς πέτρας φέροιντο μαργῶσαι φρένας,
σιγῇ πελάζων ἄντυγι ξυνείπετο
ἐς τοῦθ' ἕως ἔσφηλε κἀνεχαίτισεν,
ἁψῖδα πέτρῳ προσβαλὼν ὀχήματος.
σύμφυρτα δ' ἦν ἅπαντα· σύριγγές τ' ἄνω
τροχῶν ἐπήδων ἀξόνων τ' ἐνήλατα.
αὐτὸς δ' ὁ τλήμων ἡνίαισιν ἐμπλακεὶς
δεσμὸν δυσεξήνυστον ἕλκεται δεθείς,
σποδούμενος μὲν πρὸς πέτραις φίλον κάρα
θραύων τε σάρκας, δεινὰ δ' ἐξαυδῶν κλύειν·
"Στῆτ', ὦ φάτναισι ταῖς ἐμαῖς τεθραμμέναι,
μή μ' ἐξαλείψητ'· ὦ πατρὸς τάλαιν' ἀρά.
τίς ἄνδρ' ἄριστον βούλεται σῶσαι παρών;"
  πολλοὶ δὲ βουληθέντες ὑστέρῳ ποδὶ
ἐλειπόμεσθα. χὠ μὲν ἐκ δεσμῶν λυθεὶς
τμητῶν ἱμάντων οὐ κάτοιδ' ὅτῳ τρόπῳ
πίπτει, βραχὺν δὴ βίοτον ἐμπνέων ἔτι·
ἵπποι δ' ἔκρυφθεν καὶ τὸ δύστηνον τέρας
ταύρου λεπαίας οὐ κάτοιδ' ὅποι χθονός.

(*Hippolytus*, 1173–1248)

362. *His Death*

ΑΡΤΕΜΙΣ, ΙΠΠΟΛΥΤΟΣ, ΘΗΣΕΥΣ

Αρ. Ὦ τλῆμον, οἵᾳ συμφορᾷ συνεζύγης·
τὸ δ' εὐγενές σε τῶν φρενῶν ἀπώλεσεν.
Ιπ. ἔα·
ὦ θεῖον ὀδμῆς πνεῦμα· καὶ γὰρ ἐν κακοῖς
ὢν ᾐσθόμην σου κἀνεκουφίσθην δέμας·
ἔστ' ἐν τόποισι τοισίδ' Ἄρτεμις θεά.
Αρ. ὦ τλῆμον, ἔστι, σοί γε φιλτάτη θεῶν.
Ιπ. ὁρᾷς με, δέσποιν', ὡς ἔχω, τὸν ἄθλιον;
Αρ. ὁρῶ· κατ' ὄσσων δ' οὐ θέμις βαλεῖν δάκρυ.
Ιπ. οὐκ ἔστι σοι κυναγὸς οὐδ' ὑπηρέτης—
Αρ. οὐ δῆτ'· ἀτάρ μοι προσφιλής γ' ἀπόλλυσαι.
Ιπ. οὐδ' ἱππονώμας οὐδ' ἀγαλμάτων φύλαξ.
Αρ. Κύπρις γὰρ ἡ πανοῦργος ὧδ' ἐμήσατο.
Ιπ. ὤμοι· φρονῶ δὴ δαίμον' ἥ μ' ἀπώλεσεν.
Αρ. τιμῆς ἐμέμφθη σωφρονοῦντι δ' ἤχθετο.
Ιπ. τρεῖς ὄντας ἡμᾶς ὤλεσ', ᾔσθημαι, Κύπρις,
Αρ. πατέρα γε καὶ σὲ καὶ τρίτην ξυνάορον.
Ιπ. ᾤμωξα τοίνυν καὶ πατρὸς δυσπραξίας.
Αρ. ἐξηπατήθη δαίμονος βουλεύμασιν.
Ιπ. ὦ δυστάλας σὺ τῆσδε συμφορᾶς, πάτερ.
Θη. ὄλωλα, τέκνον, οὐδέ μοι χάρις βίου.
Ιπ. στένω σὲ μᾶλλον ἢ 'μὲ τῆς ἁμαρτίας.
Θη. εἰ γὰρ γενοίμην, τέκνον, ἀντὶ σοῦ νεκρός.
Ιπ. ὦ δῶρα πατρὸς σοῦ Ποσειδῶνος πικρά.
Θη. ὡς μήποτ' ἐλθεῖν ὤφελ' ἐς τοὐμὸν στόμα.
Ιπ. τί δ'; ἔκτανές τἄν μ', ὡς τότ' ἦσθ' ὠργισμένος;
Θη. δόξης γὰρ ἦμεν πρὸς θεῶν ἐσφαλμένοι.

Ιπ. φεῦ·
εἴθ' ἦν ἀραῖον δαίμοσιν βροτῶν γένος.
Αρ. ἔασον· οὐ γὰρ οὐδὲ γῆς ὑπὸ ζόφον
θεᾶς ἄτιμοι Κύπριδος ἐκ προθυμίας
ὀργαὶ κατασκήψουσιν ἐς τὸ σὸν δέμας
σῆς εὐσεβείας κἀγαθῆς φρενὸς χάριν.
ἐγὼ γὰρ αὐτῆς ἄλλον ἐξ ἐμῆς χερὸς
ὃς ἂν μάλιστα φίλτατος κυρῇ βροτῶν
τόξοις ἀφύκτοις τοῖσδε τιμωρήσομαι.
σοὶ δ', ὦ ταλαίπωρ', ἀντὶ τῶνδε τῶν κακῶν
τιμὰς μεγίστας ἐν πόλει Τροζηνίᾳ
δώσω· κόραι γὰρ ἄζυγες γάμων πάρος
κόμας κεροῦνταί σοι, δι' αἰῶνος μακροῦ
πένθη μέγιστα δακρύων καρπουμένῳ.
ἀεὶ δὲ μουσοποιὸς ἐς σὲ παρθένων
ἔσται μέριμνα, κοὐκ ἀνώνυμος πεσὼν
ἔρως ὁ Φαίδρας ἐς σὲ σιγηθήσεται.
σὺ δ', ὦ γεραιοῦ τέκνον Αἰγέως, λαβὲ
σὸν παῖδ' ἐν ἀγκάλαισι καὶ προσέλκυσαι·
ἄκων γὰρ ὤλεσάς νιν· ἀνθρώποισι δὲ
θεῶν διδόντων εἰκὸς ἐξαμαρτάνειν.
καὶ σοὶ παραινῶ πατέρα μὴ στυγεῖν σέθεν,
Ἱππόλυτ'· ἔχεις γὰρ μοῖραν ᾗ διεφθάρης.
καὶ χαῖρ'· ἐμοὶ γὰρ οὐ θέμις φθιτοὺς ὁρᾶν
οὐδ' ὄμμα χραίνειν θανασίμοισιν ἐκπνοαῖς·
ὁρῶ δέ σ' ἤδη τοῦδε πλησίον κακοῦ.
Ιπ. χαίρουσα καὶ σὺ στεῖχε, παρθέν' ὀλβία·
μακρὰν δὲ λείπεις ῥᾳδίως ὁμιλίαν.
λύω δὲ νεῖκος πατρὶ χρῃζούσης σέθεν·
καὶ γὰρ πάροιθε σοῖς ἐπειθόμην λόγοις.

αἰαῖ, κατ' ὄσσων κιγχάνει μ' ἤδη σκότος·
λαβοῦ, πάτερ, μου καὶ κατόρθωσον δέμας.
Θη. οἴμοι, τέκνον, τί δρᾷς με τὸν δυσδαίμονα;
Ἱπ. ὄλωλα καὶ δὴ νερτέρων ὁρῶ πύλας.
Θη. ἦ τὴν ἐμὴν ἄναγνον ἐκλιπὼν χέρα;
Ἱπ. οὐ δῆτ', ἐπεί σε τοῦδ' ἐλευθερῶ φόνου.
Θη. τί φῄς; ἀφίης αἵματός μ' ἐλεύθερον;
Ἱπ. τὴν τοξόδαμνον Ἄρτεμιν μαρτύρομαι.
Θη. ὦ φίλταθ', ὡς γενναῖος ἐκφαίνῃ πατρί.
Ἱπ. τοιῶνδε παίδων γνησίων εὔχου τυχεῖν.
Θη. οἴμοι φρενὸς σῆς εὐσεβοῦς τε κἀγαθῆς.
Ἱπ. ὦ χαῖρε καὶ σύ, χαῖρε πολλά μοι, πάτερ.
Θη. μή νυν προδῷς με, τέκνον, ἀλλὰ καρτέρει.
Ἱπ. κεκαρτέρηται τἄμ'· ὄλωλα γάρ, πάτερ.
κρύψον δέ μου πρόσωπον ὡς τάχος πέπλοις.

(*Hippolytus*, 1389–1458)

363. *The Kings of Troy*

ΧΟΡΟΣ

Ὦ Φοῖβε πυργώσας τὸν ἐν Ἰλίῳ εὐτειχῆ πάγον
καὶ πόντιε κυανέαις ἵπποις διφρεύ-
ων ἅλιον πέλαγος,
τίνος οὕνεκ' ἄτιμον ὀργᾶς
ἂν χέρα τεκτοσύνας Ἐ-
νυαλίῳ δοριμήστορι προσθέν-
τες τάλαιναν τάλαι-
ναν μεθεῖτε Τροίαν;

πλείστους δ' ἐπ' ἀκταῖσιν Σιμοεντίσιν εὐίππους ὄχους
ἐζεύξατε καὶ φονίους ἀνδρῶν ἁμίλ-
λας ἔθετ' ἀστεφάνους·

ἀπὸ δὲ φθίμενοι βεβᾶσιν
Ἰλιάδαι βασιλῆες,
οὐδ' ἔτι πῦρ ἐπιβώμιον ἐν Τροί-
ᾳ θεοῖσιν λέλαμ-
πεν καπνῷ θυώδει.

βέβακε δ' Ἀτρείδας ἀλόχου παλάμαις,
αὐτά τ' ἐναλλάξασα φόνον θανάτῳ
πρὸς τέκνων ἀπηύρα
θεοῦ. θεοῦ νιν κέλευμ' ἐπεστράφη
μαντόσυνον, ὅτε νιν Ἀργόθεν πορευθεὶς
Ἀγαμεμνόνιος κέλωρ, ἀδύτων ἐπιβὰς
κτεάνων, ματρὸς φονεὺς . . .
ὦ δαῖμον, ὦ Φοῖβε, πῶς πείθομαι;

πολλαὶ δ' ἀν' Ἑλλάνων ἀγόρους στοναχὰς
μέλποντο δυστάνων τεκέων, ἄλοχοι δ'
ἐξέλειπον οἴκους
πρὸς ἄλλον εὐνάτορ'. οὐχὶ σοὶ μόνᾳ
δύσφρονες ἐπέπεσον, οὐ φίλοισι, λῦπαι·
νόσον Ἑλλὰς ἔτλα, νόσον· διέβα δὲ Φρυγῶν
καὶ πρὸς εὐκάρπους γύας
σκηπτὸς σταλάσσων τὸν Ἅιδα φόνον.

(*Andromache*, 1009–46)

364. *Polyxena*

ΠΟΛΥΞΕΝΗ

Ὁρῶ σ', Ὀδυσσεῦ, δεξιὰν ὑφ' εἵματος
κρύπτοντα χεῖρα καὶ πρόσωπον ἔμπαλιν
στρέφοντα, μή σου προσθίγω γενειάδος.
θάρσει· πέφευγας τὸν ἐμὸν Ἱκέσιον Δία

ὡς ἕψομαί γε τοῦ τ' ἀναγκαίου χάριν
θανεῖν τε χρῄζουσ'· εἰ δὲ μὴ βουλήσομαι,
κακὴ φανοῦμαι καὶ φιλόψυχος γυνή.
τί γάρ με δεῖ ζῆν; ᾗ πατὴρ μὲν ἦν ἄναξ
Φρυγῶν ἁπάντων· τοῦτό μοι πρῶτον βίου·
ἔπειτ' ἐθρέφθην ἐλπίδων καλῶν ὕπο
βασιλεῦσι νύμφη, ζῆλον οὐ σμικρὸν γάμων
ἔχουσ', ὅτου δῶμ' ἑστίαν τ' ἀφίξομαι·
δέσποινα δ' ἡ δύστηνος Ἰδαίαισιν ἦ
γυναιξὶ παρθένοις τ' ἀπόβλεπτος μέτα,
ἴση θεοῖσι πλὴν τὸ κατθανεῖν μόνον·
νῦν δ' εἰμὶ δούλη. πρῶτα μέν με τοὔνομα
θανεῖν ἐρᾶν τίθησιν οὐκ εἰωθὸς ὄν·
ἔπειτ' ἴσως ἂν δεσποτῶν ὠμῶν φρένας
τύχοιμ' ἄν, ὅστις ἀργύρου μ' ὠνήσεται,
τὴν Ἕκτορός τε χἀτέρων πολλῶν κάσιν,
προσθεὶς δ' ἀνάγκην σιτοποιὸν ἐν δόμοις,
σαίρειν τε δῶμα κερκίσιν τ' ἐφεστάναι
λυπρὰν ἄγουσαν ἡμέραν μ' ἀναγκάσει·
λέχη δὲ τἀμὰ δοῦλος ὠνητός ποθεν
χρανεῖ, τυράννων πρόσθεν ἠξιωμένα.
οὐ δῆτ'· ἀφίημ' ὀμμάτων ἐλευθέρων
φέγγος τόδ', Ἅιδῃ προστιθεῖσ' ἐμὸν δέμας.
ἄγου μ', Ὀδυσσεῦ, καὶ διέργασαί μ' ἄγων·
οὔτ' ἐλπίδος γὰρ οὔτε του δόξης ὁρῶ
θάρσος παρ' ἡμῖν ὥς ποτ' εὖ πρᾶξαί με χρή.
μῆτερ, σὺ δ' ἡμῖν μηδὲν ἐμποδὼν γένῃ,
λέγουσα μηδὲ δρῶσα· συμβούλου δέ μοι
θανεῖν πρὶν αἰσχρῶν μὴ κατ' ἀξίαν τυχεῖν.
ὅστις γὰρ οὐκ εἴωθε γεύεσθαι κακῶν,

φέρει μέν, ἀλγεῖ δ' αὐχέν' ἐντιθεὶς ζυγῷ·
θανὼν δ' ἂν εἴη μᾶλλον εὐτυχέστερος
ἢ ζῶν· τὸ γὰρ ζῆν μὴ καλῶς μέγας πόνος.

(*Hecuba*, 342–78)

365. *Whither away?*

ΧΟΡΟΣ

Αὔρα, ποντιὰς αὔρα,
ἅτε ποντοπόρους κομί-
ζεις θοὰς ἀκάτους ἐπ' οἶδμα λίμνας,
ποῖ με τὰν μελέαν πορεύ-
σεις; τῷ δουλόσυνος πρὸς οἶ-
κον κτηθεῖσ' ἀφίξομαι; ἢ
Δωρίδος ὅρμον αἴας;
ἢ Φθιάδος, ἔνθα τὸν
καλλίστων ὑδάτων πατέρα
φασὶν Ἀπιδανὸν πεδία λιπαίνειν;

ἢ νάσων, ἁλιήρει
κώπᾳ πεμπομέναν τάλαι-
ναν, οἰκτρὰν βιοτὰν ἔχουσαν οἴκοις,
ἔνθα πρωτόγονός τε φοῖ-
νιξ δάφνα θ' ἱεροὺς ἀνέ-
σχε πτόρθους Λατοῖ φίλᾳ ὠ-
δῖνος ἄγαλμα Δίας;
σὺν Δηλιάσιν τε κού-
ραισιν Ἀρτέμιδος θεᾶς
χρυσέαν ἄμπυκα τόξα τ' εὐλογήσω;

(*Hecuba*, 444–65)

366. *Troy*

ΧΟΡΟΣ

Σὺ μέν, ὦ πατρὶς Ἰλιάς,
τῶν ἀπορθήτων πόλις οὐκέτι λέξῃ·
τοῖον Ἑλλάνων νέφος ἀμφί σε κρύπτει
δορὶ δὴ δορὶ πέρσαν.
ἀπὸ δὲ στεφάναν κέκαρ-
σαι πύργων, κατὰ δ' αἰθάλου
κηλῖδ' οἰκτροτάταν κέχρω-
σαι· τάλαιν',
οὐκέτι σ' ἐμβατεύσω.

μεσονύκτιος ὠλλύμαν,
ἦμος ἐκ δείπνων ὕπνος ἡδὺς ἐπ' ὄσσοις
σκίδναται, μολπᾶν δ' ἄπο καὶ χοροποιῶν
θυσιᾶν καταλύσας
πόσις ἐν θαλάμοις ἔκει-
το, ξυστὸν δ' ἐπὶ πασσάλῳ,
ναύταν οὐκέθ' ὁρῶν ὅμι-
λον Τροίαν
Ἰλιάδ' ἐμβεβῶτα.

ἐγὼ δὲ πλόκαμον ἀναδέτοις
μίτραισιν ἐρρυθμιζόμαν
χρυσέων ἐνόπτρων λεύσ-
σουσ' ἀτέρμονας εἰς αὐγάς,
ἐπιδέμνιος ὡς πέσοιμ' ἐς εὐνάν.
ἀνὰ δὲ κέλαδος ἔμολε πόλιν·

κέλευσμα δ' ἦν κατ' ἄστυ Τροί-
ας τόδ'· "Ὦ
παῖδες Ἑλλάνων, πότε δὴ πότε τὰν
Ἰλιάδα σκοπιὰν
πέρσαντες ἥξετ' οἴκους;"

λέχη δὲ φίλια μονόπεπλος
λιποῦσα, Δωρὶς ὡς κόρα,
σεμνὰν προσίζουσ' οὐκ
ἤνυσ' Ἄρτεμιν ἁ τλάμων·
ἄγομαι δὲ θανόντ' ἰδοῦσ' ἀκοίταν
τὸν ἐμὸν ἅλιον ἐπὶ πέλαγος,
πόλιν τ' ἀποσκοποῦσ', ἐπεὶ
νόστιμον
ναῦς ἐκίνησεν πόδα καί μ' ἀπὸ γᾶς
ὥρισεν Ἰλιάδος·
τάλαιν', ἀπεῖπον ἄλγει,

τὰν τοῖν Διοσκούροιν Ἑλέναν κάσιν
Ἰδαῖόν τε βούταν
αἰνόπαριν κατάρᾳ
διδοῦσ', ἐπεί με γᾶς ἐκ
πατρῴας ἀπώλεσεν
ἐξῴκισέν τ' οἴκων γάμος, οὐ γάμος ἀλλ' ἀ-
λάστορός τις οἰζύς·
ἃν μήτε πέλαγος ἅλιον ἀπαγάγοι πάλιν,
μήτε πα-
τρῷον ἵκοιτ' ἐς οἶκον.

(*Hecuba*, 905–52)

367. *Chivalry*

ΘΗΣΕΥΣ, ΑΙΘΡΑ

Θη. *μῆτερ, τί κλαίεις λέπτ' ἐπ' ὀμμάτων φάρη*
βαλοῦσα τῶν σῶν; ἆρα δυστήνους γόους
κλύουσα τῶνδε; κἀμὲ γὰρ διῆλθέ τι.
ἔπαιρε λευκὸν κρᾶτα, μὴ δακρυρρόει
σεμναῖσι Δηοῦς ἐσχάραις παρημένη.
Αι. *αἰαῖ.* Θη. *τὰ τούτων οὐχὶ σοὶ στενακτέον.*
Αι. *ὦ τλήμονες γυναῖκες.* Θη. *οὐ σὺ τῶνδ' ἔφυς.*
Αι. *εἴπω τι, τέκνον, σοί τε καὶ πόλει καλόν;*
Θη. *ὡς πολλά γ' ἐστὶ κἀπὸ θηλειῶν σοφά.*
Αι. *ἀλλ' εἰς ὄκνον μοι μῦθος ὃν κεύθω φέρει.*
Θη. *αἰσχρόν γ' ἔλεξας, χρήστ' ἔπη κρύπτειν φίλοις.*
Αι. *οὔτοι σιωπῶσ' εἶτα μέμψομαί ποτε*
τὴν νῦν σιωπὴν ὡς ἐσιγήθη κακῶς,
οὐδ' ὡς ἀχρεῖον τὰς γυναῖκας εὖ λέγειν
δείσασ' ἀφήσω τῷ φόβῳ τοὐμὸν καλόν.
ἐγὼ δέ σ', ὦ παῖ, πρῶτα μὲν τὰ τῶν θεῶν
σκοπεῖν κελεύω μὴ σφαλῇς ἀτιμάσας·
τἄλλ' εὖ φρονῶν γάρ, ἐν μόνῳ τούτῳ 'σφάλης.
πρὸς τοῖσδε δ', εἰ μὲν μὴ ἀδικουμένοις ἐχρῆν
τολμηρὸν εἶναι, κάρτ' ἂν εἶχον ἡσύχως·
νῦν δ' ἴσθι σοί τε τοῦθ' ὅσην τιμὴν φέρει,
κἀμοὶ παραινεῖν οὐ φόβον φέρει, τέκνον,
ἄνδρας βιαίους καὶ κατείργοντας νεκροὺς
τάφου τε μοίρας καὶ κτερισμάτων λαχεῖν
ἐς τήνδ' ἀνάγκην σῇ καταστῆσαι χερί,
νόμιμά τε πάσης συγχέοντας Ἑλλάδος

παῦσαι· τὸ γάρ τοι συνέχον ἀνθρώπων πόλεις
τοῦτ' ἔσθ', ὅταν τις τοὺς νόμους σῴζῃ καλῶς.
ἐρεῖ δὲ δή τις ὡς ἀνανδρίᾳ χερῶν,
πόλει παρόν σοι στέφανον εὐκλείας λαβεῖν,
δείσας ἀπέστης, καὶ συὸς μὲν ἀγρίου
ἀγῶνος ἥψω φαῦλον ἀθλήσας πόνον,
οὗ δ' ἐς κράνος βλέψαντα καὶ λόγχης ἀκμὴν
χρῆν ἐκπονῆσαι, δειλὸς ὢν ἐφηυρέθης.
μὴ δῆτ' ἐμός γ' ὤν, ὦ τέκνον, δράσῃς τάδε.
ὁρᾷς, ἄβουλος ὡς κεκερτομημένη
τοῖς κερτομοῦσι γοργὸν ὄμμ' ἀναβλέπει
σὴ πατρίς; ἐν γὰρ τοῖς πόνοισιν αὔξεται·
αἱ δ' ἥσυχοι σκοτεινὰ πράσσουσαι πόλεις
σκοτεινὰ καὶ βλέπουσιν εὐλαβούμεναι.
οὐκ εἶ νεκροῖσι καὶ γυναιξὶν ἀθλίαις
προσωφελήσων, ὦ τέκνον, κεχρημέναις;

(*Supplices*, 286–327)

368. *Dirge*

ΠΑΙΔΕΣ, ΧΟΡΟΣ

Πα. — Φέρω φέρω,
τάλαινα μᾶτερ, ἐκ πυρὸς πατρὸς μέλη,
βάρος μὲν οὐκ ἀβριθὲς ἀλγέων ὕπερ,
ἐν δ' ὀλίγῳ τἀμὰ πάντα συνθείς.
Χο. — ἰὼ ἰώ,
πᾶ φέρεις δάκρυα φίλᾳ
ματρὶ τῶν ὀλωλότων;
σποδοῦ τε πλῆθος ὀλίγον ἀντὶ σωμάτων
εὐδοκίμων δήποτ' ἐν Μυκήναις;

Πα. — ἄπαις, ἄπαις·
ἐγὼ δ' ἔρημος ἀθλίου πατρὸς τάλας
ἔρημον οἶκον ὀρφανεύσομαι λαβών,
οὐ πατρὸς ἐν χερσὶ τοῦ τεκόντος.
Χο. — ἰὼ ἰώ·
ποῦ δὲ πόνος ἐμῶν τέκνων,
ποῦ λοχευμάτων χάρις;
τροφαί τε ματρὸς ἄυπνά τ' ὀμμάτων τέλη,
καὶ φίλιαι προσβολαὶ προσώπων;

Πα. — βεβᾶσιν, οὐκέτ' εἰσίν· οἴμοι πάτερ·
βεβᾶσιν. Χο. αἰθὴρ ἔχει νιν ἤδη,
πυρὸς τετακότας σποδῷ·
ποτανοὶ δ' ἤνυσαν τὸν Ἅιδαν.
Πα. — πάτερ, μῶν σῶν κλύεις τέκνων γόους;
ἆρ' ἀσπιδοῦχος ἔτι ποτ' ἀντιτάσσομαι
σὸν φόνον—εἰ γὰρ γένοιτο—τεκνῶν;

Πα. — ἔτ' ἂν θεοῦ θέλοντος ἔλθοι δίκα
πατρῷος· Χο. οὔπω κακὸν τόδ' εὕδει.
αἰαῖ γόων· ἅλις τύχας,
ἅλις δ' ἀλγέων ἐμοὶ πάρεστι.
Πα. — ἔτ' Ἀσωποῦ με δέξεται γάνος
χαλκέοις ἐν ὅπλοις Δαναϊδῶν στρατηλάταν,
τοῦ φθιμένου πατρὸς ἐκδικαστάν.

Πα. — ἔτ' εἰσορᾶν σε, πάτερ, ἐπ' ὀμμάτων δοκῶ . . .
Χο. — φίλον φίλημα παρὰ γένυν τιθέντα σόν.
Πα. — λόγων δὲ παρακέλευσμα σῶν
ἀέρι φερόμενον οἴχεται.
Χο. — δυοῖν δ' ἄχη, ματρί τ' ἔλιπεν—
σέ τ' οὔποτ' ἄλγη πατρῷα λείψει.

Πα. — ἔχω τοσόνδε βάρος ὅσον μ' ἀπώλεσεν.
Χο. — φέρ', ἀμφὶ μαστὸν ὑποβάλω φίλαν σποδόν.
Πα. — ἔκλαυσα τόδε κλύων ἔπος
στυγνότατον· ἔθιγέ μου φρενῶν.
Χο. — ὦ τέκνον, ἔβας· οὐκέτι φίλον
φίλας ἄγαλμ' ὄψομαί σε ματρός.

(*Supplices*, 1123–64)

369. *Youth*

ΧΟΡΟΣ

Ἁ νεότας μοι φίλον αἰ-
εί· τὸ δὲ γῆρας ἄχθος
βαρύτερον Αἴτνας σκοπέλων
ἐπὶ κρατὶ κεῖται, βλεφάρων
σκοτεινὸν φάος ἐπικαλύψαν.
μή μοι μήτ' Ἀσιήτιδος
τυραννίδος ὄλβος εἴη,
μὴ χρυσοῦ δώματα πλήρη
τᾶς ἥβας ἀντιλαβεῖν,
ἃ καλλίστα μὲν ἐν ὄλβῳ,
καλλίστα δ' ἐν πενίᾳ.
τὸ δὲ λυγρὸν φόνιόν τε γῆ-
ρας μισῶ· κατὰ κυμάτων δ'
ἔρροι, μηδέ ποτ' ὤφελεν
θνατῶν δώματα καὶ πόλεις
ἐλθεῖν, ἀλλὰ κατ' αἰθέρ' αἰ-
εὶ πτεροῖσι φορείσθω.

εἰ δὲ θεοῖς ἦν ξύνεσις
καὶ σοφία κατ' ἄνδρας,

δίδυμον ἂν ἥβαν ἔφερον
φανερὸν χαρακτῆρ' ἀρετᾶς
ὅσοισιν μέτα, κατθανόντες τ'
εἰς αὐγὰς πάλιν ἁλίου
δισσοὺς ἂν ἔβαν διαύλους,
ἁ δυσγένεια δ' ἁπλοῦν ἂν
εἶχεν ζόας βίοτον,
καὶ τῷδ' ἦν τούς τε κακοὺς ἂν
γνῶναι καὶ τοὺς ἀγαθούς,
ἴσον ἅτ' ἐν νεφέλαισιν ἄ-
στρων ναύταις ἀριθμὸς πέλει.
νῦν δ' οὐδεὶς ὅρος ἐκ θεῶν
χρηστοῖς οὐδὲ κακοῖς σαφής,
ἀλλ' εἱλισσόμενός τις αἰ-
ὼν πλοῦτον μόνον αὔξει.

οὐ παύσομαι τὰς Χάριτας
Μούσαις συγκαταμειγνύς,
ἁδίσταν συζυγίαν.
μὴ ζῴην μετ' ἀμουσίας,
αἰεὶ δ' ἐν στεφάνοισιν εἴ-
ην· ἔτι τοι γέρων ἀοι-
δὸς κελαδεῖ Μναμοσύναν·
ἔτι τὰν Ἡρακλέους
καλλίνικον ἀείδω
παρά τε Βρόμιον οἰνοδόταν
παρά τε χέλυος ἑπτατόνου
μολπὰν καὶ Λίβυν αὐλόν·
οὔπω καταπαύσομεν
Μούσας, αἵ μ' ἐχόρευσαν.

παιᾶνα μὲν Δηλιάδες
ὑμνοῦσ' ἀμφὶ πύλας τὸν
Λατοῦς εὔπαιδα γόνον
εἱλίσσουσαι καλλίχορον·
παιᾶνας δ' ἐπὶ σοῖς μελά-
θροις κύκνος ὣς γέρων ἀοι-
δὸς πολιᾶν ἐκ γενύων
κελαδήσω· τὸ γὰρ εὖ
τοῖς ὕμνοισιν ὑπάρχει·
Διὸς ὁ παῖς· τᾶς δ' εὐγενίας
πλέον ὑπερβάλλων ἀρετᾷ
μοχθήσας τὸν ἄκυμον
θῆκεν βίοτον βροτοῖς
πέρσας δείματα θηρῶν.

(*Hercules Furens*, 637–700)

370. *Thou Shalt not Die*

ΘΗΣΕΥΣ, ΗΡΑΚΛΗΣ

Θη. Εἶέν· σὲ τὸν θάσσοντα δυστήνους ἕδρας
αὐδῶ, φίλοισιν ὄμμα δεικνύναι τὸ σόν.
οὐδεὶς σκότος γὰρ ὧδ' ἔχει μέλαν νέφος,
ὅστις κακῶν σῶν συμφορὰν κρύψειεν ἄν.
τί μοι προσείων χεῖρα σημαίνεις φόνον;
ὡς μὴ μύσος με σῶν βάλῃ προσφθεγμάτων;
οὐδὲν μέλει μοι σύν γε σοὶ πράσσειν κακῶς·
καὶ γάρ ποτ' εὐτύχησα. ἐκεῖσ' ἀνοιστέον,
ὅτ' ἐξέσῳσάς μ' ἐς φάος νεκρῶν πάρα.
χάριν δὲ γηράσκουσαν ἐχθαίρω φίλων,
καὶ τῶν καλῶν μὲν ὅστις ἀπολαύειν θέλει,
συμπλεῖν δὲ τοῖς φίλοισι δυστυχοῦσιν οὔ.

ἀνίστασ', ἐκκάλυψον ἄθλιον κάρα,
βλέψον πρὸς ἡμᾶς. ὅστις εὐγενὴς βροτῶν,
φέρει τά γ' ἐκ θεῶν πτώματ' οὐδ' ἀναίνεται.
Ηρ. Θησεῦ, δέδορκας τόνδ' ἀγῶν' ἐμῶν τέκνων;
Θη. ἤκουσα, καὶ βλέποντι σημαίνεις κακά.
Ηρ. τί δῆτά μου κρᾶτ' ἀνεκάλυψας ἡλίῳ;
Θη. τί δ'; οὐ μιαίνεις θνητὸς ὢν τὰ τῶν θεῶν.
Ηρ. φεῦγ', ὦ ταλαίπωρ', ἀνόσιον μίασμ' ἐμόν.
Θη. οὐδεὶς ἀλάστωρ τοῖς φίλοις ἐκ τῶν φίλων.
Ηρ. ἐπῄνεσ'· εὖ δράσας δέ σ' οὐκ ἀναίνομαι.
Θη. ἐγὼ δὲ πάσχων εὖ τότ' οἰκτίρω σε νῦν.
Ηρ. οἰκτρὸς γάρ εἰμι τἄμ' ἀποκτείνας τέκνα.
Θη. κλαίω χάριν σὴν ἐφ' ἑτέραισι συμφοραῖς.
Ηρ. ηὗρες δέ γ' ἄλλους ἐν κακοῖσι μείζοσιν;
Θη. ἅπτῃ κάτωθεν οὐρανοῦ δυσπραξίᾳ.
Ηρ. τοιγὰρ παρεσκευάσμεθ' ὥστε κατθανεῖν.
Θη. δοκεῖς ἀπειλῶν σῶν μέλειν τι δαίμοσιν;
Ηρ. αὔθαδες ὁ θεός, πρὸς δὲ τοὺς θεοὺς ἐγώ.
Θη. ἴσχε στόμ', ὡς μὴ μέγα λέγων μεῖζον πάθῃς.
Ηρ. γέμω κακῶν δή, κοὐκέτ' ἔσθ' ὅπῃ τεθῇ.
Θη. δράσεις δὲ δὴ τί; ποῖ φέρῃ θυμούμενος;
Ηρ. θανών, ὅθενπερ ἦλθον, εἶμι γῆς ὕπο.
Θη. εἴρηκας ἐπιτυχόντος ἀνθρώπου λόγους.
Ηρ. σὺ δ' ἐκτὸς ὢν γε συμφορᾶς με νουθετεῖς.
Θη. ὁ πολλὰ δὴ τλὰς Ἡρακλῆς λέγει τάδε;
Ηρ. οὐκ οὖν τοσαῦτά γ', εἰ μέτρῳ μοχθητέον.
Θη. εὐεργέτης βροτοῖσι καὶ μέγας φίλος;
Ηρ. οἱ δ' οὐδὲν ὠφελοῦσί μ', ἀλλ' Ἥρα κρατεῖ.
Θη. οὐκ ἄν σ' ἀνάσχοιθ' Ἑλλὰς ἀμαθίᾳ θανεῖν.

(*Hercules Furens*, 1214–54)

371. *Dawn*

ΙΩΝ

Ἅρματα μὲν τάδε λαμπρὰ τεθρίππων
Ἥλιος ἤδη λάμπει κατὰ γῆν,
ἄστρα δὲ φεύγει πυρὶ τῷδ' αἰθέρος
ἐς νύχθ' ἱεράν·
Παρνησιάδες δ' ἄβατοι κορυφαὶ
καταλαμπόμεναι τὴν ἡμερίαν
  ἁψῖδα βροτοῖσι δέχονται.
σμύρνης δ' ἀνύδρου καπνὸς εἰς ὀρόφους
Φοίβου πέταται.
θάσσει δὲ γυνὴ τρίποδα ζάθεον
Δελφίς, ἀείδουσ' Ἕλλησι βοάς,
  ἃς ἂν Ἀπόλλων κελαδήσῃ.
ἀλλ', ὦ Φοίβου Δελφοὶ θέραπες,
τὰς Κασταλίας ἀργυροειδεῖς
βαίνετε δίνας, καθαραῖς δὲ δρόσοις
ἀφυδρανάμενοι στείχετε ναούς·
στόμα τ' εὔφημον φρουρεῖν ἀγαθόν,
φήμας τ' ἀγαθὰς
τοῖς ἐθέλουσιν μαντεύεσθαι
  γλώσσης ἰδίας ἀποφαίνειν.
ἡμεῖς δέ, πόνους οὓς ἐκ παιδὸς
μοχθοῦμεν ἀεί, πτόρθοισι δάφνης
στέφεσίν θ' ἱεροῖς ἐσόδους Φοίβου
καθαρὰς θήσομεν, ὑγραῖς τε πέδον
ῥανίσιν νοτερόν· πτηνῶν τ' ἀγέλας,
αἳ βλάπτουσιν σέμν' ἀναθήματα,
τόξοισιν ἐμοῖς φυγάδας θήσομεν·

ὡς γὰρ ἀμήτωρ ἀπάτωρ τε γεγὼς
τοὺς θρέψαντας
Φοίβου ναοὺς θεραπεύω.

(*Ion*, 82–111)

372. *Apollo the Betrayer*

ΚΡΕΟΥΣΑ

Ὦ ψυχά, πῶς σιγάσω;
πῶς δὲ σκοτίας ἀναφήνω
εὐνάς, αἰδοῦς δ' ἀπολειφθῶ;
τί γὰρ ἐμπόδιον κώλυμ' ἔτι μοι;
πρὸς τίν' ἀγῶνας τιθέμεσθ' ἀρετῆς;
οὐ πόσις ἡμῶν προδότης γέγονεν,
στέρομαι δ' οἴκων, στέρομαι παίδων,
φροῦδαι δ' ἐλπίδες, ἃς διαθέσθαι
χρῄζουσα καλῶς οὐκ ἐδυνήθην,
σιγῶσα γάμους,
σιγῶσα τόκους πολυκλαύτους;
ἀλλ' οὐ τὸ Διὸς πολύαστρον ἕδος
καὶ τὴν ἐπ' ἐμοῖς σκοπέλοισι θεὰν
λίμνης τ' ἐνύδρου Τριτωνιάδος
πότνιαν ἀκτάν,
οὐκέτι κρύψω λέχος, ὡς στέρνων
ἀπονησαμένη ῥᾴων ἔσομαι.
στάζουσι κόραι δακρύοισιν ἐμαί,
ψυχὴ δ' ἀλγεῖ κακοβουλευθεῖσ'
ἔκ τ' ἀνθρώπων ἔκ τ' ἀθανάτων,
οὓς ἀποδείξω
λέκτρων προδότας ἀχαρίστους.

ὦ τᾶς ἑπταφθόγγου μέλπων

κιθάρας ἐνοπάν, ἅτ᾽ ἀγραύλοις
κέρασιν ἐν ἀψύχοις ἀχεῖ
μουσᾶν ὕμνους εὐαχήτους,
σοὶ μομφάν, ὦ Λατοῦς παῖ,
πρὸς τάνδ᾽ αὐγὰν αὐδάσω.
ἦλθές μοι χρυσῷ χαίταν
μαρμαίρων, εὖτ᾽ ἐς κόλπους
κρόκεα πέταλα φάρεσιν ἔδρεπον,
ἀνθίζειν χρυσανταυγῆ·
λευκοῖς δ᾽ ἐμφὺς καρποῖσιν
χειρῶν εἰς ἄντρου κοίτας
κραυγὰν "Ὦ μᾶτέρ" μ᾽ αὐδῶσαν
θεὸς ὁμευνέτας
ἆγες ἀναιδείᾳ
Κύπριδι χάριν πράσσων.
τίκτω δ᾽ ἁ δύστανός σοι
κοῦρον, τὸν φρίκᾳ ματρὸς
εἰς εὐνὰν βάλλω τὰν σάν,
ἵνα με λέχεσι μελέαν μελέοις
ἐζεύξω τὰν δύστανον.
οἴμοι μοι· καὶ νῦν ἔρρει
πτανοῖς ἁρπασθεὶς θοίνα
παῖς μοι . . . καὶ σός, τλάμων·
σὺ δὲ κιθάρᾳ κλάζεις
παιᾶνας μέλπων.
ὠή,
τὸν Λατοῦς αὐδῶ σ᾽,
ὅστ᾽ ὀμφὰν κληροῖς
πρὸς χρυσέους θάκους
καὶ γαίας μεσσήρεις ἕδρας,

εἰς οὖς αὐδὰν καρύξω·
'Ιὼ κακὸς εὐνάτωρ·
ὃς τῷ μὲν ἐμῷ νυμφεύτᾳ
χάριν οὐ προλαβὼν
παῖδ' εἰς οἴκους οἰκίζεις·
ὁ δ' ἐμὸς γενέτας καὶ σός γ', ἀμαθής,
οἰωνοῖς ἔρρει συλαθείς,
σπάργανα ματέρος ἐξαλλάξας.
μισεῖ σ' ἁ Δᾶλος καὶ δάφνας
ἔρνεα φοίνικα παρ' ἁβροκόμαν,
ἔνθα λοχεύματα σέμν' ἐλοχεύσατο
Λατὼ Δίοισί σε καρποῖς.

(*Ion*, 859–922)

373. *Troy*

ΧΟΡΟΣ

Μελισσοτρόφου Σαλαμῖνος ὦ βασιλεῦ Τελαμών,
νάσου περικύμονος οἰκήσας ἕδραν
τᾶς ἐπικεκλιμένας ὄχθοις ἱεροῖς, ἵν' ἐλαίας
πρῶτον ἔδειξε κλάδον γλαυκᾶς 'Αθάνα,
οὐράνιον στέφανον λιπαραῖσί τε κόσμον 'Αθήναις,
ἔβας ἔβας τῷ τοξοφόρῳ συναρι-
στεύων ἅμ' 'Αλκμήνας γόνῳ
"Ιλιον "Ιλιον ἐκπέρσων πόλιν
ἁμετέραν τὸ πάροιθεν·

ὅθ' Ἑλλάδος ἄγαγε πρῶτον ἄνθος ἀτυζόμενος
πώλων, Σιμόεντι δ' ἐπ' εὐρείτᾳ πλάταν
ἔσχασε ποντοπόρον καὶ ναύδετ' ἀνήψατο πρυμνᾶν
καὶ χερὸς εὐστοχίαν ἐξεῖλε ναῶν,

Λαομέδοντι φόνον· κανόνων δὲ τυκίσματα Φοίβου
πυρὸς πυρὸς φοίνικι πνοᾷ καθελὼν
Τροίας ἐπόρθησε χθόνα.
δὶς δὲ δυοῖν πιτύλοιν τείχη πατὴρ
Δαρδανίας κατέλυσεν.

μάταν ἄρ', ὦ χρυσέαις ἐν οἰνοχόαις ἁβρὰ βαίνων,
Λαομεδόντιε παῖ,
Ζηνὸς ἔχεις κυλίκων πλήρωμα, καλλίσταν λατρείαν·
ἁ δέ σε γειναμένα πυρὶ δαίεται·
ἠιόνες δ' ἅλιαι
ἴακχον οἰωνὸς οἷ-
ον τεκέων ὕπερ βοᾷ,
ᾇ μὲν εὐνάτορας, ᾇ δὲ παῖδας,
ᾇ δὲ ματέρας γεραιάς.
τὰ δὲ σὰ δροσόεντα λουτρὰ
γυμνασίων τε δρόμοι
βεβᾶσι, σὺ δὲ πρόσωπα νεα-
ρὰ χάρισι παρὰ Διὸς θρόνοις
καλλιγάλανα τρέφεις· Πριάμοιο δὲ γαῖαν
Ἑλλὰς ὤλεσ' αἰχμά.

Ἔρως Ἔρως, ὃς τὰ Δαρδάνεια μέλαθρά ποτ' ἦλθες
οὐρανίδαισι μέλων,
ὡς τότε μὲν μεγάλως Τροίαν ἐπύργωσας, θεοῖσι
κῆδος ἀναψάμενος. τὸ μὲν οὖν Διὸς
οὐκέτ' ὄνειδος ἐρῶ·
τὸ τᾶς δὲ λευκοπτέρου
φίλιον Ἁμέρας βροτοῖς
φέγγος ὀλοὸν εἶδε γαῖαν,

εἶδε περγάμων ὄλεθρον,
τεκνοποιὸν ἔχουσα τᾶσδε
γᾶς πόσιν ἐν θαλάμοις,
ὃν ἀστέρων τέθριππος ἔλα-
βε χρύσεος ὄχος ἀναρπάσας,
ἐλπίδα γᾷ πατρίᾳ μεγάλαν· τὰ θεῶν δὲ
φίλτρα φροῦδα Τροίᾳ.

(*Troades*, 799–859)

374. *The End of Troy*

ΕΚΑΒΗ, ΤΑΛΘΥΒΙΟΣ, ΧΟΡΟΣ

Εκ. Οἳ 'γὼ τάλαινα· τοῦτο δὴ τὸ λοίσθιον
καὶ τέρμα πάντων τῶν ἐμῶν ἤδη κακῶν·
ἔξειμι πατρίδος, πόλις ὑφάπτεται πυρί.
ἀλλ', ὦ γεραιὲ πούς, ἐπίσπευσον μόλις,
ὡς ἀσπάσωμαι τὴν ταλαίπωρον πόλιν.
ὦ μεγάλα δή ποτ' ἀμπνέουσ' ἐν βαρβάροις
Τροία, τὸ κλεινὸν ὄνομ' ἀφαιρήσῃ τάχα.
πιμπρᾶσί σ', ἡμᾶς δ' ἐξάγουσ' ἤδη χθονὸς
δούλας· ἰὼ θεοί. καὶ τί τοὺς θεοὺς καλῶ;
καὶ πρὶν γὰρ οὐκ ἤκουσαν ἀνακαλούμενοι.
φέρ' ἐς πυρὰν δράμωμεν· ὡς κάλλιστά μοι
σὺν τῇδε πατρίδι κατθανεῖν πυρουμένῃ.
Τα. ἐνθουσιᾷς, δύστηνε, τοῖς σαυτῆς κακοῖς.
ἀλλ' ἄγετε, μὴ φείδεσθ'· 'Οδυσσέως δὲ χρὴ
ἐς χεῖρα δοῦναι τήνδε καὶ πέμπειν γέρας.

Εκ. ὀττοτοτοτοτοῖ.
Κρόνιε, πρύτανι Φρύγιε, γενέτα
πάτερ, ἀνάξια τᾶς Δαρδάνου
γονᾶς τάδ' οἷα πάσχομεν δέδορκας;

Χο. δέδορκεν, ἁ δὲ μεγαλόπολις
ἄπολις ὄλωλεν οὐδ' ἔτ' ἔστι Τροία.
Εκ. ὀττοτοτοτοτοῖ.
λέλαμπεν Ἴλιος, Περ-
γάμων τε πυρὶ καταίθεται τέραμνα
καὶ πόλις ἄκρα τε τειχέων.
Χο. πτέρυγι δὲ καπνὸς ὥς τις οὐ-
ρανίᾳ πεσοῦσα δορὶ καταφθίνει γᾶ.
μαλερὰ μέλαθρα πυρὶ κατάδρομα
δαΐῳ τε λόγχᾳ.

Εκ. ἰὼ γᾶ τρόφιμε τῶν ἐμῶν τέκνων.
Χο. ἒ ἔ.
Εκ. ὦ τέκνα, κλύετε, μάθετε ματρὸς αὐδάν.
Χο. ἰαλέμῳ τοὺς θανόντας ἀπύεις.
Εκ. γεραιά γ' ἐς πέδον τιθεῖσα μέλεα καὶ
χερσὶ γαῖαν κτυποῦσα δισσαῖς.
Χο. διάδοχά σοι γόνυ τίθημι γαίᾳ
τοὺς ἐμοὺς καλοῦσα νέρθεν
ἀθλίους ἀκοίτας.
Εκ. ἀγόμεθα φερόμεθ' . . .
Χο. ἄλγος ἄλγος βοᾷς.
Εκ. δούλειον ὑπὸ μέλαθρον.
Χο. ἐκ πάτρας γ' ἐμάς.
Εκ. ἰώ.
Πρίαμε Πρίαμε, σὺ μὲν ὀλόμενος
ἄταφος ἄφιλος
ἄτας ἐμᾶς ἄιστος εἶ.
Χο. μέλας γὰρ ὄσσε κατεκάλυψε
θάνατος ὅσιος ἀνοσίαις σφαγαῖσιν.

Εκ. ἰὼ θεῶν μέλαθρα καὶ πόλις φίλα.
Χο. ἓ ἕ.
Εκ. τὰν φόνιον ἔχετε φλόγα δορός τε λόγχαν.
Χο. τάχ' ἐς φίλαν γᾶν πεσεῖσθ' ἀνώνυμοι.
Εκ. κόνις δ' ἴσα καπνῷ πτέρυγι πρὸς αἰθέρα
ᾆστον οἴκων ἐμῶν με θήσει.
Χο. ὄνομα δὲ γᾶς ἀφανὲς εἶσιν· ἄλλᾳ δ'
ἄλλο φροῦδον, οὐδ' ἔτ' ἔστιν
ἁ τάλαινα Τροία.
Εκ. ἐμάθετ', ἐκλύετε;
Χο. Περγάμων γε κτύπον.
Εκ. ἔνοσις ἅπασαν ἔνοσις . . .
Χο. ἐπικλύσει πόλιν.
Εκ. ἰώ·
τρομερὰ μέλεα, φέρετ' ἐμὸν ἴχνος·
ἴτ' ἐπί, τάλανα,
δούλειον ἁμέραν βίου.
Χο. ἰὼ τάλαινα πόλις· ὅμως δὲ
πρόφερε πόδα σὸν ἐπὶ πλάτας 'Αχαιῶν.

(*Troades*, 1272–1332)

375. *Orestes*

ΗΛΕΚΤΡΑ, ΟΡΕΣΤΗΣ

Ηλ. εἶἑν· κομίζειν τοῦδε σῶμ' ἔσω χρεὼν
σκότῳ τε δοῦναι, δμῶες, ὡς, ὅταν μόλῃ
μήτηρ, σφαγῆς πάροιθε μὴ εἰσίδῃ νεκρόν.
Ορ. ἐπίσχες· ἐμβάλωμεν εἰς ἄλλον λόγον.
Ηλ. τί δ'; ἐκ Μυκηνῶν μῶν βοηδρόμους ὁρῶ;
Ορ. οὔκ, ἀλλὰ τὴν τεκοῦσαν ἥ μ' ἐγείνατο.
Ηλ. καλῶς ἄρ' ἄρκυν ἐς μέσην πορεύεται . . .

καὶ μὴν ὄχοις γε καὶ στολῇ λαμπρύνεται.
Ορ. τί δῆτα δρῶμεν μητέρ'; ἦ φονεύσομεν;
Ηλ. μῶν σ' οἶκτος εἷλε, μητρὸς ὡς εἶδες δέμας;
Ορ. φεῦ·
πῶς γὰρ κτάνω νιν, ἥ μ' ἔθρεψε κἄτεκεν;
Ηλ. ὥσπερ πατέρα σὸν ἥδε κἀμὸν ὤλεσεν.
Ορ. ὦ Φοῖβε, πολλήν γ' ἀμαθίαν ἐθέσπισας . . .
Ηλ. ὅπου δ' Ἀπόλλων σκαιὸς ᾖ, τίνες σοφοί;
Ορ. ὅστις μ' ἔχρησας μητέρ', ἣν οὐ χρῆν, κτανεῖν.
Ηλ. βλάπτῃ δὲ δὴ τί πατρὶ τιμωρῶν σέθεν;
Ορ. μητροκτόνος νῦν φεύξομαι, τόθ' ἁγνὸς ὤν.
Ηλ. καὶ μή γ' ἀμύνων πατρὶ δυσσεβὴς ἔσῃ.
Ορ. ἐγὼ δὲ μητρὸς —; τῷ φόνου δώσω δίκας;
Ηλ. τῷ δ' ἢν πατρῴαν διαμεθῇς τιμωρίαν;
Ορ. ἆρ' αὔτ' ἀλάστωρ εἶπ' ἀπεικασθεὶς θεῷ;
Ηλ. ἱερὸν καθίζων τρίποδ'; ἐγὼ μὲν οὐ δοκῶ.
Ορ. οὐδ' ἂν πιθοίμην εὖ μεμαντεῦσθαι τάδε.
Ηλ. οὐ μὴ κακισθεὶς εἰς ἀνανδρίαν πεσῇ.
Ορ. ἀλλ' ἦ τὸν αὐτὸν τῇδ' ὑποστήσω δόλον;
Ηλ. ᾧ καὶ πόσιν καθεῖλες, Αἴγισθον κτανών.
Ορ. ἔσειμι· δεινοῦ δ' ἄρχομαι προβλήματος
καὶ δεινὰ δράσω γε—εἰ θεοῖς δοκεῖ τάδε,
ἔστω· πικρὸν δὲ χἡδὺ τἀγώνισμά μοι.

(*Electra*, 959–87)

376. *Agamemnon's Children*

ΙΦΙΓΕΝΕΙΑ, ΟΡΕΣΤΗΣ

Ιφ. Πότερος ἄρ' ὑμῶν ἐνθάδ' ὠνομασμένος
Πυλάδης κέκληται; τόδε μαθεῖν πρῶτον θέλω.
Ορ. ὅδ', εἴ τι δή σοι τοῦτ' ἐν ἡδονῇ μαθεῖν.

Ιφ. ποίας πολίτης πατρίδος Ἕλληνος γεγώς;
Ορ. τί δ' ἂν μαθοῦσα τόδε πλέον λάβοις, γύναι;
Ιφ. πότερον ἀδελφὼ μητρός ἐστον ἐκ μιᾶς;
Ορ. φιλότητί γ'· ἐσμὲν δ' οὐ κασιγνήτω, γύναι.
Ιφ. σοὶ δ' ὄνομα ποῖον ἔθεθ' ὁ γεννήσας πατήρ;
Ορ. τὸ μὲν δίκαιον Δυστυχὴς καλοίμεθ' ἄν.
Ιφ. οὐ τοῦτ' ἐρωτῶ· τοῦτο μὲν δὸς τῇ τύχῃ.
Ορ. ἀνώνυμοι θανόντες οὐ γελῴμεθ' ἄν.
Ιφ. τί δὲ φθονεῖς τοῦτο; ἦ φρονεῖς οὕτω μέγα;
Ορ. τὸ σῶμα θύσεις τοὐμόν, οὐχὶ τοὔνομα.
Ιφ. οὐδ' ἂν πόλιν φράσειας ἥτις ἐστί σοι;
Ορ. ζητεῖς γὰρ οὐδὲν κέρδος, ὡς θανουμένῳ.
Ιφ. χάριν δὲ δοῦναι τήνδε κωλύει τί σε;
Ορ. τὸ κλεινὸν Ἄργος πατρίδ' ἐμὴν ἐπεύχομαι.
Ιφ. πρὸς θεῶν, ἀληθῶς, ὦ ξέν', εἶ κεῖθεν γεγώς;
Ορ. ἐκ τῶν Μυκηνῶν γ', αἵ ποτ' ἦσαν ὄλβιαι.
Ιφ. φυγὰς δ' ἀπῆρας πατρίδος, ἢ ποίᾳ τύχῃ;
Ορ. φεύγω τρόπον γε δή τιν' οὐχ ἑκὼν ἑκών.
Ιφ. ἆρ' ἄν τί μοι φράσειας ὧν ἐγὼ θέλω;
Ορ. ὡς ἐν παρέργῳ τῆς ἐμῆς δυσπραξίας.
Ιφ. καὶ μὴν ποθεινός γ' ἦλθες ἐξ Ἄργους μολών.
Ορ. οὔκουν ἐμαυτῷ γ'· εἰ δὲ σοί, σὺ τοῦτ' ἔρα.
Ιφ. Τροίαν ἴσως οἶσθ', ἧς ἁπανταχοῦ λόγος.
Ορ. ὡς μήποτ' ὤφελόν γε μηδ' ἰδὼν ὄναρ.
Ιφ. φασίν νιν οὐκέτ' οὖσαν οἴχεσθαι δορί.
Ορ. ἔστιν γὰρ οὕτως οὐδ' ἄκραντ' ἠκούσατε.
Ιφ. Ἑλένη δ' ἀφῖκται δῶμα Μενέλεω πάλιν;
Ορ. ἥκει, κακῶς γ' ἐλθοῦσα τῶν ἐμῶν τινι.
Ιφ. καὶ ποῦ 'στι; κἀμοὶ γάρ τι προυφείλει κακόν.
Ορ. Σπάρτῃ ξυνοικεῖ τῷ πάρος ξυνευνέτῃ.

Ιφ. ὦ μῖσος εἰς Ἕλληνας, οὐκ ἐμοὶ μόνῃ.
Ορ. ἀπέλαυσα κἀγὼ δή τι τῶν κείνης γάμων.
Ιφ. νόστος δ' Ἀχαιῶν ἐγένεθ', ὡς κηρύσσεται;
Ορ. ὡς πάνθ' ἅπαξ με συλλαβοῦσ' ἀνιστορεῖς.
Ιφ. πρὶν γὰρ θανεῖν σε, τοῦδ' ἐπαυρέσθαι θέλω.
Ορ. ἔλεγχ', ἐπειδὴ τοῦδ' ἐρᾷς· λέξω δ' ἐγώ.
Ιφ. Κάλχας τις ἦλθε μάντις ἐκ Τροίας πάλιν;
Ορ. ὄλωλεν, ὡς ἦν ἐν Μυκηναίοις λόγος.
Ιφ. ὦ πότνι', ὡς εὖ.—τί γὰρ ὁ Λαέρτου γόνος;
Ορ. οὔπω νενόστηκ' οἶκον, ἔστι δ', ὡς λόγος.
Ιφ. ὄλοιτο, νόστου μήποτ' ἐς πάτραν τυχών.
Ορ. μηδὲν κατεύχου· πάντα τἀκείνου νοσεῖ.
Ιφ. Θέτιδος δ' ὁ τῆς Νηρῇδος ἔστι παῖς ἔτι;
Ορ. οὐκ ἔστιν· ἄλλως λέκτρ' ἔγημ' ἐν Αὐλίδι.
Ιφ. δόλια γάρ, ὡς ἴσασιν οἱ πεπονθότες.
Ορ. τίς εἶ ποθ'; ὡς εὖ πυνθάνῃ τἀφ' Ἑλλάδος.
Ιφ. ἐκεῖθέν εἰμι· παῖς ἔτ' οὖσ' ἀπωλόμην.
Ορ. ὀρθῶς ποθεῖς ἄρ' εἰδέναι τἀκεῖ, γύναι.
Ιφ. τί δ' ὁ στρατηγός, ὃν λέγουσ' εὐδαιμονεῖν;
Ορ. τίς; οὐ γὰρ ὅν γ' ἐγᾦδα τῶν εὐδαιμόνων.
Ιφ. Ἀτρέως ἐλέγετο δή τις Ἀγαμέμνων ἄναξ.
Ορ. οὐκ οἶδ'· ἄπελθε τοῦ λόγου τούτου, γύναι.
Ιφ. μὴ πρὸς θεῶν, ἀλλ' εἴφ', ἵν' εὐφρανθῶ, ξένε.
Ορ. τέθνηχ' ὁ τλήμων, πρὸς δ' ἀπώλεσέν τινα.
Ιφ. τέθνηκε; ποίᾳ συμφορᾷ; τάλαιν' ἐγώ.
Ορ. τί δ' ἐστέναξας τοῦτο; μῶν προσῆκέ σοι;
Ιφ. τὸν ὄλβον αὐτοῦ τὸν πάροιθ' ἀναστένω.
Ορ. δεινῶς γὰρ ἐκ γυναικὸς οἴχεται σφαγείς.
Ιφ. ὦ πανδάκρυτος ἡ κτανοῦσα . . . χὼ κτανών.
Ορ. παῦσαί νυν ἤδη μηδ' ἐρωτήσῃς πέρα.

Ιφ. τοσόνδε γ', εἰ ζῇ τοῦ ταλαιπώρου δάμαρ.
Ορ. οὐκ ἔστι· παῖς νιν ὃν ἔτεχ', οὗτος ὤλεσεν.
Ιφ. ὦ συνταραχθεὶς οἶκος. ὡς τί δὴ θέλων;
Ορ. πατρὸς θανόντος τήνδε τιμωρούμενος.
Ιφ. φεῦ·
ὡς εὖ κακὸν δίκαιον εἰσεπράξατο.
Ορ. ἀλλ' οὐ τὰ πρὸς θεῶν εὐτυχεῖ δίκαιος ὤν.
Ιφ. λείπει δ' ἐν οἴκοις ἄλλον Ἀγαμέμνων γόνον;
Ορ. λέλοιπεν Ἠλέκτραν γε παρθένον μίαν.
Ιφ. τί δέ; σφαγείσης θυγατρὸς ἔστι τις λόγος;
Ορ. οὐδείς γε, πλὴν θανοῦσαν οὐχ ὁρᾶν φάος.
Ιφ. τάλαιν' ἐκείνη χὠ κτανὼν αὐτὴν πατήρ.
Ορ. κακῆς γυναικὸς χάριν ἄχαριν ἀπώλετο.
Ιφ. ὁ τοῦ θανόντος δ' ἔστι παῖς Ἄργει πατρός;
Ορ. ἔστ', ἄθλιός γε, κοὐδαμοῦ καὶ πανταχοῦ.
Ιφ. ψευδεῖς ὄνειροι, χαίρετ'· οὐδὲν ἦτ' ἄρα.
Ορ. οὐδ' οἱ σοφοί γε δαίμονες κεκλημένοι
πτηνῶν ὀνείρων εἰσὶν ἀψευδέστεροι.
πολὺς ταραγμὸς ἔν τε τοῖς θείοις ἔνι
κἀν τοῖς βροτείοις· ἓν δὲ λυπεῖται μόνον,
ὃς οὐκ ἄφρων ὢν μάντεων πεισθεὶς λόγοις
ὄλωλεν—ὡς ὄλωλε τοῖσιν εἰδόσιν.

(*Iphigenia in Tauris*, 492–575)

377. *Pylades*

ΟΡΕΣΤΗΣ, ΠΥΛΑΔΗΣ

Ορ. Τίν'; ἐς τὸ κοινὸν δοὺς ἄμεινον ἂν μάθοις.
Πυ. αἰσχρὸν θανόντος σοῦ βλέπειν ἡμᾶς φάος·
κοινῇ τ' ἔπλευσα . . . δεῖ με καὶ κοινῇ θανεῖν.

καὶ δειλίαν γὰρ καὶ κάκην κεκτήσομαι
Ἄργει τε Φωκέων τ' ἐν πολυπτύχῳ χθονί,
δόξω δὲ τοῖς πολλοῖσι—πολλοὶ γὰρ κακοί—
προδοὺς σεσῷσθαί σ' αὐτὸς εἰς οἴκους μόνος
ἢ καὶ φονεύσας ἐπὶ νοσοῦσι δώμασι
ῥάψαι μόρον σοι σῆς τυραννίδος χάριν,
ἔγκληρον ὡς δὴ σὴν κασιγνήτην γαμῶν.
ταῦτ' οὖν φοβοῦμαι καὶ δι' αἰσχύνης ἔχω,
κοὐκ ἔσθ' ὅπως οὐ χρὴ συνεκπνεῦσαί μέ σοι
καὶ σὺν σφαγῆναι καὶ πυρωθῆναι δέμας,
φίλον γεγῶτα καὶ φοβούμενον ψόγον.

Ορ. εὔφημα φώνει· τἀμὰ δεῖ φέρειν κακά,
ἁπλᾶς δὲ λύπας ἐξόν, οὐκ οἴσω διπλᾶς.
ὃ γὰρ σὺ λυπρὸν κἀπονείδιστον λέγεις,
ταὔτ' ἔστιν ἡμῖν, εἴ σε συμμοχθοῦντ' ἐμοὶ
κτενῶ· τὸ μὲν γὰρ εἰς ἔμ' οὐ κακῶς ἔχει,
πράσσονθ' ἃ πράσσω πρὸς θεῶν, λῦσαι βίον.
σὺ δ' ὄλβιός τ' εἶ, καθαρά τ', οὐ νοσοῦντ', ἔχεις
μέλαθρ', ἐγὼ δὲ δυσσεβῆ καὶ δυστυχῆ.
σωθεὶς δέ, παῖδας ἐξ ἐμῆς ὁμοσπόρου
κτησάμενος, ἣν ἔδωκά σοι δάμαρτ' ἔχειν—
ὄνομά τ' ἐμοῦ γένοιτ' ἄν, οὐδ' ἄπαις δόμος
πατρῷος οὑμὸς ἐξαλειφθείη ποτ' ἄν.
ἀλλ' ἕρπε καὶ ζῆ καὶ δόμους οἴκει πατρός.
ὅταν δ' ἐς Ἑλλάδ' ἵππιόν τ' Ἄργος μόλῃς,
πρὸς δεξιᾶς σε τῆσδ' ἐπισκήπτω τάδε·
τύμβον τε χῶσον κἀπίθες μνημεῖά μοι,
καὶ δάκρυ' ἀδελφὴ καὶ κόμας δότω τάφῳ.
ἄγγελλε δ' ὡς ὄλωλ' ὑπ' Ἀργείας τινὸς

γυναικός, ἀμφὶ βωμὸν ἁγνισθεὶς φόνῳ.
καὶ μὴ προδῷς μου τὴν κασιγνήτην ποτέ,
ἔρημα κήδη καὶ δόμους ὁρῶν πατρός.
καὶ χαῖρ'· ἐμῶν γὰρ φίλτατόν σ' ηὗρον φίλων,
ὦ συγκυναγὲ καὶ συνεκτραφεὶς ἐμοί,
ὦ πόλλ' ἐνεγκὼν τῶν ἐμῶν ἄχθη κακῶν.
ἡμᾶς δ' ὁ Φοῖβος μάντις ὢν ἐψεύσατο·
τέχνην δὲ θέμενος ὡς προσώταθ' Ἑλλάδος
ἀπήλασ', αἰδοῖ τῶν πάρος μαντευμάτων.
ᾧ πάντ' ἐγὼ δοὺς τἀμὰ καὶ πεισθεὶς λόγοις,
μητέρα κατακτὰς αὐτὸς ἀνταπόλλυμαι.
Πυ. ἔσται τάφος σοι, καὶ κασιγνήτης λέχος
οὐκ ἂν προδοίην, ὦ τάλας, ἐπεί σ' ἐγὼ
θανόντα μᾶλλον ἢ βλέπονθ' ἕξω φίλον.
ἀτὰρ τὸ τοῦ θεοῦ σ' οὐ διέφθορέν γέ πω
μάντευμα· καίτοι γ' ἐγγὺς ἕστηκας φόνου.
ἀλλ' ἔστιν, ἔστιν, ἡ λίαν δυσπραξία
λίαν διδοῦσα μεταβολάς, ὅταν τύχῃ.
Ορ. σίγα· τὰ Φοίβου δ' οὐδὲν ὠφελεῖ μ' ἔπη·
γυνὴ γὰρ ἥδε δωμάτων ἔξω περᾷ.

(*Iphigenia in Tauris*, 672–724)

378. *Bird of the Sea*

ΧΟΡΟΣ

Ὄρνις, ἃ παρὰ πετρίνας
πόντου δειράδας, ἀλκυών,
ἔλεγον οἶτον ἀείδεις,
εὐξύνετον ξυνετοῖς βοάν,
ὅτι πόσιν κελαδεῖς ἀεὶ μολπαῖς,

ἐγώ σοι παραβάλλομαι
θρήνους, ἄπτερος ὄρνις,
ποθοῦσ' Ἑλλάνων ἀγόρους,
ποθοῦσ' Ἄρτεμιν λοχίαν,
ἃ παρὰ Κύνθιον ὄχθον οἰ-
κεῖ φοίνικά θ' ἁβροκόμαν
δάφναν τ' εὐερνέα καὶ
γλαυκᾶς θαλλὸν ἱερὸν ἐλαί-
ας, Λατοῦς ὠδῖνα φίλαν,
λίμναν θ' εἱλίσσουσαν ὕδωρ
κύκλιον, ἔνθα κύκνος μελῳ-
δὸς Μούσας θεραπεύει.

ὦ πολλαὶ δακρύων λιβάδες,
αἳ παρηίδας εἰς ἐμὰς
ἔπεσον, ἁνίκα πύργων
ὀλομένων ἐν ναυσὶν ἔβαν
πολεμίων ἐρετμοῖσι καὶ λόγχαις.
ζαχρύσου δὲ δι' ἐμπολᾶς
νόστον βάρβαρον ἦλθον,
ἔνθα τᾶς ἐλαφοκτόνου
θεᾶς ἀμφίπολον κόραν
παῖδ' Ἀγαμεμνονίαν λατρεύ-
ω βωμούς τ' οὐ μηλοθύτας,
ζηλοῦσ' ἄταν διὰ παν-
τὸς δυσδαίμον'· ἐν γὰρ ἀνάγ-
καις οὐ κάμνεις σύντροφος ὤν.
μεταβάλλει δυσδαιμονία·
τὸ δὲ μετ' εὐτυχίας κακοῦ-
σθαι θνατοῖς βαρὺς αἰών.

καὶ σὲ μέν, πότνι', Ἀργεία
πεντηκόντορος οἶκον ἄξει·
συρίζων θ' ὁ κηροδέτας
κάλαμος οὐρείου Πανὸς
κώπαις ἐπιθωΰξει,
ὁ Φοῖβός θ' ὁ μάντις ἔχων
κέλαδον ἑπτατόνου λύρας
ἀείδων ἄξει λιπαρὰν
εὖ σ' Ἀθηναίων ἐπὶ γᾶν.
ἐμὲ δ' αὐτοῦ λιποῦσα
βήσῃ ῥοθίοισι πλάταις·
ἀέρι δὲ πρότονοι κατὰ πρῷραν ὑ-
πὲρ στόλον ἐκπετάσουσι πόδα
ναὸς ὠκυπόμπου.

λαμπροὺς ἱπποδρόμους βαίην,
ἔνθ' εὐάλιον ἔρχεται πῦρ·
οἰκείων δ' ὑπὲρ θαλάμων
πτέρυγας ἐν νώτοις ἁμοῖς
λήξαιμι θοάζουσα·
χοροῖς δ' ἑσταίην, ὅθι καὶ
παρθένος, εὐδοκίμων γάμων,
παρὰ πόδ' εἱλίσσουσα φίλας
ματρὸς ἡλίκων θιάσους,
χαρίτων εἰς ἁμίλλας,
χαίτας ἁβρόπλουτον ἔριν,
ὀρνυμένα, πολυποίκιλα φάρεα
καὶ πλοκάμους περιβαλλομένα
γένυσιν ἐσκίαζον.

(*Iphigenia in Tauris*, 1089–1151)

379. *The Sirens*

ΕΛΕΝΗ, ΧΟΡΟΣ

Ελ. Πτεροφόροι νεάνιδες,
παρθένοι Χθονὸς κόραι
Σειρῆνες, εἴθ' ἐμοῖς γόοις
μόλοιτ' ἔχουσαι Λίβυν
λωτὸν ἢ σύριγγας ἢ
φόρμιγγας, αἰλίνοις κακοῖς
τοῖς ἐμοῖσι σύνοχα δάκρυα·
πάθεσι πάθεα, μέλεσι μέλεα,
μουσεῖα θρηνήμα-
σι ξυνῳδὰ πέμψειε
Φερσέφασσα
φόνια, χάριτας ἵν' ἐπὶ δάκρυσι
παρ' ἐμέθεν ὑπὸ μέλαθρα νύχια
παιᾶνα
νέκυσιν ὀλομένοις λάβῃ.

Χο. κυανοειδὲς ἀμφ' ὕδωρ
ἔτυχον ἕλικά τ' ἀνὰ χλόαν
φοίνικας ἁλίου πέπλους
αὐγαῖσιν ἐν χρυσέαις
ἀμφὶ δόνακος ἔρνεσιν
θάλπουσα· ποτνίας δ' ἐμᾶς,
ἔνθεν οἰκτρὸν ἀνεβόασεν,
ὅμαδον ἔκλυον, ἄλυρον ἔλεγον,
ὅτι ποτ' ἔλακεν αἰάγμα-
σι στένουσα, Νύμφα τις
οἷα Ναῒς
ὄρεσι φυγάδα νόμον ἱεῖσα

γοερόν, ὑπὸ δὲ πέτρινα γύαλα
κλαγγαῖσι
Πανὸς ἀναβοᾷ γάμους.

(*Helena*, 167–90)

380. *Eteocles and Polynices*

ΕΤΕΟΚΛΗΣ, ΠΟΛΥΝΕΙΚΗΣ, ΙΟΚΑΣΤΗ, ΧΟΡΟΣ

Ιο. Λόγος μὲν οὖν σὸς πρόσθε, Πολύνεικες τέκνον·
σὺ γὰρ στράτευμα Δαναϊδῶν ἥκεις ἄγων,
ἄδικα πεπονθώς, ὡς σὺ φῄς· κριτὴς δέ τις
θεῶν γένοιτο καὶ διαλλακτὴς κακῶν.
Πο. ἁπλοῦς ὁ μῦθος τῆς ἀληθείας ἔφυ,
κοὐ ποικίλων δεῖ τἄνδιχ' ἑρμηνευμάτων·
ἔχει γὰρ αὐτὰ καιρόν· ὁ δ' ἄδικος λόγος
νοσῶν ἐν αὑτῷ φαρμάκων δεῖται σοφῶν.
ἐγὼ δὲ πατρὸς δωμάτων προυσκεψάμην
τοὐμόν τε καὶ τοῦδ', ἐκφυγεῖν χρῄζων ἀρὰς
ἃς Οἰδίπους ἐφθέγξατ' εἰς ἡμᾶς ποτε,
ἐξῆλθον ἔξω τῆσδ' ἑκὼν αὐτὸς χθονός,
δοὺς τῷδ' ἀνάσσειν πατρίδος ἐνιαυτοῦ κύκλον,
ὥστ' αὐτὸς ἄρχειν αὖθις ἀνὰ μέρος λαβὼν
καὶ μὴ δι' ἔχθρας τῷδε καὶ φθόνου μολὼν
κακόν τι δρᾶσαι καὶ παθεῖν, ἃ γίγνεται.
ὁ δ' αἰνέσας ταῦθ' ὁρκίους τε δοὺς θεούς,
ἔδρασεν οὐδὲν ὧν ὑπέσχετ', ἀλλ' ἔχει
τυραννίδ' αὐτὸς καὶ δόμων ἐμῶν μέρος.
καὶ νῦν ἕτοιμός εἰμι τἀμαυτοῦ λαβὼν
στρατὸν μὲν ἔξω τῆσδ' ἀποστεῖλαι χθονός,
οἰκεῖν δὲ τὸν ἐμὸν οἶκον ἀνὰ μέρος λαβὼν
καὶ τῷδ' ἀφεῖναι τὸν ἴσον αὖθις αὖ χρόνον,

καὶ μήτε πορθεῖν πατρίδα μήτε προσφέρειν
πύργοισι πηκτῶν κλιμάκων προσαμβάσεις,
ἃ μὴ κυρήσας τῆς δίκης πειράσομαι
δρᾶν. μάρτυρας δὲ τῶνδε δαίμονας καλῶ,
ὡς πάντα πράσσων σὺν δίκῃ, δίκης ἄτερ
ἀποστεροῦμαι πατρίδος ἀνοσιώτατα.
ταῦτ' αὔθ' ἕκαστα, μῆτερ, οὐχὶ περιπλοκὰς
λόγων ἀθροίσας εἶπον, ἀλλὰ καὶ σοφοῖς
καὶ τοῖσι φαύλοις ἔνδιχ', ὡς ἐμοὶ δοκεῖ.

Χο. ἐμοὶ μέν, εἰ καὶ μὴ καθ' Ἑλλήνων χθόνα
τεθράμμεθ', ἀλλ' οὖν ξυνετά μοι δοκεῖς λέγειν.

Ετ. εἰ πᾶσι ταὐτὸν καλὸν ἔφυ σοφόν θ' ἅμα,
οὐκ ἦν ἂν ἀμφίλεκτος ἀνθρώποις ἔρις·
νῦν δ' οὔθ' ὅμοιον οὐδὲν οὔτ' ἴσον βροτοῖς,
πλὴν ὀνόμασαι· τὸ δ' ἔργον οὐκ ἔστιν τόδε.
ἐγὼ γὰρ οὐδέν, μῆτερ, ἀποκρύψας ἐρῶ·
ἄστρων ἂν ἔλθοιμ' ἡλίου πρὸς ἀντολὰς
καὶ γῆς ἔνερθεν, δυνατὸς ὢν δρᾶσαι τάδε,
τὴν θεῶν μεγίστην ὥστ' ἔχειν Τυραννίδα.
τοῦτ' οὖν τὸ χρηστόν, μῆτερ, οὐχὶ βούλομαι
ἄλλῳ παρεῖναι μᾶλλον ἢ σῴζειν ἐμοί·
ἀνανδρία γάρ, τὸ πλέον ὅστις ἀπολέσας
τοὔλασσον ἔλαβε. πρὸς δὲ τοῖσδ' αἰσχύνομαι,
ἐλθόντα σὺν ὅπλοις τόνδε καὶ πορθοῦντα γῆν
τυχεῖν ἃ χρῄζει· ταῖς γὰρ ἂν Θήβαις τόδε
γένοιτ' ὄνειδος, εἰ Μυκηναίου δορὸς
φόβῳ παρείην σκῆπτρα τἀμὰ τῷδ' ἔχειν.
χρῆν δ' αὐτὸν οὐχ ὅπλοισι τὰς διαλλαγάς,
μῆτερ, ποιεῖσθαι· πᾶν γὰρ ἐξαιρεῖ λόγος
ὃ καὶ σίδηρος πολεμίων δράσειεν ἄν.

ἀλλ', εἰ μὲν ἄλλως τήνδε γῆν οἰκεῖν θέλει,
ἔξεστ'· ἐκεῖνο δ' οὐχ ἑκὼν μεθήσομαι.
ἄρχειν παρον μοι, τῷδε δουλεύσω ποτέ;
  πρὸς ταῦτ' ἴτω μὲν πῦρ, ἴτω δὲ φάσγανα,
ζεύγνυσθε δ' ἵππους, πεδία πίμπλαθ' ἁρμάτων,
ὡς οὐ παρήσω τῷδ' ἐμὴν τυραννίδα.
εἴπερ γὰρ ἀδικεῖν χρή, τυραννίδος πέρι
κάλλιστον ἀδικεῖν, τἄλλα δ' εὐσεβεῖν χρεών.

(*Phoenissae*, 465–525)

381. *Orestes and Electra*

ΟΡΕΣΤΗΣ, ΗΛΕΚΤΡΑ

Ορ. Ὦ φίλον ὕπνου θέλγητρον, ἐπίκουρον νόσου,
ὡς ἡδύ μοι προσῆλθες—ἐν δέοντί γε.
ὦ πότνια Λήθη τῶν κακῶν, ὡς εἶ σοφὴ
καὶ τοῖσι δυστυχοῦσιν εὐκταία θεός.
  πόθεν ποτ' ἦλθον δεῦρο; πῶς δ' ἀφικόμην;
ἀμνημονῶ γάρ, τῶν πρὶν ἀπολειφθεὶς φρενῶν.
Ηλ. ὦ φίλταθ', ὥς μ' ηὔφρανας εἰς ὕπνον πεσών.
βούλῃ θίγω σου κἀνακουφίσω δέμας;
Ορ. λαβοῦ λαβοῦ δῆτ', ἐκ δ' ὄμορξον ἀθλίου
στόματος ἀφρώδη πέλανον ὀμμάτων τ' ἐμῶν.
Ηλ. ἰδού· τὸ δούλευμ' ἡδύ, κοὐκ ἀναίνομαι
ἀδέλφ' ἀδελφῇ χειρὶ θεραπεύειν μέλη.
Ορ. ὑπόβαλε πλευροῖς πλευρά, καὐχμώδη κόμην
ἄφελε προσώπου· λεπτὰ γὰρ λεύσσω κόραις.
Ηλ. ἄκουε δὴ νῦν, ὦ κασίγνητον κάρα,
ἕως ἐῶσιν εὖ φρονεῖν Ἐρινύες.
Ορ. λέξεις τι καινόν· κεἰ μὲν εὖ, χάριν φέρεις·
εἰ δ' ἐς βλάβην τιν', ἅλις ἔχω τὸ δυστυχεῖν.

Ηλ. Μενέλαος ἥκει, σοῦ κασίγνητος πατρός,
ἐν Ναυπλίᾳ δὲ σέλμαθ' ὥρμισται νεῶν.
Ορ. πῶς εἶπας; ἥκει φῶς ἐμοῖς καὶ σοῖς κακοῖς
ἀνὴρ ὁμογενὴς καὶ χάριτας ἔχων πατρός;
Ηλ. ἥκει—τὸ πιστὸν τόδε λόγων ἐμῶν δέχου—
Ἑλένην ἀγόμενος Τρωικῶν ἐκ τειχέων.
Ορ. εἰ μόνος ἐσώθη, μᾶλλον ἂν ζηλωτὸς ἦν·
εἰ δ' ἄλοχον ἄγεται, κακὸν ἔχων ἥκει μέγα.
Ηλ. ἐπίσημον ἔτεκε Τυνδάρεως ἐς τὸν ψόγον
γένος θυγατέρων δυσκλεές τ' ἀν' Ἑλλάδα.
Ορ. σύ νυν διάφερε τῶν κακῶν· ἔξεστι γάρ·
καὶ μὴ μόνον λέγ', ἀλλὰ καὶ φρόνει τάδε.
Ηλ. οἴμοι, κασίγνητ', ὄμμα σὸν ταράσσεται,
ταχὺς δὲ μετέθου λύσσαν, ἄρτι σωφρονῶν.
Ορ. ὦ μῆτερ, ἱκετεύω σε, μὴ 'πίσειέ μοι
τὰς αἱματωποὺς καὶ δρακοντώδεις κόρας.
αὗται γὰρ αὗται πλησίον θρῴσκουσί μου.
Ηλ. μέν', ὦ ταλαίπωρ', ἀτρέμα σοῖς ἐν δεμνίοις·
ὁρᾷς γὰρ οὐδὲν ὧν δοκεῖς σάφ' εἰδέναι.
Ορ. ὦ Φοῖβ', ἀποκτενοῦσί μ' αἱ κυνώπιδες
γοργῶπες, ἐνέρων ἱέρειαι, δειναὶ θεαί.
Ηλ. οὔτοι μεθήσω· χεῖρα δ' ἐμπλέξασ' ἐμὴν
σχήσω σε πηδᾶν δυστυχῆ πηδήματα.
Ορ. μέθες· μί' οὖσα τῶν ἐμῶν Ἐρινύων
μέσον μ' ὀχμάζεις, ὡς βάλῃς ἐς Τάρταρον.
Ηλ. οἲ 'γὼ τάλαινα, τίν' ἐπικουρίαν λάβω,
ἐπεὶ τὸ θεῖον δυσμενὲς κεκτήμεθα;
Ορ. δὸς τόξα μοι κερουλκά, δῶρα Λοξίου,
οἷς μ' εἶπ' Ἀπόλλων ἐξαμύνασθαι θεάς,
εἴ μ' ἐκφοβοῖεν μανιάσιν λυσσήμασιν.

βεβλήσεταί τις θεῶν βροτησίᾳ χερί,
εἰ μὴ 'ξαμείψει χωρὶς ὀμμάτων ἐμῶν.
οὐκ εἰσακούετ'; οὐχ ὁρᾶθ' ἑκηβόλων
τόξων πτερωτὰς γλυφίδας ἐξορμωμένας;
ἆ ἆ·
τί δῆτα μέλλετ'; ἐξακρίζετ' αἰθέρα
πτεροῖς· τὰ Φοίβου δ' αἰτιᾶσθε θέσφατα.

(*Orestes*, 211–24, 237–76)

382. *The Furies*

ΧΟΡΟΣ

Αἰαῖ,
δρομάδες ὦ πτεροφόροι
ποτνιάδες θεαί,
ἀβάκχευτον αἳ θίασον ἐλάχετ' ἐν
δάκρυσι καὶ γόοις,
μελάγχρωτες εὐμενίδες, αἵτε τὸν
ταναὸν αἰθέρ' ἀμπάλλεσθ', αἵματος
τινύμεναι δίκαν, τινύμεναι φόνον,
καθικετεύομαι καθικετεύομαι,
τὸν 'Αγαμέμνονος
γόνον ἐάσατ' ἐκλαθέσθαι λύσσας
μανιάδος φοιταλέου. φεῦ μόχθων,
οἵων, ὦ τάλας, ὀρεχθεὶς ἔρρεις,
τρίποδος ἄπο φάτιν, ἂν ὁ Φοῖβος ἔλακε, δε-
ξάμενος ἀνὰ δάπεδον,
ἵνα μεσόμφαλοι λέγονται μυχοί.

ἰὼ Ζεῦ,
τίς ἔλεος, τίς ὅδ' ἀγὼν

φόνιος ἔρχεται,
θοάζων σε τὸν μέλεον, ᾧ δάκρυα
δάκρυσι συμβάλλει
πορεύων τις ἐς δόμον ἀλαστόρων
ματέρος αἷμα σᾶς, ὅ σ᾽ ἀναβακχεύει;
ὁ μέγας ὄλβος οὐ μόνιμος ἐν βροτοῖς·
κατολοφύρομαι κατολοφύρομαι.
ἀνὰ δὲ λαῖφος ὥς
τις ἀκάτου θοᾶς τινάξας δαίμων
κατέκλυσεν δεινῶν πόνων ὡς πόντου
λάβροις ὀλεθρίοισιν ἐν κύμασιν.
τίνα γὰρ ἔτι πάρος οἶκον ἕτερον ἢ τὸν ἀπὸ
θεογόνων γάμων,
τὸν ἀπὸ Ταντάλου, σέβεσθαί με χρή;

(*Orestes*, 316–47)

383. *Cyprus*

ΧΟΡΟΣ

Ἱκοίμαν ποτὶ Κύπρον,
νᾶσον τᾶς Ἀφροδίτας,
ἵν᾽ οἱ θελξίφρονες νέμον-
ται θνατοῖσιν Ἔρωτες,
Πάφον θ᾽ ἃν ἑκατόστομοι
βαρβάρου ποταμοῦ ῥοαὶ
καρπίζουσιν ἄνομβροι.
οὗ δ᾽ ἁ καλλιστευομένα
Πιερία μούσειος ἕδρα,
σεμνὰ κλιτὺς Ὀλύμπου,
ἐκεῖσ᾽ ἄγε με, Βρόμιε Βρόμιε,

πρόβακχ' εὔιε δαῖμον.
ἐκεῖ Χάριτες,
ἐκεῖ δὲ Πόθος· ἐκεῖ δὲ βάκ-
χαις θέμις ὀργιάζειν.

(*Bacchae*, 403–15)

384. *On Cithaeron*

ΑΓΓΕΛΟΣ

Ἀγελαῖα μὲν βοσκήματ' ἄρτι πρὸς λέπας
μόσχων ὑπεξήκριζον, ἡνίχ' ἥλιος
ἀκτῖνας ἐξίησι θερμαίνων χθόνα.
ὁρῶ δὲ θιάσους τρεῖς γυναικείων χορῶν,
ὧν ἦρχ' ἑνὸς μὲν Αὐτονόη, τοῦ δευτέρου
μήτηρ Ἀγαύη σή, τρίτου δ' Ἰνὼ χοροῦ.
ηὗδον δὲ πᾶσαι σώμασιν παρειμέναι,
αἳ μὲν πρὸς ἐλάτης νῶτ' ἐρείσασαι φόβην,
αἳ δ' ἐν δρυὸς φύλλοισι πρὸς πέδῳ κάρα
εἰκῇ βαλοῦσαι σωφρόνως, οὐχ ὡς σὺ φῂς
ᾠνωμένας κρατῆρι καὶ λωτοῦ ψόφῳ
θηρᾶν καθ' ὕλην Κύπριν ἠρημωμένας.
ἡ σὴ δὲ μήτηρ ὠλόλυξεν ἐν μέσαις
σταθεῖσα βάκχαις, ἐξ ὕπνου κινεῖν δέμας,
μυκήμαθ' ὡς ἤκουσε κεροφόρων βοῶν.
αἳ δ' ἀποβαλοῦσαι θαλερὸν ὀμμάτων ὕπνον
ἀνῇξαν ὀρθαί, θαῦμ' ἰδεῖν εὐκοσμίας,
νέαι παλαιαὶ παρθένοι τ' ἔτ' ἄζυγες.
καὶ πρῶτα μὲν καθεῖσαν εἰς ὤμους κόμας
νεβρίδας τ' ἀνεστείλανθ' ὅσαισιν ἁμμάτων
σύνδεσμ' ἐλέλυτο, καὶ καταστίκτους δορὰς
ὄφεσι κατεζώσαντο λιχμῶσιν γένυν.

αἱ δ' ἀγκάλαισι δορκάδ' ἢ σκύμνους λύκων
ἀγρίους ἔχουσαι λευκὸν ἐδίδοσαν γάλα,
ὅσαις νεοτόκοις μαστὸς ἦν σπαργῶν ἔτι
βρέφη λιπούσαις· ἐπὶ δ' ἔθεντο κισσίνους
στεφάνους δρυός τε μίλακός τ' ἀνθεσφόρου.
θύρσον δέ τις λαβοῦσ' ἔπαισεν ἐς πέτραν,
ὅθεν δροσώδης ὕδατος ἐκπηδᾷ νοτίς·
ἄλλη δὲ νάρθηκ' ἐς πέδον καθῆκε γῆς,
καὶ τῇδε κρήνην ἐξανῆκ' οἴνου θεός·
ὅσαις δὲ λευκοῦ πώματος πόθος παρῆν,
ἄκροισι δακτύλοισι διαμῶσαι χθόνα
γάλακτος ἑσμοὺς εἶχον· ἐκ δὲ κισσίνων
θύρσων γλυκεῖαι μέλιτος ἔσταζον ῥοαί.
ὥστ', εἰ παρῆσθα, τὸν θεὸν τὸν νῦν ψέγεις
εὐχαῖσιν ἂν μετῆλθες εἰσιδὼν τάδε.
ξυνήλθομεν δὲ βουκόλοι καὶ ποιμένες,
κοινῶν λόγων δώσοντες ἀλλήλοις ἔριν
ὡς δεινὰ δρῶσι θαυμάτων τ' ἐπάξια·
καί τις πλάνης κατ' ἄστυ καὶ τρίβων λόγων
ἔλεξεν εἰς ἅπαντας· "Ὦ σεμνὰς πλάκας
ναίοντες ὀρέων, θέλετε θηρασώμεθα
Πενθέως Ἀγαύην μητέρ' ἐκ βακχευμάτων
χάριν τ' ἄνακτι θώμεθα;" εὖ δ' ἡμῖν λέγειν
ἔδοξε, θάμνων δ' ἐλλοχίζομεν φόβαις
κρύψαντες αὑτούς· αἱ δὲ τὴν τεταγμένην
ὥραν ἐκίνουν θύρσον ἐς βακχεύματα,
Ἴακχον ἀθρόῳ στόματι τὸν Διὸς γόνον
Βρόμιον καλοῦσαι· πᾶν δὲ συνεβάκχευ' ὄρος
καὶ θῆρες, οὐδὲν δ' ἦν ἀκίνητον δρόμῳ.
κυρεῖ δ' Ἀγαύη πλησίον θρῴσκουσά μου·

κἀγὼ 'ξεπήδησ' ὡς συναρπάσαι θέλων,
λόχμην κενώσας ἔνθ' ἐκρυπτόμην δέμας.
ἣ δ' ἀνεβόησεν· "Ὦ δρομάδες ἐμαὶ κύνες,
θηρώμεθ' ἀνδρῶν τῶνδ' ὕπ'· ἀλλ' ἕπεσθέ μοι,
ἕπεσθε θύρσοις διὰ χερῶν ὡπλισμέναι."
ἡμεῖς μὲν οὖν φεύγοντες ἐξηλύξαμεν
βακχῶν σπαραγμόν, αἳ δὲ νεμομέναις χλόην
μόσχοις ἐπῆλθον χειρὸς ἀσιδήρου μέτα.
καὶ τὴν μὲν ἂν προσεῖδες εὔθηλον πόριν
μυκωμένην ἔχουσαν ἐν χεροῖν δίχα,
ἄλλαι δὲ δαμάλας διεφόρουν σπαράγμασιν.
εἶδες δ' ἂν ἢ πλεύρ' ἢ δίχηλον ἔμβασιν
ῥιπτόμεν' ἄνω τε καὶ κάτω· κρεμαστὰ δὲ
ἔσταζ' ὑπ' ἐλάταις ἀναπεφυρμέν' αἵματι.
ταῦροι δ' ὑβρισταὶ κἀς κέρας θυμούμενοι
τὸ πρόσθεν ἐσφάλλοντο πρὸς γαῖαν δέμας,
μυριάσι χειρῶν ἀγόμενοι νεανίδων.
θᾶσσον δὲ διεφοροῦντο σαρκὸς ἐνδυτὰ
ἢ σὲ ξυνάψαι βλέφαρα βασιλείοις κόραις.
χωροῦσι δ' ὥστ' ὄρνιθες ἀρθεῖσαι δρόμῳ
πεδίων ὑποτάσεις, αἳ παρ' Ἀσωποῦ ῥοαῖς
εὔκαρπον ἐκβάλλουσι Θηβαίων στάχυν·
Ὑσιάς τ' Ἐρυθράς θ', αἳ Κιθαιρῶνος λέπας
νέρθεν κατῳκήκασιν, ὥστε πολέμιοι,
ἐπεσπεσοῦσαι πάντ' ἄνω τε καὶ κάτω
διέφερον· ἥρπαζον μὲν ἐκ δόμων τέκνα·
ὁπόσα δ' ἐπ' ὤμοις ἔθεσαν, οὐ δεσμῶν ὕπο
προσείχετ' οὐδ' ἔπιπτεν ἐς μέλαν πέδον,
οὐ χαλκός, οὐ σίδηρος· ἐπὶ δὲ βοστρύχοις
πῦρ ἔφερον, οὐδ' ἔκαιεν. οἳ δ' ὀργῆς ὕπο

ἐς ὅπλ' ἐχώρουν φερόμενοι βακχῶν ὕπο·
οὗπερ τὸ δεινὸν ἦν θέαμ' ἰδεῖν, ἄναξ.
τοῖς μὲν γὰρ οὐχ ᾕμασσε λογχωτὸν βέλος,
κεῖναι δὲ θύρσους ἐξανιεῖσαι χερῶν
ἐτραυμάτιζον κἀπενώτιζον φυγῇ
γυναῖκες ἄνδρας, οὐκ ἄνευ θεῶν τινος.
πάλιν δ' ἐχώρουν ὅθεν ἐκίνησαν πόδα,
κρήνας ἐπ' αὐτὰς ἃς ἀνῆκ' αὐταῖς θεός.
νίψαντο δ' αἷμα, σταγόνα δ' ἐκ παρηίδων
γλώσσῃ δράκοντες ἐξεφαίδρυνον χροός.
τὸν δαίμον' οὖν τόνδ' ὅστις ἔστ', ὦ δέσποτα,
δέχου πόλει τῇδ'· ὡς τά τ' ἄλλ' ἐστὶν μέγας,
κἀκεῖνό φασιν αὐτόν, ὡς ἐγὼ κλύω,
τὴν παυσίλυπον ἄμπελον δοῦναι βροτοῖς.
οἴνου δὲ μηκέτ' ὄντος οὐκ ἔστιν Κύπρις
οὐδ' ἄλλο τερπνὸν οὐδὲν ἀνθρώποις ἔτι.

(*Bacchae*, 677–774)

385. *Where shall Wisdom be found?*

ΧΟΡΟΣ

Ἆρ' ἐν παννυχίοις χοροῖς
θήσω ποτὲ λευκὸν
πόδ' ἀναβακχεύουσα, δέραν
εἰς αἰθέρα δροσερὸν ῥίπτουσ',
ὡς νεβρὸς χλοεραῖς ἐμπαί-
ζουσα λείμακος ἡδοναῖς,
ἡνίκ' ἂν φοβερὰν φύγῃ
θήραν ἔξω φυλακᾶς
εὐπλέκτων ὑπὲρ ἀρκύων,
θωΰσσων δὲ κυναγέτας

συντείνῃ δράμημα κυνῶν·
μόχθοις τ' ὠκυδρόμοις τ' ἀέλ-
λαις θρῴσκει πεδίον
παραποτάμιον, ἡδομένα
βροτῶν ἐρημίαις σκιαρο-
κόμοιό τ' ἔρνεσιν ὕλας.

τί τὸ σοφόν; ἢ τί τὸ κάλλιον
παρὰ θεῶν γέρας ἐν βροτοῖς
ἢ χεῖρ' ὑπὲρ κορυφᾶς
τῶν ἐχθρῶν κρείσσω κατέχειν;
ὅ τι καλὸν φίλον ἀεί.

εὐδαίμων μὲν ὃς ἐκ θαλάσσας
ἔφυγε χεῖμα, λιμένα δ' ἔκιχεν·
εὐδαίμων δ' ὃς ὕπερθε μόχθων
ἐγένεθ'· ἑτέρᾳ δ' ἕτερος ἕτερον
ὄλβῳ καὶ δυνάμει παρῆλθεν.
μυρίαι δ' ἔτι μυρίοις
εἰσὶν ἐλπίδες· αἳ μὲν
τελευτῶσιν ἐν ὄλβῳ
βροτοῖς, αἳ δ' ἀπέβησαν·
τὸ δὲ κατ' ἦμαρ ὅτῳ βίοτος
εὐδαίμων, μακαρίζω.

(*Bacchae*, 863–76, 897–911)

386. *Watch before Dawn*

ΑΓΑΜΕΜΝΩΝ, ΠΡΕΣΒΥΤΗΣ

Αγ. Ὦ πρέσβυ, δόμων τῶνδε πάροιθεν
στεῖχε.
Πρ. στείχω. τί δὲ καινουργεῖς,

'Αγάμεμνον ἄναξ; Αγ. σπεύσεις; Πρ. σπεύδω.
μάλα τοι γῆρας τοὐμὸν ἄυπνον
καὶ ἐπ' ὀφθαλμοῖς ὀξὺ πάρεστιν.
Αγ. τίς ποτ' ἄρ' ἀστὴρ ὅδε πορθμεύει;
Πρ. Σείριος ἐγγὺς τῆς ἑπταπόρου
Πλειάδος ᾄσσων ἔτι μεσσήρης.
Αγ. οὔκουν φθόγγος γ' οὔτ' ὀρνίθων
οὔτε θαλάσσης· σιγαὶ δ' ἀνέμων
τόνδε κατ' Εὔριπον ἔχουσιν.
Πρ. τί δὲ σὺ σκηνῆς ἐκτὸς ἀίσσεις,
'Αγάμεμνον ἄναξ;
ἔτι δ' ἡσυχία τῇδε κατ' Αὖλιν
καὶ ἀκίνητοι φυλακαὶ τειχέων.
στείχωμεν ἔσω. Αγ. ζηλῶ σέ, γέρον,
ζηλῶ δ' ἀνδρῶν ὃς ἀκίνδυνον
βίον ἐξεπέρασ' ἀγνὼς ἀκλεής·
τοὺς δ' ἐν τιμαῖς ἧσσον ζηλῶ.
Πρ. καὶ μὴν τὸ καλόν γ' ἐνταῦθα βίου.
Αγ. τοῦτο δέ γ' ἐστὶν τὸ καλὸν σφαλερόν,
καὶ τὸ πρότιμον
γλυκὺ μέν, λυπεῖ δὲ προσιστάμενον.
τοτὲ μὲν τὰ θεῶν οὐκ ὀρθωθέντ'
ἀνέτρεψε βίον, τοτὲ δ' ἀνθρώπων
γνῶμαι πολλαὶ
καὶ δυσάρεστοι διέκναισαν.
Πρ. οὐκ ἄγαμαι ταῦτ' ἀνδρὸς ἀριστέως.
οὐκ ἐπὶ πᾶσίν σ' ἐφύτευσ' ἀγαθοῖς,
'Αγάμεμνον, 'Ατρεύς.
δεῖ δέ σε χαίρειν καὶ λυπεῖσθαι·
θνητὸς γὰρ ἔφυς. κἂν μὴ σὺ θέλῃς,

τὰ θεῶν οὕτω βουλόμεν' ἔσται.
σὺ δὲ λαμπτῆρος φάος ἀμπετάσας
δέλτον τε γράφεις
τήνδ' ἣν πρὸ χερῶν ἔτι βαστάζεις,
καὶ ταὐτὰ πάλιν γράμματα συγχεῖς
καὶ σφραγίζεις λύεις τ' ὀπίσω
ῥίπτεις τε πέδῳ πεύκην, θαλερὸν
κατὰ δάκρυ χέων,
καὶ τῶν ἀπόρων οὐδενὸς ἐνδεῖς
μὴ οὐ μαίνεσθαι.
τί πονεῖς; τί νέον περὶ σοί, βασιλεῦ;
φέρε κοίνωσον μῦθον ἐς ἡμᾶς.
πρὸς δ' ἄνδρ' ἀγαθὸν πιστόν τε φράσεις·
σῇ γάρ μ' ἀλόχῳ τότε Τυνδάρεως
πέμπει φερνὴν
συννυμφοκόμον τε δίκαιον.

(*Iphigenia in Aulis*, 1–48)

387. *Night Watch*

ΧΟΡΟΣ

Τίνος ἁ φυλακά; τίς ἀμείβει
τὰν ἐμάν; πρῶτα
δύεται σημεῖα καὶ ἑπτάποροι
Πλειάδες αἰθέριαι· μέσα δ' αἰετὸς οὐρανοῦ ποτᾶται.
ἔγρεσθε, τί μέλλετε; κοιτᾶν
ἔξιτε πρὸς φυλακάν.
οὐ λεύσσετε μηνάδος αἴγλαν;
ἀὼς δὴ πέλας, ἀὼς
γίγνεται, καί τις προδρόμων
ὅδε γ' ἐστὶν ἀστήρ.

καὶ μὴν ἀΐω· Σιμόεντος
ἡμένα κοίτας
φοινίας ὑμνεῖ πολυχορδοτάτᾳ
γήρυϊ παιδολέτωρ μελοποιὸν ἀηδονὶς μέριμναν.
ἤδη δὲ νέμουσι κατ' Ἴδαν
ποίμνια· νυκτιβρόμου
σύριγγος ἰὰν κατακούω.
θέλγει δ' ὄμματος ἕδραν
ὕπνος· ἅδιστος γὰρ ἔβα
βλεφάροις πρὸς ἀοῦς.

(*Rhesus*, 527–37, 546–56)

388. *The Death of Rhesus*

ΡΗΣΟΥ ΗΝΙΟΧΟΣ

Κακῶς πέπρακται κἀπὶ τοῖς κακοῖσι πρὸς
αἴσχιστα· καίτοι δὶς τόσον κακὸν τόδε·
θανεῖν γὰρ εὐκλεῶς μέν, εἰ θανεῖν χρεών,
λυπρὸν μὲν οἶμαι τῷ θανόντι—πῶς γὰρ οὔ;—
τοῖς ζῶσι δ' ὄγκος καὶ δόμων εὐδοξία.
ἡμεῖς δ' ἀβούλως κἀκλεῶς ὀλώλαμεν.
ἐπεὶ γὰρ ἡμᾶς ηὔνασ' Ἑκτόρεια χείρ,
ξύνθημα λέξας, ηὕδομεν πεδοστιβεῖ
κόπῳ δαμέντες, οὐδ' ἐφρουρεῖτο στρατὸς
φυλακαῖσι νυκτέροισιν, οὐδ' ἐν τάξεσιν
ἔκειτο τεύχη, πλῆκτρά τ' οὐκ ἐπὶ ζυγοῖς
ἵππων καθήρμοσθ', ὡς ἄναξ ἐπεύθετο
κρατοῦντας ὑμᾶς κἀφεδρεύοντας νεῶν
πρύμναισι· φαύλως δ' ηὕδομεν πεπτωκότες.
κἀγὼ μελούσῃ καρδίᾳ λήξας ὕπνου
πώλοισι χόρτον, προσδοκῶν ἑωθινὴν

ζεύξειν ἐς ἀλκήν, ἀφθόνῳ μετρῶ χερί.
λεύσσω δὲ φῶτε περιπολοῦνθ᾽ ἡμῶν στρατὸν
πυκνῆς δι᾽ ὄρφνης· ὡς δ᾽ ἐκινήθην ἐγώ,
ἐπτηξάτην τε κἀνεχωρείτην πάλιν·
ἤπυσα δ᾽ αὐτοῖς μὴ πελάζεσθαι στρατῷ,
κλῶπας δοκήσας συμμάχων πλάθειν τινάς.
οἳ δ᾽ οὐδέν· οὐ μὴν οὐδ᾽ ἐγὼ τὰ πλείονα.
ηὗδον δ᾽ ἀπελθὼν αὖθις ἐς κοίτην πάλιν.
καί μοι καθ᾽ ὕπνον δόξα τις παρίσταται·
ἵππους γὰρ ἃς ἔθρεψα κἀδιφρηλάτουν
Ῥήσῳ παρεστώς, εἶδον, ὡς ὄναρ δοκῶν,
λύκους ἐπεμβεβῶτας ἑδραίαν ῥάχιν·
θείνοντε δ᾽ οὐρᾷ πωλικῆς ῥινοῦ τρίχα
ἤλαυνον, αἳ δ᾽ ἔρρεγκον ἐξ ἀντηρίδων
θυμὸν πνέουσαι κἀνεχαίτιζον φόβῳ.
ἐγὼ δ᾽ ἀμύνων θῆρας ἐξεγείρομαι
πώλοισιν· ἔννυχος γὰρ ἐξώρμα φόβος.
κλύω δ᾽ ἐπάρας κρᾶτα μυχθισμὸν νεκρῶν.
θερμὸς δὲ κρουνὸς δεσπότου πάρα σφαγαῖς
βάλλει με δυσθνῄσκοντος αἵματος νέου.
ὀρθὸς δ᾽ ἀνᾴσσω χειρὶ σὺν κενῇ δορός.
καί μ᾽ ἔγχος αὐγάζοντα καὶ θηρώμενον
παίει παραστὰς νεῖραν ἐς πλευρὰν ξίφει
ἀνὴρ ἀκμάζων· φασγάνου γὰρ ᾐσθόμην
πληγῆς, βαθεῖαν ἄλοκα τραύματος λαβών.
πίπτω δὲ πρηνής· οἳ δ᾽ ὄχημα πωλικὸν
λαβόντες ἵππων ἵεσαν φυγῇ πόδα.
ἆ ἆ.
ὀδύνη με τείρει, κοὐκέτ᾽ ὀρθοῦμαι τάλας.
καὶ ξυμφορὰν μὲν οἶδ᾽ ὁρῶν, τρόπῳ δ᾽ ὅτῳ

τεθνᾶσιν οἱ θανόντες οὐκ ἔχω φράσαι,
οὐδ' ἐξ ὁποίας χειρός. εἰκάσαι δέ μοι
πάρεστι λυπρὰ πρὸς φίλων πεπονθέναι.

(*Rhesus*, 756–803)

389. *The Old Men*

Φεῦ φεῦ, παλαιὸς αἶνος ὡς καλῶς ἔχει·
γέροντες οὐδέν ἐσμεν ἄλλο πλὴν ψόφος
καὶ σχῆμ', ὀνείρων δ' ἕρπομεν μιμήματα·
νοῦς δ' οὐκ ἔνεστιν, οἰόμεσθα δ' εὖ φρονεῖν.

(*Aeolus*)

390. *Andromeda*

ΑΝΔΡΟΜΕΔΑ, ΠΕΡΣΕΥΣ

i

Ανδρ. Ὦ νὺξ ἱερά,
ὡς μακρὸν ἵππευμα διώκεις
ἀστεροειδέα νῶτα διφρεύουσ'
αἰθέρος ἱερᾶς
τοῦ σεμνοτάτου δι' Ὀλύμπου.
προσαυδῶ σὲ τὰν ἐν ἄντροις,
ἀπόπαυσον, ἔασον Ἀ-
χοῖ με σὺν φίλαισιν
γόου κόρον λαβεῖν.

ii

Περσ. ὦ παρθέν', οἰκτίρω σε κρεμαμένην ὁρῶν.
Ανδρ. σὺ δ' εἶ τίς ὅστις τοὐμὸν ᾤκτιρας πάθος;

iii

Ανδρ. ὦ ξένε, κατοίκτιρόν με τὴν παναθλίαν,
λῦσόν με δεσμῶν.

iv

Περσ. ὦ παρθέν', εἰ σώσαιμί σ', εἴσῃ μοι χάριν;

v

Ανδρ. μή μοι προτείνων ἐλπίδ' ἐξάγου δάκρυ.
γένοιτό τἂν πόλλ' ὧν δόκησις οὐκ ἔνι.
ἄγου δέ μ', ὦ ξεῖν', εἴτε πρόσπολον θέλεις
εἴτ' ἄλοχον εἴτε δμωίδ' . . . . .

vi

Ανδρ. σὺ δ' ὦ θεῶν τύραννε κἀνθρώπων Ἔρως,
ἢ μὴ δίδασκε τὰ καλὰ φαίνεσθαι καλά,
ἢ τοῖς ἐρῶσιν εὐτυχῶς συνεκπόνει
μοχθοῦσι μόχθους ὧν σὺ δημιουργὸς εἶ.
καὶ ταῦτα μὲν δρῶν τίμιος θνητοῖς ἔσῃ,
μὴ δρῶν δ' ὑπ' αὐτοῦ τοῦ διδάσκεσθαι φιλεῖν
ἀφαιρεθήσῃ χάριτας αἷς τιμῶσί σε.
ὅσοι γὰρ εἰς ἔρωτα πίπτουσιν βροτῶν,
ἐσθλῶν ὅταν τύχωσι τῶν ἐρωμένων,
οὐκ ἔσθ' ὁποίας λείπεται τόδ' ἡδονῆς.

(*Andromeda*)

391. *There are no Gods*

Φησίν τις εἶναι δῆτ' ἐν οὐρανῷ θεούς;
οὐκ εἰσίν, οὐκ εἴσ', εἴ τις ἀνθρώπων θέλει
μὴ τῷ παλαιῷ μῶρος ὢν χρῆσθαι λόγῳ.
σκέψασθε δ' αὐτοί, μὴ 'πὶ τοῖς ἐμοῖς λόγοις
γνώμην ἔχοντες. φήμ' ἐγὼ τυραννίδα
κτείνειν τε πλείστους κτημάτων τ' ἀποστερεῖν
ὅρκους τε παραβαίνοντας ἐκπορθεῖν πόλεις·
καὶ ταῦτα δρῶντες μᾶλλόν εἰσ' εὐδαίμονες

τῶν εὐσεβούντων ἡσυχῇ καθ' ἡμέραν.
πόλεις τε μικρὰς οἶδα τιμώσας θεούς,
αἳ μειζόνων κλύουσι δυσσεβεστέρων
λόγχης ἀριθμῷ πλείονος κρατούμεναι.
οἶμαι δ' ἂν ὑμᾶς, εἴ τις ἀργὸς ὢν θεοῖς
εὔχοιτο καὶ μὴ χειρὶ συλλέγοι βίον,
μαθεῖν ἂν ὡς οὐκ εἰσίν. αἱ δ' εὐπραξίαι
τὰ θεῖα πυργοῦσ' αἱ κακαί τε συμφοραί.

(*Bellerophon*)

392. *Children*

Γύναι, καλὸν μὲν φέγγος ἡλίου τόδε,
καλὸν δὲ πόντου χεῦμ' ἰδεῖν εὐήνεμον,
γῆ τ' ἠρινὸν θάλλουσα πλούσιόν θ' ὕδωρ,
πολλῶν τ' ἔπαινον ἔστι μοι λέξαι καλῶν·
ἀλλ' οὐδὲν οὕτω λαμπρὸν οὐδ' ἰδεῖν καλὸν
ὡς τοῖς ἄπαισι καὶ πόθῳ δεδηγμένοις
παίδων νεογνῶν ἐν δόμοις ἰδεῖν θάλος.

(*Danaë*)

393. *Love is Idle*

Ἔρως γὰρ ἀργὸν κἀπὶ τοιούτοις ἔφυ·
φιλεῖ κάτοπτρα καὶ κόμης ξανθίσματα,
φεύγει δὲ μόχθους. ἓν δέ μοι τεκμήριον·
οὐδεὶς προσαιτῶν βίοτον ἠράσθη βροτῶν,
ἐν τοῖς δ' ἔχουσιν ἐγκρατὴς πέφυχ' ὅδε.

(*Danaë*)

394. *Peaceful Old Age*

Κείσθω δόρυ μοι μίτον ἀμφιπλέκειν ἀράχναις.
μετὰ δ' ἡσυχίας πολιῷ γήρᾳ συνοικοίην·

ἀείδοιμι δὲ στεφάνοις κάρα πολιὸν στεφανώσας
Θρήικιον πέλταν πρὸς Ἀθάνας
περικίοσιν ἀγκρεμάσας θαλάμοις
δέλτων τ' ἀναπτύσσοιμι γῆρυν
ἃν σοφοὶ κλέονται.

(*Erechtheus*)

395. *The Alphabet*

Ἐγὼ πέφυκα γραμμάτων μὲν οὐκ ἴδρις,
μορφὰς δὲ λέξω καὶ σαφῆ τεκμήρια.
κύκλος τις ὡς τόρνοισιν ἐκμετρούμενος,
οὗτος δ' ἔχει σημεῖον ἐν μέσῳ σαφές·
τὸ δεύτερον δὲ πρῶτα μὲν γραμμαὶ δύο,
ταύτας διείργει δ' ἐν μέσαις ἄλλη μία·
τρίτον δὲ βόστρυχός τις ὣς εἱλιγμένος·
τὸ δ' αὖ τέταρτον ἣ μὲν εἰς ὀρθὸν μία,
λοξαὶ δ' ἐπ' αὐτῆς τρεῖς κατεστηριγμέναι
εἰσίν· τὸ πέμπτον δ' οὐκ ἐν εὐμαρεῖ φράσαι·
γραμμαὶ γάρ εἰσιν ἐκ διεστώτων δύο,
αὗται δὲ συντρέχουσιν εἰς μίαν βάσιν·
τὸ λοίσθιον δὲ τῷ τρίτῳ προσεμφερές.

(*Theseus*)

396. *Pure Love*

Ἀλλ' ἔστι δή τις ἄλλος ἐν βροτοῖς ἔρως
ψυχῆς δικαίας σώφρονός τε κἀγαθῆς.
καὶ χρῆν δὲ τοῖς βροτοῖσι τόνδ' εἶναι νόμον
τῶν εὐσεβούντων οἵτινές τε σώφρονες
ἐρᾶν, Κύπριν δὲ τὴν Διὸς χαίρειν ἐᾶν.

(*Theseus*)

397. *Song of the Initiated*

Φοινικογενοῦς τέκνον Εὐρώπης
καὶ τοῦ μεγάλου Ζηνός, ἀνάσσων
Κρήτης ἑκατομπτολιέθρου·
ἥκω ζαθέους ναοὺς προλιπών,
οὓς αὐθιγενὴς τμηθεῖσα δοκὸς
στεγανοὺς παρέχει χαλύβῳ πελέκει
καὶ ταυροδέτῳ κόλλῃ κραθεῖσ'
ἀτρεκεῖς ἁρμοὺς κυπαρίσσου.
ἁγνὸν δὲ βίον τείνων ἐξ οὗ
Διὸς Ἰδαίου μύστης γενόμην,
καὶ νυκτιπόλου Ζαγρέως βροντὰς
τοὺς ὠμοφάγους δαίτας τελέσας
μητρί τ' ὀρείῳ δᾷδας ἀνασχὼν
καὶ κουρήτων
βάκχος ἐκλήθην ὁσιωθείς.

(*Cretenses*)

398. *Vanity of Vanities*

Τοὺς ζῶντας εὖ δρᾶν· κατθανὼν δὲ πᾶς ἀνὴρ
γῆ καὶ σκιά· τὸ μηδὲν εἰς οὐδὲν ῥέπει.

(*Meleager*)

399. *What is Life?*

i

Τίς δ' οἶδεν εἰ τὸ ζῆν μέν ἐστι κατθανεῖν,
τὸ κατθανεῖν δὲ ζῆν κάτω νομίζεται;

(*Polyidus*)

ii

Τίς δ' οἶδεν εἰ ζῆν τοῦθ' ὃ κέκληται θανεῖν,
τὸ ζῆν δὲ θνῄσκειν ἐστί; πλὴν ὅμως βροτῶν
νοσοῦσιν οἱ βλέποντες, οἱ δ' ὀλωλότες
οὐδὲν νοσοῦσιν οὐδὲ κέκτηνται κακά.

(*Phrixus*)

400. *Take Life as it Comes*

Ἅ γ' οὖν παραινῶ, ταῦτά μου δέξαι, γύναι.
ἔφυ μὲν οὐδεὶς ὅστις οὐ πονεῖ βροτῶν,
θάπτει τε τέκνα χἄτερ' αὖ κτᾶται νέα,
αὐτός τε θνῄσκει· καὶ τάδ' ἄχθονται βροτοί,
εἰς γῆν φέροντες γῆν. ἀναγκαίως δ' ἔχει
βίον θερίζειν ὥστε κάρπιμον στάχυν,
καὶ τὸν μὲν εἶναι, τὸν δὲ μή· τί ταῦτα δεῖ
στένειν, ἅπερ δεῖ κατὰ φύσιν διεκπερᾶν;
δεινὸν γὰρ οὐδὲν τῶν ἀναγκαίων βροτοῖς.

(*Hypsipyle*)

401. *Earth and Sky*

Γαῖα μεγίστη καὶ Διὸς Αἰθήρ,
ὁ μὲν ἀνθρώπων καὶ θεῶν γενέτωρ,
ἡ δ' ὑγροβόλους σταγόνας νοτίας
παραδεξαμένη τίκτει θνητούς,
τίκτει βοτάνην φῦλά τε θηρῶν·
ὅθεν οὐκ ἀδίκως
μήτηρ πάντων νενόμισται.
χωρεῖ δ' ὀπίσω
τὰ μὲν ἐκ γαίας φύντ' εἰς γαῖαν,
τὰ δ' ἀπ' αἰθερίου βλαστόντα γονῆς
εἰς οὐράνιον πάλιν ἦλθε πόλον·

θνῄσκει δ' οὐδὲν τῶν γιγνομένων,
διακρινόμενον δ' ἄλλο πρὸς ἄλλου
μορφὴν ἑτέραν ἀπέδειξεν.

(*Chrysippus*)

402. *The Worst Horror*

Δεινὴ μὲν ἀλκὴ κυμάτων θαλασσίων,
δειναὶ δὲ ποταμῶν καὶ πυρὸς θερμοῦ πνοαί,
δεινὸν δὲ πενία, δεινὰ δ' ἄλλα μυρία,
ἀλλ' οὐδὲν οὕτω δεινὸν ὡς γυνὴ κακόν·
οὐδ' ἂν γένοιτο γράμμα τοιοῦτον γραφῇ,
οὐδ' ἂν λόγος δείξειεν. εἰ δέ του θεῶν
τόδ' ἐστὶ πλάσμα, δημιουργὸς ὢν κακῶν
μέγιστος ἴστω καὶ βροτοῖσι δυσμενής.

403. *The Beginning of Day*

Μέλπει δ' ἐν δένδρεσι λεπτὰν
ἀηδὼν ἁρμονίαν
ὀρθρευομένα γόοις
Ἴτυν Ἴτυν πολύθρηνον.
σύριγγας δ' οὐριβάται
κινοῦσιν ποίμνας ἐλάται·
ἔγρονται δ' εἰς βοτάναν
ξανθᾶν πώλων συζυγίαι.
ἤδη δ' εἰς ἔργα κυναγοὶ
στείχουσιν θηροφόνοι,
παγαῖς τ' ἐπ' Ὠκεανοῦ
μελιβόας κύκνος ἀχεῖ.
ἄκατοι δ' ἀνάγονται ὑπ' εἰρεσιας
ἀνέμων τ' εὐαέσσιν ῥοθίοις

ἀνὰ δ' ἱστία λευκὰ πετάννυται,
σινδὼν δὲ προτονον ἐπὶ μέσον πελάζει.

(*Phaethon*)

ANONYMOUS

404. *The Power of God*

Χώριζε θνητῶν τὸν θεὸν καὶ μὴ δόκει
ὅμοιον αὐτοῖς σάρκινον καθεστάναι.
οὐκ οἶσθα δ' αὐτόν· ποτὲ μὲν ὡς πῦρ φαίνεται
ἄπλατος ὁρμῇ, ποτὲ δ' ὕδωρ, ποτὲ γνόφος·
καὶ θηρσὶν αὐτὸς γίνεται παρεμφερής,
ἀνέμῳ νεφέλῃ τε, κἀστραπῇ βροντῇ βροχῇ,
ὑπηρετεῖ δ' αὐτῷ θάλασσα καὶ πέτραι
καὶ πᾶσα πηγὴ χὔδατος συστήματα·
τρέμει δ' ὄρη καὶ γαῖα καὶ πελώριος
βυθὸς θαλάσσης κὠρέων ὕψος μέγα,
ὅταν ἐπιβλέψῃ γοργὸν ὄμμα δεσπότου.
πάντα δύναται γάρ· δόξα δ' ὑψίστου θεοῦ.

405. *The Final Conflagration*

Ἔσται γὰρ ἔσται κεῖνος αἰῶνος χρόνος,
ὅταν πυρὸς γέμοντα θησαυρὸν σχάσῃ
χρυσωπὸς αἰθήρ· ἡ δὲ βοσκηθεῖσα φλὸξ
ἅπαντα τἀπίγεια καὶ μετάρσια
φλέξει μανεῖσ'· ἐπὰν δ' ἄρ' ἐκλίπῃ τὸ πᾶν,
φροῦδος μὲν ἔσται κυμάτων ἅπας βυθός,
γῆ δ' ἑδράνων ἔρημος, οὐδ' ἀὴρ ἔτι
πτερωτὰ φῦλα βαστάσει πυρουμένη·
κἄπειτα σώσει πάνθ' ἃ πρόσθ' ἀπώλεσεν.

ANONYMOUS

406. *Mais où est le preux Charlemagne?*

Ποῦ γὰρ τὰ σεμνὰ κεῖνα; ποῦ δὲ Λυδίας
μέγας δυνάστης Κροῖσος ἢ Ξέρξης βαθὺν
ζεύξας θαλάσσης αὐχέν' Ἑλλησποντίας;
ἅπαντ' ἐς Ἅιδην ἦλθε καὶ Λήθης δόμους.

407. *Virtue*

Ὦ τλῆμον ἀρετή, λόγος ἄρ' ἦσθ'· ἐγὼ δέ σε
ὡς ἔργον ἤσκουν· σὺ δ' ἄρ' ἐδούλευες τύχῃ.

THUCYDIDES (?)

(471–401 B.C.)

408. *Euripides*

Μνῆμα μὲν Ἑλλὰς ἅπασ' Εὐριπίδου· ὀστέα δ' ἴσχει
γῆ Μακεδών· ᾗ γὰρ δέξατο τέρμα βίου.
πατρὶς δ' Ἑλλάδος Ἑλλάς, Ἀθῆναι· πλεῖστα δὲ Μούσαις
τέρψας, ἐκ πολλῶν καὶ τὸν ἔπαινον ἔχει.

PRAXILLA

(fl. 440 B.C.)

409. *The Lost World of Adonis*

Κάλλιστον μὲν ἐγὼ λείπω φάος ἠελίοιο,
δεύτερον ἄστρα φαεινὰ σεληναίης τε πρόσωπον
ἠδὲ καὶ ὡραίους σικύους καὶ μῆλα καὶ ὄγχνας.

410. *At the Window*

Ὦ διὰ τῶν θυρίδων καλὸν ἐμβλέποισα,
παρθένε τὰν κεφαλάν, τὰ δ' ἔνερθε νύμφα.

ANONYMOUS

411. *Death*

Ἔπειτα κείσεται βαθυδένδρῳ
ἐν χθονὶ συμποσίων τε καὶ λυρᾶν ἄμοιρος
ἰαχᾶς τε παντερπέος αὐλῶν.

ARISTOPHANES

(450–385 B.C.)

412. *A Plea for the Enemy*

ΔΙΚΑΙΟΠΟΛΙΣ

Μή μοι φθονήσητ' ἄνδρες οἱ θεώμενοι,
εἰ πτωχὸς ὢν ἔπειτ' ἐν 'Αθηναίοις λέγειν
μέλλω περὶ τῆς πόλεως, τρυγῳδίαν ποιῶν.
τὸ γὰρ δίκαιον οἶδε καὶ τρυγῳδία.
ἐγὼ δὲ λέξω δεινὰ μὲν δίκαια δέ.
οὐ γάρ με νῦν γε διαβαλεῖ Κλέων ὅτι
ξένων παρόντων τὴν πόλιν κακῶς λέγω.
αὐτοὶ γάρ ἐσμεν οὑπὶ Ληναίῳ τ' ἀγών,
κοὔπω ξένοι πάρεισιν· οὔτε γὰρ φόροι
ἥκουσιν οὔτ' ἐκ τῶν πόλεων οἱ ξύμμαχοι·
ἀλλ' ἐσμὲν αὐτοὶ νῦν γε περιεπτισμένοι·
τοὺς γὰρ μετοίκους ἄχυρα τῶν ἀστῶν λέγω.
ἐγὼ δὲ μισῶ μὲν Λακεδαιμονίους σφόδρα,
καὐτοῖς ὁ Ποσειδῶν οὑπὶ Ταινάρῳ θεὸς
σείσας ἅπασιν ἐμβάλοι τὰς οἰκίας·
κἀμοὶ γάρ ἐστ' ἀμπέλια διακεκομμένα.
ἀτὰρ φίλοι γὰρ οἱ παρόντες ἐν λόγῳ,
τί ταῦτα τοὺς Λάκωνας αἰτιώμεθα;

ἡμῶν γὰρ ἄνδρες, κοὐχὶ τὴν πόλιν λέγω,
μέμνησθε τοῦθ᾽ ὅτι οὐχὶ τὴν πόλιν λέγω,
ἀλλ᾽ ἀνδράρια μοχθηρά, παρακεκομμένα,
ἄτιμα καὶ παράσημα καὶ παράξενα,
ἐσυκοφάντει Μεγαρέων τὰ χλανίσκια·
κεἴ που σίκυον ἴδοιεν ἢ λαγῴδιον
ἢ χοιρίδιον ἢ σκόροδον ἢ χόνδρους ἅλας,
ταῦτ᾽ ἦν Μεγαρικὰ κἀπέπρατ᾽ αὐθημερόν.
καὶ ταῦτα μὲν δὴ σμικρὰ κἀπιχώρια,
πόρνην δὲ Σιμαίθαν ἰόντες Μεγαράδε
νεανίαι κλέπτουσι μεθυσοκότταβοι·
κᾆθ᾽ οἱ Μεγαρῆς ὀδύναις πεφυσιγγωμένοι
ἀντεξέκλεψαν Ἀσπασίας πόρνα δύο·
κἀντεῦθεν ἀρχὴ τοῦ πολέμου κατερράγη
Ἕλλησι πᾶσιν ἐκ τριῶν λαικαστριῶν.
ἐντεῦθεν ὀργῇ Περικλέης οὑλύμπιος
ἤστραπτ᾽ ἐβρόντα ξυνεκύκα τὴν Ἑλλάδα,
ἐτίθει νόμους ὥσπερ σκόλια γεγραμμένους,
ὡς χρὴ Μεγαρέας μήτε γῇ μήτ᾽ ἐν ἀγορᾷ
μήτ᾽ ἐν θαλάττῃ μήτ᾽ ἐν οὐρανῷ μένειν.
ἐντεῦθεν οἱ Μεγαρῆς, ὅτε δὴ ᾽πείνων βάδην,
Λακεδαιμονίων ἐδέοντο τὸ ψήφισμ᾽ ὅπως
μεταστραφείη τὸ διὰ τὰς λαικαστρίας·
κοὐκ ἠθέλομεν ἡμεῖς δεομένων πολλάκις.
κἀντεῦθεν ἤδη πάταγος ἦν τῶν ἀσπίδων.
ἐρεῖ τις, οὐ χρῆν· ἀλλὰ τί ἐχρῆν, εἴπατε.
φέρ᾽ εἰ Λακεδαιμονίων τις ἐκπλεύσας σκάφει
ἀπέδοτο φήνας κυνίδιον Σεριφίων,
καθῆσθ᾽ ἂν ἐν δόμοισιν; ἢ πολλοῦ γε δεῖ·
καὶ κάρτα μέντἂν εὐθέως καθείλκετε

τριακοσίας ναῦς, ἦν δ' ἂν ἡ πόλις πλέα
θορύβου στρατιωτῶν, περὶ τριηράρχου βοῆς,
μισθοῦ διδομένου, παλλαδίων χρυσουμένων,
στοᾶς στεναχούσης, σιτίων μετρουμένων,
ἀσκῶν, τροπωτήρων, κάδους ὠνουμένων,
σκορόδων, ἐλαῶν, κρομμύων ἐν δικτύοις,
στεφάνων, τριχίδων, αὐλητρίδων, ὑπωπίων·
τὸ νεώριον δ' αὖ κωπέων πλατουμένων,
τύλων ψοφούντων, θαλαμιῶν τροπουμένων,
αὐλῶν, κελευστῶν, νιγλάρων, συριγμάτων.
ταῦτ' οἶδ' ὅτι ἂν ἐδρᾶτε· τὸν δὲ Τήλεφον
οὐκ οἰόμεσθα; νοῦς ἄρ' ἡμῖν οὐκ ἔνι.

(*Acharnians*, 496–556)

413. *The Poet and the People*

ΧΟΡΟΣ

Ἐξ οὗ γε χοροῖσιν ἐφέστηκεν τρυγικοῖς ὁ διδάσκαλος ἡμῶν,
οὔπω παρέβη πρὸς τὸ θέατρον λέξων ὡς δεξιός ἐστιν·
διαβαλλόμενος δ' ὑπὸ τῶν ἐχθρῶν ἐν Ἀθηναίοις ταχυβούλοις,
ὡς κωμῳδεῖ τὴν πόλιν ἡμῶν καὶ τὸν δῆμον καθυβρίζει,
ἀποκρίνασθαι δεῖται νυνὶ πρὸς Ἀθηναίους μεταβούλους.
φησὶν δ' εἶναι πολλῶν ἀγαθῶν ἄξιος ὑμῖν ὁ ποιητής,
παύσας ὑμᾶς ξενικοῖσι λόγοις μὴ λίαν ἐξαπατᾶσθαι,
μήθ' ἥδεσθαι θωπευομένους, μήτ' εἶναι χαυνοπολίτας.
πρότερον δ' ὑμᾶς ἀπὸ τῶν πόλεων οἱ πρέσβεις ἐξαπατῶντες

πρῶτον μὲν ἰοστεφάνους ἐκάλουν· κἀπειδὴ τοῦτό τις εἴποι,
εὐθὺς διὰ τοὺς στεφάνους ἐπ' ἄκρων τῶν πυγιδίων ἐκάθησθε.
εἰ δέ τις ὑμᾶς ὑποθωπεύσας λιπαρὰς καλέσειεν Ἀθήνας,
ηὕρετο πᾶν ἂν διὰ τὰς λιπαράς, ἀφύων τιμὴν περιάψας.
ταῦτα ποιήσας πολλῶν ἀγαθῶν αἴτιος ὑμῖν γεγένηται,
καὶ τοὺς δήμους ἐν ταῖς πόλεσιν δείξας ὡς δημοκρατοῦνται.
τοιγάρτοι νῦν ἐκ τῶν πόλεων τὸν φόρον ὑμῖν ἀπάγοντες
ἥξουσιν ἰδεῖν ἐπιθυμοῦντες τὸν ποιητὴν τὸν ἄριστον,
ὅστις παρεκινδύνευσ' εἰπεῖν ἐν Ἀθηναίοις τὰ δίκαια.
οὕτω δ' αὐτοῦ περὶ τῆς τόλμης ἤδη πόρρω κλέος ἥκει,
ὅτε καὶ βασιλεὺς Λακεδαιμονίων τὴν πρεσβείαν βασανίζων
ἠρώτησεν πρῶτα μὲν αὐτοὺς πότεροι ταῖς ναυσὶ κρατοῦσιν,
εἶτα δὲ τοῦτον τὸν ποιητὴν ποτέρους εἴποι κακὰ πολλά·
τούτους γὰρ ἔφη τοὺς ἀνθρώπους πολὺ βελτίους γεγενῆσθαι
καὶ τῷ πολέμῳ πολὺ νικήσειν τοῦτον ξύμβουλον ἔχοντας.
διὰ ταῦθ' ὑμᾶς Λακεδαιμόνιοι τὴν εἰρήνην προκαλοῦνται
καὶ τὴν Αἴγιναν ἀπαιτοῦσιν· καὶ τῆς νήσου μὲν ἐκείνης
οὐ φροντίζουσ', ἀλλ' ἵνα τοῦτον τὸν ποιητὴν ἀφέλωνται.

ἀλλ' ὑμεῖς τοι μή ποτ' ἀφῆσθ'· ὡς κωμῳδήσει τὰ δίκαια·
φησὶν δ' ὑμᾶς πολλὰ διδάξειν ἀγάθ', ὥστ' εὐδαίμονας εἶναι,
οὐ θωπεύων οὐδ' ὑποτείνων μισθοὺς οὐδ' ἐξαπατύλλων,
οὐδὲ πανουργῶν οὐδὲ κατάρδων, ἀλλὰ τὰ βέλτιστα διδάσκων.

(*Acharnians*, 628–58)

414. *Demos and his Flatterer*

ΔΗΜΟΣΘΕΝΗΣ

Λέγοιμ' ἂν ἤδη. νῷν γάρ ἐστι δεσπότης
ἄγροικος ὀργὴν κυαμοτρὼξ ἀκράχολος,
Δῆμος πυκνίτης, δύσκολον γερόντιον
ὑπόκωφον. οὗτος τῇ προτέρᾳ νουμηνίᾳ
ἐπρίατο δοῦλον, βυρσοδέψην Παφλαγόνα,
πανουργότατον καὶ διαβολώτατόν τινα.
οὗτος καταγνοὺς τοῦ γέροντος τοὺς τρόπους,
ὁ βυρσοπαφλαγών, ὑποπεσὼν τὸν δεσπότην
ᾔκαλλ' ἐθώπευ' ἐκολάκευ' ἐξηπάτα
κοσκυλματίοις ἄκροισι τοιαυτὶ λέγων·
ὦ Δῆμε λοῦσαι πρῶτον ἐκδικάσας μίαν,
ἔνθοῦ ῥόφησον ἔντραγ' ἔχε τριώβολον.
βούλει παραθῶ σοι δόρπον; εἶτ' ἀναρπάσας
ὅ τι ἂν τις ἡμῶν σκευάσῃ, τῷ δεσπότῃ
Παφλαγὼν κεχάρισται τοῦτο. καὶ πρώην γ' ἐμοῦ
μᾶζαν μεμαχότος ἐν Πύλῳ Λακωνικήν,
πανουργότατά πως περιδραμὼν ὑφαρπάσας
αὐτὸς παρέθηκε τὴν ὑπ' ἐμοῦ μεμαγμένην.
ἡμᾶς δ' ἀπελαύνει κοὐκ ἐᾷ τὸν δεσπότην

ἄλλον θεραπεύειν, ἀλλὰ βυρσίνην ἔχων
δειπνοῦντος ἑστὼς ἀποσοβεῖ τοὺς ῥήτορας.
ᾄδει δὲ χρησμούς· ὁ δὲ γέρων σιβυλλιᾷ.
ὁ δ' αὐτὸν ὡς ὁρᾷ μεμακκοακότα,
τέχνην πεποίηται. τοὺς γὰρ ἔνδον ἄντικρυς
ψευδῆ διαβάλλει· κᾆτα μαστιγούμεθα
ἡμεῖς· Παφλαγὼν δὲ περιθέων τοὺς οἰκέτας
αἰτεῖ ταράττει δωροδοκεῖ λέγων τάδε·
"ὁρᾶτε τὸν Ὕλαν δι' ἐμὲ μαστιγούμενον;
εἰ μή μ' ἀναπείσετ', ἀποθανεῖσθε τήμερον."
ἡμεῖς δὲ δίδομεν· εἰ δὲ μή, πατούμενοι
ὑπὸ τοῦ γέροντος ὀκταπλάσιον χέζομεν.

(*Knights*, 40–70)

415. *The Poet and his Rivals*

ΧΟΡΟΣ

Εἰ μέν τις ἀνὴρ τῶν ἀρχαίων κωμῳδοδιδάσκαλος ἡμᾶς
ἠνάγκαζεν λέξοντας ἔπη πρὸς τὸ θέατρον παραβῆναι,
οὐκ ἂν φαύλως ἔτυχεν τούτου· νῦν δ' ἄξιός ἐσθ' ὁ ποιητής,
ὅτι τοὺς αὐτοὺς ἡμῖν μισεῖ τολμᾷ τε λέγειν τὰ δίκαια,
καὶ γενναίως πρὸς τὸν τυφῶ χωρεῖ καὶ τὴν ἐριώλην.
ἃ δὲ θαυμάζειν ὑμῶν φησιν πολλοὺς αὐτῷ προσιόντας
καὶ βασανίζειν ὡς οὐχὶ πάλαι χορὸν αἰτοίη καθ' ἑαυτόν,
ἡμᾶς ὑμῖν ἐκέλευε φράσαι περὶ τούτου. φησὶ γὰρ ἁνὴρ
οὐχ ὑπ' ἀνοίας τοῦτο πεπονθὼς διατρίβειν, ἀλλὰ νομίζων
κωμῳδοδιδασκαλίαν εἶναι χαλεπώτατον ἔργον ἁπάντων·

πολλῶν γὰρ δὴ πειρασάντων αὐτὴν ὀλίγοις χαρίσασθαι·
ὑμᾶς τε πάλαι διαγιγνώσκων ἐπετείους τὴν φύσιν ὄντας
καὶ τοὺς προτέρους τῶν ποιητῶν ἅμα τῷ γήρᾳ προδιδόντας·
τοῦτο μὲν εἰδὼς ἅπαθε Μάγνης ἅμα ταῖς πολιαῖς κατιούσαις,
ὃς πλεῖστα χορῶν τῶν ἀντιπάλων νίκης ἔστησε τροπαῖα·
πάσας δ' ὑμῖν φωνὰς ἱεὶς καὶ ψάλλων καὶ πτερυγίζων
καὶ λυδίζων καὶ ψηνίζων καὶ βαπτόμενος βατραχείοις
οὐκ ἐξήρκεσεν, ἀλλὰ τελευτῶν ἐπὶ γήρως, οὐ γὰρ ἐφ' ἥβης,
ἐξεβλήθη πρεσβύτης ὤν, ὅτι τοῦ σκώπτειν ἀπελείφθη·
εἶτα Κρατίνου μεμνημένος, ὃς πολλῷ ῥεύσας ποτ' ἐπαίνῳ
διὰ τῶν ἀφελῶν πεδίων ἔρρει, καὶ τῆς στάσεως παρασύρων
ἐφόρει τὰς δρῦς καὶ τὰς πλατάνους καὶ τοὺς ἐχθροὺς προθελύμνους·
ᾆσαι δ' οὐκ ἦν ἐν ξυμποσίῳ πλὴν "Δωροῖ συκοπέδιλε,"
καὶ "τέκτονες εὐπαλάμων ὕμνων·" οὕτως ἤνθησεν ἐκεῖνος.
νυνὶ δ' ὑμεῖς αὐτὸν ὁρῶντες παραληροῦντ' οὐκ ἐλεεῖτε,
ἐκπιπτουσῶν τῶν ἠλέκτρων καὶ τοῦ τόνου οὐκέτ' ἐνόντος
τῶν θ' ἁρμονιῶν διαχασκουσῶν· ἀλλὰ γέρων ὢν περιέρρει,
ὥσπερ Κοννᾶς, στέφανον μὲν ἔχων αὖον δίψῃ δ' ἀπολωλώς,

ὃν χρῆν διὰ τὰς προτέρας νίκας πίνειν ἐν τῷ πρυτανείῳ,
καὶ μὴ ληρεῖν ἀλλὰ θεᾶσθαι λιπαρὸν παρὰ τῷ Διονύσῳ.
οἵας δὲ Κράτης ὀργὰς ὑμῶν ἠνέσχετο καὶ στυφελιγμούς,
ὃς ἀπὸ σμικρᾶς δαπάνης ὑμᾶς ἀριστίζων ἀπέπεμπεν,
ἀπὸ κραμβοτάτου στόματος μάττων ἀστειοτάτας ἐπινοίας·
χοὖτος μέντοι μόνος ἀντήρκει, τοτὲ μὲν πίπτων τοτὲ δ' οὐχί.
ταῦτ' ὀρρωδῶν διέτριβεν ἀεί, καὶ πρὸς τούτοισιν ἔφασκεν
ἐρέτην χρῆναι πρῶτα γενέσθαι πρὶν πηδαλίοις ἐπιχειρεῖν,
κᾆτ' ἐντεῦθεν πρῳρατεῦσαι καὶ τοὺς ἀνέμους διαθρῆσαι,
κᾆτα κυβερνᾶν αὐτὸν ἑαυτῷ. τούτων οὖν οὕνεκα πάντων,
ὅτι σωφρονικῶς κοὐκ ἀνοήτως ἐσπηδήσας ἐφλυάρει,
αἴρεσθ' αὐτῷ πολὺ τὸ ῥόθιον, παραπέμψατ' ἐφ' ἕνδεκα κώπαις
θόρυβον χρηστὸν ληναΐτην,
ἵν' ὁ ποιητὴς ἀπίῃ χαίρων
κατὰ νοῦν πράξας,
φαιδρὸς λάμποντι μετώπῳ.

(*Knights*, 507–50)

416. *Demos Rejuvenated*

ΑΛΛΑΝΤΟΠΩΛΗΣ, ΧΟΡΟΣ

Αλ. Εὐφημεῖν χρὴ καὶ στόμα κλῄειν καὶ μαρτυριῶν ἀπέχεσθαι,
καὶ τὰ δικαστήρια συγκλῄειν οἷς ἡ πόλις ἥδε γέγηθεν,

ἐπὶ καιναῖσιν δ' εὐτυχίαισιν παιωνίζειν τὸ θέατρον.
Χο. ὦ ταῖς ἱεραῖς φέγγος Ἀθήναις καὶ ταῖς νήσοις ἐπίκουρε,
τίν' ἔχων φήμην ἀγαθὴν ἥκεις, ἐφ' ὅτῳ κνισῶμεν ἀγυιάς;
Αλ. τὸν Δῆμον ἀφεψήσας ὑμῖν καλὸν ἐξ αἰσχροῦ πεποίηκα.
Χο. καὶ ποῦ 'στιν νῦν ὦ θαυμαστὰς ἐξευρίσκων ἐπινοίας;
Αλ. ἐν ταῖσιν ἰοστεφάνοις οἰκεῖ ταῖς ἀρχαίαισιν Ἀθήναις.
Χο. πῶς ἂν ἴδοιμεν; ποίαν τιν' ἔχει σκευήν; ποῖος γεγένηται;
Αλ. οἷός περ Ἀριστείδῃ πρότερον καὶ Μιλτιάδῃ ξυνεσίτει.
ὄψεσθε δέ· καὶ γὰρ ἀνοιγνυμένων ψόφος ἤδη τῶν προπυλαίων.
ἀλλ' ὀλολύξατε φαινομέναισιν ταῖς ἀρχαίαισιν Ἀθήναις
καὶ θαυμασταῖς καὶ πολυύμνοις, ἵν' ὁ κλεινὸς Δῆμος ἐνοικεῖ.
Χο. ὦ ταὶ λιπαραὶ καὶ ἰοστέφανοι καὶ ἀριζήλωτοι Ἀθῆναι,
δείξατε τὸν τῆς Ἑλλάδος ὑμῖν καὶ τῆς γῆς τῆσδε μόναρχον.
Αλ. ὅδ' ἐκεῖνος ὁρᾶν τεττιγοφόρας, ἀρχαίῳ σχήματι λαμπρός,
οὐ χοιρινῶν ὄζων ἀλλὰ σπονδῶν, σμύρνῃ κατάλειπτος.

Χο. χαῖρ' ὦ βασιλεῦ τῶν Ἑλλήνων· καί σοι ξυγχαίρομεν ἡμεῖς.
τῆς γὰρ πόλεως ἄξια πράττεις καὶ τοῦ 'ν Μαραθῶνι τροπαίου.

(*Knights*, 1316–34)

417. *Socrates' Experiments*

ΣΤΡΕΨΙΑΔΗΣ, ΜΑΘΗΤΗΣ

Στ. Ἰτητέον. τί ταῦτ' ἔχων στραγγεύομαι,
ἀλλ' οὐχὶ κόπτω τὴν θύραν; παῖ παιδίον.
Μα. βάλλ' ἐς κόρακας· τίς ἐσθ' ὁ κόψας τὴν θύραν;
Στ. Φείδωνος υἱὸς Στρεψιάδης Κικυννόθεν.
Μα. ἀμαθής γε νὴ Δί' ὅστις οὑτωσὶ σφόδρα
ἀπεριμερίμνως τὴν θύραν λελάκτικας
καὶ φροντίδ' ἐξήμβλωκας ἐξηυρημένην.
Στ. σύγγνωθί μοι· τηλοῦ γὰρ οἰκῶ τῶν ἀγρῶν.
ἀλλ' εἰπέ μοι τὸ πρᾶγμα τοὐξημβλωμένον.
Μα. ἀλλ' οὐ θέμις πλὴν τοῖς μαθηταῖσιν λέγειν.
Στ. λέγε νυν ἐμοὶ θαρρῶν· ἐγὼ γὰρ οὑτοσὶ
ἥκω μαθητὴς ἐς τὸ φροντιστήριον.
Μα. λέξω. νομίσαι δὲ ταῦτα χρὴ μυστήρια.
ἀνήρετ' ἄρτι Χαιρεφῶντα Σωκράτης
ψύλλαν ὁπόσους ἅλλοιτο τοὺς αὑτῆς πόδας·
δακοῦσα γὰρ τοῦ Χαιρεφῶντος τὴν ὀφρῦν
ἐπὶ τὴν κεφαλὴν τὴν Σωκράτους ἀφήλατο.
Στ. πῶς δῆτα διεμέτρησε; Μα. δεξιώτατα.
κηρὸν διατήξας, εἶτα τὴν ψύλλαν λαβὼν
ἐνέβαψεν ἐς τὸν κηρὸν αὐτῆς τὼ πόδε,
κᾆτα ψυχείσῃ περιέφυσαν Περσικαί.

ταύτας ὑπολύσας ἀνεμέτρει τὸ χωρίον.
Στ. ὦ Ζεῦ βασιλεῦ τῆς λεπτότητος τῶν φρενῶν.

(*Clouds*, 131–53)

418. *Song of the Clouds*

ΧΟΡΟΣ

Χο. Ἀέναοι Νεφέλαι
ἀρθῶμεν φανεραὶ δροσερὰν φύσιν εὐάγητον,
πατρὸς ἀπ' Ὠκεανοῦ βαρυαχέος
ὑψηλῶν ὀρέων κορυφὰς ἐπὶ
δενδροκόμους, ἵνα
τηλεφανεῖς σκοπιὰς ἀφορώμεθα,
καρπούς τ' ἀρδομέναν ἱερὰν χθόνα,
καὶ ποταμῶν ζαθέων κελαδήματα,
καὶ πόντον κελάδοντα βαρύβρομον·
ὄμμα γὰρ αἰθέρος ἀκάματον σελαγεῖται
μαρμαρέαις ἐν αὐγαῖς.
ἀλλ' ἀποσεισάμεναι νέφος ὄμβριον
ἀθανάτας ἰδέας ἐπιδώμεθα
τηλεσκόπῳ ὄμματι γαῖαν.

παρθένοι ὀμβροφόροι
ἔλθωμεν λιπαρὰν χθόνα Παλλάδος, εὔανδρον γᾶν
Κέκροπος ὀψόμεναι πολυήρατον·
οὗ σέβας ἀρρήτων ἱερῶν, ἵνα
μυστοδόκος δόμος
ἐν τελεταῖς ἁγίαις ἀναδείκνυται,
οὐρανίοις τε θεοῖς δωρήματα,
ναοί θ' ὑψερεφεῖς καὶ ἀγάλματα,
καὶ πρόσοδοι μακάρων ἱερώταται,

εὐστέφανοί τε θεῶν θυσίαι θαλίαι τε,
παντοδαπαῖς ἐν ὥραις,
ἦρί τ' ἐπερχομένῳ Βρομία χάρις,
εὐκελάδων τε χορῶν ἐρεθίσματα,
καὶ μοῦσα βαρύβρομος αὐλῶν.

(*Clouds*, 275–90, 299–313)

419. *The Old Education*

ΔΙΚΑΙΟΣ ΛΟΓΟΣ, ΑΔΙΚΟΣ ΛΟΓΟΣ

Δι. Λέξω τοίνυν τὴν ἀρχαίαν παιδείαν ὡς διέκειτο,
ὅτ' ἐγὼ τὰ δίκαια λέγων ἤνθουν καὶ σωφροσύνη 'νενόμιστο.
πρῶτον μὲν ἔδει παιδὸς φωνὴν γρύξαντος μηδὲν ἀκοῦσαι·
εἶτα βαδίζειν ἐν ταῖσιν ὁδοῖς εὐτάκτως ἐς κιθαριστοῦ
τοὺς κωμήτας γυμνοὺς ἁθρόους, κεἰ κριμνώδη κατανείφοι.
εἶτ' αὖ προμαθεῖν ᾆσμ' ἐδίδασκεν τὼ μηρὼ μὴ ξυνέχοντας,
ἢ "Παλλάδα περσέπολιν δεινὰν" ἢ "τηλέπορόν τι βόαμα,"
ἐντειναμένους τὴν ἁρμονίαν, ἣν οἱ πατέρες παρέδωκαν.
εἰ δέ τις αὐτῶν βωμολοχεύσαιτ' ἢ κάμψειέν τινα καμπήν,
οἵας οἱ νῦν τὰς κατὰ Φρῦνιν ταύτας τὰς δυσκολοκάμπτους,
ἐπετρίβετο τυπτόμενος πολλὰς ὡς τὰς Μούσας ἀφανίζων.

Αδ. εἰ ταῦτ' ὦ μειράκιον πείσει τούτῳ, νὴ τὸν Διόνυσον
τοῖς Ἱπποκράτους υἱέσιν εἴξεις καί σε καλοῦσι βλιτομάμμαν.

Δι. ἀλλ' οὖν λιπαρός γε καὶ εὐανθὴς ἐν γυμνασίοις διατρίψεις,
οὐ στωμύλλων κατὰ τὴν ἀγορὰν τριβολεκτράπελ' οἷάπερ οἱ νῦν,
οὐδ' ἑλκόμενος περὶ πραγματίου γλισχραντιλογεξεπιτρίπτου·
ἀλλ' εἰς Ἀκαδήμειαν κατιὼν ὑπὸ ταῖς μορίαις ἀποθρέξει
στεφανωσάμενος καλάμῳ λευκῷ μετὰ σώφρονος ἡλικιώτου,
μίλακος ὄζων καὶ ἀπραγμοσύνης καὶ λεύκης φυλλοβολούσης,
ἦρος ἐν ὥρᾳ χαίρων, ὁπόταν πλάτανος πτελέᾳ ψιθυρίζῃ.

(*Clouds*, 961–71, 1000–8)

420. *The Trial of the Dog*

ΦΙΛΟΚΛΕΩΝ, ΒΔΕΛΥΚΛΕΩΝ, ΚΥΩΝ, ΣΩΣΙΑΣ

Φι. Τίς ἆρ' ὁ φεύγων; Βδ. οὗτος. Φι. ὅσον ἁλώσεται.

Βδ. ἀκούετ' ἤδη τῆς γραφῆς. ἐγράψατο
κύων Κυδαθηναιεὺς Λάβητ' Αἰξωνέα
τὸν τυρὸν ἀδικεῖν ὅτι μόνος κατήσθιεν
τὸν Σικελικόν. τίμημα κλῳὸς σύκινος.

Φι. θάνατος μὲν οὖν κύνειος, ἢν ἅπαξ ἁλῷ.

Βδ. καὶ μὴν ὁ φεύγων οὑτοσὶ Λάβης πάρα.

Φι. ὦ μιαρὸς οὗτος· ὡς δὲ καὶ κλέπτον βλέπει,
οἷον σεσηρὼς ἐξαπατήσειν μ' οἴεται.
ποῦ δ' ἔσθ' ὁ διώκων, ὁ Κυδαθηναιεὺς κύων;
Κυ. αὖ αὖ.
Βδ. πάρεστιν οὗτος. Φι. ἕτερος οὗτος αὖ Λάβης.
Βδ. ἀγαθός γ' ὑλακτεῖν καὶ διαλείχειν τὰς χύτρας.
σίγα, κάθιζε· σὺ δ' ἀναβὰς κατηγόρει.
Φι. φέρε νυν ἅμα τήνδ' ἐγχεάμενος κἀγὼ ῥοφῶ.
Σω. τῆς μὲν γραφῆς ἠκούσαθ' ἣν ἐγραψάμην
ἄνδρες δικασταὶ τουτονί. δεινότατα γὰρ
ἔργων δέδρακε κἀμὲ καὶ τὸ ῥυππαπαῖ.
ἀποδρὰς γὰρ ἐς τὴν γωνίαν τυρὸν πολὺν
κατεσικέλιζε κἀνέπλητ' ἐν τῷ σκότῳ—
Φι. νὴ τὸν Δί' ἀλλὰ δῆλός ἐστ'· ἔμοιγέ τοι
τυροῦ κάκιστον ἀρτίως ἐνήρυγεν
ὁ βδελυρὸς οὗτος. Σω. κοὐ μετέδωκ' αἰτοῦντί
μοι.
Βδ. πρὸς τῶν θεῶν μὴ προκαταγίγνωσκ' ὦ πάτερ,
πρὶν ἄν γ' ἀκούσῃς ἀμφοτέρων. Φι. ἀλλ' ὦγαθὲ
τὸ πρᾶγμα φανερόν ἐστιν· αὐτὸ γὰρ βοᾷ.
Σω. μή νυν ἀφῆτέ γ' αὐτόν, ὡς ὄντ' αὖ πολὺ
κυνῶν ἁπάντων ἄνδρα μονοφαγίστατον,
ὅστις περιπλεύσας τὴν θυείαν ἐν κύκλῳ
ἐκ τῶν πόλεων τὸ σκῖρον ἐξεδήδοκεν.
Φι. ἐμοὶ δέ γ' οὐκ ἔστ' οὐδὲ τὴν ὑδρίαν πλάσαι.
Σω. πρὸς ταῦτα τοῦτον κολάσατ'· οὐ γὰρ ἄν ποτε
τρέφειν δύναιτ' ἂν μία λόχμη κλέπτα δύο·
ἵνα μὴ κεκλάγγω διὰ κενῆς ἄλλως ἐγώ·
ἐὰν δὲ μή, τὸ λοιπὸν οὐ κεκλάγξομαι.
Φι. ἰοὺ ἰού.

ὅσας κατηγόρησε τὰς πανουργίας.
κλέπτον τὸ χρῆμα τἀνδρός· οὐ καὶ σοὶ δοκεῖ
ὡλεκτρυόν; νὴ τὸν Δί' ἐπιμύει γέ τοι.
Βδ. οὐκ αὖ σὺ παύσει χαλεπὸς ὢν καὶ δύσκολος,
καὶ ταῦτα τοῖς φεύγουσιν, ἀλλ' ὀδὰξ ἔχει;
ἀνάβαιν', ἀπολογοῦ. τί σεσιώπηκας; λέγε.
Φι. ἀλλ' οὐκ ἔχειν οὗτός γ' ἔοικεν ὅ τι λέγῃ.
Βδ. οὔκ, ἀλλ' ἐκεῖνό μοι δοκεῖ πεπονθέναι,
ὅπερ ποτὲ φεύγων ἔπαθε καὶ Θουκυδίδης·
ἀπόπληκτος ἐξαίφνης ἐγένετο τὰς γνάθους.
πάρεχ' ἐκποδών. ἐγὼ γὰρ ἀπολογήσομαι.
χαλεπὸν μὲν ὦνδρες ἐστὶ διαβεβλημένου
ὑπεραποκρίνεσθαι κυνός, λέξω δ' ὅμως.
ἀγαθὸς γάρ ἐστι καὶ διώκει τοὺς λύκους.
Φι. κλέπτης μὲν οὖν οὗτός γε καὶ ξυνωμότης.
Βδ. μὰ Δί' ἀλλ' ἄριστός ἐστι τῶν νυνὶ κυνῶν
οἷός τε πολλοῖς προβατίοις ἐφεστάναι.
Φι. τί οὖν ὄφελος, τὸν τυρὸν εἰ κατεσθίει;
Βδ. ὅ τι; σοῦ προμάχεται καὶ φυλάττει τὴν θύραν
καὶ τἄλλ' ἄριστός ἐστιν· εἰ δ' ὑφείλετο,
ξύγγνωθι. κιθαρίζειν γὰρ οὐκ ἐπίσταται.
Φι. αἰβοῖ. τί κακόν ποτ' ἔσθ' ὅτῳ μαλάττομαι;
κακόν τι περιβαίνει με κἀναπείθομαι.
Βδ. ἴθ' ἀντιβολῶ σ'· οἰκτίρατ' αὐτὸν ὦ πάτερ,
καὶ μὴ διαφθείρητε. ποῦ τὰ παιδία;
ἀναβαίνετ' ὦ πόνηρα καὶ κνυζούμενα
αἰτεῖτε κἀντιβολεῖτε καὶ δακρύετε.
Φι. κατάβα κατάβα κατάβα κατάβα. Βδ. καταβήσομαι.
καίτοι τὸ κατάβα τοῦτο πολλοὺς δὴ πάνυ

ἐξηπάτηκεν. ἀτὰρ ὅμως καταβήσομαι.
Φι. ἐς κόρακας. ὡς οὐκ ἀγαθόν ἐστι τὸ ῥοφεῖν.
ἐγὼ γὰρ ἀπεδάκρυσα νῦν γνώμην ἐμὴν
οὐδέν ποτ᾽ ἀλλ᾽ ἢ τῆς φακῆς ἐμπλήμενος.
Βδ. οὔκουν ἀποφεύγει δῆτα; Φι. χαλεπὸν εἰδέναι.
Βδ. ἴθ᾽ ὦ πατρίδιον ἐπὶ τὰ βελτίω τρέπου.
τηνδὶ λαβὼν τὴν ψῆφον ἐπὶ τὸν ὕστερον
μύσας παρᾷξον κἀπόλυσον ὦ πάτερ.
Φι. οὐ δῆτα· κιθαρίζειν γὰρ οὐκ ἐπίσταμαι.
Βδ. φέρε νύν σε τῃδὶ τὴν ταχίστην περιάγω.
Φι. ὅδ᾽ ἔσθ᾽ ὁ πρότερος; Βδ. οὗτος. Φι. αὕτη
'νταῦθ᾽ ἔνι.
Βδ. ἐξηπάτηται κἀπολέλυκεν οὐχ ἑκών.
φέρ᾽ ἐξεράσω. Φι. πῶς ἄρ᾽ ἠγωνίσμεθα;
Βδ. δείξειν ἔοικεν. ἐκπέφευγας ὦ Λάβης.
πάτερ πάτερ τί πέπονθας; οἴμοι· ποῦ 'σθ᾽ ὕδωρ;
ἔπαιρε σαυτόν. Φι. εἰπέ νυν ἐκεῖνό μοι,
ὄντως ἀπέφυγε; Βδ. νὴ Δί᾽. Φι. οὐδέν
εἰμ᾽ ἄρα.

(*Wasps*, 893–914, 919–34, 942–59, 973–97)

421. *To Heaven on a Beetle*

ΤΡΥΓΑΙΟΣ, ΟΙΚΕΤΗΣ

Τρ. Ἥσυχος ἥσυχος, ἠρέμα, κάνθων·
μή μοι σοβαρῶς χώρει λίαν
εὐθὺς ἀπ᾽ ἀρχῆς ῥώμῃ πίσυνος,
πρὶν ἂν ἰδίῃς καὶ διαλύσῃς
ἄρθρων ἶνας πτερύγων ῥύμῃ.
καὶ μὴ πνεῖ μοι κακόν, ἀντιβολῶ σ᾽·

εἰ δὲ ποιήσεις τοῦτο, κατ' οἴκους
αὐτοῦ μεῖνον τοὺς ἡμετέρους.
Οι. ὦ δέσποτ' ἄναξ ὡς παραπαίεις.
Τρ. σίγα σίγα.
Οι. ποῖ δῆτ' ἄλλως μετεωροκοπεῖς;
Τρ. ὑπὲρ Ἑλλήνων πάντων πέτομαι
τόλμημα νέον παλαμησάμενος.
Οι. τί πέτει; τί μάτην οὐχ ὑγιαίνεις;
Τρ. εὐφημεῖν χρὴ καὶ μὴ φλαῦρον
μηδὲν γρύζειν ἀλλ' ὀλολύζειν·
τοῖς τ' ἀνθρώποισι φράσον σιγᾶν,
τούς τε κοπρῶνας καὶ τὰς λαύρας
καιναῖς πλίνθοισιν ἀνοικοδομεῖν
καὶ τοὺς πρωκτοὺς ἐπικλῄειν.

(*Peace*, 82–101)

422. *The Hoopoe's Call*

ΕΠΟΨ

i

Ἄγε σύννομέ μοι παῦσαι μὲν ὕπνου,
λῦσον δὲ νόμους ἱερῶν ὕμνων,
οὓς διὰ θείου στόματος θρηνεῖς
τὸν ἐμὸν καὶ σὸν πολύδακρυν Ἴτυν·
ἐλελιζομένης δ' ἱεροῖς μέλεσιν
γέννος ξουθῆς
καθαρὰ χωρεῖ διὰ φυλλοκόμου
μίλακος ἠχὼ πρὸς Διὸς ἕδρας,
ἵν' ὁ χρυσοκόμας Φοῖβος ἀκούων
τοῖς σοῖς ἐλέγοις ἀντιψάλλων
ἐλεφαντόδετον φόρμιγγα θεῶν

ἵστησι χορούς· διὰ δ' ἀθανάτων
στομάτων χωρεῖ ξύμφωνος ὁμοῦ
θεία μακάρων ὀλολυγή.

ii

ἐποποῖ ποποποποποποποῖ,
ἰὼ ἰὼ ἰτὼ ἰτὼ ἰτὼ ἰτώ,
ἴτω τις ὧδε τῶν ἐμῶν ὁμοπτέρων·
ὅσοι τ' εὐσπόρους ἀγροίκων γύας
νέμεσθε, φῦλα μυρία κριθοτράγων
σπερμολόγων τε γένη
ταχὺ πετόμενα, μαλθακὴν ἱέντα γῆρυν·
ὅσα τ' ἐν ἄλοκι θαμὰ
βῶλον ἀμφιτιττυβίζεθ' ὧδε λεπτὸν
ἡδομένᾳ φωνᾷ·
τιὸ τιὸ τιὸ τιὸ τιὸ τιὸ τιὸ τιό.
ὅσα θ' ὑμῶν κατὰ κήπους ἐπὶ κισσοῦ
κλάδεσι νομὸν ἔχει,
τά τε κατ' ὄρεα τά τε κοτινοτράγα τά τε κομαροφάγα,
ἀνύσατε πετόμενα πρὸς ἐμὰν αὐδάν·
τριοτὸ τριοτὸ τοτοβρίξ·
οἵ θ' ἑλείας παρ' αὐλῶνας ὀξυστόμους
ἐμπίδας κάπτεθ', ὅσα τ' εὐδρόσους γῆς τόπους
ἔχετε λειμῶνά τ' ἐρόεντα Μαραθῶνος, ὄρ-
νις πτερυγοποίκιλός τ' ἀτταγᾶς ἀτταγᾶς.
ὧν τ' ἐπὶ πόντιον οἶδμα θαλάσσης
φῦλα μετ' ἀλκυόνεσσι ποτῆται,
δεῦρ' ἴτε πευσόμενοι τὰ νεώτερα,
πάντα γὰρ ἐνθάδε φῦλ' ἀθροΐζομεν
οἰωνῶν ταναοδείρων.

(*Birds*, 209–22, 227–54)

423. *The Hymn of the Birds*

ΧΟΡΟΣ

Ἄγε δὴ φύσιν ἄνδρες ἀμαυρόβιοι, φύλλων γενεᾷ προσόμοιοι,
ὀλιγοδρανέες, πλάσματα πηλοῦ, σκιοειδέα φῦλ' ἀμενηνά,
ἀπτῆνες ἐφημέριοι ταλαοὶ βροτοὶ ἀνέρες εἰκελόνειροι,
προσέχετε τὸν νοῦν τοῖς ἀθανάτοις ἡμῖν τοῖς αἰὲν ἐοῦσιν,
τοῖς αἰθερίοις τοῖσιν ἀγήρῳς τοῖς ἄφθιτα μηδομένοισιν,
ἵν' ἀκούσαντες πάντα παρ' ἡμῶν ὀρθῶς περὶ τῶν μετεώρων,
φύσιν οἰωνῶν γένεσίν τε θεῶν ποταμῶν τ' Ἐρέβους τε Χάους τε
εἰδότες ὀρθῶς, Προδίκῳ παρ' ἐμοῦ κλάειν εἴπητε τὸ λοιπόν.
Χάος ἦν καὶ Νὺξ Ἔρεβός τε μέλαν πρῶτον καὶ Τάρταρος εὐρύς,
γῆ δ' οὐδ' ἀὴρ οὐδ' οὐρανὸς ἦν· Ἐρέβους δ' ἐν ἀπείροσι κόλποις
τίκτει πρώτιστον ὑπηνέμιον Νὺξ ἡ μελανόπτερος ᾠόν,
ἐξ οὗ περιτελλομέναις ὥραις ἔβλαστεν Ἔρως ὁ ποθεινός,
στίλβων νῶτον πτερύγοιν χρυσαῖν, εἰκὼς ἀνεμώκεσι δίναις.
οὗτος δὲ Χάει πτερόεντι μιγεὶς νυχίῳ κατὰ Τάρταρον εὐρὺν
ἐνεόττευσεν γένος ἡμέτερον, καὶ πρῶτον ἀνήγαγεν ἐς φῶς.

πρότερον δ' οὐκ ἦν γένος ἀθανάτων, πρὶν Ἔρως ξυνέμειξεν ἅπαντα·
ξυμμιγνυμένων δ' ἑτέρων ἑτέροις γένετ' οὐρανὸς ὠκεανός τε
καὶ γῆ πάντων τε θεῶν μακάρων γένος ἄφθιτον. ὧδε μέν ἐσμεν
πολὺ πρεσβύτατοι πάντων μακάρων. ἡμεῖς δ' ὡς ἐσμὲν Ἔρωτος
πολλοῖς δῆλον· πετόμεσθά τε γὰρ καὶ τοῖσιν ἐρῶσι σύνεσμεν.
πάντα δὲ θνητοῖς ἐστὶν ἀφ' ἡμῶν τῶν ὀρνίθων τὰ μέγιστα.
πρῶτα μὲν ὥρας φαίνομεν ἡμεῖς ἦρος χειμῶνος ὀπώρας·
σπείρειν μέν, ὅταν γέρανος κρώζουσ' ἐς τὴν Λιβύην μεταχωρῇ·
καὶ πηδάλιον τότε ναυκλήρῳ φράζει κρεμάσαντι καθεύδειν,
εἶτα δ' Ὀρέστῃ χλαῖναν ὑφαίνειν, ἵνα μὴ ῥιγῶν ἀποδύῃ.
ἰκτῖνος δ' αὖ μετὰ ταῦτα φανεὶς ἑτέραν ὥραν ἀποφαίνει,
ἡνίκα πεκτεῖν ὥρα προβάτων πόκον ἠρινόν· εἶτα χελιδών,
ὅτε χρὴ χλαῖναν πωλεῖν ἤδη καὶ ληδάριόν τι πρίασθαι.
ἐσμὲν δ' ὑμῖν Ἄμμων Δελφοὶ Δωδώνη Φοῖβος Ἀπόλλων.
ἐλθόντες γὰρ πρῶτον ἐπ' ὄρνις οὕτω πρὸς ἅπαντα τρέπεσθε,
πρός τ' ἐμπορίαν, καὶ πρὸς βιότου κτῆσιν, καὶ πρὸς γάμον ἀνδρός.
ὄρνιν τε νομίζετε πάνθ' ὅσαπερ περὶ μαντείας διακρίνει·

φήμη γ' ὑμῖν ὄρνις ἐστί, πταρμόν τ' ὄρνιθα καλεῖτε,
ξύμβολον ὄρνιν, φωνὴν ὄρνιν, θεράποντ' ὄρνιν, ὄνον
ὄρνιν.
ἆρ' οὐ φανερῶς ἡμεῖς ὑμῖν ἐσμὲν μαντεῖος Ἀπόλλων;

(*Birds*, 685–704, 708–22)

424. *The Birds' Life*

ΧΟΡΟΣ

Ἤδη 'μοὶ τῷ παντόπτᾳ
καὶ παντάρχᾳ θνητοὶ πάντες
θύσουσ' εὐκταίαις εὐχαῖς.
πᾶσαν μὲν γὰρ γᾶν ὀπτεύω,
σῴζω δ' εὐθαλεῖς καρποὺς
κτείνων παμφύλων γένναν
θηρῶν, ἃ πάντ' ἐν γαίᾳ
ἐκ κάλυκος αὐξανόμενον γένυσι παμφάγοις
δένδρεσί τ' ἐφημένα καρπὸν ἀποβόσκεται·
κτείνω δ' οἳ κήπους εὐώδεις
φθείρουσιν λύμαις ἐχθίσταις,
ἑρπετά τε καὶ δάκετα πάνθ' ὅσαπερ
ἔστιν ὑπ' ἐμᾶς πτέρυγος ἐν φοναῖς ὄλλυται.

εὔδαιμον φῦλον πτηνῶν
οἰωνῶν, οἳ χειμῶνος μὲν
χλαίνας οὐκ ἀμπισχνοῦνται·
οὐδ' αὖ θερμὴ πνίγους ἡμᾶς
ἀκτὶς τηλαυγὴς θάλπει·
ἀλλ' ἀνθηρῶν λειμώνων
φύλλων τ' ἐν κόλποις ναίω,
ἡνίκ' ἂν ὁ θεσπέσιος ὀξὺ μέλος ἀχέτας

θάλπεσι μεσημβρινοῖς ἡλιομανὴς βοᾷ.
χειμάζω δ' ἐν κοίλοις ἄντροις
νύμφαις οὐρείαις ξυμπαίζων·
ἠρινά τε βοσκόμεθα παρθένια
λευκότροφα μύρτα Χαρίτων τε κηπεύματα.

(*Birds*, 1058–70, 1088–1100)

425. *The Building of Cloudcuckoocity*

ΑΓΓΕΛΟΣ, ΠΙΣΘΕΤΑΙΡΟΣ

Αγ. Ποῦ *ποῦ 'στι, ποῦ ποῦ ποῦ 'στι, ποῦ ποῦ ποῦ 'στι ποῦ,*
ποῦ Πισθέταιρός *ἐστιν ἄρχων;* Πι. *οὑτοσί.*
Αγ. *ἐξῳκοδόμηταί σοι τὸ τεῖχος.* Πι. *εὖ λέγεις.*
Αγ. *κάλλιστον ἔργον καὶ μεγαλοπρεπέστατον·*
ὥστ' ἂν ἐπάνω μὲν Προξενίδης *ὁ* Κομπασεὺς
καὶ Θεογένης *ἐναντίω δύ' ἅρματε,*
ἵππων ὑπόντων μέγεθος ὅσον ὁ δούριος,
ὑπὸ τοῦ πλάτους ἂν παρελασαίτην. Πι. Ἡρά-κλεις.
Αγ. *τὸ δὲ μῆκός ἐστι, καὶ γὰρ ἐμέτρησ' αὔτ' ἐγώ,*
ἑκατοντορόγυιον. Πι. *ὦ* Πόσειδον *τοῦ μάκρους.*
τίνες ᾠκοδόμησαν αὐτὸ τηλικουτονί;
Αγ. *ὄρνιθες, οὐδεὶς ἄλλος, οὐκ* Αἰγύπτιος
πλινθοφόρος, οὐ λιθουργός, οὐ τέκτων παρῆν,
ἀλλ' αὐτόχειρες, ὥστε θαυμάζειν ἐμέ.
ἐκ μέν γε Λιβύης *ἧκον ὡς τρισμύριαι*
γέρανοι θεμελίους καταπεπωκυῖαι λίθους.
τούτους δ' ἐτύκιζον αἱ κρέκες τοῖς ῥύγχεσιν.
ἕτεροι δ' ἐπλινθοφόρουν πελαργοὶ μύριοι·
ὕδωρ δ' ἐφόρουν κάτωθεν ἐς τὸν ἀέρα

οἱ χαραδριοὶ καὶ τἆλλα ποτάμι' ὄρνεα.
Πι. ἐπηλοφόρουν δ' αὐτοῖσι τίνες; Αγ. ἐρωδιοὶ
λεκάναισι. Πι. τὸν δὲ πηλὸν ἐνεβάλλοντο πῶς;
Αγ. τοῦτ' ὠγάθ' ἐξηύρητο καὶ σοφώτατα·
οἱ χῆνες ὑποτύπτοντες ὥσπερ ταῖς ἄμαις
ἐς τὰς λεκάνας ἐνέβαλλον αὐτοῖς τοῖν ποδοῖν.
Πι. τί δῆτα πόδες ἂν οὐκ ἂν ἐργασαίατο;
Αγ. καὶ νὴ Δί' αἱ νῆτταί γε περιεζωσμέναι
ἐπλινθοβόλουν· ἄνω δὲ τὸν ἐπαγωγέα
ἐπέτοντ' ἔχουσαι κατόπιν, ὥσπερ παιδία,
τὸν πηλὸν ἐν τοῖς στόμασιν αἱ χελιδόνες.
Πι. τί δῆτα μισθωτοὺς ἂν ἔτι μισθοῖτό τις;
φέρ' ἴδω, τί δαί; τὰ ξύλινα τοῦ τείχους τίνες
ἀπηργάσαντ'; Αγ. ὄρνιθες ἦσαν τέκτονες
σοφώτατοι πελεκᾶντες, οἳ τοῖς ῥύγχεσιν
ἀπεπελέκησαν τὰς πύλας· ἦν δ' ὁ κτύπος
αὐτῶν πελεκώντων ὥσπερ ἐν ναυπηγίῳ.
καὶ νῦν ἅπαντ' ἐκεῖνα πεπύλωται πύλαις
καὶ βεβαλάνωται καὶ φυλάττεται κύκλῳ,
ἐφοδεύεται, κωδωνοφορεῖται, πανταχῇ
φυλακαὶ καθεστήκασι καὶ φρυκτωρίαι
ἐν τοῖσι πύργοις.

(*Birds*, 1122–62)

426. *The Wedding Chant*

ΧΟΡΟΣ

Ἥρᾳ ποτ' Ὀλυμπίᾳ
τῶν ἠλιβάτων θρόνων
ἄρχοντα θεοῖς μέγαν
Μοῖραι ξυνεκοίμισαν

ἐν τοιῷδ' ὑμεναίῳ.
Ὑμὴν ὦ Ὑμέναι' ὦ,
Ὑμὴν ὦ Ὑμέναι' ὦ.

ὁ δ' ἀμφιθαλὴς Ἔρως
χρυσόπτερος ἡνίας
ηὔθυνε παλιντόνους,
Ζηνὸς πάροχος γάμων
τῆς τ' εὐδαίμονος Ἥρας.
Ὑμὴν ὦ Ὑμέναι' ὦ,
Ὑμὴν ὦ Ὑμέναι' ὦ.

(*Birds*, 1731–43)

427. *How the Women will stop War*

ΠΡΟΒΟΥΛΟΣ, ΛΥΣΙΣΤΡΑΤΗ

Πρ. Πῶς οὖν ὑμεῖς δυναταὶ παῦσαι τεταραγμένα πράγματα πολλὰ
ἐν ταῖς χώραις καὶ διαλῦσαι; Λυ. φαύλως πάνυ. Πρ. πῶς; ἀπόδειξον.

Λυ. ὥσπερ κλωστῆρ', ὅταν ἡμῖν ᾖ τεταραγμένος, ὧδε λαβοῦσαι,
ὑπενεγκοῦσαι τοῖσιν ἀτράκτοις τὸ μὲν ἐνταυθοῖ τὸ δ' ἐκεῖσε,
οὕτως καὶ τὸν πόλεμον τοῦτον διαλύσομεν, ἤν τις ἐάσῃ,
διενεγκοῦσαι διὰ πρεσβειῶν τὸ μὲν ἐνταυθοῖ τὸ δ' ἐκεῖσε.

Πρ. ἐξ ἐρίων δὴ καὶ κλωστήρων καὶ ἀτράκτων πράγματα δεινὰ

παύσειν οἴεσθ' ὦ ἀνόητοι; Λυ. κἂν ὑμῖν γ' εἴ τις ἐνῆν νοῦς,
ἐκ τῶν ἐρίων τῶν ἡμετέρων ἐπολιτεύεσθ' ἂν ἅπαντα.
Πρ. πῶς δή; φέρ' ἴδω. Λυ. πρῶτον μὲν ἐχρῆν, ὥσπερ πόκου ἐν βαλανείῳ
ἐκπλύναντας τὴν οἰσπώτην, ἐκ τῆς πόλεως ἐπὶ κλίνης
ἐκραβδίζειν τοὺς μοχθηροὺς καὶ τοὺς τριβόλους ἀπολέξαι,
καὶ τούς γε συνισταμένους τούτους καὶ τοὺς πιλοῦντας ἑαυτοὺς
ἐπὶ ταῖς ἀρχαῖσι διαξῆναι καὶ τὰς κεφαλὰς ἀποτῖλαι·
εἶτα ξαίνειν ἐς καλαθίσκον κοινὴν εὔνοιαν, ἅπαντας
καταμιγνύντας τούς τε μετοίκους κεἴ τις ξένος ἢ φίλος ὑμῖν,
κεἴ τις ὀφείλει τῷ δημοσίῳ, καὶ τούτους ἐγκαταμεῖξαι·
καὶ νὴ Δία τάς γε πόλεις, ὁπόσαι τῆς γῆς τῆσδ' εἰσὶν ἄποικοι,
διαγιγνώσκειν ὅτι ταῦθ' ἡμῖν ὥσπερ τὰ κατάγματα κεῖται
χωρὶς ἕκαστον· κᾆτ' ἀπὸ τούτων πάντων τὸ κάταγμα λαβόντας
δεῦρο ξυνάγειν καὶ συναθροίζειν εἰς ἕν, κἄπειτα ποιῆσαι
τολύπην μεγάλην κᾆτ' ἐκ ταύτης τῷ δήμῳ χλαῖναν ὑφῆναι.

Πρ. οὔκουν δεινὸν ταυτὶ ταύτας ῥαβδίζειν καὶ τολυπεύειν,
αἷς οὐδὲ μετῆν πάνυ τοῦ πολέμου; Λυ. καὶ μὴν ὦ παγκατάρατε
πλεῖν ἤ γε διπλοῦν αὐτὸν φέρομεν, πρώτιστον μέν γε τεκοῦσαι
κἀκπέμψασαι παῖδας ὁπλίτας. Πρ. σίγα, μὴ μνησικακήσῃς.
Λυ. εἶθ' ἡνίκα χρῆν εὐφρανθῆναι καὶ τῆς ἥβης ἀπολαῦσαι,
μονοκοιτοῦμεν διὰ τὰς στρατιάς. καὶ θἠμέτερον μὲν ἐᾶτε,
περὶ τῶν δὲ κορῶν ἐν τοῖς θαλάμοις γηρασκουσῶν ἀνιῶμαι.
Πρ. οὔκουν χἄνδρες γηράσκουσιν; Λυ. μὰ Δί' ἀλλ' οὐκ εἶπας ὅμοιον.
ὁ μὲν ἥκων γάρ, κἂν ᾖ πολιός, ταχὺ παῖδα κόρην γεγάμηκεν·
τῆς δὲ γυναικὸς σμικρὸς ὁ καιρός, κἂν τούτου μὴ 'πιλάβηται,
οὐδεὶς ἐθέλει γῆμαι ταύτην, ὀττευομένη δὲ κάθηται.

(*Lysistrata*, 565–97)

428. *Hymn of Peace*

ΧΟΡΟΣ ΑΘΗΝΑΙΩΝ

Πρόσαγε χορόν, ἔπαγε δὲ Χάριτας,
ἐπὶ δὲ κάλεσον Ἄρτεμιν,
ἐπὶ δὲ δίδυμον ἀγέχορον
Ἰήιον

εὔφρον', ἐπὶ δὲ Νύσιον,
ὃς μετὰ μαινάσι Βάκχιος ὄμμασι δαίεται,
Δία τε πυρὶ φλεγόμενον, ἐπί τε
πότνιαν ἄλοχον ὀλβίαν·
εἶτα δὲ δαίμονας, οἷς ἐπιμάρτυσι
χρησόμεθ' οὐκ ἐπιλήσμοσιν
Ἡσυχίας πέρι τῆς ἀγανόφρονος,
ἣν ἐποίησε θεὰ Κύπρις.
ἀλαλαὶ ἰὴ παιήων·
αἴρεσθ' ἄνω ἰαί,
ὡς ἐπὶ νίκῃ ἰαί.
εὐοῖ εὐοῖ, εὐαί εὐαί.

ΧΟΡΟΣ ΛΑΚΕΔΑΙΜΟΝΙΩΝ

Ταΰγετον αὖτ' ἐραννὸν ἐκλιπῶα
Μῶα μόλε Λάκαινα πρεπτὸν ἁμὶν
κλέωα τὸν Ἀμύκλαις σιὸν
καὶ χαλκίοικον Ἀσάναν,
Τυνδαρίδας τ' ἀγασώς,
τοὶ δὴ πὰρ Εὐρώταν ψιάδδοντι.
εἶα μάλ' ἔμβη
ὢ εἶα κοῦφα πάλλων,
ὡς Σπάρταν ὑμνίωμες,
τᾷ σιῶν χοροὶ μέλοντι
καὶ ποδῶν κτύπος,
ᾇ τε πῶλοι ταὶ κόραι
πὰρ τὸν Εὐρώταν
ἀμπάλλοντι πυκνὰ ποδοῖν
ἀγκονίωαι,
ταὶ δὲ κόμαι σείονθ' ᾇπερ Βακχᾶν
θυρσαδδωᾶν καὶ παιδδωᾶν....

ἁγεῖται δ᾽ ἁ Λήδας παῖς
ἁγνὰ χοραγὸς εὐπρεπής.
ἀλλ᾽ ἄγε κόμαν παραμπύκιδδε χερί, ποδοῖν τε πάδη
ᾇ τις ἔλαφος· κρότον δ᾽ ἁμᾷ ποίει χορωφελήταν.
καὶ τὰν σιὰν δ᾽ αὖ τὰν κρατίσταν Χαλκίοικον ὕμνει
τὰν πάμμαχον.

(*Lysistrata*, 1279–94, 1296–1321)

429. *Euripides*

ΤΟΞΟΤΗΣ, ΜΝΗΣΙΛΟΧΟΣ, ΕΥΡΙΠΙΔΗΣ

Το. ἐνταῦτα νῦν οἰμῶξι πρὸς τὴν αἰτρίαν.
Μν. ὦ τοξόθ᾽ ἱκετεύω σε. Το. μή μ᾽ ἱκετεῦσι σύ.
Μν. χάλασον τὸν ἧλον. Το. ἀλλὰ ταῦτα δρᾶσ᾽ ἐγώ.
Μν. οἴμοι κακοδαίμων, μᾶλλον ἐπικρούεις σύ γε.
Το. ἔτι μᾶλλο βοῦλις; Μν. ἀτταταῖ ἰατταταῖ·
κακῶς ἀπόλοιο. Το. σῖγα κακοδαίμων γέρον.
πέρ᾽ ἐγὼ ᾽ξινίγκι πορμός, ἵνα πυλάξι σοι.
Μν. ταυτὶ τὰ βέλτιστ᾽ ἀπολέλαυκ᾽ Εὐριπίδου.
ἔα· θεοί, Ζεῦ σῶτερ, εἰσὶν ἐλπίδες.
ἀνὴρ ἔοικεν οὐ προδώσειν, ἀλλά μοι
σημεῖον ὑπεδήλωσε Περσεὺς ἐκδραμών,
ὅτι δεῖ με γίγνεσθ᾽ Ἀνδρομέδαν· πάντως δέ μοι
τὰ δέσμ᾽ ὑπάρχει. δῆλον οὖν τοῦτ᾽ ἔσθ᾽ ὅτι
ἥξει με σώσων· οὐ γὰρ ἂν παρέπτετο.
Ευ. φίλαι παρθένοι φίλαι, πῶς ἂν οὖν
ἐπέλθοιμι καὶ
τὸν Σκύθην λάθοιμι;
κλύεις; ὦ πρὸς αἰδοῦς σὲ τὰν ἐν ἄντροις,
κατάνευσον, ἔασον ὡς
τὴν γυναῖκά μ᾽ ἐλθεῖν. . . .

χαῖρ' ὦ φίλη παῖ· τὸν δὲ πατέρα Κηφέα
ὅς σ' ἐξέθηκεν ἀπολέσειαν οἱ θεοί.
Μν. σὺ δ' εἶ τίς ἥτις τοὐμὸν ᾤκτιρας πάθος;
Ευ. Ἠχὼ λόγων ἀντῳδὸς ἐπικοκκάστρια,
ἥπερ πέρυσιν ἐν τῷδε ταὐτῷ χωρίῳ
Εὐριπίδῃ καὐτὴ ξυνηγωνιζόμην.
ἀλλ' ὦ τέκνον σὲ μὲν τὸ σαυτῆς χρὴ ποιεῖν,
κλάειν ἐλεινῶς. Μν. σὲ δ' ἐπικλάειν ὕστερον.
Ευ. ἐμοὶ μελήσει ταῦτά γ'· ἀλλ' ἄρχου λόγων.
Μν. ὦ νὺξ ἱερὰ
ὡς μακρὸν ἵππευμα διώκεις
ἀστεροειδέα νῶτα διφρεύουσ'
αἰθέρος ἱερᾶς
τοῦ σεμνοτάτου δι' Ὀλύμπου;
Ευ. δι' Ὀλύμπου.
Μν. τί ποτ' Ἀνδρομέδα περίαλλα κακῶν
μέρος ἐξέλαχον— Ευ. μέρος ἐξέλαχον—
Μν. θανάτου τλήμων; Ευ. θανάτου τλήμων;
Μν. ἀπολεῖς μ' ὦ γραῦ στωμυλλομένη.
Ευ. στωμυλλομένη.
Μν. νὴ Δί' ὀχληρά γ' εἰσήρρηκας
λίαν. Ευ. λίαν.
Μν. ὦγάθ' ἔασόν με μονῳδῆσαι,
καὶ χαριεῖ μοι. παῦσαι. Ευ. παῦσαι.

(*Thesmophoriazusae*, 1001–21, 1056–78)

430. *The Frogs' Song*

ΒΑΤΡΑΧΟΙ, ΔΙΟΝΥΣΟΣ

Βα. Βρεκεκεκὲξ κοὰξ κοάξ,
βρεκεκεκὲξ κοὰξ κοάξ.

λιμναῖα κρηνῶν τέκνα,
ξύναυλον ὕμνων βοὰν
φθεγξώμεθ', εὔγηρυν ἐμὰν ἀοιδάν,
κοὰξ κοάξ,
ἣν ἀμφὶ Νυσήιον
Διὸς Διώνυσον ἐν
Λίμναισιν ἰαχήσαμεν,
ἡνίχ' ὁ κραιπαλόκωμος
τοῖς ἱεροῖσι Χύτροισι
χωρεῖ κατ' ἐμὸν τέμενος λαῶν ὄχλος.
βρεκεκεκὲξ κοὰξ κοάξ.
Δι. ἐγὼ δέ γ' ἀλγεῖν ἄρχομαι
τὸν ὄρρον ὦ κοὰξ κοάξ·
ὑμῖν δ' ἴσως οὐδὲν μέλει.
Βα. βρεκεκεκὲξ κοὰξ κοάξ·
Δι. ἀλλ' ἐξόλοισθ' αὐτῷ κοάξ·
οὐδὲν γάρ ἐστ' ἀλλ' ἢ κοάξ.
Βα. εἰκότως γ' ὦ πολλὰ πράττων.
ἐμὲ γὰρ ἔστερξαν εὔλυροί τε Μοῦσαι
καὶ κεροβάτας Πὰν ὁ καλαμόφθογγα παίζων·
προσεπιτέρπεται δ' ὁ φορμικτὰς Ἀπόλλων,
ἕνεκα δόνακος, ὃν ὑπολύριον
ἔνυδρον ἐν λίμναις τρέφω.
βρεκεκεκὲξ κοὰξ κοάξ.
Δι. ἐγὼ δὲ φλυκταίνας γ' ἔχω.
ἀλλ' ὦ φιλῳδὸν γένος
παύσασθε. Βα. μᾶλλον μὲν οὖν
φθεγξόμεσθ', εἰ δή ποτ' εὐ-
ηλίοις ἐν ἁμέραισιν
ἡλάμεσθα διὰ κυπείρου

καὶ φλέω, χαίροντες ᾠδῆς
πολυκολύμβοισι μέλεσιν,
ἣ Διὸς φεύγοντες ὄμβρον
ἔνυδρον ἐν βυθῷ χορείαν
αἰόλαν ἐφθεγξάμεσθα
πομφολυγοπαφλάσμασιν.
Δι. βρεκεκεκὲξ κοὰξ κοάξ.
τουτὶ παρ' ὑμῶν λαμβάνω.
Βα. δεινά τἄρα πεισόμεσθα.
Δι. δεινότερα δ' ἔγωγ', ἐλαύνων
εἰ διαρραγήσομαι.
Βα. βρεκεκεκὲξ κοὰξ κοάξ.
Δι. οἰμώζετ'· οὐ γάρ μοι μέλει.
Βα. ἀλλὰ μὴν κεκραξόμεσθά γ'
ὁπόσον ἡ φάρυξ ἂν ἡμῶν
χανδάνῃ δι' ἡμέρας.
Δι. βρεκεκεκὲξ κοὰξ κοάξ.
τούτῳ γὰρ οὐ νικήσετε.
Βα. οὐδὲ μὴν ἡμᾶς σὺ πάντως.
Δι. οὐδὲ μὴν ὑμεῖς γ' ἐμὲ
οὐδέποτε· κεκράξομαι γὰρ
κἂν δέῃ δι' ἡμέρας
βρεκεκεκὲξ κοὰξ κοάξ,
ἕως ἂν ὑμῶν ἐπικρατήσω τῷ κοάξ,
βρεκεκεκὲξ κοὰξ κοάξ.
ἔμελλον ἄρα παύσειν ποθ' ὑμᾶς τοῦ κοάξ.

(*Frogs*, 209–69)

431. *Hymn of the Initiates*

ΧΟΡΟΣ

Ἴακχ᾽ ὦ πολυτίμητ᾽ ἐν ἕδραις ἐνθάδε ναίων,
Ἴακχ᾽ ὦ Ἴακχε,
ἐλθὲ τόνδ᾽ ἀνὰ λειμῶνα χορεύσων
ὁσίους ἐς θιασώτας,
πολύκαρπον μὲν τινάσσων
περὶ κρατὶ σῷ βρύοντα
στέφανον μύρτων, θρασεῖ δ᾽ ἐγκατακρούων
ποδὶ τὰν ἀκόλαστον
φιλοπαίγμονα τιμάν,
χαρίτων πλεῖστον ἔχουσαν μέρος, ἁγνόν, ἱερὰν
ὁσίοις μύσταις χορείαν.

χώρει νυν πᾶς ἀνδρείως
ἐς τοὺς εὐανθεῖς κόλπους
λειμώνων ἐγκρούων
κἀπισκώπτων
καὶ παίζων καὶ χλευάζων,
ἠρίστηται δ᾽ ἐξαρκούντως.

ἀλλ᾽ ἔμβα χὤπως ἀρεῖς
τὴν Σώτειραν γενναίως
τῇ φωνῇ μολπάζων,
ἣ τὴν χώραν
σῴζειν φήσ᾽ ἐς τὰς ὥρας,
κἂν Θωρυκίων μὴ βούληται.

ἄγε νυν ἑτέραν ὕμνων ἰδέαν τὴν καρποφόρον
βασίλειαν

Δήμητρα θεὰν ἐπικοσμοῦντες ζαθέαις μολπαῖς
  κελαδεῖτε.

Δήμητερ ἁγνῶν ὀργίων
ἄνασσα συμπαραστάτει,
καὶ σῷζε τὸν σαυτῆς χορόν,
καί μ' ἀσφαλῶς πανήμερον
  παῖσαί τε καὶ χορεῦσαι·

καὶ πολλὰ μὲν γέλοιά μ' εἰ-
πεῖν, πολλὰ δὲ σπουδαῖα, καὶ
τῆς σῆς ἑορτῆς ἀξίως
παίσαντα καὶ σκώψαντα νι-
  κήσαντα ταινιοῦσθαι.

ἄγ' εἶα
νῦν καὶ τὸν ὡραῖον θεὸν παρακαλεῖτε δεῦρο
ᾠδαῖσι, τὸν ξυνέμπορον τῆσδε τῆς χορείας.

Ἴακχε πολυτίμητε, μέλος ἑορτῆς
ἥδιστον εὑρών, δεῦρο συνακολούθει
  πρὸς τὴν θεὸν
καὶ δεῖξον ὡς ἄνευ πόνου
πολλὴν ὁδὸν περαίνεις.
Ἴακχε φιλοχορευτὰ συμπρόπεμπέ με.

σὺ γὰρ κατεσχίσω μὲν ἐπὶ γέλωτι
κἀπ' εὐτελείᾳ τόδε τὸ σανδαλίσκον
  καὶ τὸ ῥάκος,
κἀξηῦρες ὥστ' ἀζημίους
παίζειν τε καὶ χορεύειν.
Ἴακχε φιλοχορευτὰ συμπρόπεμπέ με.

καὶ γὰρ παραβλέψας τι μειρακίσκης
νῦν δὴ κατεῖδον καὶ μάλ' εὐπροσώπου
　　συμπαιστρίας
　χιτωνίου παραρραγέν-
　τος τιτθίον προκύψαν.
Ἴακχε φιλοχορευτὰ συμπρόπεμπέ με.

χωρῶμεν ἐς πολυρρόδους
　λειμῶνας ἀνθεμώδεις,
τὸν ἡμέτερον τρόπον
τὸν καλλιχορώτατον
παίζοντες, ὃν ὄλβιαι
　Μοῖραι ξυνάγουσιν.

μόνοις γὰρ ἡμῖν ἥλιος
　καὶ φέγγος ἱλαρόν ἐστιν,
ὅσοι μεμυήμεθ' εὐ-
σεβῆ τε διήγομεν
τρόπον περὶ τοὺς ξένους
　καὶ τοὺς ἰδιώτας.

(*Frogs*, 324–36, 372–416, 449–59)

432. *The Rival Poets*

ΧΟΡΟΣ

Ἦ που δεινὸν ἐριβρεμέτας χόλον ἔνδοθεν ἕξει,
ἡνίκ' ἂν ὀξύλαλον παρίδῃ θήγοντος ὀδόντα
　ἀντιτέχνου· τότε δὴ μανίας ὑπὸ δεινῆς
　　ὄμματα στροβήσεται.

ἔσται δ' ἱππολόφων τε λόγων κορυθαίολα νείκη
σχινδαλάμων τε παραξόνια σμιλεύματά τ' ἔργων,

φωτὸς ἀμυνομένου φρενοτέκτονος ἀνδρὸς
ῥήμαθ' ἱπποβάμονα.

φρίξας δ' αὐτοκόμου λοφιᾶς λασιαύχενα χαίταν,
δεινὸν ἐπισκύνιον ξυνάγων βρυχώμενος ἥσει
ῥήματα γομφοπαγῆ πινακηδὸν ἀποσπῶν
γηγενεῖ φυσήματι·

ἔνθεν δὴ στοματουργὸς ἐπῶν βασανίστρια λίσφη
γλῶσσ' ἀνελισσομένη φθονεροὺς κινοῦσα χαλινοὺς
ῥήματα δαιομένη καταλεπτολογήσει
πλευμόνων πολὺν πόνον.

(*Frogs*, 814–29)

433. *The Fatal Oil-flask*

ΑΙΣΧΥΛΟΣ, ΕΥΡΙΠΙΔΗΣ, ΔΙΟΝΥΣΟΣ

Αι. Καὶ μὴν μὰ τὸν Δί' οὐ κατ' ἔπος γέ σου κνίσω
τὸ ῥῆμ' ἕκαστον, ἀλλὰ σὺν τοῖσιν θεοῖς
ἀπὸ ληκυθίου σου τοὺς προλόγους διαφθερῶ.
Ευ. ἀπὸ ληκυθίου σὺ τοὺς ἐμούς; Αι. ἑνὸς μόνου.
ποιεῖς γὰρ οὕτως ὥστ' ἐναρμόττειν ἅπαν,
καὶ κῳδάριον καὶ ληκύθιον καὶ θύλακον,
ἐν τοῖς ἰαμβείοισι. δείξω δ' αὐτίκα.
Ευ. ἰδού, σὺ δείξεις; Αι. φημί. Δι. καὶ δὴ
χρὴ λέγειν.
Ευ. "Αἴγυπτος, ὡς ὁ πλεῖστος ἔσπαρται λόγος,
ξὺν παισὶ πεντήκοντα ναυτίλῳ πλάτῃ
Ἄργος κατασχών"— Αι. ληκύθιον ἀπώλεσεν.
Δι. τουτὶ τί ἦν τὸ ληκύθιον; οὐ κλαύσεται;
λέγ' ἕτερον αὐτῷ πρόλογον, ἵνα καὶ γνῶ πάλιν.

Ευ. " Διόνυσος, ὃς θύρσοισι καὶ νεβρῶν δοραῖς
καθαπτὸς ἐν πεύκαισι Παρνασσὸν κάτα
πηδᾷ χορεύων "— Αι. ληκύθιον ἀπώλεσεν.
Δι. οἴμοι πεπλήγμεθ' αὖθις ὑπὸ τῆς ληκύθου.
Ευ. ἀλλ' οὐδὲν ἔσται πρᾶγμα· πρὸς γὰρ τουτονὶ
τὸν πρόλογον οὐχ ἕξει προσάψαι λήκυθον.
" οὐκ ἔστιν ὅστις πάντ' ἀνὴρ εὐδαιμονεῖ·
ἢ γὰρ πεφυκὼς ἐσθλὸς οὐκ ἔχει βίον,
ἢ δυσγενὴς ὢν "— Αι. ληκύθιον ἀπώλεσεν.
Δι. Εὐριπίδη— Ευ. τί ἔσθ'; Δι. ὑφέσθαι μοι
δοκεῖ·
τὸ ληκύθιον γὰρ τοῦτο πνευσεῖται πολύ.

(*Frogs*, 1198–1221)

434. *An 'Aeschylean' Chorus*

ΕΥΡΙΠΙΔΗΣ

Ὅπως Ἀχαιῶν δίθρονον κράτος, Ἑλλάδος ἥβας,
τοφλαττοθρατ τοφλαττοθρατ,
Σφίγγα δυσαμεριᾶν πρύτανιν κύνα, πέμπει,
τοφλαττοθρατ τοφλαττοθρατ,
σὺν δορὶ καὶ χερὶ πράκτορι θούριος ὄρνις,
τοφλαττοθρατ τοφλαττοθρατ,
κυρεῖν παρασχὼν ἰταμαῖς κυσὶν ἀεροφοίτοις,
τοφλαττοθρατ τοφλαττοθρατ,
τὸ συγκλινές τ' ἐπ' Αἴαντι,
τοφλαττοθρατ τοφλαττοθρατ.

(*Frogs*, 1285–95)

435. *A 'Euripidean' Chorus*

ΑΙΣΧΥΛΟΣ

Ὦ νυκτὸς κελαινοφαὴς
ὄρφνα, τίνα μοι
δύστανον ὄνειρον
πέμπεις ἐξ ἀφανοῦς,
Ἀΐδα πρόμολον,
ψυχὰν ἄψυχον ἔχοντα,
μελαίνας Νυκτὸς παῖδα,
φρικώδη δεινὰν ὄψιν,
μελανονεκυείμονα,
φόνια φόνια δερκόμενον,
μεγάλους ὄνυχας ἔχοντα.
ἀλλά μοι ἀμφίπολοι λύχνον ἅψατε
κάλπισί τ' ἐκ ποταμῶν δρόσον ἄρατε, θέρμετε δ' ὕδωρ,
ὡς ἂν θεῖον ὄνειρον ἀποκλύσω.

ἰὼ πόντιε δαῖμον,
τοῦτ' ἐκεῖν'· ἰὼ ξύνοικοι,
τάδε τέρα θεάσασθε.
τὸν ἀλεκτρυόνα μου συναρπάσασα
φρούδη Γλύκη.
Νύμφαι ὀρεσσίγονοι.
ὦ Μανία ξύλλαβε.

ἐγὼ δ' ἁ τάλαινα προσέχουσ' ἔτυχον
ἐμαυτῆς ἔργοισι,
λίνου μεστὸν ἄτρακτον
εἱειειειλίσσουσα χεροῖν
κλωστῆρα ποιοῦσ', ὅπως

κνεφαῖος εἰς ἀγορὰν
φέρουσ' ἀποδοίμαν·
ὁ δ' ἀνέπτατ' ἀνέπτατ' ἐς αἰθέρα
κουφοτάταις πτερύγων ἀκμαῖς·
ἐμοὶ δ' ἄχε' ἄχεα κατέλιπε,
δάκρυα δάκρυά τ' ἀπ' ὀμμάτων
ἔβαλον ἔβαλον ἁ τλάμων.

ἀλλ' ὦ Κρῆτες, Ἴδας τέκνα,
τὰ τόξα λαβόντες ἐπαμύνατε,
τὰ κῶλά τ' ἀμπάλλετε κυκλούμενοι τὴν οἰκίαν.
ἅμα δὲ Δίκτυννα παῖς Ἄρτεμις καλὰ
τὰς κυνίσκας ἔχουσ' ἐλθέτω διὰ δόμων πανταχῇ,
σὺ δ' ὦ Διὸς διπύρους ἀνέχουσα
λαμπάδας ὀξυτάτας χεροῖν Ἑκάτα παράφηνον
ἐς Γλύκης, ὅπως ἂν
εἰσελθοῦσα φωράσω.

(*Frogs*, 1331–63)

436. *Praxagora rehearses*

ΠΡΑΞΑΓΟΡΑ, ΓΥΝΑΙΚΕΣ

Πρ. Ἄπερρε καὶ σὺ καὶ κάθησ' ἐντευθενί·
αὐτὴ γὰρ ὑμῶν γ' ἕνεκά μοι λέξειν δοκῶ
τονδὶ λαβοῦσα. τοῖς θεοῖς μὲν εὔχομαι
τυχεῖν κατορθώσασα τὰ βεβουλευμένα.
ἐμοὶ δ' ἴσον μὲν τῆσδε τῆς χώρας μέτα
ὅσονπερ ὑμῖν· ἄχθομαι δὲ καὶ φέρω
τὰ τῆς πόλεως ἅπαντα βαρέως πράγματα.
ὁρῶ γὰρ αὐτὴν προστάταισι χρωμένην
ἀεὶ πονηροῖς· κἄν τις ἡμέραν μίαν

χρηστὸς γένηται, δέκα πονηρὸς γίγνεται.
ἐπέτρεψας ἑτέρῳ· πλεῖον ἔτι δράσει κακά.
χαλεπὸν μὲν οὖν ἄνδρας δυσαρέστους νουθετεῖν,
οἳ τοὺς φιλεῖν μὲν βουλομένους δεδοίκατε,
τοὺς δ' οὐκ ἐθέλοντας ἀντιβολεῖθ' ἑκάστοτε.
ἐκκλησίαισιν ἦν ὅτ' οὐκ ἐχρώμεθα
οὐδὲν τὸ παράπαν· ἀλλὰ τόν γ' Ἀγύρριον
πονηρὸν ἡγούμεσθα· νῦν δὲ χρωμένων
ὁ μὲν λαβὼν ἀργύριον ὑπερεπῄνεσεν,
ὁ δ' οὐ λαβὼν εἶναι θανάτου φήσ' ἀξίους
τοὺς μισθοφορεῖν ζητοῦντας ἐν τἠκκλησίᾳ.
Γυ.ª νὴ τὴν Ἀφροδίτην εὖ γε ταυταγὶ λέγεις.
Πρ. τάλαιν' Ἀφροδίτην ὤμοσας; χαρίεντά γ' ἂν
ἔδρασας, εἰ τοῦτ' εἶπας ἐν τἠκκλησίᾳ.
Γυ.ª ἀλλ' οὐκ ἂν εἶπον. Πρ. μηδ' ἐθίζου νῦν λέγειν.
τὸ συμμαχικὸν αὖ τοῦθ', ὅτ' ἐσκοπούμεθα,
εἰ μὴ γένοιτ', ἀπολεῖν ἔφασκον τὴν πόλιν·
ὅτε δὴ δ' ἐγένετ', ἤχθοντο, τῶν δὲ ῥητόρων
ὁ τοῦτ' ἀναπείσας εὐθὺς ἀποδρὰς ᾤχετο.
ναῦς δεῖ καθέλκειν· τῷ πένητι μὲν δοκεῖ,
τοῖς πλουσίοις δὲ καὶ γεωργοῖς οὐ δοκεῖ.
Γυ.ª ὡς ξυνετὸς ἁνήρ. Πρ. νῦν καλῶς ἐπῄνεσας.
ὑμεῖς γάρ ἐστ' ὦ δῆμε τούτων αἴτιοι.
τὰ δημόσια γὰρ μισθοφοροῦντες χρήματα
ἰδίᾳ σκοπεῖσθ' ἕκαστος ὅ τι τις κερδανεῖ,
τὸ δὲ κοινὸν ὥσπερ Αἴσιμος κυλίνδεται.
ἢν οὖν ἐμοὶ πίθησθε, σωθήσεσθ' ἔτι.
ταῖς γὰρ γυναιξὶ φημὶ χρῆναι τὴν πόλιν
ἡμᾶς παραδοῦναι. καὶ γὰρ ἐν ταῖς οἰκίαις
ταύταις ἐπιτρόποις καὶ ταμίαισι χρώμεθα.

Γυ.ᵃ εὖ γ' εὖ γε νὴ Δί' εὖ γε. Γυ.ᵝ λέγε λέγ' ὦγαθέ.
Πρ. ὡς δ' εἰσὶν ἡμῶν τοὺς τρόπους βελτίονες
ἐγὼ διδάξω. πρῶτα μὲν γὰρ τἄρια
βάπτουσι θερμῷ κατὰ τὸν ἀρχαῖον νόμον
ἁπαξάπασαι, κοὐχὶ μεταπειρωμένας
ἴδοις ἂν αὐτάς. ἡ δ' Ἀθηναίων πόλις,
εἰ τοῦτο χρηστῶς εἶχεν, οὐκ ἂν ἐσῴζετο,
εἰ μή τι καινὸν ἄλλο περιηργάζετο.
καθήμεναι φρύγουσιν ὥσπερ καὶ πρὸ τοῦ·
ἐπὶ τῆς κεφαλῆς φέρουσιν ὥσπερ καὶ πρὸ τοῦ·
τὰ Θεσμοφόρι' ἄγουσιν ὥσπερ καὶ πρὸ τοῦ·
πέττουσι τοὺς πλακοῦντας ὥσπερ καὶ πρὸ τοῦ·
τοὺς ἄνδρας ἐπιτρίβουσιν ὥσπερ καὶ πρὸ τοῦ·
μοιχοὺς ἔχουσιν ἔνδον ὥσπερ καὶ πρὸ τοῦ·
αὑταῖς παροψωνοῦσιν ὥσπερ καὶ πρὸ τοῦ·
οἶνον φιλοῦσ' εὔζωρον ὥσπερ καὶ πρὸ τοῦ·
ταύταισιν οὖν ὦνδρες παραδόντες τὴν πόλιν
μὴ περιλαλῶμεν, μηδὲ πυνθανώμεθα
τί ποτ' ἄρα δρᾶν μέλλουσιν, ἀλλ' ἁπλῷ τρόπῳ
ἐῶμεν ἄρχειν, σκεψάμενοι ταυτὶ μόνα,
ὡς τοὺς στρατιώτας πρῶτον οὖσαι μητέρες
σῴζειν ἐπιθυμήσουσιν· εἶτα σιτία
τίς τῆς τεκούσης μᾶλλον ἐπιπέμψειεν ἄν;
χρήματα πορίζειν εὐπορώτατον γυνή,
ἄρχουσά τ' οὐκ ἂν ἐξαπατηθείη ποτέ·
αὐταὶ γάρ εἰσιν ἐξαπατᾶν εἰθισμέναι.
τὰ δ' ἄλλ' ἐάσω· ταῦτ' ἐὰν πίθησθέ μοι,
εὐδαιμονοῦντες τὸν βίον διάξετε.
Γυ.ᵃ εὖ γ' ὦ γλυκυτάτη Πραξαγόρα καὶ δεξιῶς.
πόθεν ὦ τάλαινα ταῦτ' ἔμαθες οὕτω καλῶς;

Πρ. ἐν ταῖς φυγαῖς μετὰ τἀνδρὸς ᾤκησ' ἐν πυκνί·
ἔπειτ' ἀκούουσ' ἐξέμαθον τῶν ῥητόρων.

(*Ecclesiazusae*, 169–98, 204–44)

437. *The Gifts of Poverty*

ΧΡΕΜΥΛΟΣ

Σὺ γὰρ ἂν πορίσαι τί δύναι' ἀγαθὸν πλὴν φῴδων ἐκ βαλανείου
καὶ παιδαρίων ὑποπεινώντων καὶ γραϊδίων κολοσυρτόν;
φθειρῶν τ' ἀριθμὸν καὶ κωνώπων καὶ ψυλλῶν οὐδὲ λέγω σοι
ὑπὸ τοῦ πλήθους, αἳ βομβοῦσαι περὶ τὴν κεφαλὴν ἀνιῶσιν,
ἐπεγείρουσαι καὶ φράζουσαι, "πεινήσεις, ἀλλ' ἐπανίστω."
πρὸς δέ γε τούτοις ἀνθ' ἱματίου μὲν ἔχειν ῥάκος· ἀντὶ δὲ κλίνης
στιβάδα σχοίνων κόρεων μεστήν, ἣ τοὺς εὕδοντας ἐγείρει·
καὶ φορμὸν ἔχειν ἀντὶ τάπητος σαπρόν· ἀντὶ δὲ προσκεφαλαίου
λίθον εὐμεγέθη πρὸς τῇ κεφαλῇ· σιτεῖσθαι δ' ἀντὶ μὲν ἄρτων
μαλάχης πτόρθους, ἀντὶ δὲ μάζης φυλλεῖ' ἰσχνῶν ῥαφανίδων,
ἀντὶ δὲ θράνους στάμνου κεφαλὴν κατεαγότος, ἀντὶ δὲ μάκτρας
φιδάκνης πλευρὰν ἐρρωγυῖαν καὶ ταύτην. ἆρά γε πολλῶν
ἀγαθῶν πᾶσιν τοῖς ἀνθρώποις ἀποφαίνω σ' αἴτιον οὖσαν;

(*Plutus*, 535–47)

TIMOTHEUS

(c. 447–357 B.C.)

438. *A Manifesto*

Οὐκ ἀείδω τὰ παλαιά·
καινὰ γὰρ ἁμὰ κρείσσω.
νέος ὁ Ζεὺς βασιλεύει,
τὸ πάλαι δ' ἦν Κρόνος ἄρχων·
ἀπίτω μοῦσα παλαιά.

439. *A Sea-fight*

Ἐπεὶ δὲ ἀμβόλιμος ἅλ-
  μα στόματος ὑπερέθυιεν,
ὀξυπαραυδήτῳ
  φωνᾷ παρακόπῳ
  τε δόξᾳ φρενῶν
  κατακορὴς ἀπείλει
γόμφοισ' ἐμπρίων
μιμούμενος λυμεῶ-
  νι σώματος θαλάσσᾳ·
" ἤδη θρασεῖα καὶ πάρος
λάβρον αὐχέν' ἔσχες ἐμ
  πέδᾳ καταζευχθεῖσα λινοδέτῳ τεόν.
  νῦν δέ σ' ἀναταράξει
ἐμὸς ἄναξ, ἐμὸς
πεύκαισιν ὀριγόνοισιν, ἐγ-
  κλῄσει δὲ πεδία πλόιμα νομάσιν αὐγαῖς,
οἰστρομανὲς παλεομί-
  σημ' ἄπιστον τ' ἀγκάλι-
σμα κλυσιδρομάδος αὔρας."

φάτ' ἄσθματι στρευγόμενος,
　βλοσυρὰν δ' ἐξέβαλλεν
ἄχναν ἐπανερευγόμενος
　στόματι βρύχιον ἅλμαν.
φυγᾷ δὲ πάλιν ἵετο Πέρ-
　σης στρατὸς βάρβαρος ἐπισπέρχων.
ἄλλα δ' ἄλλαν θραῦεν σύρτις,
　μακραυχενόπλους
　χειρῶν δ' ἔγβαλλον ὀρείους
πόδας ναός. στόματος
　δ' ἐξήλλοντο μαρμαροφεγ-
　γεῖς παῖδες συγκρουόμενοι·
　κατάστερος δὲ πόντος
ἐγ λιποπνόης λιπαστέρεσσιν
　ἐγάργαιρε σώμασιν,
ἐβρίθοντο δ' ἀιόνες.

(*Persae*, 74–108)

EUPOLIS

(446–? B. C.)

440. *Pericles*

Κράτιστος οὗτος ἐγένετ' ἀνθρώπων λέγειν·
ὁπότε παρέλθοι δ', ὥσπερ ἀγαθοὶ δρομῆς,
ἐκ δέκα ποδῶν ᾕρει λέγων τοὺς ῥήτορας,
ταχὺν λέγεις μέν, πρὸς δέ γ' αὐτοῦ τῷ τάχει
πειθώ τις ἐπεκάθιζεν ἐπὶ τοῖς χείλεσιν·
οὕτως ἐκήλει καὶ μόνος τῶν ῥητόρων
τὸ κέντρον ἐγκατέλειπε τοῖς ἀκροωμένοις.

PHRYNICHUS

(fl. 420 B. C.)

441. *Sophocles*

Μάκαρ Σοφοκλέης, ὃς πολὺν χρόνον βιοὺς
ἀπέθανεν, εὐδαίμων ἀνὴρ καὶ δεξιός,
πολλὰς ποιήσας καὶ καλὰς τραγῳδίας·
καλῶς δ' ἐτελεύτησ' οὐδὲν ὑπομείνας κακόν.

PLATO

(429–347 B. C.)

442. *Lais' Mirror*

Ἡ σοβαρὸν γελάσασα καθ' Ἑλλάδος, ἡ τὸν ἐραστῶν
ἑσμὸν ἐπὶ προθύροις Λαῒς ἔχουσα νέων,
τῇ Παφίῃ τὸ κάτοπτρον· ἐπεὶ τοίη μὲν ὁρᾶσθαι
οὐκ ἐθέλω, οἵη δ' ἦν πάρος οὐ δύναμαι.

443. *The Eretrian Dead*

i

Οἵδε ποτ' Αἰγαίοιο βαρύβρομον οἶδμα λιπόντες
Ἐκβατάνων πεδίῳ κείμεθ' ἐνὶ μεσάτῳ.
χαῖρε, κλυτή ποτε πατρὶς Ἐρέτρια· χαίρετ', Ἀθῆναι
γείτονες Εὐβοίης· χαῖρε, θάλασσα φίλη.

ii

Εὐβοίης γένος ἐσμὲν Ἐρετρικόν, ἄγχι δὲ Σούσων
κείμεθα· φεῦ, γαίης ὅσσον ἀφ' ἡμετέρης.

444. *Take Thought*

Πλωτῆρες, σώζοισθε καὶ εἰν ἁλὶ καὶ κατὰ γαῖαν·
ἴστε δὲ ναυηγοῦ σῆμα παρερχόμενοι.

445. *Aster*

i

Ἀστέρας εἰσαθρεῖς ἀστὴρ ἐμός. εἴθε γενοίμην
 οὐρανός, ὡς πολλοῖς ὄμμασιν εἰς σὲ βλέπω.

ii

Ἀστὴρ πρὶν μὲν ἔλαμπες ἐνὶ ζωοῖσιν Ἑῷος·
 νῦν δὲ θανὼν λάμπεις Ἕσπερος ἐν φθιμένοις.

446. *Farmer and Sailor*

Ναυηγοῦ τάφος εἰμί· ὁ δ' ἀντίον ἐστὶ γεωργοῦ·
 ὡς ἁλὶ καὶ γαίῃ ξυνὸς ὕπεστ' Ἀΐδης.

447. *Dio of Syracuse*

Δάκρυα μὲν Ἑκάβῃ τε καὶ Ἰλιάδεσσι γυναιξὶ
 Μοῖραι ἐπέκλωσαν δή ποτε γεινομέναις·
σοὶ δέ, Δίων, ῥέξαντι καλῶν ἐπινίκιον ἔργων
 δαίμονες εὐρείας ἐλπίδας ἐξέχεαν.
κεῖσαι δ' εὐρυχόρῳ ἐν πατρίδι τίμιος ἀστοῖς,
 ὦ ἐμὸν ἐκμήνας θυμὸν ἔρωτι Δίων.

448. *Time the Changer*

Αἰὼν πάντα φέρει· δολιχὸς χρόνος οἶδεν ἀμείβειν
 οὔνομα καὶ μορφὴν καὶ φύσιν ἠδὲ τύχην.

449. *Country Gods*

Σιγάτω λάσιον Δρυάδων λέπας, οἵ τ' ἀπὸ πέτρας
 κρουνοί, καὶ βληχὴ πουλυμιγὴς τοκάδων,
αὐτὸς ἐπεὶ σύριγγι μελίζεται εὐκελάδῳ Πάν,
 ὑγρὸν ἱεὶς ζευκτῶν χεῖλος ὑπὲρ καλάμων,

αἱ δὲ πέριξ θαλεροῖσι χορὸν ποσὶν ἐστήσαντο
Ὑδριάδες Νύμφαι, Νύμφαι Ἁμαδρυάδες.

450. *Country Music*

Ὑψίκομον παρὰ τάνδε καθίζεο φωνήεσσαν
φρίσσουσαν πυκινοῖς κῶνον ὑπὸ Ζεφύροις,
καί σοι καχλάζουσιν ἐμοῖς παρὰ νάμασι σύριγξ
θελγομένων ἄξει κῶμα κατὰ βλεφάρων.

ANTIPHANES

(fl. 380 B. C.)

451. *Not dead, but gone before*

Πενθεῖν δὲ μετρίως τοὺς προσήκοντας φίλους·
οὐ γὰρ τεθνᾶσιν ἀλλὰ τὴν αὐτὴν ὁδόν,
ἣν πᾶσιν ἐλθεῖν ἐστ᾽ ἀναγκαίως ἔχον,
προεληλύθασιν. εἶτα χἠμεῖς ὕστερον
εἰς ταὐτὸ καταγωγεῖον αὐτοῖς ἥξομεν
κοινῇ τὸν ἄλλον συνδιατρίψοντες χρόνον.

452. *The Profession of Flattery*

Εἶτ᾽ ἔστιν ἢ γένοιτ᾽ ἂν ἡδίων τέχνη
ἢ πρόσοδος ἄλλη τοῦ κολακεύειν εὐφυῶς;
ὁ ζῳγράφος πονεῖ τι καὶ πικραίνεται,
ὁ γεωργὸς ἐν ὅσοις ἐστὶ κινδύνοις πάλιν.
πρόσεστι πᾶσιν ἐπιμέλεια καὶ πόνος.
ἡμῖν δὲ μετὰ γέλωτος ὁ βίος καὶ τρυφῆς·
οὗ γὰρ τὸ μέγιστον ἔργον ἐστὶ παιδιά,
ἁδρὸν γελάσαι, σκῶψαί τιν᾽, ἐκπιεῖν πολύν,
οὐχ ἡδύ; ἐμοὶ μὲν μετὰ τὸ πλουτεῖν δεύτερον.

EUBULUS

(fl. 376–373 B. C.)

453. *Love is not Winged*

Τίς ἦν ὁ γράψας πρῶτος ἀνθρώπων ἄρα
ἢ κηροπλαστήσας Ἔρωθ' ὑπόπτερον;
ὡς οὐδὲν ᾔδει πλὴν χελιδόνας γράφειν,
ἀλλ' ἦν ἄπειρος τῶν τρόπων τῶν τοῦ θεοῦ.
ἔστιν γὰρ οὔτε κοῦφος οὔτε ῥᾴδιος
ἀπαλλαγῆναι τῷ φέροντι τὴν νόσον,
βαρὺς δὲ κομιδῇ· πῶς ἂν οὖν ἔχοι πτερὰ
τοιοῦτο πρᾶγμα; λῆρος, εἰ κἄφησέ τις.

MOSCHION

(fl. 350 B. C.)

454. *Primitive Man*

Πρῶτον δ' ἄνειμι καὶ διαπτύξω λόγῳ
ἀρχὴν βροτείου καὶ κατάστασιν βίου.
ἦν γάρ ποτ' αἰὼν κεῖνος, ἦν ποθ' ἡνίκα
θηρσὶν διαίτας εἶχον ἐμφερεῖς βροτοί,
ὀρειγενῆ σπήλαια καὶ δυσηλίους
φάραγγας ἐνναίοντες· οὐδέπω γὰρ ἦν
οὔτε στεγήρης οἶκος οὔτε λαΐνοις
εὐρεῖα πύργοις ὠχυρωμένη πόλις.
οὐ μὴν ἀρότροις ἀγκύλοις ἐτέμνετο
μέλαινα καρποῦ βῶλος ὀμπνίου τροφός,
οὐδ' ἐργάτης σίδηρος εὐιώτιδος
θάλλοντας οἴνης ὀρχάτους ἐτημέλει,
ἀλλ' ἦν ἀκύμων κωφὴ τροφὴν φέρουσα γῆ.

βοραὶ δὲ σαρκοβρῶτες ἀλληλοκτόνους
παρεῖχον αὑτοῖς δαῖτας· ἦν δ' ὁ μὲν νόμος
ταπεινός, ἡ βία δὲ σύνθρονος Διί.
ἐπεὶ δ' ὁ τίκτων πάντα καὶ τρέφων χρόνος
τὸν θνητὸν ἠλλοίωσεν ἔμπαλιν βίον,
εἴτ' οὖν μέριμναν τὴν Προμηθέως πάρα
εἴτ' οὖν ἀνάγκην εἴτε τῇ μακρᾷ τριβῇ
αὐτὴν παρασχὼν τὴν φύσιν διδάσκαλον,
τόθ' ηὑρέθη μὲν καρπὸς ἡμέρου τροφῆς
Δήμητρος ἁγνῆς, ηὑρέθη δὲ Βακχίου
γλυκεῖα πηγή, γαῖα δ' ἡ πρὶν ἄσπορος
ἤδη ζυγουλκοῖς βουσὶν ἠροτρεύετο,
ἄστη δ' ἐπυργώσαντο καὶ περισκεπεῖς
ἔτευξαν οἴκους καὶ τὸν ἠγριωμένον
εἰς ἥμερον δίαιταν ἤγαγον βίον.
κἀκ τοῦδε τοὺς θανόντας ὥρισεν νόμος
τύμβοις καλύπτειν κἀπιμοιρᾶσθαι κόνιν
νεκροῖς ἀθάπτοις, μηδ' ἐν ὀφθαλμοῖς ἐᾶν
τῆς πρόσθε θοίνης μνημόνευμα δυσσεβοῦς.

CHAEREMON

(fl. 350 (?) B. C.)

455. *Maidens at Rest*

Ἔκειτο δ' ἡ μὲν λευκὸν εἰς σεληνόφως
φαίνουσα μαστὸν λελυμένης ἐπωμίδος,
τῆς δ' αὖ χορεία λαγόνα τὴν ἀριστερὰν
ἔλυσε· γυμνὴ δ' αἰθέρος θεάμασιν
ζῶσαν γραφὴν ἔφαινε, χρῶμα δ' ὄμμασιν
λευκὸν μελαίνης ἔργον ἀντηύγει σκιᾶς.

ἄλλη δ' ἐγύμνου καλλίχειρας ὠλένας,
ἄλλης προσαμπέχουσα θῆλυν αὐχένα.
ἡ δὲ ῥαγέντων χλανιδίων ὑπὸ πτυχαῖς
ἔφαινε μηρόν, κἀξεπεσφραγίζετο
ὥρας γελώσης χωρὶς ἐλπίδων ἔρως.
ὑπνωμέναι δ' ἔπιπτον ἑλενίων ἔπι,
ἴων τε μελανόφυλλα συγκλῶσαι πτερὰ
κρόκον θ', ὃς ἡλιῶδες εἰς ὑφάσματα
πέπλων σκιᾶς εἴδωλον ἐξωμόργνυτο,
λειμῶσι μαλακοῖς ἐξέτεινον αὐχένας.

(*Oeneus*)

ERINNA

(fl. 350 B.C.)

456. *A Distaff*

i

Πομπίλε, ναύταισιν πέμπων πλόον εὔπλοον ἰχθύ,
πομπεύσαις πρύμναθεν ἐμὰν ἁδεῖαν ἑταίραν.

ii

Πραϋλόγοι πολιαί, ταὶ γήραος ἄνθεα θνατοῖς.

iii

Τουτόθεν εἰς 'Αΐδαν κενεὰ διανήχεται ἀχώ,
σιγᾷ δ' ἐν νεκύεσσι· τὸ δὲ σκότος ὄσσε κάτ' ἔρρει.

457. *Baucis*

Στᾶλαι καὶ Σειρῆνες ἐμαὶ καὶ πένθιμε κρωσσέ,
ὅστις ἔχεις 'Αΐδα τὰν ὀλίγαν σποδίαν,
τοῖς ἐμὸν ἐρχομένοισι παρ' ἠρίον εἴπατε χαίρειν,
αἴτ' ἀστοὶ τελέθωντ', αἴθ' ἑτεροπτόλιες·

χὤτι με νύμφαν εὖσαν ἔχει τάφος, εἴπατε καὶ τό·
χὤτι πατήρ μ' ἐκάλει Βαυκίδα, χὤτι γένος
Τηλία, ὡς εἰδῶντι· καὶ ὅττι μοι ἁ συνεταιρὶς
Ἤρινν' ἐν τύμβῳ γράμμ' ἐχάραξε τόδε.

ANONYMOUS

(iv cent. B.C.)

458. *Maidens' Song*

Ἤνθομεν ἐς μεγάλας Δαμάτερος ἐννέ' ἐάσσαι
παῖσαι παρθενικαί, παῖσαι καλὰ ἔμματ' ἐχοίσαι,
καλὰ μὲν ἔμματ' ἐχοίσαι, ἀριπρεπέας δὲ καὶ ὅρμως
πριστῶ ἐξ ἐλέφαντος, ἰδῆν ποτεοικότας ἄστρῳ.

ARISTOTLE

(384–322 B.C.)

459. *To Virtue*

Ἀρετά, πολύμοχθε γένει βροτέῳ,
θήραμα κάλλιστον βίῳ,
σᾶς πέρι, παρθένε, μορφᾶς
καὶ θανεῖν ζαλωτὸς ἐν Ἑλλάδι πότμος
καὶ πόνους τλῆναι μαλεροὺς ἀκάμαντας·
τοῖον ἐπὶ φρένα βάλλεις
καρπὸν ἰσαθάνατον χρυσοῦ τε κρείσσω
καὶ γονέων μαλακαυγήτοιό θ' ὕπνου·
σεῦ δ' ἕνεχ' οὑκ Διὸς Ἡρακλέης Λήδας τε κοῦροι
πολλ' ἀνέτλαν σὰν ἐπ' ἔργοις
ἀναγορεύοντες δύναμιν.

σοῖς δὲ πόθοις Ἀχιλεὺς Αἴας τ' Ἀΐδαο δόμους ἦλθον·
σᾶς δ' ἕνεκεν φιλίου μορφᾶς Ἀταρνέος ἔντροφος
ἀελίου χήρωσεν αὐγάς.
τοιγὰρ ἀοίδιμος ἔργοις, ἀθάνατόν τέ μιν αὐξήσουσι
Μοῦσαι
Μναμοσύνας θύγατρες, Διὸς ξενίου σέβας ἀσκοῦσαι
φιλίας τε γέρας βεβαίου.

ALEXIS

(372–300 (?) B.C.)

460. *The Confident Scientist*

Ἅπαντα τὰ ζητούμεν' ἐξευρίσκεται,
ἂν μὴ προαποστῇς μηδὲ τὸν πόνον φύγῃς·
ὅπου γὰρ εὑρήκασιν ἄνθρωποί τινες
μέρος τι τῶν θείων τοσοῦτο τῷ τόπῳ
ἀπέχοντες, ἄστρων ἐπιτολάς, δύσεις, τροπάς,
ἔκλειψιν ἡλίου, τί τῶν κοινῶν κάτω
καὶ συγγενικῶν δύναιτ' ἂν ἄνθρωπον φυγεῖν;

ANAXILAS

(fl. 330 B.C.)

461. *Human Worms*

Οἱ κόλακές εἰσι τῶν ἐχόντων οὐσίας
σκώληκες. εἰς οὖν ἄκακον ἀνθρώπου τρόπον
εἰσδὺς ἕκαστος ἐσθίει καθήμενος,
ἕως ἂν ὥσπερ πυρὸν ἀποδείξῃ κενόν.
ἔπειθ' ὁ μὲν λέμμ' ἐστίν, ὁ δ' ἕτερον δάκνει.

ANAXILAS

462. *The Cautious Householder*

Ἀπιστότερος εἶ τῶν κοχλιῶν πολλῷ πάνυ,
οἳ περιφέρουσ᾽ ὑπ᾽ ἀπιστίας τὰς οἰκίας.

PHILEMON

(361–263 B. C.)

463. *Who is Free?*

Ἐμοῦ γάρ ἐστι κύριος μὲν εἷς ἀνήρ,
τούτων δὲ καὶ σοῦ μυρίων τ᾽ ἄλλων νόμος,
ἑτέρων τύραννος, τῶν τυραννούντων φόβος·
δοῦλοι βασιλέων εἰσίν, ὁ βασιλεὺς θεῶν,
ὁ θεὸς ἀνάγκης. πάντα δ᾽, ἂν σκοπῇς, ὅλως
ἑτέρων πέφυκεν ἥττον᾽, ὧν δὲ μείζονα,
τούτοις ἀνάγκη ταῦτα δουλεύειν ἀεί.

464. *The greatest Tribute*

Εἰ ταῖς ἀληθείαισιν οἱ τεθνηκότες
αἴσθησιν εἶχον, ἄνδρες, ὥς φασίν τινες,
ἀπηγξάμην ἂν ὥστ᾽ ἰδεῖν Εὐριπίδην.

AMPHIS

(fl. 322 B. C.)

465. *The Solace of Art*

Οὐκ ἔστιν οὐδὲν ἀτυχίας ἀνθρωπίνης
παραμύθιον γλυκύτερον ἐν βίῳ τέχνης·
ἐπὶ τοῦ μαθήματος γὰρ ἑστηκὼς ὁ νοῦς
αὑτοῦ λέληθε παραπλέων τὰς συμφοράς.

MENANDER

(343 (?)–293 B. C.)

466. *My Own, my Native Land*

Χαῖρ', ὦ φίλη γῆ, διὰ χρόνου πολλοῦ σ' ἰδὼν
ἀσπάζομαι· τουτὶ γὰρ οὐ πᾶσαν ποῶ
τὴν γῆν, ὅταν δὲ τοὐμὸν ἐσίδω χωρίον·
τὸ γὰρ τρέφον με τοῦτ' ἐγὼ κρίνω θεόν.

467. *Whom the Gods Love*

Ὃν οἱ θεοὶ φιλοῦσιν ἀποθνῄσκει νέος.

468. *The Mutes in Life's Chorus*

Ὥσπερ τῶν χορῶν
οὐ πάντες ᾄδουσ', ἀλλ' ἄφωνοι δύο τινὲς
ἢ τρεῖς παρεστήκασι πάντων ἔσχατοι
εἰς τὸν ἀριθμόν, καὶ τοῦθ' ὁμοίως πως ἔχει·
χώραν κατέχουσι, ζῶσι δ' οἷς ἔστιν βίος.

469. *Evil Communications*

Φθείρουσιν ἤθη χρήσθ' ὁμιλίαι κακαί.

470. *This World is all a Fleeting Show*

Τοῦτον εὐτυχέστατον λέγω,
ὅστις θεωρήσας ἀλύπως, Παρμένων,

τὰ σεμνὰ ταῦτ᾽ ἀπῆλθεν, ὅθεν ἦλθεν, ταχύ,
τὸν ἥλιον τὸν κοινόν, ἄστρ᾽, ὕδωρ, νέφη,
πῦρ· ταῦτά, κἂν ἑκατὸν ἔτη βιῷς, ἀεὶ
ὄψει παρόντα, κἂν ἐνιαυτοὺς σφόδρ᾽ ὀλίγους,
σεμνότερα τούτων ἕτερα δ᾽ οὐκ ὄψει ποτέ.
πανήγυριν νόμισόν τιν᾽ εἶναι τὸν χρόνον,
ὅν φημι, τοῦτον ἢ ᾽πιδημίαν ἐν ᾧ
ὄχλος, ἀγορά, κλέπται, κυβεῖαι, διατριβαί.
ἂν πρῷος ἀπίῃς καταλύσεις, βελτίονα
ἐφόδι᾽ ἔχων ἀπῆλθες, ἐχθρὸς οὐδενί·
ὁ προσδιατρίβων δ᾽ ἐκοπίασεν ἀπολέσας
κακῶς τε γηρῶν ἐνδεής του γίνεται,
ῥεμβόμενος ἐχθροὺς ηὗρ᾽, ἐπεβουλεύθη ποθέν,
οὐκ εὐθανάτως ἀπῆλθεν ἐλθὼν εἰς χρόνον.

471. *The Common Lot*

Εἰ γὰρ ἐγένου σύ, τρόφιμε, τῶν πάντων μόνος,
ὅτ᾽ ἔτικτεν ἡ μήτηρ σ᾽, ἐφ᾽ ᾧ τε διατελεῖν
πράττων ἃ βούλει καὶ διευτυχεῖν ἀεί,
καὶ τοῦτο τῶν θεῶν τις ὡμολόγησέ σοι,
ὀρθῶς ἀγανακτεῖς· ἔστι γάρ σ᾽ ἐψευσμένος
ἄτοπόν τε πεπόηκ᾽· εἰ δ᾽ ἐπὶ τοῖς αὐτοῖς νόμοις
ἐφ᾽ οἷσπερ ἡμεῖς ἔσπασας τὸν ἀέρα
τὸν κοινόν, ἵνα σοι καὶ τραγικώτερον λαλῶ,
οἰστέον ἄμεινον ταῦτα καὶ λογιστέον.
τὸ δὲ κεφάλαιον τῶν λόγων, ἄνθρωπος εἶ,
οὗ μεταβολὴν θᾶττον πρὸς ὕψος καὶ πάλιν
ταπεινότητα ζῷον οὐθὲν λαμβάνει.
καὶ μάλα δικαίως· ἀσθενέστατον γὰρ ὂν

φύσει μεγίστοις οἰκονομεῖται πράγμασιν,
ὅταν πέσῃ δέ, πλεῖστα συντρίβει καλά.

472. *Here are Sands, Ignoble Things*

Ὅταν εἰδέναι θέλῃς σεαυτὸν ὅστις εἶ,
ἔμβλεψον εἰς τὰ μνήμαθ' ὡς ὁδοιπορεῖς.
ἐνταῦθ' ἔνεστ' ὀστᾶ τε καὶ κούφη κόνις
ἀνδρῶν βασιλέων καὶ τυράννων καὶ σοφῶν
καὶ μέγα φρονούντων ἐπὶ γένει καὶ χρήμασιν
αὑτῶν τε δόξῃ κἀπὶ κάλλει σωμάτων.
κᾆτ' οὐδὲν αὐτοῖς τῶνδ' ἐπήρκεσεν χρόνου.
κοινὸν τὸν ᾅδην ἔσχον οἱ πάντες βροτοί.
πρὸς ταῦθ' ὁρῶν γίνωσκε σαυτὸν ὅστις εἶ.

473. *This defileth a Man*

Μειράκιον, οὔ μοι κατανοεῖν δοκεῖς ὅτι
ὑπὸ τῆς ἰδίας ἕκαστα κακίας σήπεται,
καὶ πᾶν τὸ λυμαινόμενόν ἐστιν ἔνδοθεν.
οἷον ὁ μὲν ἰός, ἂν σκοπῇς, τὸ σιδήριον,
τὸ δ' ἱμάτιον οἱ σῆτες, ὁ δὲ θρὶψ τὸ ξύλον.
ὁ δὲ τὸ κάκιστον τῶν κακῶν πάντων, φθόνος
φθισικὸν πεπόηκε καὶ ποήσει καὶ ποεῖ,
ψυχῆς πονηρᾶς δυσσεβὴς παράστασις.

474. *Conscience doth make Cowards of us All*

Ὁ συνιστορῶν αὑτῷ τι, κἂν ᾖ θρασύτατος,
ἡ σύνεσις αὐτὸν δειλότατον εἶναι ποεῖ.

475. *Marriage—Two Views*

i

Οἰκεῖον οὕτως οὐδέν ἐστιν, ὦ Λάχης,
ἐὰν σκοπῇ τις, ὡς ἀνήρ τε καὶ γυνή.

ii

τὸ γαμεῖν, ἐάν τις τὴν ἀλήθειαν σκοπῇ,
κακὸν μέν ἐστιν, ἀλλ' ἀναγκαῖον κακόν.

476. *Threats*

Οὐδέποτ' ἀληθὲς οὐδὲν οὔθ' υἱῷ πατὴρ
εἴωθ' ἀπειλεῖν οὔτ' ἐρῶν ἐρωμένῃ.

477. *The Family Dinner-Party*

Ἔργον ἐστὶν εἰς τρίκλινον συγγενείας εἰσπεσεῖν,
οὗ λαβὼν τὴν κύλικα πρῶτος ἄρχεται λόγου πατὴρ
καὶ παραινέσας πέπωκεν, εἶτα μήτηρ δευτέρα,
εἶτα τήθη παραλαλεῖ τις, εἶτα βαρύφωνος γέρων,
τηθίδος πατήρ, ἔπειτα γραῦς καλοῦσα φίλτατον.
ὁ δ' ἐπινεύει πᾶσι τούτοις.

478. *Charisius rebukes himself*

Ἐγώ τις ἀναμάρτητος, εἰς δόξαν βλέπων
καὶ τὸ καλὸν ὅ τί ποτ' ἐστὶ καὶ ταἰσχρὸν σκοπῶν,
ἀκέραιος, ἀνεπίπληκτος αὐτὸς τῷ βίῳ—
εὖ μοι κέχρηται καὶ προσηκόντως πάνυ
τὸ δαιμόνιον—ἐνταῦθ' ἔδειξ' ἄνθρωπος ὤν.
" ὦ τρισκακόδαιμον, καὶ μέγα φυσᾷς καὶ λαλεῖς,
ἀκούσιον γυναικὸς ἀτύχημ' οὐ φέρεις,
αὐτὸν δὲ δείξω σ' εἰς ὅμοι' ἐπταικότα.
καὶ χρήσετ' αὐτή σοι τότ' ἠπίως, σὺ δὲ

ταύτην ἀτιμάζεις. ἐπιδειχθήσει θ' ἅμα
ἀτυχὴς γεγονὼς καὶ σκαιὸς ἀγνώμων τ' ἀνήρ.
ὅμοιά γ' εἶπεν οἷς σὺ διενόου τότε
πρὸς τὸν πατέρα· 'κοινωνὸς ἥκειν τοῦ βίου,
ἐμὲ τοίνυν οὐ δεῖν τἀτύχημ' αὐτὴν φυγεῖν
τὸ συμβεβηκός.' σὺ δέ τις ὑψηλὸς σφόδρα"—

(*Epitrepontes*, 693–707)

479. *Advice to a Lover*

ΠΑΤΑΙΚΟΣ, ΠΟΛΕΜΩΝ

Πα. Εἰ μέν τι τοιοῦτ' ἦν, Πολέμων, οἷόν φατε
ὑμεῖς, τὸ γεγονός, καὶ γαμετὴν γυναῖκά σου—
Πο. οἷον λέγεις, Πάταικε. διαφέρει δὲ τί;
ἐγὼ γαμετὴν νενόμικα ταύτην.
Πα. μὴ βόα.
τίς ἔσθ' ὁ δούς;
Πο. ἐμοὶ τίς; αὐτή.
Πα. πάνυ καλῶς.
ἤρεσκες αὐτῇ τυχὸν ἴσως, νῦν δ' οὐκέτι,
ἀπελήλυθεν δ' οὐ κατὰ τρόπον σου χρωμένου
αὐτῇ.
Πο. τί φῄς; οὐ κατὰ τρόπον; τουτί με τῶν
πάντων λελύπηκας μάλιστ' εἰπών.
Πα. ἐρεῖς,
τοῦτ' οἶδ' ἀκριβῶς, ὡς ὃ μὲν νυνὶ ποεῖς
ἀπόπληκτόν ἐστι. ποῖ φέρει γάρ, ἢ τίνα
ἄξων; ἑαυτῆς ἐστ' ἐκείνη κυρία·
λοιπὸν τὸ πείθειν τῷ κακῶς διακειμένῳ
ἐρῶντί τ' ἐστίν.
Πο. ὁ δὲ διεφθαρκὼς ἐμοῦ

ἄποντος αὐτὴν οὐκ ἀδικεῖ μ';

Πα. ὥστ' ἐγκαλεῖν
ἀδικεῖ σ' ἐκεῖνος, ἄν ποτ' ἔλθῃς εἰς λόγους·
εἰ δ' ἐκβιάσει, δίκην ὀφλήσεις· οὐκ ἔχει
τιμωρίαν γὰρ τἀδίκημ', ἔγκλημα δέ.

Πο. οὐδ' ἆρα νῦν—;

Πα. οὐδ' ἆρα νῦν.

Πο. οὐκ οἶδ' ὅ τι
λέγω, μὰ τὴν Δήμητρα, πλὴν ἀπάγξομαι.
Γλυκέρα με καταλέλοιπε, καταλέλοιπέ με
Γλυκέρα, Πάταικ'. ἀλλ' εἴπερ οὕτω σοι δοκεῖ
πράττειν,—συνήθης ἦσθα γὰρ καὶ πολλάκις
λελάληκας αὐτῇ,—πρότερον ἐλθὼν διαλέγου·
πρέσβευσον, ἱκετεύω σε.

Πα. τοῦτό μοι δοκεῖ,
ὁρᾷς, ποεῖν.

Πο. δύνασαι δὲ δήπουθεν λέγειν,
Πάταικε;

Πα. μετρίως.

Πο. ἀλλὰ μήν, Πάταικε, δεῖ.
αὕτη 'στὶν ἡ σωτηρία τοῦ πράγματος.
ἐγὼ γὰρ εἴ τι πώποτ' ἠδίκηχ' ὅλως—
εἰ μὴ διατελῶ πάντα φιλοτιμούμενος—
τὸν κόσμον αὐτῆς εἰ θεωρήσαις—

Πα. καλῶς
ἔχει.

Πο. θεώρησον, Πάταικε, πρὸς θεῶν·
μᾶλλον μ' ἐλεήσεις.

Πα. ὦ Πόσειδον.

Πο. δεῦρ' ἴθι·

ἐνδύμαθ' οἶ', οἷα δὲ φαίνεθ' ἡνίκ' ἂν
λάβῃ τι τούτων· οὐ γὰρ ἑοράκεις ἴσως.
Πα. ἔγωγε.
Πο. καὶ γὰρ τὸ μέγεθος δήπουθεν ἦν
ἄξιον ἰδεῖν. ἀλλὰ τί φέρω νῦν εἰς μέσον
τὸ μέγεθος, ἐμβρόντητος, ὑπὲρ ἄλλων λαλῶν;
Πα. μὰ τὸν Δί', οὐδέν.
Πο. οὐ γάρ; ἀλλὰ δεῖ γέ σε
ἰδεῖν· βάδιζε δεῦρο.
Πα. πάραγ'.
Πο. εἰσέρχομαι.

(*Perikeiromene*, 363–402)

PHILETAS

(*c.* 340–285 B.C.)

480. *The Last Request*

Ἐκ θυμοῦ κλαῦσαί με τὰ μέτρια, καί τι προσηνὲς
εἰπεῖν, μεμνῆσθαί τ' οὐκέτ' ἐόντος ὁμῶς.

481. *Life's Medley*

Οὐ κλαίω ξείνων σε, φιλαίτατε· πολλὰ γὰρ ἔγνως
καλά· κακῶν δ' αὖ σοι μοῖραν ἔνειμε θεός.

ORACLE OF SARAPIS

(Date uncertain)

482. *The Living God*

Εἰμὶ θεὸς τοιόσδε μαθεῖν οἷόν κ' ἐγὼ εἴπω·
οὐράνιος κόσμος κεφαλή, γαστὴρ δὲ θάλασσα,
γαῖα δέ μοι πόδες εἰσί, τὰ δ' οὔατ' ἐν αἰθέρι κεῖται
ὄμμα τε τηλαυγὲς λαμπρὸν φάος ἠελίοιο.

CLEANTHES

(331–232 B.C.)

483. *Hymn to Zeus*

Κύδιστ' ἀθανάτων, πολυώνυμε παγκρατὲς αἰεί,
Ζεῦ φύσεως ἀρχηγέ, νόμου μέτα πάντα κυβερνῶν,
χαῖρε· σὲ γὰρ καὶ πᾶσι θέμις θνητοῖσι προσαυδᾶν.
ἐκ σοῦ γὰρ γενόμεσθα, θεοῦ μίμημα λαχόντες
μοῦνοι, ὅσα ζώει τε καὶ ἕρπει θνήτ' ἐπὶ γαῖαν·
τῷ σε καθυμνήσω, καὶ σὸν κράτος αἰὲν ἀείσω.
σοὶ δὴ πᾶς ὅδε κόσμος ἑλισσόμενος περὶ γαῖαν
πείθεται ᾗ κεν ἄγῃς, καὶ ἑκὼν ὑπὸ σεῖο κρατεῖται·
τοῖον ἔχεις ὑποεργὸν ἀνικήτοις ἐνὶ χερσὶν
ἀμφήκη πυρόεντ' αἰειζώοντα κεραυνόν·
τοῦ γὰρ ὑπὸ πληγῆς φύσεως πάντ' ἔργα βέβηκεν,
ᾧ σὺ κατευθύνεις κοινὸν λόγον, ὃς διὰ πάντων
φοιτᾷ μιγνύμενος μεγάλῳ μικροῖς τε φάεσσιν.
οὐδέ τι γίγνεται ἔργον ἐπὶ χθονὶ σοῦ δίχα, δαῖμον,
οὔτε κατ' αἰθέριον θεῖον πόλον, οὔτ' ἐνὶ πόντῳ,
πλὴν ὁπόσα ῥέζουσι κακοὶ σφετέραισιν ἀνοίαις.
ἀλλὰ σὺ καὶ τὰ περισσὰ ἐπίστασαι ἄρτια θεῖναι,
καὶ κοσμεῖν τἄκοσμα, καὶ οὐ φίλα σοὶ φίλα ἐστίν.
ὧδε γὰρ εἰς ἓν πάντα συνήρμοκας ἐσθλὰ κακοῖσιν,
ὥσθ' ἕνα γίγνεσθαι πάντων λόγον αἰὲν ἐόντα,
ὃν φεύγοντες ἐῶσιν ὅσοι θνητῶν κακοί εἰσιν,
δύσμοροι, οἵ τ' ἀγαθῶν μὲν ἀεὶ κτῆσιν ποθέοντες
οὔτ' ἐσορῶσι θεοῦ κοινὸν νόμον οὔτε κλύουσιν,
ᾧ κεν πειθόμενοι σὺν νῷ βίον ἐσθλὸν ἔχοιεν·
αὐτοὶ δ' αὖθ' ὁρμῶσιν ἄνοι κακὸν ἄλλος ἐπ' ἄλλο,
οἱ μὲν ὑπὲρ δόξης σπουδὴν δυσέριστον ἔχοντες,
οἱ δ' ἐπὶ κερδοσύνας τετραμμένοι οὐδενὶ κόσμῳ

ἄλλοι δ' εἰς ἄνεσιν καὶ σώματος ἡδέα ἔργα
ὧδ' ἀνόητ' ἔρδουσιν ἐπ' ἄλλοτε δ' ἄλλα φέρονται,
σπεύδοντες μάλα πάμπαν ἐναντία τῶνδε γενέσθαι.
ἀλλὰ Ζεῦ πάνδωρε κελαινεφὲς ἀργικέραυνε,
ἀνθρώπους ῥύου μὲν ἀπειροσύνης ἀπὸ λυγρῆς,
ἣν σύ, πάτερ, σκέδασον ψυχῆς ἄπο, δὸς δὲ κυρῆσαι
γνώμης, ᾗ πίσυνος σὺ δίκης μέτα πάντα κυβερνᾷς,
ὄφρ' ἂν τιμηθέντες ἀμειβώμεσθά σε τιμῇ,
ὑμνοῦντες τὰ σὰ ἔργα διηνεκές, ὡς ἐπέοικε
θνητὸν ἐόντ', ἐπεὶ οὔτε βροτοῖς γέρας ἄλλο τι μεῖζον
οὔτε θεοῖς, ἢ κοινὸν ἀεὶ νόμον ἐν δίκῃ ὑμνεῖν.

484. *God leads the Way*

Ἄγου δέ μ', ὦ Ζεῦ, καὶ σύ γ' ἡ πεπρωμένη,
ὅποι ποθ' ὑμῖν εἰμὶ διατεταγμένος,
ὡς ἕψομαί γ' ἄοκνος· ἢν δὲ μὴ θέλω
κακὸς γενόμενος, οὐδὲν ἧττον ἕψομαι.

PHANOCLES

(fl. c. 300 B.C.)

485. *Orpheus*

Ἢ ὡς Οἰάγροιο πάϊς Θρηΐκιος Ὀρφεὺς
ἐκ θυμοῦ Κάλαϊν στέρξε Βορηϊάδην,
πολλάκι δὲ σκιεροῖσιν ἐν ἄλσεσιν ἕζετ' ἀείδων
ὃν πόθον, οὐδ' ἦν οἱ θυμὸς ἐν ἡσυχίῃ,
ἀλλ' αἰεί μιν ἄγρυπνοι ὑπὸ ψυχῇ μελεδῶναι
ἔτρυχον, θαλερὸν δερκομένου Κάλαϊν.
τὸν μὲν Βιστονίδες κακομήχανοι ἀμφιχυθεῖσαι
ἔκτανον, εὐήκη φάσγανα θηξάμεναι.

τοῦ δ' ἀπὸ μὲν κεφαλὴν χαλκῷ τάμον, αὐτίκα δ' αὐτὴν
εἰς ἅλα Θρηϊκίῃ ῥῖψαν ὁμοῦ χέλυϊ
ἥλῳ καρτύνασαι, ἵν' ἐμφορέοιντο θαλάσσῃ
ἄμφω ἅμα, γλαυκοῖς τεγγόμεναι ῥοθίοις.
τὰς δ' ἱερῇ Λέσβῳ πολιὴ ἐπέκελσε θάλασσα·
ἠχὴ δ' ὣς λιγυρῆς πόντον ἐπέσχε λύρης,
νήσους τ' αἰγιαλούς θ' ἁλιμυρέας, ἔνθα λίγειαν
ἀνέρες Ὀρφείην ἐκτέρισαν κεφαλήν,
ἐν δὲ χέλυν τύμβῳ λιγυρὴν θέσαν, ἣ καὶ ἀναύδους
πέτρας καὶ Φόρκου στυγνὸν ἔπειθεν ὕδωρ.
ἐκ κείνου μολπαί τε καὶ ἱμερτὴ κιθαριστὺς
νῆσον ἔχει, πασέων δ' ἐστὶν ἀοιδοτάτη.

THEOPHILUS

(fl. 300 (?) B.C.)

486. *Crabbed Age and Youth*

Οὐ συμφέρον νέα 'στὶ πρεσβύτῃ γυνή·
ὥσπερ γὰρ ἄκατος οὐδὲ μικρὸν πείθεται
ἑνὶ πηδαλίῳ, τὸ πεῖσμ' ἀπορρήξασα δὲ
ἐκ νυκτὸς ἕτερον λιμέν' ἔχουσ' ἐξευρέθη.

ANYTE

(fl. 300 B.C.)

487. *The Goat*

Ἡνία δή τοι παῖδες ἐνί, τράγε, φοινικόεντα
θέντες καὶ λασίῳ φιμὰ περὶ στόματι,
ἵππια παιδεύουσι θεοῦ περὶ ναὸν ἄεθλα,
ὄφρ' αὐτοὺς ἐφορῇ νήπια τερπομένους.

488. *Death the Leveller*

Μάνης οὗτος ἀνὴρ ἦν ζῶν ποτέ· νῦν δὲ τεθνηκὼς
 ἶσον Δαρείῳ τῷ μεγάλῳ δύναται.

489. *A Statue of Cypris*

Κύπριδος οὗτος ὁ χῶρος, ἐπεὶ φίλον ἔπλετο τήνᾳ
 αἰὲν ἀπ' ἠπείρου λαμπρὸν ὁρῆν πέλαγος,
ὄφρα φίλον ναύτῃσι τελῇ πλόον· ἀμφὶ δὲ πόντος
 δειμαίνει, λιπαρὸν δερκόμενος ξόανον.

490. *Under a Laurel*

Ἵζευ ἅπας ὑπὸ καλὰ δάφνας εὐθαλέα φύλλα,
 ὡραίου τ' ἄρυσαι νάματος ἁδὺ πόμα,
ὄφρα τοι ἀσθμαίνοντα πόνοις θέρεος φίλα γυῖα
 ἀμπαύσῃς, πνοιῇ τυπτόμενα Ζεφύρου.

SIMIAS

(fl. 300 B. C.)

491. *Sophocles' Tomb*

Ἠρέμ' ὑπὲρ τύμβοιο Σοφοκλέος, ἠρέμα, κισσέ,
 ἑρπύζοις, χλοεροὺς ἐκπροχέων πλοκάμους,
καὶ πέταλον πάντῃ θάλλοι ῥόδου, ἥ τε φιλορρὼξ
 ἄμπελος, ὑγρὰ πέριξ κλήματα χευαμένη,
εἵνεκεν εὐεπίης πινυτόφρονος, ἣν ὁ μελιχρὸς
 ἤσκησ' ἐκ Μουσέων ἄμμιγα καὶ Χαρίτων.

492. *A Decoy Partridge*

Οὐκέτ' ἀν' ὑλῆεν δρίος εὔσκιον, ἀγρότα πέρδιξ,
 ἠχήεσσαν ἵης γῆρυν ἀπὸ στομάτων,
θηρεύων βαλιοὺς συνομήλικας ἐν νομῷ ὕλης·
 ᾤχεο γὰρ πυμάταν εἰς Ἀχέροντος ὁδόν.

ADDAEUS

(fl. 300 B.C.)

493. *An Ox past Service*

Αὔλακι καὶ γήρᾳ τετρυμένον ἐργατίνην βοῦν
 Ἄλκων οὐ φονίην ἤγαγε πρὸς κοπίδα,
αἰδεσθεὶς ἔργων· ὁ δέ που βαθέῃ ἐνὶ ποίῃ
 μυκηθμοῖς ἀρότρου τέρπετ' ἐλευθερίῃ.

ZENODOTUS (?)

(325–260 (?) B.C.)

494. *A Statue of Love*

Τίς γλύψας τὸν Ἔρωτα παρὰ κρήνῃσιν ἔθηκεν,
 οἰόμενος παύσειν τοῦτο τὸ πῦρ ὕδατι;

ANONYMOUS

495. *Chance*

 Τύχα, μερόπων
ἀρχά τε καὶ τέρμα· τὺ καὶ σοφίας θακεῖς ἕδρας,
καὶ τιμὰν βροτέοις ἐπέθηκας ἔργοις·
καὶ τὸ καλὸν πλέον ἢ κακὸν ἐκ σέθεν, ἅ τε χάρις
λάμπει περὶ σὰν πτέρυγα χρυσέαν·
καὶ τὸ τεᾷ πλάστιγγι δοθὲν μακαριστότατον τελέθει·
τὺ δ' ἀμαχανίας πόρον εἶδες ἐν ἄλγεσιν
καὶ λαμπρὸν φάος ἄγαγες ἐν σκότῳ, προφερεστάτα θεῶν.

ANONYMOUS

(*c.* 300 B.C.)

496. *Hymn of the Curetes*

Ἰώ, μέγιστε Κοῦρε,
χαῖρέ μοι, Κρόνειε,
παγκρατὲς γάνος, βέβακες
δαιμόνων ἁγώμενος·
Δίκταν εἰς ἐνιαυτὸν
ἕρπε καὶ γέγαθι μολπᾷ,

τάν τοι κρέκομεν πακτίσι
μείξαντες ἅμ' αὐλοῖσιν,
καὶ στάντες ἀείδομεν τεὸν
ἀμφὶ βωμὸν οὐερκῆ.
ἰώ, μέγιστε Κοῦρε,
χαῖρέ μοι, Κρόνειε,
παγκρατὲς γάνος, βέβακες
δαιμόνων ἁγώμενος·
Δίκταν εἰς ἐνιαυτὸν
ἕρπε καὶ γέγαθι μολπᾷ.

ἔνθα γὰρ σέ, παῖδ' ἄμβροτον,
ἀσπιδηφόροι τροφῆες
πὰρ Ῥέας λαβόντες πόδα
κρούοντες ἀντάχον.
ἰώ, μέγιστε Κοῦρε,
χαῖρέ μοι, Κρόνειε,
παγκρατὲς γάνος, βέβακες
δαιμόνων ἁγώμενος·
Δίκταν εἰς ἐνιαυτὸν
ἕρπε καὶ γέγαθι μολπᾷ.

ὧραι δὲ βρύον κατῆτος,
καὶ βροτὸς Δίκα κατῆχε,
καὶ πάντα διῆπε ζῶι'
ἁ φίλολβος Εἰρήνα.
  ἰώ, μέγιστε Κοῦρε,
  χαῖρέ μοι, Κρόνειε,
  παγκρατὲς γάνος, βέβακες
  δαιμόνων ἁγώμενος·
  Δίκταν εἰς ἐνιαυτὸν
  ἕρπε καὶ γέγαθι μολπᾷ.

ἁμῖν θόρε, κἐς σταμνία,
καὶ θόρ' εὔποκ' ἐς ποίμνια,
κἐς λάϊα καρπῶν θόρε,
κἐς τελεσφόρος ἀγρός.
  ἰώ, μέγιστε Κοῦρε,
  χαῖρέ μοι, Κρόνειε,
  παγκρατὲς γάνος, βέβακες
  δαιμόνων ἁγώμενος·
  Δίκταν εἰς ἐνιαυτὸν
  ἕρπε καὶ γέγαθι μολπᾷ.

θόρε κἐς πόληας ἁμῶν
θόρε κἐς ποντοπόρος νᾶας,
θόρε κἐς νέος πολείτας,
θόρε κἐς Θέμιν κλειτάν.
  ἰώ, μέγιστε Κοῦρε,
  χαῖρέ μοι, Κρόνειε,
  παγκρατὲς γάνος, βέβακες
  δαιμόνων ἁγώμενος·
  Δίκταν εἰς ἐνιαυτὸν
  ἕρπε καὶ γέγαθι μολπᾷ.

THEOCRITUS

(*c.* 316–*c.* 260 B.C.)

497. *The Cup*

Τῶ ποτὶ μὲν χείλη μαρύεται ὑψόθι κισσός,
κισσὸς ἑλιχρύσῳ κεκονιμένος· ἁ δὲ κατ' αὐτὸν
καρπῷ ἕλιξ εἱλεῖται ἀγαλλομένα κροκόεντι.
ἔντοσθεν δὲ γυνά τι θεῶν δαίδαλμα τέτυκται,
ἀσκητὰ πέπλῳ τε καὶ ἄμπυκι. πὰρ δέ οἱ ἄνδρες
καλὸν ἐθειράζοντες ἀμοιβαδὶς ἄλλοθεν ἄλλος
νεικείουσ' ἐπέεσσι. τὰ δ' οὐ φρενὸς ἅπτεται αὐτᾶς·
ἀλλ' ὄκα μὲν τῆνον ποτιδέρκεται ἄνδρα γέλαισα,
ἄλλοκα δ' αὖ ποτὶ τὸν ῥίπτει νόον. οἳ δ' ὑπ' ἔρωτος
δηθὰ κυλοιδιόωντες ἐτώσια μοχθίζοντι.
τοῖς δὲ μέτα γριπεύς τε γέρων πέτρα τε τέτυκται
λεπράς, ἐφ' ᾇ σπεύδων μέγα δίκτυον ἐς βόλον ἕλκει
ὁ πρέσβυς, κάμνοντι τὸ καρτερὸν ἀνδρὶ ἐοικώς.
φαίης κα γυίων νιν ὅσον σθένος ἐλλοπιεύειν·
ὧδέ οἱ ᾠδήκαντι κατ' αὐχένα πάντοθεν ἶνες
καὶ πολιῷ περ ἐόντι, τὸ δὲ σθένος ἄξιον ἥβας.
τυτθὸν δ' ὅσσον ἄπωθεν ἁλιτρύτοιο γέροντος
πυρραίαις σταφυλαῖσι καλὸν βέβριθεν ἀλωά,
τὰν ὀλίγος τις κῶρος ἐφ' αἱμασιαῖσι φυλάσσει
ἥμενος· ἀμφὶ δέ νιν δύ' ἀλώπεκες ἃ μὲν ἀν' ὄρχως
φοιτῇ σινομένα τὰν τρώξιμον, ἃ δ' ἐπὶ πήρᾳ
πάντα δόλον τεύχοισα τὸ παιδίον οὐ πρὶν ἀνησεῖν
φατὶ πρὶν ἢ ἀκρατίσδον ἐπὶ ξηροῖσι καθίξῃ.
αὐτὰρ ὅγ' ἀνθερίκοισι καλὰν πλέκει ἀκριδοθήραν
σχοίνῳ ἐφαρμόσδων· μέλεται δέ οἱ οὔτε τι πήρας
οὔτε φυτῶν τοσσῆνον, ὅσον περὶ πλέγματι γαθεῖ.

παντᾷ δ' ἀμφὶ δέπας περιπέπταται ὑγρὸς ἄκανθος.
αἰπολικὸν θάημα· τέρας κέ τυ θυμὸν ἀτύξαι.

(*Idyll* i. 29–56)

498. *The Passing of Daphnis*

Ὦ Πὰν Πάν, εἴτ' ἐσσὶ κατ' ὤρεα μακρὰ Λυκαίω,
εἴτε τύγ' ἀμφιπολεῖς μέγα Μαίναλον, ἔνθ' ἐπὶ νᾶσον
τὰν Σικελάν, Ἑλίκας δὲ λίπ' ἠρίον αἰπύ τε σᾶμα
τῆνο Λυκαονίδαο, τὸ καὶ μακάρεσσιν ἀγητόν.
λήγετε βουκολικᾶς Μοῖσαι, ἴτε λήγετ' ἀοιδᾶς.
"ἔνθ' ὦναξ καὶ τάνδε φέρευ πακτοῖο μελίπνουν
ἐκ κηρῶ σύριγγα καλὰν περὶ χεῖλος ἑλικτάν·
ἦ γὰρ ἐγὼν ὑπ' ἔρωτος ἐς Ἄιδος ἕλκομαι ἤδη.
λήγετε βουκολικᾶς Μοῖσαι, ἴτε λήγετ' ἀοιδᾶς.
νῦν ἴα μὲν φορέοιτε βάτοι, φορέοιτε δ' ἄκανθαι,
ἁ δὲ καλὰ νάρκισσος ἐπ' ἀρκεύθοισι κομάσαι·
πάντα δ' ἔναλλα γένοιτο, καὶ ἁ πίτυς ὄχνας ἐνείκαι,
Δάφνις ἐπεὶ θνάσκει, καὶ τὰς κύνας ὥλαφος ἕλκοι,
κἠξ ὀρέων τοὶ σκῶπες ἀηδόσι δηρίσαιντο."
λήγετε βουκολικᾶς Μοῖσαι, ἴτε λήγετ' ἀοιδᾶς.
χὠ μὲν τόσσ' εἰπὼν ἀπεπαύσατο· τὸν δ' Ἀφροδίτα
ἤθελ' ἀνορθῶσαι· τά γε μὰν λίνα πάντα λελοίπει
ἐκ Μοιρᾶν, χὠ Δάφνις ἔβα ῥόον. ἔκλυσε δίνα
τὸν Μοίσαις φίλον ἄνδρα, τὸν οὐ Νύμφαισιν ἀπεχθῆ.
λήγετε βουκολικᾶς Μοῖσαι, ἴτε λήγετ' ἀοιδᾶς.

(*Idyll* i. 123–42)

499. *Simaetha*

Πᾷ μοι ταὶ δάφναι; φέρε Θεστυλί· πᾷ δὲ τὰ φίλτρα;
στέψον τὰν κελέβαν φοινικέῳ οἰὸς ἀώτῳ,

ὡς τὸν ἐμοὶ βαρὺν εὗντα φίλον καταθύσομαι ἄνδρα,
ὅς μοι δωδεκαταῖος ἀφ' ὧ τάλας οὐδὲ ποθίκει,
οὐδ' ἔγνω, πότερον τεθνάκαμες ἢ ζοοὶ εἰμές,
οὐδὲ θύρας ἄραξεν ἀνάρσιος. ἦ ῥά οἱ ἄλλᾳ
ᾤχετ' ἔχων ὅ τ' Ἔρως ταχινὰς φρένας ἅ τ' Ἀφροδίτα.
βασεῦμαι ποτὶ τὰν Τιμαγήτοιο παλαίστραν
αὔριον, ὥς νιν ἴδω, καὶ μέμψομαι οἷά με ποιεῖ.
νῦν δέ νιν ἐκ θυέων καταδήσομαι. ἀλλὰ Σελάνα
φαῖνε καλόν· τὶν γὰρ ποταείσομαι ἅσυχα, δαῖμον,
τᾷ χθονίᾳ θ' Ἑκάτᾳ, τὰν καὶ σκύλακες τρομέοντι
ἐρχομέναν νεκύων ἀνά τ' ἠρία καὶ μέλαν αἷμα.
χαῖρ' Ἑκάτα δασπλῆτι καὶ ἐς τέλος ἄμμιν ὀπάδει
φάρμακα ταῦτ' ἔρδοισα χερείονα μήτε τι Κίρκας
μήτε τι Μηδείας μήτε ξανθᾶς Περιμήδας.
ἶυγξ ἕλκε τὺ τῆνον ἐμὸν ποτὶ δῶμα τὸν ἄνδρα.
ἄλφιτά τοι πρᾶτον πυρὶ τάκεται· ἀλλ' ἐπίπασσε
Θεστυλί. δειλαία, πᾷ τὰς φρένας ἐκπεπότασαι;
ἦ ῥά γέ τοι, μυσαρά, καὶ τὶν ἐπίχαρμα τέτυγμαι;
πάσσ' ἅμα καὶ λέγε ταῦτα "τὰ Δέλφιδος ὀστία πάσσω."
ἶυγξ ἕλκε τὺ τῆνον ἐμὸν ποτὶ δῶμα τὸν ἄνδρα.
Δέλφις ἔμ' ἀνίασεν· ἐγὼ δ' ἐπὶ Δέλφιδι δάφναν
αἴθω· χὠς αὕτα λακεῖ μέγα καππυρίσασα,
κἠξαπίνας ἅφθη, κοὐδὲ σποδὸν εἴδομες αὐτᾶς,
οὕτω τοι καὶ Δέλφις ἐνὶ φλογὶ σάρκ' ἀμαθύνοι.
ἶυγξ ἕλκε τὺ τῆνον ἐμὸν ποτὶ δῶμα τὸν ἄνδρα.
ὡς τοῦτον τὸν κηρὸν ἐγὼ σὺν δαίμονι τάκω,
ὣς τάκοιθ' ὑπ' ἔρωτος ὁ Μύνδιος αὐτίκα Δέλφις.
χὠς δινεῖθ' ὅδε ῥόμβος ὁ χάλκεος ἐξ Ἀφροδίτας,
ὣς τῆνος δινοῖτο ποθ' ἁμετέραισι θύραισιν.
ἶυγξ ἕλκε τὺ τῆνον ἐμὸν ποτὶ δῶμα τὸν ἄνδρα.

νῦν θυσῶ τὰ πίτυρα, τὺ δ' Ἄρτεμι καὶ τὸν ἐν Ἅιδα
κινήσαις ἀδάμαντα καὶ εἴ τί περ ἀσφαλὲς ἄλλο.
Θεστυλί, ταὶ κύνες ἄμμιν ἀνὰ πτόλιν ὠρύονται·
ἁ θεὸς ἐν τριόδοισι· τὸ χαλκέον ὡς τάχος ἄχει.
  ἶυγξ ἕλκε τὺ τῆνον ἐμὸν ποτὶ δῶμα τὸν ἄνδρα.
ἠνίδε σιγῇ μὲν πόντος, σιγῶντι δ' ἀῆται·
ἁ δ' ἐμὰ οὐ σιγῇ στέρνων ἔντοσθεν ἀνία,
ἀλλ' ἐπὶ τήνῳ πᾶσα καταίθομαι, ὅς με τάλαιναν
ἀντὶ γυναικὸς ἔθηκε κακὰν καὶ ἀπάρθενον ἦμεν.
  ἶυγξ ἕλκε τὺ τῆνον ἐμὸν ποτὶ δῶμα τὸν ἄνδρα.
ἐς τρὶς ἀποσπένδω καὶ τρὶς τάδε, πότνια, φωνῶ·
εἴτε γυνὰ τήνῳ παρακέκλιται εἴτε καὶ ἀνήρ,
τόσσον ἔχοι λάθας, ὅσσον ποκὰ Θησέα φαντί
ἐν Δίᾳ λασθῆμεν ἐϋπλοκάμω Ἀριάδνας.
  ἶυγξ ἕλκε τὺ τῆνον ἐμὸν ποτὶ δῶμα τὸν ἄνδρα.
ἱππομανὲς φυτόν ἐστι παρ' Ἀρκάσι, τῷ δ' ἐπὶ πᾶσαι
καὶ πῶλοι μαίνονται ἀν' ὤρεα καὶ θοαὶ ἵπποι.
ὣς καὶ Δέλφιν ἴδοιμι, καὶ ἐς τόδε δῶμα περάσαι
μαινομένῳ ἴκελος λιπαρᾶς ἔκτοσθε παλαίστρας.
  ἶυγξ ἕλκε τὺ τῆνον ἐμὸν ποτὶ δῶμα τὸν ἄνδρα.
τοῦτ' ἀπὸ τᾶς χλαίνας τὸ κράσπεδον ὤλεσε Δέλφις,
ὡγὼ νῦν τίλλοισα κατ' ἀγρίῳ ἐν πυρὶ βάλλω.
αἰαῖ Ἔρως ἀνιαρέ, τί μευ μέλαν ἐκ χροὸς αἷμα
ἐμφὺς ὡς λιμνᾶτις ἅπαν ἐκ βδέλλα πέπωκας;
  ἶυγξ ἕλκε τὺ τῆνον ἐμὸν ποτὶ δῶμα τὸν ἄνδρα.
σαύραν τοι τρίψασα κακὸν ποτὸν αὔριον οἰσῶ.
Θεστυλὶ νῦν δὲ λαβοῖσα τὺ τὰ θρόνα ταῦθ' ὑπόμαξον
τᾶς τήνω φλιᾶς καθ' ὑπέρθυρον ἇς ἔτι νὺξ ᾖ,
καὶ λέγ' ἐπιφθύζοισα· "τὰ Δέλφιδος ὀστία μάσσω."
  ἶυγξ ἕλκε τὺ τῆνον ἐμὸν ποτὶ δῶμα τὸν ἄνδρα.

νῦν δὴ μώνα ἐοῖσα πόθεν τὸν ἔρωτα δακρύσω;
τηνῶθ' ἀρξεῦμαι, τίς μοι κακὸν ἄγαγε τοῦτο.
ἦνθ' ἁ τωὐβούλοιο καναφόρος ἄμμιν 'Αναξὼ
ἄλσος ἐς 'Αρτέμιδος, τᾷ δὴ τόκα πολλὰ μὲν ἄλλα
θηρία πομπεύεσκε περισταδόν, ἐν δὲ λέαινα.
φράζεό μευ τὸν ἔρωθ' ὅθεν ἵκετο, πότνα Σελάνα.
καί μ' ἁ Θευμαρίδα Θρᾷσσα τροφός, ἁ μακαρῖτις,
ἀγχίθυρος ναίοισα κατεύξατο καὶ λιτάνευσε
τὰν πομπὰν θάσασθαι· ἐγὼ δέ οἱ ἁ μεγάλοιτος
ὡμάρτευν βύσσοιο καλὸν σύροισα χιτῶνα
κἀμφιστειλαμένα τὰν ξυστίδα τὰν Κλεαρίστας.
φράζεό μευ τὸν ἔρωθ' ὅθεν ἵκετο, πότνα Σελάνα.
ἤδη δ' εὖσα μέσαν κατ' ἀμαξιτόν, ᾇ τὰ Λύκωνος,
εἶδον Δέλφιν ὁμοῦ τε καὶ Εὐδάμιππον ἰόντας,
τοῖς δ' ἦς ξανθοτέρα μὲν ἑλιχρύσοιο γενειάς,
στήθεα δὲ στίλβοντα πολὺ πλέον ἢ τὺ Σελάνα,
ὡς ἀπὸ γυμνασίοιο καλὸν πόνον ἄρτι λιπόντων.
φράζεό μευ τὸν ἔρωθ' ὅθεν ἵκετο, πότνα Σελάνα.
χὠς ἴδον, ὡς ἐμάνην, ὥς μοι περὶ θυμὸς ἰάφθη
δειλαίας, τὸ δὲ κάλλος ἐτάκετο κοὐδέ τι πομπᾶς
τήνας ἐφρασάμαν· οὐδ' ὡς πάλιν οἴκαδ' ἀπῆνθον
ἔγνων, ἀλλά μέ τις καπυρὰ νόσος ἐξαλάπαξεν,
κείμαν δ' ἐν κλιντῆρι δέκ' ἄματα καὶ δέκα νύκτας.
φράζεό μευ τὸν ἔρωθ' ὅθεν ἵκετο, πότνα Σελάνα.
καί μευ χρὼς μὲν ὅμοιος ἐγίνετο πολλάκι θάψῳ,
ἔρρευν δ' ἐκ κεφαλᾶς πᾶσαι τρίχες, αὐτὰ δὲ λοιπὰ
ὀστί' ἔτ' ἦς καὶ δέρμα. καὶ ἐς τίνος οὐκ ἐπέρασα,
ἢ ποίας ἔλιπον γραίας δόμον, ἅτις ἐπᾷδεν;
ἀλλ' ἦς οὐδὲν ἐλαφρόν· ὁ δὲ χρόνος ἄνυτο φεύγων.
φράζεό μευ τὸν ἔρωθ' ὅθεν ἵκετο, πότνα Σελάνα.

χοὔτω τᾷ δούλᾳ τὸν ἀλαθέα μῦθον ἔλεξα·
"εἰ δ' ἄγε Θεστυλί μοι χαλεπᾶς νόσω εὑρέ τι μῆχος.
πᾶσαν ἔχει με τάλαιναν ὁ Μύνδιος· ἀλλὰ μολοῖσα
τήρησον ποτὶ τὰν Τιμαγήτοιο παλαίστραν·
τηνεὶ γὰρ φοιτῇ, τηνεὶ δέ οἱ ἁδὺ καθῆσθαι."
  φράζεό μευ τὸν ἔρωθ' ὅθεν ἵκετο, πότνα Σελάνα.
κἠπεί κά νιν ἐόντα μάθῃς μόνον, ἅσυχα νεῦσον,
κεἴφ' ὅτι "Σιμαίθα τυ καλεῖ," καὶ ὑφαγέο τᾷδε.
ὣς ἐφάμαν· ἃ δ' ἦνθε καὶ ἄγαγε τὸν λιπαρόχρων
εἰς ἐμὰ δώματα Δέλφιν· ἐγὼ δέ νιν ὡς ἐνόησα
ἄρτι θύρας ὑπὲρ οὐδὸν ἀμειβόμενον ποδὶ κούφῳ,
  φράζεό μευ τὸν ἔρωθ' ὅθεν ἵκετο, πότνα Σελάνα,
πᾶσα μὲν ἐψύχθην χιόνος πλέον, ἐκ δὲ μετώπω
ἱδρώς μευ κοχύδεσκεν ἴσον νοτίαισιν ἐέρσαις,
οὐδέ τι φωνῆσαι δυνάμαν, οὐδ' ὅσσον ἐν ὕπνῳ
κνυζεῦνται φωνεῦντα φίλαν ποτὶ ματέρα τέκνα·
ἀλλ' ἐπάγην δαγῦδι καλὸν χρόα πάντοθεν ἴσα.
  φράζεό μευ τὸν ἔρωθ' ὅθεν ἵκετο, πότνα Σελάνα.
καί μ' ἐσιδὼν ὥστοργος ἐπὶ χθονὸς ὄμματα πάξας
ἕζετ' ἐπὶ κλιντῆρι καὶ ἑζόμενος φάτο μῦθον·
"ἦρά με Σιμαίθα τόσον ἔφθασας, ὅσσον ἐγώ θην
πρᾶν ποκα τὸν χαρίεντα τρέχων ἔφθασσα Φιλῖνον,
ἐς τὸ τεὸν καλέσασα τόδε στέγος ἢ 'μὲ παρεῖμεν.
  φράζεό μευ τὸν ἔρωθ' ὅθεν ἵκετο, πότνα Σελάνα.
ἦνθον γάρ κεν ἐγώ, ναὶ τὸν γλυκὺν ἦνθον Ἔρωτα
ἢ τρίτος ἠὲ τέταρτος ἐὼν φίλος αὐτίκα νυκτός,
μᾶλα μὲν ἐν κόλποισι Διωνύσοιο φυλάσσων,
κρατὶ δ' ἔχων λεύκαν, Ἡρακλέος ἱερὸν ἔρνος,
πάντοθε πορφυρέαισι περὶ ζώστραισιν ἑλικτάν.
  φράζεό μευ τὸν ἔρωθ' ὅθεν ἵκετο, πότνα Σελάνα.

καί κ', εἰ μέν μ' ἐδέχεσθε, τάδ' ἦς φίλα (καὶ γὰρ ἐλαφρὸς
καὶ καλὸς πάντεσσι μετ' ἀιθέοισι καλεῦμαι)
εὗδόν τ', εἰ μῶνον τὸ καλὸν στόμα τεῦς ἐφίλησα·
εἰ δ' ἄλλᾳ μ' ὠθεῖτε καὶ ἁ θύρα εἴχετο μοχλῷ,
πάντως κα πελέκεις καὶ λαμπάδες ἦνθον ἐφ' ὑμέας.
 φράζεό μευ τὸν ἔρωθ' ὅθεν ἵκετο, πότνα Σελάνα.
νῦν δὲ χάριν μὲν ἔφαν τᾷ Κύπριδι πρᾶτον ὀφείλειν,
καὶ μετὰ τὰν Κύπριν τύ με δευτέρα ἐκ πυρὸς εἶλευ,
ὦ γύναι, ἐσκαλέσασα τεὸν ποτὶ τοῦτο μέλαθρον
αὔτως ἡμίφλεκτον· Ἔρως δ' ἄρα καὶ Λιπαραίω
πολλάκις Ἁφαίστοιο σέλας φλογερώτερον αἴθει.
 φράζεό μευ τὸν ἔρωθ' ὅθεν ἵκετο, πότνα Σελάνα,
σὺν δὲ κακαῖς μανίαις καὶ παρθένον ἐκ θαλάμοιο
καὶ νύμφαν ἐφόβησ' ἔτι δέμνια θερμὰ λιποῖσαν
ἀνέρος." ὣς ὁ μὲν εἶπεν· ἐγὼ δέ οἱ ἁ ταχυπειθὴς
χειρὸς ἐφαψαμένα μαλακῶν ἔκλιν' ἐπὶ λέκτρων·
καὶ ταχὺ χρὼς ἐπὶ χρωτὶ πεπαίνετο, καὶ τὰ πρόσωπα
θερμότερ' ἦς ἢ πρόσθε, καὶ ἐψιθυρίσδομες ἁδύ.
χὠς ἄρα τοι μὴ μακρὰ φίλα θρυλέοιμι Σελάνα,
ἐπράχθη τὰ μέγιστα, καὶ ἐς πόθον ἤνθομες ἄμφω.
κοὔτε τι τῆνος ἐμὶν ἐπεμέμψατο μέσφα τό γ' ἐχθές,
οὔτ' ἐγὼ αὖ τήνῳ. ἀλλ' ἦνθέ μοι ἅ τε Φιλίστας
μάτηρ τᾶς ἁμᾶς αὐλητρίδος ἅ τε Μελιξοῦς
σάμερον, ἁνίκα πέρ τε ποτ' ὠρανὸν ἔτραχον ἵπποι
Ἀῶ τὰν ῥοδόπαχυν ἀπ' Ὠκεανοῖο φέροισαι,
κεἶπέ μοι ἄλλα τε πολλὰ καὶ ὡς ἄρα Δέλφις ἐρᾶται.
κεἴτε νιν αὖτε γυναικὸς ἔχει πόθος εἴτε καὶ ἀνδρός,
οὐκ ἔφατ' ἀτρεκὲς ἴδμεν, ἀτὰρ τόσον· αἰὲν Ἔρωτος
ἀκράτω ἐπεχεῖτο καὶ ἐς τέλος ᾤχετο φεύγων,

καὶ φάτο οἱ στεφάνοισι τὰ δώματα τῆνα πυκάζειν.
ταῦτά μοι ἁ ξείνα μυθήσατο, ἔστι δ' ἀλαθής·
ἦ γάρ μοι καὶ τρὶς καὶ τετράκις ἄλλοκ' ἐφοίτη,
καὶ παρ' ἐμὶν ἐτίθει τὰν Δωρίδα πολλάκις ὄλπαν.
νῦν δὲ τί; δωδεκαταῖος ἀφ' ὧτέ νιν οὐδὲ ποτεῖδον.
ἦ ῥ' οὐκ ἄλλο τι τερπνὸν ἔχει, ἁμῶν δὲ λέλασται;
νῦν μὰν τοῖς φίλτροις καταδήσομαι· αἰ δ' ἔτι κά με
λυπῇ, τὰν 'Αΐδαο πύλαν, ναὶ Μοίρας, ἀραξεῖ.
τοῖά οἱ ἐν κίστᾳ κακὰ φάρμακα φαμὶ φυλάσσειν,
'Ασσυρίω, δέσποινα, παρὰ ξείνοιο μαθοῖσα.
ἀλλὰ τὺ μὲν χαίροισα ποτ' ὠκεανὸν τρέπε πώλως,
πότνι'· ἐγὼ δ' οἰσῶ τὸν ἐμὸν πόθον ὥσπερ ὑπέσταν.
χαῖρε Σελαναία λιπαρόχροε, χαίρετε δ' ἄλλοι
ἀστέρες, εὐκάλοιο κατ' ἄντυγα Νυκτὸς ὀπαδοί.

(*Idyll* ii.)

500. *Serenade*

῏Ω χαρίεσσ' 'Αμαρυλλί, τί μ' οὐκέτι τοῦτο κατ' ἄντρον
παρκύπτοισα καλεῖς; τὸν ἐρωτύλον ἦ ῥά με μισεῖς;
ἦ ῥά γέ τοι σιμὸς καταφαίνομαι ἐγγύθεν ἦμεν;
νύμφα, καὶ προγένειος; ἀπάγξασθαί με ποησεῖς.
ἠνίδε τοι δέκα μᾶλα φέρω· τηνῶθε καθεῖλον,
ὧ μ' ἐκέλευ καθελεῖν τυ, καὶ αὔριον ἄλλα τοι οἰσῶ.
θᾶσαι μάν. θυμαλγὲς ἐμὶν ἄχος. αἴθε γενοίμαν
ἁ βομβεῦσα μέλισσα καὶ ἐς τεὸν ἄντρον ἱκοίμαν
τὸν κισσὸν διαδὺς καὶ τὰν πτέριν, ᾇ τυ πυκάσδεις.
νῦν ἔγνων τὸν Ἔρωτα· βαρὺς θεός· ἦρα λεαίνας
μαζὸν ἐθήλαζεν, δρυμῷ τέ νιν ἔτραφε μάτηρ,
ὅς με κατασμύχων καὶ ἐς ὀστέον ἄχρις ἰάπτει.

ὦ τὸ καλὸν ποθορεῦσα, τὸ πᾶν λίπος, ὦ κυάνοφρυ
νύμφα, πρόσπτυξαί με τὸν αἰπόλον, ὥς τυ φιλήσω.
ἔστι καὶ ἐν κενεοῖσι φιλήμασιν ἁδέα τέρψις.
τὸν στέφανον τῖλαί με κατ' αὐτίκα λεπτὰ ποησεῖς,
τόν τοι ἐγών, 'Αμαρυλλὶ φίλα, κισσοῖο φυλάσσω
ἀμπλέξας καλύκεσσι καὶ εὐόδμοισι σελίνοις.
ὤμοι ἐγών, τί πάθω, τί ὁ δύσσοος; οὐχ ὑπακούεις.
τὰν βαίταν ἀποδὺς ἐς κύματα τηνῶ ἁλεῦμαι,
ὧπερ τὼς θύννως σκοπιάζεται Ὄλπις ὁ γριπεύς·
καἴ κα δὴ 'ποθάνω—τό γε μὰν τεὸν ἁδὺ τέτυκται.

(*Idyll* iii. 6–27)

501. *Coy Polyphemus*

Πρᾶτος δ' ἄρξατο Δάφνις, ἐπεὶ καὶ πρᾶτος ἔρισδεν.
"Βάλλει τοι Πολύφαμε τὸ ποίμνιον ἁ Γαλάτεια
μάλοισιν, δυσέρωτα τὸν αἰπόλον ἄνδρα καλεῦσα·
καὶ τύ νιν οὐ ποθόρησθα τάλαν τάλαν, ἀλλὰ κάθησαι
ἁδέα συρίσδων. πάλιν ἅδ' ἴδε τὰν κύνα βάλλει,
ἅ τοι τᾶν ὀίων ἕπεται σκοπός· ἁ δὲ βαΰσδει
εἰς ἅλα δερκομένα, τὰ δέ νιν καλὰ κύματα φαίνει
ἅσυχα καχλάζοντος ἐπ' αἰγιαλοῖο θέοισαν.
φράζεο μὴ τᾶς παιδὸς ἐπὶ κνάμαισιν ὀρούσῃ
ἐξ ἁλὸς ἐρχομένας, κατὰ δὲ χρόα καλὸν ἀμύξῃ.
ἁ δὲ καὶ αὐτόθε τοι διαθρύπτεται· ὡς ἀπ' ἀκάνθας
ταὶ καπυραὶ χαῖται, τὸ καλὸν θέρος ἁνίκα φρύγει,
καὶ φεύγει φιλέοντα καὶ οὐ φιλέοντα διώκει,
καὶ τὸν ἀπὸ γραμμᾶς κινεῖ λίθον· ἦ γὰρ ἔρωτι
πολλάκις, ὦ Πολύφαμε, τὰ μὴ καλὰ καλὰ πέφανται."
τῷ δ' ἐπὶ Δαμοίτας ἀνεβάλλετο καὶ τάδ' ἄειδεν.
"Εἶδον ναὶ τὸν Πᾶνα, τὸ ποίμνιον ἁνίκ' ἔβαλλε,

κοὔ μ' ἔλαθ', οὐ τὸν ἐμὸν τὸν ἕνα γλυκύν (ᾧ ποθορῷμι
ἐς τέλος, αὐτὰρ ὁ μάντις ὁ Τήλεμος ἔχθρ' ἀγορεύων
ἐχθρὰ φέροι ποτὶ οἶκον, ὅπως τεκέεσσι φυλάσσοι),
ἀλλὰ καὶ αὐτὸς ἐγὼ κνίζων πάλιν οὐ ποθόρημι,
ἀλλ' ἄλλαν τινὰ φαμὶ γυναῖκ' ἔχεν· ἁ δ' ἀΐοισα
ζαλοῖ μ', ὦ Παιάν, καὶ τάκεται, ἐκ δὲ θαλάσσας
οἰστρεῖ παπταίνοισα ποτ' ἄντρα τε καὶ ποτὶ ποίμνας.
σίξα δ' ὑλακτεῖν νιν καὶ τᾷ κυνί· καὶ γὰρ ὅκ' ἤρων,
αὐτᾶς ἐκνυζεῖτο ποτ' ἰσχία ῥύγχος ἔχοισα.
ταῦτα δ' ἴσως ἐσορῶσα ποεῦντά με πολλάκι πεμψεῖ
ἄγγελον. αὐτὰρ ἐγὼ κλᾳξῶ θύρας, ἔστε κ' ὀμόσσῃ
αὐτά μοι στορεσεῖν καλὰ δέμνια τᾶσδ' ἐπὶ νάσω.
καὶ γάρ θην οὐδ' εἶδος ἔχω κακόν, ὥς με λέγοντι.
ἦ γὰρ πρᾶν ἐς πόντον ἐσέβλεπον, ἦς δὲ γαλάνα,
καὶ καλὰ μὲν τὰ γένεια, καλὰ δέ μοι ἁ μία κώρα,
ὡς παρ' ἐμὶν κέκριται, κατεφαίνετο, τῶν δέ τ' ὀδόντων
λευκοτέραν αὐγὰν Παρίας ὑπέφαινε λίθοιο.
ὡς μὴ βασκανθῶ δέ, τρὶς εἰς ἐμὸν ἔπτυσα κόλπον·
ταῦτα γὰρ ἁ γραία με Κοτυτταρὶς ἐξεδίδαξε."

(*Idyll* vi. 5–40)

502. *Bound for the Harvest-home*

Ἦς χρόνος ἁνίκ' ἐγώ τε καὶ Εὔκριτος εἰς τὸν Ἅλεντα
εἵρπομες ἐκ πόλιος, σὺν καὶ τρίτος ἄμμιν Ἀμύντας.
τᾷ Δηοῖ γὰρ ἔτευχε θαλύσια καὶ Φρασίδαμος
κ'Αντιγένης, δύο τέκνα Λυκωπέος, εἴ τί περ ἐσθλὸν
χαῶν τῶν ἐπάνωθεν ἀπὸ Κλυτίας τε καὶ αὐτῶ
Χάλκωνος, Βούριναν ὃς ἐκ ποδὸς ἄνυε κράναν
εὖ ἐνερεισάμενος πέτρᾳ γόνυ· ταὶ δὲ παρ' αὐτὰν
αἴγειροι πτελέαι τε ἐύσκιον ἄλσος ὕφαινον

χλωροῖσιν πετάλοισι κατηρεφέες κομόωσαι.
κοὔπω τὰν μεσάταν ὁδὸν ἄνυμες, οὐδὲ τὸ σᾶμα
ἁμὶν τὸ Βρασίλα κατεφαίνετο, καί τιν᾽ ὁδίταν
ἐσθλὸν σὺν Μοίσαισι Κυδωνικὸν εὕρομες ἄνδρα,
οὔνομα μὲν Λυκίδαν, ἦς δ᾽ αἰπόλος, οὐδέ κέ τίς νιν
ἠγνοίησεν ἰδών, ἐπεὶ αἰπόλῳ ἔξοχ᾽ ἐῴκει.
ἐκ μὲν γὰρ λασίοιο δασύτριχος εἶχε τράγοιο
κνακὸν δέρμ᾽ ὤμοισι νέας ταμίσοιο ποτόσδον,
ἀμφὶ δέ οἱ στήθεσσι γέρων ἐσφίγγετο πέπλος
ζωστῆρι πλακερῷ, ῥοικὰν δ᾽ ἔχεν ἀγριελαίω
δεξιτερᾷ κορύναν. καί μ᾽ ἀτρέμας εἶπε σεσαρὼς
ὄμματι μειδιόωντι, γέλως δέ οἱ εἴχετο χείλευς·
"Σιμιχίδα, πᾷ δὴ τὸ μεσαμέριον πόδας ἕλκεις,
ἁνίκα δὴ καὶ σαῦρος ἐν αἱμασιαῖσι καθεύδει,
οὐδ᾽ ἐπιτυμβίδιοι κορυδαλλίδες ἠλαίνοντι;
ἦ μετὰ δαῖτ᾽ ἄκλητος ἐπείγεαι ἤ τινος ἀστῶν
λανὸν ἔπι θρῴσκεις; ὥς τευ ποσὶ νισσομένοιο
πᾶσα λίθος πταίοισα ποτ᾽ ἀρβυλίδεσσιν ἀείδει."
τὸν δ᾽ ἐγὼ ἀμείφθην "Λυκίδα φίλε, φαντί τυ πάντες
ἦμεν συρικτὰν μέγ᾽ ὑπείροχον ἔν τε νομεῦσιν
ἔν τ᾽ ἀματήρεσσι. τὸ δὴ μάλα θυμὸν ἰαίνει
ἁμέτερον· καί τοι κατ᾽ ἐμὸν νόον ἰσοφαρίζειν
ἔλπομαι. ἁ δ᾽ ὁδὸς ἅδε θαλυσιάς· ἦ γὰρ ἑταῖροι
ἀνέρες εὐπέπλῳ Δαμάτερι δαῖτα τελεῦντι
ὄλβω ἀπαρχόμενοι· μάλα γάρ σφισι πίονι μέτρῳ
ἁ δαίμων εὔκριθον ἀνεπλήρωσεν ἀλωάν.
ἀλλ᾽ ἄγε δή· ξυνὰ γὰρ ὁδός, ξυνὰ δὲ καὶ ἀώς·
βουκολιασδώμεσθα· τάχ᾽ ὥτερος ἄλλον ὀνασεῖ.
καὶ γὰρ ἐγὼ Μοισᾶν καπυρὸν στόμα, κἠμὲ λέγοντι
πάντες ἀοιδὸν ἄριστον· ἐγὼ δέ τις οὐ ταχυπειθής,

οὐ Δᾶν· οὐ γάρ πω κατ' ἐμὸν νόον οὔτε τὸν ἐσθλὸν
Σικελίδαν νίκημι τὸν ἐκ Σάμω οὔτε Φιλίταν
ἀείδων, βάτραχος δὲ ποτ' ἀκρίδας ὥς τις ἐρίσδω."
ὣς ἐφάμαν ἐπίταδες· ὁ δ' αἰπόλος ἁδὺ γελάσσας
"τάν τοι" ἔφα "κορύναν δωρύττομαι, οὕνεκεν ἐσσὶ
πᾶν ἐπ' ἀλαθείᾳ πεπλασμένον ἐκ Διὸς ἔρνος.
ὥς μοι καὶ τέκτων μέγ' ἀπέχθεται, ὅστις ἐρευνῇ
ἶσον ὄρευς κορυφᾷ τελέσαι δόμον 'Ωρομέδοντος,
καὶ Μοισᾶν ὄρνιχες, ὅσοι ποτὶ Χῖον ἀοιδὸν
ἀντία κοκκύζοντες ἐτώσια μοχθίζοντι.
ἀλλ' ἄγε βουκολικᾶς ταχέως ἀρξώμεθ' ἀοιδᾶς,
Σιμιχίδα· κἠγὼ μέν, ὅρη φίλος, εἴ τοι ἀρέσκει
τοῦθ' ὅτι πρᾶν ἐν ὄρει τὸ μελύδριον ἐξεπόνασα."

(*Idyll* vii. 1–51)

502 (*a*). *Late Summer in the Country*

Χὠ μὲν ἀποκλίνας ἐπ' ἀριστερὰ τὰν ἐπὶ Πύξας
εἷρφ' ὁδόν, αὐτὰρ ἐγώ τε καὶ Εὔκριτος ἐς Φρασιδάμω
στραφθέντες χὠ καλὸς 'Αμύντιχος ἔν τε βαθείαις
ἁδείας σχοίνοιο χαμευνίσιν ἐκλίνθημες
ἔν τε νεοτμάτοισι γεγαθότες οἰναρέαισι.
πολλαὶ δ' ἄμμιν ὕπερθε κατὰ κρατὸς δονέοντο
αἴγειροι πτελέαι τε· τὸ δ' ἐγγύθεν ἱερὸν ὕδωρ
Νυμφᾶν ἐξ ἄντροιο κατειβόμενον κελάρυζε.
τοὶ δὲ ποτὶ σκιαραῖς ὀροδαμνίσιν αἰθαλίωνες
τέττιγες λαλαγεῦντες ἔχον πόνον· ἁ δ' ὀλολυγὼν
τηλόθεν ἐν πυκιναῖσι βάτων τρύζεσκεν ἀκάνθαις.
ἄειδον κόρυδοι καὶ ἀκανθίδες, ἔστενε τρυγών,
πωτῶντο ξουθαὶ περὶ πίδακας ἀμφὶ μέλισσαι.
πάντ' ὦσδεν θέρεος μάλα πίονος, ὦσδε δ' ὀπώρας.

ὄχναι μὲν πὰρ ποσσί, παρὰ πλευραῖσι δὲ μᾶλα
δαψιλέως ἁμῖν ἐκυλίνδετο· τοὶ δ' ἐκέχυντο
ὄρπακες βραβίλοισι καταβρίθοντες ἔραζε.

(*Idyll* vii. 130–46)

502 (*b*). *In Praise of Bombyca*

Μῶσαι Πιερίδες, συναείσατε τὰν ῥαδινάν μοι
παῖδ'· ὧν γάρ χ' ἅψησθε, θεαί, καλὰ πάντα ποεῖτε.
Βομβύκα χαρίεσσα, Σύραν καλέοντί τυ πάντες,
ἰσχνὰν ἁλιόκαυστον, ἐγὼ δὲ μόνος μελίχλωρον.
καὶ τὸ ἴον μέλαν ἐστὶ καὶ ἁ γραπτὰ ὑάκινθος,
ἀλλ' ἔμπας ἐν τοῖς στεφάνοις τὰ πρᾶτα λέγονται.
ἁ αἶξ τὰν κύτισον, ὁ λύκος τὰν αἶγα διώκει,
ἁ γέρανος τὤροτρον, ἐγὼ δ' ἐπὶ τὶν μεμάνημαι.
αἴθε μοι ἦς ὅσσα Κροῖσόν ποκα φαντὶ πεπᾶσθαι.
χρύσεοι ἀμφότεροί κ' ἀνεκείμεθα τᾷ 'Αφροδίτᾳ,
τὼς αὐλὼς μὲν ἔχοισα καὶ ἢ ῥόδον ἢ τύγε μᾶλον,
σχῆμα δ' ἐγὼ καὶ καινὰς ἐπ' ἀμφοτέροισιν ἀμύκλας.
Βομβύκα χαρίεσσ', οἱ μὲν πόδες ἀστράγαλοί τευ
ἁ φωνὰ δὲ τρύχνος· τὸν μὰν τρόπον οὐκ ἔχω εἰπεῖν.

(*Idyll* x. 24–37)

502 (*c*). *Reapers' Song*

Δάματερ πολύκαρπε πολύσταχυ, τοῦτο τὸ λᾷον
εὔεργόν τ' εἴη καὶ κάρπιμον ὅττι μάλιστα.
σφίγγετ' ἀμαλλοδέται τὰ δράγματα, μὴ παριών τις
εἴπῃ "σύκινοι ἄνδρες, ἀπώλετο χοῦτος ὁ μισθός."
ἐς βορέαν ἄνεμον τᾶς κόρθυος ἁ τομὰ ὔμμιν
ἢ ζέφυρον βλεπέτω· πιαίνεται ὁ στάχυς οὕτως.
σῖτον ἀλοιῶντας φεύγειν τὸ μεσαμβρινὸν ὕπνον·

ἐκ καλάμας ἄχυρον τελέθει τημόσδε μάλιστα.
ἄρχεσθαι δ' ἀμῶντας ἐγειρομένω κορυδαλλῶ,
καὶ λήγειν εὕδοντος, ἐλινῦσαι δὲ τὸ καῦμα.
εὐκτὸς ὁ τῶ βατράχω, παῖδες, βίος· οὐ μελεδαίνει
τὸν τὸ πιεῖν ἐγχεῦντα· πάρεστι γὰρ ἄφθονον αὐτῷ.
κάλλιον ὦ 'πιμελητὰ φιλάργυρε τὸν φακὸν ἕψειν·
μὴ 'πιτάμῃς τὰν χεῖρα καταπρίων τὸ κύμινον.

(*Idyll* x. 42–55)

502 (*d*). *Polyphemus to Galatea*

Ὦ λευκὰ Γαλάτεια, τί τὸν φιλέοντ' ἀποβάλλῃ,
λευκοτέρα πακτᾶς ποτιδεῖν, ἁπαλωτέρα ἀρνός,
μόσχω γαυροτέρα, φιαρωτέρα ὄμφακος ὠμᾶς;
φοιτῇς δ' αὖθ' οὕτως, ὅκκα γλυκὺς ὕπνος ἔχῃ με,
οἴχῃ δ' εὐθὺς ἰοῖσ', ὅκκα γλυκὺς ὕπνος ἀνῇ με,
φεύγεις δ' ὥσπερ ὄις πολιὸν λύκον ἀθρήσασα.
ἠράσθην μὲν ἔγωγε τεοῦς, κόρα, ἁνίκα πρᾶτον
ἦνθες ἐμᾷ σὺν ματρὶ θέλοισ' ὑακίνθινα φύλλα
ἐξ ὄρεος δρέψασθαι, ἐγὼ δ' ὁδὸν ἁγεμόνευον.
παύσασθαι δ' ἐσιδών τυ καὶ ὕστερον οὐδ' ἔτι πᾳ νῦν
ἐκ τήνω δύναμαι· τὶν δ' οὐ μέλει οὐ μὰ Δί' οὐδέν.
γινώσκω, χαρίεσσα κόρα, τίνος οὕνεκα φεύγεις·
οὕνεκά μοι λασία μὲν ὀφρὺς ἐπὶ παντὶ μετώπῳ
ἐξ ὠτὸς τέταται ποτὶ θὤτερον ὦς μία μακρά,
εἷς δ' ὀφθαλμὸς ὕπεστι, πλατεῖα δὲ ῥὶς ἐπὶ χείλει.
ἀλλ' οὗτος τοιοῦτος ἐὼν βοτὰ χίλια βόσκω,
κἠκ τούτων τὸ κράτιστον ἀμελγόμενος γάλα πίνω.
τυρὸς δ' οὐ λείπει μ' οὔτ' ἐν θέρει οὔτ' ἐν ὀπώρᾳ,
οὐ χειμῶνος ἄκρω· ταρσοὶ δ' ὑπεραχθέες αἰεί.
συρίσδεν δ' ὡς οὔτις ἐπίσταμαι ὧδε Κυκλώπων,

τίν, τὸ φίλον γλυκύμαλον, ἁμᾶ κἠμαυτὸν ἀείδων
πολλάκι νυκτὸς ἀωρί. τρέφω δέ τοι ἕνδεκα νεβρώς,
πάσας μαννοφόρως, καὶ σκύμνως τέσσαρας ἄρκτων.
ἀλλ' ἀφίκευσο ποθ' ἁμέ, καὶ ἑξεῖς οὐδὲν ἔλασσον,
τὰν γλαυκὰν δὲ θάλασσαν ἔα ποτὶ χέρσον ὀρεχθεῖν.
ἅδιον ἐν τὤντρῳ παρ' ἐμὶν τὰν νύκτα διαξεῖς.
ἐντὶ δάφναι τηνεί, ἐντὶ ῥαδιναὶ κυπάρισσοι,
ἔστι μέλας κισσός, ἔστ' ἄμπελος ἁ γλυκύκαρπος,
ἔστιν ψυχρὸν ὕδωρ, τό μοι ἁ πολυδένδρεος Αἴτνα
λευκᾶς ἐκ χιόνος ποτὸν ἀμβρόσιον προΐητι.
τίς κα τῶνδε θάλασσαν ἔχειν ἢ κύμαθ' ἕλοιτο;
αἰ δέ τοι αὐτὸς ἐγὼν δοκέω λασιώτερος ἦμεν,
ἐντὶ δρυὸς ξύλα μοι καὶ ὑπὸ σποδῷ ἀκάματον πῦρ·
καιόμενος δ' ὑπὸ τεῦς καὶ τὰν ψυχὰν ἀνεχοίμαν
καὶ τὸν ἕν' ὀφθαλμόν, τῶ μοι γλυκερώτερον οὐδέν.
ὤμοι, ὅτ' οὐκ ἔτεκέν μ' ἁ μάτηρ βράγχι' ἔχοντα,
ὡς κατέδυν ποτὶ τὶν καὶ τὰν χέρα τεῦς ἐφίλησα,
αἰ μὴ τὸ στόμα λῇς, ἔφερον δέ τοι ἢ κρίνα λευκὰ
ἢ μάκων' ἁπαλὰν ἐρυθρὰ πλαταγώνι' ἔχοισαν.
ἀλλὰ τὰ μὲν θέρεος, τὰ δὲ γίνεται ἐν χειμῶνι,
ὥστ' οὔ κά τοι ταῦτα φέρειν ἅμα πάντ' ἐδυνάθην.
νῦν μάν, ὦ κόριον, νῦν αὐτίκα νεῖν γε μαθεῦμαι,
αἴ κά τις σὺν ναῒ πλέων ξένος ὧδ' ἀφίκηται,
ὡς εἰδῶ, τί ποχ' ἁδὺ κατοικεῖν τὸν βυθὸν ὔμμιν.
ἐξένθοις Γαλάτεια καὶ ἐξενθοῖσα λάθοιο,
ὥσπερ ἐγὼ νῦν ὧδε καθήμενος, οἴκαδ' ἀπενθεῖν,
ποιμαίνειν δ' ἐθέλοις σὺν ἐμὶν ἅμα καὶ γάλ' ἀμέλγειν
καὶ τυρὸν πᾶξαι τάμισον δριμεῖαν ἐνεῖσα.
ἁ μάτηρ ἀδικεῖ με μόνα, καὶ μέμφομαι αὐτᾷ·
οὐδὲν πήποχ' ὅλως ποτὶ τὶν φίλον εἶπεν ὑπέρ μευ,

καὶ ταῦτ᾽ ἆμαρ ἐπ᾽ ἆμαρ ὁρεῦσά με λεπτύνοντα.
φασῶ τὰν κεφαλὰν καὶ τὼς πόδας ἀμφοτέρως μευ
σφύζειν, ὡς ἀνιαθῇ, ἐπεὶ κἠγὼν ἀνιῶμαι.
ὦ Κύκλωψ Κύκλωψ, πᾷ τὰς φρένας ἐκπεπότασαι;
αἴκ᾽ ἐνθὼν ταλάρως τε πλέκοις καὶ θαλλὸν ἀμάσας
ταῖς ἄρνεσσι φέροις, τάχα κα πολὺ μᾶλλον ἔχοις νῶν.
τὰν παρεοῖσαν ἄμελγε· τί τὸν φεύγοντα διώκεις;
εὑρησεῖς Γαλάτειαν ἴσως καὶ καλλίον᾽ ἄλλαν.
πολλαὶ συμπαίσδεν με κόραι τὰν νύκτα κέλονται,
κιχλίζοντι δὲ πᾶσαι, ἐπεί κ᾽ αὐταῖς ὑπακούσω.
δῆλον ὅτ᾽ ἐν τᾷ γᾷ κἠγών τις φαίνομαι ἦμεν.

(*Idyll* xi. 19–79)

502 (*e*). *Hylas*

Κῴχεθ᾽ Ὕλας ὁ ξανθὸς ὕδωρ ἐπιδόρπιον οἴσων
αὐτῷ θ᾽ Ἡρακλῆϊ καὶ ἀστεμφεῖ Τελαμῶνι,
οἳ μίαν ἄμφω ἑταῖροι ἀεὶ δαίνυντο τράπεζαν,
χάλκεον ἄγγος ἔχων. τάχα δὲ κράναν ἐνόησεν
ἡμένῳ ἐν χώρῳ· περὶ δὲ θρύα πολλὰ πεφύκει,
κυάνεόν τε χελιδόνιον χλωρόν τ᾽ ἀδίαντον
καὶ θάλλοντα σέλινα καὶ εἰλιτενὴς ἄγρωστις.
ὕδατι δ᾽ ἐν μέσσῳ Νύμφαι χορὸν ἀρτίζοντο,
Νύμφαι ἀκοίμητοι, δειναὶ θεαὶ ἀγροιώταις,
Εὐνίκα καὶ Μαλὶς ἔαρ θ᾽ ὁρόωσα Νύχεια.
ἤτοι ὁ κοῦρος ἐπεῖχε ποτῷ πολυχανδέα κρωσσὸν
βάψαι ἐπειγόμενος· ταὶ δ᾽ ἐν χερὶ πᾶσαι ἔφυσαν.
πασάων γὰρ ἔρως ἁπαλὰς φρένας ἐξεφόβησεν
Ἀργείῳ ἐπὶ παιδί. κατήριπε δ᾽ ἐς μέλαν ὕδωρ
ἀθρόος, ὡς ὅτε πυρσὸς ἀπ᾽ οὐρανοῦ ἤριπεν ἀστὴρ
ἀθρόος ἐν πόντῳ, ναύταις δέ τις εἶπεν ἑταίροις

"κουφότερ' ὦ παῖδες ποιεῖσθ' ὅπλα· πλευστικὸς οὖρος."
Νύμφαι μὲν σφετέροις ἐπὶ γούνασι κοῦρον ἔχοισαι
δακρυόεντ' ἀγανοῖσι παρεψύχοντ' ἐπέεσσιν.
'Αμφιτρυωνιάδας δὲ ταρασσόμενος περὶ παιδὶ
ᾤχετο, Μαιωτιστὶ λαβὼν εὐκαμπέα τόξα
καὶ ῥόπαλον, τό οἱ αἰὲν ἐχάνδανε δεξιτερὰ χείρ.
τρὶς μὲν Ὕλαν ἄυσεν, ὅσον βαθὺς ἤρυγε λαιμός·
τρὶς δ' ἄρ' ὁ παῖς ὑπάκουσεν, ἀραιὰ δ' ἵκετο φωνὰ
ἐξ ὕδατος, παρεὼν δὲ μάλα σχεδὸν εἴδετο πόρρω.

(*Idyll* xiii. 36–60)

502 (*f*). *Gorgo and Praxinoa*

ΓΟΡΓΩ, ΠΡΑΞΙΝΟΑ

Ἔνδοι Πραξινόα; — Γοργοῖ φίλα, ὡς χρόνῳ, ἔνδοι.
θαῦμ' ὅτι καὶ νῦν ἦνθες. ὅρη δίφρον Εὐνόα αὐτᾷ·
ἔμβαλε καὶ ποτίκρανον. — ἔχει κάλλιστα. — καθίζευ.
— ὢ τᾶς ἀλεμάτω ψυχᾶς· μόλις ὔμμιν ἐσώθην,
Πραξινόα, πολλῶ μὲν ὄχλω, πολλῶν δὲ τεθρίππων·
παντᾷ κρηπῖδες, παντᾷ χλαμυδηφόροι ἄνδρες·
ἁ δ' ὁδὸς ἄτρυτος· τὺ δ' ἑκαστέρω ὦ μέλ' ἀποικεῖς.
— ταῦθ' ὁ πάραρος τῆνος· ἐπ' ἔσχατα γᾶς ἔλαβ' ἐνθὼν
ἰλεόν, οὐκ οἴκησιν, ὅπως μὴ γείτονες ὦμες
ἀλλάλαις, ποτ' ἔριν, φθονερὸν κακόν, αἰὲν ὅμοιος.
— μὴ λέγε τὸν τεὸν ἄνδρα, φίλα, Δίνωνα τοιαῦτα
τῶ μικκῶ παρεόντος· ὅρη γύναι, ὡς ποθορῇ τυ.
θάρσει Ζωπύριον, γλυκερὸν τέκος· οὐ λέγει ἀπφῦν.

— αἰσθάνεται τὸ βρέφος, ναὶ τὰν πότνιαν. — καλὸς ἀπφῦς.
— ἀπφῦς μὰν τῆνος τὰ πρόαν—λέγομες δὲ πρόαν θην
"πάππα, νίτρον καὶ φῦκος ἀπὸ σκανᾶς ἀγοράσδειν"—
ἦνθε φέρων ἅλας ἄμμιν, ἀνὴρ τρισκαιδεκάπαχυς.
— χὡμὸς ταυτᾷ ἔχει, φθόρος ἀργυρίω, Διοκλείδας·
ἑπταδράχμως κυνάδας, γραιᾶν ἀποτίλματα πηρᾶν,
πέντε πόκως ἔλαβ' ἐχθές, ἅπαν ῥύπον, ἔργον ἐπ' ἔργῳ.
ἀλλ' ἴθι τὠμπέχονον καὶ τὰν περονατρίδα λάζευ.
βᾶμες τῶ βασιλῆος ἐς ἀφνειῶ Πτολεμαίω
θασόμεναι τὸν Ἄδωνιν· ἀκούω χρῆμα καλόν τι
κοσμεῖν τὰν βασίλισσαν. — ἐν ὀλβίω ὄλβια πάντα.
— ὧν ἴδες, ὧν εἶπες καὶ ἰδοῖσά τυ τῷ μὴ ἰδόντι.
ἕρπειν ὥρα κ' εἴη. — ἀεργοῖς αἰὲν ἑορτά.
Εὐνόα, αἶρε τὸ νῆμα καὶ ἐς μέσον αἰνόδρυπτε
θὲς πάλιν· αἱ γαλέαι μαλακῶς χρῄζοντι καθεύδειν.
κινεῦ δή, φέρε θᾶσσον ὕδωρ. ὕδατος πρότερον δεῖ,
ἁ δὲ σμᾶμα φέρει. δὸς ὅμως. μὴ δὴ πολύ, λᾳστρί·
ἔγχει ὕδωρ. δύστανε, τί μευ τὸ χιτώνιον ἄρδεις;
παῦε. ὁποῖα θεοῖς ἐδόκει, τοιαῦτα νένιμμαι.
ἁ κλᾳξ τᾶς μεγάλας πῆ λάρνακος; ὧδε φέρ' αὐτάν.
— Πραξινόα μάλα τοι τὸ καταπτυχὲς ἐμπερόναμα
τοῦτο πρέπει· λέγε μοι, πόσσω κατέβα τοι ἀφ' ἱστῶ;
— μὴ μνάσῃς Γοργοῖ· πλέον ἀργυρίω καθαρῶ μνᾶν
ἢ δύο· τοῖς δ' ἔργοις καὶ τὰν ψυχὰν ποτέθηκα.
— ἀλλὰ κατὰ γνώμαν ἀπέβα τοι. — τοῦτο κάλ' εἶπες.

τὠμπέχονον φέρε μοι καὶ τὰν θολίαν κατὰ κόσμον
ἀμφίθες. οὐκ ἀξῶ τυ τέκνον. μορμώ, δάκνει ἵππος.
δάκρυ' ὅσσα θέλεις, χωλὸν δ' οὐ δεῖ τυ γενέσθαι.
ἕρπωμες. Φρυγία τὸν μικκὸν παῖσδε λαβοῖσα,
τὰν κύν' ἔσω κάλεσον, τὰν αὐλείαν ἀπόκλᾳξον.
ὦ θεοί, ὅσσος ὄχλος. πῶς καί ποκα τοῦτο περᾶσαι
χρὴ τὸ κακόν; μύρμακες ἀνάριθμοι καὶ ἄμετροι.
πολλά τοι ὦ Πτολεμαῖε πεποίηται καλὰ ἔργα,
ἐξ ὧ ἐν ἀθανάτοις ὁ τεκών· οὐδεὶς κακοεργὸς
δαλεῖται τὸν ἰόντα παρέρπων Αἰγυπτιστί,
οἷα πρὶν ἐξ ἀπάτας κεκροτημένοι ἄνδρες ἔπαισδον
ἀλλάλοις ὁμαλοὶ κακὰ παίγνια, πάντες ἐρινοί.
ἁδίστα Γοργοῖ, τί γενώμεθα; τοὶ πολεμισταὶ
ἵπποι τῶ βασιλῆος. ἄνερ φίλε, μή με πατήσῃς.
ὀρθὸς ἀνέστα ὁ πυρρός· ἴδ' ὡς ἄγριος. κυνοθαρσὴς
Εὐνόα, οὐ φευξῇ; διαχρησεῖται τὸν ἄγοντα.
ὠνάθην μεγάλως, ὅτι μοι τὸ βρέφος μένει ἔνδον.
—θάρσει Πραξινόα· καὶ δὴ γεγενήμεθ' ὄπισθεν,
τοὶ δ' ἔβαν ἐς χώραν. — καὐτὰ συναγείρομαι ἤδη.
ἵππον καὶ τὸν ψυχρὸν ὄφιν τὰ μάλιστα δεδοίκω
ἐκ παιδός. σπεύδωμες· ὄχλος πολὺς ἄμμιν ἐπιρρεῖ.
— ἐξ αὐλᾶς ὦ μᾶτερ; — ἐγὼν τέκνα. — εἶτα παρενθεῖν
εὐμαρές;—ἐς Τροίαν πειρώμενοι ἦνθον Ἀχαιοί,
καλλίστα παίδων· πείρᾳ θην πάντα τελεῖται.
— χρησμὼς ἁ πρεσβῦτις ἀπῴχετο θεσπίξασα.
— πάντα γυναῖκες ἴσαντι, καὶ ὡς Ζεὺς ἀγάγεθ' Ἥραν.
— θᾶσαι Πραξινόα, περὶ τὰς θύρας ὅσσος ὅμιλος.
— θεσπέσιος. Γοργοῖ, δὸς τὰν χέρα μοι· λάβε καὶ τὺ

Εὐνόα Εὐτυχίδος· πότεχ' αὔτα, μή τι πλαναθῇς.
πᾶσαι ἅμ' εἰσένθωμες· ἀπρὶξ ἔχευ Εὐνόα ἁμῶν.
οἴμοι δειλαία, δίχα μευ τὸ θερίστριον ἤδη
ἔσχισται, Γοργοῖ. ποττῶ Διός, εἴ τι γένοιο
εὐδαίμων, ὤνθρωπε φυλάσσεο τὠμπέχονόν μευ.
— οὐκ ἐπ' ἐμὶν μέν, ὅμως δὲ φυλαξεῦμαι. — ὄχλος ἄθρως·
ὠθεῦνθ' ὥσπερ ὕες. — θάρσει γύναι· ἐν καλῷ εἰμές.
— κῆς ὥρας κἤπειτα φίλ' ἀνδρῶν ἐν καλῷ εἴης
ἄμμε περιστέλλων. χρηστῶ κοἰκτίρμονος ἀνδρός.
φλίβεται Εὐνόα ἄμμιν· ἄγ' ὦ δειλά τυ βιάζευ.
κάλλιστ'· "ἔνδοι πᾶσαι" ὁ τὰν νυὸν εἶπ' ἀποκλᾴξας.
— Πραξινόα, πόταγ' ὧδε. τὰ ποικίλα πρᾶτον ἄθρησον,
λεπτὰ καὶ ὡς χαρίεντα· θεῶν περονάματα φασεῖς.
— πότνι' Ἀθαναία· ποῖαί σφ' ἐπόνασαν ἔριθοι,
ποῖοι ζῳογράφοι τἀκριβέα γράμματ' ἔγραψαν.
ὡς ἔτυμ' ἑστάκαντι καὶ ὡς ἔτυμ' ἐνδινεῦντι,
ἔμψυχ', οὐκ ἐνυφαντά. σοφόν τοι χρῆμ' ἄνθρωπος.
αὐτὸς δ' ὡς θαητὸς ἐπ' ἀργυρέας κατάκειται
κλισμῶ πρᾶτον ἴουλον ἀπὸ κροτάφων καταβάλλων,
ὁ τριφίλητος Ἄδωνις, ὃ κὴν Ἀχέροντι φιλεῖται.
— παύσασθ' ὦ δύστανοι, ἀνάνυτα κωτίλλοισαι
τρυγόνες· ἐκκναισεῦντι πλατειάσδοισαι ἅπαντα.
— μᾶ, πόθεν ὤνθρωπος; τί δὲ τίν, εἰ κωτίλαι εἰμές;
πασάμενος ἐπίτασσε· Συρακοσίαις ἐπιτάσσεις.
ὡς εἰδῇς καὶ τοῦτο· Κορίνθιαι εἰμὲς ἄνωθεν,
ὡς καὶ ὁ Βελλεροφῶν· Πελοποννασιστὶ λαλεῦμες·
δωρίσδεν δ' ἔξεστι, δοκῶ, τοῖς Δωριέεσσι.

μὴ φύη, Μελιτῶδες, ὃς ἁμῶν καρτερὸς εἴη,
πλὰν ἑνός. οὐκ ἀλέγω. μή μοι κενεὰν ἀπομάξῃς.
— σίγη Πραξινόα· μέλλει τὸν Ἄδωνιν ἀείδειν
ἁ τᾶς Ἀργείας θυγάτηρ, πολύιδρις ἀοιδός,
ἅτις καὶ πέρυσιν τὸν ἰάλεμον ἀρίστευσε.
φθεγξεῖταί τι, σάφ' οἶδα, καλόν· διαθρύπτεται ἤδη.

(*Idyll* xv. 1–99)

502 (g). *The Fishermen's Hut*

Ἁ πενία, Διόφαντε, μόνα τὰς τέχνας ἐγείρει·
αὕτα τῶ μόχθοιο διδάσκαλος, οὐδὲ γὰρ εὕδειν
ἀνδράσιν ἐργατίναισι κακαὶ παρέχοντι μέριμναι.
κἂν ὀλίγον νυκτός τις ἐπιβρίσσῃσι, τὸν ὕπνον
αἰφνίδιον θορυβεῦσιν ἐφιστάμεναι μελεδῶναι.
ἰχθύος ἀγρευτῆρες ὁμῶς δύο κεῖντο γέροντες
στρωσάμενοι βρύον αὖον ὑπὸ πλεκταῖς καλύβαισι,
κεκλιμένοι τοίχῳ ποτὶ φυλλίνῳ· ἐγγύθι δ' αὐτοῖν
κεῖτο τὰ τᾶς θήρας ἀθλήματα, τοὶ καλαθίσκοι,
τοὶ κάλαμοι, τἄγκιστρα, τὰ φυκιόεντα δέλητα,
ὁρμιαὶ κύρτοι τε καὶ ἐκ σχοίνων λαβύρινθοι,
μήρινθοι κῶπαί τε γέρων τ' ἐπ' ἐρείσμασι λέμβος·
νέρθεν τᾶς κεφαλᾶς φορμὸς βραχύς, εἵματα, πῖλοι.
οὗτος τοῖς ἁλιεῦσιν ὁ πᾶς πόρος, οὗτος ὁ πλοῦτος.
οὐδὸς δ' οὐχὶ θύραν εἶχ', οὐ κύνα· πάντα περισσὰ
ταῦτ' ἐδόκει τήνοις· ἁ γὰρ πενία σφας ἐτήρει.
οὐδεὶς δ' ἐν μέσσῳ γείτων πέλεν· ἁ δὲ παρ' αὐτὰν
θλιβομένα καλύβαν τρυφερὸν προσέναχε θάλασσα.

(*Idyll* xxi. 1–18)

502 (*h*). *Amycus*

Εὗρον δ' ἀέναον κρήνην ὑπὸ λισσάδι πέτρῃ
ὕδατι πεπληθυῖαν ἀκηράτῳ· αἱ δ' ὑπένερθεν
λάλλαι κρυστάλλῳ ἠδ' ἀργύρῳ ἰνδάλλοντο
ἐκ βυθοῦ· ὑψηλαὶ δὲ πεφύκεσαν ἀγχόθι πεῦκαι
λεῦκαί τε πλάτανοί τε καὶ ἀκρόκομοι κυπάρισσοι,
ἄνθεά τ' εὐώδη, λασίαις φίλα ἔργα μελίσσαις,
ὅσσ' ἔαρος λήγοντος ἐπιβρύει ἂν λειμῶνας.
ἔνθα δ' ἀνὴρ ὑπέροπλος ἐνήμενος ἐνδιάασκε,
δεινὸς ἰδεῖν, σκληρῇσι τεθλασμένος οὔατα πυγμαῖς·
στήθεα δ' ἐσφαίρωτο πελώρια καὶ πλατὺ νῶτον
σαρκὶ σιδηρείῃ σφυρήλατος οἷα κολοσσός.
ἐν δὲ μύες στερεοῖσι βραχίοσιν ἄκρον ὑπ' ὦμον
ἕστασαν ἠύτε πέτροι ὀλοίτροχοι, οὕστε κυλίνδων
χειμάρρους ποταμὸς μεγάλαις περιέξεσε δίναις·
αὐτὰρ ὑπὲρ νώτοιο καὶ αὐχένος ᾐωρεῖτο
ἄκρων δέρμα λέοντος ἀφημμένον ἐκ ποδεώνων.

(*Idyll* xxii. 37–52)

503. *The Dogs at the Homestead*

Τοὺς δὲ κύνες προσιόντας ἀπόπροθεν αἶψ' ἐνόησαν,
ἀμφότερον ὀδμῇ τε χροὸς δούπῳ τε ποδοῖιν.
θεσπέσιον δ' ὑλάοντες ἐπέδραμον ἄλλοθεν ἄλλος
'Αμφιτρυωνιάδῃ Ἡρακλέϊ· τὸν δὲ γέροντα
ἀχρεῖον κλάζον τε περίσσαινόν θ' ἑτέρωθεν.
τοὺς μὲν ὅγε λάεσσιν ἀπὸ χθονὸς ὅσσον ἀείρων
φευγέμεν ἂψ ὀπίσω δειδίσσετο, τρηχὺ δὲ φωνῇ
ἠπείλει μάλα πᾶσιν, ἐρητύσασκε δ' ὑλαγμοῦ,
χαίρων ἐν φρεσὶν ᾗσιν, ὀθούνεκεν αὖλιν ἔρυντο

αὐτοῦ γ' οὐ παρεόντος· ἔπος δ' ὅγε τοῖον ἔειπεν
"ὦ πόποι, οἷον τοῦτο θεοὶ ποίησαν ἄνακτες
θηρίον ἀνθρώποισι μετέμμεναι, ὡς ἐπιμηθές.
εἴ οἱ καὶ φρένες ὧδε νοήμονες ἔνδοθεν ἦσαν,
ᾔδει δ', ᾧ τε χρὴ χαλεπαινέμεν ᾧ τε καὶ οὐκί,
οὐκ ἄν οἱ θηρῶν τις ἐδήρισεν περὶ τιμῆς·
νῦν δὲ λίην ζάκοτόν τε καὶ ἀρρηνὲς γένετ' αὔτως."
ἦ ῥα, καὶ ἐσσυμένως ποτὶ ταὐλίον ἷξον ἰόντες.

(*Idyll* xxv. 68–84)

504. *A Distaff*

Γλαυκᾶς ὦ φιλέριθ' ἀλακάτα δῶρον 'Αθανάας
γυναιξίν, νόος οἰκωφελίας αἷσιν ἐπάβολος,
θαρσεῖσ' ἄμμιν ὑμάρτη πόλιν εἰς Νείλεος ἀγλαάν,
ὅππα Κύπριδος ἶρον καλάμῳ χλωρὸν ὑπ' ἀπάλῳ.
τυῖδε γὰρ πλόον εὐάνεμον αἰτήμεθα πὰρ Διός,
ὅππως ξέννον ἐμὸν τέρψομ' ἴδων κἀντιφιλήσομαι,
Νικίαν, Χαρίτων ἱμεροφώνων ἱερὸν φυτόν,
καὶ σὲ τὰν ἐλέφαντος πολυμόχθω γεγενημέναν
δῶρον Νικιάας εἰς ἀλόχω χέρρας ὀπάσσομεν,
σὺν τᾷ πολλὰ μὲν ἔρρ' ἐκτελέσεις ἀνδρείοις πέπλοις,
πολλὰ δ' οἷα γυναῖκες φορέοισ' ὑδάτινα βράκη.
δὶς γὰρ ματέρες ἀρνῶν μαλακοὶς ἐν βοτάνᾳ πόκοις
πέξαιντ' αὐτοετεί, Θευγενίδος γ' ἔννεκ' ἐυσφύρω·
οὕτως ἀνυσιεργός, φιλέει δ' ὅσσα σαόφρονες.
οὐ γὰρ εἰς ἀκίρας οὐδ' ἐς ἀεργῶ κεν ἐβολλόμαν
ὄπασσαί σε δόμοις ἀμμετέρας ἔσσαν ἀπὺ χθόνος.
καὶ γάρ τοι πατρίς, ἂν ὡξ 'Εφύρας κτίσσε ποτ' 'Αρχίας
νάσω Τρινακρίας μυελόν, ἀνδρῶν δοκίμων πόλιν.
νῦν μὰν οἶκον ἔχοισ' ἀνέρος, ὃς πόλλ' ἐδάη σοφὰ

ἀνθρώποισι νόσοις φάρμακα λυγραὶς ἀπαλαλκέμεν,
οἰκήσεις κατὰ Μίλλατον ἐραννὰν μετ' Ἰαόνων,
ὡς εὐαλάκατος Θευγενὶς ἐν δαμοτίσιν πέλῃ,
καί οἱ μνᾶστιν ἀεὶ τῶ φιλαοιδῶ παρέχῃς ξένω.
κῆνο γάρ τις ἐρεῖ τὤπος ἴδών σ'· "ἦ μεγάλα χάρις
δώρῳ σὺν ὀλίγῳ· πάντα δὲ τιματὰ τὰ πὰρ φίλων."

(*Idyll* xxviii.)

ARATUS

(c. 315–240 B.C.)

505. *Proem*

Ἐκ Διὸς ἀρχώμεσθα, τὸν οὐδέποτ' ἄνδρες ἐῶμεν
ἄρρητον· μεσταὶ δὲ Διὸς πᾶσαι μὲν ἀγυιαί,
πᾶσαι δ' ἀνθρώπων ἀγοραί, μεστὴ δὲ θάλασσα
καὶ λιμένες· πάντη δὲ Διὸς κεχρήμεθα πάντες.
τοῦ γὰρ καὶ γένος εἰμέν· ὁ δ' ἤπιος ἀνθρώποισιν
δεξιὰ σημαίνει, λαοὺς δ' ἐπὶ ἔργον ἐγείρει,
μιμνῄσκων βιότοιο, λέγει δ' ὅτε βῶλος ἀρίστη
βουσί τε καὶ μακέλῃσι, λέγει δ' ὅτε δεξιαὶ ὧραι
καὶ φυτὰ γυρῶσαι καὶ σπέρματα πάντα βαλέσθαι.
αὐτὸς γὰρ τά γε σήματ' ἐν οὐρανῷ ἐστήριξεν,
ἄστρα διακρίνας, ἐσκέψατο δ' εἰς ἐνιαυτὸν
ἀστέρας οἵ κε μάλιστα τετυγμένα σημαίνοιεν
ἀνδράσιν ὡράων, ὄφρ' ἔμπεδα πάντα φύωνται.
τῷ μιν ἀεὶ πρῶτόν τε καὶ ὕστατον ἱλάσκονται.
χαῖρε, πάτερ, μέγα θαῦμα, μέγ' ἀνθρώποισιν ὄνειαρ,
αὐτὸς καὶ προτέρη γενεή. χαίροιτε δὲ Μοῦσαι
μειλίχιαι μάλα πᾶσαι· ἐμοί γε μὲν ἀστέρας εἰπεῖν
ᾗ θέμις εὐχομένῳ τεκμήρατε πᾶσαν ἀοιδήν.

(*Phaenomena*, 1–18)

506. *When Justice dwelt on Earth*

Οὔπω λευγαλέου τότε νείκεος ἠπίσταντο
οὐδὲ διακρίσιος πολυμεμφέος οὐδὲ κυδοιμοῦ,
αὔτως δ' ἔζωον· χαλεπὴ δ' ἀπέκειτο θάλασσα,
καὶ βίον οὔπω νῆες ἀπόπροθεν ἠγίνεσκον,
ἀλλὰ βόες καὶ ἄροτρα καὶ αὐτή, πότνια λαῶν,
μυρία πάντα παρεῖχε Δίκη, δώτειρα δικαίων.
τόφρ' ἦν, ὄφρ' ἔτι γαῖα γένος χρύσειον ἔφερβεν.
ἀργυρέῳ δ' ὀλίγη τε καὶ οὐκέτι πάμπαν ἑτοίμη
ὡμίλει, ποθέουσα παλαιῶν ἤθεα λαῶν.
ἀλλ' ἔμπης ἔτι κεῖνο κατ' ἀργύρεον γένος ἦεν·
ἤρχετο δ' ἐξ ὀρέων ὑποδείελος ἠχηέντων
μουνάξ, οὐδέ τεῳ ἐπεμίσγετο μειλιχίοισιν·
ἀλλ' ὁπότ' ἀνθρώπων μεγάλας πλήσαιτο κολώνας,
ἠπείλει δὴ ἔπειτα καθαπτομένη κακότητος,
οὐδ' ἔτ' ἔφη εἰσωπὸς ἐλεύσεσθαι καλέουσιν·
"οἵην χρύσειοι πατέρες γενεὴν ἐλίποντο
χειροτέρην· ὑμεῖς δὲ κακώτερα τεξείεσθε.
καὶ δή που πόλεμοι, καὶ δὴ καὶ ἀνάρσιον αἷμα
ἔσσεται ἀνθρώποισι, κακὸν δ' ἐπικείσεται ἄλγος."
ὣς εἰποῦσ' ὀρέων ἐπεμαίετο, τοὺς δ' ἄρα λαοὺς
εἰς αὐτὴν ἔτι πάντας ἐλίμπανε παπταίνοντας.
ἀλλ' ὅτε δὴ κἀκεῖνοι ἐτέθνασαν, οἱ δ' ἐγένοντο,
χαλκείη γενεή, προτέρων ὀλοώτεροι ἄνδρες,
οἳ πρῶτοι κακόεργον ἐχαλκεύσαντο μάχαιραν
εἰνοδίην, πρῶτοι δὲ βοῶν ἐπάσαντ' ἀροτήρων,
καὶ τότε μισήσασα Δίκη κείνων γένος ἀνδρῶν
ἔπταθ' ὑπουρανίη· ταύτην δ' ἄρα νάσσατο χώρην,
ἧχί περ ἐννυχίη ἔτι φαίνεται ἀνθρώποισιν
Παρθένος, ἐγγὺς ἐοῦσα πολυσκέπτοιο Βοώτεω.

(*Phaenomena*, 108–136)

(310–c. 240 B.C.)

507. *The Epiphany of Apollo*

Οἷον ὁ τὠπόλλωνος ἐσείσατο δάφνινος ὅρπηξ,
οἷα δ' ὅλον τὸ μέλαθρον· ἑκὰς ἑκὰς ὅστις ἀλιτρός.
καὶ δή που τὰ θύρετρα καλῷ ποδὶ Φοῖβος ἀράσσει·
οὐχ ὁράᾳς; ἐπένευσεν ὁ Δήλιος ἡδύ τι φοῖνιξ
ἐξαπίνης, ὁ δὲ κύκνος ἐν ἠέρι καλὸν ἀείδει.
αὐτοὶ νῦν κατοχῆες ἀνακλίνεσθε πυλάων,
αὐταὶ δὲ κληῖδες· ὁ γὰρ θεὸς οὐκέτι μακρήν.
οἱ δὲ νέοι μολπήν τε καὶ ἐς χορὸν ἐντύνεσθε.

ὡπόλλων οὐ παντὶ φαείνεται, ἀλλ' ὅτις ἐσθλός·
ὅς μιν ἴδῃ, μέγας οὗτος, ὃς οὐκ ἴδε, λιτὸς ἐκεῖνος.
ὀψόμεθ', ὦ 'Εκάεργε, καὶ ἐσσόμεθ' οὔποτε λιτοί.
μήτε σιωπηλὴν κίθαριν μήτ' ἄψοφον ἴχνος
τοῦ Φοίβου τοὺς παῖδας ἔχειν ἐπιδημήσαντος,
εἰ τελέειν μέλλουσι γάμον πολιήν τε κερεῖσθαι,
ἑστήξειν δὲ τὸ τεῖχος ἐπ' ἀρχαίοισι θεμέθλοις.
ἠγασάμην τοὺς παῖδας, ἐπεὶ χέλυς οὐκέτ' ἀεργός.

εὐφημεῖτ' ἀίοντες ἐπ' Ἀπόλλωνος ἀοιδῇ.
εὐφημεῖ καὶ πόντος, ὅτε κλείουσιν ἀοιδοὶ
ἢ κίθαριν ἢ τόξα, Λυκωρέος ἔντεα Φοίβου.
οὐδὲ Θέτις Ἀχιλῆα κινύρεται αἴλινα μήτηρ,
ὁππόθ' ἱὴ παιῆον ἱὴ παιῆον ἀκούσῃ.
καὶ μὲν ὁ δακρυόεις ἀναβάλλεται ἄλγεα πέτρος,
ὅστις ἐνὶ Φρυγίῃ διερὸς λίθος ἐστήρικται,
μάρμαρον ἀντὶ γυναικὸς ὀιζυρόν τι χανούσης.

(*Hymn* ii. 1–24)

508. *Artemis visits the Cyclopes*

Αὖθι δὲ Κύκλωπας μετεκίαθε· τοὺς μὲν ἔτετμε
νήσῳ ἐνὶ Λιπάρῃ (Λιπάρη νέον, ἀλλὰ τότ' ἔσκεν
οὔνομά οἱ Μελιγουνίς) ἐπ' ἄκμοσιν Ἡφαίστοιο
ἑσταότας περὶ μύδρον· ἐπείγετο γὰρ μέγα ἔργον·
ἱππείην τετύκοντο Ποσειδάωνι ποτίστρην.
αἱ νύμφαι δ' ἔδδεισαν, ὅπως ἴδον αἰνὰ πέλωρα
πρηόσιν Ὀσσείοισιν ἐοικότα, πᾶσι δ' ὑπ' ὀφρὺν
φάεα μουνόγληνα σάκει ἴσα τετραβοείῳ
δεινὸν ὑπογλαύσσοντα, καὶ ὁππότε δοῦπον ἄκουσαν
ἄκμονος ἠχήσαντος ἐπὶ μέγα πουλύ τ' ἄημα
φυσάων αὐτῶν τε βαρὺν στόνον· αὖε γὰρ Αἴτνη,
αὖε δὲ Τρινακίη Σικανῶν ἕδος, αὖε δὲ γείτων
Ἰταλίη, μεγάλην δὲ βοὴν ἐπὶ Κύρνος ἀΰτει.
εὖθ' οἵ γε ῥαιστῆρας ἀειράμενοι ὑπὲρ ὤμων
ἢ χαλκὸν ζείοντα καμινόθεν ἠὲ σίδηρον
ἀμβολαδὶς τετυπόντες ἐπὶ μέγα μοχθήσειαν.
τῷ σφέας οὐκ ἐτάλασσαν ἀκηδέες Ὠκεανῖναι
οὔτ' ἄντην ἰδέειν οὔτε κτύπον οὔασι δέχθαι.
οὐ νέμεσις· κείνους γε καὶ αἱ μάλα μηκέτι τυτθαὶ
οὐδέποτ' ἀφρικτὶ μακάρων ὁρόωσι θύγατρες,
ἀλλ' ὅτε κουράων τις ἀπειθέα μητέρι τεύχοι,
μήτηρ μὲν Κύκλωπας ἑῇ ἐπὶ παιδὶ καλιστρεῖ,
Ἄργην ἢ Στερόπην· ὁ δὲ δώματος ἐκ μυχάτοιο
ἔρχεται Ἑρμείης σποδιῇ κεχριμένος αἰθῇ.
αὐτίκα τὴν κούρην μορμύσσεται, ἡ δὲ τεκούσης
δύνει ἔσω κόλπους θεμένη ἐπὶ φάεσι χεῖρας.

(*Hymn* iii. 46–71)

509. *Delos*

Κείνη δ' ἠνεμόεσσα καὶ ἄτροπος οἷά θ' ἁλιπλὴξ
αἰθυίῃς καὶ μᾶλλον ἐπίδρομος ἠέπερ ἵπποις
πόντῳ ἐνεστήρικται· ὁ δ' ἀμφί ἑ πουλὺς ἑλίσσων
Ἰκαρίου πολλὴν ἀπομάσσεται ὕδατος ἄχνην·
τῷ σφε καὶ ἰχθυβολῆες ἁλίπλοοι ἐννάσσαντο.
ἀλλά οἱ οὐ νεμεσητὸν ἐνὶ πρώτῃσι λέγεσθαι,
ὁππότ' ἐς Ὠκεανόν τε καὶ ἐς Τιτηνίδα Τηθὺν
νῆσοι ἀολλίζονται, ἀεὶ δ' ἔξαρχος ὁδεύει.
ἡ δ' ὄπιθεν Φοίνισσα μετ' ἴχνια Κύρνος ὀπηδεῖ
οὐκ ὀνοτὴ καὶ Μάκρις Ἀβαντιὰς Ἐλλοπιήων
Σαρδώ θ' ἱμερόεσσα καὶ ἣν ἐπενήξατο Κύπρις
ἐξ ὕδατος τὰ πρῶτα, σαοῖ δέ μιν ἀντ' ἐπιβάθρων.
κεῖναι μὲν πύργοισι περισκεπέεσσιν ἐρυμναί,
Δῆλος δ' Ἀπόλλωνι· τί δὲ στιβαρώτερον ἕρκος;
τείχεα μὲν καὶ λᾶες ὑπαὶ ῥιπῆς κε πέσοιεν
Στρυμονίου βορέαο· θεὸς δ' ἀεὶ ἀστυφέλικτος·
Δῆλε φίλη τοῖός σε βοηθόος ἀμφιβέβηκεν.
εἰ δὲ λίην πολέες σε περιτροχόωσιν ἀοιδαί,
ποίῃ ἐνιπλέξω σε; τί τοι θυμῆρες ἀκοῦσαι;
ἢ ὡς τὰ πρώτιστα μέγας θεὸς οὔρεα θείνων
ἄορι τριγλώχινι τό οἱ Τελχῖνες ἔτευξαν
νήσους εἰναλίας εἰργάζετο, νέρθε δ' ἐλάσσας
ἐκ νεάτων ὤχλισσε καὶ εἰσεκύλισε θαλάσσῃ;
καὶ τὰς μὲν κατὰ βυσσόν, ἵν' ἠπείροιο λάθωνται,
πρυμνόθεν ἐρρίζωσε· σὲ δ' οὐκ ἔθλιψεν ἀνάγκη.
ἀλλ' ἄφετος πελάγεσσιν ἐπέπλεες, οὔνομα δ' ἦν τοι
Ἀστερίη τὸ παλαιόν, ἐπεὶ βαθὺν ἥλαο τάφρον
οὐρανόθεν φεύγουσα Διὸς γάμον ἀστέρι ἴση.

τόφρα μὲν οὔπω τοι χρυσέη ἐπεμίσγετο Λητώ,
τόφρα δ' ἔτ' Ἀστερίη σὺ καὶ οὐδέπω ἔκλεο Δῆλος.
πολλάκι σε Τροιζῆνος ἀπὸ ζαθέοιο πολίχνης
ἐρχόμενοι Ἐφύρηνδε Σαρωνικοῦ ἔνδοθι κόλπου
ναῦται ἐπεσκέψαντο, καὶ ἐξ Ἐφύρης ἀνιόντες
οἱ μὲν ἔτ' οὐκ ἴδον αὖθι, σὺ δὲ στεινοῖο παρ' ὀξὺν
ἔδραμες Εὐρίποιο πόρον καναχηδὰ ῥέοντος,
Χαλκιδικῆς δ' αὐτῆμαρ ἀνηναμένη ἁλὸς ὕδωρ
μέσφ' ἐς Ἀθηναίων προσενήξαο Σούνιον ἄκρον
ἢ Χίον ἢ νήσοιο διάβροχον ὕδατι μαστὸν
Παρθενίης (οὔπω γὰρ ἔην Σάμος), ἧχι σε νύμφαι
γείτονες Ἀγκαίου Μυκαλησσίδες ἐξείνισσαν.
ἡνίκα δ' Ἀπόλλωνι γενέθλιον οὖδας ὑπέσχες,
τοῦτό τοι ἀντημοιβὸν ἁλίπλοοι οὔνομ' ἔθεντο,
οὕνεκεν οὐκέτ' ἄδηλος ἐπέπλεες, ἀλλ' ἐνὶ πόντου
κύμασιν Αἰγαίοιο ποδῶν ἐνεθήκαο ῥίζας.

(*Hymn* iv. 11–54)

510. *The Blinding of Teiresias*

Παῖδες, Ἀθαναία νύμφαν μίαν ἔν ποκα Θήβαις
    πουλύ τι καὶ πέρι δὴ φίλατο τᾶν ἑταρᾶν,
ματέρα Τειρεσίαο, καὶ οὔποκα χωρὶς ἔγεντο·
    ἀλλὰ καὶ ἀρχαίων εὖτ' ἐπὶ Θεσπιέων
ἢ 'πὶ Κορωνείας, ἵνα οἱ τεθυωμένον ἄλσος
    καὶ βωμοὶ ποταμῷ κεῖντ' ἐπὶ Κουραλίῳ,
ἢ 'πὶ Κορωνείας, ἢ εἰς Ἁλίαρτον ἐλαύνοι
    ἵππως, Βοιωτῶν ἔργα διερχομένα,
πολλάκις ἁ δαίμων νιν ἑῶ ἐπεβάσατο δίφρω,
    οὐδ' ὄαροι νυμφᾶν οὐδὲ χοροστασίαι

ἁδεῖαι τελέθεσκον, ὅκ' οὐχ ἁγεῖτο Χαρικλώ·
　ἀλλ' ἔτι καὶ τήναν δάκρυα πόλλ' ἔμενεν,
καίπερ Ἀθαναίᾳ καταθύμιον ἔσσαν ἑταίραν.
　δή ποκα γὰρ πέπλων λυσαμένα περόνας
ἵππω ἐπὶ κράνᾳ Ἑλικωνίδι καλὰ ῥεοίσᾳ
　λῶντο· μεσαμβρινὰ δ' εἶχ' ὄρος ἁσυχία.
ἀμφότεραι λώοντο, μεσαμβριναὶ δ' ἔσαν ὧραι,
　πολλὰ δ' ἁσυχία τῆνο κατεῖχεν ὄρος.
Τειρεσίας δ' ἔτι μῶνος ἁμᾶ κυσὶν ἄρτι γένεια
　περκάζων ἱερὸν χῶρον ἀνεστρέφετο·
διψάσας δ' ἄφατόν τι ποτὶ ῥόον ἤλυθε κράνας,
　σχέτλιος· οὐκ ἐθέλων δ' εἶδε τὰ μὴ θεμιτά·
τὸν δὲ χολωσαμένα περ ὅμως προσέφασεν Ἀθάνα
　"τίς σε, τὸν ὀφθαλμὼς οὐκέτ' ἀποισόμενον,
ὦ Εὐηρείδα, χαλεπὰν ὁδὸν ἄγαγε δαίμων;"
　ἃ μὲν ἔφα, παιδὸς δ' ὄμματα νὺξ ἔλαβεν.
ἑστάκη δ' ἄφθογγος, ἐκόλλασαν γὰρ ἀνῖαι.
　γώνατα καὶ φωνὰν ἔσχεν ἀμηχανία.
ἁ νύμφα δ' ἐβόασε "τί μοι τὸν κῶρον ἔρεξας
　πότνια; τοιαῦται δαίμονες ἐστὲ φίλαι;
ὄμματά μοι τῶ παιδὸς ἀφείλεο. τέκνον ἄλαστε
　εἶδες Ἀθαναίας στήθεα καὶ λαγόνας,
ἀλλ' οὐκ ἀέλιον πάλιν ὄψεαι. ὢ ἐμὲ δειλάν,
　ὦ ὄρος, ὦ Ἑλικὼν οὐκέτι μοι παριτέ,
ἦ μεγάλ' ἀντ' ὀλίγων ἐπράξαο· δόρκας ὀλέσσας
　καὶ πρόκας οὐ πολλὰς φάεα παιδὸς ἔχεις."
ἁ μὲν ἅμ' ἀμφοτέραισι φίλον περὶ παῖδα λαβοῖσα
　μάτηρ μὲν γοερᾶν οἶτον ἀηδονίδων
ἆγε βαρὺ κλαίοισα, θεὰ δ' ἐλέησεν ἑταίραν
　καί νιν Ἀθαναία πρὸς τόδ' ἔλεξεν ἔπος·

“ δῖα γύναι, μετὰ πάντα βαλεῦ πάλιν ὅσσα δι᾽ ὀργὰν
εἶπας· ἐγὼ δ᾽ οὔ τοι τέκνον ἔθηκ᾽ ἀλαόν.
οὐ γὰρ Ἀθαναίᾳ γλυκερὸν πέλει ὄμματα παίδων
ἁρπάζειν· Κρόνιοι δ᾽ ὧδε λέγοντι νόμοι·
ὅς κέ τιν᾽ ἀθανάτων, ὅκα μὴ θεὸς αὐτὸς ἕληται,
ἀθρήσῃ, μισθῶ τοῦτον ἰδεῖν μεγάλω.
δῖα γύναι, τὸ μὲν οὐ παλινάγρετον αὖθι γένοιτο
ἔργον· ἐπεὶ μοιρᾶν ὧδ᾽ ἐπένησε λίνα,
ἁνίκα τὸ πρᾶτόν νιν ἐγείναο· νῦν δὲ κομίζευ,
ὦ Εὐηρείδα, τέλθος ὀφειλόμενον.
πόσσα μὲν ἁ Καδμηὶς ἐς ὕστερον ἔμπυρα καυσεῖ,
πόσσα δ᾽ Ἀρισταῖος, τὸν μόνον εὐχόμενοι
παῖδα, τὸν ἁβατὰν Ἀκταίονα, τυφλὸν ἰδέσθαι.
καὶ τῆνος μεγάλας σύνδρομος Ἀρτέμιδος
ἐσσεῖτ᾽· ἀλλ᾽ οὐκ αὐτὸν ὅ τε δρόμος αἵ τ᾽ ἐν ὄρεσσι
ῥυσεῦνται ξυναὶ τᾶμος ἑκαβολίαι,
ὁππόκα κοὐκ ἐθέλων περ ἴδῃ χαρίεντα λοετρὰ
δαίμονος· ἀλλ᾽ αὐταὶ τὸν πρὶν ἄνακτα κύνες
τουτάκι δειπνησεῦντι· τὰ δ᾽ υἱέος ὀστέα μάτηρ
λεξεῖται δρυμὼς πάντας ἐπερχομένα·
ὀλβίσταν ἐρέει σε καὶ εὐαίωνα γενέσθαι
ἐξ ὀρέων ἀλαὸν παῖδ᾽ ἀποδεξαμέναν·
ὦ ἑτάρα, τῷ μή τι μινύρεο· τῷδε γὰρ ἄλλα
τεῦ χάριν ἐξ ἐμέθεν πολλὰ μενεῦντι γέρα.
μάντιν ἐπεὶ θησῶ νιν ἀοίδιμον ἐσσομένοισιν,
ἦ μέγα τῶν ἄλλων δή τι περισσότερον.
γνωσεῖται δ᾽ ὄρνιχας, ὃς αἴσιος οἵ τε πέτονται
ἤλιθα καὶ ποίων οὐκ ἀγαθαὶ πτέρυγες.
πολλὰ δὲ Βοιωτοῖσι θεοπρόπα, πολλὰ δὲ Κάδμῳ
χρησεῖ, καὶ μεγάλοις ὕστερα Λαβδακίδαις.

δωσῶ καὶ μέγα βάκτρον, ὅ οἱ πόδας ἐς δέον ἀξεῖ,
δωσῶ καὶ βιότω τέρμα πολυχρόνιον.
καὶ μόνος, εὖτε θάνῃ, πεπνυμένος ἐν νεκύεσσι
φοιτασεῖ, μεγάλῳ τίμιος Ἀγεσίλᾳ."

(*Hymn* v. 57–130)

511. *Erysichthon*

Τεῖδ' αὐτᾷ καλὸν ἄλσος ἐποιήσαντο Πελασγοὶ
δένδρεσιν ἀμφιλαφές· διά κεν μόλις ἦνθεν ὀιστός·
ἐν πίτυς, ἐν μεγάλαι πτελέαι ἔσαν, ἐν δὲ καὶ ὄχναι,
ἐν δὲ καλὰ γλυκύμαλα· τὸ δ' ὥστ' ἀλέκτρινον ὕδωρ
ἐξ ἀμαρᾶν ἀνέθυε. θεὰ δ' ἐπεμαίνετο χώρῳ
ὅσσον Ἐλευσῖνι, Τριόπῳ θ' ὅσον, ὁκκόσον Ἔννᾳ.
ἀλλ' ὅκα Τριοπίδαισιν ὁ δεξιὸς ἄχθετο δαίμων,
τουτάκις ἁ χείρων Ἐρυσίχθονος ἅψατο βωλά·
σεύατ' ἔχων θεράποντας ἐείκοσι, πάντας ἐν ἀκμᾷ,
πάντας δ' ἀνδρογίγαντας ὅλαν πόλιν ἀρκίος ἆραι,
ἀμφότερον πελέκεσσι καὶ ἀξίναισιν ὁπλίσσας,
ἐς δὲ τὸ τᾶς Δάματρος ἀναιδέες ἔδραμον ἄλσος.
ἦς δέ τις αἴγειρος, μέγα δένδρεον αἰθέρι κῦρον,
τῷ ἔπι ταὶ νύμφαι ποτὶ τὤνδιον ἑψιόωντο,
ἃ πράτα πλαγεῖσα κακὸν μέλος ἴαχεν ἄλλαις.
ᾄσθετο Δαμάτηρ, ὅτι οἱ ξύλον ἱερὸν ἄλγει,
εἶπε δὲ χωσαμένα "τίς μοι καλὰ δένδρεα κόπτει;"
αὐτίκα Νικίππᾳ, τάν οἱ πόλις ἀράτειραν
δαμοσίαν ἔστασαν, ἐείσατο, γέντο δὲ χειρὶ
στέμματα καὶ μάκωνα, κατωμαδίαν δ' ἔχε κλᾷδα.
φᾶ δὲ παραψύχοισα κακὸν καὶ ἀναιδέα φῶτα
"τέκνον, ὅτις τὰ θεοῖσιν ἀνειμένα δένδρεα κόπτεις,
τέκνον ἐλίνυσον, τέκνον πολύθεστε τοκεῦσι,
παύεο καὶ θεράποντας ἀπότρεπε, μή τι χαλεφθῇ

πότνια Δαμάτηρ, τᾶς ἱερὸν ἐκκεραΐζεις."
τὰν δ' ἄρ' ὑποβλέψας χαλεπώτερον ἠὲ κυναγὸν
ὤρεσιν ἐν Τμαρίοισιν ὑποβλέπει ἄνδρα λέαινα
ὠμοτόκος, τᾶς φαντὶ πέλειν βλοσυρώτατον ὄμμα,
"χάζευ" ἔφα "μή τοι πέλεκυν μέγαν ἐν χροΐ πάξω.
ταῦτα δ' ἐμὸν θησεῖ στεγανὸν δόμον, ᾧ ἔνι δαῖτας
αἰὲν ἐμοῖς ἑτάροισιν ἄδην θυμαρέας ἀξῶ."
εἶπεν ὁ παῖς, Νέμεσις δὲ κακὰν ἐγράψατο φωνάν.
Δαμάτηρ δ' ἄφατόν τι κοτέσσατο, εἴσατο δ' ἁ θεύς·
ἴθματα μὲν χέρσω, κεφαλὰ δέ οἱ ἅψατ' Ὀλύμπω.
οἱ μὲν ἄρ' ἡμιθνῆτες, ἐπεὶ τὰν πότνιαν εἶδον,
ἐξαπίνας ἀπόρουσαν ἐνὶ δρυσὶ χαλκὸν ἀφέντες.
ἁ δ' ἄλλως μὲν ἔασεν, ἀναγκαίᾳ γὰρ ἕποντο
δεσποτικὰν ὑπὸ χεῖρα, βαρὺν δ' ἀπαμείψατ' ἄνακτα
"ναὶ ναί, τεύχεο δῶμα κύον κύον, ᾧ ἔνι δαῖτας
ποιησεῖς· θαμιναὶ γὰρ ἐς ὕστερον εἰλαπίναι τοι."
ἁ μὲν τόσσ' εἰποῖσ' Ἐρυσίχθονι τεῦχε πονηρά.
αὐτίκα οἱ χαλεπόν τε καὶ ἄγριον ἔμβαλε λιμὸν
αἴθωνα κρατερόν, μεγάλᾳ δ' ἐστρεύγετο νούσῳ.
σχέτλιος, ὅσσα πάσαιτο τόσων ἔχεν ἵμερος αὖτις.
εἴκατι δαῖτα πένοντο, δυώδεκα δ' οἶνον ἄφυσσον·
τόσσα Διώνυσον γὰρ ἃ καὶ Δάματρα χαλέπτει·
καὶ γὰρ τᾷ Δάματρι συνῳκίσθη Διόνυσος.
οὔτε νιν εἰς ἐράνως οὔτε ξυνδείπνια πέμπον
αἰδόμενοι γονέες, προχανὰ δ' εὑρίσκετο πᾶσα.
ἦνθον Ἰτωνιάδος νιν Ἀθαναίας ἐπ' ἄεθλα
Ὀρμενίδαι καλέοντες· ἀπ' ὦν ἀρνήσατο μάτηρ
"οὐκ ἔνδοι, χθιζὸς γὰρ ἐπὶ Κραννῶνα βέβακε
τέλθος ἀπαιτησῶν ἑκατὸν βόας". ἦνθε Πολυξώ,
μάτηρ Ἀκτορίωνος, ἐπεὶ γάμον ἄρτυε παιδί,

ἀμφότερον Τριόπαν τε καὶ υἱέα κικλήσκοισα.
τὰν δὲ γυνὰ βαρύθυμος ἀμείβετο δάκρυ χέοισα
"νεῖταί τοι Τριόπας, Ἐρυσίχθονα δ' ἤλασε κάπρος
Πίνδον ἀν' εὐάγκειαν, ὃ δ' ἐννέα φάεα κεῖται".
δειλαία φιλότεκνε, τί δ' οὐκ ἐψεύσαο, μᾶτερ;
δαίνυεν εἰλαπίναν τις· "ἐν ἀλλοτρίοις Ἐρυσίχθων".
ἄγετό τις νύμφαν· "Ἐρυσίχθονα δίσκος ἔτυψεν",
ἢ "ἔπεσ' ἐξ ἵππων", ἢ "ἐν Ὄθρυϊ ποίμνι' ἀμιθρεῖ".
ἐνδόμυχος δήπειτα πανάμερος εἰλαπιναστὰς
ἤσθιε μυρία πάντα· κακὰ δ' ἐξάλλετο γαστὴρ
αἰεὶ μᾶλλον ἔδοντι, τὰ δ' ἐς βυθὸν οἷα θαλάσσας
ἀλεμάτως ἀχάριστα κατέρρεεν εἴδατα πάντα.
ὡς δὲ Μίμαντι χιών, ὡς ἀελίῳ ἔνι πλαγγών,
καὶ τούτων ἔτι μεῖζον ἐτάκετο μέσφ' ἐπὶ νευράς·
δειλαίῳ ἶνές τε καὶ ὀστέα μῶνον ἔλειφθεν.
κλαῖε μὲν ἁ μάτηρ, βαρὺ δ' ἔστενον αἱ δύ' ἀδελφαὶ
χὠ μαστὸς τὸν ἔπωνε καὶ αἱ δέκα πολλάκι δῶλαι.
καὶ δ' αὐτὸς Τριόπας πολιαῖς ἐπὶ χεῖρας ἔβαλλε,
τοῖα τὸν οὐκ ἀίοντα Ποσειδάωνα καλιστρέων·
"ψευδοπάτωρ ἴδε τόνδε τεοῦ τρίτον, εἴπερ ἐγὼ μὲν
σεῦ τε καὶ Αἰολίδος Κανάκας γένος, αὐτὰρ ἐμεῖο
τοῦτο τὸ δείλαιον γένετο βρέφος· αἴθε γὰρ αὐτὸν
βλητὸν ὑπ' Ἀπόλλωνος ἐμαὶ χέρες ἐκτερέιξαν·
νῦν δὲ κακὰ βούβρωστις ἐν ὀφθαλμοῖσι κάθηται.
ἤ οἱ ἀπόστασον χαλεπὰν νόσον ἠέ νιν αὐτὸς
βόσκε λαβών· ἁμαὶ γὰρ ἀπειρήκαντι τράπεζαι.
χῆραι μὲν μάνδραι, κενεαὶ δέ μοι αὔλιες ἤδη
τετραπόδων, ἤδη γὰρ ἀπαρνήσαντο μάγειροι."
ἀλλὰ καὶ οὐρῆας μεγαλᾶν ὑπέλυσαν ἁμαξᾶν,
καὶ τὰν βῶν ἔφαγεν, τὰν Ἑστίᾳ ἔτρεφε μάτηρ,

καὶ τὸν ἀεθλοφόρον καὶ τὸν πολεμήιον ἵππον,
καὶ τὰν αἴλουρον, τὰν ἔτρεμε θηρία μικκά.
μέσφ' ὄκα μὲν Τριόπαο δόμοις ἔνι χρήματα κεῖτο,
μῶνοι ἄρ' οἰκεῖοι θάλαμοι κακὸν ἠπίσταντο.
ἀλλ' ὄκα τὸν βαθὺν οἶκον ἀνεξήραναν ὀδόντες,
καὶ τόχ' ὁ τῶ βασιλῆος ἐνὶ τριόδοισι καθῆστο
αἰτίζων ἀκόλως τε καὶ ἔκβολα λύματα δαιτός.

(*Hymn* vi. 25–115)

512. *Daybreak in the City*

Τὴν μὲν ἄρ' ὣς φαμένην ὕπνος λάβε, τὴν δ' ἀΐουσαν.
καδδραθέτην δ' οὐ πολλὸν ἐπὶ χρόνον, αἶψα γὰρ ἦλθεν
στιβήεις ἄγχουρος· "ἴτ', οὐκέτι χεῖρες ἔπαγροι
φιλητέων· ἤδη γὰρ ἑωθινὰ λύχνα φαείνει·
ἀείδει καί πού τις ἀνὴρ ὑδατηγὸς ἱμαῖον·
ἔγρει καί τιν' ἔχοντα παρὰ πλόον οἰκίον ἄξων
τετριγὼς ὑπ' ἄμαξαν, ἀνιάζουσι δὲ πυκνοὶ
δμῶοι χαλκῆες κωφώμενοι ἔνδον ἀκουήν."

(*Hecale*)

513. *Heraclitus*

Εἶπέ τις Ἡράκλειτε τεὸν μόρον, ἐς δέ με δάκρυ
ἤγαγεν, ἐμνήσθην δ' ὁσσάκις ἀμφότεροι
ἥλιον ἐν λέσχῃ κατεδύσαμεν· ἀλλὰ σὺ μέν που
ξεῖν' Ἁλικαρνησεῦ τετράπαλαι σποδιή·
αἱ δὲ τεαὶ ζώουσιν ἀηδόνες, ᾗσιν ὁ πάντων
ἁρπακτὴς Ἀίδης οὐκ ἐπὶ χεῖρα βαλεῖ.

(*Epigr.* ii)

514. *The Good Live for Ever*

Τῇδε Σάων ὁ Δίκωνος Ἀκάνθιος ἱερὸν ὕπνον
κοιμᾶται. θνῄσκειν μὴ λέγε τοὺς ἀγαθούς.

(*Epigr.* ix)

515. *Dialogue with the Dead*

Ἦ ῥ' ὑπὸ σοὶ Χαρίδας ἀναπαύεται; "εἰ τὸν Ἀρίμμα
τοῦ Κυρηναίου παῖδα λέγεις, ὑπ' ἐμοί".
ὦ Χαρίδα, τί τὰ νέρθε; "πολὺ σκότος". αἱ δ' ἄνοδοι τί;
"ψεῦδος". ὁ δὲ Πλούτων; "μῦθος". ἀπωλόμεθα.
"οὗτος ἐμὸς λόγος ὔμμιν ἀληθινός· εἰ δὲ τὸν ἡδὺν
βούλει, Πελλαίου βοῦς μέγας εἰν Ἀίδῃ".

(*Epigr.* xiii)

516. *Nicoteles*

Δωδεκέτη τὸν παῖδα πατὴρ ἀπέθηκε Φίλιππος
ἐνθάδε τὴν πολλὴν ἐλπίδα Νικοτέλην.

(*Epigr.* xix)

517. *The Poet's Father*

Ὅστις ἐμὸν παρὰ σῆμα φέρεις πόδα, Καλλιμάχου με
ἴσθι Κυρηναίου παῖδά τε καὶ γενέτην.
εἰδείης δ' ἄμφω κεν· ὁ μέν κοτε πατρίδος ὅπλων
ἦρχεν, ὁ δ' ἤεισεν κρέσσονα βασκανίης·
οὐ νέμεσις· Μοῦσαι γὰρ ὅσους ἴδον ὄμματι παῖδας
μὴ λοξῷ, πολιοὺς οὐκ ἀπέθεντο φίλους.

(*Epigr.* xxi)

518. *To Aratus*

Ἡσιόδου τό τ' ἄεισμα καὶ ὁ τρόπος· οὐ τὸν ἀοιδῶν
ἔσχατον, ἀλλ' ὀκνέω μὴ τὸ μελιχρότατον
τῶν ἐπέων ὁ Σολεὺς ἀπεμάξατο· χαίρετε λεπταὶ
ῥήσιες, Ἀρήτου σύντονος ἀγρυπνίη.

(*Epigr.* xxvii)

519. *Odi profanum vulgus*

Ἐχθαίρω τὸ ποίημα τὸ κυκλικόν, οὐδὲ κελεύθῳ
χαίρω τίς πολλοὺς ὧδε καὶ ὧδε φέρει,
μισῶ καὶ περίφοιτον ἐρώμενον, οὐδ' ἀπὸ κρήνης
πίνω· σικχαίνω πάντα τὰ δημόσια.

(*Epigr.* xxviii. 1–4)

520. *Love's Capriciousness*

Ὡγρευτὴς Ἐπίκυδες ἐν οὔρεσι πάντα λαγωὸν
διφᾷ καὶ πάσης ἴχνια δορκαλίδος
στείβῃ καὶ νιφετῷ κεχαρημένος, ἢν δέ τις εἴπῃ
"τῆ, τόδε βέβληται θηρίον" οὐκ ἔλαβεν.
χοὐμὸς ἔρως τοιόσδε· τὰ γὰρ φεύγοντα διώκειν
οἶδε, τὰ δ' ἐν μέσσῳ κείμενα παρπέτεται.

(*Epigr.* xxxi)

521. *The Poet's Own Epitaph*

Βαττιάδεω παρὰ σῆμα φέρεις πόδας εὖ μὲν ἀοιδὴν
εἰδότος, εὖ δ' οἴνῳ καίρια συγγελάσαι.

(*Epigr.* xxxv)

522. *The Battle of the Books*

Ἔλλετε, Βασκανίης ὀλοὸν γένος, αὖθι δὲ τέχνῃ
κρίνετε, μὴ σχοίνῳ Περσίδι τὴν σοφίην,
μήδ' ἀπ' ἐμεῦ διφᾶτε μέγα ψοφέουσαν ἀοιδὴν
τίκτεσθαι· βροντᾶν δ' οὐκ ἐμόν, ἀλλὰ Διός.
καὶ γὰρ ὅτε πρώτιστον ἐμοῖς ἐπὶ δέλτον ἔθηκα
γούνασιν, Ἀπόλλων εἶπεν ὅ μοι Λύκιος·
"ἤ δέον ἄμμιν, ἀοιδέ, τὸ μὲν θύος ὅττι πάχιστον
βόσκειν, τὴν μοῦσαν δ', ὦ 'γαθέ, λεπταλέην.

πρὸς δέ σε καὶ τόδ' ἄνωγα, τὰ μὴ πατέουσιν ἅμαξαι
  τὰ στείβειν, ἑτέρων δ' ἴχνια μὴ καθ' ὁμὰ
δίφρον ἐλᾶν μηδ' οἶμον ἀνὰ πλατὺν ἀλλὰ κελεύθους
  σπεῦδ' ἰδίας, εἰ καὶ στεινοτέρην ἐλάσεις."
τῷ πιθόμην. ἐνὶ τοῖς γὰρ ἀείδομεν οἳ λιγὺν ἦχον
  τεττίγων, θόρυβον δ' οὐκ ἐφίλησαν ὄνων.
θηρὶ μὲν οὐατόεντι πανείκελον ὀγκήσαιτο
  ἄλλος, ἐγὼ δ' εἴην οὐλαχύς, ὁ πτερόεις.

(*Aetia, Prologue*)

HERMOCLES

(fl. 290 B.C.)

523. *Demetrius enters Athens*

Ὡς οἱ μέγιστοι τῶν θεῶν καὶ φίλτατοι
  τῇ πόλει πάρεισιν·
ἐνταῦθα γὰρ Δήμητρα καὶ Δημήτριον
  ἅμα παρῆχ' ὁ καιρός.
χἡ μὲν τὰ σεμνὰ τῆς Κόρης μυστήρια
  ἔρχεθ' ἵνα ποιήσῃ,
ὁ δ' ἱλαρός, ὥσπερ τὸν θεὸν δεῖ, καὶ καλὸς
  καὶ γελῶν πάρεστι.
σεμνόν τι φαίνεθ', οἱ φίλοι πάντες κύκλῳ,
  ἐν μέσοισι δ' αὐτός,
ὅμοιον ὥσπερ οἱ φίλοι μὲν ἀστέρες,
  ἥλιος δ' ἐκεῖνος.
ὦ τοῦ κρατίστου παῖ Ποσειδῶνος θεοῦ,
  χαῖρε, κἀφροδίτης.
ἄλλοι μὲν ἢ μακρὰν γὰρ ἀπέχουσιν θεοί,
  ἢ οὐκ ἔχουσιν ὦτα,

ἢ οὐκ εἰσιν, ἢ οὐ προσέχουσιν ἡμῖν οὐδὲ ἕν,
    σὲ δὲ παρόνθ᾽ ὁρῶμεν,
οὐ ξύλινον οὐδὲ λίθινον, ἀλλ᾽ ἀληθινόν.
    εὐχόμεσθα δή σοι·
πρῶτον μὲν εἰρήνην ποίησον, φίλτατε,
    κύριος γὰρ εἶ σύ,
τὴν δ᾽ οὐχὶ Θηβῶν, ἀλλ᾽ ὅλης τῆς Ἑλλάδος
    Σφίγγα περικρατοῦσαν,
(Αἰτωλὸς ὅστις ἐπὶ πέτρας καθήμενος,
    ὥσπερ ἡ παλαιά,
τὰ σώμαθ᾽ ἡμῶν πάντ᾽ ἀναρπάσας φέρει,
    κοὐκ ἔχω μάχεσθαι·
Αἰτωλικὸν γὰρ ἁρπάσαι τὰ τῶν πέλας,
    νῦν δὲ καὶ τὰ πόρρω·)
μάλιστα μὲν δὴ κόλασον αὐτός· εἰ δὲ μή,
    Οἰδίπουν τιν᾽ εὑρέ,
τὴν Σφίγγα ταύτην ὅστις ἢ κατακρημνιεῖ
    ἢ σπίνον ποιήσει.

ASCLEPIADES

(fl. 290 B.C.)

524. *Zeus, too, is a Victim*

Νῖφε, χαλαζοβόλει, ποίει σκότος, αἶθε, κεραύνου,
    πάντα τὰ πορφύροντ᾽ ἐν χθονὶ σεῖε νέφη.
ἢν γάρ με κτείνῃς, τότε παύσομαι· ἢν δὲ μ᾽ ἀφῇς ζῆν,
    καὶ διαδὺς τούτων χείρονα, κωμάσομαι·
ἕλκει γάρ μ᾽ ὁ κρατῶν καὶ σοῦ θεός, ᾧ ποτε πεισθείς,
    Ζεῦ, διὰ χαλκείων χρυσὸς ἔδυς θαλάμων.

525. *There is no Loving after Death*

Φείδῃ παρθενίης· καὶ τί πλέον; οὐ γὰρ ἐς Ἅδην
ἐλθοῦσ᾽ εὑρήσεις τὸν φιλέοντα, κόρη.
ἐν ζωοῖσι τὰ τερπνὰ τὰ Κύπριδος· ἐν δ᾽ Ἀχέροντι
ὀστέα καὶ σποδιή, παρθένε, κεισόμεθα.

526. *Preface to Erinna's Poems*

Ὁ γλυκὺς Ἠρίννης οὗτος πόνος, οὐχὶ πολὺς μέν,
ὡς ἂν παρθενικᾶς ἐννεακαιδεκέτευς,
ἀλλ᾽ ἑτέρων πολλῶν δυνατώτερος· εἰ δ᾽ Ἀΐδας μοι
μὴ ταχὺς ἦλθε, τίς ἂν ταλίκον ἔσχ᾽ ὄνομα;

527. *A Tomb by the Sea*

Ὀκτώ μευ πήχεις ἄπεχε, τρηχεῖα θάλασσα,
καὶ κύμαινε, βόα θ᾽ ἡλίκα σοι δύναμις·
ἢν δὲ τὸν Εὐμάρεω καθέλῃς τάφον, ἄλλο μὲν οὐδὲν
κρήγυον, εὑρήσεις δ᾽ ὀστέα καὶ σποδιήν.

528. *Archeanassa*

Ἀρχεάνασσαν ἔχω, τὰν ἐκ Κολοφῶνος ἑταίραν,
ἇς καὶ ἐπὶ ῥυτίδων ὁ γλυκὺς ἕζετ᾽ Ἔρως.
ἆ νέον ἥβης ἄνθος ἀποδρέψαντες ἐρασταὶ
πρωτοβόλου, δι᾽ ὅσης ἤλθετε πυρκαϊῆς.

529. *Why plague me, Loves?*

Οὐκ εἴμ᾽ οὐδ᾽ ἐτέων δύο κεἴκοσι, καὶ κοπιῶ ζῶν.
Ὤρωτες, τί κακὸν τοῦτο; τί με φλέγετε;
ἢν γὰρ ἐγώ τι πάθω, τί ποιήσετε; δῆλον, Ἔρωτες,
ὡς τὸ πάρος παίξεσθ᾽ ἄφρονες ἀστραγάλοις.

POSEIDIPPUS

(fl. 280 B. C.)

530. *A Statue by Lysippus*

α. Τίς πόθεν ὁ πλάστης; β. Σικυώνιος. α. Οὔνομα δὴ τίς;
β. Λύσιππος. α. Σὺ δὲ τίς; β. Καιρὸς ὁ πανδαμάτωρ.
α. Τίπτε δ' ἐπ' ἄκρα βέβηκας; β. Ἀεὶ τροχάω. α. Τί δὲ ταρσοὺς
ποσσὶν ἔχεις διφυεῖς; β. Ἵπταμ' ὑπηνέμιος.
α. Χειρὶ δὲ δεξιτερῇ τί φέρεις ξυρόν; β. Ἀνδράσι δεῖγμα,
ὡς ἀκμῆς πάσης ὀξύτερος τελέθω.
α. Ἡ δὲ κόμη, τί κατ' ὄψιν; β. Ὑπαντιάσαντι λαβέσθαι.
α. Νὴ Δία, τἀξόπιθεν δ' εἰς τί φαλακρὰ πέλει;
β. Τὸν γὰρ ἅπαξ πτηνοῖσι παραθρέξαντά με ποσσὶν
οὔτις ἔθ' ἱμείρων δράξεται ἐξόπιθεν.
α. Τοὔνεχ' ὁ τεχνίτης σε διέπλασεν; β. Εἵνεκεν ὑμέων,
ξεῖνε· καὶ ἐν προθύροις θῆκε διδασκαλίην.

NICAENETUS

(fl. 280 B. C.)

531. *Wine and Song*

"Οἶνός τοι χαρίεντι πέλει ταχὺς ἵππος ἀοιδῷ·
ὕδωρ δὲ πίνων οὐδὲν ἂν τέκοις σοφόν."
τοῦτ' ἔλεγεν, Διόνυσε, καὶ ἔπνεεν οὐχ ἑνὸς ἀσκοῦ
Κρατῖνος, ἀλλὰ παντὸς ὠδώδει πίθου.
τοιγὰρ ὑπὸ στεφάνοις μέγαρ' ἔβρυεν, εἶχε δὲ κισσῷ
μέτωπον οἷα καὶ σὺ κεκροκωμένον.

(295–215 B.C.)

532. *The Sailing of the Argo*

Οἱ δ', ὥστ' ἠίθεοι Φοίβῳ χορὸν ἢ ἐνὶ Πυθοῖ
ἤ που ἐν Ὀρτυγίῃ, ἢ ἐφ' ὕδασιν Ἰσμηνοῖο
στησάμενοι, φόρμιγγος ὑπαὶ περὶ βωμὸν ὁμαρτῇ
ἐμμελέως κραιπνοῖσι πέδον ῥήσσωσι πόδεσσιν·
ὣς οἱ ὑπ' Ὀρφῆος κιθάρῃ πέπληγον ἐρετμοῖς
πόντου λάβρον ὕδωρ, ἐπὶ δὲ ῥόθια κλύζοντο·
ἀφρῷ δ' ἔνθα καὶ ἔνθα κελαινὴ κήκιεν ἅλμη
δεινὸν μορμύρουσα ἐρισθενέων μένει ἀνδρῶν.
στράπτε δ' ὑπ' ἠελίῳ φλογὶ εἴκελα νηὸς ἰούσης
τεύχεα· μακραὶ δ' αἰὲν ἐλευκαίνοντο κέλευθοι,
ἀτραπὸς ὣς χλοεροῖο διειδομένη πεδίοιο.
πάντες δ' οὐρανόθεν λεῦσσον θεοὶ ἤματι κείνῳ
νῆα καὶ ἡμιθέων ἀνδρῶν μένος, οἳ τότ' ἄριστοι
πόντον ἐπιπλώεσκον· ἐπ' ἀκροτάτῃσι δὲ νύμφαι
Πηλιάδες κορυφῇσιν ἐθάμβεον εἰσορόωσαι
ἔργον Ἀθηναίης Ἰτωνίδος ἠδὲ καὶ αὐτοὺς
ἥρωας χείρεσσιν ἐπικραδάοντας ἐρετμά.
αὐτὰρ ὅγ' ἐξ ὑπάτου ὄρεος κίεν ἄγχι θαλάσσης
Χείρων Φιλλυρίδης, πολιῇ δ' ἐπὶ κύματος ἀγῇ
τέγγε πόδας, καὶ πολλὰ βαρείῃ χειρὶ κελεύων,
νόστον ἐπευφήμησεν ἀκηδέα νισσομένοισιν.
σὺν καί οἱ παράκοιτις ἐπωλένιον φορέουσα
Πηλεΐδην Ἀχιλῆα φίλῳ δειδίσκετο πατρί.

(i. 536–58)

533. *Hylas*

Αἶψα δ' ὅγε κρήνην μετεκίαθεν, ἣν καλέουσιν
Πηγὰς ἀγχίγυοι περιναιέται. οἱ δέ που ἄρτι
νυμφάων ἵσταντο χοροί· μέλε γάρ σφισι πάσαις,
ὅσσαι κεῖσ' ἐρατὸν νύμφαι ῥίον ἀμφενέμοντο,
Ἄρτεμιν ἐννυχίῃσιν ἀεὶ μέλπεσθαι ἀοιδαῖς.
αἱ μέν, ὅσαι σκοπιὰς ὀρέων λάχον ἢ καὶ ἐναύλους,
αἵγε μὲν ὑλήωροι ἀπόπροθεν ἐστιχόωντο,
ἡ δὲ νέον κρήνης ἀνεδύετο καλλινάοιο
νύμφη ἐφυδατίη· τὸν δὲ σχεδὸν εἰσενόησεν
κάλλεϊ καὶ γλυκερῇσιν ἐρευθόμενον χαρίτεσσιν.
πρὸς γάρ οἱ διχόμηνις ἀπ' αἰθέρος αὐγάζουσα
βάλλε σεληναίη. τὴν δὲ φρένας ἐπτοίησεν
Κύπρις, ἀμηχανίῃ δὲ μόλις συναγείρατο θυμόν.
αὐτὰρ ὅγ' ὡς τὰ πρῶτα ῥόῳ ἔνι κάλπιν ἔρεισεν
λέχρις ἐπιχριμφθείς, περὶ δ' ἄσπετον ἔβραχεν ὕδωρ
χαλκὸν ἐς ἠχήεντα φορεύμενον, αὐτίκα δ' ἥγε
λαιὸν μὲν καθύπερθεν ἐπ' αὐχένος ἄνθετο πῆχυν
κύσσαι ἐπιθύουσα τέρεν στόμα· δεξιτερῇ δὲ
ἀγκῶν' ἔσπασε χειρί, μέσῃ δ' ἐνικάββαλε δίνῃ.

(i. 1221–39)

534. *Eros and his Mother*

Ἦ ῥα, καὶ ἔλλιπε θῶκον· ἐφωμάρτησε δ' Ἀθήνη·
ἐκ δ' ἴσαν ἄμφω ταίγε παλίσσυτοι. ἡ δὲ καὶ αὐτὴ
βῆ ῥ' ἴμεν Οὐλύμποιο κατὰ πτύχας, εἴ μιν ἐφεύροι.
εὗρε δὲ τόνγ' ἀπάνευθε Διὸς θαλερῇ ἐν ἀλωῇ,
οὐκ οἶον, μετὰ καὶ Γανυμήδεα, τόν ῥά ποτε Ζεὺς
οὐρανῷ ἐγκατένασσεν ἐφέστιον ἀθανάτοισιν,

κάλλεος ἱμερθείς. ἀμφ' ἀστραγάλοισι δὲ τώγε
χρυσείοις, ἅ τε κοῦροι ὁμήθεες, ἑψιόωντο.
καί ῥ' ὁ μὲν ἤδη πάμπαν ἐνίπλεον ᾧ ὑπὸ μαζῷ
μάργος Ἔρως λαιῆς ὑποΐσχανε χειρὸς ἀγοστόν,
ὀρθὸς ἐφεστηώς· γλυκερὸν δέ οἱ ἀμφὶ παρειὰς
χροιῇ θάλλεν ἔρευθος. ὁ δ' ἐγγύθεν ὀκλαδὸν ἧστο
σῖγα κατηφιόων· δοιὼ δ' ἔχεν, ἄλλον ἔτ' αὔτως
ἄλλῳ ἐπιπροϊείς, κεχόλωτο δὲ καγχαλόωντι.
καὶ μὴν τούσγε παρᾶσσον ἐπὶ προτέροισιν ὀλέσσας
βῆ κενεαῖς σὺν χερσὶν ἀμήχανος, οὐδ' ἐνόησεν
Κύπριν ἐπιπλομένην. ἡ δ' ἀντίη ἵστατο παιδός,
καί μιν ἄφαρ γναθμοῖο κατασχομένη προσέειπεν·
"Τίπτ' ἐπιμειδιάᾳς, ἄφατον κακόν; ἦέ μιν αὔτως
ἤπαφες, οὐδὲ δίκῃ περιέπλεο νῆιν ἐόντα;
εἰ δ' ἄγε μοι πρόφρων τέλεσον χρέος, ὅττι κεν εἴπω·
καί κέν τοι ὀπάσαιμι Διὸς περικαλλὲς ἄθυρμα
κεῖνο, τό οἱ ποίησε φίλη τροφὸς Ἀδρήστεια
ἄντρῳ ἐν Ἰδαίῳ ἔτι νήπια κουρίζοντι,
σφαῖραν ἐϋτρόχαλον, τῆς οὐ σύγε μείλιον ἄλλο
χειρῶν Ἡφαίστοιο κατακτεατίσσῃ ἄρειον."

(iii. 111–36)

535. *Medea's Dream*

Κούρην δ' ἐξ ἀχέων ἀδινὸς κατελώφεεν ὕπνος
λέκτρῳ ἀνακλινθεῖσαν. ἄφαρ δέ μιν ἠπεροπῆες,
οἷά τ' ἀκηχεμένην, ὀλοοὶ ἐρέθεσκον ὄνειροι.
τὸν ξεῖνον δ' ἐδόκησεν ὑφεστάμεναι τὸν ἄεθλον
οὔτι μάλ' ὁρμαίνοντα δέρος κριοῖο κομίσσαι,
οὐδέ τι τοῖο ἕκητι μετὰ πτόλιν Αἰήταο
ἐλθέμεν, ὄφρα δέ μιν σφέτερον δόμον εἰσαγάγοιτο

κουριδίην παράκοιτιν· οἴετο δ' ἀμφὶ βόεσσιν
αὐτὴ ἀεθλεύουσα μάλ' εὐμαρέως πονέεσθαι·
σφωιτέρους δὲ τοκῆας ὑποσχεσίης ἀθερίζειν,
οὕνεκεν οὐ κούρῃ ζεῦξαι βόας, ἀλλά οἱ αὐτῷ
προύθεσαν· ἐκ δ' ἄρα τοῦ νεῖκος πέλεν ἀμφήριστον
πατρί τε καὶ ξείνοις· αὐτῇ δ' ἐπιέτρεπον ἄμφω
τὼς ἔμεν, ὥς κεν ἑῇσι μετὰ φρεσὶν ἰθύσειεν.
ἡ δ' ἄφνω τὸν ξεῖνον, ἀφειδήσασα τοκήων,
εἵλετο· τοὺς δ' ἀμέγαρτον ἄχος λάβεν, ἐκ δ' ἐβόησαν
χωόμενοι· τὴν δ' ὕπνος ἅμα κλαγγῇ μεθέηκεν.

(iii. 616–32)

536. *Medea's Hesitation*

Ἦ ῥα, καὶ ὀρθωθεῖσα θύρας ὤιξε δόμοιο,
νήλιπος, οἰέανος· καὶ δὴ λελίητο νέεσθαι
αὐτοκασιγνήτηνδε, καὶ ἕρκεος οὐδὸν ἄμειψεν.
δὴν δὲ καταυτόθι μίμνεν ἐνὶ προδόμῳ θαλάμοιο,
αἰδοῖ ἐεργομένη· μετὰ δ' ἐτράπετ' αὖτις ὀπίσσω
στρεφθεῖσ'· ἐκ δὲ πάλιν κίεν ἔνδοθεν, ἄψ τ' ἀλέεινεν
εἴσω· τηΰσιοι δὲ πόδες φέρον ἔνθα καὶ ἔνθα·
ἤτοι ὅτ' ἰθύσειεν, ἔρυκέ μιν ἔνδοθεν αἰδώς·
αἰδοῖ δ' ἐργομένην θρασὺς ἵμερος ὀτρύνεσκεν.
τρὶς μὲν ἐπειρήθη, τρὶς δ' ἔσχετο, τέτρατον αὖτις
λέκτροισιν πρηνὴς ἐνικάππεσεν εἱλιχθεῖσα.
ὡς δ' ὅτε τις νύμφη θαλερὸν πόσιν ἐν θαλάμοισιν
μύρεται, ᾧ μιν ὄπασσαν ἀδελφεοὶ ἠδὲ τοκῆες,
οὐδέ τί πω πάσαις ἐπιμίσγεται ἀμφιπόλοισιν
αἰδοῖ ἐπιφροσύνῃ τε· μυχῷ δ' ἀχέουσα θαάσσει·
τὸν δέ τις ὤλεσε μοῖρα, πάρος ταρπήμεναι ἄμφω
δήνεσιν ἀλλήλων· ἡ δ' ἔνδοθι δαιομένη περ

σῖγα μάλα κλαίει χῆρον λέχος εἰσορόωσα,
μή μιν κερτομέουσαι ἐπιστοβέωσι γυναῖκες·
τῇ ἰκέλη Μήδεια κινύρετο.

(iii. 645–64)

537. *Remorse*

Νὺξ μὲν ἔπειτ' ἐπὶ γαῖαν ἄγεν κνέφας· οἱ δ' ἐνὶ πόντῳ
ναῦται εἰς Ἑλίκην τε καὶ ἀστέρας Ὠρίωνος
ἔδρακον ἐκ νηῶν· ὕπνοιο δὲ καί τις ὁδίτης
ἤδη καὶ πυλαωρὸς ἐέλδετο· καί τινα παίδων
μητέρα τεθνεώτων ἀδινὸν περὶ κῶμ' ἐκάλυπτεν·
οὐδὲ κυνῶν ὑλακὴ ἔτ' ἀνὰ πτόλιν, οὐ θρόος ἦεν
ἠχήεις· σιγὴ δὲ μελαινομένην ἔχεν ὄρφνην.
ἀλλὰ μάλ' οὐ Μήδειαν ἐπὶ γλυκερὸς λάβεν ὕπνος.
πολλὰ γὰρ Αἰσονίδαο πόθῳ μελεδήματ' ἔγειρεν
δειδυῖαν ταύρων κρατερὸν μένος, οἷσιν ἔμελλεν
φθίσθαι ἀεικελίῃ μοίρῃ κατὰ νειὸν Ἄρηος.
πυκνὰ δέ οἱ κραδίη στηθέων ἔντοσθεν ἔθυιεν,
ἠελίου ὥς τίς τε δόμοις ἐνιπάλλεται αἴγλη
ὕδατος ἐξανιοῦσα, τὸ δὴ νέον ἠὲ λέβητι
ἠέ που ἐν γαυλῷ κέχυται· ἡ δ' ἔνθα καὶ ἔνθα
ὠκείῃ στροφάλιγγι τινάσσεται ἀίσσουσα·
ὧς δὲ καὶ ἐν στήθεσσι κέαρ ἐλελίζετο κούρης.
δάκρυ δ' ἀπ' ὀφθαλμῶν ἐλέῳ ῥέεν· ἔνδοθι δ' αἰεὶ
τεῖρ' ὀδύνη σμύχουσα διὰ χροός, ἀμφί τ' ἀραιὰς
ἶνας καὶ κεφαλῆς ὑπὸ νείατον ἰνίον ἄχρις,
ἔνθ' ἀλεγεινότατον δύνει ἄχος, ὁππότ' ἀνίας
ἀκάματοι πραπίδεσσιν ἐνισκίμψωσιν Ἔρωτες.
φῆ δέ οἱ ἄλλοτε μὲν θελκτήρια φάρμακα ταύρων

δωσέμεν, ἄλλοτε δ' οὔτι· καταφθίσθαι δὲ καὶ αὐτή·
αὐτίκα δ' οὔτ' αὐτὴ θανέειν, οὐ φάρμακα δώσειν,
ἀλλ' αὔτως εὔκηλος ἑὴν ὀτλησέμεν ἄτην.
ἑζομένη δῆπειτα δοάσσατο, φώνησέν τε·
"Δειλὴ ἐγώ, νῦν ἔνθα κακῶν ἢ ἔνθα γένωμαι;
πάντῃ μοι φρένες εἰσὶν ἀμήχανοι· οὐδέ τις ἀλκὴ
πήματος· ἀλλ' αὔτως φλέγει ἔμπεδον. ὡς ὄφελόν γε
Ἀρτέμιδος κραιπνοῖσι πάρος βελέεσσι δαμῆναι,
πρὶν τόνγ' εἰσιδέειν, πρὶν Ἀχαιίδα γαῖαν ἱκέσθαι
Χαλκιόπης υἷας. τοὺς μὲν θεὸς ἤ τις Ἐρινὺς
ἄμμι πολυκλαύτους δεῦρ' ἤγαγε κεῖθεν ἀνίας.
φθίσθω ἀεθλεύων, εἴ οἱ κατὰ νειὸν ὀλέσθαι
μοῖρα πέλει. πῶς γάρ κεν ἐμοὺς λελάθοιμι τοκῆας
φάρμακα μησαμένη; ποῖον δ' ἐπὶ μῦθον ἐνίψω;
τίς δὲ δόλος, τίς μῆτις ἐπίκλοπος ἔσσετ' ἀρωγῆς;
ἦ μιν ἄνευθ' ἑτάρων προσπτύξομαι οἶον ἰδοῦσα;
δύσμορος· οὐ μὲν ἔολπα καταφθιμένοιό περ ἔμπης
λωφήσειν ἀχέων· τότε δ' ἂν κακὸν ἄμμι πέλοιτο,
κεῖνος ὅτε ζωῆς ἀπαμείρεται. ἐρρέτω αἰδώς,
ἐρρέτω ἀγλαΐη· ὁ δ' ἐμῇ ἰότητι σαωθεὶς
ἀσκηθής, ἵνα οἱ θυμῷ φίλον, ἔνθα νέοιτο.
αὐτὰρ ἐγὼν αὐτῆμαρ, ὅτ' ἐξανύσειεν ἄεθλον,
τεθναίην, ἢ λαιμὸν ἀναρτήσασα μελάθρῳ,
ἢ καὶ πασσαμένη ῥαιστήρια φάρμακα θυμοῦ.
ἀλλὰ καὶ ὧς φθιμένῃ μοι ἐπιλλίξουσιν ὀπίσσω
κερτομίας· τηλοῦ δὲ πόλις περὶ πᾶσα βοήσει
πότμον ἐμόν· καί κέν με διὰ στόματος φορέουσαι
Κολχίδες ἄλλυδις ἄλλαι ἀεικέα μωμήσονται·
ἥτις κηδομένη τόσον ἀνέρος ἀλλοδαποῖο
κάτθανεν, ἥτις δῶμα καὶ οὓς ᾔσχυνε τοκῆας,

μαργοσύνῃ εἴξασα. τί δ' οὐκ ἐμὸν ἔσσεται αἶσχος;
ὤ μοι ἐμῆς ἄτης. ἦ τ' ἂν πολὺ κέρδιον εἴη
τῇδ' αὐτῇ ἐν νυκτὶ λιπεῖν βίον ἐν θαλάμοισιν
πότμῳ ἀνωίστῳ, κάκ' ἐλέγχεα πάντα φυγοῦσαν,
πρὶν τάδε λωβήεντα καὶ οὐκ ὀνομαστὰ τελέσσαι."
Ἦ, καὶ φωριαμὸν μετεκίαθεν, ᾗ ἔνι πολλὰ
φάρμακά οἱ, τὰ μὲν ἐσθλά, τὰ δὲ ῥαιστήρι', ἔκειτο.
ἐνθεμένη δ' ἐπὶ γούνατ' ὀδύρετο. δεῦε δὲ κόλπους
ἄλληκτον δακρύοισι, τὰ δ' ἔρρεεν ἀσταγὲς αὔτως,
αἴν' ὀλοφυρομένης τὸν ἑὸν μόρον. ἵετο δ' ἥγε
φάρμακα λέξασθαι θυμοφθόρα, τόφρα πάσαιτο.
ἤδη καὶ δεσμοὺς ἀνελύετο φωριαμοῖο,
ἐξελέειν μεμαυῖα, δυσάμμορος. ἀλλά οἱ ἄφνω
δεῖμ' ὀλοὸν στυγεροῖο κατὰ φρένας ἦλθ' Ἀίδαο.
ἔσχετο δ' ἀμφασίῃ δηρὸν χρόνον, ἀμφὶ δὲ πᾶσαι
θυμηδεῖς βιότοιο μεληδόνες ἰνδάλλοντο.
μνήσατο μὲν τερπνῶν, ὅσ' ἐνὶ ζωοῖσι πέλονται,
μνήσαθ' ὁμηλικίης περιγηθέος, οἷά τε κούρη·
καί τέ οἱ ἠέλιος γλυκίων γένετ' εἰσοράασθαι,
ἢ πάρος, εἰ ἐτεόν γε νόῳ ἐπεμαίεθ' ἕκαστα.
καὶ τὴν μέν ῥα πάλιν σφετέρων ἀποκάτθετο γούνων,
Ἥρης ἐννεσίῃσι μετάτροπος, οὐδ' ἔτι βουλὰς
ἄλλῃ δοιάζεσκεν· ἐέλδετο δ' αἶψα φανῆναι
ἠῶ τελλομένην, ἵνα οἱ θελκτήρια δοίη
φάρμακα συνθεσίῃσι, καὶ ἀντήσειεν ἐς ὠπήν.
πυκνὰ δ' ἀνὰ κληῖδας ἑῶν λύεσκε θυράων,
αἴγλην σκεπτομένη· τῇ δ' ἀσπάσιον βάλε φέγγος
Ἠριγενής, κίνυντο δ' ἀνὰ πτολίεθρον ἕκαστοι.

(iii. 744–824)

538. *The Meeting*

Ἦ ῥα περιφραδέως, ἐπὶ δὲ σχεδὸν ᾔνεον ἄμφω.
οὐδ' ἄρα Μηδείης θυμὸς τράπετ' ἄλλα νοῆσαι,
μελπομένης περ ὅμως· πᾶσαι δέ οἱ, ἥντιν' ἀθύροι
μολπήν, οὐκ ἐπὶ δηρὸν ἐφήνδανεν ἑψιάασθαι.
ἀλλὰ μεταλλήγεσκεν ἀμήχανος, οὐδέ ποτ' ὄσσε
ἀμφιπόλων μεθ' ὅμιλον ἔχ' ἀτρέμας· ἐς δὲ κελεύθους
τηλόσε παπταίνεσκε, παρακλίνουσα παρειάς.
ἦ θαμὰ δὴ στηθέων ἐάγη κέαρ, ὁππότε δοῦπον
ἢ ποδὸς ἢ ἀνέμοιο παραθρέξαντα δοάσσαι.
αὐτὰρ ὅγ' οὐ μετὰ δηρὸν ἐελδομένῃ ἐφαάνθη
ὑψόσ' ἀναθρῴσκων ἅ τε Σείριος Ὠκεανοῖο,
ὃς δή τοι καλὸς μὲν ἀρίζηλός τ' ἐσιδέσθαι
ἀντέλλει, μήλοισι δ' ἐν ἄσπετον ἧκεν ὀιζύν·
ὣς ἄρα τῇ καλὸς μὲν ἐπήλυθεν εἰσοράασθαι
Αἰσονίδης, κάματον δὲ δυσίμερον ὦρσε φαανθείς.
ἐκ δ' ἄρα οἱ κραδίη στηθέων πέσεν, ὄμματα δ' αὔτως
ἤχλυσαν· θερμὸν δὲ παρηίδας εἷλεν ἔρευθος.
γούνατα δ' οὔτ' ὀπίσω οὔτε προπάροιθεν ἀεῖραι
ἔσθενεν, ἀλλ' ὑπένερθε πάγη πόδας. αἱ δ' ἄρα τείως
ἀμφίπολοι μάλα πᾶσαι ἀπὸ σφείων ἐλίασθεν.
τὼ δ' ἄνεῳ καὶ ἄναυδοι ἐφέστασαν ἀλλήλοισιν,
ἢ δρυσίν, ἢ μακρῇσιν ἐειδόμενοι ἐλάτῃσιν,
αἵ τε παρᾶσσον ἕκηλοι ἐν οὔρεσιν ἐρρίζωνται,
νηνεμίῃ· μετὰ δ' αὖτις ὑπὸ ῥιπῆς ἀνέμοιο
κινύμεναι ὁμάδησαν ἀπείριτον· ὣς ἄρα τώγε
μέλλον ἅλις φθέγξασθαι ὑπὸ πνοιῇσιν Ἔρωτος.

(iii. 948–72)

539. *Amor Omnipotens*

Ὣς φάτο κυδαίνων· ἡ δ' ἐγκλιδὸν ὄσσε βαλοῦσα
νεκτάρεον μείδησ'· ἐχύθη δέ οἱ ἔνδοθι θυμὸς
αἴνῳ ἀειρομένης, καὶ ἀνέδρακεν ὄμμασιν ἄντην·
οὐδ' ἔχεν ὅττι πάροιθεν ἔπος προτιμυθήσαιτο,
ἀλλ' ἄμυδις μενέαινεν ἀολλέα πάντ' ἀγορεῦσαι.
προπρὸ δ' ἀφειδήσασα θυώδεος ἔξελε μίτρης
φάρμακον· αὐτὰρ ὅγ' αἶψα χεροῖν ὑπέδεκτο γεγηθώς.
καί νύ κέ οἱ καὶ πᾶσαν ἀπὸ στηθέων ἀρύσασα
ψυχὴν ἐγγυάλιξεν ἀγαιομένη χατέοντι·
τοῖος ἀπὸ ξανθοῖο καρήατος Αἰσονίδαο
στράπτεν Ἔρως ἡδεῖαν ἀπὸ φλόγα· τῆς δ' ἀμαρυγὰς
ὀφθαλμῶν ἥρπαζεν· ἰαίνετο δὲ φρένας εἴσω
τηκομένη, οἷόν τε περὶ ῥοδέῃσιν ἐέρση
τήκεται ἠῴοισιν ἰαινομένη φαέεσσιν.
ἄμφω δ' ἄλλοτε μέν τε κατ' οὔδεος ὄμματ' ἔρειδον
αἰδόμενοι, ὁτὲ δ' αὖτις ἐπὶ σφίσι βάλλον ὀπωπάς,
ἱμερόεν φαιδρῇσιν ὑπ' ὀφρύσι μειδιόωντες.

(iii. 1008–24)

540. *Medea's Parting Words*

"Ἑλλάδι που τάδε καλά, συνημοσύνας ἀλεγύνειν·
Αἰήτης δ' οὐ τοῖος ἐν ἀνδράσιν, οἷον ἔειπας
Μίνω Πασιφάης πόσιν ἔμμεναι· οὐδ' Ἀριάδνῃ
ἰσοῦμαι· τῷ μήτι φιλοξενίην ἀγόρευε.
ἀλλ' οἷον τύνη μὲν ἐμεῦ, ὅτ' Ἰωλκὸν ἵκηαι,
μνώεο· σεῖο δ' ἐγὼ καὶ ἐμῶν ἀέκητι τοκήων
μνήσομαι. ἔλθοι δ' ἧμιν ἀπόπροθεν ἠέ τις ὄσσα,
ἠέ τις ἄγγελος ὄρνις, ὅτ' ἐκλελάθοιο ἐμεῖο·

ἢ αὐτήν με ταχεῖαι ὑπὲρ πόντοιο φέροιεν
ἐνθένδ' εἰς Ἰαωλκὸν ἀναρπάξασαι ἄελλαι,
ὄφρα σ', ἐν ὀφθαλμοῖσιν ἐλεγχείας προφέρουσα,
μνήσω ἐμῇ ἰότητι πεφυγμένον. αἴθε γὰρ εἴην
ἀπροφάτως τότε σοῖσιν ἐφέστιος ἐν μεγάροισιν."

(iii. 1105–17)

541. *Jason's Sowing and Reaping*

Ἦμος δὲ τρίτατον λάχος ἤματος ἀνομένοιο
λείπεται ἐξ ἠοῦς, καλέουσι δὲ κεκμηῶτες
ἐργατίναι γλυκερόν σφιν ἄφαρ βουλυτὸν ἱκέσθαι,
τῆμος ἀρήροτο νειὸς ὑπ' ἀκαμάτῳ ἀροτῆρι,
τετράγυός περ ἐοῦσα· βοῶν τ' ἀπελύετ' ἄροτρα.
καὶ τοὺς μὲν πεδίονδε διεπτοίησε φέβεσθαι·
αὐτὰρ ὁ ἂψ ἐπὶ νῆα πάλιν κίεν, ὄφρ' ἔτι κεινὰς
γηγενέων ἀνδρῶν ἴδεν αὔλακας. ἀμφὶ δ' ἑταῖροι
θάρσυνον μύθοισιν. ὁ δ' ἐκ ποταμοῖο ῥοάων
αὐτῇ ἀφυσσάμενος κυνέῃ σβέσεν ὕδατι δίψαν·
γνάμψε δὲ γούνατ' ἐλαφρά, μέγαν δ' ἐμπλήσατο θυμὸν
ἀλκῆς, μαιμώων συῒ εἴκελος, ὅς ῥά τ' ὀδόντας
θήγει θηρευτῇσιν ἐπ' ἀνδράσιν, ἀμφὶ δὲ πολλὸς
ἀφρὸς ἀπὸ στόματος χαμάδις ῥέε χωομένοιο.
οἱ δ' ἤδη κατὰ πᾶσαν ἀνασταχύεσκον ἄρουραν
γηγενέες· φρίξεν δὲ περὶ στιβαροῖς σακέεσσιν
δούρασί τ' ἀμφιγύοις κορύθεσσί τε λαμπομένῃσιν
Ἄρηος τέμενος φθισιμβρότου· ἵκετο δ' αἴγλη
νειόθεν Οὔλυμπόνδε δι' ἠέρος ἀστράπτουσα.
ὡς δ' ὁπότ' ἐς γαῖαν πολέος νιφετοῖο πεσόντος
ἂψ ἀπὸ χειμερίας νεφέλας ἐκέδασσαν ἄελλαι
λυγαίῃ ὑπὸ νυκτί, τὰ δ' ἀθρόα πάντ' ἐφαάνθη

τείρεα λαμπετόωντα διὰ κνέφας· ὧς ἄρα τοίγε
λάμπον ἀναλδήσκοντες ὑπὲρ χθονός. αὐτὰρ Ἰήσων
μνήσατο Μηδείης πολυκερδέος ἐννεσιάων,
λάζετο δ' ἐκ πεδίοιο μέγαν περιηγέα πέτρον,
δεινὸν Ἐνυαλίου σόλον Ἄρεος· οὔ κέ μιν ἄνδρες
αἰζηοὶ πίσυρες γαίης ἄπο τυτθὸν ἄειραν.
τόν ῥ' ἀνὰ χεῖρα λαβὼν μάλα τηλόθεν ἔμβαλε μέσσοις
ἀίξας· αὐτὸς δ' ὑφ' ἑὸν σάκος ἕζετο λάθρῃ
θαρσαλέως. Κόλχοι δὲ μέγ' ἴαχον, ὡς ὅτε πόντος
ἴαχεν ὀξείῃσιν ἐπιβρομέων σπιλάδεσσιν·
τὸν δ' ἕλεν ἀμφασίη ῥιπῇ στιβαροῖο σόλοιο
Αἰήτην. οἱ δ' ὥστε θοοὶ κύνες ἀμφιθορόντες
ἀλλήλους βρυχηδὸν ἐδήιον· οἱ δ' ἐπὶ γαῖαν
μητέρα πῖπτον ἑοῖς ὑπὸ δούρασιν, ἠύτε πεῦκαι
ἢ δρύες, ἅς τ' ἀνέμοιο κατάικες δονέουσιν.
οἷος δ' οὐρανόθεν πυρόεις ἀναπάλλεται ἀστὴρ
ὁλκὸν ὑπαυγάζων, τέρας ἀνδράσιν, οἵ μιν ἴδωνται
μαρμαρυγῇ σκοτίοιο δι' ἠέρος ἀίξαντα·
τοῖος ἄρ' Αἴσονος υἱὸς ἐπέσσυτο γηγενέεσσιν,
γυμνὸν δ' ἐκ κολεοῖο φέρε ξίφος, οὖτα δὲ μίγδην
ἀμώων, πολέας μὲν ἔτ' ἐς νηδὺν λαγόνας τε
ἡμίσεας ἀνέχοντας ἐς ἠέρα· τοὺς δὲ καὶ ἄχρις
ὤμων τελλομένους· τοὺς δὲ νέον ἑστηῶτας,
τοὺς δ' ἤδη καὶ ποσσὶν ἐπειγομένους ἐς ἄρηα.
ὡς δ' ὁπότ', ἀμφ' οὔροισιν ἐγειρομένου πολέμοιο,
δείσας γειομόρος, μή οἱ προτάμωνται ἀρούρας,
ἅρπην εὐκαμπῆ νεοθηγέα χερσὶ μεμαρπὼς
ὠμὸν ἐπισπεύδων κείρει στάχυν, οὐδὲ βολῇσιν
μίμνει ἐς ὡραίην τερσήμεναι ἠελίοιο·
ὧς τότε γηγενέων κεῖρε στάχυν· αἵματι δ' ὁλκοὶ

ἠύτε κρηναῖαι ἀμάραι πλήθοντο ῥοῇσιν.
πῖπτον δ', οἱ μὲν ὀδὰξ τετρηχότα βῶλον ὀδοῦσιν
λαζόμενοι πρηνεῖς, οἱ δ' ἔμπαλιν, οἱ δ' ἐπ' ἀγοστῷ
καὶ πλευροῖς, κήτεσσι δομὴν ἀτάλαντοι ἰδέσθαι.
πολλοὶ δ' οὐτάμενοι, πρὶν ὑπὸ χθονὸς ἴχνος ἀεῖραι,
ὅσσον ἄνω προύτυψαν ἐς ἠέρα, τόσσον ἔραζε
βριθόμενοι πλαδαροῖσι καρήασιν ἠρήρειντο.
ἔρνεά που τοίως, Διὸς ἄσπετον ὀμβρήσαντος,
φυταλιῇ νεόθρεπτα κατημύουσιν ἔραζε
κλασθέντα ῥίζηθεν, ἀλωήων πόνος ἀνδρῶν·
τὸν δὲ κατηφείη τε καὶ οὐλοὸν ἄλγος ἱκάνει
κλήρου σημαντῆρα φυτοτρόφον· ὣς τότ' ἄνακτος
Αἰήταο βαρεῖαι ὑπὸ φρένας ἦλθον ἀνῖαι.

(iii. 1340–1404)

542. *Medea Betrayed*

" Αἰσονίδη, τίνα τήνδε συναρτύνασθε μενοινὴν
ἀμφ' ἐμοί; ἦέ σε πάγχυ λαθιφροσύναις ἐνέηκαν
ἀγλαΐαι, τῶν δ' οὔτι μετατρέπῃ, ὅσσ' ἀγόρευες
χρειοῖ ἐνισχόμενος; ποῦ τοι Διὸς Ἱκεσίοιο
ὅρκια, ποῦ δὲ μελιχραὶ ὑποσχεσίαι βεβάασιν;
ᾗς ἐγὼ οὐ κατὰ κόσμον ἀναιδήτῳ ἰότητι
πάτρην τε κλέα τε μεγάρων αὐτούς τε τοκῆας
νοσφισάμην, τά μοι ἦεν ὑπέρτατα· τηλόθι δ' οἴη
λυγρῇσιν κατὰ πόντον ἅμ' ἀλκυόνεσσι φορεῦμαι
σῶν ἕνεκεν καμάτων, ἵνα μοι σόος ἀμφί τε βουσὶν
ἀμφί τε γηγενέεσσιν ἀναπλήσειας ἀέθλους.
ὕστατον αὖ καὶ κῶας, ἐπεί τ' ἐπαϊστὸν ἐτύχθη,
εἷλες ἐμῇ ματίῃ· κατὰ δ' οὐλοὸν αἶσχος ἔχευα
θηλυτέραις. τῶ φημὶ τεὴ κούρη τε δάμαρ τε

αὐτοκασιγνήτη τε μεθ' Ἑλλάδα γαῖαν ἕπεσθαι.
πάντῃ νυν πρόφρων ὑπερίστασο, μηδέ με μούνην
σεῖο λίπῃς ἀπάνευθεν, ἐποιχόμενος βασιλῆας.
ἀλλ' αὔτως εἴρυσο· δίκη δέ τοι ἔμπεδος ἔστω
καὶ θέμις, ἣν ἄμφω συναρέσσαμεν· ἦ σύγ' ἔπειτα
φασγάνῳ αὐτίκα τόνδε μέσον διὰ λαιμὸν ἀμῆσαι,
ὄφρ' ἐπίηρα φέρωμαι ἐοικότα μαργοσύνῃσιν.
σχετλίη, εἴ κεν δή με κασιγνήτοιο δικάσσῃ
ἔμμεναι οὗτος ἄναξ, τῷ ἐπίσχετε τάσδ' ἀλεγεινὰς
ἄμφω συνθεσίας. πῶς ἵξομαι ὄμματα πατρός;
ἦ μάλ' ἐυκλειής; τίνα δ' οὐ τίσιν, ἠὲ βαρεῖαν
ἄτην οὐ σμυγερῶς δεινῶν ὕπερ, οἷα ἔοργα,
ὀτλήσω; σὺ δέ κεν θυμηδέα νόστον ἕλοιο;
μὴ τόγε παμβασίλεια Διὸς τελέσειεν ἄκοιτις,
ᾗ ἐπικυδιάεις. μνήσαιο δέ καί ποτ' ἐμεῖο,
στρευγόμενος καμάτοισι· δέρος δέ τοι ἶσον ὀνείροις
οἴχοιτ' εἰς ἔρεβος μεταμώνιον. ἐκ δέ σε πάτρης
αὐτίκ' ἐμαί σ' ἐλάσειαν Ἐρινύες· οἷα καὶ αὐτὴ
σῇ πάθον ἀτροπίῃ. τὰ μὲν οὐ θέμις ἀκράαντα
ἐν γαίῃ πεσέειν. μάλα γὰρ μέγαν ἤλιτες ὅρκον,
νηλεές· ἀλλ' οὔ θήν μοι ἐπιλλίζοντες ὀπίσσω
δὴν ἔσσεσθ' εὔκηλοι ἕκητί γε συνθεσιάων."

(iv. 356–90)

543. *The Moving Rocks*

Ὡς δ' ὁπόταν δελφῖνες ὑπὲξ ἁλὸς εὐδιόωντες
σπερχομένην ἀγεληδὸν ἑλίσσωνται περὶ νῆα,
ἄλλοτε μὲν προπάροιθεν ὁρώμενοι, ἄλλοτ' ὄπισθεν,
ἄλλοτε παρβολάδην, ναύτῃσι δὲ χάρμα τέτυκται·
ὣς αἱ ὑπεκπροθέουσαι ἐπήτριμοι εἱλίσσοντο

Ἀργῴῃ περὶ νηί, Θέτις δ' ἴθυνε κέλευθον.
καί ῥ' ὅτε δὴ Πλαγκτῇσιν ἐνιχρίμψεσθαι ἔμελλον,
αὐτίκ' ἀνασχόμεναι λευκοῖς ἐπὶ γούνασι πέζας,
ὑψοῦ ἐπ' αὐτάων σπιλάδων καὶ κύματος ἀγῆς
ῥώοντ' ἔνθα καὶ ἔνθα διασταδὸν ἀλλήλῃσιν.
τὴν δὲ παρηορίην κόπτεν ῥόος· ἀμφὶ δὲ κῦμα
λάβρον ἀειρόμενον πέτραις ἐπικαχλάζεσκεν,
αἵ θ' ὁτὲ μὲν κρημνοῖς ἐναλίγκιαι ἠέρι κῦρον,
ἄλλοτε δὲ βρύχιαι νεάτῳ ὑπὸ πυθμένι πόντου
ἠρήρειν, τὸ δὲ πολλὸν ὑπείρεχεν ἄγριον οἶδμα.
αἱ δ', ὥστ' ἠμαθόεντος ἐπισχεδὸν αἰγιαλοῖο
παρθενικαί, δίχα κόλπον ἐπ' ἰξύας εἱλίξασαι,
σφαίρῃ ἀθύρουσιν περιηγέι· αἱ μὲν ἔπειτα
ἄλλη ὑπ' ἐξ ἄλλης δέχεται καὶ ἐς ἠέρα πέμπει
ὕψι μεταχρονίην· ἡ δ' οὔποτε πίλναται οὔδει·
ὣς αἱ νῆα θέουσαν ἀμοιβαδὶς ἄλλοθεν ἄλλη
πέμπε διηερίην ἐπὶ κύμασιν, αἰὲν ἄπωθεν
πετράων· περὶ δέ σφιν ἐρευγόμενον ζέεν ὕδωρ.
τὰς δὲ καὶ αὐτὸς ἄναξ κορυφῆς ἔπι λισσάδος ἄκρης
ὀρθὸς ἐπὶ στελεῇ τυπίδος βαρὺν ὦμον ἐρείσας
Ἥφαιστος θηεῖτο, καὶ αἰγλήεντος ὕπερθεν
οὐρανοῦ ἑστηυῖα Διὸς δάμαρ· ἀμφὶ δ' Ἀθήνῃ
βάλλε χέρας, τοῖόν μιν ἔχεν δέος εἰσορόωσαν.
ὅσση δ' εἰαρινοῦ μηκύνεται ἤματος αἶσα,
τοσσάτιον μογέεσκον ἐπὶ χρόνον, ὀχλίζουσαι
νῆα διὲκ πέτρας πολυηχέας· οἱ δ' ἀνέμοιο
αὖτις ἐπαυρόμενοι προτέρω θέον· ὦκα δ' ἄμειβον
Θρινακίης λειμῶνα, βοῶν τροφὸν Ἠελίοιο.
ἔνθ' αἱ μὲν κατὰ βένθος ἁλίγκιαι αἰθυίῃσιν
δῦνον, ἐπεί ῥ' ἀλόχοιο Διὸς πόρσυνον ἐφετμάς.

ALEXANDER AETOLUS

(fl. 276 B.C.?)

544. *Euripides*

Ὁ δ' Ἀναξαγόρου τρόφιμος χᾳου στρυφνὸς μὲν ἔμοιγε
προσειπεῖν,
καὶ μισογέλως, καὶ τωθάζειν οὐδὲ παρ' οἴνῳ μεμαθηκώς,
ἀλλ' ὅ τι γράψαι τοῦτ' ἂν μέλιτος καὶ Σειρήνων
ἐτετεύχει.

LEONIDAS OF TARENTUM

(fl. 274 B. C.)

545. *An Only Son*

Ἆ δείλ' Ἀντίκλεις, δειλὴ δ' ἐγὼ ἡ τὸν ἐν ἥβης
ἀκμῇ καὶ μοῦνον παῖδα πυρωσαμένη,
ὀκτωκαιδεκέτης ὃς ἀπώλεο, τέκνον· ἐγὼ δὲ
ὀρφάνιον κλαίω γῆρας ὀδυρομένη.
βαίην εἰς Ἄϊδος σκιερὸν δόμον· οὔτε μοι ἠὼς
ἡδεῖ' οὔτ' ἀκτὶς ὠκέος ἠελίου.
ἆ δείλ' Ἀντίκλεις, μεμορημένε, πένθεος εἴης
ἰητήρ, ζωῆς ἔκ με κομισσάμενος.

546. *Time*

Μυρίος ἦν, ἄνθρωπε, χρόνος προτοῦ, ἄχρι πρὸς ἠῶ
ἦλθες, χὼ λοιπὸς μυρίος εἰς ἀΐδην.
τίς μοῖρα ζωῆς ὑπολείπεται, ἢ ὅσον ὅσσον
στιγμὴ καὶ στιγμῆς εἴ τι χαμηλότερον;

547. *Shepherd*

Ποιμένες οἳ ταύτην ὄρεος ῥάχιν οἰοπολεῖτε
  αἶγας κεὐείρους ἐμβοτέοντες ὄϊς,
Κλειταγόρῃ, πρὸς Γῆς, ὀλίγην χάριν, ἀλλὰ προσηνῆ
  τίνοιτε, χθονίης εἵνεκα Φερσεφόνης.
βληχήσαιντ' ὄϊές μοι, ἐπ' ἀξέστοιο δὲ ποιμὴν
  πέτρης συρίζοι πρηέα βοσκομέναις·
εἴαρι δὲ πρώτῳ λειμώνιον ἄνθος ἀμέρσας
  χωρίτης στεφέτω τύμβον ἐμὸν στεφάνῳ,
καί τις ἀπ' εὐάρνοιο καταχραίνοιτο γάλακτι
  οἰός, ἀμολγαῖον μαστὸν ἀνασχόμενος,
κρηπῖδ' ὑγραίνων ἐπιτύμβιον· εἰσὶ θανόντων,
  εἰσὶν ἀμοιβαῖαι κἀν φθιμένοις χάριτες.

548. *A Wayside Grave*

Τίς ποτ' ἄρ' εἶ; τίνος ἆρα παρὰ τρίβον ὀστέα ταῦτα
  τλήμον' ἐν ἡμιφαεῖ λάρνακι γυμνὰ μένει;
μνῆμα δὲ καὶ τάφος αἰὲν ἁμαξεύοντος ὁδίτεω
  ἄξονι καὶ τροχιῇ λιτὰ παραξέεται·
ἤδη σου καὶ πλευρὰ παρατρίψουσιν ἅμαξαι,
  σχέτλιε, σοὶ δ' οὐδεὶς οὐδ' ἐπὶ δάκρυ βαλεῖ.

MOERO

(iii. cent. B.C.)

549. *The Childhood of Zeus*

Ζεὺς δ' ἄρ' ἐνὶ Κρήτῃ τρέφετο μέγας, οὐδ' ἄρα τίς νιν
ἠείδει μακάρων· ὁ δ' ἀέξετο πᾶσι μέλεσσι.
τὸν μὲν ἄρα τρήρωνες ὑπὸ ζαθέῳ τράφον ἄντρῳ

ἀμβροσίην φορέουσαι ἀπ' Ὠκεανοῖο ῥοάων·
νέκταρ δ' ἐκ πέτρης μέγας αἰετὸς αἰὲν ἀφύσσων
γαμφηλῇς φορέεσκε ποτὸν Διὶ μητιόεντι.
τῷ καὶ νικήσας πατέρα Κρόνον εὐρύοπα Ζεὺς
ἀθάνατον ποίησε καὶ οὐρανῷ ἐγκατένασσεν.
ὣς δ' αὔτως τρήρωσι πελειάσιν ὤπασε τιμήν,
αἳ δή τοι θέρεος καὶ χείματος ἄγγελοί εἰσιν.

NICIAS

(fl. 260 B. C.)

550. *Hermes of the Playground*

Εἰνοσίφυλλον ὄρος Κυλλήνιον αἰπὺ λελογχώς,
τῇδ' ἕστηκ' ἐρατοῦ γυμνασίου μεδέων,
Ἑρμῆς· ᾧ ἔπι παῖδες ἀμάρακον ἠδ' ὑάκινθον
πολλάκι, καὶ θαλεροὺς θῆκαν ἴων στεφάνους.

CERCIDAS

(fl. 250 B. C.)

551. *The Voyage of Love*

Δοιά τις ἆμιν ἔφα γνάθοισι φυσῆν
τὸν κυανοπτέρυγον παῖδ' Ἀφροδίτας,
Δαμόνομ', οὔτι γὰρ εἶ λίαν ἀπευθής·
καὶ βροτῶν γὰρ τῷ μὲν ἂν
πραεῖα καὶ εὐμενέουσα
πνεύματα δεξιτερὰ πνεύσῃ σιαγών,
οὗτος ἐν ἀτρεμίᾳ τὰν ναῦν Ἔρωτος
σώφρονι πηδαλίῳ Πειθοῦς κυβερνῇ,
τοῖς δὲ τὰν ἀριστερὰν λύσας ἐπόρσῃ
λαίλαπας ἢ λαμυρὰς Πόθων ἀέλλας,

κυματίας διόλου τούτοις ὁ πορθμός·
εὖ λέγων Εὐριπίδας. Οὐκοῦν δύ' ὄντων
κάρρον ἐστὶν ἐκλέγειν
τὸν οὔριον ἆμιν ἀήταν,
καὶ μετὰ Σωφροσύνας οἴακι Πειθοῦς
χρώμενον εὐθυπλοεῖν,
ὅκ' ᾖ κατὰ Κύπριν ὁ πορθμός.

THEODORIDES

(fl. 240 B.C.)

552. *Pass On*

Ναυηγοῦ τάφος εἰμί· σὺ δὲ πλέε· καὶ γὰρ ὅθ' ἡμεῖς
ὠλλύμεθ', αἱ λοιπαὶ νῆες ἐποντοπόρουν.

MNASALCAS

(fl. 240 B.C.)

553. *The Dead Fowler*

'Αμπαύσει καὶ τῇδε θοὸν πτερὸν ἱερὸς ὄρνις,
τᾶσδ' ὑπὲρ ἁδείας ἑζόμενος πλατάνου·
ὤλετο γὰρ Ποίμανδρος ὁ Μάλιος, οὐδ' ἔτι νεῖται
ἰξὸν ἐπ' ἀγρευταῖς χευάμενος καλάμοις.

554. *A Mare*

Αἰθυίας, ξένε, τόνδε ποδηνέμου ἔννεπε τύμβον,
τᾶς ποτ' ἐλαφρότατον χέρσος ἔθρεψε γόνυ·
πολλάκι γὰρ νάεσσιν ἰσόδρομον ἄνυσε μᾶκος,
ὄρνις ὅπως δολιχὰν ἐκπονέουσα τρίβον.

MNASALCAS

555. *A Temple*

Στῶμεν ἁλιρράντοιο παρὰ χθαμαλὰν χθόνα πόντου,
 δερκόμενοι τέμενος Κύπριδος Εἰναλίας,
κράναν τ' αἰγείροισι κατάσκιον, ἇς ἄπο νᾶμα
 ξουθαὶ ἀφύσσονται χείλεσιν ἁλκυόνες.

HERODAS

(fl. 240 B.C.)

556. *A Low Trade*

Ἐρεῖ τάχ' ὑμῖν "ἐξ Ἄκης ἐλήλουθα
πυροὺς ἄγων κἤστησα τὴν κακὴν λιμόν,"
ἐγὼ δὲ πόρνας ἐκ Τύρου· τί τῷ δήμῳ
τοῦτ' ἐστί; δωρεὴν γὰρ οὔθ' οὗτος πυροὺς
δίδωσ' ἀλήθειν οὔτ' ἐγὼ πάλιν κείνην.
εἰ δ' οὕνεκεν πλεῖ τὴν θάλασσαν ἢ χλαῖναν
ἔχει τριῶν μνέων Ἀττικῶν, ἐγὼ δ' οἰκέω
ἐν γῇ τρίβωνα καὶ ἀσκέρας σαπρὰς ἕλκων,
βίῃ τιν' ἄξει τῶν ἐμῶν ἔμ' οὐ πείσας,
καὶ ταῦτα νυκτός, οἴχετ' ἥμιν ἡ ἀλεωρὴ
τῆς πόλιος, ἄνδρες, κῆφ' ὅτῳ σεμνύνεσθε,
τὴν αὐτονομίην ὑμέων Θαλῆς λύσει.
ὃν χρῆν ἑαυτὸν ὅστις ἐστὶ κἠκ ποίου
πηλοῦ πεφύρητ' εἰδότ' ὡς ἐγὼ ζώειν
τῶν δημοτέων φρίσσοντα καὶ τὸν ἥκιστον.
νῦν δ' οἱ μὲν ἐόντες τῆς πόλιος καλυπτῆρες
καὶ τῇ γενῇ φυσῶντες οὐκ ἴσον τούτῳ
πρὸς τοὺς νόμους βλέπουσι κἠμε τὸν ξεῖνον
οὐδεὶς πολίτης ἠλόησεν οὐδ' ἦλθεν

πρὸς τὰς θύρας μευ νυκτὸς οὐδ' ἔχων δᾷδας
τὴν οἰκίην ὑφῆψεν οὐδὲ τῶν πορνέων
βίῃ λαβὼν οἴχωκεν· ἀλλ' ὁ Φρὺξ οὗτος
ὁ νῦν Θαλῆς ἐών, πρόσθε δ', ἄνδρες, 'Αρτίμμης,
ἅπαντα ταῦτ' ἔπρηξε κοὐκ ἐπῃδέσθη
οὔτε νόμον οὔτε προστάτην οὔτ' ἄρχοντα.

(*Mime* ii, 16–40)

ALCAEUS OF MESSENE

(fl. 197 B.C.)

557. *Philip, King of Macedon*

Ἄκλαυστοι καὶ ἄθαπτοι, ὁδοιπόρε, τῷδ' ἐπὶ τύμβῳ
  Θεσσαλίας τρισσαὶ κείμεθα μυριάδες,
'Ημαθίῃ μέγα πῆμα· τὸ δὲ θρασὺ κεῖνο Φιλίππου
  πνεῦμα θοῶν ἐλάφων ᾤχετ' ἐλαφρότερον.

PHILIP V, KING OF MACEDON

(238–179 B.C.)

558. *Alcaeus of Messene*

Ἄφλοιος καὶ ἄφυλλος, ὁδοιπόρε, τῷδ' ἐπὶ νώτῳ
  'Αλκαίῳ σταυρὸς πήγνυται ἠλίβατος.

DIOTIMUS

(fl. 200 B.C. ?)

559. *The Cow Herd*

Αὐτόμαται δείλῃ ποτὶ ταὔλιον αἱ βόες ἦλθον
  ἐξ ὄρεος, πολλῇ νιφόμεναι χιόνι·

αἰαῖ, Θηρίμαχος δὲ παρὰ δρυῒ τὸν μακρὸν εὕδει
  ὕπνον· ἐκοιμήθη δ' ἐκ πυρὸς οὐρανίου.

DAMAGETUS

(fl. 200 B.C.)

560. *A Wife's Grave*

Ὑστάτιον, Φώκαια, κλυτὴ πόλι, τοῦτο Θεανὼ
  εἶπεν ἐς ἀτρύγετον νύκτα κατερχομένη·
"Οἴμοι ἐγὼ δύστηνος· Ἀπέλλιχε, ποῖον, ὅμευνε,
  ποῖον ἐπ' ὠκείῃ νηῒ περᾷς πέλαγος;
αὐτὰρ ἐμεῦ σχεδόθεν μόρος ἵσταται. ὡς ὄφελόν γε
  χειρὶ φίλην τὴν σὴν χεῖρα λαβοῦσα θανεῖν."

ANONYMOUS

561. *A Mountain Glen*

Ξουθὰ δὲ λιγύφωνα
ὄρνεα διεφοίτα τ'
ἀν' ἐρῆμον δρίος, ἄκροις τ'
ἐπὶ κλωσὶ πίτυος ἧμεν'
ἐμινύριζ' ἐτιττύβιζεν
κέλαδον παντομιγῆ, καὶ
τὰ μὲν ἄρχετο, τὰ δ' ἔμελλεν,
τὰ δ' ἐσίγα, τὰ δ' ἐβώστρει·
τότ' ὄρη λαλεῦσι φωναῖς,
φιλέρημος δὲ νάπαισιν
λάλος ἀνταμείβετ' ἀχώ·
πιθαναὶ δ' ἐργατίδες σιμοπρόσωποι
ξουθόπτεροι μέλισσαι,

θαμιναὶ θέρεος ἔριθοι
λιπόκεντροι βαρυαχεῖς
πηλουργοὶ δυσέρωτες
ἀσκεπεῖς τὸ γλυκὺ νέκταρ
μελιτόρρυτον ἀρύουσιν.

562. *A Nile Chantey*

Ναῦται βυθοκυματοδρόμοι,
ἁλίων Τρίτωνες ὑδάτων,
καὶ Νειλῶται γλυκυδρόμοι
τὰ γελῶντα πλέοντες ὕδατη,
τὴν σύγκρισιν εἴπατε, φίλοι,
πελάγους καὶ Νείλου γονίμου.

DIOSCORIDES

(fl. 180 B.C.)

563. *A Young Mother*

Ἀρχέλεώ με δάμαρτα Πολυξείνην, Θεοδέκτου
παῖδα καὶ αἰνοπαθοῦς ἔννεπε Δημαρέτης,
ὅσσον ἐπ' ὠδῖσιν καὶ μητέρα· παῖδα δὲ δαίμων
ἔφθασεν οὐδ' αὐτῶν εἴκοσιν ἠελίων.
ὀκτωκαιδεκέτις δ' αὐτὴ θάνον, ἄρτι τεκοῦσα,
ἄρτι δὲ καὶ νύμφη, πάντ' ὀλιγοχρόνιος.

564. *A Faithful Servant*

Λυδὸς ἐγώ, ναὶ Λυδός, ἐλευθερίῳ δέ με τύμβῳ,
δέσποτα, Τιμάνθη τὸν σὸν ἔθευ τροφέα.
εὐαίων ἀσινῆ τείνοις βίον· ἢν δ' ὑπὸ γήρως
πρός με μόλῃς, σὸς ἐγώ, δέσποτα, κὴν Ἀΐδῃ.

PAMPHILUS

(fl. 180 B.C.)

565. *The Swallow*

Τίπτε παναμέριος, Πανδιονὶ κάμμορε κούρα,
  μυρομένα κελαδεῖς τραυλὰ διὰ στομάτων;
ἤ τοι παρθενίας πόθος ἵκετο, τάν τοι ἀπηύρα
  Θρηΐκιος Τηρεὺς αἰνὰ βιησάμενος;

ANTIPATER OF SIDON

(fl. 120 B.C.)

566. *Orpheus*

Οὐκέτι θελγομένας, Ὀρφεῦ, δρύας, οὐκέτι πέτρας
  ἄξεις, οὐ θηρῶν αὐτονόμους ἀγέλας·
οὐκέτι κοιμάσεις ἀνέμων βρόμον, οὐχὶ χάλαζαν,
  οὐ νιφετῶν συρμούς, οὐ παταγεῦσαν ἅλα.
ὤλεο γάρ· σὲ δὲ πολλὰ κατωδύραντο θύγατρες
  Μναμοσύνας, μάτηρ δ' ἔξοχα Καλλιόπα.
τί φθιμένοις στοναχεῦμεν ἐφ' υἱάσιν, ἁνίκ' ἀλαλκεῖν
  τῶν παίδων Ἀΐδαν οὐδὲ θεοῖς δύναμις;

567. *Preface to Erinna's Poems*

Παυροεπὴς Ἤριννα, καὶ οὐ πολύμυθος ἀοιδαῖς·
  ἀλλ' ἔλαχεν Μούσας τοῦτο τὸ βαιὸν ἔπος.
τοιγάρτοι μνήμης οὐκ ἤμβροτεν, οὐδὲ μελαίνης
  νυκτὸς ὑπὸ σκιερῇ κωλύεται πτέρυγι·
αἱ δ' ἀναρίθμητοι νεαρῶν σωρηδὸν ἀοιδῶν
  μυριάδες λήθῃ, ξεῖνε, μαραινόμεθα.
λωΐτερος κύκνου μικρὸς θρόος ἠὲ κολοιῶν
  κρωγμὸς ἐν εἰαριναῖς κιδνάμενος νεφέλαις.

568. *Greater Love . . .*

Λύδιον οὖδας ἔχει τόδ' Ἀμύντορα, παῖδα Φιλίππου,
  πολλὰ σιδηρείης χερσὶ θιγόντα μάχης·
οὐδέ μιν ἀλγινόεσσα νόσος δόμον ἄγαγε Νυκτός,
  ἀλλ' ὄλετ' ἀμφ' ἑτάρῳ σχὼν κυκλόεσσαν ἴτυν.

569. *The Ruins of Corinth*

Ποῦ τὸ περίβλεπτον κάλλος σέο, Δωρὶ Κόρινθε;
  ποῦ στεφάναι πύργων, ποῦ τὰ πάλαι κτέανα,
ποῦ νηοὶ μακάρων, ποῦ δώματα, ποῦ δὲ δάμαρτες
  Σισύφιαι, λαῶν θ' αἱ ποτὲ μυριάδες;
οὐδὲ γὰρ οὐδ' ἴχνος, πολυκάμμορε, σεῖο λέλειπται,
  πάντα δὲ συμμάρψας ἐξέφαγεν πόλεμος.
μοῦναι ἀπόρθητοι Νηρηΐδες, Ὠκεανοῖο
  κοῦραι, σῶν ἀχέων μίμνομεν ἁλκυόνες.

MOSCHUS

(fl. 150 B.C.)

570. *Europa and the Bull*

  Ὣς φαμένη νώτοισιν ἐφίζανε μειδιόωσα,
αἱ δ' ἄλλαι μέλλεσκον, ἄφαρ δ' ἀνεπήλατο ταῦρος,
ἣν θέλεν ἁρπάξας· ὠκὺς δ' ἐπὶ πόντον ἵκανεν.
ἡ δὲ μεταστρεφθεῖσα φίλας καλέεσκεν ἑταίρας
χεῖρας ὀρεγνυμένη, ταὶ δ' οὐκ ἐδύναντο κιχάνειν.
ἀκτάων δ' ἐπιβὰς πρόσσω θέεν, ἠΰτε δελφὶς
χηλαῖς ἀβρεκτοῖσιν ἐπ' εὐρέα κύματα βαίνων.
ἡ δὲ τότ' ἐρχομένοιο γαληνιάασκε θάλασσα,
κήτεα δ' ἀμφὶς ἄταλλε Διὸς προπάροιθε ποδοῖιν.

γηθόσυνος δ' ὑπὲρ οἶδμα κυβίστεε βυσσόθε δελφίς.
Νηρεΐδες δ' ἀνέδυσαν ὑπὲξ ἁλός, αἳ δ' ἄρα πᾶσαι
κητείοις νώτοισιν ἐφήμεναι ἐστιχόωντο.
καὶ δ' αὐτὸς βαρύδουπος ὑπεὶρ ἅλα Ἐννοσίγαιος
κῦμα κατιθύνων ἁλίης ἡγεῖτο κελεύθου
αὐτοκασιγνήτῳ· τοὶ δ' ἀμφί μιν ἠγερέθοντο
Τρίτωνες, πόντοιο βαρύθροοι αὐλητῆρες,
κόχλοισιν ταναοῖς γάμιον μέλος ἠπύοντες.
ἡ δ' ἄρ' ἐφεζομένη Ζηνὸς βοέοις ἐπὶ νώτοις
τῇ μὲν ἔχεν ταύρου δολιχὸν κέρας, ἐν χερὶ δ' ἄλλῃ
εἴρυε πορφυρέην κόλπου πτύχα, ὄφρα κε μή μιν
δεύοι ἐφελκόμενον πολιῆς ἁλὸς ἄσπετον ὕδωρ.
κολπώθη δ' ὤμοισι πέπλος βαθὺς Εὐρωπείης,
ἱστίον οἶά τε νηός, ἐλαφρίζεσκε δὲ κούρην.

(ii. 108–130)

571. *The Landsman*

Τὰν ἅλα τὰν γλαυκὰν ὅταν ὥνεμος ἀτρέμα βάλλῃ,
τὰν φρένα τὰν δειλὰν ἐρεθίζομαι, οὐδ' ἔτι μοι γᾶ
ἐντὶ φίλα, ποθίει δὲ πολὺ πλέον ἅ με γαλάνα.
ἀλλ' ὅταν ἀχήσῃ πολιὸς βυθός, ἁ δὲ θάλασσα
κυρτὸν ἐπαφρίζῃ, τὰ δὲ κύματα μακρὰ μεμήνῃ,
ἐς χθόνα παπταίνω καὶ δένδρεα, τὰν δ' ἅλα φεύγω,
γᾶ δέ μοι ἀσπαστά, χἀ δάσκιος εὔαδεν ὕλα,
ἔνθα καὶ ἢν πνεύσῃ πολὺς ὥνεμος, ἁ πίτυς ᾄδει.
ἦ κακὸν ὁ γριπεὺς ζώει βίον, ᾧ δόμος ἁ ναῦς,
καὶ πόνος ἐντὶ θάλασσα, καὶ ἰχθύες ἁ πλάνος ἄγρα.
αὐτὰρ ἐμοὶ γλυκὺς ὕπνος ὑπὸ πλατάνῳ βαθυφύλλῳ,
καὶ παγᾶς φιλέοιμι τὸν ἐγγύθεν ἆχον ἀκούειν,
ἃ τέρπει ψοφέοισα τὸν ἀγρικόν, οὐχὶ ταράσσει.

MOSCHUS

572. *A Lesson to Lovers*

Ἤρατο Πὰν Ἀχῶς τᾶς γείτονος, ἤρατο δ' Ἀχὼ
σκιρτατᾶ Σατύρω, Σάτυρος δ' ἐπεμήνατο Λύδᾳ.
ὡς Ἀχὼ τὸν Πᾶνα, τόσον Σάτυρος φλέγεν Ἀχώ,
καὶ Λύδα Σατυρίσκον· Ἔρως δ' ἐσμύχετ' ἀμοιβά.
ὅσσον γὰρ τήνων τις ἐμίσεε τὸν φιλέοντα,
τόσσον ὁμῶς φιλέων ἠχθαίρετο, πάσχε δ' ἃ ποίει.
ταῦτα λέγω πᾶσιν τὰ διδάγματα τοῖς ἀνεράστοις·
στέργετε τὼς φιλέοντας, ἵν' ἢν φιλέητε φιλῆσθε.

BION

(fl. 120 B.C.)

573. *Lament for Adonis*

Αἰάζω τὸν Ἄδωνιν "ἀπώλετο καλὸς Ἄδωνις."
"ὤλετο καλὸς Ἄδωνις" ἐπαιάζουσιν Ἔρωτες.
μηκέτι πορφυρέοις ἐνὶ φάρεσι Κύπρι κάθευδε·
ἔγρεο δειλαία, κυανόστολα καὶ πλατάγησον
στήθεα καὶ λέγε πᾶσιν "ἀπώλετο καλὸς Ἄδωνις."
αἰάζω τὸν Ἄδωνιν· ἐπαιάζουσιν Ἔρωτες.
κεῖται καλὸς Ἄδωνις ἐν ὤρεσι μηρὸν ὀδόντι,
λευκῷ λευκὸν ὀδόντι τυπείς, καὶ Κύπριν ἀνιῇ
λεπτὸν ἀποψύχων, τὸ δέ οἱ μέλαν εἴβεται αἷμα
χιονέας κατὰ σαρκός, ὑπ' ὀφρύσι δ' ὄμματα ναρκῇ,
καὶ τὸ ῥόδον φεύγει τῶ χείλεος, ἀμφὶ δὲ τήνῳ
θνᾴσκει καὶ τὸ φίλημα, τὸ μήποτε Κύπρις ἀποίσει.
Κύπριδι μὲν τὸ φίλημα καὶ οὐ ζώοντος ἀρέσκει,
ἀλλ' οὐκ οἶδεν Ἄδωνις ὅ νιν θνάσκοντα φίλησεν.
αἰάζω τὸν Ἄδωνιν· ἐπαιάζουσιν Ἔρωτες.

ἄγριον ἄγριον ἕλκος ἔχει κατὰ μηρὸν Ἄδωνις,
μεῖζον δ' ἁ Κυθέρεια φέρει ποτικάρδιον ἕλκος.
τῆνον μὲν περὶ παῖδα φίλοι κύνες ὠδύραντο,
καὶ Νύμφαι κλαίουσιν ὀρειάδες, ἁ δ' Ἀφροδίτα
λυσαμένα πλοκαμῖδας ἀνὰ δρυμὼς ἀλάληται
πενθαλέα νήπλεκτος ἀσάνδαλος, αἱ δὲ βάτοι νιν
ἐρχομέναν κείροντι καὶ ἱερὸν αἷμα δρέπονται,
ὀξὺ δὲ κωκύουσα δι' ἄγκεα μακρὰ φορεῖται
Ἀσσύριον βοόωσα πόσιν καὶ παῖδα καλεῦσα.
ἀμφὶ δέ νιν μέλαν αἷμα παρ' ὀμφαλὸν αἰωρεῖτο,
στήθεα δ' ἐκ μηρῶν φοινίσσετο, τοὶ δ' ὑπὸ μαζοὶ
χιόνεοι τὸ πάροιθεν Ἀδώνιδι πορφύροντο.
"αἰαῖ τὰν Κυθέρειαν" ἐπαιάζουσιν Ἔρωτες.
ὤλεσε τὸν καλὸν ἄνδρα, σὺν ὤλεσεν ἱερὸν εἶδος.
Κύπριδι μὲν καλὸν εἶδος, ὅτε ζώεσκεν Ἄδωνις,
κάτθανε δ' ἁ μορφὰ σὺν Ἀδώνιδι, τὰν Κύπριν αἰαῖ
ὤρεα πάντα λέγοντι καὶ αἱ δρύες "αἲ τὸν Ἄδωνιν,"
καὶ ποταμοὶ κλαίοντι τὰ πένθεα τᾶς Ἀφροδίτας,
καὶ παγαὶ τὸν Ἄδωνιν ἐν ὤρεσι δακρύοντι,
ἄνθεα δ' ἐξ ὀδύνας ἐρυθαίνεται, ἁ δὲ Κυθήρα
πάντας ἀνὰ κναμώς, ἀνὰ πᾶν νάπος οἰκτρὸν ἀείδει
"αἰαῖ τὰν Κυθέρειαν, ἀπώλετο καλὸς Ἄδωνις."
ἀχὼ δ' ἀντεβόασεν "ἀπώλετο καλὸς Ἄδωνις."
Κύπριδος αἰνὸν ἔρωτα τίς οὐκ ἔκλαυσεν ἂν αἰαῖ;
ὡς ἴδεν, ὡς ἐνόησεν Ἀδώνιδος ἄσχετον ἕλκος,
ὡς ἴδε φοίνιον αἷμα μαραινομένῳ περὶ μηρῷ,
πάχεας ἀμπετάσασα κινύρετο "μεῖνον Ἄδωνι,
δύσποτμε μεῖνον Ἄδωνι, πανύστατον ὥς σε κιχείω,
ὥς σε περιπτύξω καὶ χείλεα χείλεσι μείξω.
ἔγρεο τυτθὸν Ἄδωνι, τὸ δ' αὖ πύματόν με φίλησον,

τοσσοῦτόν με φίλησον, ὅσον ζώει τὸ φίλημα,
ἄχρις ἀπὸ ψυχᾶς ἐς ἐμὸν στόμα κεἰς ἐμὸν ἧπαρ
πνεῦμα τεὸν ῥεύσῃ, τὸ δέ σευ γλυκὺ φίλτρον ἀμέλξω,
ἐκ δὲ πίω τὸν ἔρωτα, φίλημα δὲ τοῦτο φυλάξω
ὡς αὐτὸν τὸν Ἄδωνιν, ἐπεὶ σύ με δύσμορε φεύγεις,
φεύγεις μακρὸν Ἄδωνι καὶ ἔρχεαι εἰς Ἀχέροντα
καὶ στυγνὸν βασιλῆα καὶ ἄγριον, ἁ δέ τάλαινα
ζώω καὶ θεός ἐμμι καὶ οὐ δύναμαί σε διώκειν.
λάμβανε Περσεφόνα τὸν ἐμὸν πόσιν, ἐσσὶ γὰρ αὐτὰ
πολλὸν ἐμεῦ κρέσσων, τὸ δὲ πᾶν καλὸν ἐς σὲ καταρρεῖ.
ἐμμὶ δ' ἐγὼ πανάποτμος, ἔχω δ' ἀκόρεστον ἀνίαν
καὶ κλαίω τὸν Ἄδωνιν, ὅ μοι θάνε, καί σε φοβεῦμαι.
θνᾴσκεις ὦ τριπόθητε, πόθος δέ μοι ὡς ὄναρ ἔπτα,
χήρα δ' ἁ Κυθέρεια, κενοὶ δ' ἀνὰ δώματ' Ἔρωτες.
σοὶ δ' ἅμα κεστὸς ὄλωλε. τί γὰρ τολμηρὲ κυνάγεις;
καλὸς ἐὼν τοσσοῦτον ἐμήναο θηρὶ παλαίειν;"
ὧδ' ὀλοφύρατο Κύπρις, ἐπαιάζουσιν Ἔρωτες,
"αἰαῖ τὰν Κυθέρειαν· ἀπώλετο καλὸς Ἄδωνις."

(i. 1–63)

ANONYMOUS

574. *Nox est perpetua una dormienda*

Ἄρχετε Σικελικαί, τῶ πένθεος ἄρχετε Μοῖσαι.
αἰαῖ, ταὶ μαλάχαι μέν, ἐπὰν κατὰ κᾶπον ὄλωνται,
ἠδὲ τὰ χλωρὰ σέλινα τό τ' εὐθαλὲς οὖλον ἄνηθον
ὕστερον αὖ ζώοντι καὶ εἰς ἔτος ἄλλο φύοντι·
ἄμμες δ' οἱ μεγάλοι καὶ καρτεροί, οἱ σοφοὶ ἄνδρες,
ὁππότε πρᾶτα θάνωμες, ἀνάκοοι ἐν χθονὶ κοίλᾳ
εὕδομες εὖ μάλα μακρὸν ἀτέρμονα νήγρετον ὕπνον.

(*Lament for Bion*, 98–104)

ARISTODICUS

(ii. cent. B.C. ?)

575. *A Dead Locust*

Οὐκέτι δή σε λίγεια κατ' ἀφνεὸν 'Αλκίδος οἶκον
ἀκρὶ μελιζομέναν ὄψεται ἀέλιος·
ἤδη γὰρ λειμῶνας ἐπὶ Κλυμένου πεπότησαι
καὶ δροσερὰ χρυσέας ἄνθεα Περσεφόνας.

HERMOCREON

(ii. cent. B.C. ?)

576. *Water-Nymphs*

Νύμφαι ἐφυδριάδες, ταῖς Ἑρμοκρέων τάδε δῶρα
εἴσατο, καλλινάου πίδακος ἀντιτυχών,
χαίρετε, καὶ στείβοιτ' ἐρατοῖς ποσὶν ὑδατόεντα
τόνδε δόμον, καθαροῦ πιμπλάμεναι πόματος.

TYMNES

(ii. cent. B.C. ?)

577. *A Maltese Dog*

Τῇδε τὸν ἐκ Μελίτης ἀργὸν κύνα φησὶν ὁ πέτρος
ἴσχειν, Εὐμήλου πιστότατον φύλακα.
Ταῦρόν μιν καλέεσκον, ὅτ' ἦν ἔτι· νῦν δὲ τὸ κείνου
φθέγμα σιωπηραὶ νυκτὸς ἔχουσιν ὁδοί.

MELEAGER

(fl. 90 B.C.)

578. *His Anthology*

Μοῦσα φίλα, τίνι τάνδε φέρεις πάγκαρπον ἀοιδάν;
ἢ τίς ὁ καὶ τεύξας ὑμνοθετᾶν στέφανον;

ἄνυσε μὲν Μελέαγρος, ἀριζάλῳ δὲ Διοκλεῖ
  μναμόσυνον ταύταν ἐξεπόνησε χάριν,
πολλὰ μὲν ἐμπλέξας Ἀνύτης κρίνα, πολλὰ δὲ Μοιροῦς
  λείρια, καὶ Σαπφοῦς βαιὰ μέν, ἀλλὰ ῥόδα·
νάρκισσόν τε τορῶν Μελανιππίδου ἔγκυον ὕμνων,
  καὶ νέον οἰνάνθης κλῆμα Σιμωνίδεω·
σὺν δ' ἀναμὶξ πλέξας μυρόπνουν εὐάνθεμον ἶριν
  Νοσσίδος, ἧς δέλτοις κηρὸν ἔτηξεν Ἔρως·
τῇ δ' ἅμα καὶ σάμψυχον ἀφ' ἡδυπνόοιο Ῥιανοῦ,
  καὶ γλυκὺν Ἠρίννης παρθενόχρωτα κρόκον,
Ἀλκαίου τε λάληθρον ἐν ὑμνοπόλοις ὑάκινθον,
  καὶ Σαμίου δάφνης κλῶνα μελαμπέταλον.

579. *The Cup-Bearer*

Ἔγχει, καὶ πάλιν εἰπέ, πάλιν, πάλιν "Ἡλιοδώρας"
  εἰπέ, σὺν ἀκρήτῳ τὸ γλυκὺ μίσγ' ὄνομα·
καί μοι τὸν βρεχθέντα μύροις καὶ χθιζὸν ἐόντα,
  μναμόσυνον κείνας, ἀμφιτίθει στέφανον.
δακρύει φιλέραστον ἰδοὺ ῥόδον, οὕνεκα κείναν
  ἄλλοθι, κοὐ κόλποις ἁμετέροις ἐσορᾷ.

580. *Love in Spring*

Ἤδη λευκόϊον θάλλει, θάλλει δὲ φίλομβρος
  νάρκισσος, θάλλει δ' οὐρεσίφοιτα κρίνα·
ἤδη δ' ἡ φιλέραστος, ἐν ἄνθεσιν ὥριμον ἄνθος,
  Ζηνοφίλα Πειθοῦς ἡδὺ τέθηλε ῥόδον.
λειμῶνες, τί μάταια κόμαις ἔπι φαιδρὰ γελᾶτε;
  ἁ γὰρ παῖς κρέσσων ἁδυπνόων στεφάνων.

581. *Heliodora's Wreath*

Πλέξω λευκόϊον, πλέξω δ' ἁπαλὴν ἅμα μύρτοις
νάρκισσον, πλέξω καὶ τὰ γελῶντα κρίνα,
πλέξω καὶ κρόκον ἡδύν· ἐπιπλέξω δ' ὑάκινθον
πορφυρέην, πλέξω καὶ φιλέραστα ῥόδα,
ὡς ἂν ἐπὶ κροτάφοις μυροβοστρύχου Ἡλιοδώρας
εὐπλόκαμον χαίτην ἀνθοβολῇ στέφανος.

582. *The Mosquito turned Messenger*

Πταίης μοι, κώνωψ, ταχὺς ἄγγελος, οὔασι δ' ἄκροις
Ζηνοφίλας ψαύσας προσψιθύριζε τάδε·
"Ἄγρυπνος μίμνει σε· σὺ δ', ὦ λήθαργε φιλούντων,
εὕδεις." εἶα, πέτευ· ναί, φιλόμουσε, πέτευ·
ἥσυχα δὲ φθέγξαι, μὴ καὶ σύγκοιτον ἐγείρας
κινήσῃς ἐπ' ἐμοὶ ζηλοτύπους ὀδύνας.
ἢν δ' ἀγάγῃς τὴν παῖδα, δορᾷ στέψω σε λέοντος,
κώνωψ, καὶ δώσω χειρὶ φέρειν ῥόπαλον.

583. *Love the Rascal*

Κηρύσσω τὸν Ἔρωτα, τὸν ἄγριον· ἄρτι γὰρ ἄρτι
ὀρθρινὸς ἐκ κοίτας ᾤχετ' ἀποπτάμενος.
ἔστι δ' ὁ παῖς γλυκύδακρυς, ἀείλαλος, ὠκύς, ἀθαμβής,
σιμὰ γελῶν, πτερόεις νῶτα, φαρετροφόρος.
πατρὸς δ' οὐκέτ' ἔχω φράζειν τίνος· οὔτε γὰρ Αἰθήρ,
οὐ Χθὼν φησὶ τεκεῖν τὸν θρασύν, οὐ Πέλαγος·
πάντῃ γὰρ καὶ πᾶσιν ἀπέχθεται. ἀλλ' ἐσορᾶτε
μή που νῦν ψυχαῖς ἄλλα τίθησι λίνα.

καίτοι κεῖνος, ἰδού, περὶ φωλεόν. Οὔ με λέληθας,
τοξότα, Ζηνοφίλας ὄμμασι κρυπτόμενος.

584. *A Child for Sale*

Πωλείσθω, καὶ ματρὸς ἔτ' ἐν κόλποισι καθεύδων,
πωλείσθω. τί δέ μοι τὸ θρασὺ τοῦτο τρέφειν;
καὶ γὰρ σιμὸν ἔφυ καὶ ὑπόπτερον, ἄκρα δ' ὄνυξιν
κνίζει, καὶ κλαῖον πολλὰ μεταξὺ γελᾷ·
πρὸς δ' ἔτι λοιπὸν ἄτρεπτον, ἀείλαλον, ὀξὺ δεδορκός,
ἄγριον, οὐδ' αὐτῇ μητρὶ φίλῃ τιθασόν·
πάντα τέρας. τοιγὰρ πεπράσεται. εἴ τις ἀπόπλους
ἔμπορος ὠνεῖσθαι παῖδα θέλει, προσίτω.
καίτοι λίσσετ', ἰδού, δεδακρυμένος. οὔ σ' ἔτι πωλῶ·
θάρσει· Ζηνοφίλᾳ σύντροφος ὧδε μένε.

585. *A Bride*

Οὐ γάμον, ἀλλ' Ἀΐδαν ἐπινυμφίδιον Κλεαρίστα
δέξατο, παρθενίας ἅμματα λυομένα.
ἄρτι γὰρ ἑσπέριοι νύμφας ἐπὶ δικλίσιν ἄχευν
λωτοί, καὶ θαλάμων ἐπλαταγεῦντο θύραι·
ἠῷοι δ' ὀλολυγμὸν ἀνέκραγον, ἐκ δ' Ὑμέναιος
σιγαθεὶς γοερὸν φθέγμα μεθαρμόσατο·
αἱ δ' αὐταὶ καὶ φέγγος ἐδᾳδούχουν παρὰ παστῷ
πεῦκαι, καὶ φθιμένᾳ νέρθεν ἔφαινον ὁδόν.

586. *On Himself*

Νᾶσος ἐμὰ θρέπτειρα Τύρος· πάτρα δέ με τεκνοῖ
Ἀτθὶς ἐν Ἀσσυρίοις ναιομένα, Γάδαρα·
Εὐκράτεω δ' ἔβλαστον ὁ σὺν Μούσαις Μελέαγρος
πρῶτα Μενιππείοις συντροχάσας Χάρισιν.

εἰ δὲ Σύρος, τί τὸ θαῦμα; μίαν, ξένε, πατρίδα κόσμον
ναίομεν· ἓν θνατοὺς πάντας ἔτικτε Χάος.
πουλυετὴς δ᾽ ἐχάραξα τάδ᾽ ἐν δέλτοισι πρὸ τύμβου·
γήρως γὰρ γείτων ἐγγύθεν ᾽Αΐδεω.
ἀλλά με τὸν λαλιὸν καὶ πρεσβύτην προτιειπὼν
χαίρειν, εἰς γῆρας καὐτὸς ἵκοιο λάλον.

587. *A Cicada*

᾽Αχήεις τέττιξ, δροσεραῖς σταγόνεσσι μεθυσθείς,
ἀγρονόμαν μέλπεις μοῦσαν ἐρημολάλον·
ἄκρα δ᾽ ἐφεζόμενος πετάλοις, πριονώδεσι κώλοις
αἰθίοπι κλάζεις χρωτὶ μέλισμα λύρας.
ἀλλά, φίλος, φθέγγου τι νέον δενδρώδεσι Νύμφαις
παίγνιον, ἀντῳδὸν Πανὶ κρέκων κέλαδον,
ὄφρα φυγὼν τὸν Ἔρωτα, μεσημβρινὸν ὕπνον ἀγρεύσω
ἐνθάδ᾽ ὑπὸ σκιερᾷ κεκλιμένος πλατάνῳ.

588. *Heliodora*

Δάκρυά σοι καὶ νέρθε διὰ χθονός, Ἡλιοδώρα,
δωροῦμαι, στοργᾶς λείψανον, εἰς Ἀΐδαν,
δάκρυα δυσδάκρυτα· πολυκλαύτῳ δ᾽ ἐπὶ τύμβῳ
σπένδω μνᾶμα πόθων, μνᾶμα φιλοφροσύνας.
οἰκτρὰ γὰρ οἰκτρὰ φίλαν σε καὶ ἐν φθιμένοις Μελέαγρος
αἰάζω, κενεὰν εἰς Ἀχέροντα χάριν.
αἰαῖ, ποῦ τὸ ποθεινὸν ἐμοὶ θάλος; ἅρπασεν Ἅιδας,
ἅρπασεν· ἀκμαῖον δ᾽ ἄνθος ἔφυρε κόνις.
ἀλλά σε γουνοῦμαι, Γᾶ παντρόφε, τὰν πανόδυρτον
ἠρέμα σοῖς κόλποις, μᾶτερ, ἐναγκάλισαι.

PHILODEMUS OF GADARA

(fl. 58 B. C.)

589. *Moonlight*

Νυκτερινή, δίκερως, φιλοπάννυχε, φαῖνε, Σελήνη,
 φαῖνε, δι' εὐτρήτων βαλλομένη θυρίδων·
αὔγαζε χρυσέην Καλλίστιον· ἐς τὰ φιλεύντων
 ἔργα κατοπτεύειν οὐ φθόνος ἀθανάτῃ.
ὀλβίζεις καὶ τήνδε καὶ ἡμέας, οἶδα, Σελήνη·
 καὶ γὰρ σὴν ψυχὴν ἔφλεγεν Ἐνδυμίων.

ANTIPATER OF THESSALONICA

(fl. 15 B. C.)

590. *Drowned in Harbour*

Πᾶσα θάλασσα θάλασσα· τί Κυκλάδας ἢ στενὸν Ἕλλης
 κῦμα καὶ Ὀξείας ἠλεὰ μεμφόμεθα;
ἄλλως τοὔνομ' ἔχουσιν· ἐπεὶ τί με, τὸν προφυγόντα
 κεῖνα, Σκαρφαιεὺς ἀμφεκάλυψε λιμήν;
νόστιμον εὐπλοΐην ἀρῷτό τις· ὡς τά γε πόντου
 πόντος, ὁ τυμβευθεὶς οἶδεν Ἀρισταγόρης.

591. *Amphipolis*

Στρυμόνι καὶ μεγάλῳ πεπολισμένον Ἑλλησπόντῳ
 ἠρίον Ἠδωνῆς Φυλλίδος, Ἀμφίπολι,
λοιπά τοι Αἰθοπίης Βραυρωνίδος ἴχνια νηοῦ
 μίμνει, καὶ ποταμοῦ τἀμφιμάχητον ὕδωρ,
τὴν δέ ποτ' Αἰγείδαις μεγάλην ἔριν ὡς ἁλιανθὲς
 τρῦχος ἐπ' ἀμφοτέραις δερκόμεθ' ἠϊόσιν.

592. *A Water Mill*

Ἴσχετε χεῖρα μυλαῖον, ἀλετρίδες· εὕδετε μακρά·
κῆν ὄρθρον προλέγῃ γῆρυς ἀλεκτρυόνων·
Δηὼ γὰρ Νύμφαισι χερῶν ἐπετείλατο μόχθους·
αἱ δὲ κατ᾽ ἀκροτάτην ἁλλόμεναι τροχιὴν
ἄξονα δινεύουσιν· ὁ δ᾽ ἀκτίνεσσιν ἑλικταῖς
στρωφᾷ Νισυρίων κοῖλα βάρη μυλάκων.
γευόμεθ᾽ ἀρχαίου βιότου πάλιν, εἰ δίχα μόχθου
δαίνυσθαι Δηοῦς ἔργα διδασκόμεθα.

POMPEIUS

(i cent. B. C.)

593. *Mycenae*

Εἰ καὶ ἐρημαίη κέχυμαι κόνις ἔνθα Μυκήνη,
εἰ καὶ ἀμαυροτέρη παντὸς ἰδεῖν σκοπέλου,
Ἴλου τις καθορῶν κλεινὴν πόλιν, ἧς ἐπάτησα
τείχεα, καὶ Πριάμου πάντ᾽ ἐκένωσα δόμον,
γνώσεται ἔνθεν ὅσον πάρος ἔσθενον. εἰ δέ με γῆρας
ὕβρισεν, ἀρκοῦμαι μάρτυρι Μαιονίδῃ.

APOLLONIDES

(fl. 6 B. C.)

594. *The Poor Farmer's Offering*

Εὔφρων οὐ πεδίου πολυαύλακός εἰμ᾽ ὁ γεραιὸς
οὐδὲ πολυγλεύκου γειομόρος βότρυος·
ἀλλ᾽ ἀρότρῳ βραχύβωλον ἐπικνίζοντι χαράσσω
χέρσον, καὶ βαιοῦ πίδακα ῥαγὸς ἔχω.
εἴη δ᾽ ἐξ ὀλίγων ὀλίγη χάρις· εἰ δὲ διδοίης
πλείονα, καὶ πολλῶν, δαῖμον, ἀπαρξόμεθα.

EUENUS

(i cent. B. C. ?)

595. *The Vine to the Goat*

Κἤν με φάγῃς ἐπὶ ῥίζαν, ὅμως ἔτι καρποφορήσω
  ὅσσον ἐπισπεῖσαι σοί, τράγε, θυομένῳ.

596. *A Swallow*

Ἀτθὶ κόρα μελίθρεπτε, λάλος λάλον ἁρπάξασα
  τέττιγ᾽ ἀπτῆσιν δαῖτα φέρεις τέκεσιν,
τὸν λάλον ἁ λαλόεσσα, τὸν εὔπτερον ἁ πτερόεσσα,
  τὸν ξένον ἁ ξείνα, τὸν θερινὸν θερινά;
κοὐχὶ τάχος ῥίψεις; οὐ γὰρ θέμις, οὐδὲ δίκαιον,
  ὄλλυσθ᾽ ὑμνοπόλους ὑμνοπόλοις στόμασιν.

STATYLLIUS FLACCUS

(i cent. B. C. ?)

597. *An Exchange of Fortune*

Χρυσὸν ἀνὴρ εὑρὼν ἔλιπε βρόχον· αὐτὰρ ὁ χρυσὸν
  ὃν λίπεν οὐχ εὑρὼν ἧψεν ὃν εὗρε βρόχον.

BIANOR

(fl. 17 A. D.)

598. *Unseen Riches*

Οὗτος ὁ μηδέν, ὁ λιτός, ὁ καὶ λάτρις, οὗτος ἐρᾶται
  κἀστί τινος ψυχῆς κύριος ἀλλοτρίης.

ISIDORUS

(i cent. A. D.)

599. *Sea Trade*

Ἔκ με γεωμορίης Ἐτεοκλέα πόντιος ἐλπὶς
  εἵλκυσεν, ὀθνείης ἔμπορον ἐργασίης·

νῶτα δὲ Τυρσηνῆς ἐπάτευν ἁλός· ἀλλ' ἅμα νηὶ
πρηνιχθεὶς κείνης ὕδασιν ἐγκατέδυν,
ἀθρόον ἐμβρίσαντος ἀήματος. οὐκ ἄρ' ἁλωὰς
αὐτὸς ἐπιπνείει κεὶς ὀθόνας ἄνεμος.

ANTIPHILUS OF BYZANTIUM

(fl. 53 A. D.)

600. *Noontide Rest*

Κλῶνες ἀπηόριοι ταναῆς δρυός, εὔσκιον ὕψος
ἀνδράσιν ἄκρητον καῦμα φυλασσομένοις,
εὐπέταλοι, κεράμων στεγανώτεροι, οἰκία φαττῶν,
οἰκία τεττίγων, ἔνδιοι ἀκρεμόνες,
κἠμὲ τὸν ὑμετέραισιν ὑποκλινθέντα κόμαισιν
ῥύσασθ', ἀκτίνων ἠελίου φυγάδα.

601. *The Old Ferryman*

Γλαῦκος ὁ νησαίοιο διαπλώουσιν ὁδηγὸς
πορθμοῦ, καὶ Θασίων ἔντροφος αἰγιαλῶν,
πόντου ἀροτρευτὴρ ἐπιδέξιος, οὐδ', ὅτ' ἔκνωσσεν,
πλαζομένῃ στρωφῶν πηδάλιον παλάμῃ,
μυριέτης, ἁλίοιο βίου ῥάκος, οὐδ', ὅτ' ἔμελλεν
θνήσκειν, ἐκτὸς ἔβη γηραλέης σανίδος·
τοὶ δὲ κέλυφος ἔκαυσαν ἐπ' ἀνέρι, τόφρ' ὁ γεραιὸς
πλώσῃ ἐπ' οἰκείης εἰς ἀΐδην ἀκάτου.

602. *A Freshet*

Λαβροπόδη χείμαρρε, τί δὴ τόσον ὧδε κορύσσῃ,
πεζὸν ἀποκλείων ἴχνος ὁδοιπορίης;

ἢ μεθύεις ὄμβροισι, καὶ οὐ Νύμφαισι διαυγὲς
  νᾶμα φέρεις, θολεραῖς δ' ἠράνισαι νεφέλαις;
ὄψομαι ἠελίῳ σε κεκαυμένον, ὅστις ἐλέγχειν
  καὶ γόνιμον ποταμῶν καὶ νόθον οἶδεν ὕδωρ.

603. *Once in a way*

Κὴν πρύμνῃ λαχέτω μέ ποτε στιβάς, αἵ θ' ὑπὲρ αὐτῆς
  ἠχεῦσαι ψακάδων τύμματι διφθερίδες,
καὶ πῦρ ἐκ μυλάκων βεβιημένον, ἥ τ' ἐπὶ τούτων
  χύτρη, καὶ κενεὸς πομφολύγων θόρυβος,
καί κε ῥυπῶντ' ἐσίδοιμι διήκονον· ἡ δὲ τράπεζα
  ἔστω μοι στρωτὴ νηὸς ὕπερθε σανίς·
δὸς λάβε, καὶ ψιθύρισμα τὸ ναυτικόν· εἶχε τύχη τις
  πρῴην τοιαύτη τὸν φιλόκοινον ἐμέ.

JULIUS POLYAENUS

(fl. 60 A. D.)

604. *Prayer for Home-coming*

Εἰ καί σευ πολύφωνος ἀεὶ πίμπλησιν ἀκουὰς
  ἢ φόβος εὐχομένων, ἢ χάρις εὐξαμένων,
Ζεῦ Σχερίης ἐφέπων ἱερὸν πέδον, ἀλλὰ καὶ ἡμέων
  κλῦθι, καὶ ἀψευδεῖ νεῦσον ὑποσχεσίῃ
ἤδη μοι ξενίης εἶναι πέρας, ἐν δέ με πάτρῃ
  ζώειν, τῶν δολιχῶν παυσάμενον καμάτων.

605. *Deceitful Hope*

Ἐλπὶς ἀεὶ βιότου κλέπτει χρόνον· ἡ πυμάτη δὲ
  ἠὼς τὰς πολλὰς ἔφθασεν ἀσχολίας.

LUCILIUS

(fl. 60 A. D.)

606. *A Dead Song-writer*

Τέθνηκ' Εὐτυχίδης ὁ μελογράφος. οἱ κατὰ γαῖαν
    φεύγετ'· ἔχων ᾠδὰς ἔρχεται Εὐτυχίδης·
καὶ κιθάρας αὐτῷ διετάξατο συγκατακαῦσαι
    δώδεκα, καὶ κίστας εἰκοσιπέντε νόμων.
νῦν ὑμῖν ὁ Χάρων ἐπελήλυθε· ποῦ τις ἀπέλθῃ
    λοιπόν, ἐπεὶ χᾄδην Εὐτυχίδης κατέχει;

MARCUS ARGENTARIUS

(fl. 60 A. D. ?)

607. *The Poor Man is not loved*

Ἠράσθης πλουτῶν, Σωσίκρατες· ἀλλὰ πένης ὢν
    οὐκέτ' ἐρᾷ· λιμὸς φάρμακον οἷον ἔχει.
ἡ δὲ πάρος σε καλεῦσα μύρον καὶ τερπνὸν Ἄδωνιν
    Μηνοφίλα, νῦν σου τοὔνομα πυνθάνεται,
"Τίς πόθεν εἶς ἀνδρῶν, πόθι τοι πτόλις;" ἦ μόλις ἔγνως
    τοῦτ' ἔπος, ὡς οὐδεὶς οὐδὲν ἔχοντι φίλος.

608. *A Blackbird*

Μηκέτι νῦν μινύριζε παρὰ δρυΐ, μηκέτι φώνει
    κλωνὸς ἐπ' ἀκροτάτου, κόσσυφε, κεκλιμένος·
ἐχθρόν σοι τόδε δένδρον· ἐπείγεο δ', ἄμπελος ἔνθα
    ἀντέλλει γλαυκῶν σύσκιος ἐκ πετάλων·
κείνης ταρσὸν ἔρεισον ἐπὶ κλάδον, ἀμφί τ' ἐκείνῃ
    μέλπε, λιγὺν προχέων ἐκ στομάτων κέλαδον.
δρῦς γὰρ ἐπ' ὀρνίθεσσι φέρει τὸν ἀνάρσιον ἰξόν,
    ἁ δὲ βότρυν· στέργει δ' ὑμνοπόλους Βρόμιος.

609. *Reading Hesiod*

Ἡσιόδου ποτὲ βίβλον ἐμαῖς ὑπὸ χερσὶν ἑλίσσων
  Πύρρην ἐξαπίνης εἶδον ἐπερχομένην·
βίβλον δὲ ῥίψας ἐπὶ γῆν χερί, τοῦτ' ἐβόησα·
  "Ἔργα τί μοι παρέχεις, ὦ γέρον Ἡσίοδε;"

610. *The Lyre and the Crown*

Κωμάζω, χρύσειον ἐς ἑσπερίων χορὸν ἄστρων
  λεύσσων, οὐδ' ἄλλων λὰξ ἐβάρυν' ὀάρους·
στρέψας δ' ἀνθόβολον κρατὸς τρίχα, τὴν κελαδεινὴν
  πηκτίδα μουσοπόλοις χερσὶν ἐπηρέθισα.
καὶ τάδε δρῶν εὔκοσμον ἔχω βίον· οὐδὲ γὰρ αὐτὸς
  κόσμος ἄνευθε λύρης ἔπλετο καὶ στεφάνου.

AMMIANUS

(fl. 120 A. D.)

611. *Omnes eodem cogimur*

Ἠὼς ἐξ ἠοῦς παραπέμπεται, εἶτ', ἀμελούντων
  ἡμῶν, ἐξαίφνης ἥξει ὁ πορφύρεος,
καὶ τοὺς μὲν τήξας, τοὺς δ' ὀπτήσας, ἐνίους δὲ
  φυσήσας, ἄξει πάντας ἐς ἓν βάραθρον.

P. AELIUS HADRIANUS IMPERATOR

(76–138 A. D.)

612. *Troy Restored*

Ἕκτορ, Ἀρήϊον αἷμα, κατὰ χθονὸς εἴ που ἀκούεις,
  χαῖρε, καὶ ἄμπνευσον βαιὸν ὑπὲρ πατρίδος.

Ἴλιον οἰκεῖται κλεινὴ πόλις, ἄνδρας ἔχουσα
σοῦ μὲν ἀφαυροτέρους, ἀλλ' ἔτ' ἀρηϊφίλους·
Μυρμιδόνες δ' ἀπόλοντο. παρίστασο, καὶ λέγ' Ἀχιλλεῖ
Θεσσαλίην κεῖσθαι πᾶσαν ὑπ' Αἰνεάδαις.

ARCHIAS

(fl. 120 A. D.)

613. *A Dedication to Athene*

Αἱ τρισσαί, Σατύρη τε, καὶ Ἡράκλεια, καὶ Εὐφρώ,
θυγατέρες Ξούθου καὶ Μελίτης, Σάμιαι·
ἁ μέν, ἀραχναίοιο μίτου πολυδίνεα λάτριν,
ἄτρακτον, δολιχᾶς οὐκ ἄτερ ἀλακάτας·
ἁ δὲ πολυσπαθέων μελεδήμονα κερκίδα πέπλων
εὔθροον· ἁ τριτάτα δ' εἰροχαρῆ τάλαρον·
οἷς ἔσχον χερνῆτα βίον δηναιόν, Ἀθάνα
πότνια, ταῦθ' αἱ σαὶ σοὶ θέσαν ἐργάτιδες.

614. *A Tomb by the Sea*

Οὐδὲ νέκυς, ναυηγὸς ἐπὶ χθόνα Θῆρις ἐλασθεὶς
κύμασιν, ἀγρύπνων λήσομαι ἠϊόνων.
ἦ γὰρ ἁλιρρήκτοις ὑπὸ δειράσιν, ἀγχόθι πόντου
δυσμενέος, ξείνου χερσὶν ἔκυρσα τάφου·
αἰεὶ δὲ βρομέοντα καὶ ἐν νεκύεσσι θαλάσσης
ὁ τλήμων ἀΐω δοῦπον ἀπεχθόμενον·
μόχθων οὐδ' Ἀΐδης με κατεύνασεν, ἡνίκα μοῦνος
οὐδὲ θανὼν λείῃ κέκλιμαι ἡσυχίῃ.

615. *Imitatrix ales*

Ἁ πάρος ἀντίφθογγον ἀποκλάγξασα νομεῦσι
πολλάκι καὶ δρυτόμοις κίσσα καὶ ἰχθυβόλοις,

πολλάκι δὲ κρέξασα πολύθροον, οἷά τις ἀχώ,
κέρτομον ἀντῳδοῖς χείλεσιν ἁρμονίαν,
νῦν εἰς γᾶν ἄγλωσσος ἀναύδητός τε πεσοῦσα
κεῖμαι, μιμητὰν ζᾶλον ἀνηναμένα.

616. *Echo*

Εὔφημος γλώσσῃ παραμείβεο τὰν λάλον Ἠχώ,
κοὐ λάλον· ἤν τι κλύω, τοῦτ' ἀπαμειβομέναν.
εἰς σὲ γὰρ ὃν σὺ λέγεις στρέψω λόγον· ἢν δὲ σιωπᾷς,
σιγήσω. τίς ἐμεῦ γλῶσσα δικαιοτέρη;

ANONYMOUS

(fl. 130 A. D.)

617. *Flute Song*

Εἶδες ἔαρ, χειμῶνα, θέρος· ταῦτ' ἐστὶ διόλου·
ἥλιος αὐτὸς ἔδυ, καὶ νὺξ τὰ τεταγμέν' ἀπέχει·
μὴ κοπία ζητεῖν πόθεν ἥλιος ἢ πόθεν ὕδωρ,
ἀλλὰ πόθεν τὸ μύρον καὶ τοὺς στεφάνους ἀγοράσῃς.
Αὔλει μοι.

Κρήνας αὐτορύτους μέλιτος τρεῖς ἤθελον ἔχειν,
πέντε γαλακτορύτους, οἴνου δέκα, δώδεκα μύρου,
καὶ δύο πηγαίων ὑδάτων, καὶ τρεῖς χιονέων·
παῖδα κατὰ κρήνην καὶ παρθένον ἤθελον ἔχειν.
Αὔλει μοι.

Λύδιος αὐλὸς ἐμοὶ τὰ δὲ Λύδια παίγματα λύρας,
καὶ Φρύγιος κάλαμος τὰ δὲ ταύρεα τύμπανα πονεῖ·
ταῦτα ζῶν ᾆσαί τ' ἔραμαι, καί, ὅταν ἀποθάνω,
αὐλὸν ὑπὲρ κεφαλῆς θέτε μοι, παρὰ ποσσὶ δὲ λύραν.
Αὔλει μοι.

LUCIAN

(120–200 A.D.)

618. *A dead Child*

Παῖδά με πενταέτηρον, ἀκηδέα θυμὸν ἔχοντα,
νηλειὴς Ἀΐδης ἥρπασε Καλλίμαχον.
ἀλλά με μὴ κλαίοις· καὶ γὰρ βιότοιο μετέσχον
παύρου, καὶ παύρων τῶν βιότοιο κακῶν·

619. *A Rule of Life*

Ὡς τεθνηξόμενος τῶν σῶν ἀγαθῶν ἀπόλαυε,
ὡς δὲ βιωσόμενος φείδεο σῶν κτεάνων.
ἔστι δ' ἀνὴρ σοφὸς οὗτος, ὃς ἄμφω ταῦτα νοήσας
φειδοῖ καὶ δαπάνῃ μέτρον ἐφηρμόσατο.

620. *Passing Away*

Θνητὰ τὰ τῶν θνητῶν, καὶ πάντα παρέρχεται ἡμᾶς·
ἢν δὲ μή, ἀλλ' ἡμεῖς αὐτὰ παρερχόμεθα.

PTOLEMAEUS

(fl. 180 A.D.)

621. *Starry Heavens Without*

Οἶδ' ὅτι θνατὸς ἐγὼ καὶ ἐφάμερος· ἀλλ' ὅταν ἄστρων
μαστεύω πυκινὰς ἀμφιδρόμους ἕλικας,
οὐκέτ' ἐπιψαύω γαίης ποσίν, ἀλλὰ παρ' αὐτῷ
Ζανὶ θεοτρεφέος πίμπλαμαι ἀμβροσίης.

GLAUCUS

(? ii cent. A. D.)

622. *Cenotaph*

Οὐ κόνις οὐδ' ὀλίγον πέτρης βάρος, ἀλλ' Ἐρασίππου
ἣν ἐσορᾷς αὕτη πᾶσα θάλασσα τάφος·
ὤλετο γὰρ σὺν νηΐ· τὰ δ' ὀστέα ποῦ ποτ' ἐκείνου
πύθεται, αἰθυίαις γνωστὰ μόναις ἐνέπειν.

623. *Pan and Daphnis*

α. Νύμφαι, πευθομένῳ φράσατ' ἀτρεκές, εἰ παροδεύων
Δάφνις τὰς λευκὰς ὧδ' ἀνέπαυσ' ἐρίφους.
β. Ναὶ ναί, Πὰν συρικτά, καὶ εἰς αἴγειρον ἐκείναν
σοί τι κατὰ φλοιοῦ γράμμ' ἐκόλαψε λέγειν·
"Πάν, Πάν, πρὸς Μαλέαν, πρὸς ὄρος Ψωφίδιον ἔρχευ·
ἱξοῦμαι." α. Νύμφαι, χαίρετ'· ἐγὼ δ' ὑπάγω.

OPPIAN

(fl. 200 A. D.)

624. *The Ichneumon*

Ἰχνεύμων βαιὸς μέν, ἀτὰρ μεγάλοισιν ὁμοίως
μέλπεσθαι θήρεσσι πανάξιος εἵνεκα βουλῆς
ἀλκῆς τε κρατερῆς ὑπὸ νηπεδανοῖσι μέλεσσιν.
ἦ γάρ τοι κέρδεσσι κατέκτανε διπλόα φῦλα,
ἑρπηστῆρας ὄφεις καὶ ἀργαλέους κροκοδείλους,
κείνους Νειλῴους, φόνιον γένος· ὁππότε γάρ τις
θηρῶν λευγαλέων εὕδῃ τρίστοιχα πετάσσας
χείλεα καὶ χάος εὐρὺ καὶ ἄσπετον αἰόλον ἕρκος,

δή ῥα τότ' ἰχνεύμων δολίην ἐπὶ μῆτιν ὑφαίνων
λοξοῖς ὀφθαλμοῖσιν ἀπείρονα θῆρα δοκεύει,
εἰσόκε τοι βαθὺν ὕπνον ἐπὶ φρεσὶ πιστώσηται·
αἶψα δ' ἄρ' ἐν ψαμάθοισι καὶ ἐν πηλοῖσιν ἐλυσθεὶς
ῥίμφ' ἔθορεν, πυλεῶνα διαπτάμενος θανάτοιο
τολμηρῇ κραδίῃ, διὰ δ' εὐρέος ἤλυθε λαιμοῦ.
αὐτὰρ ὅ γ' ἐξ ὕπνου βαρυαέος ἔγρετο δειλός,
καὶ κακὸν ἐν λαγόνεσσι φέρων τόσον ἀπροτίελπτον,
πάντῃ μαινόμενος καὶ ἀμήχανος ἀμφαλάληται,
ἄλλοτε μὲν ποτὶ τέρματ' ἰὼν μυχάτου ποταμοῖο,
ἄλλοτε δ' αὖ ψαμάθοισι κυλινδόμενος ποτὶ χέρσον,
ἄγριον ἀσθμαίνων, στρωφώμενος ἀμφ' ὀδύνῃσιν.
αὐτὰρ ὅ γ' οὐκ ἀλέγει, γλυκερῇ δ' ἐπιτέρπετ' ἐδωδῇ·
ἤπατι δ' ἄγχι μάλιστα παρήμενος εἰλαπινάζει·
ὀψὲ δέ τοι προλιπὼν κενεὸν δέμας ἔκθορε θηρός.
ἰχνεῦμον, μέγα θαῦμα, μεγασθενές, αἰολόβουλε,
ὅσσην τοι κραδίη τόλμαν χάδεν. ὅσσον ὑπέστης,
ἀγχίμολον θανάτοιο τεὸν δέμας ἀμφὶς ἐρείσας.

(*Cynegetica*, iii. 407–32)

625. *Temptation*

Κεστρεὺς δ' οὐ μετὰ δηρόν, ἐπεί ῥά μιν ἵξεν ἀϋτμή,
ἀντιάσας πρῶτον μὲν ἀποσταδὸν ἀγκίστροιο
λοξὸν ὑπ' ὀφθαλμοῖς ὁράᾳ δόλον, εἴκελος ἀνδρὶ
ξείνῳ, ὃς ἐν τριόδοισι πολυτρίπτοισι κυρήσας
ἔστη ἐφορμαίνων, κραδίη τέ οἱ ἄλλοτε λαιήν,
ἄλλοτε δεξιτερὴν ἐπιβάλλεται ἀτραπὸν ἐλθεῖν·
παπταίνει δ' ἑκάτερθε, νόος δέ οἱ ἠΰτε κῦμα
εἱλεῖται, μάλα δ' ὀψὲ μιῆς ὠρέξατο βουλῆς·
ὣς ἄρα καὶ κεστρῆϊ παναίολα μερμηρίζει

θυμὸς ὀϊομένῳ τε δόλον καὶ ἀπήμονα φορβήν·
ὀψὲ δέ μιν νόος ὦρσε καὶ ἤγαγεν ἐγγύθι πότμου·
αὐτίκα δὲ τρέσσας ἀνεχάσσατο· πολλάκι δ' ἤδη
εἷλε φόβος ψαύοντα καὶ ἔμπαλιν ἔτραπεν ὁρμήν.
ὡς δ' ὅτε νηπίαχος κούρη πάϊς, ἐκτὸς ἐούσης
μητέρος, ἢ βρώμης λελιημένη ἠέ τευ ἄλλου,
ψαῦσαι μὲν τρομέει μητρὸς χόλον, οὐδ' ἀναδῦναι
ἐλδομένη τέτληκεν· ἐφερπύζουσα δὲ λάθρῃ
αὖτις ὑποτρέπεται, κραδίῃ δέ οἱ ἄλλοτε θάρσος,
ἄλλοτε δ' ἐμπίπτει δεινὸς φόβος· ὄμματα δ' αἰὲν
ὀξέα παπταίνοντα ποτὶ προθύροισι τέτανται·
ὣς τότ' ἐπεμβαίνων ἀνελίσσεται ἤπιος ἰχθύς.

(*Halieutica*, iii. 499–519)

FLAVIUS CLAUDIUS JULIANUS IMPERATOR

(332–363 A. D.)

626. *Beer*

Τίς πόθεν εἶς, Διόνυσε; μὰ γὰρ τὸν ἀληθέα Βάκχον,
οὔ σ' ἐπιγιγνώσκω· τὸν Διὸς οἶδα μόνον.
κεῖνος νέκταρ ὄδωδε· σὺ δὲ τράγου. ἦ ῥά σε Κελτοὶ
τῇ πενίῃ βοτρύων τεῦξαν ἀπ' ἀσταχύων;
τῷ σε χρὴ καλέειν Δημήτριον, οὐ Διόνυσον,
πυρογενῆ μᾶλλον καὶ Βρόμον, οὐ Βρόμιον.

DELPHIC ORACLE

(c. 360 A. D.)

627. *The Fallen Shrine*

Εἴπατε τῷ βασιλῆι, χαμαὶ πέσε δαίδαλος αὐλά.
οὐκέτι Φοῖβος ἔχει καλύβαν, οὐ μάντιδα δάφναν,
οὐ παγὰν λαλέουσαν. ἀπέσβετο καὶ λάλον ὕδωρ.

QUINTUS SMYRNAEUS

(iv cent. A. D.)

628. *Paris is dead*

Ὣς φαμένης ἐλεεινὰ κατὰ βλεφάρων ἐχέοντο
δάκρυα, κουριδίοιο δ' ἀναπλήσαντος ὄλεθρον
μνωομένη, ἅτε κηρὸς ὑπαὶ πυρί, τήκετο λάθρῃ
—ἅζετο γὰρ πατέρα σφὸν ἰδ' ἀμφιπόλους εὐπέ-
  πλους—,
μέχρις ἐπὶ χθόνα δῖαν ἀπ' εὐρέος Ὠκεανοῖο
νὺξ ἐχύθη μερόπεσσι λύσιν καμάτοιο φέρουσα.
καί ῥα τόθ' ὑπνώοντος ἐνὶ μεγάροισι τοκῆος
καὶ δμώων πυλεῶνας ἀναρρήξασα μελάθρων
ἔκθορεν ἠΰτ' ἄελλα· φέρον δέ μιν ὠκέα γυῖα·
ὡς δ' ὅτ' ἀν' οὔρεα πόρτιν ἐρασσαμένην μέγα ταύρου
θυμὸς ἐποτρύνει ποσὶ καρπαλίμοισι φέρεσθαι
ἐσσυμένως, ἡ δ' οὔ τι λιλαιομένη φιλότητος
ταρβεῖ βουκόλον ἄνδρα, φέρει δέ μιν ἄσχετος ὁρμή,
εἴ που ἐνὶ ξυλόχοισιν ὁμήθεα ταῦρον ἴδοιτο·
ὣς ἡ ῥίμφα θέουσα διήνυε μακρὰ κέλευθα
διζομένη τάχα ποσσὶ πυρῆς ἐπιβήμεναι αἰνῆς.
οὐδέ τί οἱ κάμε γούνατ', ἐλαφρότεροι δ' ἐφέροντο
ἐσσυμένης πόδες αἰέν· ἔπειγε γὰρ οὐλομένη Κὴρ
καὶ Κύπρις· οὐδέ τι θῆρας ἐδείδιε λαχνήεντας
ἀντομένους ὑπὸ νύκτα, πάρος μέγα πεφρικυῖα·
πᾶσα δέ οἱ λασίων ὀρέων ἐστείβετο πέτρη
καὶ κρημνοί, πᾶσαι δὲ διεπρήσσοντο χαράδραι.
τὴν δέ που εἰσορόωσα τόθ' ὑψόθι δῖα Σελήνη
μνησαμένη κατὰ θυμὸν ἀμύμονος Ἐνδυμίωνος
πολλὰ μάλ' ἐσσυμένην ὀλοφύρετο· καί οἱ ὕπερθε

λαμπρὸν παμφανόωσα μακρὰς ἀνέφαινε κελεύθους.
ἵκετο δ' ἐμβεβαυῖα δι' οὔρεος, ἧχι καὶ ἄλλαι
Νύμφαι 'Αλεξάνδροιο νέκυν περικωκύεσκον.
τὸν δ' ἔτι που κρατερὸν πῦρ ἄμφεχεν, οὕνεκ' ἄρ' αὐτῷ
μηλονόμοι ξυνιόντες ἀπ' οὔρεος ἄλλοθεν ἄλλοι
ὕλην θεσπεσίην παρενήνεον ἦρα φέροντες
ὑστατίην καὶ πένθος ὁμῶς ἑτάρῳ καὶ ἄνακτι,
κλαίοντες μάλα πολλὰ περισταδόν· ἡ δέ μιν οὔ τι,
ἀμφαδὸν ὡς ἄθρησε, γοήσατο τειρομένη περ,
ἀλλὰ καλυψαμένη περὶ φάρεϊ καλὰ πρόσωπα
αἶψα πυρῇ ἐνέπαλτο· γόον δ' ἄρα πουλὺν ὄρινε·
καίετο δ' ἀμφὶ πόσει. Νύμφαι δέ μιν ἄλλοθεν ἄλλαι
θάμβεον, εὖτ' ἐσίδοντο μετ' ἀνέρι πεπτηυῖαν·

(x. 432–69)

629. *The Return from Troy*

Οὐδέ τις ἐλπωρὴ βιότου πέλεν, οὕνεκ' ἐρεμνὴ
νὺξ ἅμα καὶ μέγα χεῖμα καὶ ἀθανάτων χόλος αἰνὸς
ὦρτο· Ποσειδάων γὰρ ἀνηλέα πόντον ὄρινεν
ἦρα κασιγνήτοιο φέρων ἐρικυδέι κούρῃ,
ἥ ῥα καὶ αὐτὴ ὕπερθεν ἀμείλιχα μαιμώωσα
θῦνε μετ' ἀστεροπῇσιν· ἐπέκτυπε δ' οὐρανόθεν Ζεὺς
κυδαίνων ἀνὰ θυμὸν ἑὸν τέκος, ἀμφὶ δὲ πᾶσαι
νῆσοί τ' ἤπειροί τε κατεκλύζοντο θαλάσσῃ
Εὐβοίης οὐ πολλὸν ἀπόπροθεν, ἧχι μάλιστα
τεῦχεν ἀμειλίκτοισιν ἐπ' ἄλγεσιν ἄλγεα δαίμων
'Αργείοις· στοναχὴ δὲ καὶ οἰμωγὴ κατὰ νῆας
ἔπλετ' ἀπολλυμένων· κανάχιζε δὲ δούρατα νηῶν
ἀγνυμένων· αἱ γάρ ῥα συνωχαδὸν ἀλλήλῃσιν
αἰὲν ἐνερρήγνυντο. πόνος δ' ἄπρηκτος ὀρώρει·

καί ῥ' οἱ μὲν κώπῃσιν ἀπωσέμεναι μεμαῶτες
νῆας ἐπεσσυμένας αὐτοῖς ἅμα δούρασι λυγροὶ
κάππεσον ἐς μέγα βένθος, ἀμειλίκτῳ δ' ὑπὸ πότμῳ
κάτθανον, οὕνεκ' ἄρα σφιν ἐπέχραον ἄλλοθεν ἄλλα
νηῶν δούρατα μακρά· συνηλοίηντο δὲ πάντων
σώματα λευγαλέως· οἱ δ' ἐν νήεσσι πεσόντες
κεῖντο καταφθιμένοισιν ἐοικότες· οἱ δ' ὑπ' ἀνάγκης
νήχοντ' ἀμφιπεσόντες ἐυξέστοισιν ἐρετμοῖς·
ἄλλοι δ' αὖ σανίδεσσιν ἐπέπλεον· ἔβραχε δ' ἅλμη
βυσσόθεν, ὥστε θάλασσαν ἰδ' οὐρανὸν ἠδὲ καὶ αἶαν
φαίνεσθ' ἀλλήλοισιν ὁμῶς συναρηρότα πάντα.

(xiv. 505–29)

NONNUS

(fl. 400 A.D. ?)

630. *Chalcomede prays to be saved from Love*

Τοῖα μάτην κατὰ νύκτα δυσίμερος ἔννεπε Μορρεύς.
οὐδὲ νοοπλανέος πτερὸν εὔνασεν ἡδέος Ὕπνου
Χαλκομέδην φυγόδεμνον, ἐπεὶ πόθον εἶχεν ὀλέθρου,
Μορρέα δειμαίνουσα μεμηνότα, μή μιν ἐρύσσας
θερμὸς ἀνὴρ ζεύξειεν ἀναγκαίοις ὑμεναίοις
Βάκχου μὴ παρεόντος· Ἐρυθραίῃ δὲ θαλάσσῃ
ἔννυχον ἴχνος ἔκαμψε καὶ ἴαχε κύματι κωφῷ·
"Μηλίς, ἐπολβίζω σε· σὺ γάρ ποτε, νῆις Ἐρώτων,
αὐτομάτῃ στροφάλιγγι δέμας ῥίψασα θαλάσσῃ
λέκτρα γυναιμανέοντος ἀλεύαο Δαμναμενῆος·
σὸν μόρον ὀλβίζω φιλοπάρθενον· οἰστρομανὴ γὰρ
νυμφίον εἰς σὲ κόρυσσεν ἁλὸς θυγάτηρ Ἀφροδίτη,

καί σε θάλασσα φύλαξε, καὶ εἰ Παφίης πέλε μήτηρ,
καὶ θάνες ἐν ῥοθίοις ἔτι παρθένος. ἀλλὰ καὶ αὐτὴν
Χαλκομέδην ἐθέλουσαν ὕδωρ κρύψειε θαλάσσης
Μορρέος ἱμείροντος ἀπειρήτην ὑμεναίων,
ὄφρα νέη Βριτόμαρτις ἐγὼ φυγόδεμνος ἀκούσω,
ἥν ποτε πόντος ἔδεκτο καὶ ἔμπαλιν ὤπασε γαίῃ,
Κυπριδίων Μίνωος ἀφειδήσασαν Ἐρώτων.
οὔ με διεπτοίησεν ἐρωμανέων Ἐνοσίχθων,
οἷά περ Ἀστερίην φιλοπάρθενον, ἥν ἐνὶ πόντῳ
πλαζομένην ἐδίωκε παλίνδρομον, εἰσόκεν αὐτὴν
ἄστατον ἱππεύουσαν ἀμοιβάδι σύνδρομον αὔρῃ
κύμασιν ἀστυφέλικτον ἐνερρίζωσεν Ἀπόλλων.
δέξο με, δέξο, θάλασσα, φιλοξείνῳ σέο κόλπῳ·
δέχνυσο Χαλκομέδην μετὰ Μηλίδα· δέξο καὶ αὐτὴν
ὁπλοτέρην Βριτόμαρτιν ἀναινομένην ὑμεναίους,
ὄφρα φύγω Μορρῆα καὶ ὑμετέρην Ἀφροδίτην·
Χαλκομέδην ἐλέαιρε, βοηθόε παρθενικάων."
  ὣς φαμένη δεδόνητο νόον παρὰ γείτονι πόντῳ.
(*Dionysiaca*, xxxiii. 317–46)

631. *Chalcomede wards off her Lover*

Εἶπε μόθους γελόωσα φιλομμειδὴς Ἀφροδίτη,
Ἄρεα κερτομέουσα γαμοστόλον· ἄγχι δὲ πόντου
καλλείψας ἀκόμιστον ἐπ' αἰγιαλοῖο χιτῶνα
θαλπόμενος γλυκερῇσι μεληδόσι λούσατο Μορρεύς,
γυμνὸς ἐών· ψυχρῇ δὲ δέμας φαίδρυνε θαλάσσῃ,
θερμὸν ἔχων Παφίης ὀλίγον βέλος· ἐν δὲ ῥεέθροις
Ἰνδῴην ἱκέτευεν Ἐρυθραίην Ἀφροδίτην,
εἰσαΐων, ὅτι Κύπρις ἀπόσπορός ἐστι θαλάσσης·
λουσάμενος δ' ἀνέβαινε μέλας πάλιν· εἶχε δὲ μορφὴν

ὡς φύσις ἐβλάστησε, καὶ ἀνέρος οὐ δέμας ἅλμη,
οὐ χροιὴν μετάμειψεν, ἐρευθαλέη περ ἐοῦσα.
καὶ κενεῇ χρόα λοῦσεν ἐπ' ἐλπίδι· χιόνεος γὰρ
ἱμερόεις μενέαινε φανήμεναι ἄζυγι κούρῃ·
καὶ λινέῳ κόσμησε δέμας χιονώδεϊ πέπλῳ,
οἷον ἔσω θώρηκος ἀεὶ φορέουσι μαχηταί.
ἱσταμένη δ' ἄφθογγος ἐπ' ἠόνος εἶχε σιωπὴν
Χαλκομέδη δολόεσσα· μεταστρεφθεῖσα δὲ κούρη
Μορρέος ἀχλαίνοιο σαόφρονας εἷλκεν ὀπωπάς,
ἀσκεπὲς αἰδομένη δέμας ἀνέρος· εἰσιδέειν γὰρ
ἅζετο θῆλυς ἐοῦσα λελουμένον ἄρσενα κούρη.
ἀλλ' ὅτε χῶρον ἔρημον ἐσέδρακεν ἄρμενον εὐναῖς,
τολμηρὴν παλάμην ὀρέγων αἰδήμονι νύμφῃ
εἵματος ἀψαύστοιο σαόφρονος ἥψατο κούρης·
καί νύ κεν ἀμφίζωστον ἑλὼν εὐήνορι δεσμῷ
νυμφιδίῳ σπινθῆρι βιήσατο θυιάδα κούρην·
ἀλλά τις ἀχράντοιο δράκων ἀνεπήλατο κόλπου,
παρθενικῆς ἀγάμοιο βοηθόος, ἀμφὶ δὲ μίτρην
ἀμφιλαφῆς κυκλοῦτο φυλάκτορι γαστέρος ὁλκῷ·
ὀξὺ δὲ συρίζοντος ἀσιγήτων ἀπὸ λαιμῶν
πέτραι ἐμυκήσαντο· φόβῳ δ' ἐλελίζετο Μορρεὺς
αὐχένιον μύκημα νόθης σάλπιγγος ἀκούων,
παπταίνων ἀγάμοιο προασπιστῆρα κορείης.

(*Dionysiaca*, xxxv. 184–215)

MUSAEUS

(iv cent. A. D.)

632. *Leander's Death*

Νὺξ ἦν, εὖτε μάλιστα βαρυπνείοντες ἀῆται,
χειμερίαις πνοιῇσιν ἀκοντίζοντες ἰωάς,

ἀθρόον ἐμπίπτουσιν ἐπὶ ῥηγμῖνι θαλάσσης.
καὶ τότε δὴ Λείανδρος ἐθήμονος ἐλπίδι νύμφης
δυσκελάδων πεφόρητο θαλασσαίων ἐπὶ νώτων.
ἤδη κύματι κῦμα κυλίνδετο, σύγχυτο δ' ὕδωρ,
αἰθέρι μίσγετο πόντος, ἀνέγρετο πάντοθεν ἠχὴ
μαρναμένων ἀνέμων· Ζεφύρῳ δ' ἀντέπνεεν Εὖρος
καὶ Νότος εἰς Βορέην μεγάλας ἐφέηκεν ἀπειλάς·
καὶ κτύπος ἦν ἀλίαστος ἐρισμαράγοιο θαλάσσης.
αἰνοπαθὴς δὲ Λέανδρος ἀκηλήτοις ἐνὶ δίναις
πολλάκι μὲν λιτάνευε θαλασσαίην Ἀφροδίτην,
πολλάκι δ' αὐτὸν ἄνακτα Ποσειδάωνα θαλάσσης.
ἀλλά οἱ οὔ τις ἄρηγεν, Ἔρως δ' οὐκ ἤρκεσε Μοίρας.
πάντοθι δ' ἀγρομένοιο δυσάντεϊ κύματος ὁλκῷ
τυπτόμενος πεφόρητο, ποδῶν δέ οἱ ὤκλασεν ὁρμὴ
καὶ σθένος ἦν ἀνόνητον ἀκοιμήτων παλαμάων.
πολλὴ δ' αὐτομάτη χύσις ὕδατος ἔρρεε λαιμῷ,
καὶ ποτὸν ἀχρήιστον ἀμαιμακέτου πίεν ἅλμης.
καὶ δὴ λύχνον ἄπιστον ἀπέσβεσε πικρὸς ἀήτης
καὶ ψυχὴν καὶ ἔρωτα πολυτλήτοιο Λεάνδρου. . . .
νείκεσε δ' ἀγριόθυμον ἐπεσβολίῃσιν ἀήτην·
ἤδη γὰρ φθιμένοιο μόρον θέσπισσε Λεάνδρου
εἰσέτι δηθύνοντος· ἐπαγρύπνοισι δ' ὀπωπαῖς
ἵστατο, κυμαίνουσα πολυκλαύτοισι μερίμναις·
ἤλυθε δ' ἠριγένεια, καὶ οὐκ ἴδε νυμφίον Ἡρώ.
πάντοθι δ' ὄμμα τίταινεν ἐς εὐρέα νῶτα θαλάσσης,
εἴ που ἐσαθρήσειεν ἀλωόμενον παρακοίτην
λύχνου σβεννυμένοιο· παρὰ κρηπῖδα δὲ πύργου
δρυπτόμενον σπιλάδεσσιν ὅτ' ἔδρακε νεκρὸν ἀκοίτην,
δαιδαλέον ῥήξασα περὶ στήθεσσι χιτῶνα
ῥοιζηδὸν προκάρηνος ἀπ' ἠλιβάτου πέσε πύργου

καὶ διερὴ τέθνηκε σὺν ὀλλυμένῳ παρακοίτῃ·
ἀλλήλων δ' ἀπόναντο καὶ ἐν πυμάτῳ περ ὀλέθρῳ.

(*Hero and Leander*, 309–343)

PALLADAS

(c. 360–c. 430 A. D.)

633. *Blessings of Poverty*

Ἐλπίδος οὐδὲ τύχης ἔτι μοι μέλει, οὐδ' ἀλεγίζω
λοιπὸν τῆς ἀπάτης· ἤλυθον εἰς λιμένα.
εἰμὶ πένης ἄνθρωπος, ἐλευθερίῃ δὲ συνοικῶ·
ὑβριστὴν πενίης πλοῦτον ἀποστρέφομαι.

634. *A Question of Gender*

Γραμματικοῦ θυγάτηρ ἔτεκεν φιλότητι μιγεῖσα
παιδίον ἀρσενικόν, θηλυκόν, οὐδέτερον.

635. *God's Concern*

Εἰ τὸ μέλειν δύναταί τι, μερίμνα καὶ μελέτω σοι·
εἰ δὲ μέλει περὶ σοῦ δαίμονι, σοὶ τί μέλει ;
οὔτε μεριμνήσεις δίχα δαίμονος, οὔτ' ἀμελήσεις·
ἀλλ' ἵνα σοί τι μέλῃ, δαίμονι τοῦτο μέλει.

636. *What is Man?*

Ἂν μνήμην, ἄνθρωπε, λάβῃς, ὁ πατήρ σε τί ποιῶν
ἔσπειρεν, παύσῃ τῆς μεγαλοφροσύνης.
ἀλλ' ὁ Πλάτων σοὶ τῦφον ὀνειρώσσων ἐνέφυσεν,
ἀθάνατόν σε λέγων καὶ φυτὸν οὐράνιον.
ἐκ πηλοῦ γέγονας· τί φρονεῖς μέγα; τοῦτο μὲν οὕτως
εἶπ' ἄν τις, κοσμῶν πλάσματι σεμνοτέρῳ.

εἰ δὲ λόγον ζητεῖς τὸν ἀληθινόν, ἐξ ἀκολάστου
  λαγνείας γέγονας καὶ μιαρᾶς ῥανίδος.

637. *Naked I came*

Γῆς ἐπέβην γυμνός, γυμνός θ' ὑπὸ γαῖαν ἄπειμι·
  καὶ τί μάτην μοχθῶ, γυμνὸν ὁρῶν τὸ τέλος;

638. *Life a Voyage*

Πλοῦς σφαλερὸς τὸ ζῆν· χειμαζόμενοι γὰρ ἐν αὐτῷ
  πολλάκι ναυηγῶν πταίομεν οἰκτρότερα.
τὴν δὲ Τύχην βιότοιο κυβερνήτειραν ἔχοντες,
  ὡς ἐπὶ τοῦ πελάγους, ἀμφίβολοι πλέομεν,
οἱ μὲν ἐπ' εὐπλοΐην, οἱ δ' ἔμπαλιν· ἀλλ' ἅμα πάντες
  εἰς ἕνα τὸν κατὰ γῆς ὅρμον ἀπερχόμεθα.

639. *All the World's a Stage*

Σκηνὴ πᾶς ὁ βίος καὶ παίγνιον· ἢ μάθε παίζειν,
  τὴν σπουδὴν μεταθείς, ἢ φέρε τὰς ὀδύνας.

640. *Sail with the Wind*

Εἰ τὸ φέρον σε φέρει, φέρε καὶ φέρου· εἰ δ' ἀγανακτεῖς,
  καὶ σαυτὸν λυπεῖς καὶ τὸ φέρον σε φέρει.

641. *We are Born Every Day*

Νυκτὸς ἀπερχομένης γεννώμεθα ἦμαρ ἐπ' ἦμαρ,
  τοῦ προτέρου βιότου μηδὲν ἔχοντες ἔτι,
ἀλλοτριωθέντες τῆς ἐχθεσινῆς διαγωγῆς,
  τοῦ λοιποῦ δὲ βίου σήμερον ἀρχόμενοι.
μὴ τοίνυν λέγε σαυτὸν ἐτῶν, πρεσβῦτα, περισσῶν·
  τῶν γὰρ ἀπελθόντων σήμερον οὐ μετέχεις.

642. *Lacrimae rerum*

Δακρυχέων γενόμην, καὶ δακρύσας ἀποθνήσκω·
  δάκρυσι δ' ἐν πολλοῖς τὸν βίον εὗρον ὅλον.
ὦ γένος ἀνθρώπων πολυδάκρυον, ἀσθενές, οἰκτρόν,
  συρόμενον κατὰ γῆς καὶ διαλυόμενον.

643. *Sentence of Death*

Πάντες τῷ θανάτῳ τηρούμεθα, καὶ τρεφόμεσθα
  ὡς ἀγέλη χοίρων σφαζομένων ἀλόγως.

644. *The Rest is Silence*

Πολλὰ λαλεῖς, ἄνθρωπε, χαμαὶ δὲ τίθῃ μετὰ μικρόν.
  σίγα, καὶ μελέτα ζῶν ἔτι τὸν θάνατον.

645. *Eremites*

Εἰ μοναχοί, τί τοσοίδε; τοσοίδε δέ, πῶς πάλι μοῦνοι;
  ὦ πληθὺς μοναχῶν ψευσαμένη μονάδα.

AESOPUS

(c. 400 A. D. ?)

646. *The Way of Life*

Πῶς τις ἄνευ θανάτου σε φύγοι, βίε; μυρία γάρ σευ
  λυγρά· καὶ οὔτε φυγεῖν εὐμαρές, οὔτε φέρειν.
ἡδέα μὲν γάρ σου τὰ φύσει καλά, γαῖα, θάλασσα,
  ἄστρα, σεληναίης κύκλα καὶ ἠελίου·
τἆλλα δὲ πάντα φόβοι τε καὶ ἄλγεα· κἤν τι πάθῃ τις
  ἐσθλόν, ἀμοιβαίην ἐκδέχεται Νέμεσιν.

GLYCON

(c. 400 A. D. ?)

647. *Futility*

Πάντα γέλως, καὶ πάντα κόνις, καὶ πάντα τὸ μηδέν·
πάντα γὰρ ἐξ ἀλόγων ἐστὶ τὰ γινόμενα.

DAMASCIUS

(fl. 529 A. D.)

648. *A Slave Girl*

Ζωσίμη, ἡ πρὶν ἐοῦσα μόνῳ τῷ σώματι δούλη,
καὶ τῷ σώματι νῦν εὗρεν ἐλευθερίην.

JULIANUS

(fl. 532 A. D.)

649. *An old Fishing Net*

Κεκμηὼς χρονίῃ πεπονηκότα δίκτυα θήρῃ
ἄνθετο ταῖς Νύμφαις ταῦτα γέρων Κινύρης·
οὐ γὰρ ἔτι τρομερῇ παλάμῃ περιηγέα κόλπον
εἶχεν ἀκοντίζειν οἰγομένοιο λίνου.
εἰ δ' ὀλίγου δώρου τελέθει δόσις, οὐ τόδε, Νύμφαι,
μέμψις, ἐπεὶ Κινύρου ταῦθ' ὅλος ἔσκε βίος.

LEONTIUS

(fl. 550 A. D.)

650. *Plato, a Musician*

'Ορφέος οἰχομένου, τάχα τις τότε λείπετο Μοῦσα·
σεῦ δέ, Πλάτων, φθιμένου, παύσατο καὶ κιθάρη·
ἦν γὰρ ἔτι προτέρων μελέων ὀλίγη τις ἀπορρὼξ
ἐν σαῖς σωζομένη καὶ φρεσὶ καὶ παλάμαις.

LEONTIUS

651. *Picture of a Physician*

Ὁ γλυκὺς ἐν πάντεσσιν Ἰάμβλιχος, ὃς ποτὶ γῆρας
ἤλυθεν ἁγνὸς ἐὼν Κυπριδίων ὀάρων·
ἔργα δ' ἀκεστορίης ἐφέπων, σοφίην τε διδάσκων,
κέρδεσιν οὐδ' ὁσίοις χεῖρας ὑπεστόρεσεν.

MACEDONIUS

(fl. 550 A.D.)

652. *The Sailor's Dedication*

Νῆα Ποσειδάωνι πολύπλανος ἄνθετο Κράντας,
ἔμπεδον ἐς νηοῦ πέζαν ἐρεισάμενος,
αὔρης οὐκ ἀλέγουσαν ἐπὶ χθονός· ἧς ἔπι Κράντας
εὐρὺς ἀνακλινθεὶς ἄτρομον ὕπνον ἔχει.

653. *Statue of a Dog*

Τὸν κύνα, τὸν πάσης κρατερῆς ἐπιΐδμονα θήρης,
ἔξεσε μὲν Λεύκων, ἄνθετο δ' Ἀλκιμένης.
Ἀλκιμένης δ' οὐχ εὗρε τί μέμψεται, ὡς δ' ἴδ' ὁμοίην
εἰκόνα παντοίῳ σχήματι φαινομένην,
κλοιὸν ἔχων πέλας ἦλθε, λέγων Λεύκωνι κελεύειν
τῷ κυνὶ καὶ βαίνειν· πεῖθε γὰρ ὡς ὑλάων.

RUFINUS

(fl. 550 (?) A.D.)

654. *Grey Hair*

Ὄμματα μὲν χρύσεια, καὶ ὑαλόεσσα παρειὴ
καὶ στόμα πορφυρέης τερπνότερον κάλυκος,
δειρὴ λυγδινέη, καὶ στήθεα μαρμαίροντα,
καὶ πόδες ἀργυρέης λευκότεροι Θέτιδος.

εἰ δέ τι καὶ πλοκαμῖσι διαστίλβουσιν ἄκανθαι,
τῆς λευκῆς καλάμης οὐδὲν ἐπιστρέφομαι.

655. *The Rosy Wreath*

Πέμπω σοί, Ῥοδόκλεια, τόδε στέφος, ἄνθεσι καλοῖς
αὐτὸς ὑφ' ἡμετέραις πλεξάμενος παλάμαις.
ἔστι κρίνον, ῥοδέη τε κάλυξ, νοτερή τ' ἀνεμώνη,
καὶ νάρκισσος ὑγρός, καὶ κυαναυγὲς ἴον.
ταῦτα στεψαμένη, λῆξον μεγάλαυχος ἐοῦσα·
ἀνθεῖς καὶ λήγεις καὶ σὺ καὶ ὁ στέφανος.

656. *Love the Archer*

Εἰ μὲν ἐπ' ἀμφοτέροισιν, Ἔρως, ἴσα τόξα τιταίνεις,
εἶ θεός· εἰ δὲ ῥέπεις πρὸς μέρος, οὐ θεὸς εἶ.

657. *Her only Flaw*

Πάντα σέθεν φιλέω. μοῦνον δὲ σὸν ἄκριτον ὄμμα
ἐχθαίρω, στυγεροῖς ἀνδράσι τερπόμενον.

JOHANNES BARBUCALLUS

(fl. 551 A.D.)

658. *A ruined Harbour*

Ναυτίλε, μὴ στήσῃς δρόμον ὁλκάδος εἵνεκ' ἐμεῖο·
λαίφεα μὴ λύσῃς· χέρσον ὁρᾷς λιμένα.
τύμβος ὅλη γενόμην· ἕτερον δ' ἐς ἀπενθέα χῶρον
δουπήσεις κώπῃ νηὸς ἐπερχομένης.
τοῦτο Ποσειδάωνι φίλον, ξενίοις τε θεοῖσιν·
χαίρεθ' ἁλιπλανέες, χαίρεθ' ὁδοιπλανέες.

PAULUS SILENTIARIUS

(fl. 563 A.D.)

659. *Love or Death*

Μέχρι τίνος φλογόεσσαν ὑποκλέπτοντες ὀπωπὴν
φώριον ἀλλήλων βλέμμα τιτυσκόμεθα;
λεκτέον ἀμφαδίην μελεδήματα· κἤν τις ἐρύξῃ
μαλθακὰ λυσιπόνου πλέγματα συζυγίης,
φάρμακον ἀμφοτέροις ξίφος ἔσσεται· ἥδιον ἡμῖν
ξυνὸν ἀεὶ μεθέπειν ἢ βίον ἢ θάνατον.

660. *The Vain Farewell*

"Σώζεό" σοι μέλλων ἐνέπειν, παλίνορσον ἰωὴν
ἂψ ἀνασειράζω, καὶ πάλιν ἄγχι μένω·
σὴν γὰρ ἐγὼ δασπλῆτα διάστασιν οἷά τε πικρὴν
νύκτα καταπτήσσω τὴν Ἀχεροντιάδα·
ἤματι γὰρ σέο φέγγος ὁμοίϊον· ἀλλὰ τὸ μέν που
ἄφθογγον· σὺ δέ μοι καὶ τὸ λάλημα φέρεις,
κεῖνο τὸ Σειρήνων γλυκερώτερον, ᾧ ἔπι πᾶσαι
εἰσὶν ἐμῆς ψυχῆς ἐλπίδες ἐκκρεμέες.

661. *The Tears of Fear*

Ἡδύ, φίλοι, μείδημα τὸ Λαΐδος. ἡδὺ κατ' αὖ τῶν
ἠπιοδινήτων δάκρυ χέει βλεφάρων.
χθιζά μοι ἀπροφάσιστον ἐπέστενεν, ἐγκλιδὸν ὤμῳ
ἡμετέρῳ κεφαλὴν δηρὸν ἐρεισαμένη·
μυρομένην δ' ἐφίλησα· τὰ δ' ὡς δροσερῆς ἀπὸ πηγῆς
δάκρυα μιγνυμένων πῖπτε κατὰ στομάτων.
εἶπε δ' ἀνειρομένῳ, "Τίνος εἵνεκα δάκρυα λείβεις;"
"Δείδια μή με λίπῃς· ἐστὲ γὰρ ὁρκαπάται".

662. *Vanities*

α. Οὔνομά μοι. β. Τί δὲ τοῦτο; α. Πατρὶς δέ μοι.
β. Ἐς τί δὲ τοῦτο;
α. Κλεινοῦ δ' εἰμὶ γένους. β. Εἰ γὰρ ἀφαυροτάτου;
α. Ζήσας δ' ἐνδόξως ἔλιπον βίον. β. Εἰ γὰρ ἀδόξως;
α. Κεῖμαι δ' ἐνθάδε νῦν. β. Τίς τίνι ταῦτα λέγεις;

AGATHIAS SCHOLASTICUS

(c. 536–c. 582 A.D.)

663. *The Best Memorial*

Στῆλαι καὶ γραφίδες καὶ κύρβιες, εὐφροσύνης μὲν
αἴτια τοῖς ταῦτα κτησαμένοις μεγάλης,
ἀλλ' ἐς ὅσον ζώουσι· τὰ γὰρ κενὰ κύδεα φωτῶν
ψυχαῖς οἰχομένων οὐ μάλα συμφέρεται·
ἡ δ' ἀρετὴ σοφίης τε χάρις καὶ κεῖθι συνέρπει,
κἀνθάδε μιμνάζει μνῆστιν ἐφελκομένη.
οὕτως οὔτε Πλάτων βρενθύεται οὔτ' ἄρ' Ὅμηρος
χρώμασιν ἢ στήλαις, ἀλλὰ μόνῃ σοφίῃ.
ὄλβιοι ὧν μνήμη πινυτῶν ἐνὶ τεύχεσι βίβλων,
ἀλλ' οὐκ ἐς κενεὰς εἰκόνας ἐνδιάει.

664. *The Swallows*

Πᾶσαν ἐγὼ τὴν νύκτα κινύρομαι· εὖτε δ' ἐπέλθῃ
ὄρθρος ἐλινῦσαι μικρὰ χαριζόμενος,
ἀμφιπεριτρύζουσι χελιδόνες, ἐς δέ με δάκρυ
βάλλουσιν, γλυκερὸν κῶμα παρωσάμεναι.
ὄμματα δ' οὐ λάοντα φυλάσσεται· ἡ δὲ Ῥοδάνθης
αὖθις ἐμοῖς στέρνοις φροντὶς ἀναστρέφεται.

ὦ φθονεραὶ παύσασθε λαλητρίδες· οὐ γὰρ ἔγωγε
τὴν Φιλομηλείην γλῶσσαν ἀπεθρισάμην·
ἀλλ' Ἴτυλον κλαίοιτε κατ' οὔρεα, καὶ γοάοιτε
εἰς ἔποπος κραναὴν αὖλιν ἐφεζόμεναι,
βαιὸν ἵνα κνώσσοιμεν· ἴσως δέ τις ἥξει ὄνειρος,
ὅς με Ῥοδανθείοις πήχεσιν ἀμφιβάλοι.

665. *Leave a Kiss within the Cup*

Εἰμὶ μὲν οὐ φιλόοινος· ὅταν δ' ἐθέλῃς με μεθύσσαι,
πρῶτα σὺ γευομένη πρόσφερε, καὶ δέχομαι.
εἰ γὰρ ἐπιψαύσεις τοῖς χείλεσιν, οὐκέτι νήφειν
εὐμαρές, οὐδὲ φυγεῖν τὸν γλυκὺν οἰνοχόον·
πορθμεύει γὰρ ἔμοιγε κύλιξ παρὰ σοῦ τὸ φίλημα,
καί μοι ἀπαγγέλλει τὴν χάριν ἣν ἔλαβεν.

666. *The Girls' Lot*

Ἠϊθέοις οὐκ ἔστι τόσος πόνος, ὁππόσος ἡμῖν
ταῖς ἁταλοψύχοις ἔχραε θηλυτέραις.
τοῖς μὲν γὰρ παρέασιν ὁμήλικες, οἷς τὰ μερίμνης
ἄλγεα μυθεῦνται φθέγματι θαρσαλέῳ,
παίγνιά τ' ἀμφιέπουσι παρήγορα, καὶ κατ' ἀγυιὰς
πλάζονται γραφίδων χρώμασι ῥεμβόμενοι·
ἡμῖν δ' οὐδὲ φάος λεύσσειν θέμις, ἀλλὰ μελάθροις
κρυπτόμεθα, ζοφεραῖς φροντίσι τηκόμεναι.

667. *Dicing*

Τοῖς μὲν πρηΰνόοις τάδε παίγνια, τοῖς δ' ἀκολάστοις
λύσσα καὶ ἀμπλακίη καὶ πόνος αὐτόματος.

ἀλλὰ σὺ μὴ λέξῃς τι θεημάχον ὕστατος ἕρπων,
  μηδ' ἀναροιβδήσῃς ῥινοβόλῳ πατάγῳ.
δεῖ γὰρ μήτε πονεῖν ἐν ἀθύρμασι, μήτε τι παίζειν
  ἐν σπουδῇ· καιρῷ δ' ἴσθι νέμειν τὸ πρέπον.

ANONYMOUS

668. *Land and Sea*

Εἰ τοὺς ἐν πελάγει σῴζεις, Κύπρι, κἀμὲ τὸν ἐν γᾷ
  ναυαγόν, φιλίη, σῶσον ἀπολλύμενον.

669. *Love in her Hair*

Εἴτε σε κυανέῃσιν ἀποστίλβουσαν ἐθείραις,
  εἴτε πάλιν ξανθαῖς εἶδον, ἄνασσα, κόμαις,
ἴση ἀπ' ἀμφοτέρων λάμπει χάρις. ἦ ῥά γε ταύταις
  θριξὶ συνοικήσει καὶ πολιῇσιν Ἔρως.

670. *Would I were the Wind*

Εἴθ' ἄνεμος γενόμην, σὺ δ' ἐπιστείχουσα παρ' αὐγὰς
  στήθεα γυμνώσαις, καί με πνέοντα λάβοις.

671. *Would I were a Rose*

Εἴθε ῥόδον γενόμην ὑποπόρφυρον, ὄφρα με χερσὶν
  ἀρσαμένη χαρίσῃ στήθεσι χιονέοις.

672. *Anacreon's Tomb*

Ὦ ξένε, τόνδε τάφον τὸν Ἀνακρείοντος ἀμείβων,
  σπεῖσόν μοι παριών· εἰμὶ γὰρ οἰνοπότης.

673. *A Child*

Ἀΐδη ἀλλιτάνευτε καὶ ἄτροπε, τίπτε τοι οὕτω
　Κάλλαισχρον ζωᾶς νήπιον ὠρφάνισας;
ἔσται μὰν ὅ γε παῖς ἐν δώμασι Φερσεφονείοις
　παίγνιον· ἀλλ' οἴκοι λυγρὰ λέλοιπε πάθη.

674. *A joyful Mother of Children*

Εἴκοσι Καλλικράτεια καὶ ἐννέα τέκνα τεκοῦσα,
　οὐδ' ἑνὸς οὐδὲ μιῆς ἐδρακόμην θάνατον·
ἀλλ' ἑκατὸν καὶ πέντε διηνυσάμην ἐνιαυτούς,
　σκίπωνι τρομερὰν οὐκ ἐπιθεῖσα χέρα.

675. *An unhappy Man*

Ἑξηκοντούτης Διονύσιος ἐνθάδε κεῖμαι,
　Ταρσεύς, μὴ γήμας· αἴθε δὲ μηδ' ὁ πατήρ.

676. *Waiting*

Κάτθανον, ἀλλὰ μένω σε· μενεῖς δέ τε καὶ σύ τιν' ἄλλον·
　πάντας ὁμῶς θνητοὺς εἷς Ἀΐδης δέχεται.

677. *A Gardener*

Γαῖα φίλη, τὸν πρέσβυν Ἀμύντιχον ἔνθεο κόλποις,
　πολλῶν μνησαμένη τῶν ἐπὶ σοί καμάτων.
καὶ γὰρ ἀειπέταλόν σοι ἐνεστήριξεν ἐλαίην
　πολλάκι, καὶ Βρομίου κλήμασιν ἠγλάϊσεν,
καὶ Δηοῦς ἔπλησε, καὶ ὕδατος αὔλακας ἕλκων
　θῆκε μὲν εὐλάχανον, θῆκε δ' ὀπωροφόρον.

ἀνθ' ὧν σὺ πρηεῖα κατὰ κροτάφου πολιοῖο
  κεῖσο, καὶ εἰαρινὰς ἀνθοκόμει βοτάνας.

678. *A Bee-Keeper*

Νηϊάδες καὶ ψυχρὰ βοαύλια ταῦτα μελίσσαις
  οἶμον ἐπ' εἰαρινὴν λέξατε νισσομέναις,
ὡς ὁ γέρων Λεύκιππος ἐπ' ἀρσιπόδεσσι λαγωοῖς
  ἔφθιτο χειμερίῃ νυκτὶ λοχησάμενος.
σμήνεα δ' οὐκέτι οἱ κομέειν φίλον· αἱ δὲ τὸν ἄκρης
  γείτονα ποιμένιαι πολλὰ ποθοῦσι νάπαι.

679. *Plato's Tomb*

α. Αἰετέ, τίπτε βέβηκας ὑπὲρ τάφον ; ἢ τίνος, εἰπέ,
  ἀστερόεντα θεῶν οἶκον ἀποσκοπέεις;
β. Ψυχῆς εἰμὶ Πλάτωνος ἀποπταμένης ἐς Ὄλυμπον
  εἰκών· σῶμα δὲ γῆ γηγενὲς Ἀτθὶς ἔχει.

680. *The Tomb of Sardanapalus*

Εὖ εἰδὼς ὅτι θνητὸς ἔφυς, τὸν θυμὸν ἄεξε,
τερπόμενος θαλίῃσι· θανόντι σοι οὔτις ὄνησις.
καὶ γὰρ ἐγὼ σποδός εἰμι, Νίνου μεγάλης βασιλεύσας.
τόσσ' ἔχω ὅσσ' ἔφαγον καὶ ἔπινον, καὶ μετ' ἐρώτων
τέρπν' ἐδάην· τὰ δὲ πολλὰ καὶ ὄλβια πάντα λέλειπται.

681. *A Stalker of Geese*

Εἶχε κορωνοβόλον πενίης λιμηρὸν Ἀρίστων
  ὄργανον, ᾧ πτηνὰς ἠκροβόλιζε χένας,
ἧκα παραστείχων δολίην ὁδόν, οἷος ἐκείνας
  ψεύσασθαι λοξοῖς ὄμμασι φερβομένας.

νῦν δ' ὁ μὲν ἐν Ἀΐδῃ· τὸ δέ οἱ βέλος ὀρφανὸν ἦχου
  καὶ χερός· ἡ δ' ἄγρη τύμβον ὑπερπέταται.

682. *Après moi le Déluge*

Ἐμοῦ θανόντος γαῖα μιχθήτω πυρί·
οὐδὲν μέλει μοι. τἀμὰ γὰρ καλῶς ἔχει.

683. *Lacedaemon*

Ἁ πάρος ἄδμητος καὶ ἀνέμβατος, ὦ Λακεδαῖμον,
  καπνὸν ἐπ' Εὐρώτᾳ δέρκεαι Ὠλένιον,
ἄσκιος· οἰωνοὶ δὲ κατὰ χθονὸς οἰκία θέντες
  μύρονται· μήλων δ' οὐκ ἀΐουσι λύκοι.

684. *Tenancy*

Ἀγρὸς Ἀχαιμενίδου γενόμην ποτέ, νῦν δὲ Μενίππου·
  καὶ πάλιν ἐξ ἑτέρου βήσομαι εἰς ἕτερον.
καὶ γὰρ ἐκεῖνος ἔχειν μέ ποτ' ᾤετο, καὶ πάλιν οὗτος
  οἴεται· εἰμὶ δ' ὅλως οὐδενός, ἀλλὰ Τύχης.

685. *To Pan*

Κρημνοβάταν, δίκερων, Νυμφῶν ἡγήτορα Πᾶνα
  ἁζόμεθ', ὃς πετρίνου τοῦδε κέκηδε δόμου,
ἵλαον ἔμμεναι ἄμμιν, ὅσοι λίβα τήνδε μολόντες
  ἀενάου πόματος, δίψαν ἀπωσάμεθα.

686. *The Cicada*

Τίπτε με τὸν φιλέρημον ἀναιδέϊ ποιμένες ἄγρῃ
  τέττιγα δροσερῶν ἕλκετ' ἀπ' ἀκρεμόνων,

τὴν Νυμφῶν παροδῖτιν ἀηδόνα, κἤματι μέσσῳ
οὔρεσι καὶ σκιεραῖς ξουθὰ λαλεῦντα νάπαις;
ἠνίδε καὶ κίχλην καὶ κόσσυφον, ἠνίδε τόσσους
ψᾶρας, ἀρουραίης ἅρπαγας εὐπορίης·
καρπῶν δηλητῆρας ἑλεῖν θέμις· ὄλλυτ' ἐκείνους·
φύλλων καὶ χλοερῆς τίς φθόνος ἐστὶ δρόσου;

687. *Rome*

Ῥώμη παμβασίλεια, τὸ σὸν κλέος οὔποτ' ὀλεῖται·
Νίκη γάρ σε φυγεῖν ἄπτερος οὐ δύναται.

688. *The Way to Hades*

Εἰς Ἀΐδην ἰθεῖα κατήλυσις, εἴτ' ἀπ' Ἀθηνῶν
στείχοις, εἴτε νέκυς νίσεαι ἐκ Μερόης.
μή σέ γ' ἀνιάτω πάτρης ἀποτῆλε θανόντα·
πάντοθεν εἷς ὁ φέρων εἰς Ἀΐδην ἄνεμος.

689. *There's many a Slip*

Πολλὰ μεταξὺ πέλει κύλικος καὶ χείλεος ἄκρου.

690. Ζῆθι

Ἓξ ὧραι μόχθοις ἱκανώταται· αἱ δὲ μετ' αὐτὰς
γράμμασι δεικνύμεναι ΖΗΘΙ λέγουσι βροτοῖς.

691. Σῶμα Σῆμα

Σῶμα, πάθος ψυχῆς, ᾅδης, μοῖρ', ἄχθος, ἀνάγκη,
καὶ δεσμὸς κρατερός, καὶ κόλασις βασάνων.
ἀλλ' ὅταν ἐξέλθῃ τοῦ σώματος, ὡς ἀπὸ δεσμῶν
τοῦ θανάτου, φεύγει πρὸς θεὸν ἀθάνατον.

692. *Few there be . . .*

Πολλοί τοι ναρθηκοφόροι, παῦροι δέ τε βάκχοι.

693. *The Way to Poverty*

Σώματα πολλὰ τρέφειν, καὶ δώματα πόλλ' ἀνεγείρειν
ἀτραπὸς εἰς πενίην ἐστὶν ἑτοιμοτάτη.

694. *When the Rose is dead*

Τὸ ῥόδον ἀκμάζει βαιὸν χρόνον· ἢν δὲ παρέλθῃ,
ζητῶν εὑρήσεις οὐ ῥόδον, ἀλλὰ βάτον.

695. *Quid sit futurum*

Πῖνε καὶ εὐφραίνου· τί γὰρ αὔριον, ἢ τί τὸ μέλλον,
οὐδεὶς γινώσκει. μὴ τρέχε, μὴ κοπία,
ὡς δύνασαι, χάρισαι, μετάδος, φάγε, θνητὰ λογίζου·
τὸ ζῆν τοῦ μὴ ζῆν οὐδὲν ὅλως ἀπέχει.
πᾶς ὁ βίος τοιόσδε, ῥοπὴ μόνον· ἂν προλάβῃς, σοῦ,
ἂν δὲ θάνῃς, ἑτέρου πάντα, σὺ δ' οὐδὲν ἔχεις.

696. *Expectation of Death*

Τοὺς καταλείψαντας γλυκερὸν φάος οὐκέτι θρηνῶ,
τοὺς δ' ἐπὶ προσδοκίῃ ζῶντας ἀεὶ θανάτου.

697. *In Praise of Hunting*

Θήρη μὲν πολέμου μελέτη· θήρη δὲ διδάσκει
κρυπτὸν ἑλεῖν, ἐπιόντα μένειν, φεύγοντα διώκειν.

698. *On a Stone at Salonica*

Νικόπολιν Μαράθωνις ἐθήκατο τῇδ' ἐνὶ πέτρῃ,
  ὀμβρήσας δακρύοις λάρνακα μαρμαρέην.
ἀλλ' οὐδὲν πλέον ἔσχε· τί γὰρ πλέον ἀνέρι κήδευς
  μούνῳ ὑπὲρ γαίης, οἰχομένης ἀλόχου;

699. *On a Stone at Corinth*

Τοῦτό τοι ἡμετέρης μνημήϊον, ἐσθλὲ Σαβῖνε,
  ἡ λίθος ἡ μικρή, τῆς μεγάλης φιλίης.
αἰεὶ ζητήσω σε· σὺ δ', εἰ θέμις, ἐν φθιμένοισι
  τοῦ Λήθης ἐπ' ἐμοὶ μή τι πίῃς ὕδατος.

700. *A Statue of Pan*

Ἔρχευ, καὶ κατ' ἐμὰν ἵζευ πίτυν, ἃ τὸ μελιχρὸν
  πρὸς μαλακοὺς ἠχεῖ κεκλιμένα Ζεφύρους.
ἠνίδε καὶ κρούνισμα μελισταγές, ἔνθα μελίσδων
  ἡδὺν ἐρημαίοις ὕπνον ἄγω καλάμοις.

701. *A Painting of Dido*

Ἀρχέτυπον Διδοῦς ἐρικυδέος, ὦ ξένε, λεύσσεις,
  εἰκόνα θεσπεσίῳ κάλλεϊ λαμπομένην.
τοίη καὶ γενόμην, ἀλλ' οὐ νόον, οἷον ἀκούεις,
  ἔσχον, ἐπ' εὐφήμοις δόξαν ἐνεγκαμένη.
οὐδὲ γὰρ Αἰνείαν ποτ' ἐσέδρακον, οὐδὲ χρόνοισι
  Τροίης περθομένης ἤλυθον ἐς Λιβύην·
ἀλλὰ βίας φεύγουσα Ἰαρβαίων ὑμεναίων
  πῆξα κατὰ κραδίης φάσγανον ἀμφίτομον.

Πιερίδες, τί μοι ἁγνὸν ἐφωπλίσσασθε Μάρωνα
οἷα καθ' ἡμετέρης ψεύσατο σωφροσύνης;

702. *The Aphrodite of Praxiteles*

Ἁ Κύπρις τὰν Κύπριν ἐνὶ Κνίδῳ εἶπεν ἰδοῦσα·
"Φεῦ, φεῦ· ποῦ γυμνὴν εἶδέ με Πραξιτέλης;"

703. *Hermes of the Lonely Hill*

Ὀχθηρὸν τὸν χῶρον ἔχω καὶ ἔρημον, ὁδῖτα·
οὐκ ἐγώ, ὁ στάσας δ' αἴτιος Ἀρχέλοχος.
οὐ γὰρ ὀρειοχαρὴς ὡρμᾶς, οὐδ' ἀκρολοφίτας,
τὸ πλεῦν δ' ἀτραπιτοῖς, ὦνερ, ἀρεσκόμενος.
Ἀρχέλοχος δ', ὡς αὐτὸς ἐρημοφίλας καὶ ἀγείτων,
ὦ παριών, τοῖον κἀμὲ παρῳκίσατο.

704. *A Charioteer*

Ἔγρεο, Κωνσταντῖνε· τί χάλκεον ὕπνον ἰαύεις;
σεῖο δίφρους ποθέει δῆμος ἐνὶ σταδίοις,
σῆς τε διδασκαλίης ἐπιδευέες ἡνιοχῆες
εἵαται ὀρφανικοῖς παισὶν ὁμοιότατοι.

705. *A Pythian Oracle*

Ἁγνὸς πρὸς τέμενος καθαροῦ, ξένε, δαίμονος ἔρχου
ψυχήν, νυμφαίου νάματος ἁψάμενος·
ὡς ἀγαθοῖς ἀρκεῖ βαιὴ λιβάς· ἄνδρα δὲ φαῦλον
οὐδ' ἂν ὁ πᾶς νίψαι νάμασιν Ὠκεανός.

COMETAS

(fl. 950 A.D.?)

706. *Country Gods*

α. Εἰπὲ νομεῦ, τίνος εἰσὶ φυτῶν στίχες; β. Αἱ μὲν ἐλαῖαι,
Παλλάδος· αἱ δὲ πέριξ ἡμερίδες, Βρομίου.
α. Καὶ τίνος οἱ στάχυες; β. Δημήτερος. α. Ἄνθεα ποίων
εἰσὶ θεῶν; β. Ἥρης καὶ ῥοδέης Παφίης.
α. Πὰν φίλε, πηκτίδα μίμνε τεοῖς ἐπὶ χείλεσι σύρων·
Ἠχὼ γὰρ δήεις τοῖσδ' ἐνὶ θειλοπέδοις.

REFERENCES

69. Hesiod, ed. H. G. Evelyn-White, p. 74, No. 3.
73. ib. p. 200.
74. ib. p. 210, No. 84.
75. ib. p. 278, No. 17.
76. ib. p. 278, No. 19.
92. Certamen Homeri et Hesiodi, ll. 265–70; Homeri Opera, ed. T. W. Allen, Tom. V, p. 235.
93. i. Homeri Opera, ed. T. W. Allen, Tom. V, p. 157, No. 3.
ii. ib. V, p. 156, No. 2.
94. ib. V, p. 111, No. 4.
95. ib. V, p. 111, No. 5.
96. ib. V, p. 119, No. 4.
97. Anthologia Lyrica Graeca, ed. E. Diehl, Vol. I, pp. 9–11, Nos. 6–7.
98. ib. II, p. 197, No. 18.
99. ib. II, p. 3, No. 1.
100. Poetae Lyrici Graeci, ed. T. Bergk, Vol. III, p. 10, No. 3.
101. Anthologia Lyrica Graeca, ed. E. Diehl, Vol. II, p. 4, No. 4.
102. ib. I, p. 3, No. 1.
103. ib. I, p. 211, No. 2.
104. ib. I, p. 213, No. 6.
105. ib. I, p. 216, No. 18.
106. ib. I, p. 217, No. 22.
107. ib. I, p. 218, No. 25.
108. ib. I, p. 227, No. 56.
109. ib. I, p. 228, No. 60.
110. ib. I, p. 230, No. 67a.
111. ib. I, p. 232, No. 74.
112. ib. I, p. 239, No. 94.
113. ib. I, p. 241, No. 103.
114. ib. II, p. 7, No. 1.
115. ib. II, p. 34, No. 94.
116. ib. II, p. 22, No. 37.
117. ib. II, p. 27, No. 58.
118. ib. I, p. 39, No. 1.
119. ib. I, p. 40, No. 2.
120. ib. I, p. 42, No. 10.
121. Anthologia Lyrica Graeca, ed. E. Diehl, Vol. I, p. 247, No. 2.
122. ib. I, p. 248, No. 7, ll. 1–42, 83–93.
123. ib. II, p. 5, No. 1.
124. i. ib. II, p. 197, No. 16.
ii. ib. II, p. 194, No. 3.
125. i. ib. II, p. 200, No. 29.
ii. ib. II, p. 200, No. 30.
126. i. ib. II, p. 203, No. 36.
ii. ib. II, p. 203, No. 34.
iii. ib. II, p. 203, No. 35.
127. ib. II, p. 205, No. 43.
128. ib. II, p. 197, No. 17.
129. Bergk, Poetae Lyrici Graeci, ed. T. Bergk, Vol. III, p. 654, No. 2.
130. Anthologia Lyrica Graeca, ed. E. Diehl, Vol. II, p. 201, No. 32.
131. *Ἀλκαίου Μέλη*, ed. E. Lobel, p. 47, No. 86.
132. ib. p. 55, No. 119.

133. 'Αλκαίου Μέλη, ed. E. Lobel, p. 47, No. 87; and p. 4, No. 6.
134. ib. p. 54, No. 112.
135. *i.* ib. p. 49, Nos. 99 and 96.
ii. ib. p. 57, No. 124.
iii. ib. p. 51, No. 107.
135. *iv.* ib. p. 52, No. 108.
v. ib. p. 20, No. 34.
136. ib. p. 61, No. 147.
137. ib. p. 13, No. 22. (The final word in each line is conjectural.)
138. ib. p. 16, No. 26. (The final words in each line are largely conjectural.)
139. ib. p. 11, No. 17. (Conjectures in first and last verses.)
140. Σαπφοῦς Μέλη, ed. E. Lobel, α. 1 App., p. 14.
141. ib. α. 2 App., p. 16.
142. ib. α. 5 App., p. 71.
143. ib. γ. 3 App., p. 24.
144. ib. δ. 21 b, p. 39.
145. ib. ε. 5, p. 45.
146. ib. η. 1 a, p. 46.
147. ib. ε. 3, p. 42.
148. *i.* ib. η. 2 App. a, p. 47.
ii. ib. η. 2 App. c, p. 47.
149. ib. ζ. 1 App., p. 46.
150. *i.* ib. η. 11 App., p. 50.
ii. ib. η. 12 App., p. 50.
151. ib. Inc. Lib. 6, p. 52.
152. ib. Inc. Lib. 15, p. 53.
153. ib. Inc. Lib. 17, p. 54.
154. ib. β. 5 App., p. 23.
155. ib. Inc. Lib. 21, p. 54.
156. ib. Inc. Auct. 6, p. 72.
157. ib. β. 2, p. 20.
158. Anthologia Lyrica Graeca, ed. E. Diehl, Vol. I, p. 22, No. 3, ll. 1-4.
159. ib. I, No. 5, ll. 1–6.
160. ib. I, p. 19, No. 1, ll. 43–60.
161. ib. II, p. 41, No. 6.
162. ib. II, p. 43, No. 11.
163. Herodotus, VI. 86. 3.
164. Anthologia Lyrica Graeca, ed. E. Diehl, Vol. II, p. 53, No. 6.
165. ib. II, p. 54, No. 7.
166. ib. II, p. 49, No. 3.
167. Herodotus, I. 62, 4.
168. Anthologia Lyrica Graeca, ed. E. Diehl, Vol. I, p. 48, No. 1.
169. ib. I, p. 49, No. 4.
170. ib. I, p. 52, No. 4.
171. ib. I, p. 446, No. 1.
172. ib. I, p. 447, No. 2.
173. ib. I, p. 448, No. 4.
174. ib. I, p. 448, No. 5.
175. *i.* ib. I, p. 450, No. 8.
ii. ib. I, p. 459, No. 44.
176. ib. I, p. 455, No. 27; and p. 458, No. 43.
177. ib. I, p. 470, No. 88.

REFERENCES

178. Bergk, Poetae Lyrici Graeci, Vol. III, p. 311, No. 25.
179. ib. p. 315, No. 31.
180. ib. p. 316, No. 32.
181. Anthologia Lyrica Graeca, ed. E. Diehl, Vol. I, p. 275, No. 29.
182. ib. I, p. 302, No. 1.
183. ib. I, p. 285, No. 81.
184. ib. I, p. 57, No. 6.
200. ib. I, p. 263, No. 13.
201. ib. I, p. 263, No. 16.
202. Anthologia Lyrica Graeca, ed. E. Diehl, Vol. I, p. 265, No. 23.
203. ib. II, p. 66, No. 5.
204. ib. II, p. 62, No. 4.
205. ib. II, p. 67, No. 6.
206. ib. II, p. 69, No. 13.
207. ib. II, p. 75, No. 27.
208. ib. II, p. 79, No. 40.
209. ib. II, p. 81, No. 48.
210. ib. II, p. 78, No. 37.
211. ib. II, p. 92, No. 87.
212. ib. II, p. 94, No. 92.
213. ib. II, p. 90, No. 83.
214. *i.* ib. II, p. 107, No. 121.
ii. ib. II, p. 106, No. 118.
215. *i.* ib. II, p. 108, No. 122.
ii. ib. II, p. 108, No. 123.
216. ib. II, p. 91, No. 85.
217. *i.* ib. II, p. 96, No. 97b.
ii. ib. II, p. 89, No. 80.
iii. ib. II, p. 111, No. 135.
218. ib. II, p. 110, No. 128.
219. ib. II, p. 111, No. 130.
220. ib. II, p. 112, No. 138.
221. ib. II, p. 113, No. 142.
222. ib. II, p. 97, No. 99.
223. ib. II, p. 114, No. 145.
224. ib. II, p. 115, No. 151.
225. ib. II, p. 115, No. 149.
226. ib. II, p. 182, No. 1.
227. ib. II, p. 182, No. 4.
228. ib. II, p. 183, No. 6.
229. ib. II, p. 183, No. 7.
230. ib. II, p. 184, Nos. 10-13.
231. ib. II, p. 188, No. 24.
232. ib. II, p. 184, No. 9.
233. ib. II, p. 186, Nos. 17–18.
234. ib. II, p. 187, No. 19.
235. ib. II, p. 187, No. 20.
236. ib. II, p. 187, No. 21.
237. ib. II, p. 128.
257. Tragicorum Graecorum Fragmenta, ed. A. Nauck, p. 16, No. 44.
258. ib. p. 20, No. 57.
259. ib. p. 24, No. 73.
260. ib. p. 45, No. 139.
261. ib. p. 53, No. 161.
262. ib. p. 54, No. 162.
263. ib. p. 64, No. 192.
264. ib. p. 82, No. 255.
265. ib. p. 85, No. 266.
266. ib. p. 97, No. 312.
267. ib. p. 105, No. 350.
268. Anthologia Lyrica Graeca, ed. E. Diehl, Vol. I, p. 66, No. 2.
269. ib. I, p. 66, No. 3.

REFERENCES

270. Poetarum Philosophorum Fragmenta, ed. H. Diels, p. 58, No. 1.

271. Anthologia Lyrica Graeca, ed. E. Diehl, Vol. I, p. 484, No. 15.

272. ib. I, p. 47, No. 4, ll. 18–33.

273. ib. I, p. 479, No. 5, ll. 49–86.

291. Pindari Carmina, O. Schroeder, *ed. maior*, p. 412, fr. 75.

292. ib. p. 430, No. 108.

293. ib. p. 437, No. 123.

294. ib. p. 439, No. 124.

295. ib. p. 443, Nos. 129–30.

296. ib. p. 458, No. 169.

297. ib. p. 535.

298. Comicorum Atticorum Fragmenta, ed. T. Kock, Vol. I, p. 35, No. 71.

299. ib. I, p. 74, No. 199.

300. Herodotus, VII. 140, 2–3.

301. ib. VII. 141, 3–4.

302. ib. VII. 148, 3.

303. Anthologia Lyrica Graeca, ed. E. Diehl, Vol. II, p. 123, No. 1.

304. ib. II, p. 122, No. 5.

305. ib. II, p. 120, No. 1.

310. Bacchylides, ed. R. C. Jebb, fr. 3.

311. ib. fr. 16, and Oxyrhynchus Papyrus, 1361.

334. Tragicorum Graecorum Fragmenta, ed. A. Nauck, p. 136, No. 22.

335. Tragicorum Graecorum Fragmenta, ed. A. Nauck, p. 144, No. 62.

336. ib. p. 249, No. 492.

337. ib. p. 257, No. 524.

338. ib. p. 270, No. 579.

339. ib. p. 308, No. 754.

340. ib. p. 315, No. 787.

341. ib. p. 165, No. 153.

342. ib. p. 329, No. 855.

343. ib. p. 333, No. 870.

344. Oxyrhynchus Papyrus, 1174.

345. Poetarum Philosophorum Fragmenta, ed. H. Diels, p. 106, No. 2.

346. ib. p. 117, No. 23.

347. ib. p. 149, No. 112.

348. ib. p. 152, No. 115.

349. ib. p. 154, No. 117.

389. Tragicorum Graecorum Fragmenta, ed. A. Nauck, p. 370, No. 2.

390. ib. pp. 393, sqq., Nos. 114, 127, 128, 129, 131, 132, 136.

391. ib. p. 445, No. 286.

392. ib. p. 453, No. 316.

393. ib. p. 455, No. 322.

394. ib. p. 474, No. 369.

395. ib. p. 477, No. 382.

396. ib. p. 479, No. 388.

397. ib. p. 505, No. 472.

398. ib. p. 530, No. 532.

399. i. Tragicorum Graecorum Fragmenta, ed. A. Nauck, p. 560, No. 638.
ii. ib. p. 631, No. 833.
400. ib. p. 596, No. 757.
401. ib. p. 633, No. 839.
402. ib. p. 695, No. 1059.
403. ib. p. 602, No. 773.
404. ib. p. 127, No. 464.
405. ib. p. 360, No. 1027.
406. ib. p. 909, No. 372.
407. ib. p. 910, No. 374.
408. Anthologia Lyrica Graeca, ed. E. Diehl, Vol. I, p. 77.
409. ib. II, p. 129, No. 2.
410. ib. II, p. 130, No. 3.
411. Anthologia Lyrica Graeca, ed. E. Diehl, Vol. II, p. 162, No. 16.
438. ib. II, p. 150, No. 7.
440. Comicorum Atticorum Fragmenta, ed. T. Kock, Vol. I, p. 281, No. 94.
441. ib. I, p. 379, No. 31.
442. Anthologia Lyrica Graeca, ed. E. Diehl, Vol. I, p. 91, No. 15.
443. i. ib. I, p. 90, No. 10.
ii. ib. I, p. 89, No. 9.
444. ib. I, p. 94, No. 30.
445. i. ib. I, p. 88, No. 4.
ii. ib. I, p. 88, No. 5.
446. ib. I, p. 93, No. 28.
447. ib. I, p. 88, No. 6.
448. ib. I, p. 94, No. 31.
449. ib. I, p. 93, No. 26.
450. ib. I, p. 93, No. 27.
451. Comicorum Atticorum Fragmenta, ed. T. Kock, Vol. II, p. 32, No. 53.
452. ib. II, p. 70, No. 144.
453. ib. II, p. 178, No. 41.
454. Tragicorum Graecorum Fragmenta, ed. A. Nauck, p. 813, No. 6.
455. ib. p. 786, No. 14.
456. i. Anthologia Lyrica Graeca, ed. E. Diehl, Vol. I, p. 486, No. 3.
ii. ib. I, p. 486, No. 1.
iii. ib. I, p. 486, No. 2.
457. ib. I, p. 487, No. 6.
458. Collectanea Alexandrina, ed. J. U. Powell, p. 186, No. 9.
459. Anthologia Lyrica Graeca, ed. E. Diehl, Vol. I, p. 101, No. 5.
460. Comicorum Atticorum Fragmenta, ed. T. Kock, Vol. II, p. 309, No. 30.
461. ib. II, p. 274, No. 33.
462. ib. II, p. 274, No. 34.
463. ib. II, p. 486, No. 31.
464. ib. II, p. 519, No. 130.
465. ib. II, p. 237, No. 3.
466. ib. III, p. 7, No. 13.

REFERENCES

467. Comicorum Atticorum Fragmenta, ed. T. Kock, Vol. III, p. 36, No. 125.

468. ib. III, p. 48, No. 165.

469. ib. III, p. 62, No. 218.

470. ib. III, p. 138, No. 481.

471. ib. III, p. 155, No. 531.

472. ib. III, p. 161, No. 538.

473. ib. III, p. 162, No. 540.

474. ib. III, p. 188, No. 632.

475. i. ib. III, p. 191, No. 647.

ii. ib. III, p. 192, No. 651.

476. ib. III, p. 193, No. 661.

477. ib. III, p. 239, No. 923.

480. Collectanea Alexandrina, ed. J. U. Powell, p. 93, No. 11.

481. ib. p. 93, No. 12.

482. Macrobius, Sat. I. xx, 17.

483. Collectanea Alexandrina, ed. J. U. Powell, p. 227, No. 1.

484. ib. p. 229, No. 2.

485. ib. p. 106, No. 1.

486. Comicorum Atticorum Fragmenta, Vol. II, p. 475, No. 6.

487. Anth. Pal. VI. 312.

488. ib. VII. 538.

489. ib. IX. 144.

490. ib. IX. 313.

491. Anth. Pal. VII. 22.

492. ib. VII. 203.

493. ib. VI. 228.

494. App. Plan. 14.

495. Anthologia Lyrica Graeca, ed. E. Diehl, Vol. II, p. 158, No. 4.

496. Collectanea Alexandrina, ed. J. U. Powell, p. 160.

522. Oxyrhynchus Papyrus, 2079, ll. 17–32.

523. Collectanea Alexandrina, ed. J. U. Powell, p. 173.

524. Anth. Pal. V. 64.

525. ib. V. 85.

526. ib. VII. 11.

527. ib. VII. 284.

528. Anth. Pal. VII. 217.

529. ib. XII. 46.

530. App. Plan. 27.

531. Anth. Pal. XIII. 29.

544. Collectanea Alexandrina, ed. J. U. Powell, p. 126, No. 7.

545. Anth. Pal. VII. 466.

546. ib. VII. 472, ll. 1–4.

547. Anth. Pal. VII. 657.

548. ib. VII. 478.

549. Collectanea Alexandrina, ed. J. U. Powell, p. 21, No. 1.

550. App. Plan. 188.

551. Collectanea Alexandrina, ed. J. U. Powell, p. 206, No. 5, ll. 1–17.

552. Anth. Pal. VII. 282.

553. ib. VII. 171.

554. ib. VII. 212.

555. ib. IX. 333.

557. Anth. Pal. VII. 247

558. App. Plan. 26b.

559. Anth. Pal. VII. 173.

560. ib. VII. 735.

561. Collectanea Alexandrina, ed. J. U. Powell, p. 185, No. 7.

562. ib. p. 195, No. 32.

563. Anth. Pal. VII. 167.
564. ib. VII. 178.
565. ib. IX. 57.
566. ib. VII. 8.
567. Anth. Pal. VII. 713.
568. ib. VII. 232.
569. ib. IX. 151.
571. Bucolici Graeci, ed. U. von Wilamowitz-Moellendorf, p. 138, No. 1
572. ib. p. 138, No. 2.
575. Anth. Pal. VII. 189.
576. ib. IX. 327.
577. ib. VII. 211.
578. ib. IV. 1, ll. 1–14.
579. ib. V. 136.
580. ib. V. 144.
581. ib. V. 147.
582. ib. V. 152.
583. ib. V. 177.
584. ib. V. 178.
585. ib. VII. 182.
586. ib. VII. 417.
587. ib. VII. 196.
588. ib. VII. 476.
589. ib. V. 123.
590. ib. VII. 639.
591. ib. VII. 705.
592. ib. IX. 418.
593. ib. IX. 28.
594. ib. VI. 238.
595. ib. IX. 75.
596. Anth. Pal. IX. 122.
597. ib. IX. 44.
598. ib. XI. 364.
599. ib. VII. 532.
600. ib. IX. 71.
601. ib. IX. 242.
602. ib. IX. 277.
603. ib. IX. 546.
604. ib. IX. 7.
605. ib. IX. 8.
606. ib. XI. 133.
607. ib. V. 113.
608. ib. IX. 87.
609. ib. IX. 161.
610. ib. IX. 270.
611. ib. XI. 13.
612. ib. IX. 387.
613. ib. VI. 39.
614. ib. VII. 278.
615. ib. VII. 191.
616. ib. IX. 27.
617. Collectanea Alexandrina, ed. J. U. Powell, p. 199, No. 37, ll. 5–19.
618. Anth. Pal. VII. 308.
619. ib. X. 26.
620. ib. X. 31.
621. ib. IX. 577.
622. ib. VII. 285.
623. ib IX. 341.
626. ib. IX. 368.
627. Cedrenus, p. 304 a.
633. Anth. Pal. IX. 172.
634. ib. IX. 488.
635. Anth. Pal. X. 34.
636. ib. X. 45.
637. ib. X. 58.
638. ib. X. 65.
639. ib. X. 72.
640. ib. X. 73.
641. ib. X. 79.
642. ib. X. 84.
643. ib. X. 85.
644. ib. XI. 300.

REFERENCES

645. Anth. Pal. XI. 384.
646. ib. X. 123.
647. ib. X. 124.
648. ib. VII. 553.
649. ib. VI. 25.
650. ib. VII. 571.
651. App. Plan. 272.
652. Anth. Pal. VI. 69.
653. ib. VI. 175.
654. ib. V. 48.
655. ib. V. 74.
656. ib. V. 97.
657. ib. V. 284.
658. ib. IX. 427.
659. ib. V. 221.
660. ib. V. 241.
661. ib. V. 250.
662. ib. VII. 307.
663. ib. IV. 4.
664. ib. V. 237.
665. ib. V. 261.
666. ib. V. 297.
667. ib. IX. 769.
668. ib. V. 11.
669. ib. V. 26.
670. ib. V. 83.
671. ib. V. 84.
672. ib. VII. 28.
673. ib. VII. 483.
674. ib. VII. 224.
675. ib. VII. 309.
676. Anth. Pal. VII. 342.
677. ib. VII. 321.
678. ib. VII. 717.
679. ib. VII. 62.
680. ib. VII. 325.
681. ib. VII. 546.
682. ib. VII. 704.
683. ib. VII. 723.
684. ib. IX. 74.
685. ib. IX. 142.
686. ib. IX. 373.
687. ib. IX. 647.
688. ib. X. 3.
689. ib. X. 32.
690. ib. X. 43.
691. ib. X. 88.
692. ib. X. 106.
693. ib. X. 119.
694. ib. XI. 53.
695. ib. XI. 56.
696. ib. XI. 282.
697. ib. XIV. 17.
698. ib. VII. 340.
699. ib. VII. 346.
700. App. Plan. 12.
701. ib. 151.
702. ib. 162.
703. ib. 256.
704. ib. 375.
705. Anth. Pal. XIV. 71.
706. ib. IX. 586.

INDEX

[*The figures refer to the numbers of the pieces.*]

INDEX

INDEX

PRINTED IN GREAT BRITAIN
AT THE UNIVERSITY PRESS, OXFORD
BY VIVIAN RIDLER
PRINTER TO THE UNIVERSITY